*William Somerset Maugham*
*Der Menschen Hörigkeit*

# W. Somerset Maugham
# Der Menschen Hörigkeit

*Roman*
*Aus dem Englischen von*
*Mimi Zoff und Susanne Feigl*

*Diogenes*

Die Erstausgabe des Originals erschien 1915
unter dem Titel ›Of Human Bondage‹
bei William Heinemann Ltd., London

*1.–10. Tausend*
*der vollständigen deutschen Ausgabe*

# Vorwort

Dies ist ein umfangreicher Roman, und ich bin beschämt, ihn durch ein Vorwort noch zu verlängern. Ein Schriftsteller ist wahrscheinlich die letzte Person, die fähig ist, über das eigene Werk zu schreiben. In diesem Zusammenhang wurde von Roger Martin du Gard, einem ausgezeichneten französischen Romancier, eine lehrreiche Geschichte über Marcel Proust erzählt. Proust wollte, daß eine bestimmte französische Zeitschrift einen bedeutsamen Artikel über seinen großen Roman veröffentliche, und da er meinte, niemand könnte diesen besser schreiben als er, setzte er sich hin und schrieb ihn selbst. Dann bat er einen jungen Freund von ihm, einen Journalisten, seinen Namen darunterzusetzen und den Artikel dem Herausgeber zu bringen. Der junge Mann war einverstanden. Aber ein paar Tage später ließ ihn der Herausgeber rufen. »Ich kann Ihren Artikel nicht nehmen«, sagte er zu ihm. »Marcel Proust würde mir niemals verzeihen, wenn ich eine so oberflächliche und teilnahmslose Besprechung seines Werkes druckte.« Obwohl Autoren empfindlich sind, was ihre Schöpfungen betrifft, und dazu neigen, ungünstige Rezensionen übel aufzunehmen, sind sie selten mit sich selbst zufrieden. Sie wissen, wie weit das Werk, für das sie viel Zeit und Mühe aufgewendet haben, von der Idee abweicht. Und wenn sie es betrachten, dann ärgern sie sich weit mehr über das Mißlingen, diese in ihrer Vollkommenheit wiederzugeben, als sie sich über die paar gelungenen Stellen hier und dort freuen. Ihr Ziel ist Perfektion, und sie sind unglücklich darüber, sie nicht erreicht zu haben.

Deshalb werde ich nichts über mein Buch selbst sagen, sondern werde mich darauf beschränken, dem Leser dieser Zeilen zu erzählen, wie ein Roman, der nun ein ziemlich langes Leben gehabt hat, wie das bei Romanen so ist, geschrieben wird; und wenn es ihn nicht interessiert, bitte ich ihn, mir zu vergeben. Zum erstenmal habe ich daran geschrieben, als ich im Alter von 23 Jahren nach Beendigung meines Medizinstudiums nach Sevilla ging, entschlossen, meinen Lebensunterhalt als Schriftsteller zu verdienen. Das Manuskript des Buches, das ich damals geschrieben habe, existiert noch, aber ich habe es nicht mehr gelesen, seit ich es korrigiert habe, und ich zweifle nicht daran, daß es sehr unreif ist. Ich sandte es an Fisher Unwin, der mein erstes Buch veröffentlicht hatte (noch als Medizinstudent hatte ich einen Roman mit dem Titel *Liza of Lambeth* geschrieben, der so etwas wie einen Erfolg hatte). Aber er lehnte es ab, mir die hundert Pfund zu geben, die ich dafür haben wollte, und die anderen Verleger, denen ich es danach vorlegte, wollten es überhaupt nicht haben. Dies entmutigte mich damals, aber jetzt weiß ich, daß es ein Glück für mich war; denn hätte einer von ihnen mein Buch genommen (es hieß *The Artistic Temperament of Stephen Carey*), so hätte ich einen Stoff verloren, den richtig zu behandeln ich zu jung war. Ich hatte nicht den nötigen Abstand zu den Erlebnissen, die ich beschrieb, um sie richtig zu verwerten, und mir fehlte eine Reihe von Erfahrungen, die dann die endgültige Fassung des Buches bereichern halfen. Auch wußte ich damals noch nicht, daß es leichter ist, über etwas zu schreiben, das man kennt, als über etwas, das man nicht kennt. So sandte ich zum Beispiel meinen Helden nach Rouen (das ich nur flüchtig kannte), um Französisch zu lernen, anstatt nach Heidelberg (wo ich selbst gewesen war), um Deutsch zu lernen.

Solcherart abgewiesen, legte ich das Manuskript beiseite. Ich schrieb andere Romane, die veröffentlicht wurden, und ich schrieb Theaterstücke. Zur angemessenen Zeit wurde ich ein erfolgreicher Dramatiker und beschloß, den Rest meines Lebens dem Schauspiel zu widmen. Aber ich rechnete nicht mit dem inneren Zwang, der meine Vorsätze zunichte machte. Ich war glücklich, ich war erfolgreich, ich arbeitete emsig. Mein Kopf war voll von den Stücken, die ich noch schreiben wollte. Ich weiß nicht, ob es daran lag, daß mir der Erfolg nicht all das brachte, was ich erwartet hatte, oder ob es eine natürliche Reaktion darauf war, aber kaum wurde ich als der populärste Dramatiker der Gegenwart eingestuft, suchten mich noch einmal die Erinnerungen an mein vergangenes Leben heim. Sie überfielen mich im Schlaf, auf Spaziergängen, bei Proben, auf Gesellschaften; sie wurden solch eine Belastung für mich, daß ich zu dem Schluß kam, es gäbe nur einen einzigen Weg, von ihnen frei zu sein, und der war, sie alle zu Papier zu bringen. Nachdem ich mich einige Jahre hindurch den strengen Anforderungen des Dramas unterworfen hatte, sehnte ich mich nach der größeren Freiheit des Romans. Ich wußte, das Buch, das ich schreiben wollte, würde umfangreich werden, und ich wollte ungestört sein. So lehnte ich die Verträge ab, die Manager mir eifrig anboten, und zog mich für einige Zeit von der Bühne zurück. Ich war damals siebenunddreißig.

Noch lange nachdem das Schreiben zu meinem Beruf geworden war, verwendete ich viel Zeit darauf, schreiben zu lernen, und unterzog mich einem ermüdenden Training, in dem Bemühen, meinen Stil zu verbessern. Aber diese Anstrengungen gab ich auf, als meine Stücke aufgeführt wurden, und als ich wieder zu schreiben begann, hatte ich ein anderes Ziel. Ich trachtete nicht länger danach, brillante Prosa und einen inhaltsreichen Text zu schreiben; mit diesen unnützen Unternehmungen hatte ich zuvor viel Zeit vergeudet. Im Gegenteil, jetzt trachtete ich nach Klarheit und Einfachheit. Da ich innerhalb von vernünftigen Grenzen so viel sagen wollte, fühlte ich, daß ich keine Worte verschwenden durfte. Ich wollte mich daher auf jene beschränken, die notwendig waren, um den Sinn verständlich zu machen. Ich hatte keinen Raum für Ausschmückungen. Meine Erfahrung mit dem Theater hatte mich den Wert der Kürze gelehrt. Ich arbeitete zwei Jahre lang unablässig. Ich wußte nicht, wie ich mein Buch nennen sollte, und nachdem ich mich lange umgesehen hatte, kam ich zufällig auf *Beauty from Ashes*, ein Zitat von Jesaja, das mir passend erschien; aber als ich erfuhr, daß dieser Titel eben erst verwendet worden war, war ich gezwungen, nach einem anderen zu suchen. Letztlich wählte ich den Namen eines der Bücher von Spinozas *Ethik* und nannte meinen Roman *Of Human Bondage*. Ich bin der Meinung, daß es wiederum ein glücklicher Zufall gewesen ist, daß ich den ersten Titel, an den ich gedacht hatte, nicht hatte verwenden können.

*Of Human Bondage* ist keine Autobiographie, aber ein autobiographischer Roman; Wirklichkeit und Fiktion sind untrennbar verbunden; die Gefühle sind meine eigenen, aber nicht alle Vorfälle wurden so erzählt, wie sie sich ereignet hatten. Einige von ihnen, die ich nicht selbst erlebte, sondern Menschen, mit denen ich eng befreundet war, wurden auf den Helden projiziert. Das Buch hat für mich getan, was ich wollte. Als es herauskam (in einer Welt, die in den Wehen eines schrecklichen Krieges lag und die zu sehr mit ihren eigenen Schmerzen und Ängsten beschäftigt war, als daß sie sich um die Abenteuer eines erfundenen Helden gekümmert hätte), war ich frei von den Schmerzen und den traurigen Erinnerungen, die mich gemartert hatten. Es wurde sehr gut rezensiert; Theodore Dreiser schrieb für *The New Republic* eine ausführliche Besprechung, in der er sich mit dem Verständnis und Wohlwollen, das alles, was er jemals geschrieben hat, auszeichnet, mit ihm befaßte. Aber es sah ganz danach aus, daß dieser Roman denselben Weg nehmen würde wie die überwiegende Mehrzahl der Romane und einige Monate nach seinem Erscheinen für immer in Vergessenheit geraten würde. Aber ich weiß nicht aufgrund welchen Zufalls, zog er nach einigen Jahren die Aufmerksamkeit einer Reihe bekannter Autoren in den Vereinigten Staaten auf sich. Ihre wiederholten Hinweise in der Presse lenkten nach und nach die Aufmerksamkeit der Öffentlichkeit auf ihn. Diesen Schriftstellern verdanke ich die Wiederentdeckung des Romans und den Erfolg, den er während der folgenden Jahre in zunehmendem Maße hatte.

Grau und trübe brach der Tag an. Die Wolken hingen schwer, und es war eine Rauheit in der Luft, die an Schnee gemahnte. Eine Hausangestellte trat in ein Zimmer, in dem ein Kind schlief, und zog die Vorhänge zurück. Sie warf einen mechanischen Blick auf das gegenüberliegende Haus, ein Stuckhaus mit einem Säulenportal, und trat an das Bett des Kindes.

»Wach auf, Philip«, sagte sie.

Sie schlug die Decke zurück, nahm ihn auf den Arm und trug ihn hinunter. Er war noch im Halbschlaf.

»Deine Mutter läßt dich holen«, sagte sie.

Sie öffnete die Tür eines im unteren Stockwerk gelegenen Zimmers und trug das Kind zu einem Bett, in dem eine Frau lag. Es war seine Mutter. Sie streckte die Arme aus, und der Knabe schmiegte sich zärtlich an sie. Er fragte nicht, warum man ihn geweckt hatte. Die Frau küßte seine Augen und befühlte mit ihren mageren kleinen Händen seinen warmen Körper unter dem weißen Flanellnachthemd. Sie drückte ihn fester an sich.

»Bist du schläfrig, Liebling?« fragte sie.

Ihre Stimme war so schwach, als käme sie bereits aus großer Ferne. Das Kind antwortete nicht, aber lächelte wohlig. Es fühlte sich sehr glücklich in dem großen, warmen Bett, in der sanften Umarmung. Es versuchte, sich so klein wie möglich zu machen, während es sich an seine Mutter kuschelte, und schlaftrunken küßte sie es. Dann schloß es die Augen und war im nächsten Augenblick fest eingeschlafen. Der Arzt trat näher und blieb neben dem Bett stehen.

»Ach, nehmen Sie ihn mir noch nicht weg«, stöhnte sie.

Ohne zu antworten, sah sie der Arzt ernst an. Sie wußte, daß sie das Kind nun nicht mehr lange würde behalten dürfen, und küßte es abermals. Dann fuhr sie mit der Hand über seinen Körper, bis sie zu den Füßen kam; sie nahm den rechten Fuß in die Hand und betastete die fünf kleinen Zehen; dann ließ sie die Hand langsam über den linken gleiten. Sie schluchzte auf.

»Was haben Sie denn?« fragte der Arzt. »Sind Sie müde?«

Sie schüttelte den Kopf, unfähig zu sprechen, und Tränen rollten über ihre Wangen. Der Arzt beugte sich zu ihr nieder.

»Lassen Sie mich ihn nehmen.«

Sie war zu schwach, um Widerstand zu leisten, und überließ ihm das Kind. Der Arzt übergab es dem Kindermädchen.

»Legen Sie ihn wieder in sein Bett zurück.«

»Bitte, Herr Doktor.«

Der kleine Junge wurde, immer noch schlafend, davongetragen. Seine Mutter schluchzte nun verzweifelt.

»Wie wird es dem armen Kind ergehen?«

Die Pflegerin bemühte sich, sie zu beruhigen, und die Kranke hörte nach einer Weile vor Erschöpfung zu weinen auf. Der Arzt ging zu einem Tisch auf der anderen Seite des Zimmers, auf dem unter einem Tuch der Körper eines totgeborenen Kindes lag. Er hob das Tuch auf und schaute. Ein Wandschirm verbarg ihn. Aber die Frau erriet, womit er beschäftigt war.

»War es ein Mädchen oder ein Junge?« flüsterte sie der Pflegerin zu.

»Wieder ein Junge.«

Die Frau antwortete nicht. Im nächsten Augenblick kam das Kindermädchen zurück und ging auf das Bett zu.

»Master Philip ist nicht einmal aufgewacht«, sagte sie.

Es folgte eine Pause. Dann fühlte der Arzt der Patientin noch einmal den Puls.

»Ich kann jetzt nichts weiter tun«, meinte er. »Nach dem Frühstück komme ich wieder.«

»Ich bringe Sie hinunter, Herr Doktor«, sagte das Kindermädchen.

Sie gingen schweigend die Treppen hinab. In der Halle blieb der Doktor stehen.

»Sie haben doch Mrs. Careys Schwager verständigt, nicht wahr?«

»Jawohl, Herr Doktor.«

»Wissen Sie, wann er hier sein wird?«

»Nein, Herr Doktor. Ich erwarte ein Telegramm.«

»Und wie machen wir es mit dem Kleinen? Er sollte für eine Weile aus dem Haus.«

»Miss Watkin hat gesagt, sie nimmt ihn zu sich, Herr Doktor.«

»Wer ist Miss Watkin?«

»Seine Patin, Herr Doktor. Glauben Sie, daß die gnädige Frau davonkommen wird?«

Der Arzt schüttelte den Kopf.


Eine Woche später. Philip saß auf dem Fußboden im Salon von Miss Watkins Haus in Onslow Garden. Als Einzelkind war er gewohnt, sich allein zu beschäftigen. Das Zimmer war angefüllt mit massiven Möbelstücken, und auf jedem der Sofas lagen drei große Kissen. Auch in jedem Lehnstuhl lag ein Kissen. Und alle diese hatte er genommen und sich mit Hilfe der vergoldeten Salonstühle, die leicht von ihrem Platz zu rücken waren, eine kunstvolle Höhle gebaut, in der er sich vor den hinter den roten Vorhängen lauernden Indianern verstecken konnte. Er legte sein Ohr auf den Boden und horchte auf die Büffelherden, die über die Prärien jagten. Mit einem Male hörte er, daß die Tür geöffnet wurde. Er hielt den Atem an, um nicht entdeckt zu werden. Aber eine starke Hand zog einen der Stühle weg, und die Kissen fielen hinunter.

»Du unartiges Kind, Miss Watkin wird böse sein auf dich.«

»Guten Tag, Emma«, sagte er.

Das Kindermädchen beugte sich zu ihm nieder, küßte ihn und fing dann an, die Kissen aufzuschütteln und sie an ihren Platz zurückzulegen.

»Darf ich wieder nach Hause?« fragte er.

»Ja, ich bin gekommen, um dich zu holen.«

»Du hast ein neues Kleid an.«

Es war im Jahre achtzehnhundertfünfundachtzig, und sie trug eine Turnüre. Ihr Kleid war aus schwarzem Samt, mit engen Ärmeln und abfallenden Schultern, und der Rock war mit drei breiten Volants verziert. Auf dem Kopf trug sie eine schwarze Haube mit Samtbändern. Sie zögerte. Die Frage, die sie erwartet hatte, kam nicht, und sie konnte demnach auch nicht die Antwort geben, die sie sich zurechtgelegt hatte.

»Fragst du nicht, wie es deiner Mama geht?« brachte sie endlich hervor.

»Ach, das habe ich ganz vergessen. Wie geht es ihr?«

Nun war sie bereit. »Deiner Mama geht es sehr, sehr gut.«

»Ach, wie schön.«

»Deine Mama ist fortgereist. Du wirst sie nie mehr sehen.« Philip wußte nicht, was das bedeuten sollte.

»Warum denn nicht?«

»Deine Mama ist im Himmel.«

Sie fing an zu weinen, und obwohl Philip nicht genau begriff, was geschehen war, weinte auch er. Emma war eine große, derbknochige Frau, mit hellem Haar und breiten Zügen. Sie kam von Devonshire und hatte trotz vieler Dienstjahre in London ihren heimatlichen Akzent nie ganz abgelegt. Ihre Ergriffenheit wuchs mit ihren Tränen, und sie preßte den Knaben an ihr Herz. Dunkel empfand sie, wie bemitleidenswert dieses Kind war, dem das Schicksal die einzige wirklich selbstlose Liebe, die es auf dieser Welt gibt, entzogen hatte. Es erschien ihr schrecklich, daß der Kleine nun fremden Menschen überlassen werden sollte. Aber nach einer Weile faßte sie sich.

»Dein Onkel William wartet auf dich«, sagte sie. »Verabschiede dich von Miss Watkin, und dann gehen wir nach Hause.«

»Ich will mich nicht verabschieden«, antwortete der Junge, eifrig bemüht, seine Tränen zu verbergen.

»Schön, dann lauf hinauf und hol dir deinen Hut.«

Er holte ihn, und als er herunterkam, wartete Emma in der Halle auf ihn. Er hörte Stimmen in der Bibliothek hinter dem Speisezimmer. Er hielt inne. Er wußte, daß Miss Watkin und ihre Schwester sich mit Bekannten unterhielten, und er vermutete – er war neun Jahre alt –, sie würden ihn bemitleiden, wenn er jetzt hineinginge.

»Ich werde hineingehen und Miss Watkin auf Wiedersehen sagen.«

»Das ist recht«, sagte Emma.

»Sag ihnen, daß ich komme«, sagte er.

Er wollte die Situation auskosten. Emma klopfte an die Tür und trat ein. Er hörte sie sprechen.

»Master Philip möchte sich von Ihnen verabschieden, gnädiges Fräulein.«

Das Gespräch verstummte jäh, und Philip hinkte hinein.

Henrietta Watkin war eine korpulente Dame mit rotem Gesicht und gefärbtem Haar. Sich in jenen Tagen das Haar zu färben, gab Anlaß zu Bemerkungen. Philip hatte, als seine Patin ihre Haarfarbe geändert hatte, zu Hause so manches Gerede mit angehört. Sie lebte mit einer älteren Schwester zusammen, die sich längst damit abgefunden hatte, zu den Alten zu gehören. Zwei Damen, die Philip nicht kannte, waren zu Besuch da und schauten ihn neugierig an.

»Mein armes Kind«, sagte Miss Watkin und öffnete die Arme.

Sie fing zu weinen an. Philip begriff nun, warum sie nicht zum Mittagessen erschienen war und warum sie ein schwarzes Kleid anhatte. Sie konnte nicht sprechen.

»Ich muß nach Hause gehen«, sagte Philip endlich.

Er löste sich aus Miss Watkins Armen, und sie küßte ihn noch einmal. Dann ging er zu ihrer Schwester und verabschiedete sich auch von ihr. Eine der fremden Damen fragte, ob sie ihm einen Kuß geben dürfe, und er erteilte ihr ernst die Erlaubnis. Obwohl er weinte, genoß er lebhaft das Aufsehen, das er erregte; er wäre gern noch länger geblieben, um seine wichtige Rolle weiterzuspielen, aber er fühlte, daß es an der Zeit war zu gehen, und sagte deshalb, daß Emma auf ihn warte. Er verließ das Zimmer. Emma hatte sich hinunterbegeben, um sich mit einer Freundin in der Küche zu unterhalten, und er wartete im Treppenflur auf sie. Er hörte Henrietta Watkins Stimme.

»Seine Mutter war meine beste Freundin. Der Gedanke, daß sie tot ist, ist mir unerträglich.«

»Du hättest nicht zur Beerdigung gehen sollen, Henrietta«, sagte ihre Schwester. »Ich wußte, es würde dich aufregen.«

Dann sprach eine von den Fremden.

»Der arme kleine Junge. So ganz allein in der Welt zu stehen! Es ist schrecklich. Ich sehe, daß er hinkt.«

»Ja, er hat einen Klumpfuß. Das war ein großer Kummer für seine Mutter.«

Dann kam Emma zurück. Sie winkte eine Droschke heran und sagte dem Kutscher, wohin er fahren sollte.

Als sie das Haus erreichten, in dem Mrs. Carey gestorben war – es lag in einer tristen, ehrbaren Straße zwischen Notting Hill Gate und High Street, Kensington –, führte Emma Philip ins Empfangszimmer. Sein Onkel schrieb Dankbriefe für die Blumenspenden, die geschickt worden waren. Ein verspätet eingetroffener Kranz lag in seinem Pappkarton auf dem Vorzimmertisch.

»Da ist Master Philip«, sagte Emma.

Mr. Carey stand schwerfällig auf und reichte dem kleinen Jungen die Hand. Dann besann er sich, beugte sich zu ihm nieder und küßte ihn auf die Stirn. Er war ein zu Korpulenz neigender Mann von unterdurchschnittlicher Größe. Sein Haar war lang und mit Sorgfalt über den Schädel gekämmt, um dessen Kahlheit zu verbergen. Er war glattrasiert. Seine Gesichtszüge waren regelmäßig, und in seiner Jugend mochte er gut ausgesehen haben. An seiner Uhrkette trug er ein goldenes Kreuz.

»Du wirst jetzt bei mir leben, Philip. Wird dir das gefallen?«

Vor zwei Jahren war Philip, nachdem er Windpocken gehabt hatte, zur Erholung in das Pfarrhaus geschickt worden, aber von diesem Besuch war ihm eher ein Dachboden und ein großer Garten in Erinnerung geblieben als sein Onkel und seine Tante.

»Ja.«

»Du mußt mich und Tante Louisa von nun an als deine Eltern betrachten.«

Um den Mund des Kindes zuckte es, er errötete, antwortete aber nicht.

»Deine liebe Mutter hat dich meiner Obhut anvertraut.«

Mr. Carey besaß keine große Fähigkeit, sich auszudrücken. Als ihn die Nachricht erreichte, daß seine Schwägerin im Sterben liege, reiste er unverzüglich nach London, aber unterwegs dachte er bloß an die Störung, die seinem Leben drohte. Wenn seine Schwägerin nun starb, würde er gezwungen sein, ihren kleinen Sohn zu sich zu nehmen. Er war weit über fünfzig, und seine Frau, mit der er seit dreißig Jahren verheiratet war, hatte keine Kinder. Die Aussicht, einen kleinen Jungen ins Haus zu bekommen, der vielleicht wild und lärmend war, schien ihm wenig verlockend. Er hatte nie viel für seine Schwägerin übrig gehabt.

»Morgen nehme ich dich mit nach Blackstable«, sagte er.

»Emma auch?«

Das Kind schob seine Hand in die ihre, und sie drückte sie.

»Emma wird leider nicht bei dir bleiben können«, sagte Mr. Carey.

»Aber ich möchte, daß Emma mitkommt.«

Philip brach in Tränen aus, und auch das Mädchen mußte weinen. Mr. Carey blickte die beiden hilflos an.

»Vielleicht lassen Sie mich einen Augenblick mit Master Philip allein.«

»Bitte, Sir.«

Philip klammerte sich an ihre Röcke, aber sanft machte sie sich los. Mr. Carey hob den Jungen auf seine Knie und legte den Arm um ihn.

»Du darfst nicht weinen«, sagte er. »Du bist schon zu groß für ein Kindermädchen. Wir werden uns nach einer Schule für dich umsehen müssen.«

»Ich möchte aber, daß Emma mitkommt«, wiederholte das Kind.

»Das kostet zu viel Geld, Philip. Dein Vater hat nur wenig hinterlassen, und ich weiß nicht, wieviel davon übriggeblieben ist. Du mußt auf jeden Penny sehen, den du ausgibst.«

Mr. Carey hatte tags zuvor den Rechtsanwalt der Familie besucht. Philips Vater war ein Chirurg mit einer gutgehenden Praxis gewesen, die auf gesicherte Vermögensverhältnisse schließen ließ; es war daher eine Überraschung gewesen, als sich nach seinem plötzlichen Tod – er starb an einer Blutvergiftung – herausstellte, daß er seiner Witwe wenig mehr als seine Lebensversicherung und das Haus in Burton Street, das vermietet werden konnte, hinterlassen hatte. Das war vor sechs Monaten gewesen; und Mrs. Carey, die ein Kind erwartete und schwächlich war, hatte den Kopf verloren und das Haus an den Erstbesten vermietet. Sie stellte ihre Möbel bei einem Spediteur ein und mietete zu einem Preis, den der Pastor übertrieben hoch fand, ein möbliertes Haus, um bis zur Geburt des Kindes allen Unannehmlichkeiten auszuweichen. Aber sie war niemals gewohnt gewesen, mit Geld umzugehen, und mühte sich vergebens, ihre Ausgaben den veränderten Umständen anzupassen. Das wenige, was sie besaß, zerrann ihr zwischen den Fingern, und was nun, nachdem alles bezahlt war, an Vermögen übrigblieb, war nicht viel mehr als zweitausend Pfund, die ausreichen mußten, um den Jungen zu unterstützen, bis er imstande war, für sich selbst zu sorgen. Es war unmöglich, Philip dies alles zu erklären, und er schluchzte noch immer.

»Geh jetzt zu Emma«, sagte Mr. Carey, der fühlte, daß sie am ehesten imstande sein würde, ihn zu trösten.

Wortlos glitt Philip von den Knien seines Onkels herab, aber Mr. Carey hielt ihn noch einen Augenblick fest.

»Wir müssen morgen reisen, weil ich am Samstag meine Predigt vorbereiten muß. Sag Emma, daß sie heute noch deine Sachen packen soll. Du darfst alle deine Spielsachen mitnehmen. Und wenn du etwas als Andenken an deine Eltern haben willst, darfst du dir zwei Gegenstände aussuchen: einen für deinen Vater und einen für deine Mutter. Alles andere wird verkauft.«

Der Junge schlüpfte aus dem Zimmer. Mr. Carey war nicht an Arbeit gewöhnt und kehrte nur widerstrebend zu seiner Korrespondenz zurück. Auf der einen Seite des Schreibtisches lag ein Bündel

Rechnungen, und diese erregten seinen Unwillen. Eine erschien ihm besonders unsinnig. Gleich nachdem Mrs. Carey gestorben war, hatte Emma für das Zimmer, in dem die Tote lag, Unmengen von weißen Blumen kommen lassen. Das war hinausgeworfenes Geld, nichts weiter. Emma war ihm viel zu eigenmächtig. Selbst unter günstigeren finanziellen Umständen hätte er sie entlassen.

Aber Philip lief zu ihr hin, barg sein Gesicht an ihrer Brust und weinte, als wollte ihm das Herz brechen. Und sie, die ihn liebte wie ihr eigenes Kind – sie hatte ihn übernommen, als er einen Monat alt war –, tröstete ihn mit zärtlichen Worten. Sie versprach, ihn manchmal zu besuchen und ihn niemals zu vergessen; und sie erzählte ihm von dem Haus auf dem Lande, in dem er nun wohnen würde, und von ihrer eigenen Heimat in Devonshire – ihr Vater hatte eine kleine Wirtschaft an der Straße nach Exeter, und in den Ställen waren Schweine, und eine Kuh war da, und die Kuh hatte gerade ein Kälbchen bekommen –, bis Philip seinen Kummer vergaß und ganz aufgeregt wurde bei dem Gedanken an die bevorstehende Reise. Nach einer Weile stellte sie ihn wieder auf den Boden, denn es gab viel zu tun, und er half ihr, seine Anzüge aufs Bett zu legen. Sie schickte ihn ins Kinderzimmer, damit er seine Spielsachen einsammle, und es dauerte nicht lange, so war er tief ins Spiel versunken.

Aber letzten Endes wurde er des Alleinseins müde und kehrte ins Schlafzimmer zurück, wo Emma seine Sachen in einen großen Koffer packte; er erinnerte sich, daß sein Onkel ihm erlaubt hatte, etwas zur Erinnerung an seine Eltern mitzunehmen. Er erzählte es Emma und fragte sie um Rat.

»Geh ins Wohnzimmer und such dir etwas aus.«

»Dort ist ja Onkel William.«

»Das macht nichts. Die Sachen gehören jetzt alle dir.«

Philip stieg zögernd die Treppe hinab und fand die Tür offen. Mr. Carey hatte das Zimmer verlassen. Philip ging langsam darin umher. Sie hatten so kurze Zeit in dem Haus gewohnt, daß er nur an wenigen Dingen hing. Aber er wußte, welche Sachen seiner Mutter gehört hatten, und entschloß sich nach einer Weile für eine kleine Uhr, die sie gern gehabt hatte. Mit dieser Uhr stieg er ziemlich verzagt wieder die Treppe hinauf. Vor der Tür, die zum Schlafzimmer seiner Mutter führte, blieb er stehen und horchte. Obgleich ihm niemand verboten hatte hineinzugehen, hatte er doch das Gefühl, daß es falsch wäre, es zu tun; er hatte ein wenig Angst, und sein Herz klopfte laut, aber gleichzeitig zwang ihn irgend etwas, die Klinke niederzudrücken. Er tat es sehr leise, um von niemandem gehört zu werden, und stieß dann langsam die Tür auf. Einen Augenblick blieb er auf der Schwelle stehen, dann erst wagte er einzutreten. Er hatte nun keine Angst mehr, aber es war ihm seltsam zumute. Er schloß die

Tür hinter sich. Die Jalousien waren herabgelassen, und das Zimmer lag dunkel in dem kalten Licht des Januarnachmittags. Auf dem Toilettentisch waren Mrs. Careys Bürsten und ihr Handspiegel. In einer kleinen Schale lagen ein paar Haarnadeln. Auf dem Kaminsims standen zwei Fotografien, von denen die eine ihn selbst, die andere seinen Vater darstellte. Er war früher häufig in Abwesenheit seiner Mutter in diesem Zimmer gewesen, aber nun schien es ihm verändert. Die Stühle sahen so sonderbar aus. Das Bett war gemacht, als ob diese Nacht jemand darin schlafen sollte, und in einem Futteral auf dem Kissen lag ein Nachthemd.

Philip öffnete einen großen Schrank, der voll von Kleidern hing, stieg hinein, umfaßte mit den Armen so viele, als er halten konnte, und vergrub sein Gesicht in ihnen. Sie rochen nach dem Parfüm, das seine Mutter verwendet hatte. Dann öffnete er die Schubladen, die mit den Sachen seiner Mutter angefüllt waren, und betrachtete sie: zwischen der Wäsche lagen Lavendelsäckchen, und ihr Duft war frisch und angenehm. Das Zimmer hatte nun nichts Fremdes mehr, und es schien ihm, als wäre seine Mutter nur ausgegangen. Bald würde sie wieder zurück sein und zu ihm heraufkommen, um im Kinderzimmer mit ihm Tee zu trinken. Und er meinte, ihren Kuß auf seinen Lippen zu fühlen.

Es war nicht wahr, daß er sie nie mehr wiedersehen würde. Es war nicht wahr, weil es einfach nicht sein konnte. Er stieg auf das Bett und legte seinen Kopf auf das Kissen. So lag er ganz still.


Philip schied unter Tränen von Emma, aber die Reise nach Blackstable machte ihm Spaß, und als er ankam, hatte er sich beruhigt und war heiter. Blackstable war sechzig Meilen von London entfernt. Mr. Carey übergab das Gepäck einem Träger und machte sich mit Philip zu Fuß auf den Weg zum Pfarrhaus. Sie hatten kaum fünf Minuten zu gehen, und als sie es sahen, erinnerte sich Philip plötzlich an das Gartentor. Es war rot und hatte einen Schlagbaum mit fünf Barren; es saß lose in den Angeln und bewegte sich leicht nach beiden Seiten; und es war möglich, wenngleich verboten, auf diesem Gartentor hin- und herzuschwingen. Sie gingen durch den Garten zur Haustür. Diese wurde nur von Gästen und an Sonntagen oder bei ganz besonderen Anlässen benützt, so zum Beispiel, wenn der Pastor nach London fuhr oder von dort zurückkehrte. Für gewöhnlich bediente man sich eines Seiteneinganges, und außerdem gab es noch eine Hintertür für den Gärtner und für Bettler und Vagabunden. Es war ein ziemlich großes gelbes Ziegelhaus, mit einem roten Dach, das vor ungefähr fünfundzwanzig Jahren in einem kirchlichen Stil erbaut worden war. Die Haustür sah aus wie ein Kirchenportal, und die Fenster des Salons waren gotisch.

Mrs. Carey, die wußte, mit welchem Zug sie kommen würden, wartete im Salon und horchte auf das Geräusch des Gartentores. Als sie es hörte, ging sie zur Tür.

»Da ist Tante Louisa«, sagte Mr. Carey, als er sie erblickte. »Lauf hin und gib ihr einen Kuß.«

Philip fing ungeschickt zu laufen an, seinen Klumpfuß hinter sich herschleifend, und hielt dann inne. Mrs. Carey war eine kleine, verhutzelte Frau, im gleichen Alter wie ihr Mann, mit einem Gesicht, das von einem wahren Netz von Runzeln überzogen war, und blaßblauen Augen. Ihr graues Haar war nach der Mode ihrer Jugend in Locken frisiert. Sie trug ein schwarzes Kleid, und ihr einziger Schmuck war eine Goldkette, an der ein Kreuz hing. Sie hatte ein schüchternes Wesen und eine sanfte Stimme.

»Du bist zu Fuß gegangen, William?« sagte sie beinahe vorwurfsvoll, während sie ihren Gatten küßte.

»Ach, ich habe ganz vergessen«, entgegnete er mit einem Blick auf seinen Neffen.

»Hat dich das Gehen angestrengt, Philip?« fragte sie das Kind.

»Nein, ich gehe immer.«

Philip wunderte sich ein wenig über dieses Gespräch. Tante Louisa forderte ihn auf hereinzukommen, und sie traten ins Haus. Die Vorhalle war mit roten und gelben Kacheln gepflastert, die abwechselnd mit einem griechischen Kreuz und einem Gotteslamm verziert waren. Eine imposante Treppe führte ins obere Stockwerk. Sie war aus poliertem Eichenholz, das einen eigentümlichen Geruch ausströmte, und war eingebaut worden, als in der Kirche neue Bänke aufgestellt worden waren. Damals war glücklicherweise sehr viel Holz übriggeblieben. Die Balustrade war mit den Emblemen der vier Evangelisten geschmückt.

»Ich habe einheizen lassen, weil ich dachte, daß ihr von der Reise durchfroren zurückkommen würdet«, sagte Mrs. Carey.

In der Halle stand ein großer schwarzer Ofen, der nur bei außergewöhnlich schlechtem Wetter geheizt wurde oder wenn der Pastor erkältet war. Kohle war teuer. Überdies wollte das Mädchen, Mary Ann, nichts davon wissen, in allen Räumen zu heizen. Wenn sie es überall im Haus hätten warm haben wollen, hätten sie ein zweites Mädchen gebraucht. Im Winter hielten sich Mr. und Mrs. Carey tagsüber im Speisezimmer auf, so daß ein Ofen ausreichte, und im Sommer blieben sie bei dieser Gewohnheit. Der Salon wurde nur von Mr. Carey an Sonntagen für sein Mittagsschläfchen benützt. Aber jeden Samstag ließ er in seinem Arbeitszimmer Feuer machen, um seine Predigt schreiben zu können.

Tante Louisa ging mit Philip hinauf und führte ihn in ein winziges Schlafzimmer, das auf die Einfahrt hinausging. Unmittelbar vor dem Fenster war ein großer Baum, an den Philip sich nun erinnerte, weil seine Zweige so tief herabreichten, daß es möglich war, hoch in die Krone hinaufzuklettern.

»Ein kleines Zimmer für einen kleinen Jungen«, sagte Mrs. Carey. »Du wirst dich doch nicht fürchten, allein zu schlafen?«

»O nein.«

Als er zum erstenmal auf Besuch ins Pfarrhaus gekommen war, war das Kindermädchen dabeigewesen, und Mrs. Carey hatte nur wenig mit ihm zu tun gehabt. Sie blickte ihn nun unsicher an.

»Kannst du dir allein die Hände waschen, oder soll ich dir helfen?«

»Ich kann sie mir selbst waschen«, antwortete er bestimmt.

»Nun, dann werde ich sie ansehen, wenn du zum Tee hinunterkommst«, sagte Mrs. Carey.

Sie wußte nichts von Kindern. Nachdem es sich entschieden hatte, daß Philip nach Blackstable kommen sollte, hatte Mrs. Carey viel darüber nachgedacht, wie sie ihn behandeln sollte; sie war darauf bedacht, ihre Pflicht zu tun, aber als sie den Jungen vor sich sah, war sie genauso befangen wie er. Sie hoffte, daß er nicht wild und lärmend sein würde, weil ihr Mann wilde und lärmende Kinder nicht leiden mochte. Eine Entschuldigung murmelnd, ließ sie Philip allein, kehrte aber einen Augenblick später wieder um und klopfte an die Tür; ohne hereinzukommen, fragte sie, ob er allein Wasser ins Waschbecken gießen könnte. Dann ging sie hinunter und läutete die Teeglocke.

Das große Speisezimmer hatte an zwei Seiten Fenster mit schweren roten Ripsvorhängen; in der Mitte stand ein großer Tisch und an einem Ende ein imposantes Mahagonibüfett mit einem Spiegel. In einer Ecke stand ein Harmonium. Der Kamin war rechts und links von Stühlen flankiert. Sie waren mit gepreßtem Leder überzogen, und über jedem hing ein Überwurf. Der eine hatte Armlehnen und hieß ›der Mann‹, der andere hatte keine und hieß ›die Frau‹. Mrs. Carey saß niemals in dem mit den Lehnen: sie erklärte, daß sie für allzu bequeme Stühle nichts übrig hätte; es gäbe stets eine Menge zu tun, und säße sie in einem Lehnstuhl, könnte sie sich nicht so leicht entschließen, wieder aufzustehen.

Mr. Carey schürte das Feuer, als Philip hereinkam, und machte seinen Neffen darauf aufmerksam, daß zwei Schüreisen vorhanden wären. Das eine war groß, blank, glänzend und unbenützt und wurde ›der Vikar‹ genannt; das andere, kleine, das, man konnte es ihm ansehen, durch viele Feuer hindurchgegangen war, hieß ›der Kurator‹.

»Worauf warten wir noch?« fragte Mr. Carey.

»Ich habe Mary Ann aufgetragen, dir ein Ei zu kochen. Ich dachte, du würdest hungrig sein nach der Reise.«

Mrs. Carey betrachtete die Fahrt von London nach Blackstable als etwas sehr Ermüdendes. Sie selbst reiste nur selten, denn die Pfarre brachte bloß dreihundert Pfund jährlich ein, und wenn der Vikar eine Erholung nötig hatte, fuhr er, da das Geld für zwei nicht reichte, allein. Er hatte eine große Vorliebe für Kirchenkongresse und gestattete sich einmal jährlich eine Reise nach London; einmal war er auf der Weltausstellung in Paris gewesen und zwei- oder dreimal in der Schweiz. Mary Ann brachte das Ei, und sie setzten sich zu Tisch. Der Stuhl war viel zu niedrig für Philip, und einen Augenblick wußten Mr. Carey und seine Frau nicht, was sie tun sollten.

»Ich werde ein paar Bücher darauf legen«, sagte Mary Ann.

Sie nahm vom Harmonium die große Bibel und das Gebetbuch, aus dem der Vikar vorzulesen pflegte, und legte beide auf Philips Stuhl.

»Ach, William, er kann doch nicht auf der Bibel sitzen«, rief Mrs. Carey entsetzt. »Hole ihm doch ein paar Bücher aus deinem Arbeitszimmer.«

Mr. Carey überlegte einen Augenblick.

»Lassen wir es, dies eine Mal«, sagte er. »Aber Sie müssen das Gebetbuch obenauf legen, Mary Ann. Das Gebetbuch ist Menschenwerk, es hat keinen Anspruch auf göttliche Herkunft.«

»Das habe ich nicht bedacht, William«, sagte Tante Louisa.

Philip setzte sich auf die Bücher, und der Vikar köpfte, nachdem er das Tischgebet gesprochen hatte, sein Ei.

»Da«, sagte er und reichte Philip die Spitze, »das darfst du essen, wenn du willst.«

Philip hätte gern ein ganzes Ei gehabt, aber man bot ihm keines an, und so nahm er, was er bekommen konnte.

»Wie haben die Hühner gelegt während meiner Abwesenheit?« fragte der Vikar.

»Ach, sie waren so schrecklich faul. Nur ein, zwei im Tag.«

»Wie hat dir die Spitze geschmeckt, Philip?« fragte der Onkel.

»Sehr gut, danke.«

»Sonntagnachmittag sollst du wieder eine haben.«

Mr. Carey bekam jeden Sonntagnachmittag ein Ei zum Tee, zur Stärkung für den bevorstehenden Abendgottesdienst.


Philip lernte allmählich die Menschen kennen, in deren Umgebung er nun lebte, und erfuhr durch Gesprächsfragmente, von denen einige keineswegs für seine Ohren bestimmt waren, mancherlei über sich selbst und über seine toten Eltern. Philips Vater war viel jünger gewesen als der Vikar von Blackstable. Nach einer glänzenden Studienzeit im Krankenhaus St. Luke wurde er unter die Anstaltsärzte aufgenommen und fing sehr bald an, viel Geld zu verdienen. Er gab es mit vollen Händen aus. Als der Vikar die Restaurierung seiner Kirche in Angriff nahm und seinen Bruder um einen Beitrag ersuchte, wurde ihm zu seiner Überraschung eine Spende von einigen hundert Pfund angewiesen: Mr. Carey, knausrig aus Veranlagung und sparsam aus Notwendigkeit, nahm das Geld mit gemischten Gefühlen an; er beneidete seinen Bruder, weil er imstande war, eine so beträchtliche Summe zu verschenken, freute sich im Interesse seiner Kirche und lehnte sich gleichzeitig in seinem Inneren gegen eine solche Art von Großzügigkeit auf, denn sie schien ihm unvornehm und protzig. Dann heiratete Henry Carey eine Patientin, ein schönes, aber gänzlich vermögensloses Mädchen, eine Waise aus guter Familie, aber ohne nähere Verwandtschaft; zur Hochzeit fand sich eine ganze Schar von vornehmen Freunden ein. Der Pastor kam seiner Schwägerin bei seinen Besuchen in London mit großer Zurückhaltung entgegen. Er fühlte sich ihr gegenüber befangen und nahm ihr in seinem Herzen ihre große Schönheit übel: sie kleidete sich eleganter, als es der Frau eines geplagten Chirurgen zustand; und die entzückende Einrichtung ihres Hauses, die Blumen, mit denen sie sich selbst im Winter umgab, verrieten eine Verschwendungssucht, die er beklagte. Er hörte sie von Gesellschaften sprechen, zu denen sie eingeladen war; und Gastfreundschaft annehmen, ohne sie zu erwidern, erklärte er seiner Gattin, wenn er heimkehrte, sei ein Ding der Unmöglichkeit. Er hatte Weintrauben im Eßzimmer gesehen, die mindestens acht Shilling das Pfund gekostet hatten, und zum Lunch hatte man ihm Spargel vorgesetzt, zwei Monate ehe es im Pfarrgarten welchen gab. Nun war alles gekommen, wie er es vorausgesagt hatte; der Vikar empfand die Genugtuung eines Propheten, der zusah, wie Feuer und Schwefel die Stadt verzehrte, die seine Warnungen in den Wind geschlagen hatte. Der arme Philip stand beinahe mittellos da, und was hatte er nun von den vornehmen Freunden seiner Mutter? Er hörte, daß der Leichtsinn seines Vaters geradezu verbrecherisch gewesen war und es als Gnade angesehen werden mußte, daß Gott seine liebe Mutter zu sich genommen hatte; sie hatte weniger Ahnung von Geld gehabt als ein Kind.

Etwa eine Woche nach Philips Ankunft in Blackstable ereignete sich ein Vorfall, der seinem Onkel großen Ärger zu bereiten schien. Eines Morgens fand er auf dem Frühstückstisch ein kleines Paket vor, das ihm aus der Wohnung der verstorbenen Mrs. Carey nachgeschickt worden war. Es war an sie adressiert gewesen. Als der Pastor es öffnete, fand er ein Dutzend Fotografien von Mrs. Carey. Sie zeigten nur den Kopf und die Schultern, das Haar war einfacher frisiert, als sie es gewöhnlich getragen hatte, tief in die Stirn gezogen, was ihr ein ungewohntes Aussehen verlieh; das Gesicht sah mager und abgezehrt aus, aber keine Krankheit war imstande gewesen, die Schönheit dieser Züge zu verwischen. Aus den großen dunklen Augen sprach eine Traurigkeit, die Philip fremd fand. Der erste Anblick der Toten jagte Mr. Carey Schreck ein, dem jedoch rasch Verblüffung folgte. Die Fotografien waren ganz neu, und er konnte sich nicht vorstellen, wer sie bestellt hatte.

»Weißt du etwas von diesen Bildern, Philip?« fragte er.

»Ich erinnere mich, daß Mama erzählt hat, sie hätte sich fotografieren lassen«, antwortete er. »Miss Watkin schalt sie ... Sie sagte: Ich möchte, daß der Junge etwas zur Erinnerung an mich hat, wenn er groß ist.«

Mr. Carey blickte Philip einen Augenblick lang an. Das Kind sprach mit heller Stimme. Es erinnerte sich an die Worte, aber sie bedeuteten ihm nichts.

»Du darfst dir eine von den Fotografien mit in dein Zimmer nehmen«, sagte Mr. Carey. »Die anderen werde ich einschließen.«

Auch an Miss Watkin wurde ein Bild gesandt, und sie erklärte in einem Brief, wie es zur Aufnahme gekommen war.

Eines Tages hatte Mrs. Carey im Bett gelegen, aber sie hatte sich etwas wohler gefühlt als gewöhnlich, und der Arzt hatte sich am Morgen zuversichtlich gezeigt; Emma war mit dem Kind spazierengegangen, und die Mädchen hielten sich unten in der Küche auf. Plötzlich war eine große Angst über Mrs. Carey gekommen. Würde sie die Entbindung, die in vierzehn Tagen bevorstand, überleben? Ihr Sohn war neun Jahre alt. Wie konnte sie hoffen, daß er die Erinnerung an sie bewahrte? Sie konnte den Gedanken nicht ertragen, daß er aufwachsen und sie vergessen sollte, gänzlich vergessen; sie hatte ihn so leidenschaftlich geliebt, weil er schwächlich und verkrüppelt war und weil er ihr Kind war. Sie hatte sich seit ihrer Heirat nicht mehr fotografieren lassen, und das war nun zehn Jahre her. Sie wollte, daß ihr Sohn wissen sollte, wie sie zuletzt ausgesehen hatte. Dann konnte er sie nicht vergessen, nicht gänzlich vergessen. Sie wußte, wenn sie das Mädchen kommen ließe und ihm erklärte, daß sie aufstehen wollte, hielte sie das Mädchen zurück und schickte vielleicht sogar nach dem Arzt, und sie hatte nun nicht die Kraft, zu kämpfen oder zu bitten. Sie stand auf und begann sich anzuziehen. Sie hatte so lange auf dem Rücken gelegen, daß ihre Knie wankten, und ihre Fußsohlen brannten so sehr, daß sie sie nur unter Schmerzen auf den Boden setzen konnte. Aber sie gab nicht nach. Sie war nicht gewohnt, sich allein zu frisieren, und als sie die Arme hob und ihr Haar zu bürsten begann, wurde ihr übel. Die Frisur wollte nicht gelingen. Ihr Haar war wunderschön, sehr fein und von einem tiefen, leuchtenden Goldblond. Ihre Augenbrauen waren gerade und dunkel. Sie zog einen schwarzen Rock an und dazu das Mieder des Abendkleides, das sie am liebsten hatte: es war aus weißem Damast, der in jenen Tagen modern war. Sie betrachtete sich im Spiegel. Ihr Gesicht war sehr blaß, aber die Haut leuchtete klar: sie hatte nie viel Farbe gehabt, wodurch die Röte ihres schönen Mundes stets besonders aufgefallen war. Sie konnte ein Schluchzen nicht unterdrücken. Aber sie durfte es sich nicht gestatten, Mitleid mit sich selbst zu haben; sie fühlte sich schon jetzt müde; und sie nahm den Pelz um, den Henry ihr im vergangenen Jahr zu Weihnachten geschenkt hatte – sie war damals so stolz und glücklich gewesen –, und schlüpfte klopfenden Herzens die Treppen hinunter. Sie gelangte unbemerkt aus dem Haus und fuhr zu einem Fotografen. Sie bezahlte ein Dutzend Bilder. Sie mußte inmitten der Sitzung um ein Glas Wasser bitten; der Assistent merkte, daß sie krank war, und schlug ihr vor, an einem anderen Tag wiederzukommen, aber sie wollte nichts davon hören. Endlich war die Aufnahme vorbei, und sie fuhr wieder in das schäbige kleine Haus in Kensington zurück, das sie von ganzem Herzen haßte. Es war schrecklich, in einem solchen Haus sterben zu müssen.

Die Haustür stand offen, und als sie vorfuhr, rannten Emma und das Mädchen die Treppe hinab, um ihr zu helfen. Sie waren erschrocken, als sie das leere Zimmer entdeckt hatten. Zuerst hatten sie gedacht, sie wäre zu Miss Watkin gegangen, und hatten die Köchin hinübergeschickt. Miss Watkin war mit dieser zurückgekommen und wartete ängstlich im Salon. Nun erschien sie voll Besorgnis und mit Vorwürfen auf der Treppe; aber die Anstrengung war zu groß für Mrs. Carey gewesen; als nicht länger ein Anlaß bestand, Stärke zu zeigen, brach sie zusammen. Sie fiel in Emmas Arme und wurde ins Schlafzimmer hinaufgetragen. Sie blieb lange bewußtlos, allzulange für die, die sich um sie bemühten, und der Arzt, nach dem sofort gesandt worden war, kam nicht. Erst am nächsten Tag, als sie sich ein wenig wohler fühlte, gelang es Miss Watkin, sie zu einer Erklärung zu bewegen. Philip spielte auf dem Fußboden im Schlafzimmer seiner Mutter, und keine der Damen schenkte ihm Beachtung. Er verstand nur dunkel, worüber sie sich unterhielten, und hätte nicht sagen können, warum jene Worte in seinem Gedächtnis haften geblieben waren.

»Ich möchte, daß der Junge etwas zur Erinnerung an mich hat, wenn er groß ist.«

»Ich begreife bloß nicht, warum sie ein Dutzend bestellt hat«, sagte Mr. Carey. »Zwei Stück hätten genügt.«

Ein Tag war dem anderen sehr ähnlich im Pfarrhaus.

Bald nach dem Frühstück brachte Mary Ann die *Times* herein. Mr.

Carey hatte sie gemeinsam mit zwei Nachbarn abonniert. Er bekam sie von zehn bis eins, dann trug sie der Gärtner hinüber zu Mr. Elis, bei dem sie bis sieben Uhr blieb; schließlich wurde sie ins Gutshaus zu Miss Brooks gebracht, die zwar als letzte an die Reihe kam, aber dafür den Vorteil genoß, das Blatt für sich behalten zu dürfen. Im Sommer, wenn Mrs. Carey Marmelade einkochte, erbat sie sich manchmal eine Nummer zum Zudecken ihrer Töpfe. Sobald der Vikar sich mit seiner Zeitung zurückgezogen hatte, setzte seine Frau den Hut auf und ging einkaufen. Philip begleitete sie. Blackstable war ein Fischerdorf. Es bestand aus einer Hauptstraße mit den Läden, der Bank, dem Haus des Arztes und den Häusern von zwei oder drei Kohlenschiffbesitzern: rings um den Hafen lagen ein paar schäbige Straßen, in denen Fischer und arme Leute wohnten; aber da sie nicht zur anglikanischen Hochkirche gehörten, zählten sie nicht. Wenn Mrs. Carey auf der Straße einen von den dissidentischen Geistlichen erblickte, ging sie, um eine Begegnung zu vermeiden, auf die andere Seite hinüber oder hielt, wenn dazu keine Zeit mehr war, ihre Blicke starr auf das Pflaster gerichtet. Es war ein Skandal, mit dem sich der Vikar niemals abgefunden hatte, daß in der Hauptstraße nicht weniger als drei Kapellen standen: er war der Ansicht, daß es Pflicht der Obrigkeit gewesen wäre, ihren Bau zu verhindern. Das Einkaufen war in Blackstable keine einfache Sache, denn das Sektenwesen, noch gefördert durch den Umstand, daß die Pfarrkirche zwei Meilen von der Stadt entfernt war, erfreute sich großer Verbreitung. Und es war unumstößliches Gebot, ausschließlich bei Kirchenbesuchern zu kaufen. Mrs. Carey wußte genau, daß es bestimmend für den Glauben eines Geschäftsmannes sein konnte, ob der Pastor zu seinen Kunden zählte oder nicht. Es gab zwei Fleischhauer, die beide der Kirche angehörten und nicht begreifen wollten, daß der Pfarrer nicht gleichzeitig bei beiden einkaufen konnte; ebensowenig Verständnis zeigten sie für sein einfaches System, seinen Bedarf sechs Monate bei dem einen und sechs Monate bei dem anderen zu decken.

Der Fleischhauer, der nicht fortwährend Fleisch ins Pfarrhaus lieferte, drohte, nicht mehr in die Kirche zu gehen, und der Vikar war daher manchmal genötigt, auch seinerseits eine Drohung auszusprechen: es sei ganz und gar unrecht von ihm, nicht in die Kirche zu gehen, aber wenn er weiter sündigen wollte und tatsächlich in eine der Kapellen ginge, wäre Mr. Carey natürlich gezwungen, ihn für immer zu verlassen, obgleich er vorzügliches Fleisch hätte.

Mrs. Carey machte unterwegs häufig beim Bankhaus halt, um Josiah Graves, dem Direktor, der gleichzeitig Chormeister, Kirchenvorstand und Schatzmeister war, irgendeine Botschaft zu überbringen. Er war ein großer, hagerer Mann mit bleichem Gesicht, langer Nase und schneeweißem Haar, und Philip erschien er unendlich alt. Er führte die Rechnungsbücher im Pfarramt und arrangierte die Unterhaltungen für den Chor und die Schulen; obgleich die Kirche keine Orgel hatte, galt es (in Blackstable) für ausgemacht, daß der Chor, den Josiah Graves leitete, der beste in Kent sei, und wenn irgendeine Zeremonie bevorstand, wie zum Beispiel der Besuch des Bischofs anläßlich der Konfirmation oder eine Predigt des Landdekans anläßlich des Erntedankfestes, dann war es Josiah Graves, der die nötigen Vorbereitungen traf. Er trug jedoch keine Bedenken, den Vikar bei vielen Gelegenheiten nur in oberflächlicher Weise zu Rate zu ziehen, und der Vikar, wenn auch stets geneigt, sich eine Arbeit abnehmen zu lassen, nahm ihm dieses selbständige Tun sehr übel. Josiah Graves schien sich wahrhaftig für die wichtigste Person in der Gemeinde zu halten. Mr. Carey sagte es immer wieder zu seiner Frau: diesem Menschen wollte er noch einmal tüchtig seine Meinung sagen. Er sollte sich vorsehen. Aber Mrs. Carey riet ihrem Gatten, doch lieber nachsichtig gegen Josiah Graves zu sein, er meine es gut und könne schließlich nichts dafür, daß er kein Gentleman sei. Der Vikar entschloß sich also zur Nachsicht und fand seinen Trost in der Ausübung dieser christlichen Tugend; doch rächte er sich, indem er den Kirchenvorsteher hinter seinem Rücken Bismarck nannte.

Einmal hatte es einen ernsthaften Streit zwischen den beiden Männern gegeben, und Mrs. Carey dachte immer noch mit Entsetzen an diese aufregende Zeit. Der Kandidat der konservativen Partei hatte die Absicht geäußert, in Blackstable zu sprechen, und Josiah Graves erschien, nachdem er es eingerichtet hatte, daß die Versammlung im Missionshaus stattfinden sollte, bei Mr. Carey, um ihn darüber zu unterrichten. Es stellte sich heraus, daß der Kandidat Josiah Graves ersucht hatte, den Vorsitz zu übernehmen. Das war mehr, als Mr. Carey dulden konnte. Er hatte genaue Vorstellungen, was den dem Predigerstand gebührenden Respekt betraf, und es wäre lächerlich, wenn der Kirchenvorsteher in einer Versammlung, welcher der Pfarrer beiwohnte, den Vorsitz führen sollte. Er erinnerte Josiah Graves daran, daß Pfarrer Pfarr-herr bedeute und daß er sich demnach als Herr der Pfarre fühle. Josiah Graves entgegnete, daß es ihm fernliege, die Würde der Kirche zu mißachten, hier aber handle es sich um Politik, und der Erlöser selbst hätte seinen Getreuen aufgetragen, ›dem Kaiser zu geben, was des Kaisers ist‹. Darauf antwortete Mr. Carey, selbst der Teufel könnte die Bibel zu seinem Vorteil auslegen; der Pfarrer allein habe das Recht, über den Missionssaal zu bestimmen, und falls man ihn nicht auffordere, den Vorsitz zu übernehmen, würde er es ablehnen, den Saal für eine politische Versammlung zur Verfügung zu stellen. Das möge er halten, wie er wolle, erwiderte hierauf Josiah Graves; die Versammlung könne ebensogut in der Methodistenkirche stattfinden. Daraufhin meinte Mr. Carey, wenn Josiah Graves diesen Raum beträte, der nicht viel besser wäre als ein Heidentempel, dann müßte er ihn als unwürdig betrachten, Kirchenvorsteher in einer christlichen Gemeinde zu sein. Daraufhin legte Josiah Graves alle seine Ämter nieder und ließ noch am gleichen Abend seine Soutane und sein Chorhemd aus der Kirche abholen. Seine Schwester, Miss Graves, die ihm den Haushalt führte, verzichtete auf ihren Posten als Sekretärin der Mütterfürsorge, deren Aufgabe es war, notleidende schwangere Frauen mit Flanell, Säuglingswäsche, Kohlen und fünf Shillingen zu versorgen. Mr. Carey pries sich glücklich, nun endlich Herr in seinem eigenen Haus zu sein. Bald aber wurde ihm klar, daß er sich um allerhand Dinge kümmern mußte, von denen er nichts verstand, und Josiah Graves entdeckte, nachdem der erste Zorn verraucht war, daß er sein Hauptinteresse im Leben verloren hatte. Mrs. Carey und Miss Graves waren sehr unglücklich über den Streit. Sie kamen, nachdem sie ein paar vorsichtige Briefe gewechselt hatten, zusammen und beschlossen insgeheim, die Sache in Ordnung zu bringen: von früh bis abends redete die eine auf ihren Gatten, die andere auf ihren Bruder ein; und da es darum ging, etwas zu erreichen, was die beiden Herren im tiefsten Innern selber wünschten, wurde nach dreiwöchigem Zittern und Bangen eine Versöhnung zustande gebracht. Sie lag im Interesse beider Parteien, wurde aber der gemeinsamen Liebe zu Gott zugeschrieben. Die Versammlung fand im Missionssaal statt, und der Arzt übernahm den Vorsitz. Mr. Carey und Josiah Graves hielten beide Reden.

Wenn Mrs. Carey ihre Geschäfte mit dem Bankier erledigt hatte, ging sie gewöhnlich hinauf, um ein Weilchen mit seiner Schwester zu plaudern; und während sich die Damen über Gemeindeangelegenheiten, über den Kurator oder Mrs. Wilsons neuen Hut unterhielten – Mr. Wilson war der reichste Mann in Blackstable, er wurde auf mindestens fünfhundert Pfund im Jahr geschätzt und hatte seine Köchin geheiratet –, saß Philip artig in dem steifen Besuchszimmer und vertrieb sich die Zeit, indem er den Goldfischen zusah, die ruhelos in ihrem Becken hin und her schwammen. Das Zimmer, dessen Fenster nur des Morgens beim Aufräumen für ein paar Minuten geöffnet wurden, hatte einen muffigen Geruch, der Philip in einer geheimnisvollen Beziehung zum Bankiersberuf zu stehen schien.

Nach einer Weile erinnerte sich Mrs. Carey, daß sie noch zum Spezereiwarenhändler gehen müßte, und sie setzten ihren Weg fort. Sobald das Einkaufen erledigt war, gingen sie oft eine Seitenstraße hinunter, mit kleinen, zumeist nur aus Holz gebauten Häusern, die von Fischern bewohnt waren (da und dort saß ein Fischer vor seinem Haus und flickte Netze, und an allen Türen waren Netze zum Trocknen aufgehängt), bis sie zu einem kleinen Strand gelangten, der auf beiden Seiten von Lagerhäusern eingeschlossen war, aber einen

Ausblick auf das offene Meer gewährte. Mrs. Carey blieb ein paar Minuten stehen und betrachtete es – es war trübe und gelb (und wer hätte sagen können, was für Gedanken ihr durch den Sinn zogen?), während Philip nach flachen Steinen suchte, um sie über das Wasser hüpfen zu lassen. Dann kehrten sie langsam wieder um. Sie schauten ins Postamt hinein, um die genaue Zeit festzustellen, nickten Mrs. Wigram zu, der Frau des Arztes, die nähend an ihrem Fensterplatz saß, und waren nach einer Weile wieder zu Hause.

Um ein Uhr wurde Mittag gegessen; Montag, Dienstag und Mittwoch gab es Rindfleisch, Donnerstag, Freitag und Samstag Hammelfleisch. Sonntags kam eines von den eigenen Hühnern auf den Tisch. Nachmittags machte Philip seine Aufgaben. In Latein und Mathematik wurde er von seinem Onkel unterrichtet, der von beidem nichts verstand; seine Tante lehrte ihn Französisch und Klavierspielen. Französisch beherrschte sie zwar nicht, aber sie spielte gut genug Klavier, um sich selbst zu den altmodischen Liedern zu begleiten, die sie seit dreißig Jahren sang. Einst, so pflegte Onkel William Philip zu erzählen, hatte sie zwölf Lieder auswendig gekonnt und war jederzeit imstande gewesen, sie vorzusingen. Sie sang auch jetzt noch manchmal, wenn Gäste zum Tee kamen. Es gab nur wenige Menschen, die von den Careys eingeladen wurden, und die Gesellschaften im Pfarrhaus bestanden stets aus dem Kurator, Josiah Graves und seiner Schwester und Dr. Wigram und seiner Frau. Nach dem Tee spielte dann Miss Graves eines von den Mendelssohnschen ›Liedern ohne Worte‹, und Mrs. Carey sang ›Wenn die Schwalben heimwärts ziehn‹ oder ›Trab, trab, mein Pferdchen‹.

Aber die Careys gaben nur sehr selten Teegesellschaften; die Vorbereitungen verursachten ihnen zu viel Unruhe und Mühe, und wenn die Gäste gegangen waren, fühlten sie sich erschöpft. Sie tranken lieber allein ihren Tee und spielten nachher Mühle. Mrs. Carey wußte es stets so einzurichten, daß ihr Gatte gewann, denn er liebte es nicht, zu verlieren. Um acht Uhr gab es ein kaltes Abendessen. Es war eine kümmerliche Mahlzeit, weil Mary Ann nach dem Tee nichts mehr mit der Küche zu tun haben wollte, und Mrs. Carey half beim Abräumen. Mrs. Carey aß selten mehr als ein Butterbrot und ein wenig gekochtes Obst, aber der Vikar bekam ein Stück kaltes Fleisch. Gleich nach dem Abendessen läutete Mrs. Carey die Glocke zum Gebet, und dann ging Philip zu Bett. Er sträubte sich dagegen, von Mary Ann ausgezogen zu werden, und erkämpfte sich schließlich das Recht, sich allein aus- und anziehen zu dürfen. Um neun Uhr brachte Mary Ann die Eier und das Geschirr herein. Mrs. Carey schrieb das Datum auf jedes Ei und trug die Zahl in ein Buch ein. Dann nahm sie ihren Besteckkorb in die Hand und ging ins Schlafzimmer hinauf. Mr. Carey las noch eine Weile in einem seiner alten Bücher, aber wenn die Uhr zehn schlug, stand er auf, löschte die Lampe aus und folgte seiner Frau.

Als Philip ankam, erhob sich die Frage, an welchem Tage er sein Bad nehmen sollte. Es war nie ganz leicht, heißes Wasser in beliebiger Menge herbeizuschaffen, da der Küchenkessel nicht funktionierte, so daß an einem Tage immer nur eine Person baden konnte. Der einzige Mensch in Blackstable, der ein Badezimmer besaß, war Mr. Wilson, und man fand das reichlich großspurig von ihm. Mary Ann badete in der Küche am Montagabend, weil sie die Woche gern sauber anfangen wollte. Onkel William konnte nicht am Samstag baden, weil er einen schweren Tag vor sich hatte und nach einem Bad immer ein wenig müde war. Er badete deshalb Freitag. Mrs. Carey hatte aus dem gleichen Grund den Donnerstag gewählt. Es sah also so aus, als ergebe sich für Philip ganz natürlich der Samstag, aber Mary Ann erklärte entschieden, daß sie an einem Samstagabend unmöglich das Feuer aufrechterhalten könnte. Vor all der Kocherei am Sonntag, Teig machen und wer weiß, was sonst noch, hatte sie keine Lust, auch noch den Jungen zu baden. Und allein konnte er sich nicht baden, das war klar. Mrs. Carey scheute davor zurück, es zu tun – er war schließlich ein Knabe –, und der Vikar, natürlich, mußte seine Predigt vorbereiten. Aber Philip sollte am Tage des Herrn sauber gewaschen sein – darauf bestand der Vikar. Mary Ann war empört. Lieber wollte sie gehen, als sich immer mehr Arbeit aufbürden lassen – nach zehnjähriger Dienstzeit hätte sie wahrhaftig ein wenig Rücksicht verdient –, bis Philip dazwischenrief, daß er beim Baden keine Hilfe nötig hätte. Dies gab den Ausschlag. Mary Ann sagte, sie wäre überzeugt, daß er nicht imstande wäre, sich ordentlich zu waschen, und ehe sie es duldete, daß er schmutzig umherliefe – nicht weil er vor das Antlitz des Herrn treten sollte, sondern weil sie schlecht gewaschene Jungen nicht leiden konnte –, arbeite sie sich lieber zu Tode, sogar an einem Samstagabend.


Der Sonntag war ein Tag voll von Geschehen. Mr. Carey pflegte zu betonen, daß er der einzige Mann der Gemeinde sei, für den die Woche sieben Arbeitstage habe.

Das ganze Haus stand eine halbe Stunde früher auf als gewöhnlich. Für einen armen Pastor gäbe es selbst an einem solchen Tag nicht die Gelegenheit, länger im Bett zu bleiben, bemerkte Mr. Carey, wenn Mary Ann um Punkt acht Uhr an die Tür klopfte. Mrs. Carey brauchte etwas länger zum Anziehen und kam um neun Uhr, ein wenig atemlos, knapp vor ihrem Gatten, zum Frühstück herunter. Mr. Careys Stiefel standen vor dem Feuer zum Wärmen.

Das Gebet dauerte länger als gewöhnlich, und das Frühstück war reichhaltiger. Nach dem Frühstück schnitt der Vikar dünne Brotscheiben für die Kommunion, und Philip durfte die Rinde entfernen. Er wurde in das Arbeitszimmer geschickt, um einen marmornen Briefbeschwerer zu holen, mit dem Mr. Carey das Brot so lange preßte, bis es dünn und teigig wurde, um es sodann in kleine Vierecke zu zerschneiden. Die Menge wurde nach dem Wetter bemessen. An einem regnerischen Tage kamen nur wenige Leute zur Kirche, und an einem sehr schönen erschienen zwar viele, aber nur wenige blieben bis zur Kommunion. Am stärksten war der Bedarf, wenn es soweit trocken war, daß der Weg zur Kirche als Vergnügen empfunden wurde, aber doch nicht so schön, daß die Menschen Eile hatten, wieder ins Freie zu kommen.

Dann holte Mrs. Carey aus dem Geldschrank, der in der Speisekammer stand, den Kommunionteller, und Mr. Carey rieb ihn mit einem Stück Wildleder blank. Um zehn Uhr fuhr die Kutsche vor, und Mr. Carey schlüpfte in seine Stiefel. Mrs. Carey brauchte ein paar Minuten, um sich den Hut aufzusetzen, und während dieser Zeit stand der Vikar, in einen voluminösen Mantel gehüllt, in der Halle, und sein Gesicht trug den Ausdruck eines Märtyrers, der darauf wartet, in die Arena abgeführt zu werden. Es war unfaßbar, daß seine Frau nach dreißigjähriger Ehe noch nicht gelernt hatte, am Sonntag pünktlich fertig zu sein. Endlich erschien sie in schwarzer Seide; der Vikar war der Ansicht, daß eine Pastorsfrau eigentlich niemals Farben tragen sollte, am Sonntag aber duldete er nichts anderes als Schwarz; ab und zu wagte sie, im Komplott mit Miss Graves, eine weiße Feder oder eine blaßrosa Blume, aber solcher Zierat mußte eiligst wieder entfernt werden. Der Vikar erklärte, daß er nicht gesonnen sei, mit einer Metze zur Kirche zu gehen. Mrs. Carey seufzte als Frau, gehorchte indessen als Gattin. Schon war man im Begriff, in den Wagen zu steigen, als der Vikar sich erinnerte, daß man ihm sein Ei nicht gegeben habe. Zwei Frauen waren im Hause, aber um sein Wohlergehen kümmerte sich niemand. Mrs. Carey schalt Mary Ann, und Mary Ann antwortete, daß sie nicht an alles denken könne. Sie eilte fort, um das Ei zu holen, und Mrs. Carey sprudelte es in ein Glas Sherry ein. Der Vikar trank es auf einen Schluck hinunter. Der Kommunionteller wurde im Wagen verstaut, und fort ging es.

Die Kutsche kam vom *Roten Löwen* und roch eigentümlich nach faulem Stroh. Man fuhr mit geschlossenen Fenstern, damit der Vikar sich keine Erkältung hole. Am Kirchentor wartete der Küster, um den Kommunionteller zu übernehmen, und während der Vikar sich in die Sakristei begab, nahmen Mrs. Carey und Philip in ihrem Kirchenstuhl Platz. Mrs. Carey legte das Sechspennystück, das sie jeden

Sonntag zu spenden pflegte, vor sich hin und gab Philip ein Drei-pennystück. Die Kirche füllte sich allmählich, und der Gottesdienst begann.

Philip langweilte sich während der Predigt; aber wenn er unruhig wurde, legte Mrs. Carey ihm sanft die Hand auf den Arm und blickte ihn vorwurfsvoll an. Sein Interesse kehrte zurück, wenn die Schlußhymne gesungen wurde und Mr. Graves den Teller herum-reichte.

Nachdem alle gegangen waren, stattete Mrs. Carey Miss Graves einen Besuch in ihrem Kirchenstuhl ab, um ein wenig mit ihr zu plaudern, während sie auf die Herren warteten, und Philip ging in die Sakristei. Sein Onkel, der Kurator und Mr. Graves hatten im-mer noch ihre Soutanen an. Mr. Carey gab Philip das übriggebliebene geweihte Brot und gestattete ihm, es aufzuessen. Früher hatte er es immer selbst verzehrt (es wegzuwerfen, wäre ihm gotteslästerlich er-schienen), aber Philips gesunder Appetit enthob in dieser Pflicht. Dann wurde das Geld gezählt. Es bestand aus Pennies, Sechspenny- und Dreipennystücken. Jedesmal waren zwei einzelne Shillinge darunter, von Mr. Graves und dem Vikar in den Teller gelegt; manchmal fand sich auch ein Zweishillingstück. Mr. Graves sagte dem Vikar, wer es hineingelegt hatte. Es war kein Einwohner von Blackstable, und Mr. Carey war neugierig zu erfahren, wer es wäre. Aber Miss Graves hatte die unbesonnene Handlung beobachtet und konnte Mrs. Carey mitteilen, daß der Fremde aus London käme, verheiratet wäre und Kinder hätte. Während der Heimfahrt gab Mrs. Carey die Informa-tion weiter, und der Vikar faßte den Entschluß, den Mann um einen Beitrag für den Missionsverein zu ersuchen. Mr. Carey fragte, ob Philip artig gewesen wäre, und Mrs. Carey bemerkte, daß Mrs. Wigram einen neuen Mantel hätte, Mr. Cox nicht in der Kirche ge-wesen wäre und von Miss Philips behauptet würde, sie hätte sich verlobt. War man dann schließlich im Pfarrhaus angelangt, hatten alle das Gefühl, ein kräftiges Mittagessen zu verdienen.

Wenn dieses vorbei war, begab sich Mrs. Carey in ihr Zimmer, um auszuruhen, und Mr. Carey legte sich zu einem kleinen Schläfchen auf das Sofa im Salon.

Um fünf Uhr wurde Tee getrunken, und der Vikar aß ein Ei zur Stärkung für die Abendandacht. An dieser nahm Mrs. Carey nicht teil, sondern verzichtete zugunsten Mary Anns. Aber sie las für sich den ganzen Gottesdienst durch und sang die Hymnen. Des Abends ging Mr. Carey zu Fuß zur Kirche, und Philip hinkte neben ihm her. Der Weg durch die Finsternis über die Landstraße war ihm seltsam unheimlich, und die erleuchtete Kirche, die in der Ferne auf-tauchte und immer näher und näher kam, schien ihm freundlich und vertraut. Anfangs hatte er eine Scheu vor seinem Onkel, aber allmählich gewöhnte er sich an ihn und faßte unterwegs seine Hand und ging dann leichten Herzens weiter, weil er sich geborgen fühlte.

Wenn sie nach Hause kamen, wurde zu Abend gegessen. Mr. Careys Hausschuhe standen auf einem Schemel vor dem Feuer und daneben Philips Paar: ein Kinderschuh für den einen Fuß und ein unförmiger, sonderbarer Stiefel für den anderen. Philip war furchtbar müde, wenn er endlich zu Bett gehen durfte, und leistete keinen Widerstand, wenn Mary Ann ihn auszog. Sie küßte ihn, nachdem sie ihn zugedeckt hatte, und er fing an, sie zu lieben.

Philip hatte immer schon das einsame Leben eines Einzelkindes geführt, und seine Einsamkeit im Pfarrhaus war nicht größer, als sie zu Lebzeiten seiner Mutter gewesen war. Er freundete sich mit Mary Ann an. Sie war eine rundliche kleine Person von fünfunddreißig Jahren, die Tochter eines Fischers, und war mit achtzehn Jahren in das Pfarrhaus gekommen; es war ihr erster Posten, und sie hatte nicht die Absicht, ihn zu wechseln. Aber sie hielt die Möglichkeit einer Heirat als drohendes Schwert über den ängstlichen Häuptern ihrer Herrschaft. Ihre Eltern wohnten in einem kleinen Haus in der Nähe der Hafenstraße, und Mary Ann pflegte sie an ihren freien Abenden zu besuchen. Die Seegeschichten, die sie Philip erzählte, sprachen seine Phantasie an, und die schmalen Gäßchen um den Hafen umgaben sich für ihn mit einem romantischen Schimmer. Eines Abends fragte er Mary Ann, ob er mit zu ihren Eltern gehen dürfe, aber seine Tante hatte Angst, daß er sich eine Krankheit holen könnte, und sein Onkel erklärte, schlechter Umgang verderbe gute Sitten. Er hatte eine Abneigung gegen die Fischersleute, die grob und ungehobelt waren und ketzerischen Bekenntnissen anhingen. Aber Philip fühlte sich in der Küche wohler als im Speisezimmer und holte sich, wann er nur konnte, seine Spielsachen hinunter, um bei Mary Ann zu spielen. Seine Tante war nicht böse darüber. Sie mochte Unordnung nicht, und obgleich sie einsah, daß man von einem Jungen peinliche Ordnungsliebe nicht verlangen konnte, war es ihr doch lieber, wenn er sich in der Küche vergnügte und dort alles durcheinanderbrachte. War er unruhig, wurde sein Onkel nervös und erklärte, daß es höchste Zeit wäre, ihn in eine Schule zu stecken. Mrs. Carey fand Philip noch viel zu jung dafür, und ihr Herz öffnete sich mitleidsvoll dem mutterlosen Kind. Aber ihre Versuche, seine Zuneigung zu gewinnen, waren ungeschickt, und der Junge nahm aus einem Gefühl von Schüchternheit ihre Annäherungen mit solcher Sprödigkeit hin, daß sie sich gekränkt zurückzog. Manchmal hörte sie seine Stimme und sein lautes Lachen in der Küche, kam sie aber hinunter, dann verstummte er jäh und wurde dunkelrot, wenn Mary Ann den Spaß erklärte. Mrs. Carey konnte an dem, was man ihr erzählte, nichts Unterhaltendes finden und lächelte gezwungen.

»Er scheint sich bei Mary Ann glücklicher zu fühlen als bei uns, William«, sagte sie, wenn sie zu ihrer Näherei zurückkehrte.

»Daran kannst du sehen, wie schlecht erzogen er ist. Ein Junge braucht Prügel.«

Am zweiten Sonntag nach Philips Ankunft ereignete sich etwas Unerquickliches. Mr. Carey hatte sich wie gewöhnlich nach dem Mittagessen ins Empfangszimmer zu einem kleinen Schläfchen zurückgezogen, aber er war gereizter Stimmung und konnte nicht schlafen. Josiah Graves hatte am Vormittag energischen Einspruch gegen ein paar Leuchter erhoben, mit denen der Vikar den Altar hatte schmükken wollen. Er hatte sie bei einem Antiquar in Tercanbury gekauft und fand, daß sie sich sehr gut machten. Aber Josiah Graves sagte, sie seien papistisch. Dies war ein Vorwurf, der den Vikar stets empfindlich traf. Er hatte nämlich eine gewisse Sympathie für die Kirche von Rom. Er hätte den Gottesdienst gerne ein wenig prunkvoller gestaltet, als es in der puritanischen Gemeinde von Blackstable üblich war, und lechzte im Tiefsten seiner Seele nach Prozessionen und Kerzen. Er haßte das Wort Protestant. Er selbst nannte sich Katholik. Er pflegte zu sagen, die Papisten hätten ein Beiwort nötig, nämlich römisch-katholisch, aber die englische Staatskirche wäre katholisch im besten, vollen und edelsten Sinn des Wortes. Er freute sich bei dem Gedanken, daß ihm sein glattrasiertes Gesicht das Aussehen eines Priesters verlieh. Er berichtete öfters, daß auf einer seiner Reisen nach Boulogne, einer jener Reisen, auf der ihn seine Frau aus wirtschaftlichen Rücksichten nicht begleitet hatte, der *Priester* zu ihm gekommen wäre, als er in der Kirche gesessen war, und ihn eingeladen hätte, eine Predigt zu halten. Er entließ die Hilfsgeistlichen, die sich entschlossen zu heiraten, da er für das Zölibat des Klerus, der nicht im Besitze von Pfründen war, eintrat. Aber als anläßlich einer Wahl die Liberalen in großen, blauen Lettern auf seinen Gartenzaun geschrieben hatten: *Nach Rom*, war er sehr wütend gewesen und hatte gedroht, den Führer der liberalen Partei von Blackstable zu verklagen. Er faßte den festen Entschluß, daß nichts ihn bewegen sollte, die Leuchter vom Altar zu entfernen, mochte Josiah Graves reden, was ihm beliebte, und er murmelte ein- oder zweimal ärgerlich ›Bismarck‹ vor sich hin.

Plötzlich hörte er ein ungewohntes Geräusch. Er zog das Taschentuch vom Gesicht, erhob sich von seinem Sofa und ging ins Speisezimmer. Philip saß am Tisch und hatte seine Bausteine um sich ausgebreitet. Er hatte ein riesenhaftes Schloß aufgebaut, aber durch irgendeinen Fehler in der Konstruktion war die ganze Pracht lärmend zusammengefallen.

»Was tust du hier, Philip? Du weißt genau, daß man am Sonntag nicht spielen darf.«

Philip starrte ihn einen Augenblick mit erschrockenen Augen an und wurde, wie es seine Art war, dunkelrot.

»Ich habe zu Hause immer gespielt«, antwortete er.

»Deine liebe Mutter wird dir bestimmt nicht gestattet haben, etwas so Böses zu tun.«

Philip wußte nicht, daß es etwas Böses war; und war es wirklich unrecht, dann sollte man nicht glauben, daß seine Mutter es ihm erlaubt hatte. Er ließ den Kopf hängen und antwortete nicht.

»Du weißt also nicht, daß es eine schwere Sünde ist, am Sonntag zu spielen? Du sollst heute abend zur Kirche gehen; willst du deinem Schöpfer vors Antlitz treten, wenn du am Nachmittag eines seiner höchsten Gesetze gebrochen hast?«

Mr. Carey befahl Philip, seine Bausteine sofort wegzuräumen, und blieb bei ihm stehen, bis das geschehen war.

»Du bist ein sehr unartiger Junge«, wiederholte er. »Denk an den Kummer, den du deiner armen Mutter im Himmel bereitest.«

Philip war dem Weinen nahe, aber er schämte sich, etwas davon merken zu lassen, und biß die Zähne aufeinander, um sein Schluchzen zu unterdrücken. Mr. Carey setzte sich in seinen Lehnstuhl und fing an, in einem Buche zu blättern. Philip stellte sich ans Fenster. Das Pfarrhaus stand etwas abseits von der Straße, die nach Tercanbury führte, und vom Speisezimmer aus sah man ein halbkreisförmiges Stück Rasen und dann, so weit der Horizont reichte, grüne Wiesen. Schafe weideten darauf. Der Himmel war traurig und grau. Philip fühlte sich unendlich unglücklich.

Nach einer Weile erschien Mary Ann, um den Teetisch zu decken, und Tante Louisa kam die Treppen herunter.

»Hast du gut geschlafen, William?« fragte sie.

»Nein«, antwortete er. »Philip hat so viel Lärm gemacht, daß ich kein Auge schließen konnte.«

Dies stimmte nicht ganz, denn er war durch seine eigenen Gedanken wachgehalten worden; und Philip, der mürrisch zuhörte, dachte bei sich, daß er nur einmal Lärm gemacht hatte und daß sein Onkel vor- oder nachher sehr gut hätte schlafen können. Als Mrs. Carey um Aufklärung bat, erzählte der Vikar, was sich zugetragen hatte.

»Und er hat nicht einmal gesagt, daß es ihm leid tut«, schloß er.

»O Philip, es tut dir doch sicherlich leid«, rief Mrs. Carey, ängstlich darauf bedacht, daß das Kind keinen boshafteren Eindruck auf seinen Onkel machte als nötig.

Philip antwortete nicht. Er fuhr fort, an seinem Butterbrot zu kauen. Er wußte nicht, welche Kraft in seinem Innern ihn zurückhielt, auch nur ein Wort zu sagen. Er fühlte seine Ohren brennen, die Tränen stiegen ihm in den Hals, aber keine Silbe kam über seine Lippen.

»Mit Trotz machst du es nur noch schlimmer«, sagte Mrs. Carey.

Schweigend wurde die Mahlzeit beendet. Mrs. Carey blickte Philip ab und zu verstohlen an, der Vikar aber übersah ihn mit Absicht. Als er schließlich aufstand, um sich für die Kirche fertigzumachen, ging Philip in die Halle und holte sich Hut und Mantel. Doch der Vikar hielt ihn zurück:

»Ich wünsche nicht, daß du in die Kirche gehst, Philip. Du bist heute nicht würdig, das Haus Gottes zu betreten.«

Philip sagte kein Wort. Er empfand, daß es eine tiefe Demütigung war, die ihm zugefügt wurde, und seine Wangen wurden rot. Still stand er da und sah zu, wie der Onkel sich seinen breiten Hut aufsetzte und in den voluminösen Mantel schlüpfte. Mrs. Carey begleitete ihn wie gewöhnlich bis zur Tür. Dann wandte sie sich Philip zu.

»Mach dir nichts daraus, Philip. Nächsten Sonntag bist du brav, und dann nimmt dich dein Onkel am Abend wieder mit zur Kirche.«

Sie zog ihm Hut und Mantel aus und führte ihn ins Speisezimmer.

»Sollen wir miteinander den Gottesdienst lesen, Philip? Nachher singen wir auch die Hymnen zum Harmonium. Ja?«

Philip schüttelte energisch den Kopf. Mrs. Carey war bestürzt. Was sollte sie mit ihm anfangen?

»Was möchtest du denn sonst tun bis zur Rückkehr deines Onkels?« fragte sie hilflos.

Philip brach endlich sein Schweigen.

»Ich will, daß man mich in Ruhe läßt«, stieß er hervor.

»Philip, wie kannst du so etwas Unfreundliches sagen? Weißt du nicht, daß Onkel William und ich nur dein Bestes wollen? Hast du mich denn gar nicht lieb?«

»Nein, ich hasse dich. Ich wollte, du wärest tot.«

Mrs. Carey war wie vom Blitz gerührt. Er hatte die Worte so wild hervorgebracht, daß sie bis ins Tiefste erschrak. Sie fand keine Antwort. Sie setzte sich in den Stuhl ihres Mannes, und wie sie nun darüber nachdachte, wie innig sie gewünscht hatte, den freundlosen, verkrüppelten Jungen zu lieben und auch seine Zuneigung zu gewinnen – sie war eine unfruchtbare Frau, und obgleich sie Gottes Willen ohne zu murren hinnahm, konnte sie es manchmal kaum ertragen, kleine Kinder anzusehen, das Herz tat ihr so weh –, stiegen ihr die Tränen in die Augen und rollten langsam über ihre Wangen. Philip starrte sie betroffen an. Sie zog ihr Taschentuch hervor und weinte, ohne sich zurückzuhalten. Mit einem Male wurde es Philip klar, daß sie über das weinte, was er gesagt hatte, und es tat ihm leid. Still trat er zu ihr hin und küßte sie. Es war der erste Kuß, den er ihr unaufgefordert gab. Und die arme Frau, so winzig, in ihrem schwarzen Seidenkleid, verhutzelt, blaß, mit ihren komischen Korkzieherlocken, nahm den kleinen Jungen auf ihren Schoß, legte die Arme um ihn und weinte, als ob ihr das Herz brechen wollte. Und doch war sie glücklich, denn sie fühlte, daß nun die Fremdheit zwischen ihnen gewichen war. Sie liebte ihn jetzt mit einer neuen Liebe, weil sie um ihn gelitten hatte.

Am folgenden Sonntag, als der Vikar seine Anstalten traf, sich zum Mittagsschläfchen in den Salon zu begeben – jede Handlung seines Lebens hatte ihr Zeremoniell –, und Mrs. Carey im Begriff stand, sich zurückzuziehen, fragte Philip:

»Was soll ich tun, wenn ich nicht spielen darf?«

»Kannst du nicht auch einmal stillsitzen und ruhig sein?«

»Ich kann nicht bis zum Tee stillsitzen.«

Mr. Carey schaute aus dem Fenster, doch es war kalt und rauh, und er konnte Philip nicht den Vorschlag machen, in den Garten zu gehen.

»Ich weiß, was du tun kannst. Du lernst die Kollekte für den Tag auswendig.«

Er nahm das Gebetbuch vom Harmonium und blätterte darin, bis er die Stelle fand, die er suchte.

»Sie ist nicht lang. Wenn du sie bis zum Tee ohne Fehler hersagen kannst, kriegst du die Spitze von meinem Ei.«

Mrs. Carey zog Philips Stuhl an den Eßtisch heran – sie hatten ihm inzwischen einen hohen Stuhl gekauft – und legte das Buch vor ihn hin.

»Der Teufel schafft Arbeit für müßige Hände«, sagte Mr. Carey.

Er legte noch ein paar Schaufeln Kohle aufs Feuer, um ein behagliches Lodern vorzufinden, wenn er zum Tee herunterkam, und ging ins Empfangszimmer. Er lockerte den Kragen, schüttelte die Kissen zurecht und machte es sich auf dem Sofa bequem. Aber Mrs. Carey fand es im Salon etwas kühl, und sie brachte ihm aus dem Vorzimmer eine Decke; sie breitete sie über seine Beine und wickelte ihm die Füße ein. Dann ließ sie die Jalousien herunter, damit das Licht ihn nicht blende, und schlich, als sie bemerkte, daß er die Augen bereits geschlossen hatte, auf Zehenspitzen aus dem Zimmer. Der Vikar war heute im Frieden mit sich selbst und schlief in zehn Minuten ein. Er schnarchte sanft.

Es war der sechste Sonntag nach dem Dreikönigsfest, und die

Kollekte begann mit den Worten: O *Gott, dessen gebenedeiter Sohn die Werke des Teufels zerstört und aus uns Kinder Gottes und Erben des Ewigen Lebens gemacht hat.* Philip las die Sätze durch. Er konnte ihren Sinn nicht erfassen. Er fing an, sich die Worte laut vorzusagen, aber viele davon waren ihm unbekannt, und die Satzkonstruktion schien ihm fremd. Er konnte nicht mehr als zwei Zeilen in seinen Kopf hineinbringen. Seine Aufmerksamkeit irrte ständig ab: an die Mauern des Pfarrhauses waren Spalierbäume gespannt, und ein langer Zweig schlug von Zeit zu Zeit ans Fenster; draußen auf der Wiese jenseits des Gartens weideten Schafe. Es war ihm, als hätte er Knoten im Gehirn. Eine panische Angst packte ihn, daß er sich die Worte bis zum Tee nicht würde einprägen können, und hastig flüsterte er sie immer wieder vor sich hin, ohne auf ihren Sinn zu achten.

Mrs. Carey konnte an diesem Nachmittag nicht schlafen und war um vier Uhr noch so wach, daß sie beschloß hinunterzugehen. Sie wollte Philip abhören, damit er keinen Fehler machte, wenn er seinem Onkel die Kollekte vorsagte. Das würde den Onkel freuen; er würde sehen, daß der Junge das Herz am rechten Fleck hatte. Aber als Mrs. Carey vor dem Speisezimmer stand, im Begriffe einzutreten, hörte sie einen Laut, der sie plötzlich innehalten ließ. Ihr Herz krampfte sich zusammen. Sie drehte sich um und ging schnell zur Haustür hinaus. Sie ging um das Haus herum, bis sie zum Speisezimmerfenster kam und schaute behutsam hinein. Philip saß noch immer auf dem Stuhl, in den sie ihn gesetzt hatte. Aber er hatte den Kopf auf den Tisch gelegt, in seine Arme vergraben, und schluchzte verzweifelt. Sie sah das krampfhafte Zucken seiner Schultern. Mrs. Carey war erschrocken. Sie hatte es stets erstaunlich gefunden, wie beherrscht der Junge war. Nie hatte sie ihn weinen gesehen. Und nun erkannte sie, daß sich hinter seiner Ruhe bloß die instinktive Scheu verbarg, seine Gefühle zu zeigen; er weinte im geheimen.

Ohne zu bedenken, daß ihr Gatte es nicht liebte, plötzlich aus dem Schlaf gerissen zu werden, stürzte sie ins Empfangszimmer.

»William, William«, rief sie, »der Junge weint so entsetzlich.«

Mr. Carey richtete sich auf und befreite sich von der Decke, die um seine Beine lag.

»Worüber hat er denn zu weinen?«

»Ich weiß es nicht . . . Ach, William, der Junge darf nicht unglücklich sein. Glaubst du, daß es unsere Schuld ist? Wenn wir Kinder gehabt hätten, hätten wir gewußt, wie wir sie behandeln sollten.«

Mr. Carey schaute sie verblüfft an. Er fühlte sich außerordentlich hilflos.

»Er kann unmöglich weinen, weil ich ihm die Kollekte zum Auswendiglernen gegeben habe. Sie ist höchstens zehn Zeilen lang.«

»Soll ich ihm nicht ein paar Bücher mit Bildern hinunterbringen? Du hast welche über das Heilige Land. Die darf er doch ansehn?«

»Schön, ich habe nichts dagegen.«

Mrs. Carey eilte ins Studierzimmer. Bücher zu sammeln war Mr. Careys einzige Leidenschaft. Er fuhr nie nach Tercanbury, ohne ein paar Stunden in einem Antiquariat zu verbringen. Jedesmal brachte er vier oder fünf staubige Bände heim. Er las sie nicht, denn er las seit langer Zeit überhaupt nicht mehr. Aber es machte ihm Freude, in ihnen zu blättern, die Illustrationen zu betrachten und die Einbände auszubessern. Er war glücklich über jeden Regentag, weil er dann ohne Gewissensbisse zu Hause bleiben und mit Eiweiß und Leimtiegel den Juchteneinband irgendeines verwitterten Folianten zusammenflicken konnte. Er besaß viele Reisebücher mit Kupferstichen, und Mrs. Carey hatte rasch zwei Bände über Palästina hervorgesucht. Vor der Tür hustete sie auffällig, um Philip Zeit zu geben, sich zu fassen. Dann klapperte sie mit der Klinke. Als sie eintrat, war Philip in das Gebetbuch vertieft und hatte die Hände über die Augen gelegt, damit sie nicht merken sollte, daß er geweint hatte.

»Hast du die Kollekte gelernt?« fragte sie.

Er antwortete nicht gleich, und sie erriet, daß er seiner Stimme nicht traute. Sie fühlte sich merkwürdig befangen.

»Ich kann sie nicht auswendig lernen«, stieß er endlich hervor.

»Ach, dann laß es«, sagte sie. »Du brauchst es nicht. Ich habe dir ein paar Bilderbücher zum Anschauen gebracht. Komm, setz dich auf meinen Schoß. Wir wollen sie miteinander ansehen.«

Philip glitt von seinem Sessel hinunter und hinkte gesenkten Blickes zu ihr hin. Sie legte die Arme um ihn.

»Schau«, sagte sie, »hier ist unser Heiland geboren worden.«

Sie zeigte ihm eine morgenländische Stadt mit flachen Dächern und Kuppeln und Minaretten. Im Vordergrund stand eine Gruppe von Palmen, und unter diesen hielten zwei Araber und ein paar Kamele Rast. Philip ließ seine Hand über die Bilder gleiten, als wollte er die Häuser und die losen Gewänder der Nomaden betasten.

»Lies mir vor, was daneben steht«, bat er.

Es war die romantische Schilderung eines Reisenden der dreißiger Jahre, pompös vielleicht, aber voll der Begeisterung, mit der die auf Byron und Chateaubriand folgende Generation den Orient aufgenommen hatte. Mrs. Carey las mit gleichmäßiger Stimme. Nach einer Weile unterbrach Philip sie.

»Ich möchte noch ein Bild sehen.«

Als Mary Ann hereinkam und Mrs. Carey aufstand, um ihr beim Tischdecken zu helfen, nahm Philip das Buch an sich und verschlang die Illustrationen. Nur schwer konnte seine Tante ihn dazu bewegen, es beim Teetrinken beiseite zu legen. Die furchtbare Quälerei der vergangenen Stunden war vergessen, die Tränen waren vergessen. Am nächsten Tage regnete es, und er bat wiederum um das Buch. Mrs. Carey gab es ihm mit Freuden. Es war ihr Wunsch, daß er eines Tages Geistlicher werden sollte, und nun faßte sie sein glühendes Interesse für die durch die Gegenwart Christi geheiligten Gegenden als günstiges Anzeichen auf. Es schien, als neige seine Seele von Natur aus religiösen Dingen zu. Aber ein paar Tage später bat er um neue Bücher. Mr. Carey nahm ihn mit in sein Zimmer, zeigte ihm das Fach, in dem die illustrierten Werke standen. Er gab ihm eines, das Rom behandelte. Philip griff begierig danach. Die Bilder wiesen ihm den Weg zu einem neuen Vergnügen. Er fing an, die Seiten vor und nach den Darstellungen zu lesen und verlor bald jedes Interesse an seinen Spielsachen.

Später suchte er sich, wenn niemand in der Nähe war, selbst Bücher heraus. Am liebsten waren ihm solche über den Orient. Sein Herz schlug vor Aufregung, wenn er die Moscheen und die prunkvollen Paläste sah; aber unter all den Büchern gab es eines über Konstantinopel, das seine Phantasie besonders beschäftigte. Es hieß *Die Halle der tausend Säulen.* Darin ging es um eine byzantinische Grotte, der in den Volkssagen eine ungeheure Ausdehnung zugeschrieben wurde; die Legende, die er las, erzählte davon, daß vor dem Eingang zur Grotte immer ein Boot gelegen sei, um die Unbedachten in Versuchung zu führen, aber kein Reisender, der sich in die Finsternis hineingewagt habe, sei je zurückgekehrt. Philip hätte gerne gewußt, ob das Boot endlos durch Säulenhallen gefahren sei oder irgendwann ein fremdartiges Schloß erreicht habe.

Eines Tages widerfuhr Philip ein großes Glück: die Lanesche Übersetzung von *Tausendundeine Nacht* fiel ihm in die Hände. Anfangs waren es die Illustrationen, die ihn fesselten, aber bald fing er zu lesen an: er las zuerst die Märchen und dann die andern Geschichten; und die, die ihm gefielen, las er immer und immer wieder. Er konnte an nichts anderes mehr denken. Er vergaß das Leben um sich her. Man mußte ihn zwei-, dreimal rufen, ehe er zum Essen kam. Unversehens machte er sich die genußreichste Gewohnheit zu eigen, die es auf der Welt gibt, die Gewohnheit des Lesens: er wußte nicht, daß er sich damit eine Zuflucht baute gegen alle Kümmernisse des Daseins; aber er wußte ebensowenig, daß er sich damit eine unwirkliche Welt schuf, neben der die Wirklichkeit sich in eine Quelle bitterer Enttäuschungen verwandelte. Nach einiger Zeit fing er an, andere Sachen zu lesen. Sein Verstand war seinen Jahren voraus. Als seine Pflegeeltern sahen, daß er sich nun selbst beschäftigte und weder störte noch lärmte, hörten sie auf, sich über ihn Gedanken zu machen. Mr. Carey hatte so viele Bücher, daß er sie nicht einmal dem Titel nach kannte. Verstreut zwischen Predigten und Traktaten,

Reisebeschreibungen, Heiligenleben und Kirchengeschichten fanden sich altmodische Romane; und diese waren es, die Philip eines Tages entdeckte. Er wählte sie nach ihren Titeln; und das erste war *Die Hexen von Lancashire*. Dann las er *Der bewundernswerte Crichton*. Er konnte nicht genug bekommen. Wenn ein Buch damit anfing, daß zwei einsame Reisende am Rande eines gefährlichen Abgrundes dahinritten, hatte er, was er suchte.

Indessen war es Sommer geworden. Der Gärtner, ein alter Matrose, machte ihm eine Hängematte und befestigte sie in den Zweigen einer Trauerweide. Hier lag er nun stundenlang, verborgen vor aller Welt, und las, las, las. Die Zeit ging dahin, und es wurde Juli; der August kam heran: am Sonntag war die Kirche voll von Fremden, und die Sammlung ergab oft bis zu zwei Pfund. Der Vikar und Mrs. Carey verließen in diesen Wochen ihren Garten kaum, denn sie liebten fremde Gesichter nicht und betrachteten die Gäste aus London mit Mißfallen. Das gegenüberliegende Haus wurde auf sechs Wochen von einem Herrn gemietet, der zwei kleine Jungen hatte, und einmal schickte er hinüber und ließ anfragen, ob Philip mit ihnen spielen wollte. Aber Mrs. Carey lehnte höflich ab. Sie fürchtete, Philip könnte durch die Londoner Kinder verdorben werden. Er sollte Geistlicher werden und mußte vor bösen Einflüssen bewahrt werden.


Die Careys faßten den Entschluß, Philip in ein Institut in Tercanbury zu schicken, die King's School, wo die Geistlichkeit der Nachbarschaft ihre Söhne erziehen ließ. Diese Schule war durch alte Tradition mit der Kathedrale verbunden: ihr Leiter war Ehrenkanonikus, und ein ehemaliger Leiter war Erzbischof gewesen. Die Knaben wurden hier angeeifert, sich dem geistlichen Beruf zuzuwenden, und die Erziehung war danach angetan, auf ein dem Dienste Gottes geweihtes Leben vorzubereiten. Zu der Anstalt gehörte auch eine Vorbereitungsschule, und diese sollte Philip besuchen. Mr. Carey brachte ihn gegen Ende September an einem Donnerstagnachmittag nach Tercanbury. Den ganzen Tag war Philip sehr aufgeregt gewesen. Er fürchtete sich vor dem Schulleben, das er bisher nur aus den Geschichten in *The Boy's Own Paper* kannte.

Als er in Tercanbury aus dem Zuge stieg, fühlte er sich krank vor Angst, und während der Fahrt in die Stadt saß er still und schweigsam da. Eine hohe Ziegelmauer gab dem Schulgebäude das Aussehen eines Gefängnisses. Als sie klingelten, öffnete sich eine kleine Tür, und ein schwerfälliger, unordentlicher Mann kam heraus und nahm Philips Koffer und Spielzeugschachtel an sich. Sie wurden ins Empfangszimmer geführt. Es war mit massiven, häßlichen Möbeln angefüllt. Steif und ungastlich standen die Stühle der Salongarnitur längs der Wände aufgereiht. Mr. Carey und Philip warteten auf den Direktor.

»Wie sieht Mr. Watson aus?« fragte Philip nach einer Weile.

»Das wirst du gleich sehen.«

Wieder trat eine Pause ein. Mr. Carey wunderte sich, daß der Direktor so lange nicht erschien. Nach einer Weile entrang sich Philip ein zweiter Satz:

»Sag ihm, daß ich einen Klumpfuß habe.«

Ehe Mr. Carey antworten konnte, flog die Tür auf, und Mr. Watson stürmte ins Zimmer. Philip erschien er riesenhaft. Er war über sechs Fuß hoch, sehr breit und hatte ungeheuer große Hände und einen mächtigen roten Bart; er sprach laut und jovial, aber seine aggressive Munterkeit erfüllte Philips Herz mit Schrecken. Mr. Watson begrüßte Mr. Carey und nahm dann Philips kleine Hand in die seine.

»Nun, junger Freund, freust du dich auf die Schule?«

Philip errötete und brachte kein Wort hervor.

»Wie alt bist du?«

»Neun Jahre«, sagte Philip.

»Du mußt ›Sir‹ sagen«, sagte sein Onkel.

»Werden wohl eine Menge nachzulernen haben«, schrie der Direktor mit aufmunternder Freundlichkeit.

Um dem Jungen Zutrauen einzuflößen, fing er an, ihn mit seinen groben Fingern zu kitzeln. Philip fühlte sich unbehaglich und wand sich unter der Berührung.

»Ich habe ihn zunächst in den kleinen Schlafsaal gesteckt... Das wird dir doch gefallen?« wandte er sich an Philip. »Da seid ihr bloß acht, und du wirst dich nicht so fremd fühlen.«

Dann ging die Tür auf, und Mrs. Watson kam herein. Sie war eine dunkle Frau mit schwarzem Haar, das in der Mitte sauber gescheitelt war. Sie hatte merkwürdig dicke Lippen und eine kleine, runde Nase. Sie wirkte ungewöhnlich kalt. Sie sprach selten und lächelte noch seltener. Ihr Gatte stellte ihr Mr. Carey vor und stieß Philip mit einem freundschaftlichen Puff zu ihr hin.

»Das ist der neue Junge, Helen. Er heißt Carey.«

Wortlos reichte sie Philip die Hand und setzte sich dann, immer noch ohne zu sprechen, hin, während ihr Mann Mr. Carey fragte, was Philip konnte und was für Bücher er benützt hatte. Der Vikar von Blackstable fühlte sich ein wenig eingeschüchtert durch Mr. Watsons lärmende Herzlichkeit und stand nach einer Weile auf.

»Es wird wohl das beste sein, wenn ich Ihnen Philip nun überlasse.«

»Sehr schön«, entgegnete Mr. Watson. »Das können Sie beruhigt tun. Hier ist er gut aufgehoben. Wird gar nicht wieder wegwollen. Nicht wahr, junger Freund?«

Ohne Philips Antwort abzuwarten, brach der riesige Mensch in ein dröhnendes Gelächter aus, Mr. Carey küßte Philip auf die Stirn und ging.

»Komm jetzt mit mir, kleiner Bursche«, schrie Mr. Watson. »Wir wollen uns das Schulzimmer ansehen.«

Er fegte mit Riesenschritten aus dem Zimmer, und Philip hinkte eilig hinter ihm drein. Er wurde in ein langes, kahles Zimmer geführt mit zwei Tischen, die sich durch die ganze Länge des Raumes hinzogen und zu beiden Seiten von hölzernen Bänken flankiert waren.

»Noch niemand hier, vorläufig«, sagte Mr. Watson. »Jetzt zeige ich dir nur noch den Spielplatz, und dann kannst du dich allein beschäftigen.«

Mr. Watson ging voran. Philip sah sich auf einem weiten Spielplatz, der auf drei Seiten von hohen Ziegelmauern eingeschlossen war. Auf der vierten Seite zog sich ein Eisengitter hin, durch das man eine große Rasenfläche und jenseits davon einige Gebäude der King's School erblickte. Ein kleiner Junge schlenderte trostlos umher. Bei jedem Schritt stieß er den Kies auf.

»Hallo, Venning«, brüllte Mr. Watson. »Wann bist du angekommen?«

Der kleine Junge kam heran und grüßte.

»Da ist ein neuer Junge. Er ist älter und größer als du. Ärgere ihn also nicht.«

Der Direktor strahlte die beiden Kinder freundschaftlich an; seine dröhnende Stimme erfüllte sie mit Angst. Dann verließ er sie mit lautem Gelächter.

»Wie heißt du?«

»Carey.«

»Was ist dein Vater?«

»Mein Vater ist schon tot.«

»Ach! Wäscht deine Mutter?«

»Meine Mutter ist auch schon tot.«

Philip dachte, daß diese Antwort Eindruck auf den Jungen machen müßte, aber Venning war nicht so leicht von seiner Scherzhaftigkeit abzubringen.

»Hat sie also gewaschen?«

»Nein.«

»Nicht einmal sich selbst?«

Der kleine Junge krähte vor Entzücken über seine Schlagfertigkeit. Dann fiel sein Blick auf Philips Fuß.

»Was ist mit deinem Fuß los?«

Philip bemühte sich instinktiv, ihn zu verbergen. Er versteckte ihn hinter dem gesunden.

»Ich habe einen Klumpfuß«, antwortete er.

»Wie hast du den bekommen?«

»Ich habe ihn immer schon gehabt.«

»Laß mal sehn.«

»Nein.«

»Dann nicht.«

Der kleine Junge begleitete diese Worte mit einem scharfen Tritt gegen Philips Schienbein, den Philip nicht erwartet hatte und gegen den er sich deshalb auch nicht schützen konnte. Der Schmerz war so groß, daß es ihm den Atem verschlug, aber noch größer war seine Überraschung. Er wußte nicht, warum Venning ihn gestoßen hatte. Er hatte nicht die Geistesgegenwart, sich zu wehren. Überdies hatte er in *The Boy's Own Paper* gelesen, daß es als Schande galt, einen Kleineren zu schlagen. Während Philip mit seinem Schienbein beschäftigt war, kam der dritte Junge hinzu, und sein Peiniger ließ von ihm ab. Nach kurzer Zeit bemerkte er, daß sich die beiden über ihn unterhielten, und er fühlte, daß sie auf seinen Fuß sahen. Es wurde ihm heiß und unbehaglich.

Aber andere Jungen kamen hinzu, ein Dutzend und dann noch mehr, und alle erzählten, wie sie ihre Ferien verbracht hatten, wo sie gewesen waren und welch herrliche Kricketpartien sie gespielt hatten. Ein paar neue Knaben erschienen, und mit diesen kam Philip ins Gespräch. Er war schüchtern und ängstlich. Er war bemüht, sich beliebt zu machen, aber es fiel ihm nichts zu sagen ein. Viele Fragen wurden an ihn gerichtet, und er beantwortete sie alle bereitwillig. Einer von den Jungen fragte ihn, ob er Kricket spielen könne.

»Nein«, antwortete Philip. »Ich habe einen Klumpfuß.«

Der Junge blickte schnell hinunter und errötete. Philip merkte, daß er das Gefühl hatte, eine Taktlosigkeit begangen zu haben. Er war zu schüchtern, um sich zu entschuldigen, und schaute Philip verlegen an.

Am nächsten Morgen, als Philip durch das Läuten einer Glocke geweckt wurde, blickte er erstaunt um sich. Dann ertönte eine Stimme, und er erinnerte sich, wo er war.

»Bist du wach, Singer?«

Die einzelnen Abteilungen des Schlafraumes waren aus poliertem Eichenholz und vorne mit einem grünen Vorhang versehen. In jenen Tagen wurde noch wenig Wert auf frische Luft gelegt, und die Fenster wurden geschlossen gehalten. Vormittags, während des Aufräumens, wurde gelüftet.

Philip stand auf und kniete nieder, um zu beten. Es war ein kalter Morgen, und er fror; aber sein Onkel hatte ihn gelehrt, daß sein Gebet Gott wohlgefälliger war, wenn er es im Nachthemd verrichtete. Dies wunderte ihn nicht weiter, denn es war ihm allmählich klargeworden, daß Gott auf das Unbehagen seiner Anbeter Wert legte. Dann wusch er sich. Es gab zwei Badezimmer für die fünfzig Zöglinge, und jeder Junge durfte einmal in der Woche baden. Im übrigen mußte für seine Reinigung ein kleines Waschbecken ausreichen, das auf einem Gestell stand und nebst dem Bett und einem Stuhl die ganze Einrichtung einer Koje ausmachte. Die Knaben plauderten fröhlich, während sie sich anzogen. Philip war ganz Ohr. Dann läutete wieder eine Glocke, und alle liefen hinunter. Sie nahmen im Schulzimmer auf den Bänken Platz, die sich zu beiden Seiten der langen Tische hinzogen; dann erschien Mr. Watson, gefolgt von seiner Frau und den Dienstboten. Sie setzten sich ebenfalls. Mr. Watson las die Gebete auf eine eindrucksvolle Art; mit seiner Donnerstimme brüllte er die frommen Worte hervor, als wären es Drohungen, die sich gegen jeden einzelnen Jungen persönlich richteten. Philip hörte angsterfüllt zu. Dann las Mr. Watson ein Kapitel aus der Bibel, und die Dienstboten zogen ab. Gleich darauf brachte ein unordentlicher junger Mensch zwei große Teekannen herein, und bei seinem zweiten Erscheinen ungeheure Teller mit Butterbroten.

Philip hatte einen empfindlichen Gaumen, und die dicken Schichten schlechter Butter auf dem Brot drehten ihm den Magen um; schließlich machte er es wie ein paar andere Knaben und kratzte die Butter weg. Alle Jungen aßen Fleischkonserven oder dergleichen, die sie von zu Hause mitgebracht hatten; und manche bekamen ›Zulagen‹, Eier oder Speck, an denen Mr. Watson verdiente. Als er Mr. Carey gefragt hatte, ob Philip welche bekommen sollte, hatte Mr. Carey erklärt, der Junge solle nicht verwöhnt werden. Mr. Watson gab ihm vollkommen recht; auch er war der Ansicht, daß es für einen Burschen im Wachsen nichts Besseres gäbe als Butterbrot – aber manche Eltern wollten es leider nicht einsehen.

Philip bemerkte, daß einem ›Zulagen‹ ein gewisses Ansehen verliehen und nahm sich vor, Tante Louisa in seinem nächsten Brief um welche zu bitten.

Nach dem Frühstück strömten die Jungen auf den Spielplatz. Hier hatten sich allmählich die Externen versammelt. Sie setzten sich aus den Söhnen der Ortsgeistlichen, der Offiziere und der Fabrikanten und Geschäftsleute der Stadt zusammen. Nach einer Weile läutete die Glocke, und man begab sich in die Schule. Diese bestand aus einem langen, großen Zimmer, an dessen entgegengesetzten Enden je ein Lehrer unterrichtete – der eine die zweite, der andere die dritte Klasse –, und aus einem kleineren anschließenden Raum, in dem

Mr. Watson herrschte. Er hatte die erste Klasse unter sich. Philip wurde in die unterste gesteckt. Der Lehrer, ein Mann mit rotem Gesicht und unangenehmer Stimme, hieß Rice; er hatte eine nette Art, mit Kindern umzugehen, und die Zeit verging rasch. Philip war ganz überrascht, als es dreiviertel elf war und eine Pause von zehn Minuten eingeschaltet wurde.

Alles stürmte lärmend auf den Schulhof. Die neuen Jungen mußten in der Mitte bleiben, während die andern an den beiden einander gegenüberliegenden Mauern Aufstellung nahmen. Sie spielten ›Pig in the Middle‹. Die alten Jungen liefen von Mauer zu Mauer, und die neuen bemühten sich, sie zu fangen. Wenn einer erwischt wurde und die mysteriösen Worte ausgesprochen waren: »one, two, three, and a pig for me« – dann war er gefangen und mußte den andern helfen, die noch Freigebliebenen zu fangen. Philip sah einen Jungen vorüberrennen und versuchte, ihn zu fassen, aber sein Fuß hinderte ihn daran; und die Laufenden begriffen sehr rasch ihren Vorteil und liefen nun absichtlich immer wieder an ihm vorbei. Schließlich verfiel einer auf die großartige Idee, Philips unbeholfenes Humpeln nachzuahmen. Ein paar andere Jungen sahen es und fingen zu lachen an; dann machten sie es alle dem ersten nach und hinkten mit lautem Geschrei und schrillem Gelächter um Philip herum. Sie gerieten außer Rand und Band bei dieser neuen Unterhaltung und hielten sich die Seiten vor Lachen. Einer stellte Philip ein Bein, und er fiel schwer hin, wie jedesmal, wenn er fiel, und schlug sich das Knie auf. Als er aufstand, lachten die andern nur noch lauter. Ein Junge stieß ihn von hinten, und er wäre noch einmal hingefallen, wenn nicht ein anderer ihn aufgefangen hätte. Über dieser Belustigung wurde das Spiel vollkommen vergessen. Einer von den Jungen erfand ein merkwürdiges, rollendes Humpeln, das den andern besonders komisch schien, so daß einige sich auf dem Boden wälzten vor Lachen. Philip war völlig verstört. Er konnte nicht begreifen, warum man ihn auslachte. Sein Herz schlug so heftig, daß er kaum atmen konnte, und er fürchtete sich wie noch nie im Leben. Still und eingeschüchtert stand er da, während die anderen um ihn herumliefen und ihn verhöhnten. »Fang uns doch«, riefen sie ihm zu, aber er rührte sich nicht. Sie sollten ihn nicht mehr laufen sehen. Er mußte seine ganze Kraft aufwenden, um nicht zu weinen.

Mit einemmale läutete die Glocke, und alle drängten in die Schule zurück. Philips Knie blutete, und er war staubig und zerzaust. Es dauerte eine ganze Weile, ehe Mr. Rice seine Klasse wieder beruhigen konnte.

Am Nachmittag sollte Fußball gespielt werden, aber Mr. Watson hielt Philip nach dem Mittagessen an.

»Du kannst wohl nicht Fußball spielen, Carey?« fragte er.

Philip errötete.

»Nein, Sir.«

»Dann gehst du mit zum Fußballplatz und siehst zu. Der Weg wird dir doch nicht zu weit werden?«

Philip hatte keine Ahnung, wo der Fußballplatz lag, antwortete aber auf alle Fälle:

»Nein, Sir.«

Mr. Rice hatte die Aufsicht über die Jungen. Als er sah, daß Philip sich nicht umgezogen hatte, fragte er ihn nach dem Grund.

»Mr. Watson hat gesagt, daß ich nicht mitzuspielen brauche.«

»Warum nicht?«

Die Jungen scharten sich um ihn, und er fühlte ihre neugierigen Augen auf sich gerichtet. Ein Gefühl von Scham überkam ihn. Ohne zu antworten blickte er zu Boden. Die andern sprachen für ihn.

»Er hat einen Klumpfuß, Sir.«

»Ach so.«

Mr. Rice war noch ganz jung; er hatte erst vor einem Jahr seine Prüfungen gemacht. Er wußte nicht, was er tun sollte. Am liebsten hätte er das Kind um Entschuldigung gebeten, aber er war zu schüchtern. Er machte seine Stimme rauh und barsch.

»Los, Jungens, worauf wartet ihr noch? Vorwärts mit euch.«

Einige hatten sich schon auf den Weg gemacht, und die, die übriggeblieben waren, brachen nun in kleinen Gruppen von zweien oder dreien auf.

»Du kommst am besten mit mir, Carey«, sagte der Lehrer. »Du kennst den Weg noch nicht.«

Philip erriet die freundliche Absicht, und ein Schluchzen stieg ihm in die Kehle.

»Ich kann nicht sehr schnell gehen, Sir.«

»Dann werde ich eben sehr langsam gehen«, entgegnete der Lehrer lächelnd.

Philips Herz flog Mr. Rice zu, diesem einfachen jungen Menschen mit seinem roten Gesicht, der ein gutes Wort zu ihm gesagt hatte. Er fühlte sich mit einem Male weniger unglücklich.

Aber abends, als alle schlafen gingen und sich auszogen, kam der Junge, der Singer hieß, aus seiner Koje heraus und steckte den Kopf in Philips Abteil.

»Du, laß mal deinen Fuß sehen«, sagte er.

»Nein«, antwortete Philip.

Er sprang schnell ins Bett.

»Bei mir gibt es kein Nein«, sagte Singer. »Komm, Mason.« Der Knabe im nächsten Abteil schaute um die Ecke und kam herüber. Beide stürzten sich auf Philip und versuchten, ihm die Decke fortzuziehen, aber er hielt sie fest.

»Könnt ihr mich denn nicht in Ruhe lassen?« rief er.

Singer ergriff eine Bürste und schlug mit ihrem Rücken auf Philips Knöchel los. Philip schrie auf.

»Warum tust du nicht, was wir sagen? Zeig uns deinen Fuß.«

»Ich will nicht.«

Verzweifelt ballte Philip die Faust und hieb auf den Jungen, der ihn quälte, ein, aber er war im Nachteil, und der andere packte seinen Arm. Er fing an, ihn zu drehen.

»Laß mich los«, keuchte Philip. »Du brichst mir den Arm.«

»Dann zeige uns deinen Fuß.«

Philip schluchzte laut auf. Der Junge drehte den Arm noch weiter herum. Der Schmerz war unerträglich.

»Gut, ich will es also tun«, sagte Philip.

Er streckte sein Bein hin. Singer hielt immer noch Philips Handgelenk. Neugierig betrachtete er den verkrüppelten Fuß.

»Abscheulich, nicht?« meinte Mason.

Ein anderer kam heran und schaute ebenfalls.

»Pfui«, machte er und schüttelte sich.

»Ja, ekelhaft«, sagte Singer. »Ist er hart?«

Singer betastete ihn mit den Fingerspitzen, vorsichtig, als hätte der Fuß ein Eigenleben. Plötzlich wurde Mr. Watsons schwerer Tritt auf der Treppe hörbar. Die Jungen warfen die Decken über Philip und schlüpften wie wilde Kaninchen in ihre Kojen. Mr. Watson betrat den Schlafraum. Auf den Zehenspitzen stehend konnte er über die Vorhänge hinübersehen und schaute in einige von den Kojen hinein. Die kleinen Jungen lagen brav in ihren Betten. Er löschte das Licht und ging hinaus.

Singer rief Philip, aber dieser antwortete nicht. Er hatte die Zähne in die Kissen verbissen und weinte lautlos. Er weinte nicht über den Schmerz, den man ihm zugefügt, und auch nicht über die Demütigung, die er erlitten hatte, er weinte aus Wut über sich selbst, weil er, unfähig, den Schmerz länger zu ertragen, aus freien Stücken seinen Fuß hervorgestreckt hatte.

Und dann überwältigte ihn das Elend seines Daseins. Seinem kindlichen Sinn schien es gewiß, daß sein Unglück immer fortdauern mußte. Er erinnerte sich an jenen kalten Morgen, an dem Emma ihn aus dem Bett geholt und zu seiner Mutter gebracht hatte. Es war das erstemal, daß er daran dachte, aber nun war ihm, als hätte er neben sich den warmen Körper seiner Mutter, als hielten ihre weichen Arme ihn umschlungen. Mit einem Male schien es ihm, als wäre alles nur ein Traum, der Tod seiner Mutter, das Leben im Pfarrhaus und diese beiden unglückseligen Tage – als müßte er am nächsten Morgen erwachen und wieder zu Hause sein. Seine Tränen hörten bei diesem Gedanken zu fließen auf. Er war zu unglücklich, es konnte nur ein

Traum sein, seine Mutter lebte, und gleich würde Emma heraufkommen und zu Bett gehen. Er schlief ein.

Aber als er am nächsten Morgen erwachte, schrillte das Läuten der Glocke in seinem Ohr, und das erste, was er erblickte, war der grüne Vorhang seiner Koje.

Mit der Zeit verlor Philips verkrüppelter Fuß an Interesse. Er wurde hingenommen wie das rote Haar des einen oder die übermäßige Korpulenz des andern. Aber inzwischen war Philip furchtbar empfindlich geworden. Er lief niemals, wenn er es irgendwie einrichten konnte, weil er wußte, daß sein Hinken dadurch auffälliger wurde, und er nahm einen ganz besonderen Gang an. Am liebsten stand er still und hielt den Klumpfuß, damit er unbemerkt bleibe, hinter dem andern verborgen. Und er lebte in ständiger Angst, irgendeine Anspielung auf sein Gebrechen hören zu müssen. Da er an den Spielen der andern Knaben nicht teilnehmen konnte, blieb ihr Leben ihm fremd; er interessierte sich bloß von außen her für ihr Tun; und er hatte die Empfindung, daß zwischen ihm und ihnen eine Schranke aufgerichtet sei. Er wurde viel sich selbst überlassen. Er war ein mitteilsames Kind gewesen, aber allmählich wurde er schweigsam. Er fing an, über den Unterschied zwischen sich und den andern nachzudenken.

Der größte Junge im Schlafsaal, Singer, faßte eine Abneigung gegen ihn, und Philip, klein und zart für sein Alter, mußte so manches an schlechter Behandlung über sich ergehen lassen. Um die Mitte des Quartals brach in der Schule eine wilde Leidenschaft für ein Spiel aus, das ›Nibs‹ genannt wurde. Dieses Spiel wurde zu zweit auf einem Tisch oder einer Bank mit Stahlfedern gespielt. Man mußte seine Feder mit dem Fingernagel vorwärtsschnellen und versuchen, ihre Spitze über die Feder des andern zu manövrieren; war dies erreicht, hauchte der Gewinner auf seinen Daumenballen und preßte ihn mit aller Kraft auf die Federn; gelang es ihm nun, beide zugleich aufzuheben, ohne eine fallen zu lassen, dann gehörten die Federn ihm. Bald sah man nichts anderes als Kinder, die in dieses Spiel vertieft waren. Die geschickten Jungen rafften ganze Warenlager von Federn zusammen. Aber nach einiger Zeit erklärte Mr. Watson, daß ›Nibs‹ eine Art von Hasardspiel sei, verbot es und konfiszierte alle Federn. Philip war sehr geschickt gewesen und gab seine Gewinne nur schweren Herzens ab; aber es juckte ihn in den Fingern weiterzuspielen, und ein paar Tage später hielt er sich auf dem Weg zum Fußballplatz in einem Laden auf und kaufte ein paar R-Federn. Er trug sie lose in der Tasche und freute sich ihres Besitzes. Auf einmal entdeckte Singer sein

Geheimnis. Auch er hatte seine Federn abgeben müssen, aber eine große, ›Jumbo‹ genannt, die so gut wie unbesiegbar war, zurückbehalten. Nun konnte er der Versuchung nicht widerstehen, Philip seine R-Federn abzunehmen. Obgleich Philip wußte, daß er mit seinen kleinen Geschossen im Nachteil war, ließ er sich von seinem Wagemut bestimmen, den Kampf aufzunehmen; es war übrigens klar, daß Singer eine Weigerung nicht geduldet hätte. Er hatte eine Woche nicht gespielt und setzte sich voll prickelnder Erwartung hin. Sehr rasch verlor er zwei Federn, und Singer triumphierte; aber beim drittenmal glitt die ›Jumbo‹ durch irgendeinen Zufall daneben, und es gelang Philip, sie mit seiner R zu decken. Er krähte vor Siegesfreude. In diesem Augenblick kam Mr. Watson herein.

»Was macht ihr hier?« fragte er.

Er blickte von Singer zu Philip, erhielt aber keine Antwort.

»Habe ich euch nicht verboten, dieses idiotische Spiel zu spielen?«

Philips Herz schlug schnell. Er wußte, was ihn erwartete, und fürchtete sich entsetzlich, aber in seine Angst mischte sich ein gewisses Frohlocken. Er war noch nie geprügelt worden. Natürlich würde es weh tun, ja – aber er würde etwas haben, womit er sich brüsten konnte.

»Kommt in mein Zimmer.«

Der Direktor drehte sich um, und sie folgten ihm Seite an Seite. Singer flüsterte Philip zu:

»Jetzt geht es uns an den Kragen.«

Mr. Watson zeigte auf Singer.

»Leg dich hin.«

Philip, sehr bleich, sah den Jungen bei jedem Streich erbeben, und nach dem dritten hörte er ihn laut aufheulen. Es folgten noch drei weitere.

»Das genügt. Steh auf.«

Singer stand auf, die Tränen strömten ihm übers Gesicht. Philip trat vor. Mr. Watson blickte ihn einen Augenblick an.

»Dir will ich die Hiebe erlassen. Du bist neu. Und einen Krüppel kann ich nicht schlagen. Geht nun, ihr beiden, und seid mir nicht wieder unartig.«

Als sie in das Schulzimmer zurückkehrten, wurden sie von einer Gruppe von Jungen, die auf rätselhafte Weise erfahren hatte, was vorgefallen war, erwartet. Sie bestürmten Singer sofort mit aufgeregten Fragen. Er stand unter ihnen, das Gesicht vor Schmerz gerötet, auf den Wangen noch die Spuren von Tränen; mit dem Kopf wies er auf Philip.

»Er ist freigekommen, weil er ein Krüppel ist«, sagte er böse.

Das ganze übrige Quartal wurde Philip von Singer auf das grausamste gequält, mochte er ihm aus dem Wege gehen, soviel er wollte.

Die Schule war zu klein, um Zusammenstöße zu vermeiden. Philip versuchte freundlich und nett zu seinem Feinde zu sein; er erniedrigte sich sogar so weit, ihm ein Messer zu kaufen; aber obgleich Singer das Messer annahm, war er nicht zu besänftigen. Ein oder das andere Mal ließ sich Philip dazu hinreißen, ihn zu schlagen; aber Singer war um so vieles stärker, daß Philip nichts gegen ihn ausrichten konnte. Jedesmal wurde er so lange gemartert und gequält, bis er sich schließlich gezwungen sah, um Verzeihung zu bitten. Und ein Ende dieses Elends war gar nicht abzusehen; Singer war elf Jahre alt und konnte erst mit dreizehn in die Oberschule aufrücken. Philip mußte also noch zwei volle Jahre mit einem Peiniger zusammenleben, vor dem es kein Entrinnen gab. Er fühlte sich nur dann glücklich, wenn er arbeitete oder im Bette lag. Und häufig kehrte jene merkwürdige Empfindung wieder, daß sein gegenwärtiges Leben bloß ein Traum sei und daß er eines Morgens in seinem kleinen Bett in London aufwachen würde.

Zwei Jahre vergingen, und Philip war nahezu zwölf Jahre alt. Er saß als zweit- oder drittbester Schüler in der obersten Klasse, und wenn nach Weihnachten einige Jungen in die Oberschule aufrückten, würde er Primus werden. Er hatte schon eine ganze Sammlung von Preisen, wertlose Bücher, auf schlechtem Papier gedruckt, mit um so prunkvolleren, mit dem Schulwappen geschmückten Einbänden; seine Stellung hatte ihn von den Roheiten seiner Mitschüler befreit, und er war nun nicht mehr unglücklich. Seine Kameraden vergaben ihm seinen Erfolg, weil er einen verkrüppelten Fuß hatte.

»Für ihn ist es keine Kunst, Preise zu bekommen«, sagten sie. »Er *kann* nichts anderes tun als büffeln.«

Seine anfängliche Scheu vor Mr. Watson hatte Philip überwunden. An die laute Stimme hatte er sich gewöhnt, und legte sich die schwere Hand des Direktors auf seine Schultern, dann begriff er, daß damit eine Liebkosung gemeint war. Er besaß das gute Gedächtnis, das für Schülererfolge ausschlaggebender ist als geistige Fähigkeiten, und er wußte, Mr. Watson erwartete von ihm, daß er die Schule mit einem Stipendium verlassen würde.

Aber er hatte seine Unschuld verloren. Ein neugeborenes Kind weiß nicht, daß sein Körper etwas ihm näher Zugehöriges ist als die Gegenstände, die es umgeben, und spielt mit seinen Zehen, als wären sie nicht ein Teil seiner selbst, sondern ein Spielzeug wie die Rassel in seiner Hand. Und nur allmählich, durch Schmerzen, gelangt es zu dem Begriff seines Körpers. Ebenso bedarf es schmerzlicher Erfahrungen, um das Individuum zum Bewußtsein seiner selbst zu bringen;

aber dabei gibt es einen Unterschied, denn obwohl sich jeder gleichermaßen seines Körpers bewußt wird als eines besonderen und vollkommenen, wird sich nicht jeder gleichermaßen seiner vollkommenen und besonderen Personalität bewußt. Das Gefühl, sich von den anderen abzuheben, bekommen die meisten während der Pubertät, aber es wird nicht immer bis zu einem solchen Grad entwickelt, daß es den Unterschied zwischen dem Individuum und der Gemeinschaft dem Individuum wahrnehmbar macht. Diejenigen, die sich ihrer selbst so wenig bewußt sind wie die Bienen innerhalb eines Schwarms sind die Glücklichen, denn sie haben die besten Chancen, glücklich zu sein: ihre Tätigkeiten sind die gleichen wie die der anderen, und ihre Vergnügungen sind nur Vergnügungen, weil sie gemeinschaftlich genossen werden; man kann sie am Pfingstmontag auf der Hamstead Heath tanzen, bei einem Fußballspiel schreien oder von den Fenstern des Klubs in Pall Mall einer königlichen Parade Beifall spenden sehen. Ihretwegen wird der Mensch ein soziales Lebewesen genannt.

Bei Philip vollzog sich der Übergang von kindlicher Unschuld zu bitterer Selbstbewußtheit durch den Spott, den ihm sein Klumpfuß eintrug. Sein Fall war so eigenartig, daß er nicht die vorfabrizierten Regeln anwenden konnte, die gewöhnlich trefflich passen, sondern er war gezwungen, selbständig zu denken. Die vielen Bücher, die er gelesen und nur halb verstanden hatte, erfüllten sein Bewußtsein mit Ahnungen und ließen seiner Phantasie breiten Raum. Unter seiner qualvollen Schüchternheit fing etwas in seinem Inneren zu wachsen an, und dunkel wurde er sich seiner Persönlichkeit bewußt. Aber zuweilen bereitete sie ihm merkwürdige Überraschungen; er tat Dinge und wußte nicht, warum – und wenn er später über sie nachdachte, war er ratlos.

In der Schule gab es einen Jungen namens Luard, mit dem Philip sich angefreundet hatte. Eines Tages, als sie im Schulzimmer miteinander spielten, fing Luard an, Kunststücke mit einem Federhalter aus Ebenholz zu vollführen, der Philip gehörte.

»Laß diese Faxen«, sagte Philip. »Du wirst ihn bestimmt zerbrechen.«

»Das werde ich nicht machen.«

Aber kaum waren diese Worte gesprochen, zersprang der Federhalter in zwei Stücke. Luard blickte Philip bestürzt an.

»Ach, das tut mir furchtbar leid.«

Tränen rollten über Philips Wangen herab, aber er antwortete nicht.

»Was hast du denn?« fragte Luard erstaunt. »Ich besorge dir morgen genau den gleichen.«

»Um den Federhalter ist es mir nicht zu tun«, antwortete Philip, und seine Stimme zitterte, »aber ich habe ihn von meiner Mutter bekommen, kurz ehe sie starb.«

»Ach, verzeih, Carey, bitte.«

»Es macht nichts. Du hast es ja nicht absichtlich getan.«

Philip nahm die beiden Stücke in die Hand und betrachtete sie. Er bemühte sich, sein Schluchzen zu unterdrücken. Es war ihm tieftraurig zumute. Und doch hätte er nicht sagen können, warum, denn es stimmte nicht, daß er den Federhalter von seiner Mutter bekommen hatte; er hatte sich ihn während seines letzten Ferienaufenthaltes in Blackstable selbst gekauft. Er wußte gar nicht, warum er diese rührselige Geschichte erfunden hatte, aber er fühlte sich ebenso unglücklich, als wenn sie wahr gewesen wäre. Die fromme Atmosphäre des Pfarrhauses und der religiöse Ton der Schule hatten Philips Gewissen sehr empfindlich gemacht; unbewußt hatte er den Glauben seiner Umgebung in sich aufgenommen, daß der Versucher immer auf der Lauer liege, um ihm seine unsterbliche Seele zu rauben; und obgleich er nicht wahrheitsliebender war als die meisten Jungen, log er doch niemals, ohne nachher die heftigsten Gewissensbisse zu empfinden. Als er nun über das Geschehen nachdachte, war er sehr bestürzt und faßte schließlich den Vorsatz, vor Luard hinzutreten und ihm die Wahrheit zu beichten. Obwohl es für ihn nichts Schrecklicheres auf der Welt gab als Demütigung, schwelgte er zwei, drei Tage in dem Gedanken an das berauschende Glück, sich zum Preise Gottes zu erniedrigen. Aber damit hatte es sein Bewenden. Er beschwichtigte sein Gewissen durch die bequemere Methode, seine Reue bloß dem Allmächtigen gegenüber kundzutun. Indessen blieb es ihm völlig unverständlich, wieso ihn diese selbsterfundene Geschichte so tief hatte erschüttern können. Die Tränen auf seinen schmierigen Wangen waren wirkliche Tränen gewesen. Dann fiel ihm mit einem Male jene Szene nach dem Tod seiner Mutter ein, da er trotz allen Kummers darauf bestanden hatte, zu Miss Watkin hineinzugehen, um sich von ihr und ihren Freundinnen bemitleiden zu lassen.

Dann kam eine Zeit, da eine Welle von Religiosität durch die Schule ging. Schimpfworte wurden nicht mehr verwendet, und auf die unanständigen Ausdrücke der kleinen Jungen wurde mit Feindseligkeit reagiert; die größeren Jungen gebrauchten – wie die weltlichen Herrscher im Mittelalter – die Kraft ihrer Arme, um die Schwächeren von einer tugendhaften Lebensweise zu überzeugen.

Philip, der ruhelos nach Neuem suchte, wurde sehr fromm. Er hörte von einer Bibelgesellschaft, die Mitglieder warb, und schrieb nach London, um sich nach den Bedingungen zu erkundigen. Folgendes wurde verlangt: der Bewerber hatte ein Formular auszufüllen und Namen, Alter, Schule anzugeben; er mußte sich feierlich verpflichten, ein Jahr hindurch jeden Abend einen bestimmten Teil der Heiligen Schrift zu lesen; er mußte zweieinhalb Shilling einsenden. Diese, so hieß es, wurden gefordert als Prüfstein für die Ernsthaftigkeit des Bewerbers und zur Deckung von Vereinsspesen. Philip sandte pflichtschuldig die Papiere und das Geld ein und erhielt dafür einen Kalender im Werte von einem Penny, auf dem die jeweils zu lesende Bibelstelle angegeben war, und einen Bogen, dessen eine Seite ein Bild des göttlichen Hirten und eines Lammes aufwies, während die andere Seite, dekorativ von roten Strichen eingerahmt, ein kurzes Gebet enthielt, das gesprochen werden sollte, ehe man zu lesen anfing.

Jeden Abend zog sich Philip nun in großer Eile aus, um seine Lektüre erledigen zu können, ehe das Licht ausgelöscht wurde. Er las hingebungsvoll und ohne Kritik Geschichten von Grausamkeit, Verrat, Unehrlichkeit und niederer List. Handlungen, die im gewöhnlichen Leben sein Entsetzen erregt haben würden, nahm er ohne inneren Widerspruch in sich auf, weil sie unter der unmittelbaren Eingebung Gottes begangen worden waren. Die Methode der Bibelgesellschaft bestand darin, immer ein Buch des Alten Testaments mit einem Buche des Neuen abwechseln zu lassen, und eines Abends stieß Philip auf folgende Worte Jesu Christi:

*Wenn einer zu dem Berge da sagt: Heb dich hinweg und stürz dich ins Meer! und er in seinem Herzen nicht zweifelt, sondern glaubt, daß sein Wort in Erfüllung geht, so wird es ihm zuteil. Darum sage ich euch: Ihr mögt im Gebete begehren, was immer es sei. Glaubt nur, daß ihr es erhaltet, so wird es euch zuteil.*

Sie machten keinen besonderen Eindruck auf ihn, aber zwei oder drei Tage später, an einem Sonntag, wählte sie der Kanonikus für seine Predigt aus. Sogar wenn Philip diese hätte hören wollen, wäre es unmöglich gewesen, denn die Jungen der King's School saßen auf dem Chor, und die Kanzel stand an der Ecke des Querschiffes, so daß der Rücken des Predigers ihnen zugewandt war. Auch war die Entfernung so groß, daß sich nur ein Mann mit klarer Stimme und Kenntnissen in der Technik der Rede auf dem Chor hätte verständlich machen können; aber die Kanoniker von Tercanbury waren schon immer eher ihrer Gelehrsamkeit wegen gewählt worden als aufgrund irgendwelcher Qualitäten, die in einer Kathedrale von Nutzen sein können. Aber die Bibelworte drangen – vielleicht weil er sie erst vor so kurzer Zeit gelesen hatte – klar an Philips Ohren, und plötzlich glaubte er, sie wären an ihn persönlich gerichtet. Beinahe die ganze Predigt hindurch dachte er über sie nach, und als er an jenem Abend zu Bett ging, blätterte er die Seiten des Evangeliums um und entdeckte noch einmal die Stelle. Obgleich er blind glaubte, was er gedruckt sah, hatte er doch schon gelernt, daß es in der Bibel

Stellen gab, die ganz klar etwas Bestimmtes aussagten, aber rätselhafterweise eine andere Bedeutung hatten. In der Schule gab es niemanden, mit dem er über die Sache sprechen mochte, und so behielt er die Frage bei sich bis zu den Weihnachtsferien und wartete eine passende Gelegenheit ab. Endlich schien sie ihm gekommen. Es war nach dem Abendessen, und man hatte eben das Gebet beendet. Mrs. Carey war damit beschäftigt, die Eier zu zählen, die Mary Ann wie gewöhnlich hereingebracht hatte. Philip stand am Tisch und tat, als blätterte er gedankenlos in der Bibel.

»Sag, Onkel William, bedeutet diese Stelle wirklich das, was hier steht?«

Er zeigte mit dem Finger auf den Absatz, als wäre er ihm ganz zufällig aufgefallen.

Mr. Carey schaute über seine Brille hinweg zu ihm hin. Er hielt die *Blackstable Times* vors Feuer. Sie war am Abend noch feucht von der Presse ins Haus gekommen, und der Vikar trocknete sie jedesmal zehn Minuten lang, ehe er zu lesen anfing.

»Was für eine Stelle meinst du?« fragte er.

»Ach, die über den Glauben, der Berge versetzen kann.«

»Wenn es in der Bibel steht, dann ist es auch so, Philip«, sagte Mrs. Carey und nahm ihren Schlüsselkorb zur Hand.

Philip schaute seinen Onkel fragend an.

»Es kommt auf den Glauben an.«

»Wenn man also wirklich glaubt, daß man Berge versetzen kann, dann kann man es auch?«

»Mit Gottes Gnade«, entgegnete der Vikar.

»Sag deinem Onkel jetzt gute Nacht, Philip«, sagte die Tante Louisa. »Heute wirst du doch keine Berge mehr versetzen wollen, oder doch?«

Philip ließ sich von seinem Onkel auf die Stirn küssen und stieg, begleitet von Mrs. Carey, die Treppen hinauf. Nun hatte er die Auskunft, die er brauchte. In seinem eiskalten Zimmer angekommen, sank er in die Knie, vergrub sein Gesicht in die Hände und betete zu Gott mit aller Kraft und Inbrunst, er möge ihn von seinem Klumpfuß befreien. Verglichen mit dem Versetzen des Berges war das nur eine Kleinigkeit. Er wußte, daß Gott ihm helfen konnte, wenn Er wollte, und wenn sein eigener Glaube stark genug war. Am nächsten Morgen, als er sein Gebet mit der gleichen Bitte abschloß, setzte er ein Datum fest, an dem das Wunder geschehen sollte.

»Oh, lieber Gott, in Deiner großen Gnade und Güte, erhöre meine Bitte und mach, daß mein Fuß in der Nacht, ehe ich in die Schule zurück muß, gesund wird.«

Er war glücklich, sein Gebet auf diese Formel gebracht zu haben, und wiederholte es von neuem bei jeder Andacht, die der Vikar hielt.

Am Abend sprach er es noch einmal, und dann wieder vor dem Schlafengehen, während er schaudernd im Nachthemd vor seinem Bette kniete. Und er glaubte. Zum erstenmal im Leben wünschte er das Ende der Ferien herbei. Er lachte in sich hinein bei der Vorstellung, wie erstaunt sein Onkel sein würde, wenn er ihn die Treppen hinunterlaufen und gleich zwei, drei Stufen auf einmal nehmen sah; und nach dem Frühstück würden er und Tante Louisa schnell in die Stadt eilen müssen, um ein Paar neue Schuhe zu kaufen. In der Schule würden sie alle sprachlos sein.

»Ja, Carey, was ist denn mit deinem Fuß los?«

»Ach, der ist jetzt wieder in Ordnung«, würde er antworten, leichthin, als handle es sich um die natürlichste Sache der Welt.

Er würde Fußball spielen können. Sein Herz hüpfte, da er sich in Gedanken rennen und rennen sah, schneller als irgendeiner der anderen Jungen. Am Ende des Osterquartals kamen die Sportspiele, und er würde an den Wettläufen teilnehmen; wie wollte er die Hindernisse nehmen! Oh, nicht mehr anders zu sein als die andern; nicht mehr angestarrt zu werden von den neuen Jungen, die von seinem Gebrechen noch nichts wußten; nicht mehr diese ängstliche Vorsicht im Sommer, beim Baden, ehe man ausgezogen war und den Fuß im Wasser verstecken konnte!

Er betete mit aller Kraft seiner Seele. Kein Zweifel focht ihn an. Er baute auf das Wort Gottes. Und an dem Abend, ehe er in die Schule zurückkehrte, ging er aufgelöst vor Aufregung zu Bett. Es lag Schnee, und Tante Louisa hatte sich den ungewohnten Luxus eines Feuers in ihrem Schlafzimmer geleistet; aber in Philips Zimmerchen war es so kalt, daß seine Finger ganz starr waren und er Mühe hatte, seinen Kragen aufzuknöpfen. Seine Zähne klapperten. Der Gedanke kam ihm, daß er an diesem Abend ein übriges tun müßte, um Gottes Aufmerksamkeit auf sich zu lenken, und er schlug den Teppich zurück, der vor seinem Bette lag, und kniete auf den bloßen Brettern hin; und dann fiel ihm ein, daß sein weiches Nachthemd seinem Schöpfer mißfallen könnte, und er zog es aus und betete nackt. Als er endlich im Bette lag, war er so durchfroren, daß er lange Zeit nicht einschlafen konnte; schließlich aber fielen ihm doch die Augen zu, und er schlief so fest, daß Mary Ann ihn schütteln mußte, als sie am nächsten Morgen das heiße Wasser hereinbrachte. Sie sprach zu ihm, während sie die Vorhänge zurückzog, aber er antwortete nicht; er erinnerte sich sofort, daß dies der Morgen war, an dem das Wunder offenbar werden mußte. Sein Herz war von Freude und Dankbarkeit erfüllt. Sein erster Impuls wollte ihn verleiten, mit der Hand unter die Decke zu fahren und den Fuß zu betasten, der nun heil und gesund war, aber durfte er das tun? Hieß das nicht, an der Güte Gottes zweifeln? Er wußte, daß sein Fuß geheilt war. Endlich faßte er sich ein Herz und berührte mit den Zehen seines rechten Fußes den linken. Dann fuhr er mit der Hand über ihn hin.

Er kam heruntergehumpelt, gerade als Mary Ann zur Morgenandacht ins Eßzimmer trat, und setzte sich dann zum Frühstück.

»Du bist heute sehr still, Philip«, sagte Tante Louisa nach einer Weile.

»Er denkt an das gute Frühstück, das er morgen in der Schule bekommen wird«, meinte der Vikar.

Philip antwortete in der Art, die seinen Onkel stets so irritierte, nämlich ohne sich um das, wovon eben die Rede war, zu kümmern. Der Vikar nannte das ein Unart. Ein kleiner Junge hatte nicht so eigenbrötlerisch zu sein.

»Wie ist das zu erklären?« fragte er. »Wenn jemand Gott um etwas gebeten hat, einen Berg zu versetzen zum Beispiel, oder so etwas – und fest glaubt, daß es geschehen werde – und nicht im geringsten zweifelt – und dann geschieht es doch nicht – was hat das zu bedeuten?«

»Was bist du für ein komischer Junge, Philip«, sagte Tante Louisa. »Vor ein paar Wochen hast du auch schon gefragt, wie das mit dem Bergeversetzen zu verstehen ist.«

»Das bedeutet offenbar, daß der Glaube nicht stark genug war«, antwortete Onkel William.

Philip nahm die Erklärung hin. Wenn Gott ihn nicht geheilt hatte, so mußte er nicht fest genug geglaubt haben. Und doch war es ihm unvorstellbar, wie man noch fester glauben konnte. Aber vielleicht hatte er Gott nicht genug Zeit gegeben. Er hatte nur neunzehn Tage gebetet. In ein, zwei Tagen wollte er wieder anfangen und diesmal den Zeitpunkt auf Ostern verlegen. Das war der Tag der glorreichen Auferstehung Christi, und in der Freude über seinen Sohn würde sich Gott dem Flehen der Menschenkinder vielleicht geneigter zeigen. Aber nun griff Philip auch noch zu andern Mitteln: er murmelte seinen Wunsch beim Anblick der Mondsichel oder eines scheckigen Pferdes vor sich hin und fing an, nach Sternschnuppen auszuschauen; unbewußt wandte er sich an Götter, die seiner Rasse von Vorzeiten her vertraut waren. Und er bombardierte den Allmächtigen mit Gebeten, zu allen Tagesstunden, wann es ihm einfiel, und immer in den gleichen Worten, denn es schien ihm wichtig, seine Bitte stets in ein und dieselbe Form zu kleiden. Aber bald überkam ihn das Gefühl, daß auch diesmal sein Glaube nicht stark genug sein würde. Er konnte dem Zweifel nicht widerstehen, der ihn bedrängte. Er brachte seine eigene Erfahrung auf eine allgemeine Regel.

»Wahrscheinlich hat keiner genug Glauben.«

Es war wie mit dem Salz, von dem ihm sein Kindermädchen oftmals erzählt hatte: man kann jeden Vogel fangen, wenn man ihm

Salz auf den Schwanz streut; und einmal hatte er ein Säckchen voll mit in den Park genommen. Aber er konnte nicht nahe genug herankommen, um das Salz auf den Schwanz des Vogels zu streuen. Vor Ostern noch hatte er seinen Kampf aufgegeben. Er empfand einen dumpfen Groll gegen seinen Onkel, weil dieser ihn angeführt hatte. Die Stelle über das Bergeversetzen gehörte zu jenen, die etwas Bestimmtes aussagten, aber etwas anderes bedeuten. Sein Onkel hatte ihn zum Narren gehalten.

Die King's School in Tercanbury, in die Philip eintrat, als er dreizehn Jahre alt war, tat sich viel auf ihr Alter zugute. Sie leitete ihren Ursprung auf eine vor der normannischen Eroberung gegründete Klosterschule zurück, in der die Grundbegriffe der Gelehrsamkeit von augustinischen Mönchen gelehrt worden waren. Gleich manchen andern Anstalten dieser Art wurde sie nach der Zerstörung der Klöster von Bevollmächtigten König Heinrichs VIII. neu organisiert und erhielt so ihren Namen. Seither setzte sie ihr bescheidenes Wirken ohne Unterbrechung fort und widmete sich der Aufgabe, den Söhnen des Landadels und der gebildeten Stände von Kent eine ihren Bedürfnissen angemessene Erziehung zu geben. Ein paar Literaten, angefangen mit einem Dichter, mit dem sich bloß Shakespeare an Begabung messen konnte, bis zu einem Prosa-Schriftsteller, dessen Ansichten auf die Generation, der Philip angehörte, entscheidenden Einfluß ausübte, waren aus ihren Mauern hervorgegangen; sie hatte ein oder zwei bedeutende Rechtsanwälte hervorgebracht – aber bedeutende Rechtsanwälte sind häufig – und zwei hervorragende Soldaten; aber während der drei Jahrhunderte ihres Bestehens hatte sie hauptsächlich kirchliche Größen herangebildet: Bischöfe, Dechanten, Domherren und vor allem Landgeistliche; es gab in der Schule Knaben, deren Väter, Großväter, Urgroßväter bereits hier erzogen worden waren; und diese Knaben traten zumeist mit dem Vorsatz ein, ebenfalls Geistliche zu werden. Aber gewisse Anzeichen wiesen darauf hin, daß sogar hier Veränderungen im Anzug waren. Die Klasse von Leuten, die sich dem geistlichen Beruf zuwendete, war nicht mehr die gleiche wie einst; zwei oder drei Jungen kannten Hilfsgeistliche, deren Väter Geschäftsleute waren: lieber wollten sie in die Kolonien hinausgehen (damals waren die Kolonien noch die letzte Zuflucht der gestrandeten Existenzen) als unter irgendeinem Menschen, der kein Gentleman war, zu arbeiten. In King's School, sowie auch im Pfarrhaus von Blackstable, war jeder ein Geschäftsmann, der nicht glücklich genug war, Grund und Boden zu besitzen oder nicht einen der vier Berufe ausübte, die einem Gentleman ziemten. Von den Externen, unter denen etwa hundertfünfzig Gutsbesitzer- oder Offizierssöhne waren, bekamen diejenigen, deren Väter Handel trieben, das Untergeordnete ihrer Stellung deutlich zu fühlen.

Die Lehrer wollten nichts von den modernen Erziehungsmethoden wissen, über die sie manchmal in der *Times* oder im *Guardian* lasen, und hofften inbrünstig, daß King's School seinen alten Traditionen treu bleiben werde. Die toten Sprachen wurden mit solcher Gründlichkeit gelehrt, daß im späteren Leben selten einer von den Jungen ohne Gähnen und Langeweile an Homer und Vergil zurückdenken konnte; und obgleich es kühnere Geister gab, die im Speisesaal beim gemeinsamen Dinner zu bemerken wagten, daß die Mathematik an Wichtigkeit zunehme, änderte dies doch nichts an der allgemeinen Ansicht, daß nur die klassischen Sprachen ein wahrhaft vornehmes Studium bildeten. Weder Deutsch noch Chemie standen auf dem Lehrplan, und Französisch wurde von den Klassenlehrern gelehrt; sie konnten besser Ordnung halten als Ausländer, und da ihnen die Grammatik vollkommen geläufig war, hatte es nichts zu sagen, daß keiner von ihnen in einem Restaurant in Boulogne auch nur eine Tasse Kaffee hätte bestellen können. Der Geographieunterricht bestand hauptsächlich darin, daß man die Knaben zeichnen ließ, und dies war eine sehr beliebte Beschäftigung, besonders, wenn es sich um gebirgige Länder handelte. Die Lehrer, durchwegs in Oxford oder Cambridge ausgebildet, hatten alle die Priesterweihe empfangen und waren unverheiratet; entschloß sich einer zur Ehe, dann mußte er auf seine Stellung verzichten und sich mit irgendeinem kleineren Amt begnügen, welches das Kapitel zu vergeben hatte. Aber seit vielen Jahren hatte keiner von den Lehrern die vornehme Atmosphäre von Tercanbury mit dem einfachen Leben in einer Landpfarre vertauschen wollen, und sie alle waren nun schon Männer mittleren Alters.

Der Direktor indessen mußte verheiratet sein und behielt die Leitung der Schule so lange in der Hand, bis ihn das Alter zu drücken begann. Zog er sich dann in den Ruhestand zurück, so wurde er mit einer weit einträglicheren Pfründe belohnt als die Lehrer und zum Ehrenkanonikus ernannt.

Aber ein Jahr vor Philips Eintritt hatte sich in der Schule eine große Veränderung vollzogen. Geraume Zeit schon war es offenes Geheimnis, daß Dr. Fleming, seit einem Vierteljahrhundert Direktor, allmählich zu taub geworden war, um sein gottgefälliges Amt noch länger auszuüben, und als eine Pfarre in der nächsten Umgebung der Stadt, mit einem Gehalt von sechshundert Pfund jährlich, frei wurde, beeilte sich das Kapitel, sie ihm anzubieten. Mit einem solchen Einkommen konnte er sich sorglos der Pflege seiner kleinen Altersleiden hingeben. Zwei oder drei Hilfsgeistliche, die auf die Beförderung gehofft hatten, erzählten ihren Frauen, es wäre skandalös, eine Pfarre, die einen jungen, starken und energischen Mann nötig hätte, einem Greis zu geben, der nichts von Gemeindearbeit verstünde und sich schon warm gebettet hätte; aber das Gemurr des niederen Klerus erreichte die Ohren des Kapitels nicht. Und was die Gemeindemitglieder betraf, so hatten sie in der Angelegenheit nichts zu sagen, und daher fragte sie auch niemand um ihre Meinung.

Als man sich auf diese Weise Dr. Flemings entledigt hatte, galt es, einen Nachfolger zu suchen. Das Lehrerzimmer sprach sich einstimmig für die Wahl Mr. Watsons, des Leiters der Vorbereitungsschule, aus; ihn kannten alle seit zwanzig Jahren, und von seiner Seite hatte man keine unangenehmen Überraschungen zu fürchten. Aber das Kapitel wollte es anders. Zur allgemeinen Verwunderung wählte es einen Mann namens Perkins. Zunächst wußte niemand, wer Perkins war, und sein Name erschien nicht gerade vielversprechend; aber noch ehe der erste Schreck überwunden war, kam es zutage: Perkins war der Sohn von Perkins, dem Schnittwarenhändler. Dr. Fleming teilte es den Lehrern kurz vor dem Mittagessen mit, und man konnte ihm seine Bestürzung deutlich anmerken. Die übrigen Herren verhielten sich während der Mahlzeit schweigsam, und solange die Dienstboten im Zimmer waren, wurde die Angelegenheit mit keinem Wort erwähnt. Dann aber legte man los. Die Namen der Versammelten spielen weiter keine Rolle; doch sei erwähnt, daß sie ganzen Generationen von Schuljungen als Sighs, Tar, Winks, Squirts und Pat bekannt waren.

Alle kannten sie Tom Perkins. Als erstes wurde festgestellt, daß er kein Gentleman war. Sie konnten sich noch genau an ihn erinnern. Er war ein kleiner dunkler Junge mit unordentlichem schwarzem Haar und großen Augen gewesen. Er sah aus wie ein Zigeuner. Er war als Externer in die Schule gekommen, mit dem besten Stipendium, das die Anstalt zu vergeben hatte, so daß seine Ausbildung ihn nichts gekostet hatte. Natürlich war er sehr begabt. Bei jeder Schlußfeier wurde er mit Preisen überhäuft. Er war ihr Paradeschüler, und nun erinnerten sie sich erbittert an ihre Angst, er könnte versuchen, ein Stipendium für eine der größeren Public Schools zu bekommen und auf diese Weise ihren Händen entgleiten. Dr. Fleming war zu dem Schnittwarenhändler gegangen – alle erinnerten sich an das Geschäft Perkins & Cooper in St. Catherine's Street – und sagte, er hoffte, Tom würde bei ihnen bleiben, bis er nach Oxford ginge. Die Schule war die beste Kundschaft von Perkins & Cooper, und Mr. Perkins gab nur zu gern die geforderte Zusage. Tom Perkins setzte seine Triumphe fort; Dr. Fleming erinnerte sich an ihn als den besten Schüler in den klassischen Sprachen, und als er an die Universität abging, nahm er das höchste Stipendium mit, das die Anstalt zu vergeben hatte, und rechtfertigte nun auch während seiner Studienzeit alle in ihn gesetzten Erwartungen. Jahr um Jahr konnte die King's School in ihrer

Schulzeitschrift über seine Erfolge berichten. Seine Verdienste wurden mit um so größerer Befriedigung begrüßt, als es mit seinem Vater, dem Schnittwarenhändler, inzwischen erschreckend abwärtsgegangen war: er trank wie ein Fisch, und knapp bevor sein Sohn promovierte, mußte er selbst Konkurs ansagen.

Nach Ablauf der vorgeschriebenen Frist empfing Tom Perkins die geistliche Weihe und widmete sich nun dem Beruf, zu dem er so hervorragend geeignet war. Er wurde zuerst Hilfslehrer in Wellington und dann in Rugby.

Aber sich über seine Erfolge an anderen Schulen zu freuen oder an der eigenen unter seiner Leitung dienen zu müssen, waren zwei grundverschiedene Dinge. Tar hatte ihn häufig übers Knie gelegt, Squirts ihm so manche Ohrfeige verabreicht! Wie konnte das Kapitel einen solchen Mißgriff tun? Die Lehrer dachten daran, zum Zeichen des Protestes ihre Kündigung einzureichen, aber die unbestimmte Angst, daß diese angenommen werden könnte, hielt sie von ihrem Vorhaben ab.

»Es bleibt uns nichts anderes übrig, als uns auf Veränderungen gefaßt machen«, sagte Sighs, der seit fünfundzwanzig Jahren mit unvergleichlicher Unfähigkeit die fünfte Klasse geleitet hatte.

Und als sie Mr. Perkins sahen, wurde ihre Besorgnis nicht geringer. Dr. Fleming hatte sie mit ihm zusammen zum Lunch eingeladen. Er war nun schon ein Mann von zweiunddreißig Jahren, groß und hager. Aber das wilde, ungekämmte Aussehen, das sie von früher her an ihm kannten, hatte er beibehalten. Seine Anzüge, schlecht genäht und schäbig, hingen ihm unordentlich um die Glieder. Sein Haar war noch ebenso lang und ebenso schwarz wie ehedem, und er hatte offenbar immer noch nicht gelernt, es zu bürsten; bei jeder Wendung des Kopfes fiel es ihm in die Stirn, und er hatte eine rasche Handbewegung, mit der er es sich aus den Augen strich. Er hatte einen schwarzen Schnurrbart und einen Bart, der hoch ins Gesicht hinaufreichte, fast bis zu den Backenknochen. Er sprach mit den Lehrern völlig unbefangen, als hätte er sich erst gestern von ihnen verabschiedet, und schien sogar aufrichtig erfreut, sie zu sehen.

Als er sich verabschiedete, fragte einer der Lehrer, bloß um etwas zu sagen, ob er so eilig aufbreche, um seinen Zug zu erreichen.

»Nein, ich will dem Laden noch einen Besuch abstatten«, war die fröhliche Antwort.

Peinliche Verlegenheit. Nur Tom Perkins blieb unberührt. Er wandte sich an Mrs. Fleming:

»Wem gehört er denn jetzt?«

Sie konnte kaum antworten. Sie war sehr böse.

»Wieder einem Schnittwarenhändler«, meinte sie abweisend. »Grove heißt er. Wir kaufen nicht bei ihm.«

»Ich bin neugierig, ob er mich durch das Haus gehen lassen wird.«
»Ich denke schon, wenn Sie sagen, wer Sie sind.«
Nicht vor Abend und erst nach Beendigung des Dinners wurde das Thema berührt, das alle beschäftigte. Sighs war es, der als erster fragte:
»Nun, was haltet ihr von unserem neuen Direktor?«
Sie riefen sich die Unterhaltung beim Lunch ins Gedächtnis zurück. Es war eigentlich keine Unterhaltung gewesen, eher ein Monolog: Perkins hatte unaufhörlich gesprochen. Er sprach sehr rasch, die Worte kamen ihm leicht und fließend, und seine Stimme war tief und klangvoll. Er hatte ein kurzes, merkwürdiges Lachen, bei dem seine weißen Zähne sichtbar wurden. Die Herren hatten Mühe gehabt, seinen Ausführungen zu folgen. Sein Geist flog von Gegenstand zu Gegenstand, und es war nicht immer leicht, die Zusammenhänge zu erfassen. Er hatte sich über Pädagogik ausgelassen, und dies war verständlich; aber da war zu viel von modernen Erziehungsmethoden in Deutschland die Rede gewesen, von denen sie nie etwas gehört hatten und die ihnen Mißtrauen einflößten. Im Zusammenhang mit den Schriftstellern des klassischen Altertums sprach er über Archäologie; einmal hatte er einen Winter lang in Griechenland an Ausgrabungen teilgenommen; sie sahen nicht ein, wozu das für einen Mann gut sein sollte, der kleine Jungen auf Prüfungen vorbereitete. Er sprach über Politik. Es klang ungewohnt für sie, als sie hörten, daß er Lord Beaconsfield mit Alkibiades verglich. Er sprach über Mr. Gladstone und die Selbstverwaltung Irlands. Sie erkannten, daß er ein Liberaler war. Ihre Herzen sanken. Er sprach über deutsche Philosophie und den französischen Roman. Ein Mensch mit so vielseitigen Interessen konnte unmöglich tief sein.
Winks war es, der den allgemeinen Eindruck zusammenfaßte und auf eine Formel brachte. Winks hatte die dritte Klasse unter sich und war ein knieweicher Mann mit schweren Augenlidern. Er war zu groß für seine schwachen Kräfte, und seine Bewegungen waren langsam und müde. Er wirkte matt und kraftlos, und sein Spitzname paßte ausgezeichnet zu ihm.
»Er ist sehr enthusiastisch«, erklärte Winks.
Enthusiasmus verstieß gegen gute Erziehung. Enthusiasmus ziemte sich nicht für einen Gentleman. Sie mußten an die Heilsarmee denken, mit ihren grölenden Trompeten und ihren Trommeln. Enthusiasmus bedeutete Veränderung. Sie bekamen die Gänsehaut, wenn sie an all ihre lieben alten Gewohnheiten dachten, die ihnen nun im höchsten Grade gefährdet erschienen. Sie wagten kaum, sich die Zukunft auszumalen.
»Er sieht mehr denn je wie ein Zigeuner aus«, sagte einer nach einer Pause.

»Mich würde interessieren, ob das Kapitel weiß, daß es einen Radikalen gewählt hat«, bemerkte ein anderer erzürnt.

Aber das Gespräch erlahmte. Sie waren zu sehr beunruhigt, um sprechen zu können.

Als Tar und Sighs sich eine Woche später, während der Schlußfeier, im Kapitelhaus unterhielten, meinte Tar sarkastisch zu seinem Kollegen:

»Nun gut, wir haben eine Menge Schlußfeiern hier miterlebt, nicht wahr? Ich bin neugierig, ob wir noch eine weitere erleben werden.«

Sighs war noch melancholischer als gewöhnlich:

»Wenn ich mich zurückziehen werde, wird mich auch das nicht mehr kümmern.«


Ein Jahr verging, und als Philip in die Schule kam, waren die alten Lehrer immer noch an ihrem Platz. Dennoch hatten sich – trotz ihres hartnäckigen Widerstandes, der durch eine zur Schau getragene Beflissenheit, sich den neuartigen Ideen ihres Vorgesetzten anzupassen, keineswegs milder geworden war – eine ganze Reihe von Veränderungen vollzogen. So lag in den unteren Klassen der französische Unterricht zwar immer noch in den Händen der Klassenlehrer, doch war ein neuer Lehrer engagiert worden, Doktor der Philologie, der an der Heidelberger Universität promoviert und eine dreijährige Studienzeit an einem französischen Lycée hinter sich hatte, und dieser übernahm nun die Französisch-Stunden in den oberen Klassen und unterrichtete diejenigen Schüler, die das Griechische mit einer modernen Sprache zu vertauschen wünschten, im Deutschen. Ein anderer Lehrer wurde geholt, um den Mathematik-Unterricht systematischer zu gestalten. Keiner von den beiden Herren war Geistlicher. Das bedeutete Revolution, und als sie eintrafen, bereiteten ihnen die älteren Lehrer einen kühlen Empfang. Ein Laboratorium wurde eingerichtet – alle stellten fest, daß die Schule ihren Charakter änderte. Und Gott allein konnte wissen, was für ausgefallene Projekte Mr. Perkins sonst noch in seinem zausigen Kopfe wälzte. Die Schule war klein, sie hatte nicht mehr als zweihundert interne Zöglinge, und es war nicht leicht, sie zu vergrößern, denn sie war dicht an die Kathedrale angebaut; die Nebengebäude wurden, mit Ausnahme eines Hauses, in dem einige von den Lehrern untergebracht waren, von der zur Kathedrale gehörenden Geistlichkeit bewohnt, und zum Bauen fehlte es an Platz. Aber Mr. Perkins heckte einen kunstvollen Plan aus, auf welche Weise Raum zu schaffen wäre, um die Schule um das Doppelte zu vergrößern. Er hatte den Wunsch, Knaben aus

London heranzuziehen. Der Umgang mit den kentischen Jungen würde ihnen gut tun, und diese wieder würden durch die aufgeweckten Städter ein wenig aus ihrer ländlichen Schwerfälligkeit aufgerüttelt werden.

»Das widerspricht allen Traditionen«, rief Sighs, als Mr. Perkins ihm seine Absicht auseinandersetzte. »Bisher haben wir alles getan, um unsere Knaben vor den verderblichen Einflüssen der Londoner Jugend zu bewahren.«

»Unsinn«, sagte Mr. Perkins.

Eine solche Abfertigung hatte der Lehrer noch nie erfahren, und er erwog eben eine schneidende Antwort, mit versteckter Anspielung auf Kramläden und dergleichen, als Mr. Perkins zu dem unerhörtesten aller Angriffe gegen ihn ausholte.

»Sagen Sie mal: wäre es Ihnen nicht möglich, sich zu verheiraten? Dann könnten wir das Haus, das Sie bewohnen, um ein paar Stockwerke höher machen lassen und hätten Schlafräume und Studierzimmer, soviel wir brauchen. Und Ihre Frau könnte helfen, die Jungen zu betreuen.«

Der ältliche Geistliche schnappte nach Luft. Heiraten? Er sollte heiraten? Er war siebenundfünfzig Jahre alt. Mit siebenundfünfzig Jahren heiratete man nicht mehr. Überdies hatte er keine Lust, in seinem Alter die Leitung eines Internats zu übernehmen. Nein – wenn er vor diese Wahl gestellt wurde, zog er sich lieber auf eine Landpfarre zurück. Er wollte seinen Frieden haben.

»Ich denke nicht daran, zu heiraten«, sagte er.

Mr. Perkins schaute ihn mit seinen dunklen, leuchtenden Augen an, und wenn belustigtes Zwinkern in ihnen aufblitzte, bemerkte es der arme Sighs nicht.

»Wie schade!«

Aber Mr. Perkins führte noch andere Neuerungen ein. Ohne jegliche Warnung konnte er nach dem Morgengebet auf einen der Lehrer zutreten und fragen:

»Haben Sie etwas dagegen, wenn ich heute um elf die Sechste übernehme? Wir tauschen die Klassen, ja?«

Man wußte nicht, ob solche Überraschungen an anderen Schulen üblich waren – in Tercanbury jedenfalls hatte man sie früher nicht gekannt. Die Resultate waren merkwürdig. Mr. Turner war das erste Opfer gewesen. Nachdem er seiner Klasse schonend mitgeteilt hatte, daß der Direktor die Lateinstunde abhalten würde, hatte er die letzten zwanzig Minuten der Geschichtsstunde dafür verwendet, die Stelle aus dem Livius zu wiederholen, bei der sie gerade hielten; als er jedoch wieder in die Klasse zurückkehrte und sich das Blatt ansah, auf das Mr. Perkins seine Bemerkungen geschrieben hatte, erwartete ihn eine Überraschung; denn zwei von den besten Jungen hatten sehr schlecht abgeschnitten, während andere, die sich noch nie hervorgetan hatten, gelobt worden waren. Er fragte seinen Primus, Eldridge, nach dem Grund.

»Mr. Perkins hat uns gar nicht übersetzen lassen. Er hat mich gefragt, was ich über General Gordon weiß.«

Mr. Turner sah ihn erstaunt an. Die Jungen fühlten deutlich das Neue der Situation, und er mußte ihrem schweigenden Mißfallen beipflichten. Er sah nicht ein, was General Gordon mit Livius zu tun haben sollte. Später wagte er, eine Frage zu stellen.

»Eldridge war höchst verstimmt, weil Sie ihn gefragt haben, was er über General Gordon wüßte«, sagte er zum Direktor und versuchte zu schmunzeln.

Mr. Perkins lachte.

»Ich sah, daß sie bei den Agrargesetzen des Gajus Gracchus angelangt waren, und ich wollte wissen, ob sie etwas über die landwirtschaftlichen Probleme in Irland wüßten. Aber alles, was sie über Irland wußten, war, daß Dublin am Liffey liegt. Daher wollte ich wissen, ob sie je etwas über General Gordon gehört hätten.«

So kam die Ungeheuerlichkeit zutage, daß der neue Direktor eine Manie für allgemeine Bildung hatte. Er zweifelte an der Nützlichkeit eingepaukter Prüfungsweisheit. Er verlangte gesunden Menschenverstand.

Sighs wurde jeden Monat bekümmerter; er konnte die Angst nicht loswerden, daß Mr. Perkins eines Tages von ihm verlangen würde, ein Datum für seine Hochzeit festzusetzen; und er fand den Standpunkt des Direktors der klassischen Literatur gegenüber ungeheuerlich. Es bestand kein Zweifel, daß er ein trefflicher Gelehrter war; er schrieb sogar an einer Arbeit, die durchaus der Tradition entsprach, nämlich an einer Abhandlung über den Baum in der lateinischen Literatur; aber er sprach wegwerfend über dieses Werk, als handelte es sich um einen Zeitvertreib von nicht allzugroßer Wichtigkeit. Squirts, der die Dritte unter sich hatte, wurde von Tag zu Tag wütender.

In seine Klasse wurde Philip gesteckt, als er in die Schule eintrat. Reverend B. B. Gordon war ein Mann, der von Natur aus nur geringe Eignung zum Lehrer besaß: er war ungeduldig und cholerisch. Und da er von niemandem zur Verantwortung gezogen wurde und nur mit kleinen Jungen umzugehen hatte, war ihm längst jeder Rest von Selbstbeherrschung abhanden gekommen. Er fing seine Arbeit wutschnaubend an und beendete sie tobend. Er war ein Mann von mittlerer Größe und korpulenter Statur; er hatte rotes, sehr kurz geschnittenes Haar, das zu ergrauen begann, und einen kleinen, borstigen Schnurrbart. Sein breites Gesicht mit den verschwommenen Zügen und den kleinen blauen Augen lief bei seinen häufigen Wutausbrüchen dunkelblau an. Seine Nägel waren bis aufs Fleisch abgenagt, denn während irgendein zitternder Junge übersetzte und analysierte, saß er, bebend vor Zorn, hinter seinem Pult und biß an ihnen herum. Über seine Gewalttätigkeiten waren Geschichten im Umlauf, die vielleicht übertrieben waren; zwei Jahre zuvor hatte es in der Schule einige Aufregung gegeben, als bekannt wurde, daß einer der Väter mit einer Anklage drohe: er hatte einem Jungen namens Walters mit einem Buch eine so heftige Ohrfeige gegeben, daß dessen Gehör beeinträchtigt war und der Junge von der Schule genommen werden mußte. Der Vater des Jungen lebte in Tercanbury, und es hatte damals eine große Empörung in der Stadt gegeben, die Lokalzeitung hatte sich der Sache angenommen; aber Mr. Walters war nur ein Bierbrauer, und daher waren die Sympathien geteilt. Der Rest der Jungen, die mit dem Fall logischerweise bestens vertraut waren, stellten sich in dieser Angelegenheit auf die Seite des Lehrers, obwohl sie ihn haßten, und um ihre Entrüstung darüber zu zeigen, daß schulische Dinge außerhalb der Schule abgehandelt wurden, machten sie Walters' jüngerem Bruder, der an der Schule blieb, das Leben so ungemütlich wie möglich. Aber Mr. Gordon war dem Landleben nur mit knapper Not entkommen und schlug seither keinen Jungen mehr. Den Lehrern wurde verboten, die Jungen mit dem Stock auf die Hände zu schlagen, und Squirts konnte seinen Zorn nicht länger damit unterstreichen, daß er mit dem Rohrstock auf das Katheder schlug. Er konnte nicht mehr machen als einen Jungen an den Schultern nehmen und schütteln. Ungezogene oder widerspenstige Jungen ließ er noch immer zehn Minuten bis eine halbe Stunde lang mit ausgestrecktem Arm stehen, und verbal war er genauso gewalttätig wie früher.

Kein Lehrer wäre ungeeigneter gewesen, einen so schüchternen Knaben wie Philip zu unterrichten. Dieser kannte nun eine große Anzahl von Jungen, die mit ihm in der Vorbereitungsschule gewesen waren. Er fühlte sich erwachsener und erkannte instinktiv, daß für die Mehrzahl sein deformierter Fuß an Interesse verloren hatte. Aber vom ersten Tag an pflanzte Mr. Gordon Schrecken in sein Herz; und der Lehrer wiederum, der einen scharfen Blick dafür hatte, welche von den Jungen sich vor ihm fürchteten, faßte gerade deshalb eine besondere Abneigung gegen diese. Philip hatte gerne gelernt, nun aber betrachtete er die Schulstunden mit Abscheu. Ehe er eine Antwort wagte, die vielleicht unrichtig war und einen Sturm von Schmähungen hervorrief, saß er still und blöde da, und wenn die Reihe an ihn kam, wurde er grün und bleich vor Angst. Glücklich war er bloß, wenn Mr. Perkins die Klasse übernahm. Er war imstande, Mr. Perkins Leidenschaft für allgemeines Wissen zu befriedigen; er hatte alle Arten von merkwürdigen Büchern gelesen, und oftmals, wenn eine Frage an die Klasse gestellt worden war, blieb Mr. Perkins mit einem Lächeln bei Philip stehen, das den Jungen außer sich geraten ließ, und er sagte:

»Nun, Carey, sag es ihnen.«

Die guten Noten, die er bei diesen Gelegenheiten bekam, vergrößerten nur Mr. Gordons Unwillen. Eines Tages kam an Philip die Reihe zu übersetzen, und der Lehrer saß da, starrte wütend auf ihn und kaute nervös an seinem Daumen. Er war äußerst schlechter Laune, Philip fing mit leiser Stimme zu sprechen an.

»Murmle nicht!« brüllte der Lehrer.

Etwas versperrte Philip die Kehle.

»Weiter, weiter, weiter!«

Immer lauter kamen die Worte. Die Wirkung war, daß alles, was Philip wußte, aus seinem Kopf entschwand. Abwesend starrte er auf die bedruckten Seiten. Mr. Gordon fing zu keuchen an.

»Wenn du es nicht weißt, dann sag es mir! Warst du dabei, als die Stelle durchgenommen wurde? Warum redest du nicht? Sprich, du Schafskopf, sprich!«

Der Lehrer faßte die Lehne seines Stuhles und hielt sie fest, als müßte er sich Gewalt antun, um nicht auf Philip loszustürzen. Es war bekannt, daß er in vergangenen Zeiten seine Schüler manchmal an der Kehle gepackt hatte, bis sie zu ersticken meinten. Die Adern an seiner Stirn schwollen an, und sein Gesicht wurde dunkel und drohend. Er war außer sich.

Philip hatte die Stelle tags zuvor vollständig beherrscht. Nun aber fiel ihm nicht das geringste ein.

»Ich kann es nicht«, brachte er hervor.

»Warum kannst du es nicht? Nimm ein Wort nach dem andern vor – dann werden wir sehen, ob du es kannst oder nicht.«

Philip schwieg. Sehr weiß und ein wenig zitternd stand er da, seinen Kopf über das Buch gebeugt. Der Atem des Lehrers wurde schnaubend.

»Der Direktor behauptet, daß du klug bist. Ich verstehe nicht, wie er so etwas sagen kann. Allgemeines Wissen!« Er lachte höhnisch. »Ein Schafskopf bist du, nichts weiter!«

Das Wort gefiel ihm, und schreiend wiederholte er es immer wieder:

»Schafskopf! Schafskopf! Klumpfüßiger Schafskopf!«

Das erleichterte ihn ein wenig. Er sah, wie Philip jäh errötete. Er befahl ihm, das schwarze Buch zu holen. Philip legte den Caesar hin und ging still hinaus. In das schwarze Buch wurden die Namen der Jungen eingeschrieben, die etwas angestellt hatten, und wenn ein Name dreimal drin stand, so bedeutete das Prügel. Philip ging zum Hause des Direktors und klopfte an die Tür des Studierzimmers. Mr. Perkins saß an seinem Tisch.

»Kann ich das schwarze Buch bekommen, Sir?«

»Da ist es«, antwortete Mr. Perkins, mit einer Kopfbewegung nach der Stelle, an der es lag. »Was hast du denn angestellt?«

»Ich weiß nicht, Sir.«

Mr. Perkins blickte schnell zu ihm hinüber. Philip nahm das Buch und ging. Ein paar Minuten später, als die Stunde aus war, brachte er es wieder zurück.

»Laß mich mal sehn«, sagte der Direktor. »Mr. Gordon hat dich wegen frechen Benehmens eingeschrieben. Was war denn los?«

»Ich weiß nicht, Sir. Mr. Gordon hat mich einen klumpfüßigen Schafskopf genannt.«

Mr. Perkins schaute noch einmal zu ihm hin. Er fragte sich, ob diese Antwort sarkastisch gemeint sein konnte. Aber der Junge war noch viel zu aufgeregt. Sein Gesicht war bleich, und aus seinen Augen sprach deutlich die ausgestandene Angst. Mr. Perkins stand auf und legte das Buch an seinen Platz. Dann nahm er ein paar Fotografien zur Hand.

»Ein Freund hat mir heute ein paar Bilder von Athen geschickt«, sagte er beiläufig. »Schau, hier ist die Akropolis.«

Er fing an, Philip die Ansichten zu erklären. Die Ruinen wurden lebendig unter seinen Worten. Er zeigte ihm das Theater des Dionysos und erzählte, in welcher Rangordnung die Leute gesessen hatten und wie sie von ihren Plätzen aus bis auf das blaue Meer hinaussehen konnten. Und dann warf er plötzlich dazwischen:

»Als ich in Mr. Gordons Klasse war, mußte ich auch allerhand schlucken. Zigeunerischer Ladenschwengel, so wurde ich meistens genannt.«

Und ehe noch Philip erfaßt hatte, wie diese Bemerkung gemeint war, hatte er schon wieder ein anderes Bild vor ihn hingelegt – der Hafen von Salamis war es diesmal – und erklärte ihm, in welcher Formation die griechischen Schiffe und in welcher die persischen aufgestellt waren.

Philip brachte die nächsten beiden Jahre in angenehmer Einförmigkeit hin. Er wurde nicht roher behandelt als andere Jungen seines Alters, und sein Gebrechen, das ihn von den Spielen befreite, sicherte ihm ein willkommenes Unbeachtetsein. Er war nicht beliebt, und er war sehr einsam. Einige Quartale verbrachte er in der Klasse von Winks. Dieser wirkte mit seiner müden Art und seinen schweren Augenlidern unendlich gelangweilt. Er erfüllte seine Pflicht, aber er erfüllte sie zerstreut und geistesabwesend. Er war gutmütig, sanft und läppisch. Er glaubte an die Rechtschaffenheit der Jungen; wollte man sie zur Ehrlichkeit erziehen, dürfe man sich niemals einfallen lassen, sie könnten lügen, meinte er. ›Wenn ihr viel bittet‹, pflegte er zu sagen, ›so wird euch viel gegeben werden.‹ Das Leben war in seiner Klasse leicht. Man wußte genau, welche Verse man übersetzen mußte, wenn man an die Reihe kam, und mit Hilfe des Kommentars, der von Hand zu Hand ging, konnte man innerhalb von zwei Minuten alles herausfinden, was man wollte; man konnte eine lateinische Grammatik geöffnet auf den Knien liegen haben, während die Fragen gestellt wurden; und Winks hielt es durchaus nicht für sonderbar, wenn der gleiche haarsträubende Fehler in einem Dutzend von Aufgaben zu finden war. Er setzte kein großes Vertrauen in Einzelprüfungen, da er bemerkte, daß die Jungen dabei schlechter abschnitten als innerhalb der Klasse: es war enttäuschend, aber nicht bezeichnend. Zur gehörigen Zeit wurden sie versetzt, nachdem sie kaum etwas gelernt hatten, außer munter und frech die Wahrheit zu verdrehen, was ihnen im späteren Leben möglicherweise von größerem Nutzen war als die Fähigkeit, Latein vom Blatt zu lesen.

Danach fiel Philip Tar in die Hände. Sein wirklicher Name war Turner; er war der lebhafteste von den alten Lehrern, ein kleiner Mann mit ungeheurem Bauch, schwarzem, ergrauendem Bart und dunkler Hautfarbe. Wenn er seinen Talar anhatte, sah er tatsächlich ein wenig nach einem Faß aus; und obwohl er grundsätzlich jeden Jungen fünfhundert Verse lernen ließ, auf dessen Lippen er zufällig seinen Spitznamen hörte, machte er auf Festen innerhalb des Dombereiches oft Witze darüber. Unter den Lehrern war er der weltlichste. Er war häufiger auswärts eingeladen als die anderen, und sein Umgang war nicht so ausschließlich theologischer Natur. Während der Ferien legte er das geistliche Gewand ab und war im flotten Sportanzug in der Schweiz gesehen worden. Er wußte eine Flasche Wein und ein gutes Essen zu schätzen, und seitdem er sich einmal im *Café Royal* in Begleitung einer Dame gezeigt hatte, wurde ihm von Generationen von Schuljungen ein Lebenswandel voll wilder Ausschweifungen zugeschrieben.

Mr. Turner rechnete, daß er ein volles Quartal brauchte, um wieder Zucht in eine Klasse zu bringen, die unter der Leitung seines vertrauensseligen Kollegen gestanden hatte; und hie und da ließ er eine kleine Bemerkung fallen, um zu zeigen, daß er genau wußte, wie es dort zugegangen war. Er nahm es nicht weiter tragisch. Er betrachtete seine Schüler als kleine Halunken, die sich nur dann an die Wahrheit hielten, wenn sie überzeugt waren, daß ihre Lügen nicht unentdeckt bleiben konnten, deren Ehrgefühl sich ausschließlich auf ihre eigenen Angelegenheiten und nicht auf ihre Beziehungen zu den Lehrern erstreckte und die am ehesten darauf verzichteten, Unfug zu treiben, wenn sie spürten, daß es sich nicht lohnte. Er war stolz auf seine Klasse und mit fünfundfünfzig Jahren noch genauso eifrig bestrebt, die besten Prüfungsresultate der Schule zu erzielen, wie zu Beginn seiner Lehrtätigkeit. Er hatte das aufbrausende Naturell der Dicken, schnell erregt und schnell wieder besänftigt, und seine Jungen entdeckten bald, daß sich hinter seinem unaufhörlichen Schelten und Poltern eine große Herzensgüte verbarg. Er hatte nicht viel Geduld mit Dummköpfen, scheute aber keine Mühe, wenn es sich um Schüler handelte, die er trotz aller Eigenwilligkeit für intelligent hielt. Er liebte es, sie zum Tee einzuladen, und obgleich sie beteuerten, daß er vor lauter Kuchen- und Brötchenessen nicht viel Aufmerksamkeit für sie übrig hatte, wurden diese Einladungen doch mit wirklicher Freude angenommen.

Philip führte nun ein angenehmes Dasein, denn während er sich bisher in dem allgemeinen Saal hatte aufhalten müssen, in dem gegessen wurde und in dem die unteren Klassen ihre Schularbeiten erledigten, waren für die oberen Klassen eigene Studierzimmer eingerichtet. Das frühere Durcheinander hatte ihn gestört und abgestoßen. Hie und da wurde er der vielen Menschen überdrüssig und fühlte das dringende Bedürfnis, allein zu sein. Er unternahm lange, einsame Spaziergänge ins Freie. Durch grüne Wiesen floß ein kleiner Bach, von Bäumen eingesäumt, und es machte Philip glücklich, an seinen Ufern dahinzuwandern. Wenn er müde war, legte er sich ins Gras, das Gesicht nach unten, und betrachtete das emsige Hinundher der Käfer und Insekten. Einen besonderen Reiz hatte es für ihn, durch die zur Schule gehörigen Anlagen zu schlendern. Auf dem grünen Rasen in der Mitte wurde im Sommer Netzball geübt, aber den übrigen Teil des Jahres war es hier still: hie und da sah man ein paar Knaben Arm in Arm einherspazieren oder einen fleißigen Burschen abwesenden Blickes langsam auf und ab schreiten und sich etwas vorsagen, was er auswendig zu lernen hatte. In den großen Ulmen hatte sich ein Schwarm von Krähen angesiedelt, und ihr melancholisches Krächzen erfüllte die Luft. Auf der einen Seite lag die Kathedrale mit ihrem mächtigen Mittelturm, und Philip, der noch nichts von Schönheit wußte, fühlte, wenn er ihn betrachtete, ein beunruhigendes Entzücken, das er sich nicht zu erklären wußte. Als er ein Studierzimmer bekam (es war ein kleiner viereckiger Raum, der auf ein Armeleutegäßchen hinausging, und vier Jungen benützten ihn gemeinsam), kaufte er sich eine Fotografie der Kathedrale und nagelte sie über seinem Pult an die Wand. Und er entdeckte in sich ein neues Interesse für den Blick aus dem Fenster seiner Klasse. Man schaute auf sorgfältig gepflegte alte Rasenflächen und schöne Bäume mit tiefem, üppigem Laubwerk. Betrachtete er dieses Bild, dann schlich sich ein merkwürdiges Gefühl in sein Herz, und er wußte nicht, ob es wohltat oder schmerzte. Es war die erste Regung ästhetischen Empfindens. Andere Veränderungen kamen gleichzeitig. Seine Stimme brach. Er hatte sie nicht mehr in der Gewalt, und merkwürdige Laute drangen aus seiner Kehle.

Dann begann er an den Konfirmationsstunden teilzunehmen, die gleich nach dem Tee im Studierzimmer des Direktors abgehalten wurden. Philips Frömmigkeit hatte der Probe der Zeit nicht standgehalten. Längst hatte er seine abendliche Bibellektüre aufgegeben; aber nun, unter dem Einfluß von Mr. Perkins, lebten die alten Gefühle wieder auf, und er machte sich bittere Vorwürfe wegen seines Abfalls. Vor seinem inneren Auge sah er die höllischen Feuer lodern. Wenn er während jener Zeit gestorben wäre, in der er kaum besser als ein Ungläubiger gewesen war, wäre er verloren gewesen; er glaubte blind an die ewige Pein, und er glaubte viel fester an sie als an die ewige Seligkeit. Und er schauderte, wenn er an die Gefahren dachte, in der seine Seele geschwebt hatte.

Seit dem Tage, an dem Mr. Perkins so gütig zu ihm gewesen war und ihm über seinen Kummer hinweggeholfen hatte, hatte Philip eine hündische Zuneigung zu ihm gefaßt. Er zerbrach sich vergebens den Kopf, was er tun sollte, um ihn zu erfreuen. Er war glücklich über das kleinste Wort des Lobes, das über seine Lippen kam. Und wenn er zu den stillen kleinen Zusammenkünften in das Haus des Direktors ging, war er aufgeschlossen und erfüllt von hingebungsvoller Bereitschaft. Er hing mit den Blicken an Mr. Perkins glänzenden Augen und saß mit halbgeöffnetem Munde da, den Kopf ein wenig vorgestreckt, um nur ja kein Wort zu verlieren. Die Einfachheit der Umgebung machte den Gegenstand, mit dem man sich beschäftigte, besonders ergreifend. Oft geschah es, daß der Lehrer, hingerissen von dem Wunderbaren seines Stoffes, das vor ihm liegende Buch zurückschob und über die Mysterien der Religion zu sprechen anfing. Philip verstand nicht immer, aber er wollte gar nicht verstehen; er hatte die Empfindung, daß es genügte, zu fühlen. Der Direktor mit seinem schwarzen, wirren Haar und dem blassen Gesicht erschien ihm dann wie einer jener Propheten, die sich nicht scheuten, Könige zur Rechenschaft zu ziehen; und wenn er an den Erlöser dachte, sah er ihn mit den gleichen dunklen Augen und den gleichen bleichen Wangen.

Mr. Perkins nahm den Konfirmationsunterricht sehr ernst. Hier war nie etwas von jenem rasch aufblitzenden Humor zu merken, der ihn bei den übrigen Lehrern in den Verdacht der Frivolität gebracht hatte. Mit seiner Fähigkeit, trotz seines ausgefüllten Tages für alles Zeit zu finden, brachte er es fertig, jeden von den Knaben, die er vorbereitete, in gewissen Zeitabständen einzeln vorzunehmen. Er wollte sie davon überzeugen, daß dies der erste bewußte Schritt in ihrem Leben sein würde; er versuchte, in die Tiefen ihrer Seelen vorzudringen; er wollte seine eigene leidenschaftliche Frömmigkeit an sie weitergeben. In Philip fühlte er die Möglichkeit einer Glut, die der seinen gleichkam. Die Natur des Knaben schien ihm seinem innersten Wesen nach religiös. Eines Tages unterbrach er sich plötzlich in seinem Vortrag:

»Hast du eigentlich schon darüber nachgedacht, was du werden willst?« fragte er.

»Mein Onkel möchte, daß ich Geistlicher werde.«

»Und du?«

Philip wandte den Blick ab. Er schämte sich zu sagen, daß er sich nicht würdig dazu fühlte.

»Ich kann mir kein glücklicheres Leben vorstellen als das unsere. Könnte ich dir doch begreiflich machen, wie begnadet wir sind. Man kann Gott auf verschiedene Weise dienen, aber wir stehen Ihm näher. Ich möchte dich nicht beeinflussen, aber wenn du dich entschließen könntest – sogleich –, du würdest es nicht bereuen. Jetzt schon würdest du teilhaftig werden jener großen Freude, jener inneren Befriedigung, die uns nie verläßt.«

Philip antwortete nicht, aber Mr. Perkins las in seinen Augen, daß seine Worte auf fruchtbaren Boden gefallen waren.

»Wenn du weiterarbeitest wie jetzt, wirst du eines Tages Leiter dieser Schule werden. Du wirst bestimmt ein Stipendium bekommen. Hast du eigentlich ein wenig eigenes Vermögen?«

»Mein Onkel sagt, daß ich hundert Pfund jährlich haben werde, wenn ich großjährig bin.«

»Dann bist du reich. Ich habe gar nichts gehabt.«

Der Direktor zögerte einen Augenblick und fuhr dann, nachlässig auf einem Löschblatt herumkritzelnd, zu reden fort:

»Du wirst in der Wahl deines Berufes leider ein wenig beschränkt sein. Alles, was körperliche Leistungsfähigkeit erfordert, kommt für dich nicht in Betracht.«

Philip errötete bis an die Haarwurzeln, und Mr. Perkins blickte ihn ernst an.

»Ich frage mich manchmal, ob du dein Unglück nicht allzu schwer nimmst. Ist es dir nie in den Sinn gekommen, Gott dafür zu danken?«

Philip schaute schnell auf. Er preßte die Lippen zusammen. Er erinnerte sich an die Zeit, da er Gott angefleht hatte, ihn zu heilen, wie er den Aussätzigen geheilt und den Blinden sehend gemacht hatte.

»Solange du dich dagegen auflehnst, kannst du es nur als Schande empfinden. Siehst du es aber als Kreuz an, das dir aufgebürdet wurde, weil deine Schultern stark genug sind, es zu tragen, als ein Zeichen göttlicher Gnade, dann wird es sich in eine Quelle des Glücks verwandeln.«

Er merkte, daß es dem Jungen schwer wurde, über die Sache zu reden, und ließ ihn gehen.

Aber Philip dachte über die Worte des Direktors nach, und gänzlich erfüllt von der bevorstehenden Zeremonie, ergriff ihn alsbald eine magische Verzückung. Ihm war, als hätte sich sein Geist von den Fesseln des Fleisches befreit und als lebte er ein neues Leben. Mit aller Kraft seines Herzens strebte er nach Vollkommenheit. Er wollte sich ganz dem Dienste Gottes weihen und faßte den endgültigen Entschluß, Geistlicher zu werden. Als der große Tag herankam, wußte er sich – in tiefster Seele erschüttert – kaum zu fassen vor Freude und Angst. Ein Gedanke hatte ihn gequält. Er wußte, daß er allein zum Altar würde gehen müssen, und es war ihm schrecklich, sein Hinken so unverhüllt zu zeigen, nicht nur vor der ganzen Schule, sondern auch vor all den Fremden, die von auswärts kamen, um der Konfirmation ihrer Söhne und Verwandten beizuwohnen. Aber mit einemmale fiel diese Furcht von ihm ab. Freudig wollte er seine Demütigung auf sich nehmen. Und als er zum Altar hinhumpelte, sehr klein und unscheinbar unter der hochgewölbten Decke der Kathedrale, bot er sein Gebrechen willigen Herzens zum Opfer dar, dem Gott, der ihn liebte.


Aber Philip konnte nicht lange in der dünnen Luft der Bergesgipfel leben. Was ihm geschehen war, als ihn die religiöse Begeisterung zum erstenmal ergriffen hatte, geschah ihm nun wieder. Allzu tief empfand er die Schönheit des Glaubens, allzu glühend brannte der Wunsch nach Selbstaufopferung in seinem Herzen; daran gemessen schienen seine Kräfte schwach und unzulänglich. Die Heftigkeit seines Gefühls erschöpfte sich. Eine plötzliche Dürre überkam seine Seele. Er begann die Nähe Gottes, die ihm so allgegenwärtig erschienen war, zu vergessen, und seine frommen Übungen, obgleich immer noch pünktlich verrichtet, wurden zu rein äußerlichen Konventionen. Anfangs machte er sich Vorwürfe wegen seiner Abtrünnigkeit, und die Angst vor der Hölle spornte ihn zu erneutem Eifer an; aber die Flamme war tot, und allmählich lenkten andere Interessen seine Gedanken ab.

Philip hatte wenige Freunde. Die Gewohnheit des Lesens entfremdete ihn seiner Umgebung; sie wurde ihm dermaßen zum Bedürfnis, daß er nie lange in Gesellschaft bleiben konnte, ohne müde und unruhig zu werden; er war stolz auf das Wissen, das er sich durch die Lektüre seiner Bücher angeeignet hatte, sein Geist war lebendig, und es fehlte ihm das Geschick, seine Verachtung für die Beschränktheit seiner Kollegen zu verbergen. Sie erklärten ihn für eingebildet, und da er sich nur auf Gebieten auszeichnete, die ihnen selbst unwichtig erschienen, fragten sie sich spöttisch, worauf er sich denn eigentlich so viel einbilde. Allmählich hatte sich in ihm ein gewisser Sinn für Humor entwickelt und damit die Fähigkeit, kleine, sarkastische Bemerkungen hinzuwerfen, mit denen er die Menschen an ihren empfindlichsten Stellen traf. Er sprach solche Bemerkungen aus, ohne darüber nachzudenken, wie verletzend sie sein konnten, und war tief gekränkt, wenn er erkannte, daß seine Attacken mit lebhafter Antipathie vergolten wurden. Die Demütigungen, die er erlitten hatte, als er neu in die Schule gekommen war, hatten in ihm eine Scheu seinen Mitschülern gegenüber hervorgerufen, die er niemals überwand; er blieb still und schüchtern. Aber obgleich er alles tat, sich die Zuneigung der anderen Jungen zu verscherzen, sehnte er sich mit ganzem Herzen nach der Beliebtheit, die einigen von ihnen so mühelos in den Schoß fiel. Diese Bevorzugten bewunderte er aus der Ferne überschwenglich; zwar zeigte er sich ihnen gegenüber noch sarkastischer als gewöhnlich, zwar sparte er nicht mit kleinen Späßen auf ihre Kosten – und doch hätte er alles hingegeben, um mit ihnen zu tauschen; ja er hätte freudig mit dem dümmsten Jungen der Schule getauscht, der gesunde Glieder hatte. Er nahm eine merkwürdige Gewohnheit an; er malte sich irgendeinen Jungen aus, der ihm in jeder Hinsicht gefiel; er verpflanzte sozusagen seine Seele in den Körper des andern, sprach mit seiner Stimme, lachte mit seinem Lachen; in seiner Vorstellung tat er alles, was der andere getan haben würde. Die Einbildung war so lebhaft, daß er momentweise wirklich glaubte, nicht mehr er selbst zu sein. Dieses Spiel bereitete ihm manche Stunde phantastischen Glückes.

Zu Beginn des Weihnachtsquartals, das seiner Konfirmation folgte, wurde Philip in ein neues Studierzimmer versetzt. Einer der Jungen, die es mit ihm teilten, hieß Rose. Er war in der gleichen Klasse wie Philip und wurde von ihm stets mit neidvoller Bewunderung betrachtet. Man konnte ihn nicht schön nennen. Obgleich seine großen Hände und starken Knochen darauf schließen ließen, daß er sehr groß werden würde, war er plump gebaut; aber seine Augen waren bezaubernd, und wenn er lachte (er lachte immer), legte sich sein ganzes Gesicht in lustige Falten. Er war weder dumm noch gescheit, aber er lernte gut und war besonders tüchtig im Sport. Lehrer und Schüler liebten ihn gleichermaßen, und er seinerseits hatte alle gern.

Als Philip in das neue Studierzimmer einzog, bemerkte er bald, daß er von den andern, die schon drei Quartale beisammen gewesen waren, mit geringer Begeisterung aufgenommen wurde. Es war ihm unbehaglich, sich als Eindringling zu fühlen, aber er hatte gelernt, seine Gefühle zu verbergen, und sie hielten ihn für still und bescheiden. Rose gegenüber zeigte er sich, da er seinem Charme ebensowenig widerstehen konnte wie alle anderen, noch schüchterner und schroffer als gewöhnlich. Ob nun aus dem unbewußten Streben, seinen Zauber wirken zu lassen, dessen Vorhandensein er nur an den Resultaten ermessen konnte, oder aus reiner Herzensgüte, jedenfalls war es Rose, der sich Philip als erster näherte. Eines Tages fragte er ihn, ob er mit ihm zum Fußballplatz gehen wollte. Philip errötete.

»Ich kann nicht so schnell gehen wie du«, sagte er.

»Unsinn, komm.«

Und als ein anderer Junge den Kopf zur Tür hereinsteckte und Rose aufforderte, mit ihm zu kommen, rief er ihm zu:

»Ich kann nicht. Bin mit Carey verabredet.«

Er sah Philip mit seinen gutmütigen Augen an und lachte. Philip fühlte ein merkwürdiges Ziehen im Herzen.

Ihre Freundschaft wuchs mit jungenhafter Schnelligkeit, und bald waren sie ein unzertrennliches Paar. Die andern wunderten sich über diese glückliche Intimität, und Rose wurde gefragt, was er denn eigentlich an Philip finde.

»Ach, ich weiß nicht«, antwortete er. »Er ist gar nicht so übel, wirklich nicht.«

Bald gewöhnte man sich daran, die beiden Arm in Arm zur Kirche oder plaudernd in den Anlagen spazierengehen zu sehen; wo der eine war, war auch der andere zu finden, und so selbstverständlich wurde ihre Zusammengehörigkeit, daß man jede für Rose bestimmte Botschaft ohne weiteres Carey auftrug. Philip verhielt sich anfangs reserviert. Er sträubte sich in seinem Innern, sich voll und ganz der stolzen Freude hinzugeben, die ihn erfüllte. Aber bald wich sein Mißtrauen gegen das Schicksal einer ungezügelten Seligkeit. Er fand, daß Rose der wunderbarste Bursche sei, den er je gesehen habe. Bücher interessierten ihn nun nicht mehr; was sollte er mit ihnen anfangen, wenn es etwas so weitaus Wichtigeres für ihn gab. Roses Freunde kamen manchmal zum Tee in sein Studierzimmer oder saßen bei ihm umher, wenn sie gerade nichts Besseres zu tun hatten – und alle fanden, daß Philip eigentlich ein recht netter Junge sei. Philip war glücklich.

Als der letzte Tag des Quartals herankam, besprachen er und Rose, mit welchem Zug sie zurückfahren sollten, damit sie sich am Bahnhof treffen und vor ihrer Rückkehr in die Schule in der Stadt miteinander Tee trinken könnten. Philip fuhr schweren Herzens nach Hause. Er dachte die ganzen Ferien an Rose und malte sich aus, was er im nächsten Quartal mit ihm unternehmen wollte. Er langweilte sich im Pfarrhause, und als sein Onkel am letzten Tage den gewohnten scherzhaften Ton anschlug und die gewohnte Frage stellte:

»Na, freust du dich auf die Schule?« antwortete Philip freudig: »Ja, sehr.«

Um nur ja sicher zur Stelle zu sein, nahm er einen früheren Zug, als vorgesehen war, und wartete ungefähr eine Stunde auf dem Bahnhof. Als Roses Zug endlich einfuhr, lief er aufgeregt die Waggons entlang. Aber Rose war nicht da. Er fragte einen Träger, wann der nächste Zug käme und wartete weiter; aber wieder wurde er enttäuscht; er fror und war hungrig und ging schließlich durch Seitenstraßen und Armenviertel auf dem kürzesten Weg zur Schule. Er fand Rose im Studierzimmer, die Füße auf dem Kaminrand, in angeregtester Unterhaltung mit einem halben Dutzend Jungen, die auf den unwahrscheinlichsten Sitzgelegenheiten um ihn herumsaßen. Er begrüßte Philip mit überschwenglicher Herzlichkeit, aber Philips Herz sank, denn er erkannte, daß Rose die Verabredung mit ihm völlig vergessen hatte.

»Wo steckst du denn?« fragte Rose. »Ich dachte schon, du würdest überhaupt nicht mehr kommen.«

»Ich habe dich um halb vier auf dem Bahnhof gesehen«, sagte ein anderer Junge.

Philip errötete leicht. Rose sollte nicht wissen, daß er ein solcher Narr gewesen war, auf ihn zu warten.

»Ich mußte eine Bekannte begleiten«, log er schnell. »Man hat mich gebeten, sie in den Zug zu setzen.«

Aber seine Enttäuschung machte ihn verstockt. Er saß still da und antwortete nur einsilbig, wenn er angesprochen wurde. Er nahm sich vor, Rose unter vier Augen seine Meinung zu sagen. Aber als die andern gegangen waren, kam Rose sofort auf ihn zu und setzte sich auf seine Stuhllehne.

»Fein, daß wir wieder in dem gleichen Studierzimmer sind, nicht? Ich bin sehr froh.«

Er schien so ehrlich erfreut, daß Philips Kränkung dahinschwand. Und als wären sie keine fünf Minuten getrennt gewesen, fingen sie an, voller Eifer über die tausend Dinge zu reden, die sie interessierten.


Anfangs war Philip viel zu dankbar für Roses Freundschaft, um irgendwelche Forderungen an ihn zu stellen. Er nahm die Dinge, wie sie kamen, und freute sich seines Lebens. Bald aber begann er, Rose seine Liebenswürdigkeit den andern gegenüber übelzunehmen; er verlangte eine ausschließlichere Freundschaft und forderte als sein Recht, was er zuvor als Gunst entgegengenommen hatte. Eifersüchtig beobachtete er Roses Kameradschaft mit anderen Jungen und war unbeherrscht genug, seinen bitteren Gefühlen Ausdruck zu geben. Wenn Rose eine Stunde lang in einem anderen Studierzimmer Unsinn getrieben hatte und dann in sein eigenes zurückkehrte, empfing ihn

Philip mit finsterer Miene. Er konnte einen ganzen Tag lang trotzen und litt um so mehr, als Rose seine schlechte Laune entweder wirklich nicht bemerkte oder absichtlich ignorierte. Nicht selten brach er, obgleich er genau wußte, wie unvernünftig dies war, einen Streit vom Zaune, und dann sprachen sie manchmal mehrere Tage nicht miteinander. Aber Philip konnte es nicht ertragen, Rose lange böse zu sein, und bat, selbst wenn er sich noch so sehr im Recht fühlte, schließlich jedesmal um Entschuldigung; dann waren sie eine Woche wieder gute Freunde. Aber das Beste war vorbei, und Philip sah, daß Rose nur mehr aus Gewohnheit oder aus Angst vor seinen Vorwürfen mit ihm verkehrte. Sie hatten einander nicht mehr so viel zu sagen wie früher, und Rose langweilte sich häufig. Philip fühlte, daß seine Lahmheit ihn zu irritieren begann.

Gegen Ende des Quartals erkrankten ein paar Jungen an Scharlach, und es wurde erwogen, alle nach Hause zu schicken, um einer Epidemie vorzubeugen; aber die Patienten wurden isoliert, und da keine weiteren Krankheitsfälle auftraten, nahm man an, daß die Gefahr überwunden war. Unter den Erkrankten war auch Philip. Er blieb die Osterferien über im Spital und wurde zu Beginn des Sommerquartals auf eine Weile nach Hause geschickt, um ein wenig frische Luft zu atmen. Trotz der ärztlichen Versicherung, daß nicht länger Ansteckungsgefahr bestünde, nahm der Vikar den Jungen mit Argwohn auf; er hielt es für rücksichtslos vom Arzt, daß er den Jungen zur Genesung an die Küste schickte, und gab seine Einwilligung nur, weil dieser sonst nirgends hätte hingehen können.

Zur Quartalsmitte kehrte er in die Schule zurück. Er hatte alle Streitigkeiten mit Rose vergessen und wußte nur mehr, daß er sein bester Freund war. Er nahm sich vor, vernünftiger zu sein. Während seiner Krankheit hatte Rose ihm mehrere kleine Briefe geschickt, und jeder schloß mit den Worten: ›Mach schnell und komm bald wieder!‹ Philip dachte, daß Rose seine Rückkehr ebenso sehnlich herbeiwünschte wie er selbst.

Der Tod eines Jungen aus der Sechsten hatte gewisse Verschiebungen innerhalb der Studierzimmer zur Folge gehabt, und Rose war nicht mehr in demselben untergebracht wie er. Das war eine bittere Enttäuschung. Aber gleich nach seiner Ankunft stürzte er zu Rose hinein. Rose saß an seinem Pult und arbeitete mit einem Jungen namens Hunter. Als Philip hereinkam, wandte er ungehalten den Kopf.

»Wer ist das, zum Teufel?« rief er. Und als er sah, daß es Philip war:

»Ach, du bist es!«

Philip blieb betroffen stehen.

»Ich wollte dich nur begrüßen.«

»Wir arbeiten gerade.«

Hunter mischte sich in das Gespräch.

»Wann bist du zurückgekommen?«

»Vor fünf Minuten.«

Die beiden blieben sitzen und schauten ihn an, als empfänden sie seine Anwesenheit als störend. Sie erwarteten offensichtlich, daß er schnell wieder ging. Philip errötete.

»Ich geh jetzt. Du kannst nachher zu mir hereinschauen, wenn du fertig bist«, sagte er zu Rose.

»Schön!«

Philip schloß die Tür hinter sich und hinkte in sein eigenes Studierzimmer zurück. Er fühlte sich furchtbar verletzt. Rose hatte sich über sein Eintreten beinahe verärgert gezeigt. Er hatte ihn behandelt wie einen x-beliebigen Bekannten. Philip wartete in seinem Studierzimmer und wagte nicht, sich auch nur einen Augenblick zu entfernen. Er fürchtete, sein Freund könnte gerade dann hereinkommen. Der aber ließ sich nicht blicken. Am nächsten Morgen, als Philip zum Gebet in die Kapelle ging, begegnete er Rose und Hunter, die Arm in Arm einherschlenderten. Was er nicht mit eigenen Augen sah, erzählten ihm die andern. Er hatte vergessen, daß drei Monate eine lange Zeit im Leben eines Schuljungen sind. Er hatte sie in Einsamkeit verbracht, Rose aber war in der Welt geblieben. Hunter hatte den freien Platz an seiner Seite eingenommen. Philip erkannte, daß Rose sich bemühte, ihm unauffällig aus dem Wege zu gehen. Aber er war nicht der Junge, eine solche Situation stillschweigend hinzunehmen; er wartete, bis er sicher war, Rose allein in seinem Studierzimmer anzutreffen, und ging dann hinein.

»Darf ich hereinkommen?« fragte er.

Rose schaute ihn verlegen an.

»Bitte, wenn du willst.«

»Sehr liebenswürdig von dir«, sagte Philip sarkastisch.

»Was willst du?«

»Warum benimmst du dich so merkwürdig zu mir, seitdem ich zurück bin?«

»Sei nicht so dumm«, war Roses Antwort.

»Ich möchte wissen, was du an diesem Hunter findest.«

»Das ist meine Angelegenheit.«

Philip blickte zu Boden. Er konnte sich nicht entschließen zu sagen, was in seinem Herzen vorging. Er hatte Angst, sich zu demütigen, Rose stand auf.

»Ich muß in die Turnstunde«, sagte er.

Als er schon an der Tür war, zwang sich Philip zu sprechen.

»Höre, Rose, willst du wirklich so gemein zu mir sein?«

»Ach, zum Teufel mit dir.«

Rose warf die Tür hinter sich zu und ließ Philip allein. Philip zitterte vor Wut. Er kehrte in sein Studierzimmer zurück und ließ sich das Gespräch noch einmal durch den Kopf gehen. Jetzt haßte er Rose, er wollte ihm weh tun, und tausend ätzende Dinge fielen ihm ein, die er ihm hätte sagen können. Er grübelte über das Ende seiner Freundschaft nach und bildete sich ein, daß alle darüber sprachen. In seiner Empfindlichkeit witterte er Spott und befremdetes Erstaunen dort, wo man sich nicht im entferntesten den Kopf über ihn zerbrach. Er malte sich aus, was seine Kameraden untereinander redeten.

»Schließlich war nicht zu erwarten, daß es lange dauern würde. Ohnedies ein Wunder, daß er sich gerade Carey ausgesucht hat. Diesen Tunichtgut.«

Um seine Gleichgültigkeit zu dokumentieren, ließ er sich in eine heftige Freundschaft mit einem Jungen namens Sharp ein, den er haßte und verachtete. Sharp kam aus London und war ein verschlagener, plumper Bursche, mit dem ersten Anflug eines Schnurrbärtchens auf den Lippen und dichten Augenbrauen, die über der Nasenwurzel zusammengewachsen waren. Er hatte weiche Hände und allzu glatte Manieren für sein Alter. Er gehörte zu den Jungen, die zu schlapp sind, Sport zu treiben, und entwickelte großen Scharfsinn in der Erfindung von Entschuldigungen, um sich auch von den obligatorischen Körperübungen zu drücken. Er wurde von Lehrern und Schülern abgelehnt, und wenn Philip nun seine Gesellschaft suchte, so geschah es aus purer Arroganz. Sharp sollte nach ein paar Quartalen auf ein Jahr nach Deutschland gehen. Er haßte die Schule und sah sie als etwas Verabscheuungswürdiges an, das man ertragen mußte, bis man alt genug war, in die Welt hinauszuziehen. London war das Ziel seiner Wünsche, und er hatte viele Geschichten über seine Ferienerlebnisse dort zu erzählen. Seine Unterhaltung – er sprach mit einer weichen, tieftönenden Stimme – rief das erregende Treiben des nächtlichen London herauf. Philip hörte Sharp fasziniert und abgestoßen zugleich zu. In seiner Fantasie sah er alles vor sich, das wogende Gedränge vor den Theatereingängen, den glitzernden Prunk billiger Restaurants, Bars, wo halbbetrunkene Männer auf hohen Stühlen saßen und sich mit Barmädchen unterhielten, und unter den Straßenlampen das geheimnisvolle Gewühle dunkler Menschenmengen, die ihrem Vergnügen nachgingen. Sharp lieh ihm billige Romane von Hollywell Row, die Philip mit wollüstiger Angst in seinem Schlafkämmerchen las.

Einmal versuchte Rose eine Versöhnung herbeizuführen. Er war ein gutmütiger Junge und liebte es nicht, Feinde zu haben.

»Sag, Carey, warum benimmst du dich so albern? Was hast du davon, wenn du mich schneidest?«

»Ich weiß nicht, was du meinst«, antwortete Philip.

»Schließlich könnten wir ja wieder gut miteinander sein, nicht?«

»Du langweilst mich«, sagte Philip.

»Bitte, dann laß es bleiben.«

Rose zuckte die Achseln und ging. Philip war sehr weiß, wie immer, wenn ihn etwas aufregte, und sein Herz schlug heftig. Als Rose gegangen war, wurde ihm plötzlich übel vor Unglück. Er wußte nicht, warum er so schroff geantwortet hatte. Alles hätte er darum gegeben, wieder versöhnt mit Rose zu sein. Aber in jenem Augenblick war er nicht Herr seiner selbst gewesen. Es war, als hätte ihn der Teufel geritten und ihn gezwungen, gegen seinen Willen bittere Dinge zu sagen. Und doch, wie hatte er sich danach gesehnt, Rose die Hände hinzustrecken und alle Feindschaft zu begraben. Aber der Wunsch zu verletzen war stärker gewesen. Er hatte sich rächen wollen für den Schmerz und die Demütigung, die er erlitten hatte. Stolz war es gewesen, aber gleichzeitig auch Torheit, denn Rose machte sich nicht das geringste aus der ganzen Sache, das wußte er genau, während er selbst bitterlich leiden würde. Der Gedanke schoß ihm durch den Kopf, zu Rose hinzugehen und zu sagen:

›Entschuldige, daß ich so gemein war. Ich weiß nicht, was über mich gekommen ist. Laß uns wieder gut sein.‹

Aber er wußte von vornherein, daß er nicht imstande sein würde, es zu tun. Er hatte Angst, daß Rose ihn auslachen würde. Er war böse auf sich selbst, und als nach einer Weile Sharp hereinkam, ergriff er die erste Gelegenheit, einen Streit mit ihm anzufangen. Philip hatte einen teuflischen Instinkt, die wunden Punkte anderer Leute zu entdecken, und war imstande, diese auch zu treffen. Aber Sharp hatte das letzte Wort.

»Ich habe gerade gehört, wie Rose mit Mellor über dich gesprochen hat. Mellor hat gesagt: ›Warum hast du ihn nicht durchgeprügelt? Das hätte ihn gelehrt, wie man sich benimmt.‹ Und Rose hat darauf gesagt: ›Das wollte ich nicht. Er ist ja ein Krüppel.‹«

Philip wurde purpurrot. Er konnte nicht antworten, denn er fühlte einen Klumpen in der Kehle, der ihn zu ersticken drohte.


Philip wurde in die Sechste versetzt, aber er haßte nun die Schule von ganzer Seele, und da er keinen Ehrgeiz mehr hatte, war es ihm völlig gleichgültig, ob er gut oder schlecht abschnitt. Er wachte in der Früh mutlos auf, weil er wieder einen Tag voll langweiliger Arbeit vor sich hatte. Er hatte es satt, Dinge tun zu müssen, weil sie ihm befohlen worden waren; und er ärgerte sich über die auferlegten Beschränkungen, nicht weil sie unvernünftig, sondern weil sie Beschränkungen waren. Er lechzte nach Freiheit. Er wollte nicht länger eines schwerfälligen Jungen wegen Dinge wiederholen, die er selbst von Anfang an verstanden hatte.

Bei Mr. Perkins konnte man arbeiten oder nicht, wie man wollte. Er war interessiert und abwesend zugleich. Die sechste Klasse befand sich in einem restaurierten Teil der alten Abtei und hatte ein gotisches Fenster: Philip versuchte, sich die Langeweile zu vertreiben, indem er dieses Fenster immer wieder zeichnete; und manchmal zeichnete er aus dem Kopf den großen Turm der Kathedrale oder das Eingangstor zum Dombereich. Er war nicht unbegabt. Tante Louisa hatte in ihrer Jugend Aquarelle gemalt und besaß mehrere Mappen, die mit Skizzen von Kirchen, alten Brücken und pittoresken Hütten angefüllt waren. Wenn Gäste zum Tee kamen, wurden die Mappen manchmal hervorgeholt und gezeigt. Als Weihnachtsgeschenk hatte sie Philip einmal einen Malkasten gegeben, und er hatte begonnen, die Arbeiten seiner Tante zu kopieren. Er kopierte sie besser, als man erwartet hatte, und wagte sich alsbald an eigene Bilder heran. Mrs. Carey ermutigte ihn. Es war eine willkommene Gelegenheit, ihn von Dummheiten abzuhalten. Einige von seinen Skizzen wurden eingerahmt und hingen im Wohnzimmer.

Aber eines Tages, nach Schluß des Vormittagunterrichtes, wurde Philip von Mr. Perkins angehalten.

»Ich möchte mit dir sprechen, Carey.«

Philip wartete. Mr. Perkins fuhr sich mit den mageren Fingern durch den Bart und blickte Philip an. Er schien zu überlegen, was er sagen sollte.

»Was ist mit dir los, Carey?« fragte er unvermittelt.

Philip warf ihm errötend einen raschen Blick zu. Er kannte ihn nun schon genau und wartete, ohne zu antworten, das Weitere ab.

»Ich bin in der letzten Zeit sehr unzufrieden mit dir. Du bist nachlässig und unaufmerksam. Du hast kein Interesse mehr an deiner Arbeit. Alles, was du machst, ist liederlich und schlecht.«

»Das tut mir leid«, entgegnete Philip.

»Ist das alles, was du mir zu sagen hast?«

Philip blickte trotzig zu Boden. Wie konnte er gestehen, daß er sich zu Tode langweilte?

»Du weißt, daß du dich in diesem Quartal verschlechtern wirst. Ich werde dir kein sehr gutes Zeugnis geben.«

Philip hätte interessiert, ob Mr. Perkins wußte, wie Zeugnisse behandelt wurden. Mr. Carey warf einen teilnahmslosen Blick darauf und übergab es Philip.

»Hier ist dein Zeugnis. Du kannst besser lesen, was darauf steht«, bemerkte er, während seine Finger die Seiten des Katalogs über antiquarische Bücher entlangfuhren.

Philip las.

»Ist es gut?« fragte Tante Louisa.

»Nicht so gut, wie ich es verdienen würde«, antwortete Philip lächelnd, während er es ihr überreichte.

»Ich werde es nachher lesen, wenn ich die Brille trage«, sagte sie.

Aber nach dem Frühstück kam Mary Ann herein, um zu sagen, daß der Fleischhauer hier wäre, und sie vergaß überhaupt darauf.

Mr. Perkins fuhr fort:

»Ich bin enttäuscht. Und es ist mir unbegreiflich. Du *kannst* arbeiten, wenn du willst – aber du scheinst eben nicht mehr zu wollen. Ich hatte die Absicht, dich im nächsten Quartal zum Klassenführer zu machen, aber das werde ich wohl zunächst noch lassen.«

Philip errötete. Es gefiel ihm nicht, übergangen zu werden. Er preßte die Lippen aufeinander.

»Und noch etwas. Du mußt jetzt anfangen, an dein Stipendium zu denken. Du wirst keines bekommen, wenn du dich nicht raschest an die Arbeit machst.«

Philip ärgerte sich über diese Strafpredigt. Er war böse über den Direktor und böse über sich selbst.

»Ich glaube nicht, daß ich nach Oxford gehen werde«, sagte er.

»Warum nicht? Ich dachte, du wolltest Priester werden.«

»Das habe ich mir überlegt.«

»Warum?«

Philip antwortete nicht. Mr. Perkins stand in der ihm eigenen merkwürdigen Haltung da, wie eine Figur in einem Bild von Perugino, und fuhr sich mit den Fingern gedankenvoll durch den Bart. Er schaute Philip an, als bemühe er sich, ihn zu verstehen, und schickte ihn dann unvermittelt fort.

Offenbar jedoch war er nicht befriedigt von dem Verlauf dieser Unterredung, denn eines Abends – es war eine Woche später, und Philip brachte ihm ein paar Hefte in sein Zimmer – nahm er das Gespräch wieder auf; diesmal griff er zu einer anderen Methode: er sprach mit Philip nicht als Lehrer, sondern von Mensch zu Mensch. Es schien ihm nicht mehr wichtig, daß Philip schlecht arbeitete und nur geringe Chancen hatte, das Stipendium für Oxford zu bekommen. Was ihm am Herzen lag, war Philips Sinneswechsel in bezug auf sein künftiges Leben. Mr. Perkins bemühte sich, seinen Wunsch, Geistlicher zu werden, neu zu beleben. Mit unendlicher Geschicklichkeit wußte er sich an sein Gefühl zu wenden, und dies fiel ihm nicht schwer, weil er selbst ehrlich erschüttert war. Philips Wandlung bereitete ihm bitteren Kummer. Er war überzeugt, daß Philip im Begriffe stand, sich sein Lebensglück zu verscherzen. Seine Stimme war sehr eindringlich. Und Philip, der sich sehr leicht mitreißen ließ von der Ergriffenheit anderer und selbst sehr erregbar war, trotz seines ruhigen Äußeren – sein Gesicht verriet teils von Natur aus, aber auch infolge jahrelanger Gewohnheit in der Schule nur selten, und höchstens durch ein rasches Erröten, was er empfand –, Philip war tief bewegt durch die Worte seines Lehrers. Er war ihm dankbar für das Interesse, das er ihm entgegenbrachte, und machte sich Gewissensbisse, weil er ihn gekränkt hatte. Es schmeichelte ihm überdies, daß Mr. Perkins, obzwar er für die ganze Schule zu sorgen hatte, gerade ihm so viel Aufmerksamkeit schenkte; aber gleichzeitig klammerte sich etwas anderes in ihm, eine zweite Person förmlich, die neben ihm stand, verzweifelt an drei Worte:

»Ich will nicht. Ich will nicht. Ich will nicht.«

Er fühlte sich wanken. Er war machtlos gegen die Schwäche, die in ihm aufstieg; sie war wie das Wasser, das in eine leere Flasche eindringt, wenn sie in ein volles Gefäß gehalten wird, und er biß die Zähne zusammen und sagte sich selbst immer wieder die Worte vor:

»Ich will nicht. Ich will nicht. Ich will nicht.«

Endlich legte Mr. Perkins Philip die Hand auf die Schulter.

»Ich will dich nicht beeinflussen«, sagte er. »Du mußt selbst entscheiden. Bete zu Gott um Hilfe und Führung.«

Als Philip aus dem Hause des Direktors trat, regnete es leise. Er ging unter dem Bogengang, der zu den Domanlagen führte, dahin. Keine Menschenseele war zu sehen, und die Krähen schwiegen in den Ulmen. Er ging langsam. Ihm war heiß, und der Regen tat ihm wohl. Er überdachte alles, was Mr. Perkins gesagt hatte, nun ruhiger, da er der leidenschaftlichen Persönlichkeit seines Lehrers entzogen war, und fühlte sich beglückt, nicht nachgegeben zu haben.

In der Dunkelheit konnte er nur verschwommen die gewaltigen Umrisse der Kathedrale erkennen; er haßte sie nun wegen der langen ermüdenden Gottesdienste, an denen er hatte teilnehmen müssen. Die Liturgie wollte kein Ende nehmen, und man mußte sie stehend anhören. Während der einschläfernden Predigt zuckte es im ganzen Körper, weil es nicht gestattet war, sich zu rühren. Dann dachte Philip an die beiden Gottesdienste jeden Sonntag in Blackstable. Die Kirche war kahl und kalt, und es roch nach Pomade und gestärkten Kleidern. Einmal predigte der Kurat und einmal sein Onkel. Philip war schroff und unduldsam und konnte nicht begreifen, daß ein Mensch als Geistlicher Forderungen aufstellen durfte, die er im Leben niemals selbst beherzigte. Die Heuchelei empörte ihn. Sein Onkel war ein schwacher, egoistischer Mensch, dessen hauptsächlichstes Streben war, sich nicht anstrengen zu müssen.

Mr. Perkins hatte zu ihm über die Schönheit des Lebens, das dem Dienst Gottes geweiht ist, gesprochen. Philip wußte, welche Art von Leben der Klerus in seiner Heimat führte. Da gab es den Vikar von Whitestone, einer Pfarre in der Nähe von Blackstable: er war Junggeselle, und damit er etwas zu tun hätte, hatte er sich vor kurzem der Landwirtschaft zugewandt: die Lokalzeitung berichtete dauernd über die Prozesse, die er im Provinzialgericht gegen diesen und jenen anstrengte, vor allem Arbeiter, denen er den Lohn nicht bezahlen wollte, und Händler, die er wegen Betruges anklagte. Es ging das Gerücht, er ließe seine Kühe verhungern, und es wurde viel über eine gemeinschaftliche Aktion gesprochen, die gegen ihn unternommen werden sollte. Dann gab es noch den Vikar von Ferne, einen bärtigen, schönen Mann: seiner Brutalität wegen war seine Frau gezwungen gewesen, ihn zu verlassen, und sie hatte in der Nachbarschaft Geschichten über seine Unsittlichkeit verbreitet. Der Vikar von Surle, einem winzigen Dorf am Meer, wurde jeden Abend im Wirtshaus gesehen, das nur einen Katzensprung vom Pfarrhaus entfernt lag; die Kirchenvorsteher waren bei Mr. Carey gewesen, um diesen um Rat zu fragen. Sie hatten niemanden zum Sprechen außer Kleinbauern und Fischern; es gab lange Winterabende, an denen der Wind traurig durch die kahlen Äste pfiff und weit und breit nichts zu sehen war als die Eintönigkeit der umgepflügten Felder; und es gab Armut und Arbeitslosigkeit; jede kleine charakterliche Schwäche konnte sich ungehindert entfalten; sie wurden engherzig und überspannt. Philip wußte dies alles, aber in seiner jugendlichen Intoleranz fand er dafür keine Entschuldigung. Er schauderte bei dem Gedanken, ein solches Leben zu führen; er wollte in die Welt hinausgehen.

Mr. Perkins merkte bald, daß seine Worte ihre Wirkung auf Philip verfehlt hatten, und bemühte sich nun nicht weiter um ihn. Er schrieb ihm ein Zeugnis, das an Schärfe nichts zu wünschen übrig ließ. Als es eintraf und Tante Louisa fragte, wie es denn ausgefallen wäre, antwortete Philip munter:

»Miserabel.«

»So?« sagte der Vikar. »Ich werde es mir nachher ansehen.«

»Glaubt ihr, daß es einen Sinn hat, daß ich noch länger in Tercanbury bleibe? Es wäre vielleicht gescheiter, ich ginge für eine Weile nach Deutschland.«

»Was bringt dich auf eine solche Idee?« rief Tante Louisa.

»Findest du sie nicht ganz vernünftig?«

Sharp war bereits von der Schule abgegangen und hatte Philip aus Hannover geschrieben. Er war also tatsächlich hinausgetreten ins Leben, und sein Beispiel ließ Philip keine Ruhe. Ein weiteres Jahr der Unfreiheit schien ihm unerträglich.

»Aber dann bekommst du ja kein Stipendium!«

»Das bekomme ich ja auf keinen Fall. Und eigentlich zieht es mich nicht so besonders nach Oxford.«

»Ja, aber du willst doch Geistlicher werden, Philip!« rief Tante Louisa bestürzt aus.

»Das habe ich längst aufgegeben.«

Mrs. Carey blickte ihn mit erschrockenen Augen an, bezwang sich aber in gewohnter Selbstbeherrschung und schenkte ihrem Manne eine zweite Tasse Tee ein. Niemand sprach. Nach einer Weile sah Philip, daß Tante Louisa weinte. Sein Herz krampfte sich zusammen. In ihrem engen schwarzen Kleid, von der Schneiderin unten in der Hauptstraße genäht, mit ihrem verrunzelten Gesicht, den blassen, müden Augen und ihrem grauen, immer noch in die neckische Löckchenfrisur ihrer Jugendzeit gelegten Haar, war diese Frau eine lächerliche, aber seltsam rührende Figur. Philip merkte es zum erstenmal.

Später, als sich der Vikar mit dem Kurat in sein Studierzimmer eingeschlossen hatte, legte er den Arm um ihre Schultern:

»Es tut mir furchtbar leid, daß du dich kränkst, Tante Louisa«, sagte er. »Aber es hat doch keinen Sinn, daß ich Geistlicher werde, wenn ich mich nicht berufen fühle, nicht?«

»Ich bin so enttäuscht, Philip«, klagte sie. »Ich hatte mein Herz daran gehängt. Ich dachte mir, du würdest Kurat bei deinem Onkel werden und später einmal, wenn wir nicht mehr sind – denn wir können ja nicht ewig leben –, seine Stelle übernehmen.«

Philip schauderte. Entsetzen packte ihn. Sein Herz schlug wie eine Taube, die in eine Falle geraten ist, mit ihren Flügeln. Seine Tante weinte still, den Kopf auf seine Schulter gelegt.

»Ach, rede doch Onkel William zu, mich von Tercanbury wegzunehmen. Ich kann es dort nicht mehr aushalten.«

Aber der Vikar von Blackstable änderte nicht so leicht einen einmal gefaßten Entschluß, und es war immer vorgesehen gewesen, daß Philip bis zu seinem achtzehnten Jahre an der Schule bleiben und dann nach Oxford kommen sollte. Unter keinen Umständen durfte er sofort abgehen, denn es war nicht gekündigt worden, und das Schulgeld mußte auf jeden Fall bezahlt werden.

»Willst du dann wenigstens für Weihnachten kündigen?« fragte Philip am Ende eines langen und teilweise erbitterten Gesprächs.

»Ich werde Mr. Perkins schreiben und hören, was er meint.«

»Ach, wäre ich doch schon einundzwanzig Jahre alt! Es ist schrecklich, immer nach fremder Pfeife tanzen zu müssen.«

»Philip, so solltest du nicht mit deinem Onkel sprechen«, mahnte Mrs. Carey sanft.

»Perkins wird mich bestimmt nicht weglassen wollen. Begreift ihr das nicht?«

»Warum willst du nicht nach Oxford gehen?«

»Weil es keinen Sinn hat, wenn ich nicht in die Kirche eintrete.«

»Was heißt das: in die Kirche eintreten? Du bist bereits in der Kirche«, sagte der Vikar.

»Ach, du weißt schon, was ich meine«, antwortete Philip ungeduldig.

»Was willst du also werden, Philip?« fragte Mrs. Carey.

»Das weiß ich noch nicht. Aber was es auch ist, fremde Sprachen werden mir immer zustatten kommen. Ich hätte bestimmt viel mehr davon, ein Jahr in Deutschland zu verbringen, als noch länger in diesem Loch steckenzubleiben.«

Er wollte nicht sagen, daß er sich unter Oxford nichts weiter als eine Fortsetzung seines Schuldaseins vorstellte. Und dieses Dasein sah er als etwas Verfehltes an. Er wünschte von ganzer Seele, sein eigener Herr zu sein. Er wollte von vorne anfangen.

Es ergab sich, daß sein Wunsch, nach Deutschland zu gehen, zufällig mit gewissen Ideen zusammenstimmte, die in der letzten Zeit in Blackstable aufgetaucht waren. Manchmal kamen Freunde, die Neuigkeiten aus der Welt mitbrachten; und die auswärtigen Gäste, die den August an der See verbrachten, hatten ihre eigene Art, die Dinge anzusehen. Der Vikar hörte, daß es Leute gab, die nicht mehr ganz überzeugt von den alten Erziehungsmethoden waren, und vornehmlich waren es die modernen Sprachen, denen man große Wichtigkeit zuzuschreiben begann. Er selbst war nicht so ganz überzeugt, denn einer seiner jüngeren Brüder war, nachdem er eine Prüfung nicht bestanden hatte, nach Deutschland geschickt worden, um einen Präzedenzfall abzugeben, aber da er dort an Typhus gestorben war, konnte man diesen Versuch nur als gefährlich ansehen. Nach unzähligen Unterhaltungen gelangte man schließlich zu dem Ergebnis, daß Philip noch ein Quartal in Tercanbury bleiben und dann abgehen sollte. Mit diesem Arrangement war Philip nicht unzufrieden. Ein paar Tage nach seiner Rückkehr in die Schule ließ ihn der Direktor zu sich rufen.

»Ich habe einen Brief von deinem Onkel bekommen. Er schreibt, daß du nach Deutschland gehen möchtest, und fragt mich, was ich davon halte.«

Philip war befremdet. Er war wütend auf seinen Vormund, der sein Wort zurückzog.

»Ich dachte, das wäre bereits entschieden, Sir«, sagte er.

»Weit gefehlt. Ich habe ihm geschrieben, ich halte es für den größten Fehler, dich von hier wegzunehmen.«

Philip setzte sich sofort hin und schrieb einen hitzigen Brief an seinen Onkel. Er legte seine Worte nicht auf die Waagschale. Er war so erbost, daß er lange nicht einschlafen konnte, und als er am frühen Morgen aufwachte, war er noch immer erzürnt über die Art, in der er behandelt worden war. Er wartete ungeduldig auf eine

Antwort. Nach zwei oder drei Tagen kam sie. Es war ein nachsichtiger Brief von Tante Louisa, in dem sie schrieb, er sollte seinem Onkel nicht solche Dinge schreiben, dieser wäre sehr bekümmert. Er sei unfreundlich und unchristlich. Er müßte wissen, daß sie nur sein Bestes wollten, und sie seien um so vieles älter als er, so daß sie besser entscheiden könnten, was für ihn gut wäre. Philip ballte seine Hände. Er hatte diesen Ausspruch so oft gehört, und er konnte nicht einsehen, warum er wahr sein sollte; sie kannten die Umstände nicht so gut wie er; warum war es für sie selbstverständlich, daß sie aufgrund ihres höheren Alters klüger seien? Der Brief schloß mit der Bemerkung, daß Mr. Carey die Kündigung zurückgezogen hätte.

Philip pflegte seinen Zorn bis zum nächsten freien Nachmittag. Einen solchen hatten sie an jedem Dienstag und Donnerstag, denn am Samstagnachmittag mußten sie zum Gottesdienst in die Kathedrale gehen. Als die Schüler der Sechsten hinausgingen, blieb er hinter ihnen zurück.

»Darf ich heute nachmittag nach Blackstable fahren, Sir?« fragte er.

»Nein«, sagte der Direktor kurz und bündig.

»Ich möchte mit meinem Onkel über eine wichtige Sache sprechen.«

»Hast du nicht gehört, daß ich nein gesagt habe?«

Philip antwortete nicht. Er ging hinaus. Er hatte die Demütigung satt, die Demütigung, bitten zu müssen, und die Demütigung, eine abschlägige Antwort in barschem Ton hinnehmen zu müssen. Er haßte nun den Direktor. Philip haßte den Despotismus, der niemals bereit war, eine Begründung für seine Willkürakte zu geben. Er war zu zornig, um sich sein Verhalten zu überlegen, und nach dem Abendessen ging er auf dem Abkürzungsweg, den er sehr gut kannte, zum Bahnhof hinunter, gerade zur rechten Zeit, um den Zug nach Blackstable zu erreichen. Er ging ins Pfarrhaus, sein Onkel und seine Tante saßen im Speisezimmer.

»Hallo, wo kommst denn du her?« sagte der Vikar.

Es war völlig klar, daß er nicht erfreut war, ihn zu sehen. Er blickte ein wenig unruhig drein.

»Ich dachte, es wäre das beste, ich würde herkommen und mit dir über meinen Schulabgang sprechen. Ich möchte wissen, was es bedeuten soll, daß du mir etwas versprichst, wenn ich hier bin, und dich eine Woche später nicht daran hältst.«

Er war ein bißchen erschrocken über seine eigene Kühnheit, aber er hatte sich genau überlegt, was er sagen wollte, und obwohl sein Herz heftig schlug, zwang er sich, dies auch zu sagen.

»Hast du Erlaubnis bekommen, heute nachmittag hierherzukommen?«

»Nein. Ich habe Mr. Perkins darum gebeten, aber er hat abgelehnt. Wenn du ihm schreiben und mitteilen willst, daß ich hier war, kannst du mich in einen ganz schönen Skandal hineinziehen.«

Mrs. Carey strickte mit zitternden Händen. Szenen waren ihr ungewohnt, und sie regten sie außerordentlich auf.

»Es geschähe dir recht, wenn ich es ihm erzählte«, sagte Mr. Carey.

»Wenn du petzen willst, dann tu es. Nachdem du ja schon einmal an Perkins geschrieben hast, bist du auch dazu fähig.«

Es war unklug von Philip, dies zu sagen, denn es gab dem Vikar genau die Gelegenheit, die er wollte.

»Ich denke nicht daran, hier ruhig sitzen zu bleiben, während du mir unverschämte Dinge sagst«, meinte er würdevoll.

Er stand auf und ging schnell in sein Arbeitszimmer hinüber. Philip hörte, wie er die Tür schloß und versperrte.

»Ach, wenn ich doch schon einundzwanzig Jahre alt wäre! Es ist schrecklich, abhängig zu sein.«

Tante Louisa begann still zu weinen.

»O Philip, du hättest mit deinem Onkel nicht in dieser Weise sprechen sollen. Ich bitte dich, geh zu ihm und sage, daß es dir leid tut.«

»Es tut mir nicht im geringsten leid. Er ist entschieden im Vorteil. Natürlich ist es nichts als Geldverschwendung, mich an dieser Schule zu lassen; aber was macht es schon? Es ist nicht sein Geld. Es war unmenschlich, mich unter die Vormundschaft von Leuten zu stellen, die von nichts eine Ahnung haben.«

»Philip.«

Philip hielt ein, als er ihre Stimme hörte. Sie klang herzzerreißend. Er war sich nicht bewußt gewesen, welch beißende Worte er gesagt hatte.

»Philip, wie kannst du so lieblos sein? Du weißt, wir wollen nur das Beste für dich, und wir wissen, daß es uns an Erfahrung mangelt; hätten wir eigene Kinder gehabt, wäre es anders: wir hätten Mr. Perkins nicht um Rat fragen brauchen.« Ihr versagte die Stimme. »Ich habe versucht, dir die Mutter zu ersetzen. Ich habe dich geliebt wie einen eigenen Sohn.«

Sie war so klein und zart, und es lag etwas Ergreifendes in ihrem altjüngferlichen Aussehen, dem Philip sich nicht entziehen konnte. Ein großer Klumpen schien plötzlich in seiner Kehle zu stecken, und seine Augen füllten sich mit Tränen.

»Es tut mir wirklich leid«, sagte er. »Ich wollte nicht ekelhaft sein.«

Er kniete sich neben sie hin und umschlang sie und küßte ihre feuchten, faltigen Wangen. Sie schluchzte bitterlich, und plötzlich schien er Mitleid mit ihr zu fühlen. Niemals zuvor hatte sie sich zu einem solchen Gefühlsausbruch hinreißen lassen.

»Ich weiß, ich bin für dich nicht das gewesen, was ich gerne hätte sein wollen, Philip, aber ich wußte nicht, wie ich es machen sollte. Es ist für mich ebenso furchtbar, keine Kinder zu haben, wie für dich, keine Mutter zu haben.«

Philip vergaß seinen Zorn und seinen Kummer, er wollte nichts als sie trösten, mit ungeschickten Worten und unbeholfenen kleinen Zärtlichkeiten. Dann schlug die Uhr, und er mußte auf der Stelle weglaufen, um den einzigen Zug nach Tercanbury zu erreichen. Als er in der Ecke eines Eisenbahnabteils saß, erkannte er, daß er nichts ausgerichtet hatte. Er ärgerte sich über seine Schwäche. Es war verächtlich, daß er sich durch das wichtigtuerische Gehaben des Vikars und die Tränen seiner Tante von seinem Vorsatz hatte abbringen lassen. Aber als das Ergebnis von Gesprächen zwischen dem Paar, von denen er nichts wußte, war erneut ein Brief an den Direktor geschrieben worden. Mr. Perkins las ihn und zuckte unwillig mit den Achseln. Er zeigte ihn Philip. Darin stand zu lesen:

*Lieber Mr. Perkins!*
*Verzeihen Sie, daß ich sie noch einmal wegen meines Mündels belästige, aber sowohl seine Tante als auch ich sind seinetwegen besorgt gewesen. Philip möchte unter allen Umständen die Schule verlassen, und seine Tante meint, er fühle sich unglücklich. Es ist für uns schwierig zu entscheiden, was in einem solchen Fall zu tun ist, denn wir sind nicht seine Eltern. Er scheint der Meinung zu sein, daß er es ohnehin nicht schaffen würde, und hält es für Geldverschwendung, länger an der Schule zu bleiben. Ich wäre Ihnen sehr verbunden, wenn Sie mit ihm sprechen könnten, und falls er noch immer derselben Meinung ist, dürfte es das beste sein, wenn er zu Weihnachten die Schule verläßt, wie ursprünglich beabsichtigt.*
*Mit vorzüglicher Hochachtung*
*William Carey*

Philip gab ihm den Brief zurück. Ein Gefühl des Stolzes erfüllte ihn. Er war seinen eigenen Weg gegangen, und er war befriedigt. Er hatte seinen Willen gegen den der anderen durchgesetzt.

»Es nützt nichts, wenn ich mich eine halbe Stunde hinsetze und deinem Onkel schreibe; falls er seine Meinung ändert, bekommt er den nächsten Brief von dir«, sagte der Direktor gereizt.

Philip sagte nichts, und sein Gesicht war vollkommen ruhig; aber das Funkeln seiner Augen konnte er nicht verhindern. Mr. Perkins bemerkte es und stieß ein kurzes Lachen aus.

»Du hast ziemlich sicher damit gerechnet, nicht wahr?« sagte er.

Philip lächelte offen. Er haßte instinktiv jeden Versuch, in die Tiefe seiner Gefühle einzudringen.

»Ach, ich weiß es nicht.«

Mr. Perkins schaute ihn nachdenklich an, während er sich langsam mit den Fingern durch den Bart fuhr. Es war, als redete er zu sich selbst.

»Schulen sind natürlich für den Durchschnitt gemacht. Man hat keine Zeit, sich um die Ausnahmen zu kümmern.«

Dann, plötzlich, wandte er sich an Philip. »Ich will dir einen Vorschlag machen. Bleibe bis zu Ostern hier. Im Frühjahr wirst du es viel schöner haben als im Winter. Hältst du deinen Entschluß bis dahin aufrecht, dann werde ich dir keine Schwierigkeiten in den Weg legen. Was sagst du dazu?«

»Vielen Dank, Sir.«

Philip war so froh, seinen Willen durchgesetzt zu haben, daß er das eine Quartal mehr gerne auf sich nehmen wollte. Da er wußte, daß er die Schule vor Ostern für immer los sein würde, empfand er sie nicht mehr so ganz als Gefängnis. Sein Herz hüpfte. An jenem Abend in der Kirche ließ er seinen Blick über die Jungen hinschweifen, die nach Klassen geordnet an ihren Plätzen standen, und schmunzelte vor Genugtuung bei dem Gedanken, daß er sie alle bald nicht mehr würde sehen müssen. Er konnte sie nun mit beinahe freundschaftlichen Gefühlen betrachten. Seine Augen blieben auf Rose haften. Rose nahm seine Stellung als Klassenführer außerordentlich wichtig: er schien sich für hauptverantwortlich für den guten Geist in der Schule zu halten; die Reihe war an ihm, den für den Tag bestimmten Bibeltext vorzulesen, und er las ihn sehr gut. Philip lächelte, weil er nun bald für immer von ihm befreit sein würde. In sechs Monaten spielte es keine Rolle mehr, daß Rose groß und geradgliedrig und Kapitän der Kricket-Mannschaft war. Philip sah sich die Lehrer in ihren Talaren an. Gordon war tot, er war vor zwei Jahren an einem Schlaganfall gestorben – aber alle übrigen waren noch da. Philip wußte nun, was für eine armselige Gesellschaft sie waren, Turner ausgenommen vielleicht, der etwas von einem Mann an sich hatte; und er wand sich bei dem Gedanken an die Abhängigkeit, in der ihn diese Menschen gehalten hatten. In sechs Monaten würden auch sie belanglos sein. Ihr Lob würde ihm nichts bedeuten, und über ihren Tadel würde er bloß die Achseln zucken.

Philip hatte gelernt, seine Empfindungen zu verbergen, und immer noch quälte ihn seine große Schüchternheit, aber er war oft voll innerer Ausgelassenheit, und hinkte er auch ernsthaft, still und in sich gekehrt umher, so war ihm in solchen Stunden doch, als singe es in seinem Herzen. Es schien ihm, als ginge er leichter dahin. Die mannigfaltigsten Einfälle tanzten ihm durch den Kopf, Vorstellungen jagten einander so wild, daß er sie nicht festhalten konnte; aber ihr Kommen und Gehen beseligte ihn. Nun, da er sich glücklich fühlte, war er auch wieder imstande zu arbeiten, und in den übrigen Wochen des Quartals ging er daran, das, was er durch seine lange Nachlässigkeit versäumt hatte, wiedergutzumachen. Bei den Schlußprüfungen schnitt er sehr gut ab. Mr. Perkins machte nur eine einzige Bemerkung: er sprach mit ihm über einen Aufsatz, den er geschrieben hatte, und sagte nach der üblichen Kritik:

»Du scheinst ja wieder Vernunft angenommen zu haben.«

Er lächelte ihn mit blitzenden Zähnen an, und Philip gab, zu Boden blickend, ein verlegenes Lächeln zurück.

Die sechs Jungen, die erwartet hatten, unter sich die verschiedenen Preise, die am Ende des Sommerquartals vergeben wurden, zu teilen, hatten aufgehört, Philip als ernsthaften Rivalen zu betrachten, aber nun sahen sie ihn mit einiger Unruhe an. Er erzählte niemandem, daß er zu Ostern weggehen wollte und daher auf keinen Fall ein Konkurrent wäre, sondern überließ sie ihrer Besorgnis. Er wußte, daß Rose auf sein Französisch stolz war, da er zwei- oder dreimal während der Ferien in Frankreich gewesen war; und er rechnete mit dem Preis für den englischen Aufsatz; Philip verschaffte es eine große Befriedigung, seine Bestürzung zu beobachten, als er merkte, um wieviel besser Philip in diesen Gegenständen war. Ein anderer Knabe, Norton, konnte nicht nach Oxford gehen, wenn er nicht auf Verfügung der Schule ein Stipendium bekommen sollte. Er fragte Philip, ob er um eines ansuche.

»Hast du etwas dagegen einzuwenden?« fragte Philip.

Es ergötzte ihn, daß die Zukunft eines anderen in seiner Hand lag. Es hatte etwas Abenteuerliches an sich, auf die verschiedenen Belohnungen Anspruch zu haben und sie dann anderen zukommen zu lassen, weil man sie geringschätzte. Am letzten Tag ging er zu Mr. Perkins hin, um sich von ihm zu verabschieden.

»Du willst uns doch nicht wirklich verlassen?«

Unverhüllte Überraschung sprach aus den Worten des Direktors.

»Sie hatten gesagt, Sie würden mir kein Hindernis in den Weg legen, Sir.«

»Ja, aber ich hatte deinen Entschluß nicht ernst genommen. Ich hatte gedacht, du würdest dir die Sache überlegen. Was, um Himmels willen, veranlaßt dich, uns jetzt zu verlassen? Du kannst ohne Schwierigkeiten ein Stipendium bekommen; du wirst die Hälfte der Preise erhalten, die wir zu vergeben haben.«

Philip blickte ihn finster an. Er hatte das Gefühl, betrogen worden zu sein; aber er hatte das Versprechen erhalten, und Perkins würde dazu stehen müssen.

»Du wirst eine sehr nette Zeit in Oxford verleben. Du mußt dich nicht gleich entscheiden, was du anschließend zu machen gedenkst. Ich weiß nicht, ob du dir vorstellen kannst, wie angenehm dort das Leben ist, wenn man klug ist.«

»Ich habe bereits alle Vorkehrungen für meine Reise nach Deutschland getroffen«, sagte Philip.

»Und könnten diese Vorkehrungen nicht rückgängig gemacht werden?« fragte Mr. Perkins mit seinem ironischen Lächeln. »Es würde mir leid tun, dich zu verlieren. Jungen dieser Art gibt es nicht viele.«

Philip errötete tief. Er war an Komplimente nicht gewöhnt, und niemand hatte ihm je gesagt, daß er klug sei.

Der Direktor legte seine Hand auf Philips Schulter.

»Du weißt, es ist eine langweilige Arbeit, schwerfälligen Jungen etwas beizubringen, aber wenn man ab und zu die Gelegenheit hat, einen Jungen zu unterrichten, der einem auf halbem Weg entgegenkommt, der die Worte versteht, beinahe bevor man sie gesagt hat, nun, dann ist Lehren die erfreulichste Angelegenheit auf der Welt.«

Aufgrund dieser Güte wurde Philip weich; er wäre nie auf den Gedanken gekommen, daß es Mr. Perkins wirklich wichtig war, ob er ging oder blieb. Er war gerührt und ungeheuer geschmeichelt. Es hätte nicht viel gebraucht, um ihn umzustimmen. Aber er schämte sich. Wie dumm würde er vor sich selbst dastehen, wenn er jetzt nachgab. Wie würde sein Onkel über Mr. Perkins Schlauheit schmunzeln.

»Ich kann leider nicht bleiben, Sir«, sagte er.

Mr. Perkins, wie viele, die gewohnt sind, die Dinge durch ihren persönlichen Einfluß zu lenken, wurde ein wenig ungeduldig, wenn seine Macht sich nicht augenblicklich wirksam erwies. Er hatte anderes zu tun und war nicht gewillt, noch mehr Zeit an diesen eigensinnigen, unvernünftigen Jungen zu verschwenden.

»Schön, ich habe dir versprochen, dich ziehen zu lassen, und will dir nichts mehr in den Weg legen. Wann geht die Reise los?«

Philips Herz schlug heftig. Die Schlacht war gewonnen, aber er wußte nicht genau, ob er sie im Grunde nicht eigentlich verloren hatte.

»Anfang Mai, Sir«, antwortete er.

»Na, wenn du zurückkommst, mußt du uns besuchen.«

Er streckte Philip die Hand hin. Noch ein einziges Wort, und er hätte ihn zur Umkehr bewegen können. Aber er schien die Sache als erledigt anzusehen. Philip verließ das Haus. Seine Schultage waren vorüber, und er war frei; aber die wilde Glückseligkeit, die er sich für diesen Moment vorgestellt hatte, wollte sich nicht einstellen. Langsam schlenderte er durch die Anlagen, und eine tiefe Niedergeschlagenheit erfaßte ihn. Er wünschte sich nun, nicht so töricht gewesen zu sein. Mit Freuden wäre er nun geblieben, aber er wußte genau, daß er sich nicht dazu würde bringen können, vor den Direktor hinzutreten und seinen Entschluß zu widerrufen. Er zweifelte nun, ob er richtig gehandelt hatte. Er war unzufrieden mit sich selbst und mit aller Welt. Und verdrossen fragte er sich, ob man wohl immer, wenn man seinen Willen durchgesetzt hatte, hinterher unglücklich darüber war.

Philips Onkel hatte eine alte Freundin, Miss Wilkinson, die in Berlin lebte. Sie war die Tochter eines Geistlichen, und bei ihrem Vater, dem Pfarrer eines Dorfes in Lincolnshire, war Mr. Carey als Kurat angestellt gewesen; als der Pfarrer starb, hatte sich Miss Wilkinson genötigt gesehen, ihren Lebensunterhalt zu verdienen, und hatte verschiedene Gouvernantenstellen in Frankreich und Deutschland angenommen. Sie stand in Briefwechsel mit Mrs. Carey und hatte zwei- oder dreimal ihre Ferien im Pfarrhaus von Blackstable zugebracht, wobei sie, wie es bei den seltenen Gästen der Careys üblich war, eine kleine Summe für ihren Unterhalt bezahlte. Als sich herausstellte, daß es bequemer war, Philips Wünschen nachzugeben, als sich ihnen zu widersetzen, schrieb Mrs. Carey an ihre Freundin und bat sie um Rat. Miss Wilkinson empfahl Heidelberg als den geeigneten Ort und das Haus der Frau Professor Erlin als behagliches Unterkommen. Philip konnte dort für dreißig Mark wöchentlich wohnen, und der Herr des Hauses selbst, Mittelschulprofessor von Beruf, war bereit, seinen Unterricht zu übernehmen.

Philip kam an einem Maimorgen in Heidelberg an. Sein Gepäck wurde auf einen Schubkarren geladen, und er folgte dem Träger auf die Straße. Der Himmel leuchtete tiefblau, und die Bäume der Allee, unter der sie dahingingen, waren dicht belaubt; es lag etwas in der Luft, das Philip nicht kannte, und in seine Scheu vor dem neuen Leben inmitten von Fremden, das ihm nun bevorstand, mischte sich freudige Erwartung. Er war ein wenig enttäuscht, daß niemand gekommen war, ihn abzuholen, und er fühlte sich sehr verloren, als ihn der Träger vor der Eingangstür eines großen, weißen Hauses verließ. Ein unordentlicher Bursche öffnete ihm und führte ihn in das Empfangszimmer. Es war angefüllt mit einer mächtigen, mit grünem Samt überzogenen Salongarnitur, und in der Mitte stand ein runder Tisch. Auf diesem thronte ein in eine weiße Papierkrause gezwängter, dicht gebundener Blumenstrauß, symmetrisch umgeben von ledergebundenen Büchern. Es roch muffig.

Nach einer Weile erschien, eingehüllt in eine Wolke von Küchendüften, Frau Professor Erlin, eine kleine, sehr korpulente Frau mit straff nach hinten gekämmtem Haar und einem roten Gesicht; sie hatte kleine Augen, funkelnd wie Glasperlen, und ein überschwengliches Gehaben. Sie nahm Philip an beiden Händen und erkundigte sich nach Miss Wilkinson, die zweimal ein paar Wochen in ihrem Hause zugebracht hatte. Sie sprach halb deutsch, halb gebrochen englisch. Philip konnte ihr nicht begreiflich machen, daß er Miss Wilkinson nicht kannte. Dann kamen ihre beiden Töchter ins Zimmer. Sie schienen Philip kaum jung, mochten aber nicht älter sein als fünfundzwanzig Jahre. Die ältere, Thekla, war ebenso klein wie ihre Mutter, hatte die gleiche fahrige Art, aber ein hübsches Gesicht und volles dunkles Haar; Anna, ihre jüngere Schwester, war groß und unschön, doch Philip gab ihr sofort den Vorzug, weil sie ein angenehmes Lächeln hatte. Nach einigen Minuten höflicher Konversation führte die Frau Professor Philip in sein Zimmer und überließ ihn sich selbst. Es war ein Turmzimmer, und vom Fenster aus sah man die Baumwipfel der Stadtanlage. Das Bett stand in einem Alkoven, und wenn man am Schreibtisch saß, hatte man nicht den Eindruck eines Schlafraumes. Philip packte seinen Koffer aus und stellte alle seine Bücher auf. Endlich war er sein eigener Herr.

Um ein Uhr rief ihn eine Glocke zum Mittagessen, und er fand alle Insassen des Hauses im Salon versammelt. Er wurde dem Professor vorgestellt, einem hochgewachsenen Mann mittleren Alters, mit einem großen, blonden und nunmehr ergrauenden Kopf und milden blauen Augen. Er sprach mit Philip in korrektem, aber ziemlich altertümlichem Englisch, denn er hatte sich seine Kenntnisse vornehmlich durch das Studium der klassischen Schriftsteller angeeignet. Frau Professor Erlin nannte ihr Hauswesen eine Familiengemeinschaft, nicht eine Pension; aber es hätte des Scharfsinnes eines Metaphysikers bedurft, um genau festzustellen, wo der Unterschied eigentlich lag. Als man sich in einem langen, finsteren Raum neben dem Salon zum Essen niedersetzte, zählte Philip, der sich sehr fremd fühlte, daß sechzehn Personen anwesend waren. Frau Professor Erlin saß an einem Ende und schnitt das Fleisch vor. Die Bedienung wurde unter lautem Tellergeklapper von dem unbeholfenen Burschen besorgt, der Philip die Tür geöffnet hatte, und obgleich er ziemlich rasch hantierte, hatte doch die erste Person stets schon aufgegessen, ehe die letzte zu ihrer Portion kam. Frau Professor Erlin bestand darauf, daß bei Tische ausschließlich Deutsch gesprochen wurde, so daß Philip, selbst wenn er seine Schüchternheit überwunden hätte, zum Stillschweigen gezwungen war. Er schaute sich die Leute an, mit denen er von nun an leben sollte. Neben Frau Professor Erlin saßen ein paar alte Damen, denen Philip jedoch nur wenig Aufmerksamkeit schenkte. Zwei junge Mädchen waren da, beide blond und eine von ihnen sehr hübsch, die mit Fräulein Hedwig und Fräulein Cäcilie angesprochen wurden. Fräulein Cäcilie hatte einen langen Zopf, der ihr über den Rücken baumelte; die beiden saßen nebeneinander und schwatzten und lachten ununterbrochen. Hin und wieder schauten sie zu Philip hinüber und wechselten leise Bemerkungen; sie kicherten beide, und Philip errötete, weil er den Eindruck hatte, daß sie sich über ihn lustig machten. Neben ihnen saß ein Chinese mit gelbem Gesicht und überfreundlichem Lächeln, der an der Universität studierte. Er sprach so schnell, mit einem sonderbaren Akzent, daß die Mädchen ihn nicht immer verstehen konnten und viel zu lachen fanden. Er lachte mit, gutmütig, und dabei schlossen sich beinahe seine mandelförmigen Augen. Dann waren zwei, drei Amerikaner da, in schwarzen Röcken, ziemlich gelb und ausgetrocknet, sie studierten Theologie. Philip hörte aus ihrem schlechten Deutsch den näselnden amerikanischen Akzent heraus und betrachtete sie mit Mißtrauen, denn man hatte ihn gelehrt, Amerikaner als wilde und unverbesserliche Barbaren anzusehen.

Später, nachdem man eine Weile auf den steifen grünen Samtstühlen des Salons herumgesessen hatte, forderte Fräulein Anna Philip auf, mit ihr und ein paar andern spazierenzugehen.

Philip nahm die Einladung an. Eine ganze Gesellschaft fand sich zusammen: Thekla und Anna Erlin, die beiden andern Mädchen, einer von den amerikanischen Studenten und Philip. Philip ging neben Anna und Fräulein Hedwig einher. Er war ein wenig aufgeregt, da er noch nie mit Mädchen verkehrt hatte. Die Bauern- und Kaufmannstöchter in Blackstable kamen nicht in Betracht. Er kannte sie dem Namen nach und vom Sehen, aber er war schüchtern und bildete sich ein, daß sie über sein Gebrechen lachten. Widerstandslos machte er sich die Auffassung des Vikars zu eigen, die eine scharfe Grenze zwischen ihrem eigenen, erhabenen Rang und dem der übrigen Dorfbewohner zog. Der Arzt hatte zwei Töchter, aber diese waren beide viel älter als Philip und hatten sich, als er noch ein kleiner Junge war, jede mit einem Assistenzarzt ihres Vaters verheiratet. In der Schule war hie und da von Mädchen die Rede gewesen, die sich mehr durch Dreistigkeit als durch jungfräuliche Zurückhaltung auszeichneten und über deren Beziehungen zu gewissen Jungen tolle Geschichten kursierten. Aber Philip hatte hinter hochmütiger Verachtung das Entsetzen zu verbergen gesucht, mit dem derlei Dinge ihn erfüllten. Als Ideal schwebte ihm die Byronsche Pose vor, und in seinem Innern tobte nun ein verzweifelter Kampf zwischen krankhafter Befangenheit und der Überzeugung, daß er sich ritterlich zu zeigen hatte. Er fühlte sich verpflichtet, heiter und amüsant zu sein, aber sein Gehirn war wie ausgeleert, und nicht ums Sterben fiel ihm etwas zu sagen ein. Anna Erlin wandte sich aus Höflichkeit öfters an ihn, aber Hedwig sprach nur wenig; sie schaute ihn hin und wieder mit leuchtenden Augen an, und manchmal lachte sie zu seiner Verwirrung hell heraus. Philip hatte die Empfindung, daß sie ihn für unmöglich hielte. Man ging längs eines waldbewachsenen Hanges dahin, und Philip atmete beglückt den würzigen Duft der Nadelbäume ein. Der Tag war warm und wolkenlos. Endlich gelangte man auf eine Anhöhe, von der aus man über das Rheintal, das sich tief unten in der Sonne dehnte, hinsah. Es war eine weite Landfläche, funkelnd in goldenem Licht, mit Städten da und dort in der Ferne, durchzogen von dem silbernen Band des Flusses. Weite Horizonte sind selten in jenem Winkel von Kent, in dem Philip zu Hause war, und der Anblick, der sich ihm nun darbot, erfüllte ihn mit unbegreiflichem Entzücken. Er fühlte sich erbaut und erhoben. Mit überwältigender Macht packte ihn das Erlebnis der Schönheit. Sie saßen zu dritt auf einer Bank – die andern waren vorausgegangen –, und während sich die Mädchen in raschem Deutsch miteinander unterhielten, weidete Philip ungeachtet ihrer seine Blicke an dem wunderbaren Bild.

»Bei Gott, ich bin glücklich«, sagte er unwillkürlich zu sich selbst.


Philip dachte bisweilen an die King's School in Tercanbury und lachte in sich hinein, wenn er sich ausmalte, was man zu dieser oder jener Stunde dort trieb. Hie und da träumte er, daß er immer noch Schüler wäre, und atmete erleichtert auf, wenn er beim Erwachen merkte, daß er in seinem kleinen Turmzimmer lag. Vom Bett aus konnte er die großen Kumuluswolken sehen, die über den blauen Himmel hinzogen. Er schwelgte in seiner Freiheit. Niemand war da, dem er zu gehorchen hatte. Er hatte es nicht mehr nötig, sich Lügen auszudenken.

Professor Erlin unterrichtete ihn im Deutschen und Lateinischen, und jeden Tag kam ein Franzose, der ihm Französischstunden gab. Für Mathematik hatte Frau Professor Erlin einen Engländer empfohlen, der an der Universität Philologie studierte. Sein Name war Wharton. Philip ging jeden Vormittag zu ihm hin. Er wohnte im obersten Stockwerk eines schäbigen Hauses, wo er ein Zimmer gemietet hatte. Es war sehr schmutzig und unordentlich und erfüllt von einem beißenden, aus vielen üblen Düften zusammengesetzten Geruch. Wharton lag gewöhnlich noch im Bett, wenn Philip um zehn Uhr erschien, sprang dann schnell auf, zog einen schmierigen Schlafrock und ein paar Filzpantoffeln an und nahm, während er unterrichtete, sein einfaches Frühstück zu sich. Er war ein kleiner Mann, dick von übermäßigem Biergenuß, mit einem gewaltigen Schnurrbart und langem, ungekämmtem Haar. Er lebte seit fünf Jahren in Deutschland und war sehr teutonisch geworden. Voll Abscheu dachte er an das Leben, das ihn erwartete, wenn er nach abgelegtem Doktorat nach England zurückkehren und seine pädagogische Laufbahn antreten müßte. Er gehörte einer Burschenschaft an und versprach, Philip mit auf die Kneipe zu nehmen. Er war sehr arm und machte kein Hehl daraus, daß die Stunden, die er gab, sein warmes Mittagessen bedeuteten. Manchmal, nach einer stürmischen Nacht, hatte er solche Kopfschmerzen, daß er seinen Kaffee nicht trinken und nur mit größter Überwindung seine Lektion geben konnte. Für diese Gelegenheiten hielt er ein paar Flaschen Bier unterm Bett bereit, die ihm im Verein mit seiner Pfeife über die Schwere des Daseins hinweghalfen.

»Etwas verkatert heute«, pflegte er dann zu sagen, während er das Bier behutsam einschenkte, damit ihn der Schaum nicht zu lange am Trinken hinderte.

Dann erzählte er Philip von der Universität, den Streitigkeiten zwischen den rivalisierenden Korps, den Mensuren und den Verdiensten dieses oder jenes Professors. Philip erfuhr mehr vom Leben als von der Mathematik. Manchmal lehnte sich Wharton lachend zurück und rief:

»Heute haben wir wirklich rein gar nichts getan. Sie brauchen mir die Lektion nicht zu bezahlen.«

»Ach, das spielt doch keine Rolle«, sagte Philip.

Hier war etwas Neues und höchst Interessantes, und es erschien ihm weit wichtiger als alle Trigonometrie, die er ohnedies nicht verstehen konnte. Es war, als wäre ihm durch ein Fenster ein Blick auf das Leben gewährt, und er schaute mit wildklopfendem Herzen.

»Nein, nein, behalten Sie Ihr schmutziges Geld«, sagte Wharton.

»Aber wie wird es mit Ihrem Mittagessen?« fragte Philip, der genau über die Finanzen seines Lehrers unterrichtet war, lächelnd.

»Ach, es ist nicht das erstemal, daß ich mich mit einer Flasche Bier gesättigt habe, und nie ist mein Kopf klarer als gerade dann.«

Und er tauchte unter das Bett – die Laken waren grau und ungewaschen – und fischte eine zweite Flasche hervor. Philip, der jung war und die guten Dinge des Lebens noch nicht zu schätzen wußte, lehnte dankend ab, sie mit ihm zu teilen, und so trank er allein.

»Wie lange wollen Sie hier bleiben?« fragte Wharton.

Sowohl er wie Philip hatten den Vorwand der Mathematik mit Erleichterung über Bord geworfen.

»Ach, ich weiß nicht, vielleicht ein Jahr. Dann soll ich nach Oxford gehen.«

Wharton zuckte verächtlich die Achseln, und Philip stellte mit Erstaunen fest, daß es Menschen gab, die ohne Ehrfurcht von diesem Sitz der Weisheit sprachen.

»Warum studieren Sie nicht hier? Ein Jahr ist gar nichts. Fünf Jahre müssen Sie bleiben. Es gibt zwei wertvolle Dinge im Leben: Freiheit des Denkens und Freiheit des Handelns. In Frankreich gibt es Handlungsfreiheit: man kann machen, was man will, und niemand kümmert sich darum, aber man muß denken wie alle anderen. In Deutschland muß man machen, was jeder andere macht, aber man kann denken, was einem beliebt. Beides hat seine Annehmlichkeit. Ich persönlich ziehe Gedankenfreiheit vor. In England hat man weder das eine noch das andere; man ist in Konventionen gezwängt. Man kann nicht denken, wie man will, und man kann nicht handeln, wie man will – weil wir eine demokratische Nation sind. Ich vermute, in Amerika ist es noch ärger.«

Er lehnte sich vorsichtig zurück, denn der Stuhl, auf dem er saß, hatte ein wackeliges Bein, und er wollte vermeiden, durch einen plötzlichen Sturz auf den Boden den rhetorischen Schwung seiner Rede zu stören.

»Bald muß ich all dies verlassen« – er umfaßte mit einer Geste die schmutzige Dachkammer mit ihrem ungemachten Bett, den auf dem Boden herumliegenden Kleidern, den Stößen ungebundener, zerrissener Bücher in jeder Ecke, den leeren Bierflaschen, die längs der Wand aufgereiht standen –, »um an irgendeiner Provinzschule Philologie zu unterrichten. Und ich werde Tennis spielen und Tee trinken.« Er stockte und warf Philip, der sehr sorgfältig gekleidet war, mit einem sauberen Kragen und ordentlich gebürstetem Haar, einen launischen Blick zu. »Und ich werde mich waschen müssen. Guter Gott!«

Philip errötete schuldbewußt, denn er hatte in der letzten Zeit angefangen, seiner Kleidung eine gewisse Aufmerksamkeit zu schenken, und war mit einer hübschen Auswahl von Krawatten von England weggefahren.

Der Sommer kam über das Land wie ein Eroberer. Jeder Tag war schön. Der Himmel hatte ein herausforderndes Blau, das die Nerven aufpeitschte. Das Grün der Bäume war heftig und roch, und die Häuser leuchteten, wenn die Sonne sie beschien, so grell weiß, daß es schmerzte. Auf dem Heimweg von Wharton setzte sich Philip manchmal auf eine Bank in der Anlage, freute sich an der Kühle und vertiefte sich in die Lichtmuster, welche die Sonne durch das Blätterwerk auf den Boden malte. Seine Seele tanzte so fröhlich wie die Sonnenstrahlen. Manchmal schlenderte er durch die Straßen der alten Stadt. Mit Ehrfurcht betrachtete er die Studenten mit ihren zersäbelten roten Wangen und ihren bunten Mützen. Am Nachmittag wanderte er mit den jungen Mädchen der Pension ins Freie, und manchmal wurde in einem schattigen Gasthausgarten am Fluß Tee getrunken. Abends promenierte man im Stadtgarten umher und hörte der Musikkapelle zu.

Philip wurde bald mit den verschiedenen Interessen seiner Mitbewohner bekannt. Thekla, die älteste Tochter des Professors, war mit einem Mann in England verlobt, der zwölf Monate in der Pension zugebracht hatte, und die Hochzeit sollte Ende des Jahres stattfinden. Aber der junge Mann schrieb, daß sein Vater, ein Gummifabrikant, mit dieser Verbindung nicht einverstanden sei, und Thekla war oft in Tränen aufgelöst. Manchmal konnte man sie und ihre Mutter beisammensitzen und mit strengen Augen und entschlossenem Mund die Briefe des widerstrebenden Liebhabers durchgehen sehen.

Thekla malte Aquarelle, und sie und Philip zogen häufig miteinander ins Freie und malten kleine Bildchen. Auch das hübsche Fräulein Hedwig hatte ihren Liebeskummer. Sie war die Tochter eines Berliner Geschäftsmannes, und ein schneidiger Husar, ein ›von‹ bitte schön, hatte sich in sie verliebt; aber seine Eltern widersetzten sich einer Heirat mit einem Mädchen ihres Standes, und Hedwig wurde nach Heidelberg geschickt, ihn zu vergessen. Aber davon konnte natürlich niemals, niemals die Rede sein. Sie fuhr fort, mit ihm zu korrespondieren. Er seinerseits ließ nichts unversucht, um seinen hartherzigen Vater umzustimmen. All dies erzählte sie Philip mit hübschen Seufzern und anmutiger Verschämtheit und zeigte ihm die Fotografie des schmucken Leutnants. Philip mochte sie am liebsten von all den Mädchen im Hause und trachtete bei Spaziergängen stets, an ihrer Seite zu bleiben. Er mußte deshalb viele Neckereien über sich ergehen lassen und quittierte sie mit heftigem Erröten. Fräulein Hedwig machte er die erste Liebeserklärung seines Lebens, aber unglücklicherweise war es ein Versehen und kam auf folgende Weise zustande. An den Abenden, an denen man nicht ausging, pflegten die Mädchen in dem grünsamtenen Salon Lieder vorzutragen, begleitet von Fräulein Anna, die immer bereit war, sich nützlich zu machen. Fräulein Hedwigs Lieblingslied hieß: *Ich liebe dich.* Eines Abends nun, nachdem sie es gesungen hatte, stand sie, in den Anblick der Sterne versunken, mit Philip auf dem Balkon. Er glaubte, etwas über das Lied sagen zu müssen – und begann:

»Ich liebe dich –«

Sein Deutsch war unsicher, und er suchte nach dem passenden Wort. Die Pause war sehr kurz, aber ehe er noch fortfahren konnte, sagte Fräulein Hedwig:

»Ach, Herr Carey, Sie müssen nicht du zu mir sagen.«

Philip wurde über und über rot, denn nie im Leben hätte er eine solche Vertraulichkeit gewagt. Er wußte sich keinen Rat. Den Sachverhalt wahrheitsgemäß aufzuklären wäre ungalant gewesen. Was sollte er antworten?

»Entschuldigen Sie«, brachte er schließlich hervor.

»Es ist weiter nicht schlimm«, flüsterte sie.

Sie lächelte ihm freundlich zu, nahm still seine Hand, drückte sie und ging dann in den Salon zurück.

Am nächsten Tag war er so verlegen, daß er nicht mit ihr sprechen konnte und in seiner Schüchternheit alles tat, um ihr aus dem Weg zu gehen. Als man ihn zu dem gewohnten Spaziergang aufforderte, schützte er Arbeit vor und lehnte ab. Aber Fräulein Hedwig suchte eine Gelegenheit, ihn allein zu sprechen.

»Warum benehmen Sie sich so merkwürdig?« fragte sie freundlich. »Ich bin Ihnen doch nicht böse wegen gestern abend. Können Sie etwas dafür, daß Sie mich lieben? Ich fühle mich sogar sehr geschmeichelt. Aber wenn ich auch noch nicht offiziell mit Hermann verlobt bin, sehe ich mich doch als seine Braut an und werde nie einen anderen lieben können.«

Philip errötete abermals und gab sich alle Mühe, nicht aus der Rolle des abgewiesenen Liebhabers zu fallen.

»Ich hoffe, daß Sie sehr glücklich werden«, sagte er bloß.


Professor Erlin gab Philip jeden Tag eine Stunde. Er stellte eine Liste der Bücher auf, die Philip lesen mußte, bis er reif wurde für das größte aller Werke, den *Faust*. In der Zwischenzeit ließ er ihn ein Stück von Shakespeare, das Philip in der Schule durchgenommen hatte, ins Deutsche übersetzen.

Es war damals in Deutschland die Zeit von Goethes höchstem Ruhm. Ungeachtet seiner eher herablassenden Haltung gegenüber Patriotismus, wurde er als Nationaldichter angesehen, und seit dem Krieg im Jahre 1870 galt er als einer der bedeutendsten Vertreter der nationalen Einheit. Die Schwärmer schienen in der Wildheit der Walpurgisnacht das Rattern der Artillerie in Gravelotte zu hören. Aber ein Zeichen der Größe eines Schriftstellers ist es, daß sich unterschiedlich denkende Menschen für ihn begeistern; und Professor Erlin, der die Preußen haßte, war ein leidenschaftlicher Bewunderer Goethes, dessen Werke in ihrer olympischen Gelassenheit einem gesunden Geist die einzige Zuflucht gegenüber dem Ansturm der neuen Generation zu bieten schienen. Da gab es einen Dramatiker, dessen Name neuerdings in Heidelberg viel genannt wurde, und im vergangenen Winter war unter dem Beifall seiner Anhänger und dem Zischen der anständigen Leute eines seiner Stücke im Theater aufgeführt worden. Philip hörte an dem langen Pensionstisch viele Diskussionen darüber, und bei diesen verlor Professor Erlin jedesmal seine gewohnte Ruhe. Er schlug mit der Faust auf den Tisch und erstickte mit seiner klangvollen, tiefen Stimme jegliche Opposition. Das Ganze war Unsinn, und obszöner Unsinn obendrein. Er hatte sich gezwungen, bis zum Schluß sitzen zu bleiben, wußte aber wahrhaft nicht, was stärker gewesen war: seine Langeweile oder sein Ekel. Wenn es dahin kommen sollte mit dem Schauspiel, dann war es höchste Zeit, daß die Polizei einschritt und die Theater schloß. Er war nicht prüde – nein – und konnte lachen wie jeder andere über eine geistreiche Frivolität. Aber dies war Schmutz und nichts weiter. Und mit vielsagender Geste hielt er sich die Nase zu und pfiff durch die Zähne; das war der Ruin der Familie, das Ende aller Moral, die Zerstörung Deutschlands.

»Aber Adolf«, rief Frau Professor vom andern Ende des Tisches herüber. »Beruhige dich doch.«

Er drohte ihr mit der Faust, er, sonst der sanfteste aller Ehemänner, der nie das Geringste unternommen hätte, ohne ihren Rat einzuholen.

»Nein, Helene, das sage ich dir«, brüllte er, »lieber sähe ich meine Töchter tot zu meinen Füßen liegen, als daß ich ihnen erlaubte, dem Geschwätz dieser schamlosen Gesellen zuzuhören.«

Das Stück, um das es sich handelte, hieß *Ein Puppenheim*, der Autor war Henrik Ibsen.

Professor Erlin stellte ihn auf eine Stufe mit Richard Wagner, aber von diesem sprach er nicht mit Zorn, sondern mit gutmütigem Spott. Er war ein Scharlatan, aber ein erfolgreicher Scharlatan.

»Ein verrückter Kerl!« sagte er.

Er hatte *Lohengrin* gesehen, und das ging noch. Es war langweilig, aber nicht schlimm. Dafür *Siegfried*! Nicht eine einzige Melodie, von Anfang bis zum Ende! Er konnte sich vorstellen, wie Richard Wagner in seiner Loge saß und sich die Seiten hielt vor Lachen über all die Menschen, die ihn ernst nahmen. Es war der schlechteste Witz des neunzehnten Jahrhunderts. Er hob das Glas Bier an seine Lippen, warf den Kopf in den Nacken und trank, bis das Glas leer war. Dann wischte er seinen Mund mit dem Handrücken ab und sagte:

»Hört auf mich, ihr jungen Leute! In zwanzig Jahren ist Wagner tot wie ein Stück Holz. Wagner! Alles, was er geschrieben hat, gebe ich für eine einzige Oper von Donizetti!«


Am merkwürdigsten von allen war Philips Französisch-Lehrer. Monsieur Ducroz stammte aus Genf. Er war ein großer alter Mann mit fahler Haut und hohlen Wangen; sein graues Haar war dünn und lang. Er trug einen schäbigen schwarzen Anzug mit durchlöcherten Ellbogen und ausgefransten Hosen. Seine Wäsche war sehr schmutzig. Philip hatte nie einen sauberen Kragen an ihm gesehen. Er war ein Mann von wenigen Worten, der seine Lektion gewissenhaft, aber ohne Enthusiasmus erteilte. Pünktlich mit dem Glockenschlag stellte er sich ein, und auf die Minute ging er wieder. Sein Honorar war sehr niedrig. Er war verschlossen, und was Philip von ihm wußte, hatte er von andern erfahren; es hieß, daß er unter Garibaldi gegen den Papst gekämpft, aber Italien angewidert wieder verlassen hatte, als sich herausstellte, daß all sein Streben nach Freiheit, worunter er die Aufrichtung einer Republik verstand, bloß zur Unterwerfung unter ein anderes Joch geführt hatte; später war er wegen irgendeines politischen Vergehens, von dem man nichts Näheres wußte, aus Genf ausgewiesen worden. Philip betrachtete ihn voll Erstaunen, denn er entsprach in keiner Weise der Vorstellung, die er sich von einem Revolutionär gemacht hatte: er sprach sehr leise und war außerordentlich höflich; er setzte sich niemals unaufgefordert hin, und wenn man ihm, was selten geschah, auf der Straße begegnete, zog er mit größter Förmlichkeit den Hut; er lachte niemals, ja er lächelte nicht einmal.

Eine ausgeprägtere Phantasie, als sie Philip hatte, wäre imstande gewesen, sich eine Jugend mit großen Hoffnungen auszumalen, denn er mußte 1848 erwachsen geworden sein, als die Könige – eingedenk ihrer Brüder in Frankreich – ängstlich und mit steifem Hals umhergingen, und vielleicht hat der leidenschaftliche Drang nach Freiheit, der Europa durchzog und alles wegfegte, was an Absolutismus und Tyrannei während des Zeitalters der Reaktion nach der Revolution von 1789 geherrscht hatte, kein Herz mit heißerem Feuer erfüllt. Man könnte ihn sich vorstellen, wie er sich für die Theorien der Gleichheit und der Menschenrechte erhitzte, diskutierte, argumentierte, hinter den Barrikaden von Paris kämpfte, vor der österreichischen Kavallerie in Mailand floh, eingesperrt wurde, verbannt wurde, aber seine Hoffnungen nicht aufgab aufgrund des einen magischen Wortes, des Wortes Freiheit, bis er sich zuletzt, gebrochen durch Krankheit und Hunger, alt und mittellos, in jener netten kleinen Stadt fand, ereilt von einer persönlichen Tyrannei, die größer war, als es sie jemals in Europa gegeben hatte. Vielleicht verbarg sich hinter seiner Schweigsamkeit Verachtung für das menschliche Geschlecht, das die großen Träume seiner Jugend aufgegeben hatte und nun in trägem Behagen dahinlebte; vielleicht hatten ihn viele Jahre der Revolution gelehrt, daß die Menschheit für die Freiheit nicht geschaffen ist und daß er sein Leben dafür eingesetzt hatte, etwas zu erreichen, was des Kampfes nicht wert ist. Vielleicht auch waren seine Kräfte erschöpft, und er wartete nunmehr mit Gleichgültigkeit auf das erlösende Ende.

Eines Tages fragte ihn Philip mit der Unverblümtheit seines Alters, ob es wahr wäre, daß er mit Garibaldi gekämpft habe. Der alte Mann schien der Frage keine besondere Wichtigkeit beizumessen. Er antwortete ruhig und leise wie gewöhnlich:

»*Oui, monsieur.*«

»Man sagt auch, daß Sie während der Kommune in Paris waren?«

»So, sagt man das? Lassen Sie uns weiterarbeiten.«

Er hielt ihm das geöffnete Buch hin, und Philip begann eingeschüchtert zu übersetzen.

Eines Tages schien Monsieur Ducroz große Schmerzen zu haben. Er war kaum imstande, sich die vielen Treppen zu Philips Zimmer hinaufzuschleppen; oben angekommen, ließ er sich schwer in einen Sessel fallen. Sein bleiches Gesicht war verzerrt, und große Schweißperlen standen ihm auf der Stirn.

»Sie sind krank«, sagte Philip.

»Es wird gleich vorübergehn.«

Aber Philip sah, daß er litt, und fragte ihn nach Schluß der Stunde, ob er seine Lektionen nicht lieber einstellen wollte, bis er wieder gesund wäre.

»Nein«, sagte der alte Mann mit seiner gleichmäßigen, leisen Stimme. »Ich möchte lieber weiterarbeiten, solange es geht.«

Philip, voll krankhafter Scheu, wenn er von Geld reden mußte, errötete.

»Es wäre kein Verlust für Sie. Würden Sie mir erlauben, Ihnen das Honorar für die kommende Woche im voraus zu bezahlen?«

Monsieur Ducroz verlangte achtzig Pfennig für die Stunde. Philip zog schüchtern einen Zehnmarkschein hervor und legte ihn auf den Tisch; der alte Mann sollte nicht das Gefühl haben, daß er ihm ein Almosen anbot.

»In diesem Fall werde ich erst wiederkommen, wenn es mir besser geht.«

Er nahm das Geld und empfahl sich ohne weitere Dankesbezeugungen mit der gleichen förmlichen Verbeugung wie sonst.

»*Bonjour, monsieur.*«

Philip war etwas enttäuscht. Er war der Meinung, großmütig gehandelt zu haben, und hatte erwartet, daß Monsieur Ducroz ihn mit Dankbarkeitsbezeugungen überschütten werde. Er war bestürzt, daß der alte Lehrer das Geschenk angenommen hatte, als wäre es eine Selbstverständlichkeit gewesen. Er war so jung und wußte nicht, um wieviel geringer das Gefühl für Verbindlichkeit bei jenen ist, die Gefälligkeiten annehmen, als bei jenen, die sie tun.

Fünf oder sechs Tage später erschien Monsieur Ducroz wieder. Er schlotterte ein wenig mehr und war sehr schwach, schien jedoch den Anfall überwunden zu haben. Er war nicht mitteilsamer als sonst und blieb geheimnisvoll, unnahbar und schmutzig. Er erwähnte seine Krankheit mit keinem Wort, bis die Stunde vorüber war; die Hand bereits auf der Türklinke, hielt er inne: er zögerte, als fiele es ihm schwer zu sprechen.

»Wenn Sie mir das Geld nicht gegeben hätten, hätte ich hungern müssen. Ich hatte sonst keinen Pfennig.«

Er machte seine feierliche, höfliche Verbeugung und ging. Ein Klumpen stieg Philip in die Kehle. Er empfand die hoffnungslose Bitternis dieses Daseins und dachte bekümmert, wie schwer das Leben dieses alten Mannes und wie angenehm dagegen sein eigenes war.

Philip hatte drei Monate in Heidelberg verbracht, als die Frau Professor ihm eines Morgens mitteilte, daß ein Engländer namens Hayward sein Eintreffen angemeldet habe, und am gleichen Abend beim Essen sah Philip ein neues Gesicht. Seit ein paar Tagen lebte das Haus Erlin in einem Zustand großer Aufregung. Erstens hatten, als Ergebnis Gott weiß welcher Schliche, die Eltern des jungen Engländers, mit dem Fräulein Thekla verlobt war, diese nach England eingeladen, worauf sie mit einem Album voll Aquarellen und einem Bündel von Briefen, die bewiesen, wie tief der junge Mann sich kompromittiert hatte, abgereist war. Eine Woche später verkündete Fräulein Hedwig mit strahlendem Gesicht, daß der Leutnant ihres Herzens in Begleitung seines Vaters und seiner Mutter nach Heidelberg kommen würde. Zermürbt durch die Beharrlichkeit ihres Sohnes und gerührt über die Mitgift, die Fräulein Hedwigs Vater zu erlegen bereit war, hatten die Eltern des Leutnants eingewilligt, sich in Heidelberg aufzuhalten, um die Bekanntschaft des jungen Mädchens zu machen. Das Ergebnis war zufriedenstellend, und Fräulein Hedwig erlebte die Genugtuung, ihren Liebsten im Stadtgarten allen Insassen des Hauses Erlin vorstellen zu dürfen. Die schweigsamen alten Damen, die an der Spitze der Tafel neben Frau Professor Erlin saßen, waren ganz aufgeregt, und als Fräulein Hedwig erklärte, daß sie unverzüglich nach Hause reisen müßte, um die Verlobung offiziell zu machen, faßte die Frau Professor, ungeachtet aller Kosten, den Entschluß, eine Maibowle zu stiften. Professor Erlin war sehr stolz auf seine Kunst, dieses wild berauschende Getränk zuzubereiten, und nach dem Abendessen wurde die große Terrine mit Rheinwein und Soda, in dem würzige Kräuter und Walderdbeeren herumschwammen, feierlich auf den runden Tisch im Salon gestellt. Fräulein Anna neckte Philip mit der Abreise seiner Herzallerliebsten, und er fühlte sich sehr unbehaglich und ziemlich melancholisch. Fräulein Hedwig sang ein paar Lieder, Anna spielte den Hochzeitsmarsch, und der Professor schmetterte *Die Wacht am Rhein*. Inmitten all dieser Fröhlichkeit schenkte Philip dem Neuangekommenen wenig Beachtung. Beim Abendessen hatten sie einander gegenüber gesessen, aber Philip war in ein eifriges Gespräch mit Fräulein Hedwig vertieft gewesen, während der Fremde, des Deutschen nicht mächtig, schweigend sein Essen verzehrte. Er trug eine blaßblaue Krawatte, was Philip sofort mit einer heftigen Abneigung gegen ihn erfüllte. Er war ein Mann von sechsundzwanzig Jahren, sehr hübsch, mit langem lockigem Haar, durch das er von Zeit zu Zeit nachlässig mit der Hand hindurchfuhr. Seine Augen waren groß und blau, aber von einem sehr matten Blau, und blickten schon jetzt ziemlich müde. Er war glatt rasiert und hatte einen gutgeformten Mund, obgleich die Lippen sehr schmal waren. Fräulein Anna interessierte sich sehr für Physiognomien und machte Philip darauf aufmerksam, wie wohlgebildet Haywards Schädel war und wie schwach dagegen die untere Hälfte seines Gesichtes. Der Kopf, bemerkte sie, war der Kopf eines Denkers, aber dem Kinn fehlte Charakter. Fräulein Anna legte großen Wert auf Charakter. Während sie von ihm sprachen, stand er ein wenig abgesondert da und betrachtete die lärmende Gesellschaft mit belustigtem, aber leise hochmütigem Ausdruck. Er war groß und schlank. Seine Haltung hatte eine bewußte Anmut. Weeks, einer von den amerikanischen Studenten, trat, als er ihn so allein stehen sah, auf ihn zu und fing mit ihm zu sprechen an. Die beiden bildeten ein seltsam kontrastierendes Paar: der Amerikaner, sehr ordentlich in seinem schwarzen Rock und seinen grau gesprenkelten Hosen, dünn und ausgetrocknet, schon jetzt etwas Salbungsvoll-Kirchliches im Wesen, und der Engländer in seinem losen Tweedanzug, langgliedrig und kultiviert in jeder Bewegung.

Philip kam erst am nächsten Tag mit dem Neueingetroffenen ins Gespräch. Sie fanden sich vor dem Mittagessen allein auf dem Balkon des Salons. Hayward sprach Philip an:

»Sie sind Engländer, nicht wahr?«

»Ja.«

»Ist das Essen immer so schlecht wie gestern abend?«

»Ungefähr.«

»Abscheulich, nicht?«

»Ja, abscheulich.«

Philip hatte bisher nichts an dem Essen auszusetzen gehabt, sondern im Gegenteil mit Appetit und Freude große Mengen davon verzehrt, aber er wollte nicht den Eindruck erwecken, er könnte ein gutes Essen nicht von einem schlechten unterscheiden.

Fräulein Theklas Englandaufenthalt machte es für ihre Schwester nötig, mehr im Haushalt mitzuhelfen, und sie hatte daher nur selten Zeit für längere Spaziergänge; und Fräulein Cäcilie, mit ihrem langen blonden Zopf und ihrer kleinen Stumpfnase, hatte seit einiger Zeit eine gewisse Abneigung gegen Geselligkeit an den Tag gelegt. Fräulein Hedwig war abgereist, und Weeks, der Amerikaner, der gewöhnlich an ihren Wanderungen teilnahm, hatte eine Fahrt nach Süddeutschland unternommen. Philip war viel allein.

Hayward suchte seine Bekanntschaft; aber Philip hatte einen unglückseligen Zug: aus Schüchternheit oder aus atavistischer, noch vom Höhlenbewohner überlieferter Eigenbrötlerei lehnte er nach dem ersten Blick die meisten Menschen ab. Er begegnete Haywards Annäherungsversuchen sehr zurückhaltend, und als dieser ihn eines Tages zu einem Spaziergang einlud, nahm er nur deshalb an, weil ihm keine passende Ausrede einfallen wollte.

»Ich kann leider nicht schnell gehen.«

»Guter Gott, es treibt uns ja niemand an. Ich gehe auch lieber gemächlich.«

Philip war ein guter Zuhörer; zwar fielen ihm häufig kluge Dinge ein, aber zumeist erst dann, wenn die Gelegenheit, sie vorzubringen, bereits verpaßt war; Hayward hingegen war mitteilsam; ein kritischerer Mensch als Philip wäre vielleicht auf den Gedanken gekommen, daß er sich gerne reden hörte. Seine überlegene Art machte großen Eindruck auf Philip. Es imponierte ihm und erschreckte ihn zugleich, daß dieser Mann für so viele Dinge, die Philip bisher als heilig und unantastbar angesehen hatte, eine ausgesprochene Verachtung an den Tag legte. Er stürzte den Fetisch des Sportes, indem er alle, die sich seinen verschiedenen Formen hingaben, mit dem geringschätzigen Wort Muskelprotze abtat. Und Philip merkte nicht, daß er statt dessen den Fetisch der Bildung aufgerichtet hatte.

Sie gingen miteinander zum Schloß hinauf und saßen auf der Terrasse, von der aus man die Stadt überblickte. Sie schmiegte sich in das Tal, den lieblichen Neckar entlang, und atmete freundliches Behagen. Der Rauch der Schornsteine hing über ihr, ein blasser blauer Dunst; und die hohen Dächer und Kirchtürme gaben ihr etwas traulich Mittelalterliches. Es war etwas Heimeliges an dieser Stadt, das das Herz erwärmte. Hayward sprach von *Richard Feverel* und *Madame Bovary*, von Verlaine, Dante und Matthew Arnold. In jenen Tagen war Fitzgeralds Übersetzung von Omar Khayyám nur einigen Auserwählten bekannt, und Hayward trug sie Philip vor. Er liebte es sehr, Gedichte zu rezitieren, seine eigenen und die anderer, was er in einem monotonen Singsang tat. Als sie nach Hause zurückgekehrt waren, hatte sich Philips Mißtrauen gegen Hayward in enthusiastische Bewunderung verwandelt.

Die beiden gingen nun jeden Nachmittag miteinander spazieren, und Philip erfuhr bald Näheres über Hayward. Er war der Sohn eines Landrichters, nach dessen vor nicht langer Zeit erfolgtem Tod er ein Vermögen geerbt hatte, das ihm ungefähr dreihundert Pfund im Jahr sicherte. In Cambridge hatte man große Hoffnungen auf ihn gesetzt. Er bereitete sich auf eine steile Karriere vor. Er bewegte sich nur in intellektuellen Kreisen; er las mit Begeisterung Byron und rümpfte seine wohlgeformte Nase über Tennyson; er wußte alle Einzelheiten über Shelleys Verhalten Harriet gegenüber; er gab sich mit Kunstgeschichte ab (an den Wänden seines Zimmers hingen Reproduktionen von Bildern von G. F. Watts, Burne-Iones und Botticelli), und er schrieb, nicht ohne Begabung, Verse pessimistischer Art. Seine Freunde betrachteten ihn als einen Mann von ungewöhnlichen Gaben, und er hörte ihnen widerspruchslos zu, wenn sie ihm eine große Zukunft prophezeiten. Im Laufe der Zeit wurde er eine große Autorität auf dem Gebiet der Kunst und der Literatur.

Er kam unter den Einfluß von Newmans *Apologia*; das Pittoreske des römisch-katholischen Glaubens sagte seinem ästhetischen Sinn zu, und es war bloß die Angst vor dem Grimme seines Vaters (eines einfachen Menschen mit beschränkten Ideen, der Macauley las), die ihn davon abhielt überzutreten. Als er seine Prüfungen gerade nur mittelmäßig bestand, waren seine Freunde überrascht; er aber zuckte die Achseln und ließ durchblicken, daß es ein ganz klein wenig vulgär wäre, mit Auszeichnung durchzukommen. Er schilderte sein Examen mit gutmütigem Humor; ein Mensch mit einem unmöglichen Kragen hatte ihm Fragen über Logik gestellt; es war unbeschreiblich langweilig gewesen; und plötzlich hatte er gemerkt, daß dieser Stiefel mit Gummizug trug: es war grotesk und lächerlich; um seine Gedanken abzulenken, hatte er an die gotische Schönheit der Kapelle von King's College gedacht. Aber er hatte wunderbare Tage in Cambridge verlebt; er hatte bessere Dinners gegeben als irgendeiner von seinen Bekannten, und die Gespräche in seinem Zimmer waren häufig denkwürdig gewesen. Er zitierte Philip das treffliche Epigramm:
*»Sie sagten mir, Herakleitus, sie sagten mir, du wärest tot.«*

Und jetzt, als er wieder die malerische kleine Anekdote über den Prüfer und dessen Stiefel erzählte, lachte er.

»Natürlich war es Unsinn«, sagte er, »aber es war ein Unsinn, an dem etwas Schönes war.«

Philip fand das alles großartig.

Nach Ablegung seiner Prüfungen ging Hayward nach London, um sich für die Advokatur vorzubereiten. Er hatte eine entzückende Wohnung in Clement's Inn, mit getäfelten Wänden, und er versuchte, ihr das Aussehen seiner alten Wohnung im Studentenhaus zu geben. Er hatte die vage Absicht, später einmal die politische Laufbahn einzuschlagen, selbst bezeichnete er sich als Whig, und er trat in einen liberalen Klub ein, der aber noblen Anstrich hatte. Seine Idee war es, bei Gericht zu praktizieren (er wählte den Obersten Gerichtshof wegen der geringeren Brutalität), und er bekam eine Stelle in einem sehr angenehmen Bezirk, sobald die verschiedenen Versprechungen, die ihm gegeben worden waren, eingelöst wurden: in der Zwischenzeit ging er häufig in die Oper und lernte einen kleinen Kreis reizender Menschen kennen, der die gleichen Dinge bewunderte wie er. Er trat in einen Klub ein, dessen Motto lautete: Das Ganze, das Gute, das Schöne. Er schloß eine platonische Freundschaft mit einer Dame, die um ein paar Jahre älter war als er und in Kensington Square wohnte, und beinahe jeden Nachmittag trank er bei ihr Tee bei gedämpftem Kerzenlicht und sprach von George Meredith und Walter Pater. Es war allgemein bekannt, daß jeder Esel die Advokatursprüfung bestehen konnte, und Hayward strengte sich mit seinen Studien nicht sonderlich an. Als er durchfiel, faßte er es als persönliche

Beleidigung auf. Zur gleichen Zeit teilte ihm die Dame von Kensington Square mit, daß demnächst ihr Gatte aus Indien zu erwarten wäre, ein zwar in jeder Hinsicht trefflicher, aber vielleicht etwas konventioneller Mensch, der die häufigen Besuche eines jungen Mannes nicht ganz verstehen würde. Hayward fand das Leben grau und häßlich; seine Seele lehnte sich dagegen auf, sich noch einmal dem Zynismus einer Prüfungskommission auszusetzen, und er gefiel sich darin, den Ball, der zu seinen Füßen lag, kurz entschlossen wegzustoßen. Überdies war er sehr verschuldet: es war schwer, in London mit dreihundert Pfund jährlich wie ein Gentleman zu leben: sein Herz sehnte sich nach den italienischen Städten, die John Ruskin so zauberhaft geschildert hatte. Er war zur Überzeugung gelangt, daß er zum Advokaten nicht geeignet war, und was die moderne Politik anbelangt, so schien sie ihm wenig edel. Er fühlte sich als Dichter. Er gab seine Wohnung auf und ging nach Italien. Er hatte einen Winter in Florenz und einen in Rom verbracht und hielt sich nun bereits den zweiten Sommer in Deutschland auf, um Goethe im Original lesen zu können.

Hayward besaß eine Gabe, die sehr wertvoll war. Er hatte ein wirkliches Gefühl für Literatur und konnte seine eigene Begeisterung mit bewunderungswürdiger Beredsamkeit weitergeben. Er konnte sich in einen Autor versenken, das Beste an ihm ausfindig machen und dann mit Verständnis über ihn reden. Philip hatte sehr viel, aber ohne Wahl gelesen, und es war sehr nützlich für ihn, jemandem zu begegnen, der seinen Geschmack lenkte. Er lieh sich Bücher aus der kleinen städtischen Leihbibliothek und fing an, die wunderbaren Dinge zu lesen, auf die Hayward ihn hinwies. Er las nicht immer mit Genuß, aber stets mit Beharrlichkeit. Er wollte weiterkommen. Er fühlte sich sehr unwissend und klein. Gegen Ende August, als Weeks von Süddeutschland zurückkehrte, war Philip völlig unter Haywards Einfluß geraten. Hayward mochte Weeks nicht. Er fand den schwarzen Rock und die grauen Hosen des Amerikaners beklagenswert und sprach mit spöttischem Achselzucken von seinem puritanischen Gewissen. Philip hörte sich diese herabsetzenden Äußerungen über einen Menschen, von dem er nur Freundliches erfahren hatte, mit großer Seelenruhe an, als aber Weeks seinerseits etwas Mißbilligendes über Hayward sagte, geriet er außer sich.

»Ihr neuer Freund sieht aus wie ein Dichter«, sagte Weeks mit einem dünnen Lächeln um seinen kummervollen, bitteren Mund.

»Er ist ein Dichter.«

»Hat er Ihnen das gesagt? In Amerika würden wir ihn einen Windbeutel nennen.«

»Zum Glück sind wir nicht in Amerika«, antwortete Philip eisig.

»Wie alt ist er? Fünfundzwanzig? Und er tut nichts als in Pensionen wohnen und Gedichte schreiben.«

»Sie kennen ihn nicht«, stieß Philip zornig hervor.

»O doch; ich habe hundertsiebenundvierzig seiner Art getroffen.«
Weeks zwinkerte mit den Augen, aber Philip, der für amerikanischen Humor kein Verständnis hatte, preßte die Lippen aufeinander und schaute finster drein. Weeks war Philip immer als ein Mann von mittleren Jahren erschienen, war aber in Wirklichkeit nicht viel älter als dreißig. Er hatte einen langen, dünnen Körper und die etwas gebeugte Haltung des Gelehrten; sein Kopf war groß und häßlich, sein Haar farblos und dürftig, seine Haut fahl; sein schmaler Mund, die dünne, lange Nase und die stark vorgebaute Stirn gaben ihm ein wenig einnehmendes Aussehen. Er war kalt und präzise in seiner Art, ein blutloser Mensch ohne Leidenschaft; aber er hatte eine seltsam frivole Ader, welche die ernsten Leute, mit denen ihn seine Instinkte naturgemäß zusammenführten, aus der Fassung brachte. Er studierte in Heidelberg Theologie, aber die anderen amerikanischen Theologiestudenten betrachteten ihn mit Mißtrauen. Er war sehr unorthodox, was sie erschreckte, und sein wunderlicher Humor erregte ihr Mißfallen.

»Wie können Sie hundertsiebenundvierzig von seiner Sorte begegnet sein?« fragte Philip ernst.

»Ich bin ihm im Quartier Latin in Paris begegnet und in Pensionen in Berlin und München. Er lebt in kleinen Hotels in Perugia und Assisi. Er steht dutzendweise vor den Botticellis in Florenz und sitzt auf allen Bänken der Sixtinischen Kapelle in Rom. In Italien trinkt er ein wenig zu viel Wein und in Deutschland viel zuviel Bier. Er bewundert immer das Richtige, was es auch gerade sei, und immer steht er knapp davor, ein großes Werk zu schreiben. Man stelle sich vor: hundertsiebenundvierzig große Werke ruhen in den Busen von hundertsiebenundvierzig großen Männern, und das Tragische daran ist, daß nicht eines dieser hundertsiebenundvierzig Werke je geschrieben wird. Und doch geht das Leben weiter.«

Weeks sprach ernst, aber am Ende seiner langen Rede zwinkerte er mit seinen grauen Augen, und Philip wurde dunkelrot, als er merkte, daß der Amerikaner sich über ihn lustig machte.

»Sie reden Unsinn«, sagte er wütend.


Weeks hatte zwei kleine Hinterzimmer in Frau Erlins Haus gemietet, und eines davon, als Wohnzimmer eingerichtet, war so behaglich, daß er die Möglichkeit hatte, Gäste einzuladen. Nach dem Abendessen, angespornt vielleicht durch jenen teuflischen Humor, der die Verzweiflung seiner Freunde bildete, lud er Philip und Hayward häufig zu einer kleinen Plauderstunde ein. Er empfing die beiden mit ausgesuchter Höflichkeit und bestand darauf, daß sie auf den zwei einzigen bequemen Stühlen Platz nahmen, die es in seinem Zimmer gab. Obwohl er selbst nichts trank, stellte er zwei Flaschen Bier hin, mit einer Höflichkeit, deren ironischer Beigeschmack Philip nicht entging; und er bestand darauf, Feuer zu geben, wenn in der Hitze des Gesprächs Haywards Pfeife ausging. Zu Beginn ihrer Bekanntschaft hatte Hayward als Schüler einer der berühmtesten Universitäten einen leicht herablassenden Ton gegen Weeks, der in Harvard studiert hatte, angeschlagen, und als das Gespräch auf die griechischen Dramatiker gekommen war, ein Gebiet, auf dem sich Hayward unbedingte Autorität anmaßte, hatte er von vornherein die Haltung des Belehrenden eingenommen. Weeks hatte höflich und mit einem bescheidenen Lächeln zugehört, bis Hayward zu Ende gesprochen hatte, dann stellte er ein, zwei heimtückische Fragen, so unschuldig ihrem Anschein nach, daß Hayward, ohne zu ahnen, in welche Sackgasse sie führten, bereitwillig antwortete; Weeks machte einen höflichen Einwand, berichtigte dann eine Tatsache, brachte ein Zitat eines wenig bekannten lateinischen Kommentators vor, führte eine deutsche Kapazität an – und letzten Endes stellte sich heraus, daß er ein Gelehrter war. Mit lächelnder Ruhe, gleichsam um Entschuldigung bittend, zerpflückte Weeks alles, was Hayward sagte. Mit vollendeter Höflichkeit deckte er die Oberflächlichkeit seiner Urteile auf. Er verspottete ihn mit feiner Ironie. Philip mußte sich wider Willen eingestehen, daß Hayward eine klägliche Rolle spielte, und Hayward war nicht vernünftig genug, den Mund zu halten. In seinem Ärger versuchte er zu diskutieren, er brachte die gewagtesten Behauptungen vor, und Weeks stellte sie freundschaftlich richtig; er verwickelte sich in Widersprüche, und Weeks bewies ihm, daß er Unsinn redete. Weeks gestand schließlich, daß er an der Harvard-Universität griechische Literatur gelehrt hatte. Hayward lachte verächtlich.

»Das hätte ich merken können. Sie lesen Griechisch wie ein Schulmeister«, sagte er. »Ich lese als Dichter.«

»Und halten Sie es für poetischer, wenn Sie nicht genau wissen, was es bedeutet? Ich dachte, nur in Offenbarungsreligionen kann eine falsche Übersetzung unter Umständen den Sinn deutlicher machen.«

Letzten Endes verließ Hayward, nachdem er das Bier ausgetrunken hatte, wütend und aufgelöst Weeks Zimmer. Verärgert sagte er zu Philip:

»Natürlich ist dieser Mensch ein Pedant. Ihm fehlt das Gefühl für Schönheit. Genauigkeit ist die Tugend der Beamten. Wir aber zielen auf den Geist der Griechen ab. Weeks kommt mir vor wie jener Mann, der sich Rubinstein anhörte und sich beklagte, daß dieser falsche Töne spielte. Falsche Töne! Was machte das aus, wenn er göttlich spielte?«

Philip, der nicht wußte, wie vielen inkompetenten Leuten diese falschen Töne Trost gespendet hatten, war sehr beeindruckt.

Hayward konnte der Gelegenheit, den verlorenen Boden wiederzugewinnen, die Weeks ihm anbot, niemals widerstehen, und Weeks gelang es mit größter Leichtigkeit, ihn in eine Diskussion zu ziehen. Obwohl er einsehen mußte, wie gering seine Kenntnisse im Vergleich zu denen des Amerikaners waren, hätten ihm seine britische Beharrlichkeit und seine verletzte Eitelkeit (vielleicht ist das ohnehin dasselbe) nicht erlaubt, den Kampf aufzugeben. Hayward hatte sein Vergnügen daran, seine Unwissenheit, Selbstgefälligkeit und Verschrobenheit zur Schau zu stellen. Sooft Hayward etwas Unlogisches sagte, wies Weeks mit wenigen Worten die Unrichtigkeit seiner Beweisführung nach, machte dann eine kurze Pause, um seinen Triumph zu genießen, und wandte sich dann schnell einem anderen Gegenstand zu, als dränge ihn die Nächstenliebe dazu, den besiegten Feind zu schonen. Philip versuchte manchmal, etwas einzuwerfen, um seinem Freund zu helfen; Weeks wehrte sanft ab, aber auf eine so freundliche Art, die sich von der, in der er Hayward antwortete, deutlich unterschied, daß sogar Philip, der übermäßig sensibel war, sich nicht verletzt fühlen konnte. Ab und zu, wenn Hayward seine Ruhe verlor, weil er sich selbst immer törichter vorkam, begann er zu schimpfen, und nur durch die lächelnde Höflichkeit des Amerikaners wurde die Auseinandersetzung davor bewahrt, in einem Streit zu enden. In solchen Fällen murmelte Hayward, wenn er Weeks Zimmer verließ, zornig:

»Verdammter Yankee!«

Damit war der Fall erledigt. Es war eine passende Antwort auf eine Streitfrage, die unbeantwortbar erschienen war.

Obgleich in Weeks' kleinem Zimmer die verschiedenartigsten Gegenstände besprochen wurden, kam das Gespräch immer wieder auf Religion. Der Theologe nahm ein berufliches Interesse daran, und Hayward begrüßte ein Thema, bei dem er sich an harten Tatsachen nicht zu stoßen brauchte. Er fand es schwer, Philip ohne großen Wortschwall seinen Glauben zu erklären, aber es war klar (und dies stimmte mit Philips Anschauungen über die natürliche Ordnung der Dinge zusammen), daß er in der rechtmäßigen, von Gott und König eingesetzten Kirche erzogen worden war. Obgleich er seine Absicht, zum Katholizismus überzutreten, aufgegeben hatte, stand er diesem Bekenntnis immer noch mit Sympathie gegenüber. Er gab Philip Newmans *Apologia* zu lesen, und Philip las sie, obgleich er sie sehr langweilig fand, von Anfang bis zu Ende durch.

»Lesen Sie sie des Stils und nicht des Inhalts wegen«, sagte Hayward.

Er sprach begeistert über das Oratorium und sagte bezaubernde

Dinge über den Zusammenhang von Weihrauch und Andacht. Weeks hörte ihm mit seinem eisigen Lächeln zu.

»Sie meinen, es beweise die Richtigkeit des katholischen Glaubens, daß John Henry Newman ein gutes Englisch schrieb und Kardinal Manning dekorativ aussah?«

Hayward ließ durchblicken, daß er seelisch sehr viel ausgestanden habe. Ein Jahr lang habe er in einem Meer von Finsternis gelebt. Er fuhr sich mit den Fingern durch sein helles lockiges Haar und erklärte, daß er nicht um ein Vermögen noch einmal die Seelenqualen durchmachen wollte. Glücklicherweise hatte er endlich stillere Wasser erreicht.

»Ja, aber was glauben Sie nun wirklich?« fragte Philip, der sich nicht gerne mit vagen Erklärungen abweisen ließ.

»Ich glaube an das Ganze, das Gute und das Schöne.«

Hayward mit seinen langen, losen Gliedern und seiner edlen Kopfhaltung sah sehr schön aus, als er dies sagte, und er sagte es wirkungsvoll.

»Würden Sie auf diese Weise Ihre Religion definieren, wenn Sie einen amtlichen Bericht abzugeben hätten?« fragte Weeks in sanftem Ton.

»Ich hasse strenge Definitionen: sie sind so häßlich, so trivial. Wenn Sie wollen, kann ich auch sagen, daß ich an die Kirche des Herzogs von Wellington oder an die Mr. Gladstones glaube.«

»Das wäre die Kirche von England«, rief Philip.

»Oh, ahnungsvoller Engel!« antwortete Hayward mit einem Lächeln, das Philip erröten ließ, denn er fühlte, daß er sich einer Banalität schuldig gemacht hatte. »Ich gehöre der Kirche von England an. Aber ich liebe das Gold und die Seide, die den Priester von Rom einhüllen, ich liebe sein Zölibat, den Beichtstuhl und das Fegefeuer, und im Dämmerlicht einer italienischen Kathedrale, weihraucherfüllt und voll Geheimnis, glaube ich mit ganzem Herzen an das Wunder der Messe. In Venedig sah ich ein Fischweib hereinkommen, barfuß, seinen Korb hinstellen, in die Knie sinken und zur Mutter Gottes beten, und das, fühlte ich, war der wahre Glaube, und ich betete und glaubte mit ihr. Aber ich glaube auch an Aphrodite, an Apollo und an den großen Pan.«

Er hatte eine ungemein angenehme Stimme, wägte seine Worte, brachte sie beinahe rhythmisch vor. Er hätte noch lange weitergeredet, aber Weeks öffnete eine zweite Flasche Bier.

»Erlauben Sie mir, daß ich Ihnen noch einmal einschenke?«

Hayward wandte sich an Philip, mit der leicht herablassenden Art, die so großen Eindruck auf den jungen Menschen machte:

»Sind Sie nun befriedigt?«

Philip, etwas verwirrt, bejahte.

»Schade, daß Sie nicht ein wenig Buddhismus mit dazunehmen«, meinte Weeks. »Und Mohammed sollten Sie auch nicht so ohne weiteres beiseite lassen.«

Hayward lachte, denn er war an jenem Abend in wohlwollender Stimmung gegen sich selbst, und der Klang seiner Sätze tönte ihm noch angenehm in seinen Ohren. Er leerte sein Glas.

»Ich habe nie erwartet, daß Sie mich verstehen würden«, entgegnete er. »Mit Ihrem kalten amerikanischen Verstand sind Sie bloß zu einem fähig: zur Kritik. Aber was ist Kritik? Etwas rein Zerstörendes, und zerstören kann jeder. Aufbauen – darauf kommt es an! Sie sind ein Pedant, mein Lieber. Ich bin schöpferisch. Ich bin ein Dichter.«

Weeks schaute ihn an, mit Augen, die ganz ernst waren und gleichzeitig zu lachen schienen.

»Sie sind, wenn ich mir gestatten darf, es zu sagen, ein wenig betrunken.«

»Nicht der Rede wert«, antwortete Hayward vergnügt. »Nicht genug, um Sie nicht mühelos aus dem Sattel zu heben. Aber ich habe Ihnen nun mein Inneres offenbart. Jetzt sind Sie an der Reihe, erzählen Sie uns: was ist Ihre Religion?«

Weeks legte den Kopf auf die Seite, so daß er aussah wie ein Spatz auf der Stange.

»Ich bemühe mich seit Jahren, das herauszufinden. Ich glaube, ich bin ein Unitarier.«

»Aber dann wären Sie ja Dissident!« rief Philip.

Er verstand nicht, warum beide zu lachen anfingen, Hayward unbändig und Weeks schmunzelnd und belustigt.

»Und in England gilt ein Dissident nicht als Gentleman, nicht wahr?« sagte Weeks.

»Nun, wenn Sie mich so direkt fragen: nein«, entgegnete Philip ziemlich wütend.

Er haßte es, ausgelacht zu werden, und die beiden lachten schon wieder.

»Und können Sie mir sagen, was ein Gentleman ist?« fragte Weeks.

»Das ist schwer zu erklären; jeder weiß, was ein Gentleman ist.«

»Sind Sie ein Gentleman?«

In dieser Hinsicht hatte Philip nie Zweifel gehabt, aber er wußte, er konnte sich nicht selbst als solchen bezeichnen.

»Wenn Ihnen ein Mann sagt, er sei ein Gentleman, können Sie sicher sein, daß er keiner ist«, entgegnete er.

»Bin ich ein Gentleman?«

Philips Ehrlichkeit machte es ihm schwer zu antworten, aber er war immer höflich.

»Bei Ihnen ist das etwas anderes«, sagte er. »Sie sind Amerikaner, nicht wahr?«

»Einigen wir uns darauf, daß es nur unter den Engländern Gentlemen gibt«, sagte Weeks ernst.

Philip widersprach ihm nicht.

»Könnten Sie mir nicht einige nähere Einzelheiten nennen?« fragte Weeks.

Philip errötete, aber da er ärgerlich wurde, war es ihm gleichgültig, daß er sich blamierte.

»Ich kann eine ganze Menge nennen.« Er erinnerte sich daran, daß sein Onkel gesagt hatte, ein Gentleman entstehe in drei Generationen. »Vor allem muß er der Sohn eines Gentleman sein, und er muß auf einer Public School und in Oxford oder Cambridge gewesen sein.«

»Edinburgh würde vermutlich nicht genügen?« fragte Weeks.

»Und er muß Englisch sprechen wie ein Gentleman und die passende Kleidung tragen, und wenn er ein Gentleman ist, kann er jedem Burschen erklären, was ein Gentleman ist.«

»Dann werde ich mich leider damit abfinden müssen, kein Gentleman zu sein«, sagte Weeks.

»Ich habe keinen ganz klaren Begriff, was ein Unitarier eigentlich ist«, lenkte Philip ein.

Weeks in seiner wunderlichen Art legte nachdenklich den Kopf zurück.

»Ein Unitarier glaubt eifrig an nahezu alles, woran jeder andere glaubt, und hat einen sehr festen und stärkenden Glauben an – ja, woran wohl? Ich wüßte es selbst nicht genau zu sagen.«

»Ich begreife nicht, warum Sie sich über mich lustig machen«, war Philips Antwort.

»Lieber Freund, ich mache mich nicht lustig über Sie, ich bin nach Jahren schwerer Arbeit und ernsthaftesten Nachdenkens zu dieser Definition gelangt.«

Als Philip und Hayward aufstanden, um zu gehen, gab Weeks Philip ein kleines Buch in einem Papiereinband.

»Ich nehme an, daß Sie nun schon genügend Französisch können, um zu lesen. Vielleicht wird Ihnen dieses Buch Freude machen.«

Philip dankte ihm und besah sich den den Titel. Es war Renans *Vie de Jésus.*


Weder Hayward noch Weeks ahnten, daß die Gespräche, mit denen sie sich einen freien Abend vertrieben, später in Philips lebendigem Hirn weiterwirkten und hin und her gewälzt wurden. Nie vorher wäre er auf den Gedanken gekommen, daß man über Religion überhaupt diskutieren konnte. Religion war für ihn gleichbedeutend mit der Kirche von England, und nicht an deren Grundsätze zu glauben war ein Zeichen von Böswilligkeit, der irdischen oder künftigen Strafe gewiß.

Er hegte einige Zweifel an der Bestrafung der Ungläubigen. Es konnte sein, daß ein gnädiger Richter das Feuer der Hölle für die Heiden – Mohammedaner, Buddhisten und den Rest – aufsparte, Dissidenten und Römisch-Katholische aber nachsichtig behandeln würde (allerdings um den Preis einer tiefen Erniedrigung, da sie ihren Irrtum einsehen müßten!), und es könnte auch sein, daß er Mitleid haben würde mit jenen, die keine Gelegenheit gehabt hatten, die Wahrheit kennenzulernen – dies wäre nur billig, obwohl es aufgrund der Missionsarbeit nur wenige geben könnte, die unter solchen Bedingungen lebten; aber wenn sie die Gelegenheit gehabt und sie nicht genützt hatten (was offensichtlich bei Dissidenten und Römisch-Katholischen der Fall war), war die Strafe gewiß und verdient. Es war klar, daß der Ungläubige sich in einer schlimmeren Lage befand. Vielleicht waren Philip diese Anschauungen nicht mit so vielen Worten gelehrt, aber sicherlich war ihm der Eindruck vermittelt worden, daß nur die Mitglieder der Kirche von England berechtigte Hoffnung auf die ewige Glückseligkeit hätten.

Unter anderem hatte Philip gehört, daß mit Nachdruck die Behauptung aufgestellt wurde, der Ungläubige sei ein böser und lasterhafter Mensch, aber Weeks, der so gut wie nichts von dem glaubte, was Philip unantastbar schien, führte ein Leben christlicher Reinheit. Philip hatte in seinem Leben nur wenig Güte erfahren und war gerührt über die hilfsbereite Art, mit der ihm der Amerikaner entgegenkam: einmal, als ihn eine Erkältung drei Tage lang ans Bett gefesselt hatte, hatte Weeks ihn gepflegt wie eine Mutter. Es war also offenbar möglich, nicht zu glauben und dennoch gut und christlich zu sein.

Desgleichen war Philip der Ansicht gewesen, daß nur Starrköpfigkeit oder Eigennutz die Menschen dazu bewege, sich anderen Glaubensrichtungen anzuschließen: in ihrem Inneren wüßten sie, daß sie treulos wären; sie waren darauf aus, die anderen zu betrügen. Jetzt hatte er sich – der deutschen Sprache wegen – angewöhnt, Sonntag vormittags dem lutherischen Gottesdienst beizuwohnen, aber sobald Hayward ankam, begann er, diesen in die katholische Messe zu begleiten. Es fiel ihm auf, daß die protestantische Kirche beinahe leer war und die Gemeindemitglieder teilnahmslos dreinsahen, während die Jesuitenkirche überfüllt war und die Andächtigen mit ganzem Herzen zu beten schienen. Er war über diesen Gegensatz überrascht, denn er wußte sehr gut, daß die Lutheraner, deren Glaube der Kirche von England näherkam, daher auch der Wahrheit näherstan-

den als die Katholiken. Die überwiegende Mehrzahl der Männer –
es war größtenteils eine männliche Gemeinde – waren Süddeutsche;
unwillkürlich fiel ihm ein, daß er wahrscheinlich auch Katholik geworden wäre, wäre er in Süddeutschland geboren worden. Er hätte
genausogut in einem katholischen Land zur Welt kommen können wie
in England; und in England wiederum sowohl in einer Wesleyaner-,
Baptisten- oder Methodisten-Familie wie in einer, die glücklicherweise der Staatskirche angehörte. Es wurde ihm ganz unheimlich zumute bei dem Gedanken, welcher Gefahr er entronnen war. Philip
stand auf freundschaftlichem Fuß mit dem kleinen Chinesen, der
zweimal täglich mit ihm bei Tische saß. Er hieß Sung. Er war immer
heiter, freundlich und höflich. Es schien befremdlich, daß er in der
Hölle braten sollte, bloß weil er Chinese war; wenn aber jedermann
des Heiles teilhaftig werden konnte, zu welchem Glauben er sich auch
bekannte, dann war es offenbar gar nicht so wichtig, der Kirche von
England anzugehören.

Philip, verwirrter als je im Leben, wandte sich an Weeks. Aber
Weeks bestärkte ihn bloß in seinem Zweifel. Jawohl, die Süddeut-
schen, die Philip in der Jesuitenkirche sah, waren genauso überzeugt
von der Richtigkeit ihres Bekenntnisses wie er von dem seinen, und
ebenso waren auch Mohammedaner und Buddhisten von der Wahrheit ihrer Religion durchdrungen. Es sah aus, als würde die eigene
Überzeugung nichts bedeuten; alle waren sie von der Richtigkeit
ihres Glaubens überzeugt. Weeks hatte nicht die Absicht, Philips Glauben zu untergraben, aber er interessierte sich brennend für religiöse
Fragen und konnte sich von dem Thema nicht losreißen. Er hatte
seine eigenen Ansichten genau wiedergegeben, als er sagte, daß er sehr
ernsthaft alles bezweifle, was andere Leute glaubten. Philip richtete
einmal eine Frage an ihn, die er seinen Onkel hatte stellen gehört,
als bei einer Unterhaltung im Pfarrhaus die Sprache auf ein rationa-
listisches Werk gekommen war, das Anlaß für eine hitzige Diskussion
in den Zeitungen gegeben hatte.

»Aber warum soll ich annehmen, daß Sie recht haben und
Menschen wie der heilige Augustinus oder der heilige Anselm unrecht?«

»Sie meinen, weil das – im Gegensatz zu mir – weise und gelehrte
Männer waren?« fragte Weeks.

»Ja«, antwortete Philip unsicher, denn in dieser Auslegung erschien
ihm seine Frage unverschämt.

»Der heilige Augustinus glaubt, daß die Erde flach sei und die
Sonne sich um sie drehe.«

»Ich verstehe nicht, was das beweisen soll.«

»Das soll beweisen, daß man mit seiner Generation glaubt. Ihre
Heiligen lebten in einem Zeitalter des Glaubens, in dem es einfach

unmöglich war, nicht zu glauben, was uns vollkommen unglaubwürdig erscheint.«

»Und wieso wissen Sie, daß das, was wir jetzt glauben, die Wahrheit ist?«

»Ich habe nie behauptet, daß ich das weiß.«

Philip dachte einen Augenblick lang darüber nach und sagte dann:

»Ich sehe nicht ein, warum die Dinge, an die wir jetzt mit Überzeugung glauben, sich nicht als ebenso unrichtig herausstellen sollten wie die, an die in der Vergangenheit geglaubt wurde.«

»Ich sehe das auch nicht ein.«

»Wie können Sie dann überhaupt noch an etwas glauben?«

»Ich weiß nicht.«

Philip fragte Weeks, was er von Haywards Religion denke.

»Die Menschen haben Gott immer nach ihrem eigenen Bildnis geformt«, sagte Weeks. »Er glaubt an das Pittoreske.«

Philip schwieg eine Weile, dann sagte er:

»Ich sehe nicht ein, warum man überhaupt an Gott glauben soll.«

Die Worte waren seinem Munde kaum entschlüpft, als ihm klarwurde, daß er bereits aufgehört hatte, es zu tun. Die Erkenntnis raubte ihm den Atem wie ein Sprung in kaltes Wasser. Er blickte Weeks mit erschrockenen Augen an. Plötzlich bekam er Angst. Er verließ Weeks so schnell wie möglich. Er wollte allein sein. Es war das aufwühlendste Erlebnis, das ihm je zuteil geworden war. Er bemühte sich, alles genau durchzudenken; was er nun beschloß, so fühlte er, war zutiefst bestimmend für sein ganzes Leben, und ein Irrtum konnte zu ewiger Verdammnis führen; aber je mehr er nachdachte, desto überzeugter wurde er; und obgleich er in den nächsten Wochen mit glühendem Interesse Bücher las, die seinem Skeptizismus nachhalfen, war er sich klar, daß sie nur bestätigten, was er schon wußte. Tatsache war, daß er nicht aus einem bestimmten Grund zu glauben aufgehört hatte, sondern weil es ihm an Frömmigkeit fehlte. Der Glaube war ihm nur von außen aufgezwungen worden. Er war eine Sache der Umgebung und des Beispiels. Eine neue Umgebung und ein neues Beispiel gaben Philip die Gelegenheit, zu sich selbst zu finden. Er legte den Glauben seiner Kindheit ab wie einen Mantel, den er nicht länger brauchte. Anfangs schien ihm das Leben ungewohnt und einsam ohne diesen Glauben, der ihm, ohne daß er es gewußt hatte, eine nie versagende Stütze gewesen war. Er fühlte sich wie ein Mensch, der gewohnt war, sich auf einen Stock zu stützen, und sich plötzlich gezwungen sieht, ohne Hilfe zu gehen. Die Tage erschienen ihm kälter, die Nächte einsamer. Aber seine innere Erregung hielt ihn aufrecht; das Leben wurde ihm zum spannenden Abenteuer. Und nach einer Weile sah er den Stock, den er beiseite geworfen, und den Mantel, den er fallen gelassen, als eine unerträgliche Last an, deren er nun endlich ledig war. Die religiösen Übungen, die ihm so viele Jahre hindurch aufgezwungen worden waren, gehörten für ihn zur Religion. Er dachte an die Kollekten und Episteln, die er hatte auswendig lernen müssen, und an die langen Gottesdienste in der Kathedrale, während denen sich jede Faser seines Körpers nach Bewegung gesehnt hatte; und er erinnerte sich an die nächtlichen Wanderungen auf schlammigen Straßen zur Pfarrkirche von Blackstable und an die Kälte jenes unfreundlichen Bauwerks; er saß da mit eiskalten Füßen und starren Fingern, und die Luft um ihn war mit dem süßlichen Geschmack von Pomade erfüllt. Oh, wie hatte er sich gelangweilt! Sein Herz hüpfte bei dem Gedanken, daß er von all dem nun befreit sein würde.

Er wunderte sich über sich selbst, daß er so leicht zu glauben aufgehört hatte. Mit der Unduldsamkeit der Jugend gegen alles, was nicht mit dem eigenen Standpunkt übereinstimmt, verachtete er Weeks und Hayward, weil sie an dem vagen Gefühlswert, den sie Gott nannten, festhielten und nicht auch den weiteren Schritt wagten, der für ihn so selbstverständlich war. Eines Tages ging er allein auf einen Berg hinauf, um eine Aussicht zu genießen, die ihn, er wußte nicht warum, stets mit überwältigendem Entzücken erfüllte. Es war nun schon Herbst, aber die Tage waren oft noch wolkenlos, und der Himmel leuchtete tiefer und strahlender denn je. Er blickte hinunter auf die Ebene, die flimmernd im Sonnenschein weit vor ihm ausgebreitet lag: in der Ferne sah man die Dächer von Mannheim und weit, weit draußen die Umrisse von Worms. Hier und dort bezeichnete ein kräftigeres Glitzern den Rhein. Die ungeheure Weite war in goldenes Licht getaucht. Philips Herz klopfte vor Freude. Berauscht von der Schönheit der Landschaft, vermeinte er die ganze Welt vor sich liegen zu sehen, und er konnte es nicht erwarten, niederzusteigen und sie zu genießen. Er war befreit von entwürdigenden Ängsten, befreit von Vorurteilen. Er konnte seinen Weg gehen ohne die unerträgliche Furcht vor dem Feuer der Hölle. Mit einem Male erkannte er, daß auch die Bürde der Verantwortung von ihm genommen war, die jeder Handlung seines Lebens folgenschwere Wichtigkeit gegeben hatte. Er atmete freier, er atmete leichtere Luft. Er war nur sich selbst Rechenschaft schuldig für das, was er tat. Freiheit! Endlich war er sein eigener Herr! Aus alter Gewohnheit, unbewußt, dankte er Gott, daß er nicht mehr an ihn glaubte.

Trunken vor Stolz auf seine Intelligenz und Furchtlosigkeit, begann Philip bewußt ein neues Leben. Aber der Verlust des Glaubens verursachte weniger Änderungen in seinem Verhalten, als er erwartet hatte. Obwohl er die christlichen Dogmen über Bord geworfen hatte, wäre es ihm nicht eingefallen, die christliche Ethik zu kritisieren; er anerkannte die christlichen Tugenden und hielt es für durchaus schön, sich um ihrer selbst willen in ihnen zu üben, ohne einen Gedanken an Belohnung oder an Bestrafung zu verschwenden. Es gab wenig Gelegenheit für Heldentum im Haus der Frau Professor, aber er nahm es mit der Ehrlichkeit ein klein wenig genauer als zuvor, und er zwang sich selbst, gegenüber den langweiligen älteren Damen, die ihn manchmal ins Gespräch zogen, aufmerksamer zu sein als gewöhnlich. Die sanften Flüche und die harten Ausdrücke, die für unsere Sprache so typisch sind und die er zuvor als Zeichen der Männlichkeit gepflegt hatte, vermied er jetzt sorgfältig.

Nachdem der Fall zu seiner Zufriedenheit erledigt worden war, versuchte er, ihn zu vergessen, aber das war leichter gesagt als getan. Er konnte nicht verhindern, daß Reue ihn überfiel, und konnte die Befürchtungen nicht unterdrücken, die ihn manchmal quälten. Er war so jung und hatte so wenig Freunde, daß die Unsterblichkeit für ihn keine besondere Anziehungskraft hatte, und es fiel ihm leicht, den Glauben an sie aufzugeben; aber da war etwas anderes, das ihn unglücklich machte; er sagte sich selbst, daß er unvernünftig wäre; er versuchte, sich dieses Gefühls wegen auszulachen; aber Tränen stiegen ihm in die Augen, wenn er daran dachte, daß er niemals wieder die schöne Mutter sehen würde, deren Liebe ihm immer mehr bedeutete, je länger sie tot war. Und manchmal war gleichsam der Einfluß von unzähligen gottesfürchtigen und frommen Ahnen in ihm wirksam; da packte ihn dann panische Angst, daß alles wahr wäre und es über dem blauen Himmel einen eifernden Gott gäbe, der den Atheisten im ewigen Feuer strafen werde. Bei solchen Gelegenheiten war ihm sein Verstand keine Hilfe; er stellte sich körperliche Qualen vor, die ewig dauern würden, er fühlte sich krank vor Angst und bekam Schweißausbrüche. Letzten Endes wollte er verzweifelt zu sich selbst sagen:

»Schließlich ist es nicht meine Schuld. Ich kann mich nicht zum Glauben zwingen. Wenn es am Ende einen Gott gibt und er mich straft, weil ich ehrlich nicht an ihn glaube, kann ich nichts dafür.«

Der Winter begann. Weeks ging nach Berlin, und Hayward glaubte, sich nach dem Süden zu wenden. Das Stadttheater öffnete seine Tore. Philip und Hayward besuchten es zwei- oder dreimal wöchentlich mit der löblichen Absicht, sich im Deutschen zu vervollkommnen. Zu jener Zeit war das Drama in einer Periode des Aufschwunges begriffen. Einige von Ibsens Stücken standen für den Winter auf dem Repertoire. Sudermanns *Ehre* war eben herausgekommen und erregte bei seiner Aufführung in der stillen Universitätsstadt das größte Aufsehen; es wurde überschwenglich gelobt und erbittert angegriffen;

andere Dramatiker folgten mit modernen Stücken, und Philip wohnte einer Reihe von Aufführungen bei, in denen die Schlechtigkeit der Menschheit aufgezeigt wurde. Er hatte nie vorher ein Stück gesehen (hie und da war eine armselige Schauspielertruppe nach Blackstable gekommen, aber der Vikar hatte teils seines Berufes wegen, teils weil es ihm unvornehm schien, nie eine Aufführung besucht), und nun packte ihn die Theaterleidenschaft. Ein Schauder ergriff ihn, sobald er das kleine, schäbige, schlecht beleuchtete Theater betrat. Bald lernte er die Besonderheiten des Ensembles kennen und konnte schon nach der Besetzung die charakteristischen Merkmale der handelnden Personen erraten; aber dies störte ihn nicht. Was er sah, war für ihn wirkliches Leben. Ein seltsames, dunkles, gequältes Leben, in dem Männer und Frauen vor mitleidlosen Augen das Böse enthüllten, das in ihren Herzen lag: ein liebliches Gesicht konnte eine gemeine Seele verbergen; die Tugendhaften benützten die Tugend als Maske, hinter der sich geheime Laster versteckten; die scheinbar Starken zerbrachen an ihrer Schwäche; die Ehrlichen waren korrupt, die Keuschen verderbt. Es war, als weile man in einem Zimmer, in dem die Nacht vorher eine Orgie stattgefunden hatte. Die Fenster sind noch nicht geöffnet worden; die Luft ist faul von Bierdunst und kaltem Rauch. In diesen Stücken gab es kein Lachen. Man verzog höchstens spöttisch den Mund über einen Heuchler oder einen Narren; die Personen drückten sich in grausamen Worten aus, die aus Angst und Scham ihrem Herzen abgerungen schienen.

Philip wurde mitgerissen von der vor keiner Häßlichkeit zurückschreckenden Heftigkeit dieser Werke. Es war ihm, als sähe er eine neue Welt, und auch diese wollte er kennenlernen. Wenn die Aufführung vorüber war, ging er mit Hayward hinüber in ein kleines Gasthaus und saß mit ihm bei einem Butterbrot und einem Glas Bier. Ringsumher saßen Bürgersleute und kleine Gruppen von Studenten und lachten und plauderten. Aber Philip hatte kein Empfinden für all das Behagen. Seine Gedanken waren mit dem Stück beschäftigt, das er eben gesehen hatte.

»Da fühlt man: das ist Leben!« rief er aufgeregt. »Lange kann ich es hier nicht mehr aushalten, weißt du. Es zieht mich nach London, damit ich wirklich beginnen kann. Ich liebe Experimente. Ich habe es satt, mich auf das Leben vorzubereiten. Ich möchte es jetzt endlich leben.«

Manchmal ließ Hayward Philip allein nach Hause gehen. Er gab nie genaue Antworten auf Philips drängende Fragen, sondern deutete mit einem höflichen und ziemlich dummen Lachen irgendeine romantische Liebesgeschichte an; er zitierte ein paar Zeilen von Rossetti und zeigte Philip einmal ein Sonett, in dem sich Leidenschaft und Purpur, Pessimismus und Pathos um eine junge Dame namens Trude zusammendrängten. Um den Gegenstand seiner Neigung zu bezeichnen, hatte Hayward einmal das Wort Hetäre angewandt, womit er sich auf eine Stufe mit Perikles und Phidias zu stellen vermeinte. Philip war, von Neugierde verführt, einmal untertags durch die kleine Straße neben der alten Brücke mit ihren sauberen weißen Häusern und den grünen Fensterläden hindurchgegangen, in der nach Haywards Angabe Fräulein Trude wohnte; aber die geschminkten Weiber mit ihren rohen Gesichtern, die aus den Türen traten und ihm nachriefen, flößten ihm Schrecken ein; und er floh voll Entsetzen vor den groben Händen, die ihn festzuhalten suchten. Er sehnte sich vor allem nach Erfahrung und kam sich lächerlich vor, weil er in seinem Alter noch nicht genossen hatte, was in jedem Roman als das Wichtigste im Leben gepriesen wurde. Aber er besaß die unglückliche Gabe, die Dinge zu sehen, wie sie sind, und die Wirklichkeit, die sich ihm darbot, unterschied sich zu schrecklich von dem erträumten Ideal.

Er wußte nicht, welch weites Land, dürr und gefährlich, der Mensch auf seiner Lebensreise durchqueren muß, ehe er dazu gelangt, diese Wirklichkeit hinzunehmen. Es ist eine Illusion, daß die Jugend glücklich ist, eine Illusion derer, die nicht mehr jung sind; aber die Jungen wissen, daß sie unglücklich sind. Es ist, als wären sie die Opfer einer Verschwörung; denn die Bücher, die sie lesen, und die Gespräche der Älteren, die durch den rosigen Nebel der Vergeßlichkeit auf die Vergangenheit zurückblicken, bereiten sie auf ein unwirkliches Leben vor. Und jedesmal, wenn sie mit der Wirklichkeit in Berührung kommen, sind sie wund und zerschlagen. Der Umgang mit Hayward war im höchsten Grade schädlich für Philip. Hayward war ein Mensch, der nichts aus sich selbst heraus, sondern alles nur durch eine literarische Brille sah, und er war gefährlich, weil er sich seiner Unechtheit gar nicht mehr bewußt war. Aufrichtig überzeugt hielt er seine Sinnlichkeit für romantischen Überschwang, seine Wankelmütigkeit für künstlerisches Temperament, seine Faulheit für philosophische Ruhe. Sein Geist, in seinem banalen Streben nach Verfeinerung, sah alles ein wenig überlebensgroß, mit Umrissen, die in einem goldenen Dunst von Sentimentalität verschwammen. Er log und wußte nie, daß er log; wenn man es ihm nachwies, dann erklärte er, daß er die Lüge schön fände. Er war ein Idealist.


Philip war ruhelos und unbefriedigt. Haywards poetische Anspielungen beschäftigten seine Phantasie, und seine Seele lechzte nach Romantik. So wenigstens drückte er es sich selbst gegenüber aus.

Und zufällig spielte sich zu jener Zeit in Frau Erlins Hause ein

Ereignis ab, das Philips Aufmerksamkeit noch eindringlicher auf das Geschlechtliche hinlenkte. Zwei- oder dreimal war er auf seinen Spaziergängen Fräulein Cäcilie begegnet; mit einer Verbeugung war er an ihr vorbeigegangen und hatte einen Meter weiter den Chinesen erblickt. Er hatte sich nichts dabei gedacht; aber eines Abends auf dem Heimwege, als es schon dunkel war, hatte er zwei Menschen überholt, die sehr nahe aneinandergeschmiegt vor ihm einhergegangen waren. Als sie Schritte hörten, waren sie rasch auseinandergefahren, und obgleich er in der Dunkelheit nicht deutlich sehen konnte, hätte er schwören können, daß es Cäcilie und Sung gewesen waren. Philip war verwirrt und überrascht. Er hatte Fräulein Cäcilie nie besonders beachtet. Sie war ein unschönes Mädchen mit einem breiten Gesicht und groben Zügen. Sie konnte nicht viel älter sein als sechzehn Jahre, da sie ihre langen blonden Haare noch in einem Zopf über den Rücken baumeln ließ. An jenem Abend, bei Tisch, sah er sie neugierig an.

»Was für einen Spaziergang haben Sie heute abend gemacht, Carey?« fragte sie unvermittelt.

»Ach, ich bin gegen den Königsstuhl hinaufgegangen.«

»Ich war heute gar nicht aus«, warf sie hin. »Ich hatte Kopfschmerzen.«

»Das tut mir aber leid«, meinte der Chinese, der neben ihr saß, »hoffentlich geht es Ihnen schon besser.«

Fräulein Cäcilie war offenbar sehr beunruhigt; denn wieder wandte sie sich an Philip.

»Sind Sie unterwegs vielen Menschen begegnet?«

Philip errötete unwillkürlich, als er mit einer glatten Lüge antwortete.

»Nein, keiner Menschenseele, glaube ich.«

Er vermeinte einen Blitz der Erleichterung in ihren Augen zu sehen.

Bald jedoch konnte es keinen Zweifel mehr geben, daß zwischen den beiden etwas war. Immer häufiger traf man sie miteinander an entlegenen Orten. Die ältlichen Damen am oberen Ende des Tisches fingen an, über die Sache zu reden. Frau Professor Erlin war aufgebracht und beunruhigt. Sie hatte sich alle Mühe gegeben, nichts zu sehen. Der Winter stand vor der Tür, und es war nicht so leicht, Gäste zu finden; Herr Sung war ein guter Gast. Er hatte zwei Zimmer im Erdgeschoß inne und trank zu jeder Mahlzeit eine Flasche Moselwein. Die Frau Professor berechnete sie ihm mit drei Mark pro Flasche und profitierte dabei eine Menge. Keiner von ihren anderen Gästen trank Wein, und manche tranken nicht einmal Bier. Ebensowenig wollte sie Fräulein Cäcilie verlieren, deren Eltern sich auf einer Geschäftsreise in Südamerika befanden und die mütterliche Fürsorge der Frau Professor gut bezahlten; ein Onkel des Mädchens lebte in Berlin. Schrieb sie an ihn, so würde Cäcilie unverzüglich von Heidelberg weggeholt werden. Die Frau Professor begnügte sich damit, den beiden bei Tisch strenge Blicke zuzuwerfen und Cäcilie möglichst schlecht zu behandeln; dem Chinesen gegenüber wagte sie keine Unhöflichkeit. Aber die drei ältlichen Damen hielten das für unzureichend. Zwei von ihnen waren Witwen, und eine, eine Holländerin, war eine alte Jungfer von männlichem Aussehen; sie bezahlten für die Pension den kleinstmöglichen Preis und machten ziemlich viel Mühe, aber sie waren Stammgäste, und daher mußte man sich damit abfinden. Sie gingen zur Frau Professor hin und erklärten ihr, daß etwas geschehen müßte; es wäre eine Schande, und in einem anständigen Haus dürfte so etwas nicht geduldet werden. Die Frau Professor versuchte es mit Halsstarrigkeit, Tränen und Unwillen, aber die alten Damen ließen nicht locker, und endlich mußte sie sich schweren Herzens entschließen zu handeln.

Nach dem Mittagessen nahm sie Cäcilie mit in ihr Zimmer und fing an, ihr ernst ins Gewissen zu reden. Aber zu ihrem Erstaunen nahm das Mädchen eine unverfrorene Haltung an: sie könnte tun, was ihr beliebte, und wenn es ihr Spaß machte, mit dem Chinesen spazierenzugehen, so wäre das ihre eigene Sache. Die Frau Professor drohte, an ihren Onkel zu schreiben.

»Gut, dann steckt mich Onkel Heinrich über den Winter zu einer Familie nach Berlin, und das kann mir nur recht sein. Herr Sung kommt dann auch hin.«

Die Frau Professor fing zu weinen an. Die Tränen rollten ihr über die dicken Wangen. Cäcilie lachte sie aus.

»Das bedeutet: drei leere Zimmer während des ganzen Winters«, sagte sie.

Nun versuchte es die Frau Professor auf andere Weise. Sie appellierte an Cäcilies besseres Ich: sie war gütig und verständnisvoll zu ihr; sie behandelte sie nicht mehr als Kind, sondern als erwachsene Frau. Das Ganze wäre ja nicht so schrecklich, erklärte sie, aber ein Chinese, mit seiner gelben Haut, seiner flachen Nase, seinen Schweinsäuglein! Das war es! Es ekelte einen ja förmlich, daran zu denken!

»Bitte, bitte«, sagte Cäcilie und zog mit einem heftigen Atemzug Luft ein, »ich dulde nicht, daß man etwas gegen ihn sagt.«

»Aber es ist Ihnen doch nicht ernst?« stammelte Frau Erlin.

»Ich liebe ihn. Ich liebe ihn. Ich liebe ihn.«

»Gott im Himmel!«

Die Frau Professor starrte sie entsetzt an; sie hatte alles für eine Ungezogenheit von seiten des Mädchens gehalten, für eine unschuldige Verrücktheit; aber die Leidenschaft in Cäcilie sprach eine deutliche Sprache. Cäcilie sah sie einen Augenblick mit flammenden Augen an, zuckte dann die Achseln und ging aus dem Zimmer.

Frau Erlin behielt die Einzelheiten dieser Unterredung für sich und änderte ein, zwei Tage später die Tischordnung. Herr Sung wurde gebeten, am oberen Ende des Tisches Platz zu nehmen, was er mit der größten Bereitwilligkeit tat. Cäcilie nahm die Veränderung gleichgültig hin. Aber als ob die beiden durch das Bekanntwerden ihrer Beziehungen schamloser geworden wären, machten sie nun kein Geheimnis mehr aus ihren Spaziergängen und zogen jeden Nachmittag miteinander ins Freie. Schließlich wurde es sogar Professor Erlin zu bunt, und er bestand darauf, daß seine Frau mit dem Chinesen spreche. Sie nahm ihn beiseite und redete ihm ins Gewissen; er zerstöre Cäcilies Ruf, er schädige das Haus; er müsse einsehen, wie schlecht und unmöglich sein Benehmen sei; aber Herr Sung lächelte bloß verständnislos; er wußte nicht, was sie meinte; er habe kein besonderes Interesse für Fräulein Cäcilie, er ginge nur mit ihr spazieren; nichts stimmte, auch nicht ein Wort.

»Ach, Herr Sung, wie können Sie so etwas sagen? Sie sind Dutzende Male gesehen worden!«

»Nein, nein. Das muß ein Irrtum sein.«

Er blickte sie mit seinem stereotypen Lächeln an, das seine regelmäßigen, kleinen weißen Zähne entblößte. Er war ganz ruhig. Er leugnete alles. Er leugnete mit freundlicher Unverschämtheit. Endlich verlor die Frau Professor die Ruhe und warf ihm an den Kopf, daß das Mädchen bereits alles eingestanden habe. Er blieb ungerührt. Er fuhr fort zu lächeln.

»Unsinn, Unsinn! Es ist alles nicht wahr.«

Sie konnte nichts aus ihm herausbringen. Das Wetter wurde sehr schlecht; es kam Schnee und Frost und dann Tauwetter mit einer langen Folge trübseliger Tage, an denen es kein Vergnügen war spazierenzugehen. Eines Abends, als Philip gerade seine Deutschstunde beendet hatte und im Gespräch mit Frau Erlin im Salon stand, kam Anna schnell herein.

»Mama, wo ist Cäcilie?« fragte sie.

»In ihrem Zimmer, nehme ich an.«

»Dort ist kein Licht.«

Frau Professor schrie auf und blickte ihre Tochter bestürzt an.

»Rufe Emil«, sagte sie heiser.

Emil war der einfältige Tölpel, der bei Tisch bediente und den größten Teil der Hausarbeit besorgte. Er kam herein.

»Emil, geh hinunter in Herrn Sungs Zimmer und öffne die Tür, ohne anzuklopfen. Wenn jemand drin ist, sage, du kämest, um nach dem Ofen zu sehen.«

Kein Zeichen des Erstaunens zeigte sich auf Emils phlegmatischem Gesicht.

Er ging langsam die Treppen hinunter. Die Frau Professor und

Anna ließen die Tür offen und horchten. Bald hörten sie Emil wieder heraufkommen und riefen ihn.

»War jemand drin?« fragte die Frau Professor.

»Ja. Herr Sung.«

»War er allein?«

Ein schlaues Lächeln verzog seinen Mund.

»Nein, Fräulein Cäcilie war bei ihm.«

»Das ist ja furchtbar!« rief die Frau Professor.

Nun grinste er breit.

»Fräulein Cäcilie ist jeden Abend bei ihm. Stundenlang.«

Die Frau Professor rang die Hände.

»Wie schrecklich! Warum hast du mir das nicht gesagt?«

»Mich geht es ja nichts an«, antwortete er langsam und zuckte mit den Schultern.

»Ich vermute, sie haben dich gut bezahlt. Verschwinde!«

Er ging ungeschickt auf die Tür zu.

»Sie müssen von hier fort, Mama«, sagte Anna.

»Und wer wird die Miete bezahlen? Und die Steuern sind fällig. Du kannst leicht sagen, sie müssen fort von hier. Wenn sie fortgehen, kann ich die Rechnungen nicht bezahlen.« Als sie sich Philip zuwandte, strömten Tränen über ihr Gesicht. »Ach, Mr. Carey, Sie müssen mir versprechen, daß Sie nichts von dem weitersagen werden, was Sie gehört haben. Wenn Fräulein Förster –«, dies war die alte Jungfer aus Holland, »wenn Fräulein Förster dies wüßte, würde sie sofort das Haus verlassen. Und wenn sie alle weggehen, müssen wir das Haus zusperren. Ich habe nicht die Mittel, es zu halten.«

»Selbstverständlich werde ich nichts sagen.«

»Wenn sie hierbleibt, werde ich nichts mehr mit ihr reden«, sagte Anna.

An diesem Abend nahm Fräulein Cäcilie mit einem eigensinnigen Blick pünktlich ihren Platz bei Tisch ein; Herr Sung erschien nicht, und eine Zeitlang dachte Philip, er ginge der Sache aus dem Weg. Aber er kam dann doch, lächelte und entschuldigte sich für sein spätes Erscheinen. Wie gewöhnlich bestand er darauf, der Frau Professor ein Glas von seinem Moselwein einzuschenken, und er bot auch Fräulein Förster ein Glas Wein an. Im Zimmer war es sehr heiß, da der Ofen den ganzen Tag hindurch gebrannt hatte und die Fenster selten geöffnet wurden. Emil tappte umher, aber irgendwie glückte es ihm, jedem schnell und ordentlich zu servieren. Die drei alten Damen saßen schweigend da und sahen mißbilligend um sich: die Frau Professor hatte sich eben erst vom Weinen erholt; ihr Gemahl war schweigsam und bedrückt. Philip war diese Art von Versammlung schrecklich; im Licht der zwei Hängelampen sahen die Anwesenden völlig verändert aus; er fühlte sich ein wenig unbehaglich. Einmal fing er einen Blick von Cäcilie auf, und es war ihm, als sähe sie ihn feindselig und verächtlich an. Es war beklemmend. Die Liebschaft der beiden schien alle zu verdrießen; die Atmosphäre orientalischer Verderbtheit verbreitete sich; ein leiser Duft von Räucherstäbchen und geheimem Laster ließen Philip schwerer atmen. Er konnte das Blut in den Adern seiner Stirn schlagen hören. Er konnte nicht verstehen, welch sonderbare Erregung ihn verwirrte; er fühlte sich gleichzeitig angezogen und abgestoßen.

Ein paar Tage lang gingen die Dinge so fort. Die Nerven des kleinen Haushalts waren dem Zerreißen nahe. Nur Herr Sung blieb ungerührt; er lächelte nicht seltener und war freundlicher und höflicher als zuvor: niemand hätte sagen können, ob sein Benehmen ein Triumph der Zivilisation oder ein Ausdruck der Mißachtung von seiten des Orients für den besiegten Westen war. Cäcilie gab sich herausfordernd und spöttisch. Endlich konnte die Frau Professor die Situation nicht länger ertragen. Plötzlich wurde sie von Panik erfaßt; da Professor Erlin mit brutaler Offenheit auf die möglichen Folgen eines Liebesabenteuers, das nun allen offenbar war, hingewiesen hatte, sah sie ihren guten Namen in Heidelberg und den Ruf ihres Hauses durch einen Skandal, der schwerlich verborgen bleiben konnte, zugrunde gerichtet. Aus verschiedenen Gründen, vielleicht geblendet von den eigenen Interessen, hatte sie an diese Möglichkeit niemals gedacht; nun war sie in ihrer Erregung kaum zurückzuhalten und wollte das Mädchen sofort aus dem Haus jagen. Nur Annas vernünftigem Zureden war es zu danken, daß ein vorsichtiger Brief an den Onkel in Berlin geschrieben wurde, mit dem Vorschlag, Fräulein Cäcilie wegzunehmen.

Nun durfte die Frau Professor der Erbitterung Luft machen, die sie so lange in sich hineingefressen hatte. Nun konnte sie Cäcilie sagen, was sie wollte.

»Ich habe Ihrem Onkel geschrieben, Cäcilie, und ihn gebeten, Sie von hier fortzunehmen. Ich kann Sie nicht länger im Hause behalten.«

Ihre kleinen, runden Augen blitzten, als sie das plötzliche Erbleichen des Mädchens sah.

»Sie sind schamlos, schamlos, schamlos«, fuhr sie fort.

Sie schrie ihr Schimpfworte ins Gesicht.

»Was haben Sie meinem Onkel geschrieben, Frau Professor?« fragte das Mädchen, seine herausfordernde Selbständigkeit plötzlich aufgebend.

»Das wird er Ihnen schon selbst sagen. Ich nehme an, daß ich morgen Antwort von ihm bekomme.«

Am nächsten Tage, um die Demütigung offenkundiger zu machen, rief sie beim Abendbrot über den ganzen Tisch zu Cäcilie hinüber:

»Ich habe einen Brief von Ihrem Onkel erhalten. Cäcilie. Sie sollen noch heute Ihre Sachen packen, und morgen werden Sie in den Zug gesetzt. Ihr Onkel holt sie vom Hauptbahnhof ab.«

»Bitte, Frau Professor.«

Herr Sung lächelte der Frau Professor ins Gesicht und schenkte ihr ungeachtet ihres Protestes ein Glas Wein ein. Die Frau Professor aß ihr Abendbrot mit gutem Appetit, aber sie hatte zu früh triumphiert. Kurz bevor sie zu Bett ging, rief sie den Burschen.

»Emil, wenn Fräulein Cäcilies Koffer fertig ist, schaffe ihn lieber heute noch die Treppe hinunter. Der Träger wird ihn vor dem Frühstück abholen.«

Der Bursche ging, kam aber gleich wieder zurück.

»Fräulein Cäcilie ist nicht in ihrem Zimmer, und ihr Handgepäck ist weg.«

Mit einem Schrei stürzte die Frau Professor hinaus. Der Koffer stand fertig verschnürt und verschlossen da, aber das Handgepäck war fort und ebenso Hut und Mantel. Der Toilettentisch war leer. Schwer atmend rannte die Frau Professor hinunter in das Zimmer des Chinesen. Zwanzig Jahre hatte sie sich nicht mehr so schnell bewegt, und Emil rief hinter ihr her, doch vorsichtig zu sein und nicht zu fallen; sie riß, ohne anzuklopfen, die Tür auf. Die Zimmer waren leer. Das Gepäck war fort, und die noch offene Gartentür zeigte, auf welchem Wege es weggeschafft worden war. In einem Kuvert auf dem Tisch lag das Geld für die Monatsrechnung und eine beiläufige Zuschlagsumme für die Nebenausgaben. Die beiden waren miteinander durchgebrannt. Emil blieb ungerührt.

Hayward war, nachdem er einen Monat hindurch angekündigt, daß er am nächsten Tag nach dem Süden fahren wollte, und es von Woche zu Woche hinausgeschoben hatte, aus purer Unfähigkeit, sich zu den Beschwerlichkeiten des Kofferpackens und der Reise zu entschließen, endlich knapp vor Weihnachten aufgebrochen. Er konnte den Gedanken an ein teutonisches Fest nicht ertragen. Er bekam Gänsehaut, wenn er an den aggressiven Frohsinn dieser Zeit dachte, und in seinem Verlangen, dem zu entrinnen, beschloß er, am Heiligen Abend zu verreisen.

Philip bedauerte nicht, sich von ihm trennen zu müssen, denn seine Unschlüssigkeit hatte ihn gereizt und geärgert. Ebenso die leicht ironische Art, mit der Hayward auf sein kompliziertes Wesen herabblickte. Sie korrespondierten miteinander. Hayward war ein wunderbarer Briefschreiber und wandte, im Bewußtsein seines Talents, große Mühen an seine Briefe. Er war in hohem Maße aufnahmefähig für die Eindrücke, die sich ihm darboten, und es gelang ihm, seinen Briefen aus Rom einen Hauch von Italien beizugeben. Er fand die Stadt der alten Römer etwas vulgär und konnte bloß in der Periode des Niederganges eine gewisse Distinktion entdecken; aber das Rom der Päpste sagte ihm zu, und aus seinen gewählten Worten erstand ganz bezaubernd eine Rokokoschönheit. Er schrieb über alte Kirchenmusik und die Albaner Berge und über den schwülen Duft des Weihrauchs und den Zauber der Straßen bei Nacht, im Regen, wenn das Pflaster glänzte und das Licht der Straßenlaternen geheimnisvoll leuchtete. Vielleicht schrieb er die gleichen wunderbaren Briefe an mehrere seiner Freunde. Er wußte nicht, welch betörende Wirkung sie auf Philip hatten; sie ließen ihm sein eigenes Leben sehr nüchtern erscheinen. Mit dem Frühling wurde Hayward dithyrambisch. Er schlug vor, daß Philip nach Italien hinunterkommen sollte. Er vergeudete seine Zeit in Heidelberg. Die Deutschen wären grob, und das Leben dort wäre gewöhnlich: wie könnte in einer solch spröden Gegend die Seele zu sich selbst finden? In der Toskana streute der Frühling Blumen übers Land, und Philip war neunzehn Jahre alt; er sollte doch kommen, und sie wollten miteinander durch die Bergstädte Umbriens wandern. Ihre Namen sanken in Philips Herz. Auch Cäcilie war mit ihrem Liebhaber nach Italien gegangen. Wenn er an diese beiden dachte, wurde Philip von einer inneren Unruhe erfaßt, die er sich nicht erklären konnte. Er verwünschte sein Schicksal, weil er kein Geld hatte, um zu reisen, und er wußte, daß sein Onkel ihm nicht mehr schicken würde als die fünfzehn Pfund, auf die sie sich geeinigt hatten. Er hatte nicht sehr gut mit seinem Gelde gewirtschaftet. Das Umherziehen mit Hayward hatte sich als ziemlich teuer erwiesen. Hayward hatte oft einen Ausflug, einen Theaterbesuch oder eine Flasche Wein vorgeschlagen, wenn Philip mit seinem Monatsgeld bereits am Ende war; und mit der Torheit seines Alters hatte er sich gescheut, einzugestehen, daß er sich keinen Leichtsinn gestatten dürfte.

Glücklicherweise kamen Haywards Briefe selten, und in den Intervallen beruhigte sich Philip und nahm sein fleißiges Leben wieder auf. Er hatte sich an der Universität immatrikuliert und besuchte die eine oder die andere Vorlesung. Kuno Fischer stand damals auf der Höhe seines Ruhms und hatte den Winter über großartige Vorlesungen über Schopenhauer gehalten. Das war Philips Einführung in die Philosophie. Er hatte einen praktischen Sinn und bewegte sich unsicher im Abstrakten; aber er fand es unerwartet fesselnd, metaphysischen Erörterungen zu lauschen; sie raubten ihm den Atem; es war ihm, als sähe er einem Seiltänzer zu, der über einem gefährlichen Abgrund seine Künste vollführte. Der Pessimismus des Gegenstandes zog ihn an. Er glaubte, daß die Welt, in die er einzutreten im Begriffe stand, ein Ort des Kummers und der Finsternis wäre; das dämpfte jedoch keineswegs sein Verlangen, sie endlich kennenzulernen, und als nun Mrs. Carey nach einer Zeit anfragte, ob er nicht Lust hätte, bald wieder nach England zurückzukehren, willigte Philip begeistert ein. Er müßte sich nun entschließen, was er weiterhin tun wollte. Wenn er Ende Juli von Heidelberg abreiste, könnte man im August alles besprechen, und er hätte genügend Zeit, die nötigen Vorbereitungen zu treffen.

Das Datum seiner Abreise wurde festgesetzt, und Mrs. Carey schrieb ihm abermals. Sie erinnerte ihn an Miss Wilkinson, durch deren Güte er in das Haus von Frau Professor Erlin in Heidelberg gekommen war. Miss Wilkinson, so schrieb sie, hätte beschlossen, ein paar Wochen in Blackstable zuzubringen; an dem und dem Tag würde sie in Flushing sein, und wenn er zur gleichen Zeit reiste, könnte er in ihrer Gesellschaft nach Blackstable fahren. Diese Aussicht erschreckte Philip im höchsten Maße. Er setzte sich sofort hin und antwortete, daß er erst ein paar Tage später abreisen könne. Wie schrecklich, Miss Wilkinson zu suchen, auf sie zuzutreten und zu fragen, ob sie es auch wäre (wie leicht konnte man an die falsche Person geraten und sich eine Abfuhr holen), und dann die Schwierigkeit im Zug, wenn man nicht wußte, ob man mit ihr sprechen oder einfach, ohne sich um sie zu kümmern, sein Buch weiterlesen sollte!

Endlich verließ er Heidelberg. Drei Monate hatte er an nichts anderes gedacht als an die Zukunft; und er ging ohne Bedauern. Er wußte nicht, daß er glücklich gewesen war. Fräulein Anna schenkte ihm ein Exemplar des *Trompeters von Säckingen*, und er überreichte ihr dafür einen Band von William Morris. Es war sehr vernünftig, daß keiner von den beiden je das Buch las.

Philip war überrascht, als er seinen Onkel und seine Tante wiedersah. Er hatte nie bemerkt, daß sie ganz alte Leute waren. Der Vikar empfing ihn mit der gewohnten, nicht unliebenswürdigen Gleichgültigkeit. Er war ein wenig dicker, ein wenig kahler, ein wenig grauer geworden. Philip erkannte, wie unbedeutend er war. Sein Gesicht war schwach und egoistisch. Tante Louisa umarmte ihn, und Tränen des Glücks strömten ihr über die Wangen. Philip war gerührt und verlegen; er hatte nicht gewußt, mit welch hungriger Liebe sie an ihm hing.

»Oh, wie lange du fort warst, Philip«, rief sie.

Sie streichelte seine Hände und schaute ihm mit frohen Augen ins Gesicht.

»Du bist gewachsen. Ein richtiger Mann bist du geworden.«

Auf seiner Oberlippe sproß ein kleiner Schnurrbart. Er hatte sich ein Rasiermesser gekauft und entfernte von Zeit zu Zeit mit unendlicher Sorgfalt den Flaum von seiner weichen Haut.

»Wir waren so vereinsamt ohne dich.« Und dann, schüchtern, mit einem kleinen Zittern in der Stimme fragte sie: »Bist du nicht auch froh, wieder daheim zu sein?«

»Natürlich, und wie!«

Sie war so dünn, daß sie fast durchsichtig schien, und ihr verwelkter kleiner Körper war wie ein Herbstblatt; man hatte das Gefühl, der erste rauhe Wind könnte sie davonwehen. Philip erkannte, daß sie mit dem Leben fertig waren, diese beiden stillen alten Leute: sie gehörten einer vergangenen Generation an, und nun warteten sie geduldig auf den Tod. Und er, in seiner Kraft und Jugend, war entsetzt über die Nutzlosigkeit ihres Daseins; nichts hatten sie vollbracht, und wenn sie gestorben waren, würde es sein, als wären sie nie gewesen. Ein großes Mitleid für Tante Louisa stieg in ihm auf, und er liebte sie plötzlich, weil sie ihn liebte.

Dann kam Miss Wilkinson, die sich während der Begrüßung diskret beiseite gehalten hatte, ins Zimmer.

»Das ist Miss Wilkinson, Philip«, sagte Mrs. Carey.

»Der verlorene Sohn ist heimgekehrt!« Mit diesen Worten streckte sie ihm die Hand hin. »Ich habe dem verlorenen Sohn eine Rose fürs Knopfloch mitgebracht.«

Mit einem fröhlichen Lächeln befestigte sie die Blume, die sie kurz vorher im Garten gepflückt hatte, an Philips Rock. Er errötete und kam sich dumm vor. Er wußte, daß Miss Wilkinson die Tochter von Onkel Williams letztem Vorgesetzten war, und er hatte eine ausreichende Bekanntschaft mit Pfarrerstöchtern. Sie trugen schlecht geschnittene Kleider und grobe Stiefel. Sie waren gewöhnlich schwarz gekleidet, denn in Philips Jugend hatten Tweedstoffe Ostengland noch nicht erreicht, und die Damen der Geistlichkeit waren den Farben abhold. Ihr Haar war sehr unordentlich frisiert, und sie rochen nach gestärkter Wäsche. Sie betrachteten weibliche Reize als etwas Unschickliches und sahen alle gleich aus, ob sie nun alt oder jung waren. Sie trugen ihre Religion arrogant als Schild vor sich her. Der übrigen Menschheit gegenüber nahmen sie eine leicht diktatorische Haltung ein.

Miss Wilkinson war ganz anders. Sie trug ein weißes, mit kleinen bunten Blumensträußchen bedrucktes Musselinkleid, spitze Schuhe mit hohen Absätzen und durchbrochene Strümpfe. Philip in seiner Unerfahrenheit fand sie wunderbar angezogen; er merkte nicht, daß ihr Kleid billig und auffallend war. Ihr Haar war kunstvoll frisiert, es war sehr schwarz, glänzend und hart und sah aus, als könnte es nie auch nur im geringsten in Unordnung geraten. Sie hatte große schwarze Augen, und ihre Nase war ein wenig gebogen: im Profil hatte sie etwas von einem Raubvogel, aber das Gesicht, von vorne gesehen, war einnehmend. Sie lächelte viel, aber ihr Mund war groß, und sie versuchte, beim Lachen ihre Zähne zu verbergen, die kräftig und ziemlich gelb waren. Am meisten aber störte es Philip, daß sie stark gepudert war; er hatte strenge Ansichten und fand, daß es sich für eine Dame nicht schickte, sich zu pudern. Daß aber Miss Wilkinson eine Dame war, stand über jedem Zweifel, war sie doch die Tochter eines Geistlichen.

Philip kam zu dem Ergebnis, daß er sie nicht leiden konnte. Sie sprach mit einem leichten französischen Akzent; und er wußte nicht, warum sie das tat, da sie doch im Herzen Englands geboren und erzogen worden war. Er fand ihr Lächeln affektiert, und die gezierte Munterkeit ihres Wesens irritierte ihn. Zwei, drei Tage blieb er schweigsam und feindselig, aber Miss Wilkinson bemerkte es anscheinend nicht. Sie wandte sich im Gespräch beinahe ausschließlich an ihn, und es lag etwas Schmeichelhaftes in der Art, mit der sie ständig an sein gesundes Urteil appellierte. Sie brachte ihn auch zum Lachen, und Philip war nie imstande, Menschen zu widerstehen, die ihn amüsierten: er hatte ein gewisses Talent, nette Dinge vorzubringen, und es war angenehm, eine dankbare und verständnisvolle Zuhörerin zu haben. Mit der Zeit gewöhnte er sich an Miss Wilkinson, und seine Schüchternheit verließ ihn; Miss Wilkinson gefiel ihm immer besser. Er fand ihren französischen Akzent apart, und bei einer Gartengesellschaft, die der Doktor gab, war sie weitaus besser gekleidet als alle andern. Sie hatte ein blaues Foulardkleid mit großen weißen Tupfen an, und Philip schmunzelte über das Aufsehen, das sie erregte.

»Ich möchte nicht hören, was über Sie gesprochen wird«, sagte er lachend.

»Wie schön! Es war immer schon mein Traum, für ein ganz verruchtes Geschöpf gehalten zu werden«, antwortete sie.

Eines Tages fragte Philip Tante Louisa, wie alt Miss Wilkinson wäre.

»Oh, mein Lieber, nach dem Alter einer Dame darf man nie fragen; aber zum Heiraten für dich ist sie jedenfalls zu alt.«

Der Vikar lächelte sein langsames, feistes Lächeln.

»Sie ist kein Küken, Louisa«, sagte er. »Sie war beinahe erwachsen, als wir in Lincolnshire waren, und das war vor zwanzig Jahren. Damals trug sie einen Zopf.«

»Sie mag nicht älter als zehn Jahre gewesen sein«, sagte Philip.

»Sie war sicher älter«, sagte Tante Louisa.

»Ich glaube, sie war eher zwanzig«, sagte der Vikar.

»Ach nein, William, höchstens sechzehn oder siebzehn.«

»Demnach wäre sie jetzt weit über dreißig«, sagte Philip.

In diesem Augenblick kam Miss Wilkinson singend die Treppe heruntergehüpft. Sie hatte einen Hut aufgesetzt, denn sie wollte mit

Philip spazierengehen, und hielt ihm die Hand hin, damit er ihr den Handschuh zuknöpfte. Er tat es unbeholfen. Er fühlte sich ritterlich, aber verlegen. Das Gespräch floß nun schon leicht zwischen ihnen dahin, und sie plauderten über die verschiedensten Dinge, während sie gemächlich einherschlenderten. Sie erzählte Philip von Berlin, und er berichtete von seinem Jahr in Heidelberg. Während des Sprechens gewannen Umstände, die ihm völlig belanglos erschienen waren, ein neues Interesse: er schilderte die Leute in Frau Professor Erlins Haus und rückte die Gespräche zwischen Hayward und Weeks, die ihm einst so bedeutungsvoll erschienen waren, in ein komisches Licht. Und Miss Wilkinsons Lachen schmeichelte ihm.

»Ich habe richtig Angst vor Ihnen«, sagte sie. »Sie sind so sarkastisch.«

Dann fragte sie ihn, ob er keine Liebesabenteuer in Heidelberg erlebt habe. Ohne nachzudenken, antwortete er offenherzig nein; aber das wollte sie nicht glauben.

»Wie verschlossen Sie sind!« sagte sie. »In Ihrem Alter ist das doch gar nicht möglich!«

Er errötete und lachte.

»Sie wollen gar zu viel wissen«, sagte er.

»Ach, ich wußte es doch«, lachte sie triumphierend. »Wie rot er wird!«

Es freute ihn, daß sie ihn für einen Schwerenöter hielt, und er änderte rasch das Thema. Sie sollte meinen, daß er allerhand romantische Dinge zu verbergen hätte. Er ärgerte sich über sich selbst, daß es nicht wirklich der Fall war.

Miss Wilkinson war unzufrieden mit ihrem Los. Es verdroß sie, ihren Lebensunterhalt verdienen zu müssen, und sie erzählte Philip eine lange Geschichte von einem Onkel ihrer Mutter, der sie zur Erbin seines Vermögens eingesetzt, aber schließlich seine Köchin geheiratet und sein Testament geändert hatte. Sie spielte auf den Luxus in ihrem Elternhause an und verglich ihr Leben in Lincolnshire, wo ihr Reitpferde und Equipagen zur Verfügung gestanden hatten, mit der traurigen Abhängigkeit ihres gegenwärtigen Daseins. Philip war ein wenig befremdet, als er später einmal mit Tante Louisa darüber sprach und von ihr erfuhr, daß die Wilkinsons immer nur ein Pony und einen Kutschierwagen gehabt hatten; Tante Louisa wußte auch von dem reichen Onkel, aber da er längst vor Emilys Geburt geheiratet hatte und eigene Kinder besaß, hatte sie sich nicht viel Hoffnung machen können, sein Vermögen zu erben. Miss Wilkinson wußte nicht viel Gutes über Berlin zu sagen. Sie verglich es trauernd mit dem Glanz von Paris, wo sie mehrere Jahre verbracht hatte. Sie sagte nicht, wie viele. Sie war Erzieherin in der Familie eines sehr bekannten Porträtmalers gewesen, der mit einer vermögenden Frau verheiratet war – und in seinem Hause hatte sie eine Reihe hervorragender Persönlichkeiten kennengelernt. Sie blendete Philip mit ihren Namen. Coquelin hatte ihr einmal gesagt, daß er noch nie eine Ausländerin getroffen habe, die ein so tadelloses Französisch spreche wie sie. Auch Alphonse Daudet war gekommen und hatte ihr ein Exemplar von *Sappho* geschenkt. Er hatte ihr versprochen, seinen Namen hineinzuschreiben, aber sie hatte vergessen, ihn daran zu erinnern. Trotzdem hütete sie den Band wie einen Schatz und wollte ihn Philip leihen. Und Maupassant! Miss Wilkinson lachte und blickte Philip vielsagend an. War das ein Mann! Und was für ein Schriftsteller! Hayward hatte von Maupassant gesprochen, und sein Ruf als Don Juan war Philip nicht unbekannt.

»Hat er Ihnen den Hof gemacht?« fragte er.

Die Worte wollten ihm nicht recht über die Lippen, aber er fragte nichtsdestoweniger. Miss Wilkinson gefiel ihm zwar schon gut, und ihr Gespräch fand er ungemein anregend, aber er konnte sich beim besten Willen nicht vorstellen, daß jemand sich in sie verliebte.

»Was für eine Frage!« rief sie. »Der arme Guy hat jedem weiblichen Wesen den Hof gemacht.«

Sie seufzte ein wenig und schien der Vergangenheit nachzusinnen.

»Er war ein bezaubernder Mensch«, hauchte sie.

Mit ein wenig mehr Erfahrung hätte sich Philip die Begegnung etwa folgendermaßen ausmalen können: der berühmte Schriftsteller ist zu einem Mittagessen *en famille* eingeladen; die Erzieherin, begleitet von ihren zwei hochaufgeschossenen Zöglingen, tritt bescheiden ein; es folgt die Vorstellung:

»*Notre Miss anglaise.*«

»*Mademoiselle.*«

Und dann das Essen, bei dem die *Miss anglaise* still dasitzt, während der berühmte Schriftsteller sich mit dem Herrn und der Dame des Hauses unterhält.

Aber in Philip riefen Miss Wilkinsons Worte romantische Vorstellungen hervor.

»Ach, erzählen Sie mir doch alles über ihn«, bat er aufgeregt.

»Es gibt nichts zu erzählen«, antwortete sie wahrheitsgetreu, aber in einer Art und Weise, die durchblicken ließ, daß kaum drei Bände ausreichen könnten, um die abenteuerlichen Tatsachen zu schildern. »Sie dürfen nicht neugierig sein.«

Sie fing an, von Paris zu sprechen. Sie liebte die Boulevards und den Bois. Jede Straße war voll Anmut, und die Bäume in den Champs-Élysées hatten einen Adel, der an andern Orten den Bäumen fehlte. Sie saßen nun auf einem Holzbalken in der Nähe der Straße, und Miss Wilkinson blickte mit Verachtung auf die stattlichen Ulmen, die vor ihnen auffragten. Und die Theater! Die Stücke waren geistvoll und das Spiel unvergleichlich. Sie hatte Madame Foyot, die Mutter ihrer Zöglinge, häufig in die Modesalons begleitet.

»Wie schrecklich ist es doch, arm zu sein!« rief sie. »All die schönen Dinge – nur in Paris versteht man, sich anzuziehen – und nicht imstande zu sein, sie zu kaufen! Die arme Madame Foyot, sie hatte keine gute Figur. Manchmal flüsterte mir die Schneiderin zu: ›Ah, Mademoiselle, wenn sie so gewachsen wäre wie Sie!‹«

Philip merkte nun, daß Miss Wilkinson kräftige Formen hatte und stolz darauf war.

»Die englischen Männer sind so dumm. Sie achten nur auf das Gesicht. Die Franzosen, die etwas von Liebe verstehen, wissen, um wie vieles wichtiger die Figur ist.«

Philip hatte nie vorher über diese Dinge nachgedacht, aber er bemerkte nun, wie dick und unschön Miss Wilkinsons Knöchel waren. Rasch wandte er seine Augen ab.

»Sie sollten nach Frankreich gehen. Warum gehen Sie nicht auf ein Jahr nach Paris? Sie würden Französisch lernen, und es würde Sie *déniaiser.*«

»Was ist das?« fragte Philip.

Sie lachte verschmitzt.

»Das müssen Sie im Wörterbuch nachschlagen. Engländer wissen nicht, wie man Frauen behandelt. Sie sind so schüchtern. Schüchternheit ist etwas Lächerliches bei Männern. Sie können einer Frau nicht einmal sagen, daß sie reizend ist, ohne ein dämliches Gesicht zu machen.«

Philip fühlte sich sehr betroffen. Miss Wilkinson erwartete offenbar ein anderes Benehmen von ihm, und er hätte mit Freuden galante und geistreiche Dinge gesagt, wenn ihm bloß welche eingefallen wären.

»Oh, wie habe ich Paris geliebt«, seufzte Miss Wilkinson. »Aber ich mußte nach Berlin gehen. Ich blieb bei den Foyots, bis die Mädchen verheiratet waren, dann bot sich mir die Stelle in Berlin. Es sind Verwandte von Madame Foyot, und da habe ich angenommen. Ich hatte eine winzige Wohnung in der Rue Bréda – sehr unpassend. Sie wissen doch, was die Rue Bréda ist – *ces dames –*«

Philip nickte, ohne eine Ahnung zu haben, was sie meinte, aber er wollte sich nicht unwissend zeigen.

»Aber mir war das gleich. *Je suis libre, n'est-ce pas?*« Sie sprach sehr gerne Französisch und sprach es auch wirklich gut. »Einmal hatte ich ein ganz komisches Erlebnis dort.«

Sie hielt ein wenig inne, und Philip drang in sie, es doch zu erzählen.

»Sie wollten mir Ihre Erlebnisse in Heidelberg auch nicht erzählen«, sagte sie.

»Ach, die waren so uninteressant«, entgegnete er.

»Was Mrs. Carey sagen würde, wenn sie wüßte, über was für Dinge wir uns unterhalten!«

»Von mir wird sie es bestimmt nicht erfahren.«

»Wollen Sie mir das versprechen?«

Nachdem er es getan hatte, erzählte sie ihm, wie ein junger Maler, der ein Zimmer im oberen Stockwerk bewohnte – aber sie unterbrach sich.

»Warum werden Sie eigentlich nicht Maler? Sie malen so hübsch.«

»Lange nicht gut genug.«

»Lassen Sie das andere beurteilen. *Je m'y connais*, und ich glaube, daß Sie das Zeug zu einem großen Künstler in sich haben.«

»Können Sie sich das Gesicht von Onkel William vorstellen, wenn ich ihm plötzlich erkläre, daß ich nach Paris gehen will, um Malerei zu studieren?«

»Sie sind Ihr eigener Herr, sollte ich meinen.«

»Sie versuchen bloß, mich abzulenken. Erzählen Sie doch Ihre Geschichte weiter.«

Miss Wilkinson lachte und fuhr fort. Der junge Maler war ihr einige Male auf der Treppe begegnet, und sie hatte ihn nicht weiter beachtet. Sie sah, daß er schöne Augen hatte und sehr höflich grüßte. Und eines Tages fand sie, unter der Tür hindurchgeschoben, einen Brief. Er war von ihm. Er schrieb ihr, daß er sie seit Monaten anbete und im Stiegenhaus auf ihr Vorübergehen lauere. Oh, es war ein bezaubernder Brief! Natürlich antwortete sie nicht; aber welche Frau hätte sich nicht geschmeichelt gefühlt? Und am nächsten Tag kam wieder ein Brief! Er war herrlich, leidenschaftlich und rührend. Als sie ihm das nächstemal auf der Treppe begegnete, wußte sie nicht, wo sie hinschauen sollte. Und täglich kamen die Briefe, und endlich bat er sie um ein Zusammensein. Er schrieb, daß er sich *vers neuf heures* bei ihr einfinden wollte, und sie wußte keinen Rat. Es war etwas ganz Unmögliches, und er mochte läuten, solange er wollte – sie würde ihm bestimmt nicht aufmachen; und dann, während sie ganz nervös auf das Klingeln der Glocke wartete, stand er plötzlich vor ihr. Sie hatte beim Eintreten vergessen, die Tür abzusperren.

»*C'était une fatalité.*«

»Und was geschah dann?« fragte Philip.

»Damit ist die Geschichte aus«, antwortete sie mit einem perlenden Lachen.

Philip war einen Augenblick still. Sein Herz schlug schnell, und seltsame Gefühle tobten in seinem Innern. Er sah das dunkle Treppenhaus vor sich und die zufälligen Begegnungen, und er bewunderte die Kühnheit der Briefe – oh, er hätte nie gewagt, sie zu schreiben – und dann das geräuschlose, beinahe unheimliche Eintreten. Etwas Romantischeres konnte er sich nicht vorstellen.

»Wie sah er aus?«

»Oh, sehr gut. *Charmant garçon.*«

»Stehen Sie jetzt noch mit ihm in Verbindung?«

Philip fühlte eine leise Gereiztheit bei dieser Frage.

»Er hat mich furchtbar behandelt. Ihr Männer seid alle gleich. Ihr habt kein Herz.«

»Ist das wirklich so?« sagte Philip verlegen.

»Lassen Sie uns nach Hause gehn«, sagte Miss Wilkinson.


Miss Wilkinsons Geschichte wollte Philip nicht aus dem Kopf. Es war klar, was sie meinte, selbst wenn sie es nicht deutlich aussprach, und er war ein wenig schockiert. So etwas konnte sich eine verheiratete Frau erlauben – er wußte aus den zahlreichen französischen Romanen, die er gelesen hatte, daß es in Frankreich sozusagen an der Tagesordnung war –, aber Miss Wilkinson war Engländerin und ledig; ihr Vater war Geistlicher. Dann fiel ihm ein, daß der junge Maler wahrscheinlich weder ihr erster noch ihr letzter Liebhaber gewesen war, und er war fassungslos: daran hatte er nie zuvor gedacht; es schien ihm unglaublich, daß sie von irgend jemandem geliebt werden konnte. In seiner Unschuld bezweifelte er ihre Geschichte ebensowenig wie er das bezweifelte, was er in Büchern las, und er war verärgert, daß ihm selbst nie so wunderbare Dinge passierten. Es war demütigend, daß er nichts zu erzählen haben würde, wenn Miss Wilkinson darauf bestände, er sollte ihr von seinen Abenteuern in Heidelberg erzählen. Er verfügte zwar über einige Phantasie, aber er war sich nicht sicher, ob er sie davon überzeugen könnte, daß er dem Laster verfallen war. Er hatte gelesen, Frauen besäßen ein großes Intuitionsvermögen, und möglicherweise durchschaute sie ihn. Bei dem Gedanken, sie könnte sich ins Fäustchen lachen, wurde er purpurrot.

Miss Wilkinson spielte Klavier und sang dazu mit ziemlich matter Stimme; aber ihre Lieder – von Massenet, Benjamin Goddard und Augusta Holmes – waren Philip neu, und er verbrachte viele Stunden mit ihr am Klavier. Eines Tages fragte sie ihn, ob er Stimme hätte, und bestand darauf, ihn zu prüfen. Zuerst wollte er nichts davon wissen; aber sie ließ nicht locker, und nun bekam er jeden Morgen nach dem Frühstück eine Stunde. Sie war eine Lehrerin von ausgesprochener pädagogischer Begabung. Sie hatte Methode und Festigkeit. Obgleich der französische Akzent ihr so sehr in Fleisch und Blut übergegangen war, daß er immer wieder zum Vorschein kam, verschwand all die Lieblichkeit ihres Wesens, wenn sie unterrichtete. Sie duldete keinen Unsinn. Ihre Stimme bekam etwas Entschiedenes, und instinktiv ließ sie keine Unaufmerksamkeit aufkommen und keine Nachlässigkeit durchgehen. Sie wußte, was sie wollte, und zwang Philip, Skalen und Übungen zu singen.

Wenn die Stunde vorüber war, nahm sie mühelos ihr verführerisches Lächeln wieder auf, ihre Stimme wurde von neuem weich und girrend, aber Philip fiel es nicht so leicht, den Schüler abzulegen. Dies stimmte nicht recht zu den Gefühlen, die ihre Geschichte in ihm hervorgerufen hatte. Er betrachtete Miss Wilkinson genauer. Sie gefiel ihm besser am Abend als am Morgen. Morgens hatte sie ziemlich viele Falten, und die Haut am Halse war ein klein wenig rauh. Er fand, daß sie sie lieber verstecken sollte, aber das Wetter war gerade sehr warm, und sie trug tief ausgeschnittene Blusen. Sie hatte eine Vorliebe für Weiß, was sie des Morgens unvorteilhaft kleidete. Aber abends sah sie oft sehr hübsch aus. Sie zog dann eine Art Abendkleid an und hatte eine Granatkette um den Hals; die Spitzen an Ausschnitt und Ellbogen gaben ihr etwas Weiches, und ihr Parfum (in Blackstable benützte niemand etwas anderes als Eau de Cologne, und das bloß sonntags oder bei Migräne) war aufregend und exotisch.

Philip zerbrach sich den Kopf über ihr Alter. Er addierte zwanzig und siebzehn und konnte zu keinem befriedigenden Ergebnis gelangen. Er fragte Tante Louisa mehr als einmal, wie sie daraufkäme, daß Miss Wilkinson siebenunddreißig wäre: sie sah nicht älter als dreißig aus, und jeder wußte, daß Fremde schneller altern als Engländerinnen; Miss Wilkinson hatte so lange im Ausland gelebt, daß sie beinahe als Fremde bezeichnet werden konnte. Er, für seine Person, schätzte sie auf sechsundzwanzig.

»Sie ist aber älter«, sagte Tante Louisa.

Philip glaubte nicht an die Genauigkeit der Careyschen Behauptungen. Alles, woran sie sich genau erinnerten, war, daß Miss Wilkinson ihr Haar noch nicht aufgesteckt getragen hatte, als sie sie zum letztenmal in Lincolnshire gesehen hatten. Nun gut, damals mochte sie zwölf gewesen sein: es war schon lange her, und außerdem war der Vikar unzuverlässig. Sie sagten, es wäre vor zwanzig Jahren gewesen, aber jeder Mensch nennt runde Zahlen, und es konnte ebenso achtzehn oder siebzehn Jahre her sein. Siebzehn und zwölf machte nur neunundzwanzig, und, zum Teufel, das war doch nicht alt. Cleopatra war achtundvierzig gewesen, als Antonius die Welt für sie hinwarf.

Es war ein schöner Sommer. Die Tage folgten einander heiß und wolkenlos, aber die Hitze war gemildert durch die Nähe der See, und es lag eine angenehme Frische in der Luft, so daß man sich durch die Augustsonne nicht bedrückt, sondern eher belebt fühlte. Im Garten war ein Teich, in dem ein Springbrunnen spielte; Wasserlilien wuchsen an seinem Rand, und Goldfische sonnten sich an seiner Oberfläche. Dorthin zogen sich Philip und Miss Wilkinson nach dem Essen zurück. Sie nahmen Decken und Kissen mit und legten sich auf den Rasen, in den Schatten einer hohen Rosenhecke. Sie sprachen und lasen den ganzen Nachmittag. Und rauchten Zigaretten, was der Vikar im Hause nicht gestattete. Er hielt das Rauchen für eine abscheuliche Gewohnheit und pflegte häufig zu sagen, daß es für jeden Menschen schimpflich wäre, zum Sklaven einer Gewohnheit zu werden. Er vergaß, daß er selbst ein Sklave der Teestunde war.

Eines Tages gab Miss Wilkinson Philip *La Vie de Bohème* zu lesen. Sie hatte es zufällig in der Bibliothek des Vikars gefunden. Es war mit einem ganzen Schub von Büchern angekauft worden und hatte zehn Jahre lang unentdeckt dagestanden.

Philip fing an, Murgers faszinierendes, schlecht geschriebenes, unsinniges Meisterwerk zu lesen, und geriet sofort in seinen Bann. Seine Seele tanzte vor Freude über dieses Bild des Lebens, in dem sich das Elend so gemütlich, die Verkommenheit so malerisch, billige Liebe so romantisch und lächerliches Geflunker so rührend ausnahmen.

»Möchten Sie nicht lieber nach Paris gehen anstatt nach London?« fragte Miss Wilkinson und lächelte über seinen Enthusiasmus.

»Dafür ist es nun schon zu spät«, entgegnete er.

Während der vierzehn Tage, die er nun schon aus Deutschland zurück war, hatte es zwischen ihm und seinem Onkel große Beratungen über die Zukunft gegeben. Da er sich die Möglichkeit, ein Stipendium zu bekommen, verscherzt hatte, kam Oxford nun nicht mehr in Betracht. Sein ganzes Vermögen hatte nur zweitausend Pfund betragen und war im Laufe der Jahre ein wenig zusammengeschmolzen. Es wäre unsinnig gewesen, in Oxford zweihundert Pfund jährlich auszugeben, um nach dreijährigem Studium ebenso weit vom eigenen Erwerb entfernt zu sein wie zuvor. Philip hatte den dringenden Wunsch, direkt nach London zu gehen. Nach Mrs. Careys Ansicht gab es für einen Gentleman nur vier Berufe: Militär, Marine, Juristerei und Kirche. Widerstrebend ließ sie noch – ihres Schwagers wegen – die Medizin gelten, vergaß aber nie, daß in ihrer Jugend ein Arzt von keinem Menschen für einen Gentleman gehalten worden war. Militär und Marine kamen für Philip nicht in Frage, und er blieb bei seiner Weigerung, die Priesterweihe zu nehmen. Es blieb also nur das Rechtsstudium. Der Arzt hatte darauf hingewiesen, daß neuerdings viele Gentlemen Ingenieure würden, aber diesem Gedanken widersetzte sich Mrs. Carey entschieden.

»Ich möchte nicht, daß Philip etwas mit Handel zu tun hat«, sagte sie.

»Du hast recht«, meinte darauf der Vikar. »Aber könnte er nicht Arzt werden wie sein Vater?«

»Das möchte ich unter keinen Umständen«, sagte Philip.

Mrs. Carey war nicht betrübt. Die Laufbahn eines Richters stand außerhalb der Debatte, da er nicht nach Oxford ging, und die Careys waren der Meinung, daß ein akademischer Grad für den Erfolg in diesem Beruf notwendig wäre; aber schließlich kam ihnen in den Sinn, ihn zu einem Advokaten in die Lehre zu geben. Sie schrieben an den Familienanwalt, Albert Nixon, der zusammen mit dem Vikar von Blackstable der Testamentsvollstrecker für den letzten Besitz von Henry Carey war, und sie fragten ihn, ob er Philip nehmen würde. Nach wenigen Tagen kam die Antwort; er hätte keine Vakanz und wäre überhaupt gegen den ganzen Plan; der Beruf wäre außerordentlich überlaufen, und ein Mann ohne Kapital und Verbindungen hätte nur geringe Chancen; er machte den Vorschlag, Philip sollte beeideter Bücherrevisor werden. Weder der Vikar noch seine Frau hatten die geringste Ahnung, was das war, und auch Philip hatte noch nie von einem derartigen Beruf gehört; aber in einem weiteren Brief erklärte der Anwalt, daß die Ausbreitung des modernen Geschäftswesens und die immer größer werdende Zahl von Betrieben zur Gründung gewisser Firmen geführt hätte, die sich mit der Revision der Bücher ihrer Klienten befaßten und eine Ordnung in deren finanzielle Angelegenheiten brachten, die bei den früheren altmodischen Methoden nicht möglich gewesen war. Der Beruf würde von Jahr zu Jahr angesehener, lukrativer und wichtiger. Der Bücherrevisor, den Mr. Nixon seit dreißig Jahren beschäftigte, hatte zufällig eine Vakanz und erklärte sich bereit, Philip als Schüler aufzunehmen. Die Gebühr betrage dreihundert Pfund. Die Hälfte davon würde während der fünf Jahre, welche die Ausbildung dauerte, in Form eines Gehaltes zurückerstattet. Die Aussicht war nicht gerade begeisternd, aber Philip fühlte, daß er sich zu irgendeiner Sache entschließen müßte, und der Gedanke, in London leben zu dürfen, übertönte seinen inneren Widerstand. Der Vikar erkundigte sich bei Mr. Nixon, ob es sich auch wirklich um einen standesgemäßen Beruf handle, worauf Mr. Nixon antwortete, daß sogar Leute, die an den vornehmsten Mittelschulen und Universitäten gewesen wären, sich ihm zuwandten. Falls Philip übrigens keinen Gefallen an seiner Arbeit fände und er nach einem Jahr ausspringen wollte, erklärte sich Herbert Carter, so hieß der Bücherrevisor, bereit, das halbe Lehrgeld zurückzuerstatten. Dies gab den Ausschlag, und es wurde bestimmt, daß Philip am fünfzehnten September anfangen sollte.

»Ich habe also noch einen ganzen Monat vor mir«, sagte Philip.

»Und dann geht es für Sie in die Freiheit und für mich in die Sklaverei«, erwiderte Miss Wilkinson.

Ihre Ferien dauerten sechs Wochen, und sie sollte Blackstable bloß ein bis zwei Tage vor Philip verlassen.

»Ob wir uns wohl jemals wieder begegnen?« meinte sie.

»Ich sehe nicht ein, warum nicht.«

»Ach, sprechen Sie doch nicht so nüchtern. Ich habe noch nie einen so wenig gefühlvollen Menschen gesehen wie Sie.«

Philip errötete. Er hatte Angst, Miss Wilkinson könnte ihn für einen Waschlappen halten: schließlich war *sie* eine junge Frau, manchmal ganz hübsch, und *er* näherte sich den Zwanzig; es war absurd, daß sie immer nur von Kunst und Literatur miteinander redeten. Er sollte ihr den Hof machen. Sie hatten eine ganze Menge über Liebe gesprochen. Da war der Kunststudent in der Rue Bréda, dann gab es den Maler, in dessen Familie sie lange Zeit hindurch in Paris gelebt hatte: er hatte sie ersucht, für ihn Modell zu sitzen, und hatte ihr dann so ungestüm den Hof gemacht, daß sie gezwungen gewesen war, Ausflüchte zu gebrauchen, um ihm nicht noch einmal Modell sitzen zu müssen. Es lag auf der Hand, daß Miss Wilkinson an Aufmerksamkeiten solcher Art gewöhnt war. Mit ihrem großen Strohhut sah sie jetzt sehr hübsch aus: es war heiß an jenem Nachmittag, der heißeste Tag, den sie gehabt hatten, und Schweißperlen standen auf ihrer Oberlippe. Er erinnerte sich an Fräulein Cäcilie und Herrn Sung. Er hatte nie begriffen, daß man sich in Cäcilie verlieben konnte, sie war außerordentlich unschön; aber nun, im Rückblick, erschien ihm die ganze Affäre sehr romantisch. Auch ihm bot sich jetzt die Möglichkeit, etwas Romantisches zu erleben. Dachte er daran – nachts im Bett oder wenn er allein mit einem Buch im Garten saß –, dann fühlte er sich ganz hingerissen; aber wenn er Miss Wilkinson vor sich sah, schien ihm die Sache weniger verlockend.

Jedenfalls würde sie nach allem, was sie ihm erzählt hatte, nicht überrascht sein, wenn er ihr den Hof machte. Vielleicht fand sie es sogar merkwürdig, daß er bisher noch nichts dergleichen getan hatte: es war möglicherweise Einbildung, aber in den letzten Tagen hatte er einige Male eine Spur von Verachtung in ihren Augen zu entdecken vermeint.

»Einen Penny für Ihre Gedanken«, sagte Miss Wilkinson und blickte ihm lächelnd ins Gesicht.

»Die werde ich Ihnen nicht verraten«, antwortete er.

Er hatte überlegt, ob er sie nicht einfach auf der Stelle küssen sollte. Ob sie es von ihm erwartete? Aber ohne jede Vorbereitung konnte er das nicht tun. Sie würde ihn für verrückt halten, ihm vielleicht gar eine Ohrfeige geben; und vielleicht würde sie ihn bei seinem Onkel verklagen. Er schauderte bei dem Gedanken; man würde ihm vorhalten, daß sie alt genug wäre, seine Mutter zu sein.

»Zwei Pennies für Ihre Gedanken«, lächelte Miss Wilkinson.

»Ich habe an Sie gedacht«, antwortete er kühn.

So weit konnte er ruhig gehen.

»Und was haben Sie gedacht?«

»Oh, jetzt wollen Sie wieder zu viel wissen.«

»Sie böser Junge, Sie!« sagte Miss Wilkinson.

Da war es schon wieder! Sowie er sich aufgerafft hatte zu handeln, mußte sie etwas sagen, was die Gouvernante zum Vorschein brachte. Wenn er seine Übungen nicht richtig sang, nannte sie ihn auch immer scherzhaft einen bösen Jungen. Diesmal wurde er ganz zornig.

»Ich wollte, Sie behandelten mich nicht immer wie ein Kind!«

»Sind Sie böse?«

»Sehr.«

»Ich habe es nicht so gemeint.«

Sie streckte ihm die Hand hin, und er nahm sie. In der letzten Zeit, wenn sie sich vor dem Zubettgehen von ihm verabschiedete, hatte er zuweilen einen vielsagenden Druck ihrer Hand zu spüren geglaubt. Aber er war dessen niemals ganz sicher gewesen. Diesmal konnte es keinen Zweifel geben.

Er wußte nicht genau, was er nun sagen sollte. Hier, endlich, bot sich ihm die Gelegenheit zu einem Abenteuer, und er war ein Narr, wenn er sie nicht nützte. Aber das Ganze schien ihm ein wenig gewöhnlich; er hatte es sich berauschender vorgestellt. Er hatte viel über Liebe gelesen und fühlte in sich nichts von dem Überschwang, den die Romandichter schilderten; er wartete vergebens, von den Wogen der Leidenschaft erfaßt und mitgerissen zu werden; ebensowenig entsprach Miss Wilkinson dem Ideal, das er sich erträumt hatte: er hatte sich häufig die großen, veilchenblauen Augen und die Alabasterwangen irgendeines bezaubernden jungen Mädchens vorgestellt und sich ausgemalt, wie er sein Gesicht in den lockigen Massen ihres hellbraunen Haares vergraben würde. Er konnte sich nicht vorstellen, sein Gesicht in Miss Wilkinsons Haar zu vergraben. Es kam ihm immer ein wenig fettig vor. Trotzdem: es würde eine große Genugtuung für ihn sein, eine Liebesbeziehung zu haben, und er fühlte im vorhinein den Stolz, mit dem ihn seine Eroberung erfüllen würde. Er war es sich selbst schuldig, Miss Wilkinson zu verführen; er beschloß, sie zu küssen; nicht gleich, aber am Abend; es würde leichter sein im Dunkeln, und nachdem er sie geküßt hatte, würde sich das übrige von selbst ergeben. Er wollte sie noch am gleichen Abend küssen. Er schwor es sich zu.

Er legte sich seinen Plan zurecht. Nach dem Abendessen schlug er einen Gang durch den Garten vor. Miss Wilkinson willigte ein, und sie schlenderten Seite an Seite einher. Philip war sehr nervös. Das Gespräch wollte nicht in die richtigen Bahnen kommen; er hatte sich vorgenommen, zur Einleitung den Arm um ihre Hüften zu legen; aber er konnte unmöglich plötzlich den Arm um ihre Hüften legen, wenn sie von einer Regatta sprach, die in der nächsten Woche stattfinden sollte. Er führte sie listig in die dunkelsten Teile des Gartens, aber dort angelangt, verlor er den Mut. Sie setzten sich auf eine Bank, und er hatte sich gerade gesagt, daß nun der richtige Moment gekommen wäre, als Miss Wilkinson erklärte, hier gäbe es bestimmt Ohrwürmer, und darauf bestand, weiterzugehen. Sie gingen noch einmal um den Garten herum, und Philip nahm sich fest vor, das kühne Wagnis auszuführen, ehe sie zu ihrer Bank zurückgelangten; aber als sie am Haus vorbeikamen, sahen sie Mrs. Carey in der Tür stehen.

»Solltet ihr nicht lieber hereinkommen, ihr jungen Leute? Die Nachtluft kann euch unmöglich guttun.«

»Vielleicht ist es wirklich besser, wir gehen hinein«, sagte Philip. »Ich möchte nicht, daß Sie sich erkälten.«

Er sagte es mit einem Seufzer der Erleichterung. An diesem Abend brauchte er nun nichts mehr zu unternehmen. Aber später, als er allein in seinem Zimmer saß, wurde er wütend über sich selbst. Er war ein Esel gewesen. Bestimmt hatte Miss Wilkinson erwartet, daß er sie küssen würde, sonst wäre sie nicht mit in den Garten gekommen. Sie sagte immer, nur Franzosen verstünden die Frauen zu behandeln. Philip hatte französische Romane gelesen. Wäre er ein Franzose, so hätte er sie in die Arme geschlossen und ihr leidenschaftlich zugeflüstert, daß er sie anbete; er hätte die Lippen auf ihre *nuque* gepreßt. Er wußte nicht, warum Franzosen ihre Auserkorenen immer auf die *nuque* küßten. Freilich war es für einen Franzosen viel leichter, all diese Dinge zu tun; die Sprache kam ihnen so sehr zu Hilfe; auf Englisch leidenschaftliche Erklärungen von sich zu geben schien Philip ein wenig abgeschmackt. Er wünschte nun inständig, doch nie die Belagerung von Miss Wilkinsons Tugend auf sich genommen zu haben; die ersten vierzehn Tage waren so nett gewesen, und jetzt war er unglücklich; aber er war entschlossen, nicht nachzugeben – sonst müßte er jede Selbstachtung verlieren – und nahm sich unwiderruflich vor, Miss Wilkinson am nächsten Abend zu küssen, koste es, was es wolle.

Am nächsten Tage, als er erwachte, sah er, daß es regnete, und sein erster Gedanke war, daß man abends nicht in den Garten würde gehen können. Er war beim Frühstück glänzender Laune. Miss Wilkinson ließ durch Mary Ann sagen, daß sie Kopfschmerzen habe und im Bett liegenbleibe. Sie kam erst am Nachmittag um die Teestunde wieder herunter, mit einem blassen Gesicht und einem Morgenrock, der ihr sehr gut stand; aber bis zum Abendbrot hatte sie sich vollkommen erholt, und die Mahlzeit war sehr heiter. Nach dem Gebet erklärte sie, daß sie gleich schlafengehen wollte, und küßte Mrs. Carey. Dann wandte sie sich Philip zu.

»Mein Gott!« rief sie. »Jetzt hätte ich beinahe auch Sie geküßt!«

»Warum haben Sie es nicht getan?«

Sie lachte und gab ihm die Hand. Er fühlte einen deutlichen Druck.

Am nächsten Tag war keine Wolke am Himmel, und der Garten war frisch und duftend nach dem Regen. Philip ging zum Strand hinunter, um zu baden, und aß, als er wieder nach Hause kam, mit herzhaftem Appetit zu Mittag. Man hatte für den Nachmittag Gäste zum Tennisspielen eingeladen, und Miss Wilkinson zog ihr bestes Kleid an. Philip konnte nicht umhin zu bemerken, wie elegant sie neben den anderen Frauen aussähe. An ihrem Gürtel waren zwei Rosen befestigt. Sie saßen in einem Gartenstuhl neben dem Tennisplatz mit einem roten Sonnenschirm, und der farbige Widerschein auf ihrem Gesicht kleidete sie vorzüglich. Philip spielte sehr gerne Tennis. Er hatte ein gutes Service und spielte, unbeholfen einherlaufend, ganz nahe am Netz; trotz seines Klumpfußes war er sehr rasch und ließ sich kaum einen Ball entschlüpfen. Er freute sich, weil er alle Sets gewann. Zum Tee ließ er sich, heiß und atemlos, zu Miss Wilkinsons Füßen nieder.

»Der Tennisanzug steht Ihnen ausgezeichnet«, sagte sie. »Sie sehen heute sehr gut aus.«

Er errötete vor Vergnügen.

»Ich kann Ihnen das Kompliment zurückgeben; Sie sehen bezaubernd aus.«

Sie lächelte und warf ihm aus ihren schwarzen Augen einen langen Blick zu.

Nach dem Abendbrot wollte er sie unbedingt dazu bewegen spazierenzugehen.

»Haben Sie nicht genug Bewegung gehabt für den Tag?«

»Es wird wunderbar sein im Garten. Der Himmel ist voll von Sternen.«

Er war sehr aufgeräumt.

»Wissen Sie, daß Mrs. Carey Ihretwegen mit mir gezankt hat?« fragte Miss Wilkinson, als sie miteinander durch den Gemüsegarten schlenderten. »Sie sagt, ich sollte nicht mit Ihnen flirten.«

»Haben Sie das getan? Ich habe es nicht bemerkt.«

»Sie hat nur gescherzt.«

»Es war gar nicht recht von Ihnen, daß Sie mir gestern keinen Kuß geben wollten.«

»Wenn Sie gesehen hätten, was für einen Blick mir Ihr Onkel zuwarf.«

»Sonst hätten Sie es getan?«

»Ich küsse nicht gern vor Zeugen.«

»Dann wäre jetzt der geeignete Moment.«

Philip legte seinen Arm um ihre Schultern und küßte sie auf die Lippen.

Sie lachte nur ein wenig und machte keinen Versuch, sich zu wehren. Es hatte sich ganz natürlich ergeben. Philip war sehr stolz. Was er sich vorgenommen, das hatte er durchgeführt. Kinderleicht kam es ihm vor. Er wünschte sich, es schon früher getan zu haben. Er küßte sie noch einmal.

»Ach, das sollten Sie nicht«, sagte sie.

»Warum nicht?«

»Weil ich es schön finde«, lachte sie.


Am nächsten Tag, nach dem Mittagessen, nahmen sie ihre Decken und Kissen mit an den Teich und auch ihre Bücher. Aber sie lasen nicht. Miss Wilkinson machte es sich bequem und öffnete ihren Sonnenschirm. Philip war nun gar nicht mehr schüchtern, aber anfangs wollte sie es nicht erlauben, daß er sie küßte.

»Es war sehr unrecht von mir, gestern abend«, sagte sie. »Ich konnte gar nicht schlafen vor Gewissensbissen.«

»Ach, Unsinn!« rief er. »Sicher haben Sie geschlafen wie ein Murmeltier.«

»Was würde Ihr Onkel sagen, wenn er es wüßte?«

»Er braucht es ja nicht zu wissen.«

Er beugte sich über sie, und sein Herz schlug wild.

»Warum wollen Sie mich küssen?«

Er wußte, daß die Antwort hätte lauten müssen: »Weil ich Sie liebe.« Aber er konnte sich nicht dazu bringen, es zu sagen.

»Warum weinen Sie?« fragte er statt dessen.

Sie blickte ihn mit lächelnden Augen an und fuhr ihm mit den Fingerspitzen übers Gesicht.

»Wie glatt Ihre Haut ist«, murmelte sie.

»Nein, ich bin furchtbar unrasiert«, sagte er.

Es war erstaunlich, wie schwer es ihm fiel, romantische Reden zu führen. Er fand, daß er mit Schweigen mehr erreichte. Er konnte unaussprechliche Dinge in seinen Blick legen. Miss Wilkinson seufzte.

»Mögen Sie mich denn überhaupt?«

»Ja, furchtbar gern.«

Als er es aufs neue versuchte, sie zu küssen, leistete sie keinen Widerstand. Er stellte sich viel leidenschaftlicher, als ihm zumute war, und brachte es fertig, seine Rolle so zu spielen, daß er mit sich zufrieden sein konnte.

»Ich fange an, richtige Angst vor Ihnen zu haben«, sagte Miss Wilkinson.

»Nach dem Abendbrot kommen Sie mit mir hinaus, ja?« bettelte er.

»Aber nur, wenn Sie versprechen, artig zu sein.«

»Ich verspreche alles.«

Er begann, an der Flamme, deren Vorhandensein er sich zum Teil vortäuschen mußte, Feuer zu fangen, und war beim Tee ausgelassen lustig. Miss Wilkinson blickte ängstlich zu ihm hinüber.

»Sie dürfen nicht so glänzende Augen haben«, sagte sie nachher zu ihm. »Was soll denn Tante Louisa denken?«

»Das ist mir gleich, was sie denkt.«

Miss Wilkinson lachte erfreut. Das Abendessen war kaum beendet, als er zu ihr sagte:

»Wollen Sie mir Gesellschaft leisten, während ich eine Zigarette rauche?«

»Warum läßt du Miss Wilkinson nicht ruhig sitzen?« fragte Mrs. Carey. »Du darfst nicht vergessen, daß sie nicht mehr so jung ist wie du.«

»Ach, ich gehe gern noch ein bißchen an die Luft, Mrs. Carey«, war die etwas säuerliche Antwort.

»Ganz richtig«, meinte der Vikar. »Nach dem Mittagessen sollst du ruhn, nach dem Abendessen tausend Schritte tun.«

»Ihre Tante ist sehr nett, aber manchmal fällt sie mir auf die Nerven«, sagte Miss Wilkinson, als sie die Tür hinter sich schlossen.

Philip schleuderte die Zigarette weg, die er sich eben angezündet hatte, und warf die Arme um sie. Sie versuchte, ihn wegzuschieben.

»Sie haben mir versprochen, artig zu sein, Philip.«

»Aber doch nicht, um es zu halten.«

»Nicht so nahe beim Haus, Philip«, sagte sie. »Was, wenn plötzlich jemand herauskommt?«

Er führte sie in den Gemüsegarten, wo man ziemlich sicher sein konnte, und diesmal dachte Miss Wilkinson nicht an Ohrwürmer. Er küßte sie leidenschaftlich. Es verwirrte ihn, daß er sie morgens überhaupt nicht leiden mochte, nachmittags mäßig, aber abends die Berührung ihrer Hand genügte, um ihn zu erregen. Er raunte ihr Dinge ins Ohr, die er sich selbst niemals zugetraut hätte; bei Tageslicht wäre er bestimmt nicht imstande gewesen, sie zu sagen; er hörte sich mit Staunen und Befriedigung zu.

»Wie schön es doch mit dir ist!« sagte sie.

Das fand er auch.

»Oh, könnte ich nur alles sagen, was mir das Herz verbrennt«, murmelte er leidenschaftlich.

Es war herrlich. Es war das aufregendste Spiel, das er je gespielt hatte; und das Großartigste dabei war, daß er fast alles, was er sagte, auch wirklich fühlte. Er mußte nur ein ganz klein wenig übertreiben. Es machte ihm ungeheuren Eindruck, welche Wirkung sein Verhalten auf sie hatte. Nur mit Anstrengung konnte sie sich dazu aufraffen, endlich aufzustehen.

»Geh noch nicht weg«, rief er.

»Doch. Ich habe Angst«, murmelte sie.

Aufgrund einer plötzlichen Eingebung wußte er, was er zu tun hatte.

»Ich kann noch nicht hineingehen. Ich werde hierbleiben und nachdenken. Meine Wangen brennen. Ich brauche die Nachtluft. Gute Nacht.«

Er hielt ihr ernst die Hand hin, und sie nahm sie schweigend. Er glaubte zu hören, daß sie ein Schluchzen unterdrückte. Oh, es war wundervoll! Als er nach einer angemessenen Pause ins Haus zurückkehrte – er hatte sich indessen in dem dunklen Garten ziemlich gelangweilt –, war Miss Wilkinson bereits zu Bett gegangen.

Von nun an war alles verändert zwischen ihnen; am nächsten und übernächsten Tag zeigte sich Philip als eifriger Liebhaber. Er fühlte sich wohltuend geschmeichelt, als er entdeckte, daß Miss Wilkinson in ihn verliebt war: sie sagte es ihm auf englisch, sie sagte es ihm auf französisch. Sie machte ihm Komplimente. Nie zuvor hatte ihm jemand mitgeteilt, daß er bezaubernde Augen und einen sinnlichen Mund hätte. Er hatte sich nie besonders um sein Aussehen gekümmert, aber nun verschmähte er es nicht, sich gelegentlich mit Genugtuung im Spiegel zu betrachten. Wenn er sie küßte, war es wunderbar, die Leidenschaft zu spüren, die ihre Seele bewegte. Er küßte sie ziemlich viel, denn es fiel ihm leichter, als die Dinge zu sagen, die sie von ihm erwartete. Er kam sich immer noch albern vor, wenn er ihr Liebeserklärungen machte. Er wünschte sich jemanden herbei, dem gegenüber er ein bißchen prahlen und mit dem er die einzelnen Punkte seines Verhaltens genau durchsprechen konnte. Er war sich nicht ganz klar, ob er den Lauf der Ereignisse beschleunigen oder lieber in Ruhe abwarten sollte. Es blieben nur mehr drei Wochen.

»Ich kann es nicht ertragen, daran zu denken«, sagte sie. »Es bricht mir das Herz; vielleicht werden wir einander nicht mehr wiedersehen.«

»Wenn du mich nur ein bißchen lieb hättest, wärest du nicht so grausam zu mir«, flüsterte er.

»Ach, ist es nicht schön, wie es ist? Die Männer sind alle gleich, niemals zufrieden.«

Und wenn er sie weiter bedrängte:

»Siehst du denn nicht, daß es unmöglich ist. Hier?«

Er fand immer neue Vorschläge, aber sie wollte von keinem etwas hören.

»Ich wage es einfach nicht. Es wäre zu schrecklich, wenn deine Tante es entdeckte.«

Ein, zwei Tage später hatte er eine Idee, die ihm glänzend schien.

»Könntest du nicht an einem Sonntagabend Kopfschmerzen vortäuschen und dich erbötig machen, zu Hause zu bleiben und nach dem Rechten zu sehn? Dann würde Tante Louisa in die Kirche gehen.«

Gewöhnlich blieb Mrs. Carey am Sonntagabend zu Hause, um Mary Ann die Möglichkeit zu geben, die Kirche zu besuchen. Aber sie würde mit Freuden die Gelegenheit ergreifen, einem Abendgottesdienst beizuwohnen.

Philip hatte es nicht für nötig gehalten, seinen Angehörigen die Veränderung seiner Ansichten über Christentum und Religion mitzuteilen, die sich in Deutschland in ihm vollzogen hatte; er fand es bequemer, ruhig in die Kirche zu gehen. Aber er ging nur morgens. Er betrachtete dies als eine liebenswürdige Konzession an die Vorurteile der Gesellschaft, und seine Weigerung, noch ein zweitesmal zu gehen, als hinreichende Manifestation seiner Geistesfreiheit.

Nachdem er seinen Vorschlag geäußert hatte, schwieg Miss Wilkinson einen Augenblick und schüttelte dann den Kopf.

»Nein, das kann ich nicht tun«, sagte sie.

Aber am Sonntag, beim Tee, überraschte sie Philip.

»Ich glaube, ich werde heute abend nicht in die Kirche gehen«, sagte sie plötzlich. »Ich habe furchtbare Kopfschmerzen.«

Mrs. Carey, sehr besorgt, gab ihr von den Tropfen, die sie selbst in solchen Fällen zu nehmen pflegte. Miss Wilkinson dankte ihr und erklärte sofort nach dem Tee, daß sie in ihr Zimmer gehen und sich niederlegen wollte.

»Werden Sie auch nichts brauchen?« fragte Mrs. Carey ängstlich.

»Nein, bestimmt nicht.«

»Dann werde ich vielleicht heute abend in die Kirche gehen. Ich habe so selten Gelegenheit, dem Abendgottesdienst beizuwohnen.«

»Aber natürlich, gehen Sie doch.«

»Ich werde ja zu Hause sein«, sagte Philip. »Wenn Miss Wilkinson etwas braucht, kann sie mich immer rufen.«

»Du läßt am besten die Tür zum Empfangszimmer offen, damit du hörst, wenn Miss Wilkinson klingelt.«

»Gern«, sagte Philip.

So wurde denn Philip bald nach sechs Uhr mit Miss Wilkinson allein im Hause gelassen. Ihm war übel vor Beklommenheit. Von ganzem Herzen wünschte er, seinen Vorschlag nie gemacht zu haben; aber nun war es zu spät; er mußte die Gelegenheit wahrnehmen, die er sich selbst geschaffen hatte. Was sollte Miss Wilkinson von ihm denken! Er ging in die Halle und lauschte. Kein Laut war zu hören. Der Gedanke kam ihm, daß Miss Wilkinson vielleicht wirklich Kopfschmerzen hätte, vielleicht hatte sie seinen Vorschlag auch vergessen. Sein Herz schlug schmerzhaft. Er schlich, so leise er konnte, die Stiegen hinauf und hielt erschrocken inne, als die Dielen knarr ten. Er stand vor Miss Wilkinsons Zimmer und horchte. Er legte seine Hand auf die Klinke. Er wartete. Er wartete mindestens fünf Minuten und mußte alle Kräfte zusammennehmen, um sich jäh zu seinem Entschluß aufzuraffen. Seine Hand zitterte. Es war, wie wenn man in einem Schwimmbad auf das höchste Sprungbrett hinaufsteigt; von unten sieht es nach gar nichts aus, aber wenn man oben steht und auf die Wasserfläche hinunterschaut, dann wird einem ängstlich zumute, und das einzige, was einen zwingt, den Sprung zu wagen, ist die Scheu vor der Schmach, kläglich die Treppen hinuntersteigen zu müssen. Philip nahm seinen Mut zusammen. Leise drückte er die Klinke nieder und trat ins Zimmer. Er zitterte wie ein Blatt.

Miss Wilkinson stand am Toilettentisch, mit dem Rücken zur Tür, und wandte sich rasch um, als sie ihn eintreten hörte.

»Oh, du bist es! Was willst du?«

Sie hatte Rock und Bluse abgelegt und stand im Unterrock da. Er war kurz und reichte ihr bloß bis zum Stiefelrand; der obere Teil war schwarz, aus einem glänzenden Stoff, und unten, um den Rand, lief ein breiter roter Volant. Sie trug ein Unterleibchen aus weißem Kattun mit kurzen Ärmeln. Sie sah grotesk aus. Philips Herz sank, als er sie anstarrte. Nie war sie ihm so häßlich erschienen; aber nun war es zu spät. Er schloß die Tür hinter sich und sperrte ab.


Philip erwachte früh am nächsten Morgen. Sein Schlaf war unruhig gewesen; aber als er die Glieder dehnte und die Sonnenstrahlen sah, die durch die Jalousien hindurchdrangen und Muster auf den Fußboden zeichneten, seufzte er vor Befriedigung. Er war entzückt über sich selbst. Er begann, an Miss Wilkinson zu denken. Sie hatte ihn gebeten, sie Emily zu nennen, aber das wollte ihm nicht recht über die Lippen; er dachte immer an sie als Miss Wilkinson. Seit sie ihn gescholten hatte, weil er sie so angesprochen hatte, vermied er überhaupt, sie mit ihrem Namen anzureden. Während seiner Kindheit hatte er oft von einer Schwester Tante Louisas, der Witwe eines Marineoffiziers, als Tante Emily sprechen gehört. Es war ihm unangenehm, Miss Wilkinson bei diesem Namen zu nennen, aber er konnte sich auch keinen vorstellen, der besser zu ihr paßte. Als Miss Wilkinson hatte sie für ihn begonnen, und dabei blieb es. Er runzelte die Stirn. Beim besten Willen wollte es ihm nicht gelingen, sie in einem halbwegs günstigen Licht zu sehen; er konnte nicht vergessen, wie sie in ihrem weißen Leibchen und dem kurzen Unterrock dagestanden hatte; er erinnerte sich der leichten Rauheit ihrer Haut und der scharfen, langen Falten an der Seite ihres Halses. Sein Siegesgefühl hielt nicht stand. Er rechnete abermals ihr Alter nach und kam zu dem Ergebnis, daß sie unmöglich weniger als vierzig Jahre sein konnte. Das ließ die Sache lächerlich erscheinen. Sie war häßlich und alt. Seine lebendige Phantasie zeigte sie ihm verrunzelt, hager, geschminkt, in Kleidern, die zu auffallend waren für ihre Stellung und zu jugendlich für ihre Jahre. Er schauderte; mit einem Male kam ihm das Gefühl, daß er sie nie mehr wiedersehen wollte; der Gedanke, sie zu küssen, war ihm unerträglich. Er war entsetzt über sich. War das Liebe?

Er kleidete sich an, so langsam er nur konnte, um den Augenblick der Begegnung möglichst lange hinauszuschieben. Als er beklommenen Herzens das Speisezimmer betrat, war das Morgengebet bereits gesprochen, und man war im Begriff, sich an den Frühstückstisch zu setzen.

»Schlafmütze«, rief Miss Wilkinson fröhlich.

Er schaute sie an und seufzte erleichtert auf. Sie saß mit dem Rücken zum Fenster und sah wirklich ganz nett aus. Er konnte sich gar nicht erklären, warum er so häßliche Dinge über sie gedacht hatte. Sein Siegesstolz kehrte zurück.

Er war betroffen über die Veränderung, die mit ihr vorgegangen war. Gleich nach dem Frühstück erklärte sie ihm mit vor Bewegung bebender Stimme, daß sie ihn liebe, und als sie später im Salon miteinander musizierten, hob sie mitten in einer Skala das Gesicht zu ihm auf und sagte:

»*Embrasse-moi!*«

Als er sich niederbeugte, warf sie die Arme um seinen Hals. Es war ziemlich unbequem, denn sie hielt ihn in einer Lage, daß er nach Luft ringen mußte.

»*Ah, je t'aime. Je t'aime. Je t'aime*«, rief sie mit ihrem übertriebenen französischen Akzent.

›Wenn sie doch lieber englisch spräche‹, dachte Philip.

»Meinst du nicht, daß der Gärtner jeden Moment am Fenster vorbeikommen kann?«

»*Ah, je m'en fiche du jardinier. Je m'en fiche, je m'en refiche, et je m'en contrefiche.*«

Philip fand es ganz wie in einem französischen Roman und begriff nicht, warum er sich nicht glücklicher dabei fühlte.

Endlich sagte er:

»Jetzt gehe ich mal hinunter an den Strand und bade.«

»Was, heute willst du mich allein lassen?«

Philip konnte die Ungeheuerlichkeit seines Vorhabens zwar nicht einsehen, aber er wollte nicht darauf beharren.

»Wenn du es willst, bleibe ich auch zu Hause«, lächelte er.

»Ach, du Lieber! Nein, nein, geh nur! Ich werde dich in Gedanken begleiten.«

Er nahm seinen Hut und machte sich auf den Weg.

›Was für einen Unsinn Frauen zusammenreden!‹ dachte er bei sich. Aber er war froh und geschmeichelt. Offenbar flog sie auf ihn. Er betrachtete die Leute, die ihm begegneten, mit einer gewissen Überlegenheit. Fast alle waren sie ihm bekannt, alle, und während er ihnen zunickte, mußte er unwillkürlich denken: ›Wenn sie wüßten!‹ Sehnlichst wünschte er jemanden herbei, dem er sich mitteilen konnte. Er nahm sich vor, an Hayward zu schreiben, und setzte im Geiste den Brief auf. Vom Garten würde er ihm erzählen und von den Rosen und von der kleinen französischen Gouvernante, dieser exotischen Blume, duftend und pervers; er würde sie für eine Französin ausgeben. Schließlich hatte sie lange genug in Frankreich gelebt, und es war bloß kleinlich, sich allzu pedantisch an die Tatsachen zu halten. Er würde Hayward schildern, wie er sie zum erstenmal gesehen hatte, in ihrem hübschen Musselin-Kleid, und wie sie ihm die Blume geschenkt hatte. Er machte ein entzückendes Idyll daraus. Sonnenschein und Meer gaben seinem Bilde Leidenschaft und Zauber, die Sterne liehen ihm Poesie, und der alte Pfarrgarten lieferte einen wundervollen Rahmen. Philips Herz schlug schnell. Seine Phantasien entzückten ihn dermaßen, daß er ihnen, kaum dem Wasser entstiegen, sofort wieder nachzuhängen begann. Sie hatte das anbetungswürdigste Näschen und große braune Augen – so wollte er sie Hayward beschreiben –, eine Fülle weichen, braunen Haares, eine Haut wie Elfenbein und Sonnenschein, und Wangen, so rot wie Rosen. Wie alt sie war? Achtzehn vielleicht, und er nannte sie Musette. Ihr Lachen war quellfrisch und ihre Stimme so weich, so leise, die süßeste Musik, die er je gehört hatte.

»Woran denkst du gar so intensiv?«

Philip blieb aufschreckend stehen. Miss Wilkinson stand vor ihm und lachte über seine Überraschung.

»Ich bin dir ein Stück entgegengekommen.«

»Das ist furchtbar nett von dir«, sagte er.

»Habe ich dich erschreckt?«

»Ein wenig«, gab er zu.

Der Brief an Hayward wurde trotzdem geschrieben. Er war acht Seiten lang.

Die vierzehn Tage, die noch übrigblieben, gingen schnell vorbei, und obgleich Miss Wilkinson abends im Garten nie festzustellen versäumte, daß wieder ein Tag um war, ließ sich Philip dadurch seine gute Laune nicht verderben. Eines Abends äußerte Miss Wilkinson, daß es wunderschön wäre, wenn sie ihre Stelle in Berlin aufgeben und nach London kommen könnte. Aber bei Philip erregte dieser Vorschlag keine Begeisterung. Er freute sich auf sein Leben in London und wollte ungebunden sein. Manchmal sprach er ein wenig allzu enthusiastisch über seine Zukunftspläne und ließ Miss Wilkinson merken, daß er seine Abreise mit Ungeduld herbeisehnte.

»Wenn du mich liebtest, würdest du nicht so reden«, rief sie.

Er war betroffen und blieb still.

»Wie dumm ich doch war!« murmelte sie.

Er sah zu seiner Überraschung, daß sie weinte. Sein weiches Herz regte sich.

»Du weinst? Nicht doch. Was habe ich dir denn getan?«

»Ach, Philip, verlaß mich nicht! Du weißt nicht, was du mir bedeutest. Mein Leben ist so traurig, und du hast mich so glücklich gemacht.«

Er küßte sie schweigend. Aus ihrer Stimme klang echter Schmerz, und er war erschrocken. Zum erstenmal kam ihm der Gedanke, daß sie das, was sie sagte, auch wirklich meinte.

»Es tut mir furchtbar leid, daß ich dich gekränkt habe. Du weißt, wie ich an dir hänge. Hoffentlich kannst du wirklich nach London kommen.«

»Ach, davon kann doch keine Rede sein. Es ist beinah unmöglich, eine Stelle zu finden, und ich hasse das englische Leben.«

Fast ohne zu wissen, daß er Komödie spielte, drückte er sie, gerührt von ihrem Kummer, fester und fester an sich. Ihre Tränen schmeichelten ihm, und er küßte sie mit wahrer Leidenschaft.

Aber ein paar Tage später machte sie ihm eine wirkliche Szene. Man hatte ein paar Leute zum Tennisspielen eingeladen, darunter die beiden Töchter eines pensionierten Majors, der in einem indischen Regiment gedient und sich vor kurzem in Blackstable niedergelassen hatte. Sie waren sehr hübsch, eine von ihnen war so alt wie Philip, die andere ein, zwei Jahre jünger. Gewohnt, mit jungen Männern umzugehen – sie waren voll von Geschichten aus dem indischen Garnisonsleben –, fingen sie an, Philip lustig zu necken, und er, entzückt über die Neuheit – die jungen Damen von Blackstable behandelten den Neffen des Vikars mit großem Ernst –, war fröhlich und heiter. Irgendein Teufel in ihm stachelte ihn an, einen heftigen Flirt mit beiden zugleich anzufangen, und da er der einzige junge Mann war, verhielten sie sich keineswegs ablehnend. Es zeigte sich, daß sie ganz gut Tennis spielten, und Philip war es müde, mit Miss Wilkinson Netzball zu spielen – sie hatte erst nach ihrer Ankunft in Blackstable mit dem Tennisspielen begonnen. Und als nach dem Tee die Sets zusammengestellt wurden, schlug er vor, daß Miss Wilkinson mit dem Kurat und seiner Frau und er selbst mit den beiden jungen Mädchen spielen sollte. Er setzte sich zu der älteren Miss O'Connor und sagte leise:

»Lassen wir zuerst die Stümper spielen; dann kommen wir dran!«

Offenbar hatte Miss Wilkinson diese Bemerkung gehört, denn sie warf ihr Racket hin, erklärte, daß sie Kopfschmerzen habe, und ging davon. Jeder konnte sehen, daß sie beleidigt war. Philip ärgerte sich, daß sie es so öffentlich zeigte. Es wurde ohne sie gespielt, aber nach einer Weile rief ihn Mrs. Carey.

»Philip, du hast Emily gekränkt. Sie ist in ihr Zimmer hinaufgegangen und weint.«

»Warum?«

»Du hast etwas von Stümpern gesagt. Geh hinauf und entschuldige dich bei ihr.«

»Schön!«

Er klopfte an Miss Wilkinsons Tür, bekam aber keine Antwort und trat ein. Miss Wilkinson lag mit dem Gesicht nach unten auf dem Bett und weinte. Er berührte ihre Schulter.

»Was ist denn los mit dir?«

»Laß mich. Ich will nichts mehr von dir wissen.«

»Was habe ich denn getan? Es tut mir furchtbar leid, dich gekränkt zu haben. Ich habe es nicht böse gemeint. Steh doch auf!«

»Wie konntest du so häßlich zu mir sein! Du weißt, wie ich dieses dumme Spiel hasse. Ich spiele überhaupt nur dir zuliebe.«

Sie stand auf und ging zum Toilettentisch. Aber nach einem raschen Blick in den Spiegel ließ sie sich in einen Stuhl sinken. Sie ballte ihr Taschentuch zusammen und tupfte sich damit die Augen ab.

»Ich habe dir das Größte gegeben, was eine Frau einem Manne geben kann – oh, wie töricht ich war –, und du dankst es mir so. Du bist herzlos. Wie könntest du sonst so grausam sein, in meiner Gegenwart mit diesen albernen Dingern zu flirten? Wir haben kaum mehr zehn Tage vor uns. Kannst du mir nicht einmal *die* schenken?«

Philip stand mit finsterem Gesicht neben ihr. Er fand ihr Benehmen kindisch. Es verdroß ihn, daß sie so wenig Selbstbeherrschung zeigte.

»Du weißt genau, daß ich mir nicht das geringste aus den beiden Mädchen mache. Wie kommst du überhaupt darauf?«

Miss Wilkinson legte ihr Taschentuch fort. Die Tränen hatten Spuren auf dem gepuderten Gesicht zurückgelassen, und ihr Haar war ein wenig in Unordnung geraten. Ihr weißes Kleid stand ihr nicht besonders gut in diesem Moment. Sie blickte Philip mit leidenschaftlichen, hungrigen Augen an.

»Weil du zwanzig bist und sie auch«, sagte sie heiser. »Und ich bin alt.«

Philip wurde rot und schaute weg. Die Angst in ihrer Stimme ließ ein unbehagliches Gefühl in ihm aufkommen. Er wünschte von ganzem Herzen, sich nie mit Miss Wilkinson eingelassen zu haben.

»Ich will dich nicht unglücklich machen«, sagte er ungeschickt.

»Geh jetzt hinunter und kümmere dich um deine Gäste! Sie werden sich schon wundern, wo du bleibst.«

»Schön!«

Er war froh, von ihr fortzukommen.

Dem Streit folgte sehr bald eine Versöhnung, aber die wenigen Tage, die noch blieben, waren nicht ganz leicht für Philip. Er wollte immer nur von der Zukunft reden, und die Zukunft brachte Miss Wilkinson beständig zum Weinen. Anfangs hatten ihn ihre Tränen gerührt und zu heftigen Beteuerungen seiner unwandelbaren Liebe hingerissen; nun aber reizten sie ihn. Er fand es albern von einer erwachsenen Person, so viel zu weinen. Sie hörte nie auf, ihn an seine Dankesschuld zu erinnern. Nie könnte er ihr heimzahlen, was sie für ihn getan hatte. Er war, da sie es immer wieder betonte, bereit, dies anzuerkennen, verstand aber im Grunde nicht, warum er ihr dankbarer sein sollte als sie ihm. Sie verlangte, daß er ihr seine Verpflichtung auf eine Weise zeigte, die ihm ziemlich lästig war. Er war ja gewohnt, viel allein zu sein, aber Miss Wilkinson betrachtete es als Unfreundlichkeit, wenn er ihr nicht jeden Augenblick des Tages zur Verfügung stand. Die O'Connors luden sie beide zum Tee ein, und Philip wäre gerne hingegangen, aber Miss Wilkinson erklärte, sie hätten nur mehr fünf Tage, und die wollte sie ganz für sich haben. Das war schmeichelhaft, aber langweilig. Miss Wilkinson erzählte ihm von der wunderbaren Zartheit, die französische Männer an den Tag legten, wenn sie in dem gleichen Verhältnis zu einer Dame standen wie er zu ihr. Sie pries ihre Ritterlichkeit, ihre Leidenschaft und Selbstaufopferung, ihren vollendeten Takt. Miss Wilkinson verlangte eine ganze Menge.

Philip hörte sich ihre Beschreibung des vollkommenen Liebhabers an und konnte nicht umhin, sich glücklich zu schätzen, daß sie in Berlin lebte.

»Du wirst mir schreiben, ja? Schreibe mir jeden Tag! Ich will alles von dir wissen, alles, was du tust! Du darfst mir nichts vorenthalten!«

»Ich werde furchtbar viel zu tun haben«, antwortete er. »Aber ich werde schreiben, sooft ich kann.«

Sie warf leidenschaftlich die Arme um seinen Hals. Ihre Liebesbezeugungen brachten ihn manchmal in Verlegenheit. Ein wenig mehr Passivität wäre ihm lieber gewesen. Es schockierte ihn ein wenig, daß sie den Ton angab: es stimmte so gar nicht mit seiner vorgefaßten Meinung von der Sittsamkeit der Frauen überein.

Endlich kam der Tag heran, an dem Miss Wilkinson abreisen mußte, und sie erschien blaß, niedergeschlagen und in einem praktischen weiß-schwarz karierten Reisekostüm beim Frühstück. Sie hatte das Aussehen einer sehr tüchtigen Gouvernante. Auch Philip war schweigsam, denn er wußte nicht genau, welchen Ton er anschlagen sollte. Er hatte furchtbare Angst, daß Miss Wilkinson, wenn er etwas Scherzhaftes sagte, vor seinem Onkel zusammenbrechen und ihm eine Szene machen könnte. Sie hatten sich den Abend zuvor voneinander verabschiedet, und Philip war froh, daß sich ihnen keine Gelegenheit zum Alleinsein mehr bot. Er blieb nach dem Frühstück im Eßzimmer, für den Fall, daß Miss Wilkinson beabsichtigte, ihn auf der Treppe zu küssen. Er hatte keine Lust, von Mary Ann, die nun nicht mehr die Jüngste war und eine scharfe Zunge hatte, in einer kompromittierenden Situation ertappt zu werden. Mary Ann mochte Miss Wilkinson nicht und nannte sie eine alte Ziege. Tante Louisa fühlte sich nicht ganz wohl und konnte nicht mit zum Bahnhof kommen, aber der Vikar und Philip begleiteten Miss Wilkinson. Knapp bevor der Zug abfuhr, lehnte sie sich zum Fenster hinaus und küßte Mr. Carey.

»Ihnen auch einen Kuß, Philip«, sagte sie.

Errötend stellte er sich auf das Trittbrett, und sie küßte ihn rasch. Der Zug setzte sich in Bewegung, und Miss Wilkinson ließ sich in ihre Coupé-Ecke sinken und weinte herzzerbrechend. Als Philip zum Pfarrhaus zurückging, fühlte er sich ausgesprochen erleichtert.

»Nun, habt ihr sie wohlbehalten in den Zug gesetzt?« fragte Tante Louisa.

»Ja, aber es war ein tränenreicher Abschied. Zum Schluß haben wir beide einen Kuß bekommen.«

»Na, in ihrem Alter ist das harmlos.« Mrs. Carey zeigte auf das Büfett. »Da liegt ein Brief für dich, Philip. Er ist mit der zweiten Post gekommen.«

Der Brief war von Hayward und lautete folgendermaßen:

*Mein lieber Junge!*
*Ich beantworte Deinen Brief sofort. Ich habe mir die Freiheit genommen, ihn einer Freundin vorzulesen, einer bezaubernden Frau, die mir viel bedeutet, einer Frau überdies mit einem wirklichen Gefühl für Kunst und Literatur, und wir waren uns einig, daß Dein Brief reizend ist. Du schreibst mit dem Herzen, und Du kannst Dir nicht vorstellen, welch entzückende Naivität aus jeder Zeile spricht. Und weil Du liebst, schreibst Du wie ein Dichter. Ach, mein Junge, die Liebe ist das einzig Wahre. Ich fühlte die Glut Deiner jungen Leidenschaft, und Deine Sprache wurde zur Musik durch die Echtheit Deines Gefühls. Du mußt glücklich sein. Ich wollte, ich hätte unsichtbar in jenem verzauberten Garten weilen können, während Ihr Hand in Hand dahinwandeltet, wie Daphnis und Chloe, inmitten der Blumen. Ich sehe Dich vor mir, mein Daphnis, das Licht Deiner jungen Liebe in den Augen, zärtlich, verzückt, brennend; und in Deinen Armen Chloe, so jung, so weich, so blühend — und sie schwört, daß sie niemals einwilligen wird, niemals.*

*Rosen, Veilchen und Geißblatt! Oh, mein Freund, ich beneide Dich. Es ist so gut zu denken, daß Deine erste Liebe reine Poesie sein durfte. Halte diese Stunden heilig, denn die unsterblichen Götter haben Dir das größte aller Geschenke gegeben, und es wird Dir eine süße und traurige Erinnerung bleiben bis ans Ende Deiner Tage. Nie wieder wird Dir solch unbeschwerte Seligkeit zuteil werden. Die erste Liebe ist die beste; Dein Mädchen ist jung, und Du bist jung, und die ganze Welt steht Euch offen. Meine Pulse schlugen schneller, als Du in Deiner köstlichen Einfalt erzähltest, daß Du Dein Gesicht in ihrem langen Haar vergräbst. Ich könnte schwören, daß es von jenem wunderbaren Kastanienbraun ist, das von Gold überhaucht scheint. Unter einem dichtbelaubten Baum, Seite an Seite, müßtet Ihr sitzen, und miteinander ›Romeo und Julia‹ lesen; und dann solltest Du auf die Knie sinken und für mich den Boden küssen, auf dem ihr Fuß geruht. Dies ist die Huldigung, sollst Du ihr sagen, die der Dichter ihrer strahlenden Jugend und Eurer Liebe darbringt.*

*Immer Dein*
*G. Etheridge Hayward*

»Verdammter Unsinn!« rief Philip, als er den Brief zu Ende gelesen hatte. Miss Wilkinson hatte merkwürdigerweise vorgeschlagen, daß sie miteinander *Romeo und Julia* lesen sollten; aber Philip hatte entschieden abgelehnt. Dann, als er den Brief in die Tasche steckte, fühlte er ein seltsam bitteres Gefühl im Herzen, weil die Wirklichkeit so anders war als das Ideal.

Ein paar Tage später fuhr Philip nach London. Man hatte ihm zwei Zimmer in der Nähe der City empfohlen, und er hatte sie schriftlich für vierzehn Shilling wöchentlich gemietet. Er kam abends in seiner neuen Wohnung an. Seine Wirtin, ein komisches altes Weiblein mit einem verhutzelten Körper und vielen Runzeln im Gesicht, hatte das Abendbrot für ihn vorbereitet. Der größte Teil des Wohnzimmers wurde von einem Büfett und einem viereckigen Tisch eingenommen, an einer Wand stand ein mit Roßhaarstoff überzogenes Sofa und neben dem Kamin ein dazupassender Lehnstuhl: über die Lehne war ein weißer Überhang gelegt und über den Sitz ein hartes Kissen, weil die Sprungfedern zerbrochen waren.

Nachdem sich Philip gestärkt hatte, packte er aus und stellte seine Bücher auf, dann setzte er sich hin und versuchte zu lesen; aber er war niedergeschlagen. Die Stille auf der Straße bedrückte ihn, und er fühlte sich sehr allein.

Am nächsten Tage stand er früh auf. Er zog seinen Frack an und setzte den hohen Hut auf, den er in der Schule getragen hatte, der aber schon so schäbig war, daß er sich entschloß, auf seinem Weg ins Büro einen neuen zu kaufen. Nachdem er das gemacht hatte, sah er, daß noch Zeit übrig war, und er spazierte am Ufer entlang. Das Büro von Messrs. Herbert Carter & Co. lag in einer etwas entlegenen Seitenstraße, und er mußte wiederholt nach dem Weg fragen. Er hatte das Gefühl, daß alle Leute ihn anstarrten, und blickte an sich hinunter, ob vielleicht etwas an seiner Kleidung nicht in Ordnung war. Endlich stand er vor der Tür des Büros und klopfte an. Ein Bursche mit einer langen Nase, Pickeln im Gesicht und einem schottischen Akzent öffnete ihm. Philip fragte nach Mr. Herbert Carter. Er war noch nicht zur Stelle.

»Wann wird er hier sein?«

»Zwischen zehn und halb elf. Was wünschen Sie?«

Philip war nervös, versuchte jedoch diese Tatsache hinter einer unbekümmerten Pose zu verbergen.

»Ich werde hier arbeiten, wenn Sie nichts dagegen haben.«

»Oh, dann sind Sie der neue Lehrling! Kommen Sie herein. Mr. Goodworthy wird nicht mehr lange auf sich warten lassen.«

Philip trat ein und wurde in ein dunkles, sehr schäbiges Zimmer geführt, das von einem kleinen Oberlicht erhellt wurde. Drei Reihen von Pulten mit hohen Kontorstühlen standen darin. Über dem Kamin hing ein schmutziger Stich, der einen Boxkampf darstellte. Nach einer Weile kam ein Angestellter herein und dann wieder einer; sie schauten Philip an und erkundigten sich leise bei dem Laufburschen (Philip entdeckte, daß er Macdougal hieß), wer er sei. Dann ertönte ein Pfiff, und Macdougal stand auf.

»Mr. Goodworthy ist gekommen; er ist der Geschäftsführer. Soll ich ihm sagen, daß Sie hier sind?«

»Ja, bitte«, sagte Philip.

Der Bursche ging hinaus und war gleich wieder zurück.

»Bitte, kommen Sie mit.«

Philip folgte ihm über einen Korridor und wurde in ein Zimmer geführt, klein und spärlich möbliert, in dem ein Mann mit dem Rücken zum Kamin stand. Er war stark unter Mittelgröße, aber sein großer Kopf, der aussah, als wäre er auf seinen Körper aufgesetzt, gab ihm eine merkwürdige Plumpheit. Seine Züge waren breit und flach, und er hatte hervorstehende blasse Augen und dürftiges rötliches Haar; er trug einen Bart, der ungleichmäßig sein Gesicht bedeckte; wo man dichten Haarwuchs erwartet hätte, war überraschenderweise gar nichts. Seine Haut war teigig und gelb. Er streckte Philip die Hand hin, und als er lächelte, wurden sehr schadhafte Zähne sichtbar. Er sprach mit herablassender und zugleich schüchterner Miene, so daß man den Eindruck hatte, er wollte sich eine

Wichtigkeit zulegen, von der er selbst nicht überzeugt war. Er gab der Hoffnung Ausdruck, daß Philip an seiner Beschäftigung Gefallen finden möge; es war eine Menge Mechanisches zu bewältigen, aber wenn man sich einmal eingearbeitet hatte, war es interessant, und man verdiente Geld, und das war doch die Hauptsache, nicht? Er lachte mit einem merkwürdigen Gemisch von Überlegenheit und Scheuheit.

»Mr. Carter wird gleich hier sein«, sagte er. »Montag kommt er immer ein wenig später. Ich werde Sie rufen, wenn er da ist. Indessen muß ich Ihnen etwas zu tun geben. Haben Sie eine Ahnung von Buchhaltung und kaufmännischem Rechnen?«

»Nein, leider nicht«, entgegnete Philip.

»Das habe ich auch nicht erwartet. Ich fürchte, in der Schule lernt man kaum etwas, was man im Geschäftsleben brauchen kann.« Einen Augenblick lang dachte er nach. »Ich glaube, ich habe Arbeit für Sie.«

Er ging ins Nebenzimmer und kam bald darauf mit einer umfangreichen Pappschachtel wieder. Sie enthielt eine große Menge durcheinandergeworfener Briefe, und er trug Philip auf, sie zu sortieren und alphabetisch nach dem Namen der Absender zu ordnen.

»Kommen Sie mit in das Zimmer, das für unsere Lehrlinge bestimmt ist. Sie werden dort einen sehr netten jungen Mann antreffen, namens Watson. Er ist der Sohn von Watson, Crag and Thompson – die große Bierbrauerei. Sie wissen schon.«

Mr. Goodworthy führte Philip durch das schäbige Büro, in dem nun fünf oder sechs Angestellte arbeiteten, in ein schmales, dahinter liegendes Zimmer. Es war durch eine Glaswand in einen eigenen Raum umgewandelt, und hier saß nun Watson zurückgelehnt in seinem Stuhl und las den *Sportsman*. Er war ein großer, korpulenter junger Mann, sehr elegant gekleidet, und schaute auf, als Mr. Goodworthy eintrat. Er betonte seine überlegene gesellschaftliche Stellung, indem er den Geschäftsführer mit Goodworthy ansprach. Der Geschäftsführer war mit dieser Vertraulichkeit nicht einverstanden und antwortete ostentativ mit *Mr.* Watson, aber Watson merkte nicht, daß damit eine Zurechtweisung gemeint war, sondern faßte es als Tribut auf, der seinem Rang gezollt wurde.

»Ich sehe eben, daß Rigoletto ausscheidet«, sagte er zu Philip, sobald er mit ihm allein war.

»Ach?« entgegnete Philip, der keine Ahnung von Pferderennen hatte.

Er blickte mit Ehrfurcht auf Watsons schöne Kleidung. Sein Gehrock saß tadellos, und inmitten seiner riesigen Krawatte stak kunstvoll eine kostbare Nadel. Auf dem Kaminsims ruhte sein Zylinder; er war schick, glockenförmig und glänzend. Philip fühlte sich sehr armselig. Watson fing an, von der Jagd zu sprechen: es war scheußlich langweilig, seine Zeit in einem staubigen Büro versitzen zu müssen; nun würde er nur an Samstagen hinausfahren können. Und er hatte so wunderbare Jagdeinladungen überallhin, die mußte er natürlich absagen. Ein scheußliches Pech war das – aber lange wollte er es sich nicht gefallen lassen; ein Jahr blieb er hier, nicht länger, dann trat er ins väterliche Geschäft ein und konnte jagen, soviel er wollte.

»Sie haben fünf Jahre vor sich, nicht?« fragte er, indem er eine Geste um das kleine Zimmer beschrieb.

»Ich glaube«, antwortete Philip.

»Dann werde ich ja reichlich Gelegenheit haben, Ihre Gesellschaft zu genießen. Carter führt nämlich unsere Buchhaltung.«

Philip war überwältigt von der herablassenden Art des jungen Mannes. In Blackstable hatte man mit gelinder Verachtung auf das Gewerbe der Bierbrauer herabgeblickt, und der Vikar hatte ab und zu eine scherzhafte Bemerkung darüber fallenlassen. Daher überraschte es Philip zu sehen, was für eine wichtige und großartige Persönlichkeit dieser Watson war. Er war in Winchester und Oxford gewesen und versäumte nicht, einem diese Tatsache möglichst häufig in Erinnerung zu rufen. Als er die näheren Einzelheiten über Philips Erziehung erfuhr, wurde sein Benehmen noch gönnerhafter.

»Natürlich, wenn man keine Public School besucht, ist es wahrscheinlich naheliegend, eine solche Schule zu besuchen, nicht wahr?«

Philip erkundigte sich nach den andern Leuten im Büro.

»Ach, ich kümmere mich nicht um sie«, sagte Watson. »Carter ist kein übler Mensch. Wir laden ihn manchmal zum Dinner ein. Die andern sind alle schreckliche Spießer.«

Hierauf wandte sich Watson einer Arbeit zu, die er gerade unter der Hand hatte, und Philip fing an, seine Briefe zu sortieren. Nach einer Weile kam Mr. Goodworthy herein und meldete, daß Mr. Carter eingetroffen wäre. Er führte Philip in ein geräumiges Zimmer neben seinem eigenen. Ein großer Schreibtisch und ein paar tiefe Lehnstühle standen darin; der Boden war mit einem türkischen Teppich geschmückt, und an den Wänden hingen Sportbilder. Mr. Carter saß am Schreibtisch und erhob sich, um Philip zu begrüßen. Er trug einen langen Gehrock und sah aus wie ein Militär; sein Schnurrbart war gewichst, sein graues Haar kurz und ordentlich geschnitten; er hielt sich aufrecht, sprach in aufgeräumtem Ton und wohnte in Enfield. Er hatte ein lebhaftes Interesse für Sport und für das Wohl und Wehe seines Landes. Er gehörte einer freiwilligen Reitertruppe an und war Vorstand der konservativen Vereinigung. Als ihm ein Lokalmagnat versicherte, daß ihn niemand für einen City-Mann halten würde, hatte er das Gefühl, nicht umsonst gelebt zu haben. Er sprach mit Philip in einer angenehmen, nonchalanten Art. Mr. Goodworthy würde sich um ihn kümmern. Watson war ein netter Mensch, ganz Gentleman, guter Sportler. Jagte Philip?

Nein? Schade. *Der* Sport für Herren. Er selbst hatte leider auch nicht mehr viel Gelegenheit zum Jagen, mußte es seinem Sohn überlassen. Sein Sohn war in Cambridge. Er würde Philip gefallen. Sportler durch und durch. Mr. Carter hoffte, daß Philip mit seiner Arbeit gut vorwärtskommen würde. Er sollte seine Vorlesungen nicht versäumen, sie erläuterten die Art des Berufes, man brauchte Gentlemen dazu. Nun, Mr. Goodworthy war ja da. Wenn er irgend etwas wissen wollte, sollte er sich an Mr. Goodworthy wenden. Hatte er eine gute Handschrift? Na, Mr. Goodworthy würde sich schon um alles kümmern.

Anfangs hielt das Neue seiner Arbeit Philips Interesse gefesselt; Mr. Carter diktierte ihm Briefe, und er mußte Reinschriften von Rechenschaftsberichten anfertigen.

Mr. Carter leitete das Büro als ein Gentleman; mit Maschinschreiben wollte er nichts zu tun haben, und Kurzschrift betrachtete er mit Mißfallen; der Bürodiener beherrschte Kurzschrift, aber nur Mr. Goodworthy machte von dieser Befähigung Gebrauch. Bisweilen wurde Philip mit einem der erfahreneren Angestellten ausgeschickt, um die Rechnungen irgendeiner Firma zu überprüfen: er erfuhr, welche von den Kunden mit Respekt zu behandeln waren und welche in geringerem Ansehen standen. Hie und da mußte er lange Reihen von Zahlen zusammenzählen. Er hörte Vorlesungen für seine erste Prüfung. Mr. Goodworthy erklärte immer wieder, daß die Arbeit anfangs langweilig schiene, daß er sich aber an sie gewöhnen würde. Philip verließ das Büro um sechs und ging zu Fuß nach Hause. Dort erwartete ihn sein Abendessen, und dann setzte er sich mit einem Buche hin und las bis zum Schlafengehen. An Samstagnachmittagen ging er in die National-Galerie. Hayward hatte ihm einen aus den Schriften von Ruskin zusammengestellten Führer empfohlen, und, mit diesem in der Hand, schritt er von Saal zu Saal; er las aufmerksam, was der Kritiker über jedes Bild gesagt hatte, und bemühte sich gewissenhaft, die gleichen Dinge darin zu sehen. Sehr schwer fiel es ihm, mit seinen Sonntagen fertigzuwerden. Er kannte niemanden in London und verbrachte sie allein. Mr. Nixon, der Familienanwalt, hatte ihn einmal nach Hampstead eingeladen, und Philip hatte einen glücklichen Tag mit einer Schar von übermütigen Gästen verbracht; er aß und trank eine Menge, unternahm einen Spaziergang in die Heide und nahm beim Abschied eine allgemein gehaltene Einladung mit, wiederzukommen, wann er Lust habe; aber in seiner krankhaften Scheu, lästig zu fallen, wartete er auf eine formelle Einladung, die verständlicherweise niemals eintraf, denn bei ihrem großen Freundeskreis vergaßen die Nixons den einsamen, stillen Jungen, dessen Anspruch an ihre Gastfreundschaft gering war. So stand er denn sonntags spät auf und ging den Fluß entlang spazieren. In seiner Gegend war die Themse schlammig und schmutzig; sie hatte weder die Anmut, die ihr oberhalb der Schleusen zu eigen ist, noch die Romantik des dichtbefahrenen Stromes unterhalb der London Bridge. Nachmittags schlenderte er über die Vorstadtwiesen, und diese waren ebenfalls grau und schmutzig. An jedem Samstagabend ging er in ein Theater und stand eine Stunde oder noch länger vor dem Eingang zur Galerie. Es lohnte sich nicht, zwischen Museumsschluß und Abendessen, das in einem billigen Automatenrestaurant eingenommen wurde, nach Hause zu gehen, und die Zeit wurde ihm endlos lange. Er wanderte planlos durch die Straßen, und wenn er müde war, setzte er sich in den Park oder, bei feuchtem Wetter, in eine öffentliche Bibliothek. Er blickte neidisch auf die Leute, die vorübergingen, weil sie nicht allein waren und Freunde hatten, und manchmal verwandelte sich sein Neid in Haß. Er hätte es nie für möglich gehalten, daß man in einer großen Stadt so einsam sein konnte. Wenn er vor dem Theatereingang wartete, geschah es zuweilen, daß er von einem der Nebenstehenden angesprochen wurde; aber Philip hatte die Scheu des Landjungen vor Fremden und schnitt mit seinen Antworten jede weitere Annäherung ab. Wenn das Stück zu Ende war, eilte er, ohne eine Menschenseele, der er seine Eindrücke mitteilen konnte, nach Hause. Und trat er dann in sein Zimmer, in dem aus Sparsamkeitsgründen kein Feuer angezündet worden war, so wurde ihm schwer ums Herz. Es war entsetzlich trostlos. Er fing an, seine Behausung und die langen einsamen Abende, die er dort verbrachte, zu hassen. Manchmal fühlte er sich so verlassen, daß er nicht imstande war zu lesen, und dann saß er Stunde um Stunde vor dem Feuer und starrte in bitterem Kummer vor sich hin.

Er war nun schon drei Monate in London und hatte noch mit keinem Menschen außer seinen Bürokollegen gesprochen. Eines Abends lud ihn Watson in ein Restaurant zum Dinner ein, und nachher gingen sie miteinander in ein Varieté; aber Philip fühlte sich unbehaglich und befangen. Watson sprach die ganze Zeit von Dingen, die ihn nicht interessierten, und obgleich er Watson in seinem Innern für einen Philister ansah, konnte er doch nicht umhin, ihn zu bewundern. Er ärgerte sich, weil Watson offensichtlich keinen Wert auf Bildung legte, und empfand zum erstenmal das Demütigende der Armut. Sein Onkel sandte ihm vierzehn Pfund monatlich, und einen großen Teil davon hatte er für Kleidung ausgeben müssen. Sein Smoking hatte ihn fünf Pfund gekostet. Er wagte nicht, Watson einzugestehen, daß er am Strand gekauft war. Watson erklärte, es gäbe nur einen Schneider in London.

»Sie tanzen wohl nicht?« fragte Watson eines Tages, mit einem Blick auf Philips Klumpfuß.

»Nein«, erwiderte Philip.

»Schade. Man hat mich gebeten, Tänzer zu einem Ball mitzubringen. Ich hätte Ihnen ein paar nette Mädchen vorstellen können.«

Ein oder das andere Mal hatte Philip sich nicht entschließen können, nach Hause zu gehen, und war bis spät in der Nacht in der Stadt geblieben. Er war durch die Straßen des Westens gewandert, bis er zu einem Haus kam, in dem eine Gesellschaft gegeben wurde. Da stand er, inmitten eines Häufleins armseliger Menschen, hinter den Dienern und sah zu, wie die Gäste ankamen, und lauschte auf die Musik, die durch die Fenster drang. Manchmal trat trotz der Kälte ein Paar auf den Balkon hinaus und blieb einen Moment stehen, um frische Luft zu atmen; es mußte ein Liebespaar sein, meinte Philip, und schweren Herzens wandte er sich ab und hinkte davon. Niemals würde er an der Stelle jenes Mannes stehen können. Er hatte das Gefühl, daß es keine Frau gab, für die er nicht ein Gegenstand des Abscheus sein mußte, wegen seines Gebrechens.

Dies erinnerte ihn an Miss Wilkinson. Er dachte mit Unbehagen an sie. Ehe sie sich getrennt hatten, waren sie übereingekommen, sich postlagernd zu schreiben, und als er das erstemal am Schalter erschien, wurden ihm drei Briefe von ihr ausgehändigt. Sie schrieb auf blauem Papier mit violetter Tinte, und sie schrieb französisch. Philip fand, daß sie ebensogut hätte englisch schreiben können, und ihre leidenschaftlichen Beteuerungen ließen ihn kalt. Sie machte ihm Vorwürfe, daß er noch nichts von sich hatte hören lassen, und er führte in seiner Antwort zur Entschuldigung an, daß er sehr beschäftigt gewesen wäre. Er wußte nicht ganz, wie er seinen Brief anfangen sollte. Er konnte sich nicht überwinden, *Liebste* oder *Liebling* hinzuschreiben, und ebenso unmöglich schien es ihm, sie Emily zu nennen. Endlich entschloß er sich zu dem Wort *Liebe*. Es kam ihm merkwürdig und etwas dumm vor, wie es so allein dastand, aber er wollte es nun nicht mehr ändern. Es war sein erster Liebesbrief, und er konnte sich nicht verhehlen, daß er außerordentlich zahm war; er fühlte, daß er allerhand leidenschaftliche Dinge hätte sagen müssen – wie er jede Minute des Tages an sie dachte und wie er sich danach sehnte, ihre schönen Hände zu küssen, und wie er bei dem Gedanken an ihre roten Lippen zitterte –, aber eine unerklärliche Befangenheit hinderte ihn daran; und statt dessen erzählte er von seiner Wohnung und seinem Büro. Die Antwort kam postwendend, böse, verzweifelt, vorwurfsvoll: wie konnte er nur so kalt sein? Wußte er nicht, daß seine Briefe das Leben für sie bedeuteten? War er ihrer jetzt schon überdrüssig? Dann, als Philip ein paar Tage nicht antwortete, bombardierte ihn Miss Wilkinson mit Briefen. Sie könnte seine Lieblosigkeit nicht ertragen, sie wartete auf Post, aber niemals käme ein Brief von ihm, sie weinte sich Nacht für Nacht in den Schlaf, sie sähe so krank aus, daß es jedem auffiele: wenn er sie nicht liebte, warum sagte er es nicht? Sie fügte hinzu, daß sie ohne ihn nicht leben könnte und der einzige Ausweg Selbstmord wäre. Sie sagte ihm, er wäre teilnahmslos, egoistisch und undankbar. Sie schrieb französisch, und Philip wußte, daß sie diese Sprache benützte, um sich wichtig zu machen, aber er machte sich dennoch Sorgen. Er wollte sie nicht unglücklich machen. Nach einer kleinen Weile schrieb sie, daß sie die Trennung nicht mehr länger ertragen könnte; sie hätte sich entschlossen, über Weihnachten nach London zu kommen. Philip erwiderte, daß er über seine Weihnachtsferien leider schon verfügt und eine Einladung zu Freunden aufs Land angenommen hätte. Darauf antwortete sie, daß sie sich ihm nicht aufdrängen wollte, aber es wäre klar, daß er nicht den Wunsch hätte, mit ihr zusammen zu sein. Ihr Brief war rührend, und Philip vermeinte Tränenspuren auf dem Papier zu sehen. Er schrieb eine impulsive Antwort, in der er sie anflehte, doch auf alle Fälle zu kommen; nichtsdestoweniger fiel ihm eine Last von der Seele, als ihm im nächsten Brief mitgeteilt wurde, daß es unmöglich sein würde, sich freizumachen. Bald wurden ihm ihre Briefe zur Last: er schob es hinaus sie zu öffnen, denn er wußte, was sie enthielten: Vorwürfe und herzzerreißende Vorstellungen; er kam sich niederträchtig vor, wenn er diese Briefe las, und doch wußte er nicht, was er sich vorzuwerfen habe. Er schob seine Antworten von Tag zu Tag hinaus, bis wieder ein Brief kam, in dem Miss Wilkinson berichtete, daß sie einsam und krank und unglücklich sei.

»Oh, hätte ich doch nie etwas mit ihr zu tun gehabt«, stöhnte er.

Er bewunderte Watson, weil er so wunderbar mit derartigen Dingen fertigzuwerden verstand. Der junge Mann hatte eine Liebesbeziehung mit einem Mädchen angeknüpft, das bei reisenden Theatertruppen spielte, und seine Erzählungen über das Verhältnis hatten Philips neidvolle Bewunderung erregt. Aber nach einiger Zeit wandelten sich Watsons jugendliche Neigungen, und er beschrieb Philip den Bruch.

»Es hat keinen Sinn, so eine Sache unnötig aufzubauschen, und so sagte ich ihr denn rundheraus, daß ich genug von ihr hätte.«

»Hat sie daraufhin keine Szene gemacht?« fragte Philip.

»Ich habe ihr gesagt, sie soll solche Dinge bei mir lieber nicht probieren.«

»Hat sie geweint?«

»Sie hat damit angefangen, aber ich kann weinende Frauen nicht ausstehen und habe ihr daher gesagt, sie soll sich aus dem Staub machen.«

Philips Humor wurde im Laufe der Jahre beißender.

»Und hat sie sich aus dem Staub gemacht?« fragte er lächelnd.

»Was hätte sie sonst tun sollen?«

Inzwischen kamen die Weihnachtsferien heran. Mrs. Carey war den ganzen November hindurch krank gewesen, und der Doktor riet, daß sie um Weihnachten mit dem Vikar nach Cornwall gehen sollte, um wieder zu Kräften zu kommen. Das Ergebnis war, daß Philip keinen Ort hatte, wo er hinfahren konnte, und den Christtag allein in seiner Wohnung verbrachte. Unter Haywards Einfluß hatte er sich dazu bekehrt, das Feiern der großen Feste als vulgär und barbarisch anzusehen. Er beschloß, keine Notiz von Weihnachten zu nehmen. Aber als der Tag herankam, war ihm inmitten der allgemeinen Fröhlichkeit doch seltsam zumute. Er ging gegen Mittag in die Stadt hinein und aß bei *Gatti* ein Stück Truthahn und etwas Plumpudding; und da er nichts anderes zu tun hatte, ging er nachher in die Westminster-Abtei zum Nachmittagsgottesdienst. Die Straßen waren nahezu leer, und die Menschen, die vorübereilten, machten einen beschäftigten Eindruck. Sie schlenderten nicht, sondern gingen mit einem bestimmten Ziel, und fast keiner war allein. Philip schienen sie alle glücklich. Er fühlte sich so einsam wie noch nie in seinem Leben. Es war seine Absicht gewesen, den Tag irgendwie in den Straßen totzuschlagen und dann in einem Restaurant zu essen; aber der Anblick von fröhlichen Menschen, die plauderten, lachten und sich vergnügten, war ihm unerträglich; so kehrte er denn zurück in sein einsames kleines Zimmer und verbrachte den Abend mit einem Buch. Seine Niedergeschlagenheit war nahezu unerträglich.

Als er wieder ins Büro zurückkam, tat es ihm sehr weh, Watson über die Feiertage erzählen zu hören. Ein paar lustige Mädchen waren zu Besuch dagewesen, und nach dem Dinner hatte man den Tisch beiseite geschoben und getanzt.

»Ich bin erst um drei Uhr ins Bett gekommen, und wie, weiß ich bis heute nicht. Teufel, hatte ich einen sitzen!«

Endlich faßte sich Philip ein Herz und fragte:

»Wie stellt man es an, in London Leute kennenzulernen?«

Watson schaute ihn überrascht, belustigt und mit einer leisen Geringschätzung an.

»Das kann ich Ihnen wahrhaftig nicht sagen. Man kennt sie einfach. Wenn man auf Bälle geht, lernt man mehr kennen, als einem lieb ist.«

Philip haßte Watson, und doch hätte er alles darum gegeben, mit ihm zu tauschen. Das alte Gefühl, das er in der Schule gekannt hatte, kehrte wieder zurück; er versuchte, sich in die Haut des andern zu versetzen und sich auszumalen, wie das Leben für ihn aussehen würde, wenn er Watson wäre.

Gegen Jahresende gab es viel zu tun. Philip besuchte mit einem Angestellten namens Thompson verschiedene Firmen und hatte den ganzen Tag Posten auszurufen, die der andere kontrollierte; und manchmal mußte er seitenlange Zahlenreihen zusammenzählen. Er hatte nie einen guten Kopf für Zahlen gehabt und kam nur langsam mit seinen Rechnungen vorwärts. Thompson wurde sehr böse, wenn er einen Fehler entdeckte. Er war ein langer, hagerer Mann von vierzig Jahren mit gelbem Gesicht, schwarzen Haaren und einem zausigen Schnurrbart; er hatte hohle Wangen und tiefe Furchen zu beiden Seiten der Nase. Er faßte eine Abneigung gegen Philip, weil dieser Geld genug besaß, auf ein Diplom hinzuarbeiten. Er verhöhnte Philip, weil dieser eine bessere Ausbildung hatte, und er machte sich über dessen Aussprache lustig; er konnte ihm nicht verzeihen, daß er keinen Dialekt sprach, und wenn er sich mit ihm unterhielt, sprach er jeden Buchstaben absichtlich übertrieben deutlich aus. Anfangs beschränkte er sich auf eine gewisse Barschheit und Unfreundlichkeit, als er jedoch entdeckte, daß Philip keine Begabung für kaufmännische Fächer besaß, benützte er jede Gelegenheit, ihn zu demütigen; seine Angriffe waren plump und dumm, aber sie verletzten Philip, und er nahm zur Selbstverteidigung eine Haltung von Überlegenheit an, die ihm in Wirklichkeit fern lag.

»Ein Bad genommen, heute früh?« rief ihm Thompson entgegen, wenn er zu spät im Büro erschien, denn seine anfängliche Pünktlichkeit hatte nicht angehalten.

»Ja, Sie nicht?«

»Nein. Ich bin kein Gentleman; ich bade bloß einmal in der Woche, am Samstagabend.«

»Nun weiß ich, warum Sie montags noch unausstehlicher sind als sonst.«

»Wollen Sie die große Freundlichkeit haben, mir ein paar Posten zusammenzuzählen? Ich weiß, es ist viel verlangt von einem Gentleman, der Latein und Griechisch beherrscht.«

»Ihre Bemühungen, sarkastisch zu sein, sind nicht ganz glücklich.«

Aber Philip konnte sich nicht verhehlen, daß die anderen schlecht bezahlten und ungebildeten Angestellten viel verwendbarer waren als er selbst. Ein paarmal wurde Mr. Goodworthy ungeduldig mit ihm.

»Ich hätte wahrhaftig mehr von Ihnen erwartet«, sagte er. »Sie können ja weniger als unser Laufbursche.«

Philip hörte mürrisch zu. Er hatte es nicht gern, wenn er getadelt wurde, und er empfand es als demütigend, wenn Mr. Goodworthy mit seinen Reinschriften unzufrieden war und sie von anderen Angestellten anfertigen ließ. Anfangs war ihm die Arbeit erträglich gewesen, wegen ihrer Neuheit – nun aber wurde sie ihm zur Last, und er fing an, sie zu hassen. Oft vertrödelte er seine Zeit, indem er kleine Bildchen auf das Schreibpapier kritzelte, das vor ihm lag. Er zeichnete Watson in jeder erdenklichen Stellung, und Watson war von seinem Talent begeistert. Er nahm die Skizzen mit nach Hause und kam am nächsten Tag mit dem bewundernden Lob seiner Familie zurück.

»Ich verstehe eigentlich nicht, warum Sie nicht Maler geworden sind«, sagte er. »Es ist natürlich kein Geld damit zu verdienen.«

Zufällig ergab es sich, daß Mr. Carter ein paar Tage später bei den Watsons eingeladen war und daß ihm die Skizzen gezeigt wurden. Am nächsten Morgen ließ er Philip zu sich rufen. Philip bekam ihn nur selten zu Gesicht und hatte einen gewissen Respekt vor ihm.

»Hören Sie mal zu, junger Mann: es geht mich nichts an, was Sie außerhalb Ihrer Dienststunden tun, aber ich habe Skizzen gesehen, die Sie gemacht haben, und die sind auf Büropapier gezeichnet; und Mr. Goodworthy sagt mir, daß Sie keinen rechten Eifer an den Tag legen. Sie werden nichts erreichen in unserem Beruf, wenn Sie sich nicht zusammennehmen. Es ist ein schöner Beruf, und er wird von erstklassigen Männern ausgeübt, aber es ist ein Beruf, in dem man . . .«, er suchte nach einem passenden Ausdruck, konnte aber keinen finden und beendete den Satz ziemlich geistlos: »sich zusammennehmen muß.«

Vielleicht hätte sich Philip in seine Lage hineingefunden, wenn ihm in seinem Vertrag nicht zugesichert worden wäre, daß er nach einem Jahr austreten und die Hälfte seines Lehrgeldes zurückbekommen könnte, falls ihm die Arbeit nicht zusagte. Er hatte das Gefühl, für etwas Besseres geschaffen zu sein als für das Addieren von Zahlen, und besonders beschämend empfand er, daß er das, was ihm so verächtlich schien, so schlecht konnte. Die ordinären Szenen mit Thompson fielen ihm auf die Nerven. Im März beendete Watson sein Lehrjahr, und obzwar Philip ihn nicht gerade gern hatte, sah er ihn doch mit Bedauern ziehen. Die Tatsache, daß sie beide von den übrigen Angestellten scheel angesehen wurden, weil sie einer etwas höheren Gesellschaftsklasse angehörten, hatte ein gewisses Band zwischen ihnen geschaffen. Wenn Philip bedachte, daß er noch über vier Jahre in dieser trostlosen Gesellschaft zubringen sollte, sank ihm der Mut. Er hatte wunderbare Dinge von London erwartet, und es hatte ihm nichts gegeben. Er haßte es nun. Er kannte keine Menschenseele und wußte nicht, auf welche Weise man es anstellte, jemanden kennenzulernen. Er war es müde, immer allein zu sein. Allmählich wurde ihm zumute, als könnte er dieses Leben nicht länger ertragen. Wenn er nachts in seinem Bett lag, dachte er daran, wie schön es wäre, wenn er niemals mehr das dunkle Büro und die Angestellten dort sehen müßte und die düstere Wohnung verlassen könnte.

Im Frühjahr erlebte er eine große Enttäuschung. Hayward hatte die Absicht geäußert, während dieser Jahreszeit nach London zu kommen, und Philip hatte sich schon sehr auf das Wiedersehen mit ihm gefreut. Er hatte in der letzten Zeit viel gelesen und gedacht und war ganz beseligt über die Aussicht, sich mit jemandem aussprechen zu können. Aber zu seinem großen Kummer schrieb Hayward, das Frühjahr in Italien wäre schöner denn je, und er könnte es nicht über sich bringen, sich loszureißen. Ob Philip denn nicht auch kommen wollte? Es hätte doch keinen Sinn, seine Jugend in einem finsteren Bürozimmer zu vertrauern, da die Welt so schön sei. Der Brief lautete weiter:

*Ich wundere mich, daß Du es ertragen kannst. Wenn ich an Fleet Street und Lincoln's Inn denke, packt mich ein Schaudern. Es gibt bloß zwei Dinge auf der Welt, die das Leben begehrenswert machen: Liebe und Kunst. Ich kann mir Dich gar nicht vorstellen, in einem Büro über dicken Folianten sitzend. Trägst Du einen Zylinder und einen Regenschirm und eine große schwarze Aktentasche? Ich bin zu der Ansicht gelangt, daß man das Leben als Abenteuer auffassen muß – man muß in sich die heilige Flamme nähren, man muß wagen, sich der Gefahr zu stellen. Warum gehst Du nicht nach Paris und studierst Malerei? Ich habe immer gefunden, daß Du Talent hast.*

Durch diese Anregung nahmen gewisse Überlegungen, die Philip seit längerer Zeit schon vage beschäftigten, deutlichere Formen an. Anfangs erschreckten sie ihn, allmählich aber stahlen sie sich immer unabweisbarer in sein Denken ein, und bald fand er in dem ständigen Grübeln, wie sie zu verwirklichen wären, die einzige Zuflucht vor den Kümmernissen der Gegenwart. Allgemein fand man, daß er Talent hätte; in Heidelberg hatte man seine Aquarelle bewundert, Miss Wilkinson hatte ihm immer wieder erklärt, daß sie entzückend seien; selbst Fremde wie die Watsons waren überrascht über seine Skizzen. *La Vie de Bohème* hatte eine tiefen Eindruck auf ihn gemacht. Er hatte das Buch mit nach London genommen, und wenn er sehr unglücklich war, brauchte er nur ein paar Seiten zu lesen, um sich sofort in jene bezaubernden Dachkammern versetzt zu fühlen, wo Rodolphe und all die andern tanzten und liebten und sangen. Er begann, an Paris zu denken, wie er zuvor an London gedacht hatte; er sehnte sich nach Romantik und Schönheit und Liebe, und all das schien ihm in Paris vereinigt. Er hatte eine Leidenschaft für Bilder; sollte er nicht fähig sein, ebenso gut zu malen wie alle anderen? Er schrieb Miss Wilkinson und fragte sie, wieviel Geld er brauchen würde, um in Paris zu leben. Sie teilte ihm mit, daß er es mit achtzig Pfund im Jahr leicht schaffen müßte, und war begeistert von seinem

Plan. Sie schrieb ihm, daß er zu gut dafür wäre, um in einem Büro zu verkommen. Wer wollte schon ein Beamter sein, wenn er ein großer Künstler sein könnte? fragte sie dramatisch, und sie bat Philip flehentlich, an sich zu glauben: das wäre das Wesentliche. Aber Philip war von Natur aus vorsichtig. Hayward konnte leicht davon reden, man müßte Risikos auf sich nehmen, hatte er doch dreihundert Pfund jährlich in mündelsicheren Papieren zur Verfügung. Philips ganzes Vermögen betrug nicht mehr als eintausendachthundert Pfund. Er war unschlüssig.

Zufällig ergab sich, daß Mr. Goodworthy ihn eines Tages plötzlich fragte, ob er Lust hätte, mit nach Paris zu kommen. Die Firma hielt die Bücher eines Hotels im Faubourg St. Honoré in Ordnung, das einer englischen Gesellschaft gehörte, und zweimal im Jahr fuhr Mr. Goodworthy mit einem der Angestellten hinüber. Seine Wahl war diesmal auf Philip gefallen, weil er am entbehrlichsten war und als Diplomkandidat ein gewisses Anrecht auf die vergnüglicheren Seiten des Berufes hatte. Philip war glücklich.

»Sie werden den ganzen Tag arbeiten müssen«, sagte Mr. Goodworthy, »aber die Abende gehören uns, und Paris ist Paris.« Er lächelte vielsagend. »Man kennt uns gut im Hotel, und wir haben alle Mahlzeiten umsonst. Der ganze Spaß wird uns also nichts kosten.«

Als sie in Calais ankamen und Philip die gestikulierende Schar von Trägern sah, hüpfte sein Herz.

›Das ist das Wahre‹, sagte er zu sich selbst.

Er wandte kein Auge ab, während der Zug durch die Landschaft dahinbrauste; die Dünen begeisterten ihn, ihre Färbung schien ihm lieblicher als alles, was er bisher gesehen hatte; und er war entzückt über die Kanäle und die langen Pappelreihen. Als er mit Mr. Goodworthy den Bahnhof verließ und in einer wackligen Droschke über die gepflasterten Straßen dahinholperte, war ihm zumute, als atme er eine neue und dermaßen berauschende Luft, daß er sich kaum zurückhalten konnte, laut aufzujubeln. Am Hoteleingang wurden sie von dem Direktor empfangen, einem dicken, freundlichen Mann, der ein annehmbares Englisch sprach; Mr. Goodworthy war ein alter Bekannter, und der Direktor begrüßte ihn mit überströmender Herzlichkeit; nachher aßen sie in seinem Privatzimmer mit ihm und seiner Frau zu Abend, und Philip war es, als hätte er nie etwas so Köstliches gegessen wie das *Beefsteak aux pommes* oder solchen Nektar getrunken wie den *vin ordinaire*, der ihnen vorgesetzt wurde.

Für Mr. Goodworthy, einen ehrbaren Familienvater mit ausgezeichneten Grundsätzen, war Frankreichs Hauptstadt ein fröhlich-obszönes Paradies. Er fragte den Direktor gleich am nächsten Morgen, was es an ›Gepfeffertem‹ zu sehen gäbe. Diese Parisreisen waren ihm ein Labsal; sie verhinderten, daß man einrostete, pflegte er zu sagen. Abends, wenn die Arbeit beendet war und man diniert hatte, nahm er Philip mit ins *Moulin Rouge* oder in die *Folies Bergères*. Er zwinkerte mit seinen kleinen Augen, und auf seinem Gesicht war ein verschmitztes, sinnliches Lächeln, während er Ausschau hielt nach Sensationen. Es war ein vulgäres Paris, das er Philip zeigte, aber Philip sah es mit den Augen der Illusion. Früh am Morgen stürzte er aus dem Hotel und ging die Champs-Élysées bis zur Place de la Concorde. Es war Juni, und Paris schimmerte in einem Silberhauch, so zart war die Luft. Philips Herz schlug den Menschen entgegen. Hier, endlich, gab es Romantik.

Sie blieben eine Woche und fuhren am Sonntag wieder ab. Und als Philip am Abend in seiner trübseligen Behausung ankam, war sein Entschluß gefaßt: er wollte seine Arbeit in London aufgeben und nach Paris gehen, um Malerei zu studieren. Aber um nicht für leichtsinnig gehalten zu werden, beschloß er, bis zum Ende des Jahres in seinem Büro auszuharren. Sein Urlaub war auf die letzten vierzehn Tage des Augusts angesetzt, und er nahm sich vor, Mr. Carter vor seiner Abreise mitzuteilen, daß er nicht zurückzukehren gedenke. Aber wenn er sich auch zwingen konnte, jeden Tag im Büro zu erscheinen, war er nun nicht mehr imstande, auch nur das geringste Interesse für seine Arbeit aufzubringen. Seine Gedanken waren mit der Zukunft beschäftigt. Nach Mitte Juli gab es nicht mehr viel zu tun, und er blieb häufig aus, unter dem Vorwand, irgendeine Vorlesung für seine Prüfung besuchen zu müssen. Die Zeit, die er auf diese Weise gewann, verbrachte er in der Nationalgalerie. Er las Bücher über Paris und Bücher über Malerei. Er versenkte sich tief in Ruskin. Er las viele von den Malerbiographien Vasaris. Ihm gefiel, was von Correggio erzählt wurde, und im Geiste sah er sich selbst vor irgendeinem großen Meisterwerk stehen und ausrufen: *Anch'io son' pittore*. Seine Unsicherheit verließ ihn, und allmählich setzte sich die Überzeugung in ihm fest, daß er das Zeug zu einem großen Maler in sich habe.

›Warum sollte ich es nicht versuchen?‹ sagte er zu sich selbst. ›Das Wesentliche im Leben ist, Risikos auf sich zu nehmen.‹

Schließlich wurde es Mitte August. Mr. Carter war für ein Monat nach Schottland gefahren, und der geschäftsführende Angestellte hatte viel zu tun. Mr. Goodworthy war seit der Parisreise sehr freundlich zu Philip gewesen, und jetzt, da Philip wußte, daß er sehr bald frei sein würde, hielt er den komischen kleinen Mann für erträglich.

»Sie gehen morgen auf Urlaub, Carey?« sagte er am Abend zu ihm.

Den ganzen Tag über hatte sich Philip gesagt, daß er zum letztenmal in dem verhaßten Büro säße.

»Ja. Ein Jahr ist vorbei.«

»Ich fürchte, Sie haben sich nicht sonderlich bewährt. Mr. Carter ist sehr unzufrieden mit Ihnen.«

»Lange nicht so unzufrieden wie ich mit Mr. Carter«, erwiderte Philip heiter.

»Ich glaube, so sollten Sie nicht sprechen, Carey.«

»Ich komme nicht zurück. Ich habe mit Mr. Carter das Übereinkommen getroffen, daß er mir die Hälfte des Lehrgeldes zurückgibt, wenn mir dieser Beruf nicht zusagt, und ich nach einem Jahr aufhören kann.«

»Sie sollen sich nicht voreilig entscheiden.«

»Seit zehn Monaten ekelt mich das alles an; die Arbeit ekelt mich an, das Büro ekelt mich an, London ekelt mich an. Ich würde lieber Straßen kehren als mein Leben hier verbringen.«

»Nun gut, ich muß schon sagen, ich halte Sie für unseren Beruf nicht für sonderlich geeignet.«

»Leben Sie wohl«, sagte Philip und streckte ihm seine Hand hin. »Ich danke Ihnen für Ihre Freundlichkeit. Es tut mir leid, wenn ich lästig gefallen bin. Ich habe fast von Anfang an gewußt, daß ich mich hiefür nicht eigne.«

»Schön, wenn Sie sich wirklich entschieden haben, dann leben Sie wohl. Ich weiß nicht, was Sie nun in Angriff nehmen werden, aber wenn Sie irgendwann in der Nähe sind, besuchen Sie uns doch.«

Philip lachte kurz auf.

»Ich fürchte, es klingt sehr unhöflich, aber ich hoffe aus tiefstem Herzen, daß ich keinen von ihnen je wieder zu Gesicht bekommen werde.«


Der Vikar von Blackstable wollte nichts von dem neuen Plan wissen. Wie alle schwachen Menschen legte er übertriebenen Wert darauf, an einem einmal gefaßten Entschluß festzuhalten.

»Du hast dich aus freiem Willen entschlossen, Bücherrevisor zu werden«, sagte er zu Philip.

»Das stimmt; aber nur, weil ich sonst keine Möglichkeit sah, in die Stadt zu kommen. Ich hasse London, ich hasse die Arbeit, und nichts kann mich bewegen, zurückzukehren.«

Mr. und Mrs. Carey waren unverhohlen schockiert über Philips Absicht, Maler zu werden. Er sollte nicht vergessen, daß seine Eltern Leute von Stand gewesen waren, und Maler war kein ernstzunehmender Beruf; er war unbürgerlich und unmoralisch; und dann Paris!

»Solange ich ein Wort mitzureden habe, werde ich nicht erlauben, daß du nach Paris gehst«, sagte der Vikar fest. »Du bist als Gentleman und als Christ erzogen worden, und es hieße, das in mich gesetzte

Vertrauen mißbrauchen, wenn ich dir gestatte, dich derartigen Versuchungen auszusetzen.«

»Nun, ich bin kein Christ, das weiß ich. Und ob man mich einen Gentleman nennen kann, fange ich an zu bezweifeln.«

Der Streit wurde heftiger. Es dauerte noch ein Jahr, ehe Philip die Verfügung über seine kleine Erbschaft erlangte, und Mr. Carey erklärte, daß er keinen Penny bekommen sollte, wenn er nicht in Mr. Carters Büro bliebe.

»Das kannst du halten, wie du willst. Ich bin fest entschlossen, nach Paris zu gehen. Und wenn mir nichts anderes übrigbleibt, werde ich eben verkaufen, was ich besitze, meine Kleider, meine Bücher und den Schmuck, den ich von meinem Vater geerbt habe.«

Tante Louisa saß schweigend, ängstlich und unglücklich daneben, sie sah, daß Philip außer sich war und daß jedes Wort von ihrer Seite seinen Zorn nur noch steigern würde. Endlich erklärte der Vikar, daß er nichts mehr über die Sache hören wollte, und verließ würdevoll das Zimmer. Die nächsten drei Tage sprachen er und Philip kein Wort miteinander. Philip schrieb an Hayward, um verschiedene Erkundigungen über Paris einzuholen, und beschloß, gleich nach Erhalt der Antwort zu reisen. Mrs. Carey grübelte unausgesetzt über die Angelegenheit nach; sie fühlte, daß Philip sie in den Haß, den er dem Vikar gegenüber empfand, mit einbezog, und dieser Gedanke quälte sie. Sie liebte Philip von ganzem Herzen. Endlich entschloß sie sich, mit ihm zu reden; sie hörte ihm aufmerksam zu, während er seine Enttäuschung über London und all seine ehrgeizigen Zukunftsträume vor ihr ausbreitete.

»Es mag ja sein, daß ich nichts tauge, aber man soll es mich doch wenigstens versuchen lassen. Noch mehr fehl am Platz als in diesem widerwärtigen Büro in London werde ich nirgends sein. Und ich fühle es in mir, daß ich malen *kann*. So etwas weiß man.«

Sie war nicht so überzeugt wie ihr Mann, daß es richtig wäre, eine so starke Neigung zu unterdrücken. Sie hatte über große Maler gelesen, deren Eltern sich ihrem Wunsch zu lernen widersetzt hatten; mit welchem Resultat, hatte sich gezeigt; und warum sollte es schließlich für einen Maler nicht ebenso möglich sein, ein tugendhaftes Leben zur Ehre Gottes zu führen, wie für einen geprüften Bücherrevisor?

»Ich fürchte mich so davor, daß du nach Paris gehst«, sagte sie kläglich. »Es wäre lange nicht so schlimm, wenn du in London studieren wolltest.«

»Wenn ich ernsthaft malen lernen will, muß ich es gründlich tun. Und das kann man nur in Paris.«

Auf seine Anregung hin schrieb Mrs. Carey an den Familienanwalt, daß Philip mit seiner Arbeit in London unzufrieden sei, und bat ihn um seinen Rat. Mr. Nixons Antwort lautete folgendermaßen:

*Liebe Mrs. Carey,*
*Ich habe Mr. Carter besucht und muß Ihnen leider mitteilen, daß*
*man mit Philip nicht so zufrieden war, wie es zu wünschen gewesen*
*wäre. Wenn er eine ausgesprochene Abneigung gegen die Arbeit hat,*
*dann ist es vielleicht ratsam, daß er von seinem Vertragsrecht Ge-*
*brauch macht und seine Tätigkeit nach diesem ersten Jahr abbricht.*
*Ich bin natürlich enttäuscht, aber Sie wissen, man kann ein Roß wohl*
*zur Tränke führen, nicht aber es zwingen zu trinken.*

*Ihr sehr ergebener*
*Albert Nixon*

Der Brief wurde dem Vikar gezeigt, diente aber bloß dazu, seine
Halsstarrigkeit zu versteifen. Er hatte nichts dagegen, daß Philip irgendeine andere Laufbahn ergriff, und schlug zum Beispiel den Beruf seines Vaters vor, aber nichts konnte ihn bewegen, Philip seinen
Monatswechsel auszuzahlen, wenn er nach Paris ginge.

»Das ist ja bloß ein Vorwand, um sich ungestört zu amüsieren und
gehenzulassen.«

Aber inzwischen war Antwort von Hayward eingetroffen, der
Philip ein Hotel nannte, in dem er für dreißig Francs monatlich
ein Zimmer bekommen konnte; außerdem lag ein Empfehlungsbrief
an eine Zeichenschule bei. Philip las den Brief Mrs. Carey vor und
kündigte ihr seinen Entschluß an, am 1. September abzureisen.

»Aber hast du denn Geld?« fragte sie ihn.

»Ich werde heute nach Tercanbury fahren und meinen Schmuck verkaufen.«

Er hatte von seinem Vater eine goldene Uhr samt Kette, zwei oder
drei Ringe, ein Paar Manschettenknöpfe und zwei Krawattennadeln
geerbt. Eine davon war mit Perlen besetzt und konnte ihm eine beträchtliche Summe einbringen.

»Das sind zwei sehr verschiedene Dinge: was eine Sache wert ist
und was man für sie bekommt«, sagte Tante Louisa.

Philip lächelte, denn das war eine der Lieblingssentenzen seines
Onkels. »Ich weiß, aber im ungünstigsten Fall werde ich hundert Pfund
für das Ganze bekommen, und damit kann ich leben, bis ich einundzwanzig bin.«

Mrs. Carey antwortete nicht, sondern ging hinauf in ihr Zimmer,
setzte ihr kleines schwarzes Hütchen auf und begab sich zur Bank.
Nach einer Stunde kam sie zurück. Sie trat zu Philip hin, der im
Salon saß und las, und überreichte ihm ein Kuvert.

»Was ist das?« fragte er.

»Ein kleines Geschenk für dich«, lächelte sie schüchtern.

Er öffnete es und fand elf Fünf-Pfund-Noten und ein kleines,
prall mit Goldstücken angefülltes Papiersäckchen.

»Ich wollte nicht, daß du den Schmuck deines Vaters verkaufst. Dieses Geld hatte ich in der Bank liegen. Es sind nahezu hundert Pfund.«

Philip errötete, und unversehens standen ihm die Augen voll Tränen.

»Ach, meine Liebe, das kann ich doch nicht annehmen«, sagte er. »Es ist schrecklich gut von dir, aber es geht wirklich nicht.«

Als Mrs. Carey geheiratet hatte, hatte sie dreihundert Pfund besessen, und dieses sorgsam gehütete Geld hatte sie dazu verwendet, verschiedene unvorhergesehene Ausgaben zu bestreiten, die sich als dringend nötig erwiesen, oder Weihnachts- und Geburtstagsgeschenke für ihren Mann und Philip zu besorgen. Im Laufe der Jahre war dieses kleine Vermögen traurig zusammengeschmolzen, bildete aber immer noch einen Gegenstand des Scherzes für den Vikar. Er sprach gerne von seiner ›reichen Frau‹ und machte ständig Anspielungen auf die ›verborgenen Schätze‹.

»Oh, bitte, nimm es, Philip, du machst mich glücklich damit. Es tut mir so leid, daß ich nicht sparsamer gewesen bin.«

»Aber du wirst das Geld doch brauchen«, sagte Philip.

»Nein, das glaube ich nicht. Ich habe es mir aufgehoben für den Fall, daß dein Onkel vor mir sterben sollte. Ich wollte ein bißchen eigenes Geld haben, an das ich jederzeit heran kann. Aber ich glaube nicht, daß ich noch sehr lange leben werde.«

»Oh, sag das nicht. Du wirst ewig leben. Ich kann dich unmöglich entbehren.«

»Ach, ich bin nicht traurig.« Ihre Stimme wurde unsicher, und sie verbarg ihre Augen, aber gleich darauf trocknete sie sie wieder und lächelte tapfer. »Früher betete ich immer, der liebe Gott möge mich nicht als erste abberufen, weil ich nicht wollte, daß dein Onkel allein zurückbleiben sollte. Ich wollte nicht, daß er den Kummer tragen sollte. Aber jetzt weiß ich, daß es ihm nicht so viel ausmachen würde wie mir. Er lebt lieber als ich; ich war nie die Frau, die er gebraucht hätte, und wenn ich gehe, heiratet er vielleicht auch noch eine andere. Deshalb wünsche ich mir, als erste zu sterben. Findest du das egoistisch von mir? Ich könnte es nicht ertragen, ihn zu verlieren.«

Philip küßte ihre magere, runzelige Wange. Er wußte nicht, warum er angesichts dieser grenzenlosen Liebe ein seltsames Gefühl von Scham empfand. Wie war es möglich, daß man so innig an diesem gleichgültigen, egoistischen, nur auf das eigene Wohlbefinden bedachten Mann hängen konnte? Er vermutete, daß ihr seine Gleichgültigkeit und Selbstsucht nicht entgingen, aber daß sie ihn trotzdem demütig liebte.

»Nimm das Geld, Philip«, sagte Mrs. Carey und streichelte sanft seine Hand. »Ich weiß, du könntest es ebensogut entbehren. Aber laß mir die Freude, dir ein wenig helfen zu dürfen. Du weißt, ich habe niemals ein eigenes Kind gehabt, und ich habe dich geliebt wie einen Sohn. Als du ein kleiner Junge gewesen bist, habe ich – obwohl ich wußte, daß es böse war – beinahe gewünscht, du solltest krank werden, damit ich dich Tag und Nacht hätte pflegen können. Aber du bist nur ein einziges Mal krank gewesen, und damals warst du bereits in der Schule. Ich möchte dir so gern helfen. Es ist die einzige Gelegenheit, die ich je haben werde. Und vielleicht wirst du mich, wenn du ein großer Künstler sein wirst, nicht vergessen, sondern dich daran erinnern, daß ich dir auf den Weg geholfen habe.«

»Du bist sehr gut zu mir«, sagte Philip. »Ich bin dir unendlich dankbar.«

Ein Lächeln verklärte ihre müden Augen, ein Lächeln reinen Glücks. »Oh, ich bin so froh.«


Ein paar Tage später brachte Mrs. Carey Philip an die Bahn. Sie stand an der Waggontür und kämpfte mit den Tränen. Philip war nervös und ungeduldig. Er brannte darauf wegzukommen.

»Gib mir noch einen Kuß«, sagte sie.

Er lehnte sich zum Fenster hinaus und küßte sie. Der Zug setzte sich in Bewegung, und sie stand auf dem hölzernen Bahnsteig der kleinen Station und winkte mit dem Taschentuch, bis der letzte Wagen in der Ferne entschwunden war. Das Herz war ihr furchtbar schwer, und die paar hundert Schritte bis zum Pfarrhaus schienen ihr endlos. Es war nur natürlich, daß er begierig darauf war wegzugehen, dachte sie, er war ein Junge, und die Zukunft gehörte ihm; aber sie – sie biß die Zähne zusammen, um nicht zu weinen. Sie betete stumm, Gott möge ihn beschützen, ihn vor Versuchungen bewahren und ihm eine glückliche Zukunft gewähren.

Aber Philip hörte sofort, nachdem er sich in seiner Coupé-Ecke zurechtgesetzt hatte, auf, an sie zu denken. Er dachte nunmehr an die Zukunft. Er hatte an Mrs. Otter geschrieben, die *massière*, an die er durch Hayward empfohlen worden war, und trug eine Einladung zum Tee für den folgenden Tag in der Tasche. Als er in Paris ankam, ließ er sein Gepäck auf eine Droschke aufladen und fuhr langsam durch die belebten Straßen, über die Brücke und durch die schmalen Gäßchen des Quartier Latin. Er hatte ein Zimmer im *Hôtel des Deux Écoles* in einer schäbigen Seitenstraße des Boulevard du Montparnasse gemietet; es lag in bequemer Nähe der Schule Armitrano, an der er zu arbeiten gedachte. Ein Hausdiener trug seinen Koffer hinauf, und Philip wurde in ein winziges Zimmer geführt, in dem es muffig roch; ein riesiges Holzbett mit einem Baldachin aus rotem Rips füllte den Raum beinahe aus; an den Fenstern hingen schwere Vorhänge aus dem gleichen, schmierigen Stoff, die Kommode diente auch als Waschtisch, und dann stand noch ein massiver Schrank da aus der Zeit des guten Königs Louis Philippe. Die Tapete war alt und verblichen; sie war dunkelgrau, mit vage sichtbaren Girlanden von braunen Blättern. Philip fand das Zimmer altväterisch und reizend.

Trotz der späten Stunde war er viel zu aufgeregt, um zu schlafen, und ging auf die Straße bis zum Boulevard, und dann weiter, dem Licht entgegen. So gelangte er zum Bahnhof, und der viereckige Platz davor, mit seinen grellen Bogenlampen und dem lärmenden Durcheinander der gelben Straßenbahnwagen, entzückte ihn dermaßen, daß er am liebsten laut hinausgelacht hätte vor Freude. Ringsumher waren Cafés, und begierig, sich die Menge näher zu besehen, nahm Philip auf gut Glück an einem kleinen Tisch vor dem *Café de Versailles* Platz; alle anderen Tische waren besetzt, denn es war ein schöner Abend, und Philip betrachtete neugierig die Leute, hier kleine Familiengruppen, dort eine Gesellschaft von Männern mit kühn geschwungenen Hüten und rauhen Bärten, die sich laut und gestikulierend unterhielten; neben ihm saßen zwei Männer, die wie Maler aussahen, mit Frauen, von denen Philip hoffte, daß sie nicht ihre angetrauten Gattinnen wären; hinter sich hörte er Amerikaner laut über Kunst diskutieren. Seine Seele jubelte. Er blieb sehr lange sitzen, todmüde, aber zu glücklich, um sich zu rühren, und als er endlich zu Bett ging, war er vollkommen wach; er horchte auf die tausendfachen Geräusche von Paris.

Am nächsten Tag, zur Teestunde, begab er sich in die Gegend des Lion de Belfort, und in einer neuen Seitenstraße, die vom Boulevard Raspail abbog, fand er Mrs. Otter. Sie war eine nichtssagende Frau von dreißig Jahren mit provinzlerischem Aussehen und betont damenhaftem Benehmen; sie stellte ihn ihrer Mutter vor. Er erfuhr alsbald, daß sie seit Jahren in Paris studierte, und ein wenig später, daß sie von ihrem Mann getrennt war. In ihrem kleinen Salon hatte sie ein paar Porträts hängen, die sie gemalt hatte, und Philips unerfahrenem Auge erschienen sie außerordentlich vollendet.

»Ob ich es jemals so weit bringen werde?« seufzte er.

»Ach, das will ich doch hoffen«, antwortete sie nicht ohne Selbstzufriedenheit. »Es braucht natürlich seine Zeit.«

Sie war sehr freundlich und gab ihm die Adresse eines Ladens, in dem er Mappe, Zeichenpapier und Kohle kaufen konnte.

»Ich werde morgen gegen neun Uhr in der Schule sein und werde sehen, daß Sie einen guten Platz bekommen.«

Dann fragte sie ihn, was er eigentlich zu arbeiten gedächte, und Philip hatte die Empfindung, er dürfe sie nicht merken lassen, wie unklar ihm in dieser Richtung alles noch war.

»Zuerst möchte ich einmal zeichnen lernen«, sagte er.

»Das freut mich zu hören. Die meisten Leute möchten immer gleich alles machen. Ich habe zwei volle Jahre keine Ölfarbe angerührt, und das Resultat sehen Sie ja.«

Sie warf einen Blick auf das Porträt ihrer Mutter, ein klebriges Stück Malerei, das über dem Klavier hing.

»Und an Ihrer Stelle wäre ich sehr behutsam mit den Bekanntschaften, die ich schließe. Unter keinen Umständen mit Ausländern verkehren. In dieser Hinsicht kann man gar nicht vorsichtig genug sein.«

»Wir leben genauso, als wären wir in England«, sagte Mrs. Otters Mutter, die bis dahin wenig gesprochen hatte. »Als wir hierhergekommen sind, haben wir unsere eigenen Möbel mit herüber genommen.«

Philip sah sich im Zimmer um. Es war angefüllt mit einer massiven Einrichtung, und vor dem Fenster hingen die gleichen weißen Spitzenvorhänge, die Tante Louisa während des Sommers im Pfarrhaus aufmachte. Mrs. Otter folgte seinem Blick.

»Abends, wenn wir die Fensterläden schließen, könnte man wirklich meinen, man wäre in England.«

Nach seinem Besuch bei Mrs. Otter ging Philip Zeichenmaterial kaufen, und am nächsten Morgen, Punkt neun Uhr, stellte er sich, bemüht, unbefangen zu erscheinen, in der Schule ein. Mrs. Otter war schon da und kam ihm mit einem freundschaftlichen Lächeln entgegen. Er war ein wenig besorgt gewesen in bezug auf den Empfang, der ihm bevorstand, denn er hatte viel über die derben Späße gelesen, welche die ›Neuen‹ in manchen Ateliers über sich ergehen lassen mußten; aber Mrs. Otter hatte ihn beruhigt.

»So etwas gibt es bei uns nicht«, hatte sie gesagt. »Über die Hälfte der Schüler sind Damen, und die sorgen schon für den guten Ton.«

Das Atelier war groß und kahl, mit grauen Wänden, an denen mit Reißnägeln ein paar besonders gelungene Arbeiten befestigt waren. Auf einem Stuhl saß ein Modell, mit einem losen Umhang über den Schultern, und ungefähr ein Dutzend Männer und Frauen standen umher, einige sprechend, andere noch an ihren Skizzen arbeitend. Es war die erste Ruhepause des Modells.

»Suchen Sie sich für den Anfang nichts zu Schweres aus«, sagte Mrs. Otter. »Stellen Sie Ihre Staffelei hierher. Sie werden sehen, daß das die leichteste Pose ist.«

Philip schob eine Staffelei an die bezeichnete Stelle, und Mrs. Otter stellte ihm eine junge Person vor, die neben ihm saß.

»Mr. Carey – Miss Price. Mr. Carey hat noch nie gezeichnet. Sie werden vielleicht die Güte haben, ihm anfangs ein wenig behilflich zu sein, ja?« Dann wandte sie sich dem Modell zu: »*La pose.*«

Die Frau warf die Zeitung beiseite, die sie gelesen hatte, *La Petite République,* ließ ihren Umhang fallen und stieg mißmutig auf das Podium. Sie stand da, fest auf beiden Beinen, die Hände hinter dem Kopf verschränkt.

»So eine dumme Pose«, sagte Miss Price. »Ich verstehe nicht, warum man gerade *die* ausgewählt hat.«

Als Philip eingetreten war, hatten die Leute im Atelier neugierig nach ihm hingesehen, und das Modell hatte ihn mit einem gleichgültigen Blick gestreift. Nun aber hörte man auf, ihn zu beobachten. Philip, vor sich seinen schönen, weißen Zeichenbogen, starrte hilflos auf das Modell. Er wußte nicht, wie er anfangen sollte. Er hatte noch nie eine nackte Frau gesehen. Sie war nicht mehr jung, und ihre Brüste waren welk. Sie hatte farbloses helles Haar, das ihr unordentlich über die Stirn fiel, und ihr Gesicht war mit großen Sommersprossen übersät. Er schielte nach Miss Prices Zeichnung hinüber. Es sah aus, als käme sie nicht zurecht damit. Das Papier war ganz verschmiert vom ständigen Radieren, und die Gestalt schien Philip seltsam verzerrt.

›So gut müßte ich es eigentlich auch können‹, sagte er zu sich selbst.

Er fing beim Kopf an und wollte dann langsam hinuntergehen, aber, ihm unbegreiflich, bereitete es ihm weit größere Schwierigkeiten, nach einem Modell zu zeichnen als nach der Phantasie. Er wußte nicht weiter und schaute abermals zu Miss Price hinüber. Sie arbeitete mit glühendem Ernst. Ihre Stirn war gerunzelt vor Eifer, und ihre Augen hatten einen gehetzten Blick. Im Atelier war es sehr heiß, und auf ihrer Stirn standen Schweißperlen. Sie war ein Mädchen von sechsundzwanzig Jahren, mit dichtem mattblondem Haar; es war schön, aber ohne jegliche Sorgfalt frisiert, straff aus der Stirn gezogen und hinten in einem eiligen Knoten zusammengesteckt. Sie hatte ein großes Gesicht mit breiten, flachen Zügen und kleinen Augen; ihre Haut war ungepflegt, mit einem eigentümlich ungesunden Ton, und ihre Wangen hatten keine Farbe. Sie sah ungewaschen aus, und man fragte sich unwillkürlich, ob sie vielleicht in ihren Kleidern schlafe. Sie war ernst und still. Als die nächste Pause herankam, trat sie zurück und betrachtete die Arbeit.

»Ich weiß nicht, was ich falsch gemacht habe«, sagte sie. »Aber es *muß* werden.« Sie wandte sich Philip zu. »Und wie kommen *Sie* vorwärts?«

»Gar nicht«, antwortete er mit einem kläglichen Lächeln.

Sie sah sich an, was er bisher gemacht hatte.

»So dürfen Sie es nicht anpacken. Zuerst müssen Sie messen. Und dann müssen Sie Ihr Blatt einteilen.«

Sie zeigte ihm rasch, wie sie es meinte. Philip bewunderte ihren

Ernst und fühlte sich zugleich abgestoßen von ihrem Mangel an Charme. Dankbar für die Ratschläge, die sie ihm gegeben hatte, machte er sich alsbald wieder an die Arbeit. Inzwischen waren neue Leute angekommen, nun hauptsächlich Männer, und das Atelier wurde ziemlich voll. Unter den Eingetretenen war ein junger Mann mit spärlichem schwarzem Haar, riesiger Nase und einem Gesicht, das so lang war, daß man an ein Pferd erinnert wurde. Er setzte sich neben Philip und nickte Miss Price zu.

»Sie kommen sehr spät«, sagte sie. »Sind Sie eben erst aufgestanden?«

»Es war so herrliches Wetter; da wollte ich noch ein bißchen im Bett liegenbleiben und mir ausmalen, wie schön es draußen sein müßte.«

Philip lächelte, aber Miss Price nahm die Bemerkung ernst.

»Warum sind Sie dann nicht aufgestanden und spazierengegangen?«

»Der Humorist hat es nicht leicht im Leben«, sagte der junge Mann, ohne eine Miene zu verziehen.

Er schien keine rechte Lust zum Arbeiten zu haben. Prüfend betrachtete er seine Leinwand; er malte in Öl und hatte zuvor das Modell skizziert. Er wandte sich Philip zu.

»Sind Sie eben erst von England herübergekommen?«

»Ja.«

»Wie haben Sie die Schule Armitrano ausfindig gemacht?«

»Es war die einzige, die man mir empfohlen hatte.«

»Ich hoffe, Sie machen sich keine Illusionen, hier auch nur das Geringste zu lernen, womit Sie etwas anfangen können.«

»Es ist die beste Schule in Paris«, sagte Miss Price. »Die einzige, an der die Kunst ernst genommen wird.«

»Soll denn die Kunst ernst genommen werden?« fragte der junge Mann, und da Miss Price bloß mit einem spöttischen Achselzucken antwortete, fügte er hinzu: »Alle Schulen sind schlecht. Sie sind rettungslos akademisch. Diese ist vielleicht weniger schädlich als die anderen, weil die Lehrer untüchtiger sind; weil man einfach überhaupt nichts lernt.«

»Ja, aber warum kommen Sie dann her?« unterbrach ihn Philip.

»Ich sehe den richtigen Weg, aber ich gehe ihn nicht. Wir Menschen sind nun einmal so, nicht wahr, Miss Price?«

»Darf ich Sie bitten, mich gefälligst aus dem Spiel zu lassen«, fuhr Miss Price ihn schroff an.

»Die einzige Art, malen zu lernen«, fuhr er unerschüttert fort, »ist, sich ein Atelier zu mieten, ein Modell zu nehmen und die Sache allein auszukämpfen.«

»Das kann man doch leicht tun«, sagte Philip.

»Man braucht bloß Geld dazu«, entgegnete Clutton.

Er fing an zu malen, und Philip betrachtete ihn aus den Augenwinkeln. Er war lang und entsetzlich mager; seine riesigen Knochen stachen förmlich aus seinem Körper hervor; seine Ellbogen waren so spitz, daß man meinte, sie müßten die Ärmel seines schäbigen Rockes durchbohren. Seine Hosen waren ausgefranst, und jeder seiner Stiefel trug einen plumpen Flicken. Miss Price stand auf und ging zu Philip hinüber. »Wenn Mr. Clutton einen Augenblick den Mund halten will, werde ich Ihnen ein wenig helfen.«

»Miss Price mag mich nicht, weil ich Humor habe«, sagte Clutton und blickte nachdenklich auf seine Leinwand, »aber sie verabscheut mich geradezu, weil ich genial bin.«

Er sprach mit ernster Miene, und seine kolossale, unförmige Nase machte, was er sagte, sehr komisch. Philip mußte lachen, aber Miss Price wurde dunkelrot vor Ärger.

»Sie sind der einzige Mensch, der Sie genial findet.«

»Und auch der einzige, an dessen Meinung mir etwas liegt.«

Miss Price fing an, Philips Zeichnung zu kritisieren. Sie sprach geläufig von Anatomie und Aufbau, Flächen und Linien und vielem anderen, was Philip nicht verstand. Sie war seit langer Zeit in der Schule und kannte genau die Einzelheiten, auf welche die Lehrer Wert legten, aber obzwar sie Philip zeigen konnte, was an seiner Arbeit falsch war, war sie nicht imstande, ihm zu sagen, wie er es korrigieren sollte.

»Es ist furchtbar freundlich von Ihnen, sich so viel Mühe zu geben«, sagte Philip.

»Aber das ist doch selbstverständlich«, antwortete sie, verlegen errötend. »Mir hat man auch geholfen, als ich hierherkam. Das würde ich für jeden tun.«

»Miss Price will Ihnen damit zu verstehen geben, daß sie Ihnen aus einem gewissen Pflichtgefühl behilflich ist, und nicht etwa aus Schwäche für Ihre persönlichen Reize«, erläuterte Clutton.

Miss Price warf ihm einen wütenden Blick zu und kehrte an ihre Staffelei zurück. Die Uhr schlug zwölf, und das Modell stieg mit einem Seufzer der Erleichterung vom Podium herab.

Miss Price packte ihre Sachen zusammen.

»Einige von uns essen bei *Gravier*«, sagte sie zu Philip, mit einem Blick auf Clutton. »Ich selbst gehe immer nach Hause.«

»Kommen Sie mit mir, ich bringe Sie zu *Gravier*«, sagte Clutton.

Philip dankte ihm und machte sich zum Gehen bereit.

Als er hinausging, fragte ihn Mrs. Otter, wie er vorwärtsgekommen wäre.

»Hat Fanny Price Ihnen geholfen?« fragte sie. »Ich habe Ihnen den Platz neben ihr gegeben, weil ich weiß, sie macht es gern. Sie ist ein verdrießliches, boshaftes Mädchen, und sie kann überhaupt nicht

zeichnen, aber theoretisch kennt sie sich aus, und sie kann für einen
Anfänger eine Hilfe sein, wenn sie sich die Mühe nimmt.«

Unterwegs sagte Clutton zu ihm:

»Sie scheinen großen Eindruck auf Fanny Price gemacht zu haben.
Sehen Sie sich vor.«

Philip lachte. Er konnte sich kein weibliches Wesen vorstellen, bei
dem es ihm weniger darum zu tun gewesen wäre, Eindruck zu machen. Sie kamen zu einem kleinen Restaurant, in dem einige von den
jungen Malern aßen, und Clutton setzte sich an einen Tisch, an dem
bereits drei oder vier Männer Platz genommen hatten. Für einen
Franc bekam man ein Ei, ein Fleischgericht, Käse und eine kleine
Flasche Wein. Kaffee mußte man extra bezahlen. Man saß auf dem
Trottoir, und gelbe Straßenbahnen fuhren mit unaufhörlichem Ge-
klingel den Boulevard hinauf und hinunter.

»Wie heißen Sie übrigens?« fragte Clutton, als sie sich niederließen.

»Carey.«

»Gestattet mir, euch einen alten erprobten Freund vorzustellen.
Carey ist sein Name«, sagte Clutton ernst. »Mr. Flanagan, Mr.
Lawson.«

Sie lachten und fuhren in ihrer Unterhaltung fort. Man sprach von
tausend Dingen, und alle redeten gleichzeitig. Keiner schenkte dem
andern auch nur die geringste Aufmerksamkeit. Man sprach von den
Orten, die man während des Sommers besucht hatte, von Ateliers und
von den verschiedenen Schulen; Namen fielen, die Philip noch nie gehört hatte: Monet, Manet, Renoir, Pissarro, Degas. Philip lauschte
mit offenen Ohren, und obgleich er sich ein wenig uneingeweiht fühlte, hüpfte sein Herz vor Freude. Die Zeit flog dahin. Als Clutton
aufstand, sagte er:

»Aller Voraussicht nach werden Sie mich heute abend hier antreffen. Sie werden merken, daß dies der geeignetste Ort im ganzen
Quartier ist, sich für billiges Geld einen verdorbenen Magen zu
holen.«

Philip ging den Boulevard Montparnasse hinunter. Was ihn nun
umgab, hatte nichts mit dem Paris zu tun, das er im Frühjahr während seines Besuches im *Hôtel St. Georges* kennengelernt hatte – er
dachte bereits mit Schaudern an diese Epoche seines Lebens –, sondern
erinnerte ihn mehr an eine Art Provinzstadt. Das Ganze hatte etwas
Gemächliches, Unbeschwertes, eine durchsonnte Geräumigkeit, die zu
verträumtem Müßiggang verleitete. Die Gepflegtheit der Bäume, das
leuchtende Weiß der Häuser, die Breite – das alles war sehr angenehm. Und Philip fühlte sich bereits vollkommen zu Hause. Er

schlenderte dahin und besah sich die Leute. Alle hatten sie eine gewisse Eleganz, sogar die gewöhnlichsten Arbeiter, mit ihren breiten roten Schärpen und ihren weiten Hosen. Nach einer Weile kam er zur Avenue de l'Observatoire und seufzte auf vor Entzücken über den großartigen und doch so anmutigen Anblick. Er gelangte in den Jardin du Luxembourg. Kleine Jungen und Mädchen spielten, Kinderfrauen mit langen Bändern promenierten zu zweit langsam auf und ab, geschäftige Männer mit Aktentaschen unter dem Arm kamen vorbei und merkwürdig gekleidete Jünglinge. Das Bild wirkte förmlich und graziös; die Natur war zurechtgestutzt und geordnet, aber so vortrefflich, daß die ungeordnete, uneingedämmte Natur daneben roh und barbarisch anmutete. Philip war entzückt.

Während er dahinging, erblickte er mit einemmal Miss Price, die allein auf einer Bank saß. Er zögerte, denn er hatte in diesem Augenblick kein Verlangen, mit jemandem zusammen zu sein, und ihre unfreundliche Art schien ihm in dieser heiteren Umgebung schlecht am Platz. Aber da er ihre Empfindlichkeit erriet und überdies annahm, daß sie ihn bereits gesehen hatte, entschloß er sich schließlich doch, sie anzusprechen.

»Was machen Sie hier?« fragte sie ihn, als er auf sie zutrat.

»Ich genieße den schönen Nachmittag. Sie nicht auch?«

»Ach, ich bin jeden Tag von vier bis fünf hier. Ich glaube, es tut einem nicht gut, ohne Pause durchzuarbeiten.«

»Darf ich mich auf eine Minute zu Ihnen setzen?« fragte er.

»Wenn Sie wollen.«

»Das klingt nicht gerade ermutigend«, lachte er.

»Ich habe kein Talent, nette Dinge zu sagen.«

Philip wußte, ein wenig betroffen, nicht gleich zu antworten, und zündete sich eine Zigarette an.

»Hat Clutton etwas über meine Arbeit gesagt?« fragte Miss Price plötzlich.

»Nein, gar nichts«, sagte Philip.

»Er taugt nichts, müssen Sie wissen. Er hält sich für ein Genie, aber davon kann keine Rede sein. Er ist viel zu faul. Genie – das ist vor allem die unbegrenzte Fähigkeit, fleißig zu sein. Nicht lockerlassen – darauf kommt es an. Wenn man fest genug entschlossen ist, etwas zu erreichen, erreicht man es auch.«

Ihre Worte waren mit leidenschaftlichem Nachdruck gesprochen. Sie trug einen Matrosenhut aus schwarzem Stroh, eine weiße, nicht ganz saubere Bluse und einen braunen Rock. Sie hatte keine Handschuhe an, und ihre Hände benötigten Wasser und Seife. Sie war so unschön, daß Philip wünschte, er hätte nicht mit ihr zu sprechen angefangen.

»Ich werde für Sie tun, was ich kann«, erklärte sie auf einmal, ohne jeden Zusammenhang mit dem Vorhergegangenen. »Ich weiß, wie schwer der Anfang ist.«

»Vielen Dank«, antwortete Philip. Dann, nach einer Weile: »Wollen Sie nicht mitkommen und irgendwo mit mir Tee trinken?«

»Nein, danke. Ich möchte jetzt nicht Tee trinken. Ich habe eben erst zu Mittag gegessen.«

»Ich dachte nur so – zum Zeitvertreib.«

»Wenn Sie sich langweilen, brauchen Sie nicht die geringste Rücksicht zu nehmen. Es macht mir nichts aus, alleingelassen zu werden.«

In diesem Augenblick kamen zwei Männer in braunen Samtröcken, weiten Hosen und Baskenmützen vorbei. Sie waren jung, trugen aber beide Bärte.

»Das sind wohl junge Maler«, rief Philip. »Sie könnten aus der *Vie de Bohème* entsprungen sein.«

»Das sind Amerikaner«, entgegnete Miss Price spöttisch. »Franzosen tragen schon seit dreißig Jahren keine solchen Anzüge mehr. Aber die Amerikaner kaufen sie und lassen sich am Tag nach ihrer Ankunft in Paris fotografieren. Näher kommen sie der Kunst niemals. Aber das macht ihnen nichts aus, denn sie haben Geld.«

Aber Philip gefiel diese malerische Kleidung. Er fand, daß sie auf ein romantisches Gemüt schließen ließe. Miss Price fragte ihn, wie spät es wäre.

»Ich muß jetzt wieder ins Atelier zurück«, sagte sie. »Machen Sie die Abendkurse mit?«

Philip hatte noch nichts von diesen Abendkursen gehört, und Miss Price erklärte ihm, daß täglich von fünf bis sechs ein Modell käme, nach dem jeder für fünfzig Centimes zeichnen konnte. Die Modelle wechselten sehr häufig, und das war eine gute Übung.

»Ich glaube, Sie sind noch nicht weit genug. Warten Sie lieber noch ein Weilchen.«

»Ach, ich werde es versuchen. Ich habe ja nichts anderes zu tun.«

Sie standen auf und machten sich auf den Weg zum Atelier. Philip konnte nicht entscheiden, ob es Miss Price recht war, daß er sie begleitete, oder nicht. Er blieb aus reiner Verlegenheit an ihrer Seite, weil er nicht wußte, wie er sich verabschieden sollte. Aber sie war nicht zum Reden zu bringen. Seine Fragen beantwortete sie schroff und unwillig.

An der Tür zum Atelier stand ein Mann mit einer großen Schüssel, in die jeder der Eintretenden einen halben Franc hineinwarf. Der Saal war voller als am Vormittag, und Engländer und Amerikaner waren nicht so sehr in der Überzahl; auch waren weniger Frauen da. Dies entsprach viel mehr dem, was Philip sich vorgestellt hatte. Es war sehr warm im Atelier, und die Luft wurde bald schlecht. Diesmal saß ein alter Mann mit einem mächtigen grauen Bart Modell, und Philip bemühte sich, das, was er am Vormittag gelernt hatte, in die Praxis umzusetzen; aber es kam nicht viel dabei heraus; Philip mußte feststellen, daß er nicht annähernd so gut zeichnen konnte, wie er gemeint hatte. Er blickte neidisch nach den Skizzen einiger Männer, die in seiner Nähe saßen, und fragte sich, ob er jemals imstande sein würde, die Kohle mit solcher Meisterschaft zu führen. Die Stunde verflog schnell. Er hatte, um sich Miss Price nicht aufzudrängen, in einiger Entfernung von ihr Platz genommen, und als er nun auf dem Weg zum Ausgang an ihr vorbei mußte, fragte sie ihn unvermittelt, wie es mit der Arbeit gegangen wäre.

»Nicht sehr gut«, lächelte er.

»Wenn Sie sich herabgelassen hätten, neben mir zu sitzen, hätte ich Ihnen ein paar gute Ratschläge geben können.«

»Ich hatte Angst, Ihnen lästig zu fallen.«

»Nun, das würde ich Ihnen schon deutlich genug sagen.«

Philip merkte, daß sie ihm in ihrer ungeschickten Art ihre Hilfe anbot.

»Dann also auf morgen. Aber ich warne Sie. Sie werden keine Minute Ruhe vor mir haben.«

»Tut nichts«, antwortete sie.

Philip trat auf die Straße und überlegte, was er bis zum Abendessen mit sich anfangen sollte. Er brannte darauf, irgend etwas Charakteristisches zu tun. *Absinthe!* Natürlich. Und so schlenderte er denn bis zum Bahnhof, setzte sich vor ein Café und bestellte das klassische Getränk. Er trank es mit Widerwillen und Befriedigung. Der Geschmack war abscheulich, aber die moralische Wirkung war großartig. Er fühlte sich jeder Zoll ein Künstler, und da er auf leeren Magen trank, geriet er bald in sehr gehobene Stimmung. Er betrachtete die Vorübergehenden und empfand sie alle als Brüder. Er war glücklich. Als er zu *Gravier* kam, saß Clutton an einem vollbesetzten Tisch, rief ihn aber sofort herbei, als er ihn erblickte. Man machte ihm Platz. Das Essen war frugal: ein Teller Suppe, ein Fleischgericht, Obst, Käse und eine halbe Flasche Wein; aber Philip achtete nicht darauf. Er sah sich die Männer an, die mit ihm am Tische saßen. Flanagan war wieder da; er war Amerikaner, ein kleiner stumpfnasiger junger Mensch mit fröhlichem Gesicht und lachenden Augen. Er trug einen kühn gemusterten Rock, einen blauen Schal um den Hals und eine Tweed-Mütze von phantastischer Form. Zu jener Zeit herrschte der Impressionismus im Quartier Latin, aber sein Sieg über die älteren Schulen war noch ziemlich neu. Noch wurden Carolus Duran, Bouguereau und ihresgleichen gegen Manet, Monet und Degas ausgespielt, und diese letzteren zu schätzen galt noch als Zeichen von Begnadung. Whistler spielte eine wichtige Rolle für die Engländer, und die Kenner sammelten japanische Stiche. Die alten Meister wurden von neuen Gesichtspunkten aus beurteilt. Als Philip bei *Gravier* erschien, war eine stürmische Kunstdiskussion im Gange. Lawson, den er schon zu Mittag kennengelernt hatte, saß ihm gegenüber. Er war ein mageres Bürschchen mit sommersprossigem Gesicht und roten Haaren. Er hatte sehr leuchtende grüne Augen. Als Philip sich hinsetzte, heftete er sie auf ihn und bemerkte unvermittelt:

»Raphael war nur dann zu ertragen, wenn er Peruginos oder Pinturicchios malte; wenn er Raphaels malte, war er« – mit einem geringschätzigen Achselzucken – »eben nur Raphael.«

Lawson sprach so aggressiv, daß Philip ganz bestürzt war, doch brauchte er nicht zu antworten, weil Flanagan ungeduldig dazwischenfuhr:

»Zum Teufel mit der ganzen Kunst«, schrie er. »Wir wollen uns betrinken.«

»Du hast dich doch erst gestern betrunken, Flanagan«, sagte Lawson.

»Das war nichts gegen das, was ich heute vorhabe. Da ist man in Paris und spricht von früh bis abend von nichts anderem als von Kunst!«

Noch ein dritter Amerikaner saß mit am Tisch. Er war angetan wie jene großartigen Burschen, die Philip am Nachmittag im Luxembourg bewundert hatte. Er hatte ein schönes Gesicht, schmal und asketisch, mit dunklen Augen; er trug seine phantastische Tracht mit der verwegenen Nonchalance eines Seeräubers. Er hatte eine große Menge dunklen Haares, das ihm ständig in die Augen fiel, und seine häufigste Geste war, den Kopf dramatisch zurückzuwerfen, um irgendeine lange Strähne beiseite zu schütteln. Er fing an, von der *Olympia* von Manet zu reden, die damals im Luxembourg hing.

»Ich habe heute eine Stunde davorgestanden, und ich kann euch sagen, es ist kein gutes Bild.«

Lawson legte Messer und Gabel hin. Seine grünen Augen sprühten Feuer, er rang nach Atem vor Wut; aber er zwang sich zur Ruhe.

»Es ist sehr interessant, die Ansicht des ungelehrten Wilden zu hören«, sagte er. »Willst du uns gefälligst erklären, warum es kein gutes Bild ist?«

Ehe der Amerikaner noch antworten konnte, mischte sich heftig ein anderer ein:

»Hast du denn keine Augen im Kopf? Siehst du nicht, wie das Fleisch gemalt ist?«

»Davon habe ich auch nichts gesagt. Ich gebe zu, die rechte Brust ist ganz gut gemalt.«

»Zum Henker mit deiner rechten Brust«, brüllte Lawson. »Das ganze Bild ist ein Wunder der Malerei, sage ich dir.«

Er fing an, die Schönheiten des Bildes in allen Einzelheiten zu beschreiben, aber wer an diesem Tische lang sprach, sprach zur eigenen Erbauung. Keiner hörte ihm zu. Der Amerikaner unterbrach ihn wütend: »Du kannst doch nicht behaupten, daß der Kopf gut ist?«

Lawson, bleich vor Erregung, fing an, den Kopf zu verteidigen; aber Clutton, der bis dahin schweigend und mit einem Ausdruck gutmütigen Spottes dagesessen hatte, mengte sich nun ebenfalls ein.

»Laß ihm den Kopf. Wir brauchen den Kopf nicht. Der kann dem Bild nichts anhaben.«

»Gut, gut, ich schenk dir den Kopf«, schrie Lawson. »Nimm dir den Kopf und scher dich zum Teufel.«

»Na, und die schwarze Linie?« rief der Amerikaner triumphierend aus und strich eine Locke zurück, die in die Suppe zu fallen drohte. »Sieht man etwa in der Natur eine schwarze Linie um die Gegenstände?«

»O Gott, schicke Dein himmlisches Feuer herab, auf daß es den Lästerer verzehre«, sprach Lawson. »Was hat die Natur damit zu tun? Keiner weiß, was es in der Natur gibt und was nicht! Die Welt sieht die Natur durch die Augen des Künstlers. Jahrhundertelang sah sie ein Pferd, alle vier Beine gestreckt, eine Hürde überspringen, und beim Himmel, die Beine waren gestreckt. Sie sah die Schatten schwarz, bis Monet entdeckte, daß sie farbig sind, und beim Himmel, Sir, sie waren schwarz. Wenn es uns beliebt, die Gegenstände mit einer schwarzen Linie zu umgeben, wird die Welt die schwarze Linie sehen, und die schwarze Linie wird da sein; und wenn wir Gras rot und Kühe blau malen, wird die Welt das Gras rot und die Kühe blau sehen, und, beim Himmel, das Gras wird rot und die Kühe werden blau sein.«

»Zum Teufel mit eurer Kunst«, brummte Flanagan. »Ich möchte mich betrinken.«

Lawson achtete nicht auf die Unterbrechung.

»Als die *Olympia* im Salon gezeigt wurde, da äußerte Zola unter den Spottrufen der Philister und dem Zischen der *pompiers*, der Akademiker und des Publikums – Zola also sagte: ›Ich sehe den Tag kommen, da Manets Bild im Louvre gegenüber der *Odalisque* von Ingres hängen wird, und nicht die *Odalisque* wird es sein, die durch den Vergleich gewinnt! Es wird dort hängen. Jeden Tag sehe ich die Zeit näher kommen. In zehn Jahren hängt die *Olympia* im Louvre.‹«

»Niemals«, brüllte der Amerikaner und bediente sich diesmal beider Hände in einem plötzlichen verzweifelten Versuch, seine Haare ein für allemal in Ordnung zu bringen. »In zehn Jahren ist das Bild erledigt. Es ist eine Augenblicksmode. Kein Kunstwerk kann bestehenbleiben, dem das fehlt, was dieses Bild auch nicht in einem Atom besitzt.«

»Und das wäre?«

»Es gibt keine große Kunst ohne moralische Werte.«

»Guter Gott«, schrie Lawson wütend. »Ich wußte es ja gleich. Ihm fehlt die Moral.« Er faltete die Hände und streckte sie flehend zum Himmel empor. »O Christoph Kolumbus, o Christoph Kolumbus, was hast du getan, als du Amerika entdecktest!«

»Ruskin sagt ...«

Aber ehe er noch ein Wort hinzufügen konnte, klopfte Clutton gebieterisch mit dem Messer auf den Tisch.

»Meine Herren«, sagte er mit strenger Miene, und seine riesige Nase wurde ganz kraus vor innerer Erregung, »ein Name ist hier genannt worden, den ich in gebildeter Gesellschaft nie mehr zu hören hoffte. Ich bin der letzte, der sich erdreistet, die Freiheit der Rede anzutasten, aber gewisse Grenzen des Anstandes sollten denn doch gewahrt werden. Man kann von Bouguereau sprechen, wenn man will: es liegt etwas Fröhlich-Abstoßendes in dem Klang, das zum Lachen reizt; aber mit den Namen von J. Ruskin, G. F. Watts und E. B. Jones wollen wir unsere keuschen Lippen nicht mehr beschmutzen.«

»Wer war eigentlich Ruskin?« fragte Flanagan.

»Er war einer der großen viktorianischen Schriftsteller. Er war ein Meister des englischen Stiles.«

»Übrigens können mir alle großen Viktorianer gestohlen werden«, sagte Lawson. »Jedesmal, wenn ich eine Zeitung aufschlage und lese, daß wieder einer gestorben ist, danke ich dem Himmel. Ihr einziges Talent war ihre Langlebigkeit, und kein Künstler sollte länger leben als bis zu seinem vierzigsten Jahr; bis dahin hat er sein Bestes geleistet; alles, was nachher kommt, ist nur mehr Wiederholung. Glaubt Ihr nicht, daß es für Keats, Shelley, Bonnington und Byron das größte Glück war, früh zu sterben? Swinburne würden wir für ein Genie halten, wenn er gleich nach der Veröffentlichung seines ersten Gedichtbandes dahingegangen wäre.«

Die Ansicht fand Beifall, denn keiner an dem ganzen Tisch war älter als vierundzwanzig Jahre, und alle warfen sich mit Begeisterung auf das Thema. Endlich einmal herrschte Einigkeit. Der Gedanke wurde ausgesponnen. Einer schlug vor, einen großen Scheiterhaufen aus den Werken der vierzig Akademiker aufzurichten und die großen Viktorianer an ihrem vierzigsten Geburtstag hineinzuwerfen. Man war hingerissen. Carlyle und Ruskin, Tennyson, Browning, G. F. Watts, E. B. Jones, Dickens und Thackeray wurden den Flammen übergeben; desgleichen Mr. Gladstone, John Bright und Cobden; es gab eine kurze Diskussion über George Meredith, aber Matthew Arnold und Emerson wurden ohne weiteres preisgegeben. Endlich kam Walter Pater an die Reihe.

»Walter Pater nicht«, murmelte Philip.

Lawson starrte ihn einen Augenblick mit seinen grünen Augen an und nickte dann mit dem Kopfe.

»Sie haben ganz recht, Walter Pater ist die einzige Rechtfertigung für die *Mona Lisa.* Kennen Sie Cronshaw? Er kannte Pater.«

»Wer ist Cronshaw?« fragte Philip.

»Cronshaw ist ein Dichter. Er lebt in Paris. Gehen wir in die *Lilas.«*

*La Closerie des Lilas* war ein Café, das nach dem Abendessen häufig besucht wurde, und hier war Cronshaw in den Stunden zwischen neun Uhr abends und zwei Uhr nachts unweigerlich anzutreffen. Aber Flanagan hatte genug von intellektuellen Gesprächen und wandte sich nun Philip zu.

»Ach, gehen wir doch lieber irgendwohin, wo es Mädchen gibt. Kommen Sie mit mir in die *Gaîté Montparnasse.* Wir wollen uns betrinken.«

»Ich habe eigentlich mehr Lust, Cronshaw kennenzulernen und nüchtern zu bleiben«, lachte Philip.


Man brach auf. Flanagan und zwei, drei andere gingen ins Varieté, während sich Philip mit Clutton und Lawson langsam zur *Closerie des Lilas* begab.

»In die *Gaîté Montparnasse* führen wir Sie ein anderes Mal«, sagte Lawson. »Es lohnt sich. Sie werden sehen. Für mich gehört es zum Schönsten, was es in Paris gibt.«

Philip, von Hayward beeinflußt, war gewöhnt, auf Varietés und derartige Vergnügungsstätten mit Verachtung herabzusehen, traf aber zu einer Zeit in Paris ein, als die künstlerischen Möglichkeiten des Tingel-Tangels entdeckt worden waren. Die Eigentümlichkeiten der Beleuchtung, die Anhäufung von verschossenem Rot und verblaßtem Gold, die schweren Schatten und die barocken Dekorationen boten ein neues Feld, und in den meisten Ateliers hingen Skizzen, die in dem oder jenem Theater angefertigt worden waren. Die Schriftsteller stimmten in den Lobgesang der Maler mit ein und konnten sich plötzlich nicht genug tun, die künstlerischen Werte des Varietés zu preisen. Rotnasige Clowns wurden bis in den Himmel gelobt, und dicke Sängerinnen, die jahrzehntelang unbeachtet ihre Chansons ins Publikum gebrüllt hatten, für Wunder an Ursprünglichkeit erklärt; es gab Leute, die sich für dressierte Hunde begeisterten, und andere wieder erschöpften ihr Vokabular, um die hervorragenden Leistungen von Zauberern und Radfahrkünstlern zu preisen. Auch das Publikum. Die Menschheit als Masse, die Philip stets als etwas

Verächtliches betrachtet hatte, wurde zum Gegenstand wohlwollenden Interesses, Clutton und Lawson sprachem mit Enthusiasmus von dem Menschengewirr, das die verschiedenen Rummelplätze von Paris erfüllte, von dem Meer von Gesichtern, halb sichtbar in dem grellen Licht der Azetylenlampen, halb verborgen von der Dunkelheit, von dem Plärren der Trompeten, dem Quieken der Pfeifen, dem Durcheinanderschwirren der Stimmen. Was sie sagten, klang Philip neu und merkwürdig. Sie erzählten ihm von Cronshaw.

»Haben Sie je etwas von ihm gelesen?«

»Nein«, sagte Philip.

»Er ist ein außerordentlicher Mensch. Anfangs werden Sie vielleicht etwas enttäuscht von ihm sein. Er geht erst aus sich heraus, wenn er betrunken ist.«

»Und leider braucht er furchtbar lange, ehe er soweit kommt«, fügte Clutton hinzu.

Als sie das Café erreicht hatten, erklärte Lawson, daß sie hineingehen müßten. Es war kaum eine Spur von Kälte zu spüren, aber Cronshaw hatte eine krankhafte Angst vor Zugluft und saß selbst bei wärmstem Wetter drinnen.

»Er kennt alle Welt«, meinte Lawson. »Er kannte Pater und Oscar Wilde und verkehrt mit Mallarmé und all diesen Leuten.«

Der Gegenstand ihrer Suche saß in dem geschütztesten Winkel des Cafés, im Mantel, mit aufgeschlagenem Kragen. Seinen Hut hatte er tief in die Stirn gezogen, um die kalte Luft abzuhalten. Er war ein großer, schwerer Mann, korpulent, aber nicht fett, mit einem runden Gesicht, einem kleinen Schnurrbart und kleinen, ziemlich stupiden Augen. Sein Kopf schien nicht ganz groß genug für seinen Körper und wirkte wie eine Erbse, die unsicher auf einem Ei balancierte. Cronshaw spielte mit einem Franzosen Domino und begrüßte die Eintretenden mit einem stillen Lächeln; er sagte nichts, schob aber, wie um Platz zu machen, den Stoß von Untersätzen, der die Anzahl seiner Getränke anzeigte, beiseite. Er nickte Philip, als man ihn vorstellte, zu und fuhr in seinem Spiel fort. Philips Kenntnis der Sprache war nur gering, doch fiel es ihm nicht schwer, zu erkennen, daß Cronshaw, obgleich er seit vielen Jahren in Paris lebte, miserabel Französisch sprach.

Endlich lehnte er sich mit einem triumphierenden Lächeln zurück.

»*Je vous ai battu*«, sagte er mit einem fürchterlichen Akzent. »*Garçong!*«

Er rief dem Kellner und wandte sich Philip zu.

»Eben von England gekommen? Interessante Krickmatches gesehen?«

»Cronshaw kennt die Spielresultate aller erstklassigen Krickspieler der letzten zwanzig Jahre«, erläuterte Lawson lächelnd.

»Ja, das ist das einzige, was mir in Paris fehlt: man bekommt kein Kricket zu sehn.«

Philip war enttäuscht, und Lawson wurde ungeduldig. Cronshaw brauchte an diesem Abend furchtbar lange, um aufzuwachen, obgleich der Stoß von Untertellern auf seinem Platz bezeugte, daß er zumindest den ehrlichen Versuch gemacht hatte, sich zu betrinken. Clutton sah mit leisem Schmunzeln zu. Er konnte sich des Eindrucks nicht erwehren, daß eine gewisse Affektation in Cronshaws eingehender Sportkenntnis lag. Es machte ihm Spaß, Leute auf die Folter zu spannen, indem er mit ihnen von den belanglosesten Dingen sprach.

»Haben Sie in der letzten Zeit Mallarmé gesehen?« warf Clutton schließlich ein.

Cronshaw blickte ihn langsam an, als wälze er die Frage in seinem Innern, und klopfte, ehe er antwortete, mit einer der Untertassen auf den Marmortisch.

»Bringen Sie mir meine Flasche Whisky«, rief er. Dann wandte er sich wieder Philip zu. »Ich habe nämlich meine eigene Flasche Whisky. Ich kann es mir nicht leisten, fünfzig Centimes für jeden Fingerhut zu zahlen.«

Der Kellner brachte die Flasche, und Cronshaw hielt sie gegen das Licht.

»Da hat jemand von meinem Whisky getrunken. Kellner, wer hat sich aus meiner Flasche bedient?«

»*Mais personne, Monsieur Cronshaw.*«

»Ich habe mir gestern ein Zeichen gemacht. Und nun – sehen Sie her.«

»Monsieur hat sich ein Zeichen gemacht, aber danach weitergetrunken.«

Der Kellner war ein jovialer Bursche und kannte Cronshaw genau. Cronshaw blickte ihn fest an.

»Wenn Sie mir Ihr Ehrenwort geben, als Gentleman, daß niemand von meinem Whisky getrunken hat, will ich Ihre Erklärung hinnehmen.«

Er schenkte sich etwas Whisky und Wasser ein und trank langsam. Dann wischte er sich mit dem Handrücken den Mund ab.

»Er hat sehr gut gesprochen.«

Lawson und Clutton wußten, daß dies eine Antwort auf die Frage nach Mallarmé war. Cronshaw nahm häufig an den Zusammenkünften teil, die der Dichter jeden Dienstagabend in seiner Wohnung abhielt, Maler, Literaten und Gelehrte um sich versammelnd, vor denen er dann mit kunstvoller Beredsamkeit über ein x-beliebiges Thema sprach, das ihm vorgeschlagen wurde. Cronshaw hatte offenbar kurz zuvor einem solchen Abend beigewohnt.

»Er hat sehr gut gesprochen, aber was er gesagt hat, war Unsinn. Er tat, als wäre die Kunst das Wichtigste auf der Welt.«

»Ja, ist sie denn das nicht?« fragte Philip. »Wozu wären wir sonst da?«

»Wozu *Sie* da sind, weiß ich nicht. Es geht mich auch nichts an. Aber Kunst ist kein Luxus. Nur zwei Dinge sind dem Menschen wirklich wichtig: seine Selbsterhaltung und die Fortpflanzung seiner Art. Erst wenn diese beiden Instinkte befriedigt sind, läßt er sich herab, sich mit dem zu beschäftigen, was Dichter, Maler und sonstige Leute zu seiner Unterhaltung hervorgebracht haben.«

Cronshaw hielt einen Augenblick inne, um zu trinken. Seit zwanzig Jahren sann er dem Problem nach, ob er den Alkohol liebte, weil er ihn zum Reden brachte, oder ob er das Gespräch liebte, weil es ihn durstig machte.

Dann sagte er: »Ich habe gestern ein Gedicht geschrieben.«

Unaufgefordert fing er an, es zu rezitieren, sehr langsam, den Rhythmus mit ausgestrecktem Zeigefinger skandierend. Es war möglicherweise ein sehr gutes Gedicht, aber in diesem Augenblick kam eine junge Person herein. Sie hatte leuchtend rote Lippen, und es war klar, daß das lebhafte Rot ihrer Wangen nicht auf die vulgäre Stümperei der Natur zurückzuführen war; Wimpern und Augenbrauen waren schwarz gefärbt, und auf die Augenlider hatte sie ein gewagtes Blau aufgelegt, das sich an den Augenwinkeln in einem Dreieck fortsetzte. Es war exzentrisch und amüsant. Das Haar hatte sie über die Ohren frisiert, nach der Art der Cléo de Merode. Philips Augen schweiften zu ihr hinüber, und Cronshaw lächelte ihm, nachdem er seine Rezitation beendet hatte, nachsichtig zu.

»Sie haben nicht zugehört«, sagte er.

»O doch.«

»Ich kann Sie nicht tadeln, denn Sie haben bloß einen praktischen Beweis für meine Behauptung geliefert. Was ist Kunst neben Liebe?«

In diesem Augenblick kam die junge Dame an dem Tisch vorbei, an dem sie saßen, und Cronshaw hielt sie am Arm fest.

»Komm, setz dich neben mich, mein Kind, und laß uns die göttliche Komödie der Liebe spielen.«

»*Fichez-moi la paix*«, sagte sie und stieß ihn im Weitergehen beiseite.

»Kunst«, fuhr er mit einer überlegenen Handbewegung fort, »ist bloß eine Zuflucht, entdeckt von begabten Menschen, die mit Nahrung und Frauen versorgt waren und der Langeweile des Lebens zu entrinnen strebten.«

Cronshaw füllte abermals sein Glas, und nun erst kam seine Rede in Fluß. Er sprach mit Schwung und Beredsamkeit. Er wählte seine Worte sorgfältig. Er brachte in der erstaunlichsten Weise Weisheit und Unsinn durcheinander, indem er sich in einem Moment mit ernster Miene über seine Zuhörer lustig machte, um ihnen im nächsten scherzhaft und spielerisch die klügsten Belehrungen zu erteilen. Er sprach von Kunst und Literatur und vom Leben. Er war abwechselnd fromm und obszön, fröhlich und rührselig. Er wurde allmählich außerordentlich betrunken und fing dann an, Gedichte herzusagen, seine eigenen und die von Milton, seine eigenen und die von Shelley, seine eigenen und die von Kit Marlowe.

Endlich stand Lawson erschöpft auf, um nach Hause zu gehen.

»Ich komme mit«, erklärte Philip.

Clutton, der Schweigsamste von allen, blieb zurück und hörte mit einem hämischen Lächeln auf den Lippen Cronshaws Albernheiten zu. Lawson begleitete Philip bis zum Hotel und wünschte ihm dann gute Nacht. Aber als Philip endlich im Bett lag, konnte er nicht schlafen. All die neuen Gedanken, die achtlos vor ihn hingeworfen worden waren, brodelten in seinem Kopf. Er war ungeheuer aufgeregt. Er fühlte gewaltige Kräfte in sich. Er hatte niemals zuvor soviel Selbstvertrauen besessen.

»Ich weiß, daß ich ein großer Künstler werde«, sagte er zu sich selbst. »Ich fühle es in mir.«

Ein Schauer durchlief ihn, als ihm noch ein anderer Gedanke kam, aber den wagte er kaum in Worte zu fassen:

»Bei Gott, ich glaube, daß ich Genie habe.«

Er war jedenfalls sehr betrunken, aber da er nicht mehr als ein einziges Glas Bier zu sich genommen hatte, war dieser Rausch wohl auf ein gefährlicheres Gift als auf Alkohol zurückzuführen.


Dienstag und Freitag waren die Tage, an denen die Lehrer in die Schule Armitrano kamen, um die Arbeiten zu korrigieren. In Frankreich verdient ein Maler nur wenig, wenn er nicht Porträts malt und keine reichen Amerikaner als Gönner hat; und Männer von Namen sind gerne bereit, ihr Einkommen zu vergrößern, indem sie einmal wöchentlich zwei oder drei Stunden in einem der zahlreichen Ateliers zubringen, in denen die Malerei gelehrt wird. Am Dienstag kam Michel Rollin zu Armitrano. Er war ein ältlicher Mann mit weißem Bart und rosiger Gesichtsfarbe, ein Schüler von Ingres, der nichts von Fortschritt in der Kunst wissen wollte und seinen ganzen Haß auf jenen *tas de farceurs* geworfen hatte, die Manet, Degas, Monet und Sisley hießen; aber er war ein ausgezeichneter Lehrer, hilfsbereit, höflich und ermutigend. Foinet andererseits, der Freitag ins Atelier kam, war ein Mensch, mit dem schwer auszukommen war. Er war ein kleiner eingeschrumpfter Mann mit schlechten Zähnen, unordentlichem grauem Bart und wilden Augen; im Luxembourg hingen

Bilder von ihm, und als er fünfundzwanzig Jahre alt gewesen war, hatte man ihm eine große Zukunft prophezeit. Aber sein Talent war mehr in seiner Jugend als in seiner Persönlichkeit verankert gewesen – und seit zwanzig Jahren tat er nun nichts anderes mehr als die Landschaften zu wiederholen, die ihm seine frühen Erfolge eingebracht hatten. Wenn man ihm Einförmigkeit vorwarf, pflegte er zu sagen:

»Corot hat immer das gleiche gemalt. Warum sollte ich das nicht auch tun?«

Er beneidete jeden um seinen Erfolg und hatte einen besonderen Widerwillen gegen die Impressionisten. Die lachende Geringschätzung Michel Rollins wurde bei ihm ersetzt durch Beschimpfungen, unter denen *crapule* oder *canaille* die harmlosesten waren. Er unterhielt sich damit, das Privatleben der Gehaßten zu schmähen, und mit sarkastischem Humor, mit lästerlichen und obszönen Details griff er die Legitimität ihrer Geburt und die Reinheit ihrer ehelichen Beziehungen an. Mit der gleichen Schonungslosigkeit zeigte er seine Verachtung für die Schüler, deren Arbeiten er zu beurteilen hatte. Er war gehaßt und gefürchtet. Die Frauen brachte er durch seinen brutalen Spott zum Weinen, was wiederum seinen Hohn hervorrief; und er verblieb trotz der Proteste seiner Opfer im Atelier, weil es keinen Zweifel gab, daß er einer der besten Lehrer von Paris war.

Mit Foinet kam Philip zuerst in Berührung. Er war bereits im Atelier, als Philip eintrat. Begleitet von Mrs. Otter, der *massière*, die für diejenigen, die nicht Französisch konnten, den Dolmetsch spielen mußte, ging er von Staffelei zu Staffelei. Fanny Price, die neben Philip saß, arbeitete fieberhaft. Ihr Gesicht war bleich vor Nervosität, und von Zeit zu Zeit hielt sie inne, um sich die heißen Hände an ihrer Bluse abzuwischen. Plötzlich wandte sie sich mit einem angstvollen Blick, den sie hinter einer mürrischen Maske zu verbergen suchte, an Philip.

»Finden Sie es gut?« fragte sie und deutete mit einer Kopfbewegung nach ihrer Zeichnung.

Philip stand auf, das Blatt näher zu betrachten. Er war erstaunt. Hatte diese Frau denn keine Augen? Das Ganze war hoffnungslos verzeichnet.

»Ich wollte, ich wäre so weit wie Sie«, stammelte er.

»Das können Sie nicht verlangen. Sie sind ja eben erst gekommen. Ich bin schon zwei Jahre hier.«

Fanny Price war Philip ein Rätsel. Ihr Selbstbewußtsein war erstaunlich. Philip hatte bereits bemerkt, daß sie im Atelier im höchsten Grade unbeliebt war; das wunderte ihn nicht weiter, denn sie schien es förmlich darauf abgesehen zu haben, die Menschen zu verletzen.

»Ich habe mich bei Mrs. Otter über Foinet beschwert«, sagte sie nun. »Die letzten zwei Wochen hat er keinen Blick auf meine Zeichnung geworfen. Schließlich zahle ich ebensoviel wie die andern, und mein Geld ist ebensogut.«

Sie nahm ihre Kohle zur Hand, legte sie aber im nächsten Moment mit einem Stöhnen wieder hin.

»Ich kann jetzt nichts mehr machen. Ich bin so entsetzlich nervös.«

Sie blickte Foinet entgegen, der nun mit Mrs. Otter näher kam. Mrs. Otter, bescheiden, mittelmäßig und selbstzufrieden, hatte eine wichtige Miene aufgesetzt. Foinet machte an der Staffelei einer unordentlichen kleinen Engländerin namens Ruth Chalice halt. Sie hatte die schönen schwarzen Augen, schmachtend und leidenschaftlich zugleich, das schmale Gesicht, asketisch, aber sinnlich, und die elfenbeinfarbene Haut, die zu jener Zeit unter dem Einfluß von Burne-Iones von kunstbeflissenen jungen Damen in London kultiviert wurden. Foinet schien guter Laune zu sein; er sagte nicht viel, sondern wies mit ein paar kurzen, energischen Kohlestrichen auf die Fehler hin. Miss Chalice strahlte vor Freude, als er aufstand. Er kam zu Clutton, und allmählich wurde auch Philip ängstlich zumute. Foinet blieb einen Augenblick vor Cluttons Arbeit stehen und kaute stumm an seinen Fingern.

»Das ist eine schöne Linie«, sagte er endlich und zeigte mit dem Daumen auf das, was ihm gefiel. »Sie fangen an, zeichnen zu lernen.«

Clutton antwortete nicht, und seine Miene zeigte den gewohnten Ausdruck: spöttische Gleichgültigkeit gegenüber der Meinung der Welt.

»Ich möchte beinahe sagen: Sie haben Talent.«

Mrs. Otter, die Clutton nicht mochte, verzog den Mund. Sie konnte nichts Besonderes an seiner Arbeit finden. Foinet setzte sich hin und verbreitete sich über technische Details. Mrs. Otter wurde müde vom langen Stehen. Clutton sagte nichts, sondern nickte nur ab und zu, und Foinet fühlte mit Befriedigung, daß er verstanden wurde. Diese Freude erlebte er nur selten. Endlich erhob er sich und kam zu Philip.

»Er ist erst seit zwei Tagen hier«, beeilte sich Mrs. Otter zu erklären. »Er ist Anfänger. Hat nie vorher gearbeitet.«

»*Ça se voit*«, meinte der Meister.

Dann stand er vor Fanny Price.

Er blickte sie an, als wäre sie ein ekelerregendes Tier, und seine Stimme wurde messerscharf.

»Sie haben sich beklagt, daß ich Ihnen nicht genug Aufmerksamkeit schenke. Nun, zeigen Sie mir einmal das Blatt, das Sie mir vorzulegen wünschen.«

Fanny Price errötete. Das Blut unter ihrer ungesunden Haut hatte eine seltsame Färbung. Ohne zu antworten zeigte sie auf die Zeichnung, an der sie seit Anfang der Woche arbeitete. Foinet setzte sich hin.

»Also, was wünschen Sie von mir zu hören? Wünschen Sie zu hören, daß Ihre Arbeit gut ist? Sie ist schlecht. Wünschen Sie zu hören, daß sie gut gezeichnet ist? Sie ist schlecht gezeichnet. Wünschen Sie zu hören, daß sie begabt ist? Sie ist unbegabt. Wünschen Sie zu wissen, was daran falsch ist? Das Ganze ist falsch. Wünschen Sie zu wissen, was Sie damit anfangen sollen? Sie sollen es zerreißen. Sind Sie nun zufrieden?«

Miss Price wurde sehr weiß. Sie war wütend, weil er alles in Gegenwart von Mrs. Otter gesagt hatte. Obgleich sie schon so lange in Frankreich war und ziemlich gut Französisch verstand, konnte sie kaum zwei Worte sprechen.

»Er hat kein Recht, mich so zu behandeln. Ich bezahle ihn, damit er mich unterrichtet. Das nenne ich keinen Unterricht.«

»Was sagt sie? Was sagt sie?« fragte Foinet.

Mrs. Otter zögerte, und Miss Price wiederholte in elendem Französisch:

»*Je vous paye pour m'apprendre.*«

Seine Augen sprühten vor Zorn; er erhob die Stimme und schüttelte die Fäuste.

»*Mais, nom de Dieu*, ich kann Sie nicht unterrichten. Eher könnte ich ein Kamel unterrichten.« Er wandte sich an Mrs. Otter. »Fragen Sie sie, ob sie zum Vergnügen malt oder damit Geld zu verdienen hofft.«

»Ich habe die Absicht, von meiner Kunst zu leben«, antwortete Miss Price.

»Dann ist meine Pflicht, Ihnen zu sagen, daß Sie Ihre Zeit vergeuden. Es würde nichts ausmachen, daß Sie kein Talent haben – Talente laufen heutzutage nicht auf der Straße herum –, aber Sie haben nicht einen Funken von Befähigung. Wie lange sind Sie schon hier? Ein Kind von fünf Jahren würde nach zwei Stunden besser zeichnen als Sie. Ich kann Ihnen nur eines sagen: geben Sie diese hoffnungslose Sache auf. Sie werden sich viel eher als *bonne à tout faire* durchbringen als als Malerin. Schauen Sie her.«

Er nahm ein Stück Kohle, und sie zerbrach, als er sie ansetzte. Er fluchte und zog mit dem übriggebliebenen Stumpf große, feste Linien über das Papier. Er zeichnete rasch und sprach gleichzeitig, indem er die Worte hervorspuckte wie Gift.

»Sehen Sie her: diese Arme sind ungleich lang. Dieses Knie ist unmöglich. Ich sage Ihnen, ein Kind von fünf Jahren! Sehen Sie nicht, daß sie nicht steht? Dieser Fuß!«

Bei jedem Wort zog der wütende Stift einen Strich, und im Handumdrehen war die Zeichnung, auf die Fanny Price so viel Zeit und zitternde Mühe verwendet hatte, unkenntlich, ein Durcheinander von Linien und Klecksen. Endlich warf Foinet die Kohle hin und stand auf.

»Folgen Sie meinem Rat, Mademoiselle, versuchen Sie es mit der Schneiderei.« Er schaute auf die Uhr. »Es ist zwölf. *À la semaine prochaine, messieurs.*«

Miss Price suchte langsam ihre Sachen zusammen. Philip blieb zurück, nachdem die andern gegangen waren, um ihr ein paar tröstliche Worte zu sagen. Aber es fiel ihm nichts Richtiges ein.

»Ach, es tut mir furchtbar leid. Wie gemein dieser Mensch doch ist.«

Sie fuhr ihn wütend an:

»Haben Sie deshalb auf mich gewartet? Wenn ich Ihre Teilnahme brauche, werde ich es Ihnen mitteilen. Bitte, lassen Sie mich vorbei.«

Sie stürzte aus dem Atelier, und Philip humpelte achselzuckend zu *Gravier* hinüber.

»Ist ihr ganz recht geschehen«, sagte Lawson, als Philip ihm das Vorgefallene erzählte. »Die bösartige Person.«

Lawson war sehr empfindlich gegenüber Kritik und ging, um dieser zu entgehen, niemals ins Atelier, wenn Foinet kam.

»Ich will die Meinung anderer Leute über mein Werk nicht hören«, sagte er. »Ich weiß selbst, ob es gut oder schlecht ist.«

»Du meinst, du möchtest die schlechte Meinung anderer Leute über dein Werk nicht hören«, antwortete Clutton nüchtern.

Am Nachmittag beschloß Philip, ins Luxembourg zu gehen, um sich ein paar Bilder anzusehen, und als er durch den Park kam, erblickte er Fanny Price an ihrem gewohnten Platz. Er war gekränkt über die Grobheit, mit der sie ihn abgefertigt hatte, und ging vorbei, als hätte er sie nicht gesehen. Aber sie stand sofort auf und trat auf ihn zu.

»Haben Sie die Absicht, mich zu schneiden?« fragte sie.

»Nicht im entferntesten. Ich dachte nur, Sie hätten nicht den Wunsch, mit mir zu sprechen.«

»Wohin gehen Sie?«

»Ich wollte mir den Manet ansehen, von dem ich so viel gehört habe.«

»Soll ich mitkommen? Ich kenne das Luxembourg genau und könnte Ihnen ein paar schöne Stücke zeigen.«

Er begriff, daß sie, unfähig, direkt um Entschuldigung zu bitten, auf diese Weise ihre Unhöflichkeit wiedergutmachen wollte.

»Das ist furchtbar nett von Ihnen.«

»Sie brauchen nicht ja zu sagen, wenn Sie lieber allein gehen«, sagte sie mißtrauisch.

»Das würde ich nicht tun.«

Sie gingen miteinander zur Galerie. Miss Price führte Philip direkt vor die *Olympia* von Manet. Er stand erstaunt und schweigend vor dem Bild.

»Gefällt es Ihnen?« fragte Miss Price.

»Ich weiß nicht«, antwortete er hilflos.

»Sie können mir glauben, daß es das beste Bild in der ganzen Galerie ist, ausgenommen vielleicht Whistlers Porträt seiner Mutter.« Sie ließ ihm eine Weile Zeit, das Meisterwerk zu betrachten, und führte ihn dann zu einem Bild, das einen Bahnhof darstellte.

»Das ist Monet«, sagte sie. »Die *Gare St. Lazare.*«

»Aber die Schienen laufen doch nicht parallel«, meinte Philip.

»Was hat das zu bedeuten?« entgegnete sie mit hochmütiger Miene.

Philip schämte sich. Fanny Price hatte sich die geläufigen Redensarten der Ateliers zu eigen gemacht, und es fiel ihr nicht schwer, Philip mit dem Ausmaß ihres Wissens zu imponieren. Sie fing an, ihm die Bilder zu erklären, anmaßend, aber nicht ohne Verständnis, und zeigte ihm, was die Maler angestrebt hatten und wonach er suchen mußte. Sie machte beim Gestikulieren ausgiebig Gebrauch von ihrem Daumen, und Philip, dem alles, was sie sagte, neu war, hörte mit tiefem Interesse, aber ziemlich verwirrt zu. Bisher hatte er Watts und Burne-Iones als Meister verehrt. Ihr verschwommener Idealismus, die Ahnung einer philosophischen Idee, die den Titeln zugrunde lag, stimmte vortrefflich zu seinen Ansichten über die Funktionen der Kunst, die er sich nach der eifrigen Lektüre Ruskins zurechtgelegt hatte; aber hier hatte er etwas ganz anderes vor sich; hier suchte er vergeblich nach einer moralischen Note; die Betrachtung dieser Arbeiten konnte niemandem helfen, ein reines und höheres Leben zu führen. Er stand vor einem Rätsel.

Endlich sagte er: »Ich glaube, ich sollte für heute Schluß machen. Vielleicht gehen wir jetzt und setzen uns im Garten noch ein Weilchen auf eine Bank.«

»Sie haben recht«, antwortete Miss Price. »Man soll nicht zu viel Kunst auf einmal in sich aufnehmen.«

Als sie draußen waren, dankte er ihr herzlich für ihre Mühe.

»Ach, nicht der Rede wert«, entgegnete sie unwirsch. »Ich tue das, weil es mir Freude macht. Wir können morgen in den Louvre gehen, wenn Sie Lust haben, und dann führe ich Sie noch zu Durand-Ruel.«

»Das ist furchtbar freundlich von Ihnen.«

»Finden Sie mich auch so unausstehlich wie die anderen?«

»Nein, bestimmt nicht«, lächelte er.

»Sie glauben, daß sie mich aus dem Atelier hinausgrauen können, aber das wird ihnen nicht gelingen. An der ganzen Sache heute vormittag ist Lucy Otter schuld. Ich weiß es ganz bestimmt. Sie hat mich schon immer gehaßt. Überdies hat sie Angst vor mir, weil ich zu viel von ihr weiß.«

Miss Price erzählte Philip eine lange, verworrene Geschichte, aus der hervorging, daß Mrs. Otter allerhand skandalöse Verhältnisse hatte. Dann sprach sie von Ruth Chalice, dem Mädchen, das Foinet gelobt hatte.

»Mit jedem Mann im Atelier hat sie etwas gehabt. Sie ist nicht besser als eine Hure. Und schmutzig ist sie! Seit Monaten hat sie kein Bad genommen. Das weiß ich aus sicherster Quelle.«

Philip hörte mit Unbehagen zu. Über Miss Chalice waren allerdings verschiedene Gerüchte im Umlauf, aber daß an Mrs. Otters tugendhaftem Lebenswandel etwas auszusetzen sein sollte, schien ihm unmöglich. Die Person an seiner Seite, mit ihren bösartigen Lügen, flößte ihm geradezu Entsetzen ein.

»Es ist mir gleichgültig, was sie sagen. Ich werde mich von meinem Weg nicht abbringen lassen. Ich weiß, daß ich Talent habe. Ich fühle, daß ich Künstlerin bin. Eher würde ich mich umbringen, als daß ich die Malerei aufgäbe. Oh, ich werde nicht der erste Mensch sein, der in der Schule von allen ausgelacht wurde und sich dann als Genie erwies. Ich kümmere mich um nichts anderes als Kunst, ich bin gewillt, ihr mein ganzes Leben zu opfern. Man darf nur nicht aufgeben, sondern muß unablässig arbeiten.«

Sie unterschob jedem, der sie nicht ebenso hoch einschätzte wie sie sich selbst, unlautere Motive. Clutton verabscheute sie. Er hätte keinen Funken Talent; alles wäre nur Schein. Und Lawson!

»Dieser boshafte Kerl, mit seinem roten Haar und seinen Sommersprossen. Er hat solche Angst vor Foinet, daß er niemals wagt, ihm seine Arbeiten zu zeigen. Habe ich mich jemals davor gedrückt? Ich kümmere mich nicht um das, was Foinet zu mir sagt, ich weiß, ich bin eine wirkliche Künstlerin.«

Sie erreichten die Straße, in der sie wohnte, und mit einem Seufzer der Erleichterung verabschiedete sich Philip von ihr.

Dennoch nahm er am nächsten Sonntag ihr Anerbieten an, ihn in den Louvre zu begleiten. Sie zeigte ihm die *Mona Lisa*. Er konnte ein leises Gefühl der Enttäuschung nicht unterdrücken, aber er hatte so oft, bis er sie auswendig wußte, die köstlichen Worte gelesen, mit denen Walter Pater zu der Schönheit des berühmtesten Bildes der Welt beigetragen hatte, und diese Worte sagte er nun Fanny Price vor.

»Das ist alles Literatur«, meinte sie verächtlich. »Davon müssen Sie sich frei machen.«

Sie zeigte ihm die Rembrandts und sagte viele treffende Dinge über sie. Vor den *Jüngern von Emmaus* bemerkte sie:

»Wenn Sie die Schönheit dieses Bildes erfassen, werden Sie wissen, was Malerei ist.«

Sie zeigte ihm die *Odalisque* und die *La Source* von Ingres. Fanny war eine eigenwillige Führerin, ständig bemüht, Philips Bewunderung auf das zu lenken, was sie selbst bewunderte. Sie nahm ihr

Kunststudium grimmig ernst, und als Philip an einem Fenster der langen Galerie stehenblieb und auf die Tuilerien hinunterblickte, die heiter, sonnig und anmutig wie ein Bild von Raffaelli dalagen, meinte sie gleichgültig:

»Ja, es ist ganz nett. Aber gehen wir weiter; wir sind hergekommen, um Bilder anzusehen.«

Die Herbstluft, frisch und prickelnd, belebte Philip. Und als sie gegen Mittag auf dem großen Vorplatz des Louvre standen, hatte er Lust, wie Flanagan auszurufen: »Zum Teufel mit der Kunst!«

»Gehen wir doch miteinander in ein Restaurant am Boul' Mich' und essen wir eine Kleinigkeit«, schlug er vor.

Miss Price warf ihm einen mißtrauischen Blick zu.

»Mein Essen wartet zu Hause auf mich«, antwortete sie.

»Tut nichts. Dann essen Sie es morgen. Erlauben Sie mir doch, Sie zum Lunch einzuladen.«

»Aber warum denn?«

»Es macht mir Freude«, entgegnete er lächelnd.

Sie überquerten die Brücke, und an der Ecke des Boulevard St. Michel sahen sie ein Restaurant.

»Gehen wir hier hinein!«

»Nein, das sieht zu teuer aus.«

Sie ging entschlossen weiter, und Philip mußte nachgeben. Nach ein paar Schritten kamen sie zu einem kleineren Restaurant, vor dem unter der Markise etwa ein Dutzend Leute saßen und ihr Mittagessen verzehrten; am Fenster stand in großen weißen Lettern geschrieben: *Déjeuner 1.25, vin compris.*

»Etwas Billigeres können wir nicht finden, und es sieht ganz ordentlich aus.«

Sie setzten sich an einen freien Tisch und warteten auf die Omelette, die als erster Gang auf dem Speisezettel stand. Philip sah mit Entzücken auf die Vorübergehenden. Sein Herz schlug ihnen entgegen. Er war müde, aber sehr glücklich.

»Sehen Sie doch den Mann dort, in der Bluse! Sieht er nicht wunderbar aus?«

Er blickte zu Miss Price hinüber und sah zu seinem Erstaunen, daß sie, ohne auf die Vorübergehenden zu achten, auf ihren Teller starrte und daß zwei schwere Tränen über ihre Wangen rollten.

»Was haben Sie denn, um Gottes willen?« rief er aus.

»Wenn Sie noch ein Wort zu mir sagen, stehe ich auf und gehe«, antwortete sie.

Er konnte sich nicht erklären, was in ihr vorging, aber glücklicherweise kam in diesem Augenblick die Omelette. Er teilte sie in zwei Teile, und sie fingen zu essen an. Philip tat sein Möglichstes, um von gleichgültigen Dingen zu reden, und es hatte den Anschein, als bemühe sich auch Miss Price, nett und angenehm zu sein; aber die Mahlzeit verlief dennoch nicht besonders erfreulich. Philip war empfindlich, und die Art, wie Miss Price aß, verdarb ihm den Appetit. Sie aß geräuschvoll, gierig wie ein wildes Tier in einer Menagerie, und wenn sie mit einem Gang fertig war, wischte sie den Teller mit Brotstücken aus, bis er weiß und glänzend war. Es schien, als wäre es ihr um jeden Tropfen Sauce zu tun. Ein Verhungernder hätte nicht gieriger essen können.

Miss Price war unberechenbar; schied er an einem Tage noch so freundschaftlich von ihr, so konnte er doch niemals sagen, ob sie am nächsten nicht mürrisch und abweisend sein werde; aber er lernte eine ganze Menge von ihr. Obgleich sie selbst nicht zeichnen konnte, wußte sie alles, was zu erlernen war, und ihre Ratschläge brachten ihn ein tüchtiges Stück vorwärts. Auch Mrs. Otter half ihm, und manchmal kritisierte Miss Chalice seine Arbeiten. Er lernte durch Lawsons geläufige Reden, und er lernte an dem Beispiel Cluttons. Aber Fanny Price nahm es ihm übel, wenn er sich von anderen beraten ließ, und wenn er sie um Hilfe bat, nachdem er vorher mit jemand anderem gesprochen hatte, wies sie ihn brüsk ab. Lawson, Clutton und Flanagan neckten ihn ihretwegen.

»Sieh dich vor, mein Junge!« sagten sie. »Sie ist in dich verliebt.«

»Unsinn«, lachte er.

Der Gedanke, daß Miss Price in irgend jemanden verliebt sein könnte, erschien ihm absurd. Ein Schauder packte ihn, wenn er an ihre Ungepflegtheit dachte, an das fettige Haar, die schmierigen Hände, das braune Kleid, das sie immer trug, fleckig und ausgefranst. Sie hatte bestimmt wenig Geld, alle hatten sie wenig Geld, aber sie konnte doch zumindest sauber sein, und nichts hinderte sie, mit Nadel und Zwirn ihren Rock in Ordnung zu bringen.

Philip fing an, sich über seine Eindrücke von den Leuten, mit denen er in Berührung gekommen war, Rechenschaft zu geben. Er war nun nicht mehr so naiv wie während seiner Heidelberger Tage und kam den Menschen mit größerem Interesse, aber auch kritischer entgegen. Er stellte fest, daß er Clutton nach dreimonatigem täglichem Umgang nicht besser kannte als am ersten Tag. Im Atelier herrschte die Meinung – und diese teilte auch Philip –, daß Clutton eines Tages Großes leisten würde. Welcher Art diese zukünftigen Leistungen jedoch sein würden, hätte sich keiner genau vorzustellen gewußt. Clutton zeigte nicht gerne seine Arbeiten und unterschied sich von den meisten seiner Kollegen dadurch, daß er weder Rat suchte noch erteilte. Man erzählte sich, daß er in einem kleinen Atelier, in der Rue Campagne-Première, wunderbare Bilder hängen hatte, die ihn berühmt machen könnten, wenn er sich nur bewegen ließe, sie auszustellen. Da er sich kein Modell erschwingen konnte, malte er hauptsächlich

Stilleben, und es wurde viel von einem Teller mit Äpfeln gesprochen, der ein wahres Meisterstück sein sollte. Er stellte die höchsten Ansprüche an sich selbst und war in seinem Streben nach etwas, was ihm noch nicht völlig deutlich geworden, immer unzufrieden mit seiner Arbeit als Ganzem: manchmal gefiel ihm ein Teil – der Arm oder das Bein einer Gestalt, ein Glas oder ein Teller in seinem Stillleben –, und diesen schnitt er dann aus und vernichtete die übrige Leinwand; wenn Leute zu ihm kamen, um seine Bilder zu besehen, konnte er ihnen mit aller Wahrhaftigkeit entgegenhalten, daß er auch nicht eines zu zeigen hatte. In der Bretagne war er einem Maler begegnet, von dem sonst noch niemand gehört hatte, einem merkwürdigen Kauz, der Börsenmakler gewesen war und erst in mittleren Jahren zu malen angefangen hatte. Dieser hatte einen großen Einfluß auf ihn ausgeübt. Er wandte sich vom Impressionismus ab und bemühte sich nun allein in verbissenem Ringen, eine individuelle Art nicht nur des Malens, sondern auch des Sehens zu finden.

In Gesellschaft saß er still da, mit einem sarkastischen Ausdruck auf dem hageren Gesicht, und sprach nur, wenn sich ihm Gelegenheit bot, eine witzige Bemerkung einzuwerfen. Sonst sprach er selten von etwas anderem als vom Malen, und dies nur mit den wenigen Personen, die er eines solchen Gespräches für würdig hielt. Philip fragte sich, ob wirklich etwas in ihm steckte: seine Schweigsamkeit, sein Äußeres, sein beißender Witz ließen Persönlichkeit vermuten, konnten aber auch nichts weiter sein als eine effektvolle Maske, hinter der sich nichts verbarg.

Mit Lawson hingegen wurde Philip schnell intim. Er hatte zahlreiche Interessen, die ihn zu einem angenehmen Gesellschafter machten. Er las mehr als die übrigen jungen Maler und kaufte, obgleich sein Einkommen klein war, mit Vorliebe Bücher. Diese lieh er bereitwillig her, und Philip lernte dadurch Flaubert und Balzac, Verlaine, Heredia und Villiers de L'Isle Adam kennen. Lawson und er gingen miteinander ins Theater und manchmal in die Opéra Comique. Sie hatten das *Odéon* in nächster Nähe, und Philip teilte bald die Begeisterung seines Freundes für die Dramatiker Ludwigs XIV. und den klangvollen Alexandriner. In der Rue Taitbout fanden die Concerts Rouges statt, wo man für fünfundsiebzig Centimes ausgezeichnete Musik hören konnte und dazu noch etwas Genießbares zu trinken bekam. Manchmal gingen sie zum *Bal Bullier.* Bei diesen Gelegenheiten schloß sich ihnen Flanagan an. Sein Temperament und seine lärmenden Begeisterungsausbrüche brachten sie zum Lachen. Er war ein ausgezeichneter Tänzer, und man war noch keine zehn Minuten im Saal, so stolzierte er schon mit irgendeinem kleinen Ladenmädchen einher, dessen Bekanntschaft er eben gemacht hatte.

Alle hatten sie den einen großen Wunsch, eine Geliebte zu haben.

Das gehörte mit zum Begriff des Kunstschülers in Paris. Es gab einem Ansehen in den Augen der Kollegen. Es war etwas, womit man sich wichtig machen konnte. Die Schwierigkeit war bloß die, daß die meisten kaum Geld genug besaßen, sich selbst zu erhalten – und tröstete man sich auch damit, daß Französinnen so geschickt mit Geld umzugehen verstanden, daß das Leben für zwei Personen nicht mehr kostete als für eine, so war es doch nicht ganz leicht, junge Damen aufzutreiben, die sich zu der gleichen Auffassung bekannten. Man hätte es nicht für möglich gehalten, wie schwierig diese Dinge in Paris waren. So lernte Lawson etwa irgendeine junge Person kennen und traf eine Verabredung mit ihr; vierundzwanzig Stunden war er Feuer und Flamme und beschrieb jedem, den er traf, ausführlich die Reize seiner Schönen; aber niemals kam es vor, daß sie auch wirklich zur festgesetzten Zeit an dem verabredeten Ort erschien. Dann fand er sich sehr spät und in übelster Laune bei *Gravier* ein und rief:

»Verflucht noch einmal, wieder ein Aufsitzer! Ich weiß wirklich nicht, warum diese Weiber mich nicht mögen. Vielleicht, weil ich nicht gut französisch spreche – oder sollte es mein rotes Haar sein? Es ist eine Affenschande.«

»Du fängst es nicht richtig an«, meinte dann Flanagan.

Er hatte eine lange und beneidenswerte Liste von Triumphen anzuführen, und obgleich man nicht alles glauben durfte, was er vorbrachte, konnte doch nicht alles erlogen sein. Aber er suchte keine dauernde Verbindung. Er konnte nur zwei Jahre in Paris bleiben: er hatte seine Familie überredet, ihn ziehen zu lassen, um malen zu lernen, anstatt zu studieren; aber nach zwei Jahren mußte er nach Seattle zurückkehren und in das Geschäft seines Vaters eintreten. Er hatte sich vorgenommen, in diesem Zeitraum möglichst viel Lustiges zu erleben, und strebte eher nach Abwechslung als nach Beständigkeit in der Liebe.

»Ich weiß nicht, wie ich an sie herankommen soll«, rief Lawson wütend.

»Das ist die geringste Schwierigkeit, mein Söhnchen. Da heißt es einfach: zupacken. Bedeutend schwerer ist es, sie loszuwerden. Da braucht man Takt.«

Philip war viel zu sehr mit seiner Arbeit, den Büchern, die er las, den Theaterstücken, die er sah, den Gesprächen, denen er zuhörte, beschäftigt, als daß ihn der Wunsch nach weiblicher Gesellschaft beunruhigt hätte. Er fand, daß er dafür Zeit genug haben würde, wenn er erst einmal besser französisch sprach.

Es war nun über ein Jahr her, daß er mit Miss Wilkinson zusammengewesen war, und während seiner ersten Wochen in Paris war er nicht dazugekommen, einen Brief zu beantworten, den sie ihm knapp vor seiner Abreise von Blackstable geschrieben hatte. Einen zweiten, der in kurzem Abstand folgte, ließ er ungeöffnet liegen, weil er Vorwürfe fürchtete und sich die Laune nicht verderben lassen wollte. Er nahm sich vor, ihn später einmal zu öffnen, aber dann vergaß er es, und erst einen Monat später, als er in einer Lade nach einem Paar heiler Socken kramte, fiel er ihm wieder in die Hände. Er erschrak. Sicherlich hatte Miss Wilkinson viel gelitten, und er kam sich roh und rücksichtslos vor. Und doch war er fest entschlossen, sie nie im Leben wiederzusehen. Nun hatte er so lange nicht geschrieben, daß es ihm sinnlos schien, die Korrespondenz noch einmal aufzunehmen. Er beschloß, den Brief nicht zu lesen.

›Nun wird sie mir bestimmt nicht mehr schreiben‹, sagte er zu sich selbst. ›Sie wird einsehen, daß es aus ist. Schließlich könnte sie meine Mutter sein; sie hätte vernünftiger sein sollen.‹

Ein paar Stunden war ihm nicht ganz wohl zumute. Sein Verhalten war zweifellos richtig, aber ein gewisses Unbehagen wurde er doch nicht los. Miss Wilkinson indessen schrieb weder, noch tauchte sie, wie er törichterweise gefürchtet hatte, plötzlich in Paris auf, um ihn vor allen seinen Freunden lächerlich zu machen. Nach kurzer Zeit vergaß er sie ganz und gar.

Unterdessen sagte er sich endgültig von seinen alten Göttern los. Das Erstaunen, mit dem er anfangs die Werke der Impressionisten betrachtet hatte, verwandelte sich in Bewunderung, und bald hörte er sich ebenso begeistert über Manet, Monet und Degas sprechen wie die übrigen. Er kaufte eine Fotografie der Ingresschen Zeichnung *Odalisque* und eine Fotografie der *Olympia*. Nebeneinander befestigte er sie an der Wand über seinem Waschtisch, so daß er ihre Schönheit während des Rasierens betrachten konnte. Er war nun davon überzeugt, daß es vor Monet keine Landschaftsmalerei gegeben hatte, und er fühlte einen echten Schauer, wenn er vor Rembrandts *Jüngern von Emmaus* oder Velasquez' *Dame mit der von Flöhen zerbissenen Nase* stand. Das war nicht ihr wirklicher Name, aber so wurde sie bei *Gravier* genannt, um die Schönheit des Bildes zu betonen, ungeachtet der revolutionär anmutenden Absonderlichkeiten des Modells. Mit Ruskin, Burne-Iones und Watts legte er auch den steifen Hut und die nette blau-weiß getupfte Binde beiseite, die er bei seiner Ankunft in Paris getragen hatte, und ging nun in einem weichen, breitrandigen Hut, einer flatternden schwarzen Krawatte und einem romantisch geschnittenen Cape einher. Er spazierte über den Boulevard de Montparnasse, als wäre er sein Leben lang hier gegangen, und brachte es durch Fleiß und Beharrlichkeit dazu, ohne Abscheu Absinth zu trinken. Er ließ sein Haar wachsen, und nur weil die Natur grausam ist und keine Rücksicht auf die sehnsüchtigen Wünsche der Jugend kennt, mußte er davon Abstand nehmen, sich einen Bart wachsen zu lassen.

Philip erkannte bald, daß der Geist, der seinen Freunden die Richtung wies, der Geist Cronshaws war. Von ihm hatte Lawson seine Paradoxa, und selbst Clutton, der nach Individualität strebte, bediente sich gewisser Ausdrucksformen, die er unbewußt von dem älteren Mann übernommen hatte. Seine Ideen waren es, die sie bei Tisch herausposaunten, und nach seinen Grundsätzen bildeten sie ihre Urteile. Sie entschädigten sich für den Respekt, mit dem sie ihn unwillkürlich behandelten, indem sie über seine Schwächen lachten und seine Laster beklagten.

»Der arme alte Cronshaw wird nie etwas leisten«, sagten sie. »Ein hoffnungsloser Fall.«

Sie taten sich viel darauf zugute, die einzigen zu sein, die sein Genie würdigten, und obgleich sie mit der Verachtung der Jugend für die Torheiten des Alters eine gewisse gönnerhafte Haltung ihm gegenüber einnahmen, betrachtete jeder von ihnen es als besondere Auszeichnung, ihm eine Stunde lang allein Gesellschaft leisten zu dürfen, und tat sich viel darauf zugute, wenn er sich bei dieser Gelegenheit besonders wunderbar gezeigt hatte. Cronshaw kam niemals zu *Gravier*. Seit vier Jahren lebte er in den verkommensten Verhältnissen, mit einer Frau, die nur Lawson einmal gesehen hatte, in einer winzigen Wohnung im sechsten Stock eines der am meisten verfallenen Häuser am Quai des Grands-Augustins. Lawson erzählte anschaulich von dem Schmutz, der Unordnung, dem abscheulichen Geruch, der dort herrschte. Mit einer grimmigen Freude am Realismus beschrieb er die Frau, die ihm die Tür geöffnet hatte. Sie war dunkel, klein und dick, ganz jung, mit schwarzem Haar, das ihr unordentlich ins Gesicht hing. Sie trug eine schlampige Bluse und kein Korsett. Mit ihren roten Wangen, ihrem großen, sinnlichen Mund und ihren glänzenden, unzüchtigen Augen erinnerte sie an die *Bohémienne* von Frans Hals im Louvre. In ihrem Auftreten lag eine herausfordernde Gemeinheit, die etwas Amüsantes, aber zugleich Erschreckendes hatte. Ein schmieriges, ungewaschenes Baby spielte auf dem Fußboden. Es war bekannt, daß das Frauenzimmer Cronshaw mit den verkommensten Burschen des Quartiers betrog, und den naiven Jünglingen, die am Kaffeetisch seine Weisheiten in sich aufnahmen, war es unbegreiflich, daß Cronshaw mit seinem scharfen Geist und seinem leidenschaftlichen Schönheitssinn sich mit solch einem Wesen zusammentun konnte. Aber anscheinend machte ihm die ordinäre Drastik ihrer Ausdrucksweise Spaß, und oft gab er irgendeine Phrase zum besten, die nach der Gosse roch. Sprach er von seiner Gefährtin, so nannte er sie ironisch *la fille de mon concierge*. Cronshaw war sehr arm. Er verdiente das Nötigste, indem er für ein paar englische Zeitungen über Bilderausstellungen schrieb und ziemlich viel übersetzte. Eine Zeitlang war er in Paris angestellt gewesen, aber wegen Trunksucht entlassen worden. Das Pariser Leben hatte es ihm angetan, und trotz aller Unsauberkeit, Plackerei und Mühsal hätte er es mit keinem andern auf der Welt vertauscht. Er blieb das ganze Jahr in der Stadt, auch im Sommer, wenn alle Bekannten fort waren, und fühlte sich nur im Umkreis des Boulevard St. Michel wohl. Verwunderlich war bloß, daß er nie erlernt hatte, halbwegs französisch zu sprechen, und in seinen schäbigen, bei *La Belle Jardinière* gekauften Anzügen ein unausrottbares englisches Äußeres beibehielt.

Ein und ein halbes Jahrhundert früher, da die Kunst des Gesprächs als Passierschein zum Eintritt in die gute Gesellschaft galt und Trunksucht noch nichts Degradierendes war, hätte er es vielleicht zu Ruhm und Ansehen gebracht.

›Ich hätte im achtzehnten Jahrhundert leben sollen‹, sagte er zu sich selbst. ›Ich wünschte, ich hätte einen Gönner. Ich hätte meine Gedichte in Subskription herausbringen und sie einem Adeligen widmen sollen. Ich sehne mich danach, Couplets über den Pudel einer Gräfin zu schreiben. Meine Seele schmachtet nach der Liebe von Kammerzofen und nach den Gesprächen mit Bischöfen.‹

Er zitierte den Romantiker Rolla:

*»Je suis venu trop tard dans un monde trop vieux.«*

Er freute sich, wenn er neue Gesichter sah, und faßte eine Vorliebe für Philip, der das schwierige Kunststück fertigbrachte, gerade genug zu sprechen, um die Unterhaltung in Gang zu halten, und doch nicht zu viel, um einen Monolog zu verhindern. Philip war fasziniert. Es kam ihm nicht zum Bewußtsein, daß wenig von dem, was Cronshaw sagte, wirklich neu war. Seine Persönlichkeit hatte eine seltsame Macht. Er hatte eine schöne, klangvolle Stimme und eine Art, die Dinge vorzubringen, die für junge Menschen unwiderstehlich war. Alles, was er sagte, regte zum Denken an, und oft kam es vor, daß Lawson und Philip auf dem Heimwege zwischen ihren beiden Wohnungen hin- und herpendelten und ein Problem besprachen, das Cronshaw mit einem zufällig hingeworfenen Wort aufgerissen hatte. Es verwirrte Philip mit seiner jugendlichen Sucht nach Resultaten, daß Cronshaws Gedichte den allgemeinen Erwartungen kaum entsprachen. Sie waren nie in einem Band gesammelt worden, sondern vereinzelt in Zeitschriften erschienen. Philip stellte mit Bestürzung fest, daß die meisten entweder an Henley oder an Swinburne erinnerten. Er äußerte seine Enttäuschung Lawson gegenüber, der Philips Worte achtlos weitergab; und als Philip das nächstemal in der *Closerie des Lilas* erschien, wandte sich der Dichter mit seinem durchtriebenen Lächeln an ihn:

»Ich höre, Sie halten nicht viel von meinen Gedichten.«

Philip wurde verlegen.

»Das kann ich nicht sagen«, antwortete er. »Ich habe sie mit großem Vergnügen gelesen.«

»Bemühen Sie sich nicht, meine Gefühle zu schonen«, meinte Cronshaw mit einer schwungvollen Geste seiner fetten Hand. »Ich messe meinen poetischen Versuchen keine übertriebene Wichtigkeit bei. Das Leben ist da, um gelebt zu werden, und nicht, damit man darüber schreibt. Mein Ziel ist, den mannigfachen Möglichkeiten, die es bietet, nachzuspüren und jedem Augenblick abzuringen, was er an Erlebenswertem enthält. Ich betrachte meine Schriftstellerei als eine anmutige Kunst, die das Dasein nicht aufzehrt, sondern verschönt. Und was die Nachwelt anbelangt – so kann sie mir gestohlen bleiben.«

Philip lächelte, denn niemand konnte sich darüber täuschen, daß der Künstler einen ziemlich jammervollen Gebrauch von seinem Leben gemacht hatte. Cronshaw schaute ihn nachdenklich an und füllte sein Glas. Er schickte den Kellner um ein Päckchen Zigaretten.

»Sie lachen, weil Sie mich so reden hören und doch wissen, daß ich arm bin und in einer Dachkammer wohne, mit einer Hure, die mich mit den Friseurgehilfen und *garçons de café* betrügt; ich übersetze schlechte Bücher für das englische Publikum und schreibe Artikel über elende Bilder, die nicht einmal zerrissen zu werden verdienen. Aber bitte, sagen Sie mir, was ist der Sinn des Lebens?«

»Oh, das ist eine verdammt schwere Frage. Wollen Sie die Antwort nicht selbst geben?«

»Nein, weil sie wertlos ist, wenn Sie sie nicht allein finden. Wozu glauben Sie, sind Sie auf der Welt?«

Philip hatte sich niemals danach gefragt, und er dachte einen Augenblick lang nach, bevor er antwortete:

»Ach, ich weiß nicht: vermutlich, um meine Pflicht zu tun und meine Fähigkeiten zu nützen und zu vermeiden, anderen Leuten Böses zu tun.«

»Kurz und gut, um sich Ihren Nebenmenschen gegenüber so zu verhalten, wie Sie wünschen, daß man sich Ihnen gegenüber verhalten möge.«

»Vielleicht.«

»Also Christlichkeit.«

»Nein, keine Spur«, sagte Philip entrüstet. »Das hat mit Christlichkeit nichts zu tun. Es ist einfach abstrakte Moral.«

»Abstrakte Moral gibt es nicht.«

»So! Und wenn Sie unter der Einwirkung von Alkohol Ihre Börse liegenlassen und ich sie aufhebe und Ihnen zurückbringe: warum, glauben Sie, tue ich das? Doch nicht, weil ich mich vor der Polizei fürchte?«

»Es ist die Angst vor der Hölle, wenn Sie sündigen, und die Hoffnung auf den Himmel, wenn Sie tugendhaft sind.«

»Aber ich glaube doch weder an das eine noch an das andere.«

»Das kann sein. Kant hat auch nicht daran geglaubt, als er den kategorischen Imperativ aufstellte. Sie haben einen Glauben beiseite geworfen, aber die Ethik beibehalten, die auf ihm aufgebaut war. Auf alle Fälle sind Sie immer noch ein Christ, und wenn es einen Gott im Himmel gibt, können Sie Ihres Lohnes sicher sein. Der Allmächtige dürfte kaum der Narr sein, den die Kirchen aus ihm machen. Wenn Sie sich an seine Gesetze halten, kann es ihm vollkommen gleichgültig sein, ob Sie an ihn glauben oder nicht.«

»Aber wenn ich meine Börse liegen ließe, würden Sie sie mir doch sicherlich auch zurückgeben«, sagte Philip.

»Nicht aus Motiven abstrakter Moral, sondern nur aus Angst vor der Polizei.«

»Sie können tausend zu eins damit rechnen, daß die Polizei niemals dahinterkommt.«

»Meine Vorfahren haben so lange in einem zivilisierten Staat gelebt, daß mir die Angst vor der Polizei ganz tief in den Knochen sitzt. Die Tochter meines *concierge* würde keinen Augenblick zögern. Sie werden mir antworten, daß sie den verbrecherischen Klassen angehört; nicht im mindesten. Sie ist bloß frei von vulgären Vorurteilen.«

»Dann wären also Ehre, Tugend, Güte, Anständigkeit und all das – nichts?« sagte Philip.

»Haben Sie je eine Sünde begangen?«

»Ich weiß nicht; wahrscheinlich«, erwiderte Philip.

»Sie sprechen mit den Lippen eines methodistischen Geistlichen. Ich habe niemals eine Sünde begangen.«

Cronshaw, in seinem schäbigen Überzieher mit dem aufgeschlagenen Kragen, den Hut fest in die Stirn gedrückt, seinem roten Gesicht und seinen kleinen, funkelnden Augen, sah außerordentlich komisch aus; aber Philip war viel zu ernst zumute, als daß er hätte lachen können.

»Haben Sie nie etwas getan, was Sie bereuen?«

»Wie kann ich etwas bereuen, wenn das, was ich getan habe, unvermeidlich war?« fragte Cronshaw seinerseits.

»Aber das ist ja reinster Fatalismus.«

»Die Illusion des Menschen von der Freiheit seines Willens ist so tief verwurzelt, daß ich bereit bin, sie anzuerkennen. Ich handle, als wäre ich ein freies Wesen. Ist die Handlung jedoch vollbracht, dann wird es klar, daß alle Kräfte des Weltalls von Ewigkeiten her verschworen waren, sie zustande zu bringen; nichts, was in meiner Macht lag, hätte sie verhindern können. Sie war unvermeidlich. Wenn sie gut war, kann ich kein Verdienst beanspruchen, war sie schlecht, keinen Tadel hinnehmen.«

»Mir raucht das Hirn«, rief Philip.

»Trinken Sie einen Schluck Whisky«, entgegnete Cronshaw, indem er ihm die Flasche zuschob. »Nichts macht den Kopf klarer.«

Philip schüttelte den Kopf, und Cronshaw fuhr fort:

»Sie sind kein übler Mensch, aber Sie trinken nicht. Nüchternheit stört das Gespräch. Aber wenn ich von Gut und Böse rede...« Philip sah, daß er den Faden wieder aufnahm, »...so ist das eine konventionelle Art, mich auszudrücken. Ich messe diesen Worten keine Bedeutung bei. Bezeichnungen wie Laster und Tugend haben keinen Sinn für mich. Ich erteile weder Lob noch Tadel, ich nehme hin. Ich bin das Maß aller Dinge. Ich bin das Zentrum der Welt.«

»Aber außer Ihnen gibt es doch noch andere Leute«, warf Philip ein.

»Ich spreche ausschließlich für mich. Die anderen kommen nur insofern in Betracht, als sie meine Aktivität einschränken. Auch um sie, um jeden einzelnen, dreht sich die Welt, und jeder für sich ist das Zentrum der Welt. Und mein Recht über den Nächsten erstreckt sich nur so weit, wie meine Macht reicht. Was ich tun kann, ist der einzige Maßstab dafür, was ich tun darf. Auf der einen Seite steht die Gesellschaft und auf der andern das Individuum, jedes ein Organismus, der nach Selbsterhaltung strebt. Macht gegen Macht. Ich stehe allein und bin gezwungen, die Gesellschaft anzuerkennen, wogegen ich nichts einzuwenden habe, denn als Gegenleistung für die Steuern, die ich zahle, beschützt sie mich, den Schwächling, gegen die Tyrannei derjenigen, die stärker sind als ich. Aber ich unterwerfe mich ihren Gesetzen nur, weil ich muß; ich anerkenne ihre Gerechtigkeit nicht. Ich kenne keine Gerechtigkeit, ich kenne bloß Macht. Und wenn ich den Polizisten bezahlt habe, der mich beschützt, und, falls ich in einem Lande lebe, in dem die allgemeine Wehrpflicht eingeführt ist, in der Armee gedient habe, die mein Land und mein Haus vor Überfällen bewahrt, ist meine Rechnung mit der Gesellschaft beglichen: im übrigen setze ich ihrer Macht meine Verschlagenheit entgegen. Sie macht Gesetze zu ihrer Selbsterhaltung, und wenn ich diese breche, sperrt sie mich ein oder tötet mich: sie hat dazu die Macht und daher auch das Recht. Wenn ich die Gesetze breche, nehme ich die Rache des Staates hin, aber ich werde sie weder als Bestrafung ansehen, noch werde ich von meinem Unrecht überzeugt sein. Die Gesellschaft versucht, mich mit Ehren, Reichtümern und der guten Meinung meiner Mitbürger in ihren Dienst zu locken, aber ich mache mir nichts aus dieser guten Meinung, ich verabscheue Ehren, und ich kann sehr gut ohne Reichtümer leben.«

»Aber wenn jeder denken würde wie Sie, müßte ja sofort alles zugrunde gehen.«

»Die andern gehen mich nichts an. Ich kümmere mich bloß um mich selbst. Ich ziehe Nutzen aus der Tatsache, daß die Majorität der Menschheit durch gewisse Belohnungen verlockt wird, Dinge zu tun, die direkt oder indirekt zu meiner Bequemlichkeit beitragen.«

»Das ist aber eine furchtbar egoistische Art, die Dinge zu sehen«, meinte Philip.

»Ja glauben Sie denn, daß die Menschen jemals aus anderen als egoistischen Gründen handeln?«

»Ja.«

»Das ist völlig unmöglich. Je älter Sie werden, desto klarer wird es Ihnen werden, daß man vor allem den unvermeidlichen Egoismus der Menschheit erkannt haben muß, wenn man die Welt zu einem erträglichen Aufenthaltsort machen will. Sie verlangen Selbstlosigkeit von den andern, was gleichbedeutend ist mit der unsinnigen Forderung, daß die andern ihre Wünsche den Ihrigen unterordnen. Warum denn? Wenn Sie sich mit der Tatsache abgefunden haben, daß jeder eine Welt für sich ist, werden Sie weniger von Ihren Mitmenschen verlangen. Sie werden nicht so leicht enttäuscht sein, und Sie werden ihnen mit größerer Nachsicht begegnen. Die Menschen suchen nur eines im Leben: ihr Vergnügen.«

»Nein, nein, nein!« rief Philip.

Cronshaw lachte in sich hinein.

»Sie bäumen sich auf wie ein erschrecktes Fohlen, weil ich ein Wort verwendet habe, dem Ihr Christentum eine abfällige Bedeutung zuschreibt. Sie haben eine Wertehierarchie; Vergnügungen sind die unterste Sprosse der Leiter, und Sie sprechen mit einem leisen Anflug von Selbstzufriedenheit von Pflicht, Nächstenliebe und Wahrhaftigkeit. Sie glauben, Vergnügen seien nur eine Sache der Sinne; die elenden Sklaven, die Ihre Moral fabriziert haben, verschmähten Befriedigungen, die zu genießen sie nur wenig Gelegenheit hatten. Sie wären nicht so sehr erschrocken, hätte ich anstelle von Vergnügen von Glück gesprochen: das klingt weniger schockierend, und Ihr Geist wandert vom Stall des Epikur in dessen Garten. Aber ich will vom Vergnügen sprechen, denn ich sehe, daß die Menschen es darauf abgesehen haben, und ich weiß nichts davon, daß sie es auf Glück abgesehen haben. In jeder Ihrer Tugenden ist praktisch das Vergnügen versteckt: wer Vergnügen darin findet, Almosen zu geben, ist wohltätig; wer Vergnügen daran findet, anderen zu helfen, ist gütig; wer Vergnügen darin findet, für die Gesellschaft zu arbeiten, ist patriotisch; und es ist Ihr Privatvergnügen, einem Bettler zwei Pennies zu geben, ebenso wie es mein Privatvergnügen ist, noch einen Whisky-Soda zu trinken. Ich, der ich mich weniger beschwindle als Sie, lobe weder meine Vergnügungen, noch begehre ich Ihre Bewunderung.«

»Aber haben Sie niemals Leute gekannt, die etwas taten, das sie nicht tun wollten?«

»Nein. Sie stellen Ihre Frage töricht. Sie meinen damit nichts anderes, als daß die Menschen einen sofortigen Schmerz eher hinnehmen als ein sofortiges Vergnügen. Der Einwand ist so töricht wie die Art, in der Sie ihn vorgebracht haben. Es ist klar, daß die Menschen einen sofortigen Schmerz eher hinnehmen als ein sofortiges Vergnügen, doch nur, weil sie in der Zukunft ein um so größeres Vergnügen erwarten. Oft ist das Vergnügen trügerisch, aber ihr Irrtum bei der Berechnung ist keine Widerlegung der Regel. Sie sind verwirrt, weil Sie sich nicht von der Vorstellung lösen können, daß Vergnügen nur die Sinne betreffen; aber, mein Kind, wenn einer für sein Vaterland stirbt, stirbt er, weil er – und darauf können Sie sich verlassen – es ebenso gern tut wie ein Mann, der sauren Kohl ißt, weil er ihn mag. Es ist ein Naturgesetz. Wenn es dem Menschen möglich wäre, den Schmerz dem Vergnügen vorzuziehen, wäre das Menschengeschlecht längst ausgestorben.«

»Aber, wenn das wahr ist«, rief Philip, »was hat dann das Leben für einen Sinn? Wenn Sie Pflicht, Güte und Schönheit wegnehmen – wozu sind wir dann auf der Welt?«

»Hier kommt der prunkende Orient und bringt uns die Antwort«, lächelte Cronshaw.

Er zeigte auf zwei Personen, die in diesem Augenblick die Tür des Cafés öffneten und einen Windstoß eiskalter Luft mit hereinbrachten. Es waren hausierende Levantiner, die billige Teppiche verkauften, und jeder trug ein Bündel über dem Arm. Das Café war an diesem Abend sehr voll. Sie gingen von Tisch zu Tisch, und in die schwere, rauchvernebelte und von menschlicher Ausdünstung verpestete Atmosphäre brachten sie einen Hauch von Geheimnis. Sie hatten schäbige europäische Kleider an, ihre dünnen Mäntel waren fadenscheinig, aber jeder trug einen Tarbusch. Ihre Gesichter waren grau vor Kälte. Einer war ein Mann mittleren Alters, mit einem schwarzen Bart, aber der andere war ein achtzehnjähriger Jüngling mit einem von Pockennarben zerfressenen Gesicht und nur einem Auge. Sie kamen an Cronshaw und Philip vorbei.

»Allah ist groß, und Mohammed ist sein Prophet«, sagte Cronshaw feierlich.

Der ältere kam mit einem kriechenden Lächeln wie ein an Schläge gewöhnter Köter heran. Mit einem Seitenblick nach der Tür und einer schnellen, verstohlenen Bewegung zeigte er ein pornographisches Bild.

»Bist du Masr-ed-Deen, der Kaufmann von Alexandrien, oder bringst du deine Ware aus dem fernen Bagdad, o mein Oheim; und jener einäugige Jüngling, sehe ich in ihm einen jener drei Könige, von denen Scheherezade ihrem Gebieter erzählte?«

Das Lächeln des Hausierers wurde noch kriecherischer, obgleich er kein Wort von dem verstand, was Cronshaw sagte, und wie ein Hexenmeister holte er eine Rosenholzschachtel hervor.

»Zeige uns die köstlichen Gewebe morgenländischer Webstühle«, sagte Cronshaw, »denn ich möchte eine Weisheit anschaulich machen und eine Geschichte erläutern.«

Der Levantiner faltete ein Tischtuch auseinander, rot und gelb, vulgär, scheußlich und grotesk.

»Fünfunddreißig Francs«, sagte er.

»O mein Oheim, dieses Tuch kannte nicht die Weber von Samarkand, und diese Farben wurden nie in den Küchen von Bokhara gemischt.«

»Fünfundzwanzig Francs«, lächelte der Hausierer unterwürfig.

»Ultima Thule ist der Ort seiner Herstellung, vielleicht sogar Birmingham, der Ort meiner Geburt.«

»Fünfzehn Francs«, kroch der bärtige Mann.

»Heb dich von hinnen, Bursche«, rief Cronshaw. »Mögen wilde Esel das Grab deiner Großmutter besudeln.«

Unerschütterlich, aber nun nicht mehr lächelnd, zog der Levantiner weiter zu einem anderen Tisch. Cronshaw wandte sich Philip zu.

»Waren Sie je im Museum von Cluny? Dort werden Sie persische Teppiche finden, in den erlesensten Farben und Mustern, deren wundervolle Verschlungenheit dem Auge Entzücken und Staunen bereitet. In ihnen werden Sie das Geheimnis und die sinnliche Schönheit des Orients sehen, die Rosen von Hafis und den Becher Omars; aber bald werden Sie mehr sehen. Sie haben eben gefragt, was der Sinn des Lebens sei: gehen Sie hin und schauen Sie jene persischen Teppiche an, und eines Tages wird Ihnen die Antwort offenbar werden.«

»Sie sind unergründlich«, sagte Philip.

»Ich bin betrunken«, antwortete Cronshaw.


Philip fand das Leben in Paris nicht so billig, wie es ihm geschildert worden war, und hatte bis Februar den größten Teil des mitgebrachten Geldes aufgezehrt. Er war zu stolz, sich an seinen Vormund zu wenden, und wünschte nicht, daß Tante Louisa von seiner Verlegenheit erführe, denn er war überzeugt, daß sie ihm sonst aus eigener Tasche aushelfen würde, wenn es ihr auch noch so schwer fiele. In drei Monaten wurde er großjährig und trat in den Besitz seines kleinen Vermögens. Er half sich über die Zwischenzeit hinweg, indem er die wenigen Schmuckstücke verkaufte, die er von seinem Vater geerbt hatte.

Zu jener Zeit etwa machte Lawson Philip den Vorschlag, gemeinsam ein kleines, in einer Seitenstraße des Boulevard Raspail gelegenes Atelier zu mieten. Es war sehr billig. Ein anschließender Raum, der mit dazu gehörte, konnte als Schlafzimmer verwendet werden. Und da Philip jeden Vormittag in der Schule zu tun hatte, stand das Atelier in diesen Stunden Lawson uneingeschränkt zur Verfügung. Lawson hatte sich, nachdem er von Schule zu Schule gewandert war, zu der Überzeugung durchgerungen, daß er am besten allein arbeiten konnte. Drei- oder viermal wöchentlich wollte er ein Modell kommen lassen. Anfangs zögerte Philip wegen der erhöhten Kosten, aber er und Lawson rechneten so lange (in dem sehnlichen Wunsch nach einem eigenen Atelier nicht sehr genau), bis sie zu dem Ergebnis kamen, daß sie nicht viel mehr brauchen würden als in einer Pension. Was es an Miete und Bedienung mehr kosten würde, könnten sie beim *petit déjeuner* einsparen, das sie sich selbst zubereiten konnten. Noch vor ein oder zwei Jahren hätte sich Philip geweigert, ein Zimmer mit jemandem zu teilen, weil er seines verkrüppelten Fußes wegen sehr empfindlich war; aber nun schenkte er diesem nicht mehr soviel krankhafte Aufmerksamkeit: in Paris schien das bedeutend weniger auszumachen, und obwohl er selbst es niemals vergaß, hatte er nicht mehr länger das Gefühl, daß andere Leute ihn ständig beachteten.

Sie zogen ein, kauften zwei Betten, einen Waschtisch und ein paar Stühle und erlebten zum erstenmal die stolze Freude des Besitzes. Als sie sich am ersten Abend in ihrem neuen Heim zu Bett legten, waren sie so aufgeregt, daß sie bis drei Uhr morgens wachlagen und sprachen; und das Feueranzünden und Kaffeekochen am nächsten Morgen und dann das gemütliche Frühstück, das sie im Pyjama einnahmen, machte ihnen solchen Spaß, daß Philip erst gegen elf Uhr zu Armitrano kam. Er war glänzender Laune und nickte Fanny Price vergnügt zu.

»Na, geht's gut vorwärts?« fragte er.

»Was geht Sie das an?« war die Antwort.

Philip mußte lachen.

»Springen Sie mir nicht gleich ins Gesicht. Ich habe mich nur bemüht, höflich zu sein.«

»Ich brauche Ihre Höflichkeit nicht.«

Er fing an zu arbeiten und fragte sich kopfschüttelnd, warum Fanny Price sich so schroff und unangenehm benahm. Er war zu dem Schluß gelangt, daß er sie nicht leiden konnte. Niemand konnte sie leiden. Man ließ sie es nicht offen merken, aus Angst vor ihrer boshaften Zunge, aber hinter ihrem Rücken nahm man kein Blatt vor den Mund. Heute jedoch war Philip so glücklich, daß er keine Feindseligkeit um sich her ertrug. Nicht einmal Fanny Price sollte böse auf ihn sein. Er griff zu der List, mit deren Hilfe es ihm schon häufig gelungen war, Fannys schlechte Laune zu vertreiben.

»Ach, möchten Sie nicht kommen und sich meine Zeichnung ansehen? Ich bin in eine hoffnungslose Sackgasse geraten.«

»Vielen Dank, aber ich weiß mir etwas Besseres zu tun.«

Philip starrte sie überrascht an. Bisher hatte sie stets die größte Bereitwilligkeit an den Tag gelegt, wenn er sie um Rat bat. Sie fuhr fort zu sprechen, rasch, leise und außer sich vor Wut.

»Jetzt, wo Lawson weg ist, bin ich Ihnen gut genug. Aber ich bedanke mich dafür. Suchen Sie sich jemand anderen. Ich will kein Lückenbüßer sein.«

Lawson hatte eine ausgesprochene pädagogische Begabung; wenn er etwas herausgefunden hatte, dann drängte es ihn, es mitzuteilen; und weil er mit Freude unterrichtete, unterrichtete er mit Erfolg. Philip hatte unwillkürlich die Gewohnheit angenommen, neben ihm zu sitzen; er wäre nie auf den Gedanken gekommen, daß Fanny Price sich vor Eifersucht verzehrte.

»Ich war Ihnen gut genug, solange Sie niemanden hier kannten«, sagte sie bitter; »kaum aber hatten Sie sich mit anderen Leuten angefreundet, so warfen Sie mich beiseite wie einen alten Handschuh« – sie wiederholte den abgenutzten Vergleich mit Genugtuung – »wie einen alten Handschuh. Nun gut, es macht mir nichts aus, aber ein andermal lasse ich mich nicht zum Narren halten.«

Es war eine Spur Wahrheit in dem, was sie sagte, und Philip wurde so böse, daß er antwortete, was ihm gerade einfiel.

»Ach, ich habe Sie doch nur um Rat gefragt, weil ich Ihnen einen Gefallen tun wollte.«

Sie fuhr zusammen und warf ihm einen verzweifelten Blick zu. Dann rollten zwei dicke Tränen über ihre Wangen. Sie sah zerzaust und grotesk aus. Philip konnte sich nicht erklären, was diese neue Verhaltensweise zu bedeuten hatte, und er kehrte an seine Arbeit zurück. Es war ihm nicht wohl zumute, und sein Gewissen regte sich, doch wollte er nicht zu Fanny hingehen und sich entschuldigen, weil er fürchtete, abgewiesen zu werden. Zwei, drei Wochen sprach sie nicht mit ihm, und nachdem Philip sich über das anfängliche Unbehagen, geschnitten zu werden, hinweggesetzt hatte, fühlte er sich beinahe erleichtert, eine so schwierige Freundschaft los zu sein. Er war ein wenig beunruhigt gewesen wegen des Besitzanspruches, den sie sich ihm gegenüber anmaßte. Sie war eine außergewöhnliche Frau. Sie kam jeden Tag um acht Uhr ins Atelier und war bereit, mit der Arbeit zu beginnen, sobald das Modell seine Stellung einnahm; sie arbeitete beständig, unterhielt sich mit niemandem, kämpfte Stunde um Stunde mit den Schwierigkeiten, die sie nicht bewältigen konnte, und blieb, bis die Uhr zwölf schlug. Ihre Arbeiten waren hoffnungslos schlecht. Nicht die winzigste Annäherung an ein Mittelmaß, das die meisten der jungen Leute nach einigen Monaten zu erreichen fähig waren, war darin zu erkennen. Jeden Tag trug sie denselben häßlichen braunen Rock, an dessen Saum der Schmutz vom letzten Regentag schon hart geworden war und dessen Risse, die Philip aufgefallen waren, als er sie das erstemal gesehen hatte, noch immer nicht geflickt worden waren.

Aber eines Tages kam sie mit purpurrotem Gesicht auf ihn zu und fragte ihn, ob sie nach der Schule mit ihm sprechen könnte.

»Natürlich«, lächelte Philip. »Ich werde um zwölf Uhr auf Sie warten.«

Nach der Arbeit ging er zu ihr hin.

»Wollen Sie mich ein Stückchen begleiten?« fragte sie, ohne ihn anzusehen.

»Gern.«

Sie gingen ein paar Minuten schweigend nebeneinander her.

»Erinnern Sie sich, was ich neulich zu Ihnen gesagt habe«, hub sie plötzlich an.

»Ach, lassen Sie uns doch nicht streiten«, entgegnete Philip. »Es ist wirklich nicht der Rede wert.«

Sie seufzte rasch und schmerzvoll auf.

»Ich will nicht mit Ihnen streiten. Sie sind der einzige Freund, den ich in Paris hatte. Ich hatte gedacht, daß Sie mich mögen. Es besteht doch eine gewisse Zusammengehörigkeit zwischen uns. Ich fühlte mich zu Ihnen hingezogen. Sie verstehen mich – Ihr Fuß.«

Philip errötete und bemühte sich instinktiv, möglichst normal zu gehen. Er mochte es nicht, wenn jemand seinen deformierten Fuß erwähnte. Er wußte, was Fanny Price meinte. Sie war häßlich und linkisch, und weil er verkrüppelt war, bestand zwischen ihnen eine gewisse Zuneigung. Er war sehr böse auf sie, aber er zwang sich, nicht zu antworten.

»Sie haben damals gesagt, daß Sie mich nur um Rat gefragt hätten, um mir einen Gefallen zu tun. Halten Sie nichts von meiner Arbeit?«

»Ich kenne zu wenig von Ihnen, um mir ein Urteil zu bilden.«

»Möchten Sie sich nicht einmal meine anderen Arbeiten ansehen? Ich habe sie noch nie jemanden gezeigt. Aber Ihnen . . .«

»Furchtbar gerne.«

»Ich wohne in nächster Nähe«, sagte sie entschuldigend. »Es sind höchstens zehn Minuten.«

Sie führte ihn den Boulevard entlang, bog in eine Seitenstraße ein und wieder in eine andere, ärmliche, mit billigen Läden im Erdgeschoß der Häuser und blieb endlich stehen. Sie stiegen Stockwerk auf Stockwerk empor. Dann schloß sie eine Tür auf, und sie betraten eine winzige Dachkammer mit schrägem Plafond und einem kleinen Fenster. Dieses war geschlossen, und ein muffiger Geruch erfüllte das Zimmer. Obgleich es sehr kalt war, brannte kein Feuer, und kein Zeichen verriet, daß je geheizt wurde. Das Bett war ungemacht. Ein Stuhl, eine Kommode, die auch als Waschtisch diente, und eine billige Staffelei bildeten die ganze Einrichtung. Der Raum wäre an und für sich schon trostlos genug gewesen, aber Unsauberkeit und Unordnung gaben ihm etwas geradezu Abstoßendes. Auf dem Kaminsims standen in einem Durcheinander von Farben und Pinseln eine Tasse, ein schmutziger Teller und eine Teekanne.

»Stellen Sie sich bitte dort hinüber. Dort können Sie besser sehen.«

Sie zeigte ihm ungefähr zwanzig kleine Ölbilder. Sie stellte sie nacheinander auf einen Stuhl und beobachtete sein Gesicht; er nickte bei jedem und blieb zunächst stumm.

»Sie gefallen Ihnen doch?« fragte sie nach einer Weile ängstlich.

»Ich möchte sie mir zuerst alle ansehen, ehe ich meine Meinung äußere.«

Er versuchte sich zu sammeln. Er war entsetzt. Er wußte nicht, was er sagen sollte. Nicht nur, daß diese Bilder vollkommen verzeichnet und die Farben dilettantisch aufgetragen waren von jemandem, der kein Auge dafür hatte; es war auch nicht der geringste Versuch gemacht, die Farbwerte zu erfassen. Die Perspektive war grotesk. Die Bilder sahen aus wie von einem fünfjährigen Kind gemalt, aber ein Kind wäre wenigstens naiv gewesen und hätte sich bemüht, festzuhalten, was es sah; dies aber waren die Arbeiten eines vulgären Geistes, vollgepfropft mit Erinnerungen an vulgäre Bilder. Philip erinnerte sich, daß Fanny begeistert über Monet und die Impressionisten gesprochen hatte – hier sah er nichts als den Widerschein der schlimmsten Tradition der Royal Academy.

»So«, sagte sie endlich. »Nun haben Sie alle gesehen.«

Philip war nicht wahrhaftiger als andere Menschen, aber hier fiel es verteufelt schwer, eine glatte, durch nichts zu beschönigende Lüge auszusprechen; er errötete heftig, als er antwortete: »Ich finde Ihre Bilder ausgezeichnet.«

Ein schwaches Rot stieg in Fannys ungesunde Wangen, und sie lächelte ein wenig.

»Sie brauchen es nicht zu sagen, wenn Sie es nicht wirklich meinen. Ich möchte die Wahrheit hören.«

»Ich bin ganz aufrichtig.«

»Haben Sie nichts zu kritisieren? Es können Ihnen doch nicht alle gleich gut gefallen haben.«

Philip blickte hilflos umher. Er sah eine Landschaft, das typische malerische Motiv des Dilettanten, eine alte Brücke, eine efeuumsponnene Hütte und laubbeschattete Ufer.

»Ich möchte mir kein Urteil anmaßen«, sagte er, »aber bei diesem hier scheinen mir die Farbwerte nicht ganz erfaßt.«

Sie wurde dunkelrot, nahm das Bild und drehte es rasch um.

»Merkwürdig, daß Sie gerade dieses verhöhnen müssen. Es ist das beste, das ich gemacht habe. Und an den Farbwerten ist bestimmt nichts auszusetzen; das fühle ich.«

»Nein, nein. Die Bilder sind wirklich alle sehr gut«, beschwichtigte Philip.

Sie betrachtete sie mit befriedigtem Ausdruck.

»Ich brauche mich ihrer nicht zu schämen, das glaube ich auch.«

Philip schaute auf die Uhr.

»Oh, ich muß fort; es ist spät. Wollen Sie nicht mit mir essen?«

»Nein danke. Mein Essen steht schon bereit.«

Philip konnte nichts davon sehen, nahm jedoch an, daß die *concierge* es heraufbringen würde. Er war bestrebt, so rasch als möglich wegzukommen. Die muffige Luft des Zimmers verursachte ihm Übelkeit.


Im März kam der aufregende Termin der Bildereinsendung in den Salon. Clutton hatte charakteristischerweise nichts fertig und verhielt sich sehr spöttisch gegenüber den beiden Köpfen, die Lawson einschickte; es waren unverkennbar Schülerarbeiten, ehrliche Modellporträts, aber sie hatten eine gewisse Kraft. Clutton, der nach Vollkommenheit strebte, erklärte es für die reinste Impertinenz, derartige Dinge auszustellen. Und er blieb auch noch bei seiner Meinung, als die beiden Köpfe angenommen wurden. Auch Flanagan versuchte sein Glück, aber ohne Erfolg. Mrs. Otter sandte ein untadeliges *Portrait de ma Mère* ein, brav und zweitrangig, und es wurde an einen sehr guten Platz gehängt.

Hayward, den Philip seit Heidelberg nicht mehr gesehen hatte, kam auf ein paar Tage nach Paris, und zwar gerade rechtzeitig, um an dem Fest teilzunehmen, das Lawson und Philip zur Feier der Annahme von Lawsons Bildern in ihrem Atelier gaben. Philip hatte sich sehr auf das Wiedersehen mit Hayward gefreut, als er aber endlich mit ihm beisammen war, konnte er sich einer gewissen Enttäuschung nicht erwehren. Hayward hatte sich äußerlich etwas verändert. Sein feines Haar war spärlicher geworden, und rasch alternd, wie es bei sehr hellen Menschen häufig der Fall ist, wurde er welk und farblos; seine Augen waren blasser als früher, und seine Züge hatten etwas Langweiliges. Geistig hingegen war er der gleiche geblieben, und die Bildung, die einst so gewaltigen Eindruck auf den achtzehnjährigen Philip gemacht hatte, rief bei dem Einundzwanzigjährigen eher Geringschätzung hervor. Er selbst hatte eine große Wandlung durchgemacht, und da er mit Hohn auf seine früheren Ansichten über Kunst, Literatur und Leben zurückblickte, brachte er keine Geduld auf für Menschen, die noch an ihnen festhielten. Als er Hayward durch die Galerien führte, schüttete er all die revolutionären Ideen vor ihm aus, die ihm selbst erst seit so wenigen Monaten

geläufig waren. Er führte ihn vor Manets *Olympia* und sagte thea-
tralisch:

»Alle alten Meister, mit Ausnahme von Velasquez, Rembrandt und
Vermeer, gebe ich für dieses eine Bild.«

»Wer war Vermeer?« fragte Hayward.

»Oh, das weißt du nicht? Dann mußt du ihn augenblicklich
kennenlernen. Er war der einzige, der wie ein Moderner gemalt hat.«

Und er schleppte Hayward aus dem Luxembourg hinaus und
brachte ihn in den Louvre.

»Gibt es denn hier keine Bilder mehr zu sehen?« fragte Hayward
mit der Leidenschaft des Touristen für Vollständigkeit.

»Nichts von entscheidender Bedeutung. Du kannst herkommen und
dir die Bilder an Hand des Baedekers allein ansehen.«

Als sie beim Louvre angekommen waren, meinte Hayward:

»Ich möchte *La Gioconda* sehen.«

»Ach, mein lieber Junge, das ist ja alles Literatur«, war Philips
Antwort.

Endlich in einem kleinen Zimmer, blieb Philip vor der *Spitzen-
klöpplerin* von Vermeer van Delft stehen.

»Da. Das ist das beste Bild im Louvre. Es kann jedem Manet an
die Seite gestellt werden.«

Mit ausdrucksvoll beredtem Daumen verbreitete sich Philip über
das entzückende Werk. Er bediente sich mit überwältigender Wirkung des Jargons der Ateliers.

»Ich kann eigentlich gar nichts so Wunderbares daran finden«, sagte Hayward.

»Gott, es ist natürlich ein Bild für Maler«, entgegnete Philip. »Ich
verstehe sehr gut, daß ein Laie nicht viel darin sieht.«

»Ein was?«

»Ein Laie.«

Wie die meisten Menschen, die sich für Kunst interessieren, war
es Hayward im höchsten Grade darum zu tun, recht zu haben.
Er war dogmatisch Leuten gegenüber, die keine eigenen Ansichten
hatten, aber sehr bescheiden, wo er auf feste Meinungen stieß. Philips
sichere Haltung imponierte ihm gewaltig, und er nahm widerspruchslos die anmaßende These hin, daß nur ein Maler berufen sei, über
Werke der Malerei zu urteilen.

Ein paar Tage später gaben Philip und Lawson ihre Gesellschaft.
Cronshaw erklärte sich ausnahmsweise bereit, an ihrem Festmahl
teilzunehmen. Miss Chalice erbot sich, zu kochen. Sie hatte kein
Interesse für ihr eigenes Geschlecht und wollte nichts davon wissen,
daß man ihr zuliebe noch andere Mädchen einlade. Clutton, Flanagan,
Potter und zwei andere waren die übrigen Gäste. Da es an Möbeln
fehlte, mußte das Podium für das Modell als Tisch dienen, während

die Gäste je nach Wahl auf Koffern oder auf dem Fußboden sitzen sollten. Das Festessen bestand aus einem *pot-au-feu*, von Miss Chalice zubereitet, einer Hammelkeule, die in dem Restaurant um die Ecke gebraten worden war und warm und duftend heraufgebracht wurde (Miss Chalice hatte die Kartoffeln dazu gekocht, und das ganze Atelier roch nach geschmorten Karotten – geschmorte Karotten waren Miss Chalices Spezialität); und hernach sollten *poires flambées* gereicht werden, Birnen mit brennendem Schnaps, die sich Cronshaw zuzubereiten erboten hatte. Den Schluß des Mahles bildete ein riesiger *fromage de Brie*, der neben dem Fenster stand und seinen würzigen Geruch mit den übrigen Düften mengte, die das Atelier erfüllten. Cronshaw saß auf dem Ehrenplatz, auf einem Reisekoffer, mit untergeschlagenen Beinen wie ein Pascha, und strahlte gutmütig auf die jungen Menschen herab, die ihn umgaben. Obgleich es in dem kleinen geheizten Atelier sehr heiß war, hatte er seinen Wintermantel anbehalten und auch den steifen Hut nicht abgelegt. Er blickte mit Befriedigung auf die vier großen *fiaschi* Chianti, die in einer Reihe vor ihm standen und eine Whiskyflasche in ihrer Mitte flankierten: eine schöne, schlanke Kaukasierin, bewacht von vier dicken Eunuchen. Hayward hatte, um nicht von den andern abzustechen, einen einfachen Tweedanzug angezogen. Er sah grotesk britisch aus. Man war sehr höflich zu ihm, und während der Suppe wurde vom Wetter und von der politischen Situation gesprochen. Dann trat eine Pause ein, während auf die Hammelkeule gewartet wurde, und Miss Chalice zündete sich eine Zigarette an.

»Rapunzel, Rapunzel, laß dein Haar herunter«, sagte sie plötzlich.

Und mit einer eleganten Bewegung band sie eine Schleife auf, so daß ihr die Zöpfe über die Schultern fielen. Sie schüttelte den Kopf.

»Jetzt fühle ich mich erst wohl.«

Mit ihren großen braunen Augen, dem schmalen, asketischen Gesicht, der blassen Haut und der breiten Stirn sah sie aus wie einem Bild von Burne-Iones entstiegen. Sie hatte lange, schöne Hände, und ihre Fingerspitzen waren dunkelbraun von Nikotin. Sie trug ein wallendes Gewand, mattviolett und grün. Sie war überschwenglich ästhetisch, aber dabei ein ausgezeichnetes Geschöpf, gut und hilfsbereit; und ihre Affektiertheiten gingen nicht tief. Es klopfte, und ein Schrei der Begeisterung ertönte. Miss Chalice stand auf und öffnete die Tür. Sie nahm die Hammelkeule und hielt sie hoch über ihr Haupt, wie den Kopf von Johannes dem Täufer; und immer noch die Zigarette im Mund, kam sie mit ernsten priesterlichen Schritten heran.

»Heil dir, Tochter der Herodias«, rief Cronshaw.

Die Hammelkeule wurde mit Genuß verzehrt, und es war ein Vergnügen zu sehen, welch herzhaften Appetit die blasse Dame hatte. Sie saß zwischen Clutton und Potter, und es war kein Geheimnis, daß sie sich weder dem einen noch dem andern gegenüber übertriebener Sprödigkeit schuldig gemacht hatte. Sie hatte von den meisten Freunden nach sechs Wochen genug, verstand es jedoch vortrefflich, die jungen Herren zu behandeln, die einst zu ihren Füßen geschmachtet hatten. Sie trug es ihnen nicht nach, daß sie aufgehört hatten, sie zu lieben, und kam ihnen freundschaftlich, aber ohne Vertraulichkeit entgegen. Hie und da blickte sie mit melancholischen Augen zu Lawson hinüber. Die *poires flambées* waren ein großer Erfolg, teils wegen des Schnapses, teils weil Miss Chalice darauf bestanden hatte, daß sie zusammen mit dem Käse verzehrt würden.

Kaffee und Cognac folgten schnell genug, um unliebsamen Folgen vorzubeugen, und dann setzte man sich behaglich hin und rauchte. Ruth Chalice, die nichts tun konnte, was nicht betont künstlerisch war, lagerte sich in anmutiger Pose neben Cronshaw und ließ ihren wundervollen Kopf an seiner Schulter ruhen. Sie starrte mit sinnenden Augen in den dunklen Abgrund der Zeit, und hin und wieder, mit einem langen, nachdenklichen Blick auf Lawson, seufzte sie tief auf.

Dann kam der Sommer, und Ruhelosigkeit packte die jungen Menschen. Der blaue Himmel lockte sie ans Meer, und der sanfte Wind, der durch die Blätter der Platanenbäume auf den Boulevards strich, zog sie aufs Land. Philip und Lawson beschlossen, in den Wald von Fontainebleau zu gehen, und Miss Chalice wußte ein sehr gutes Hotel in Moret, wo es eine Menge zu malen gab; es war nicht weit von Paris, und weder Philip noch Lawson konnten sich einen hohen Fahrpreis leisten. Ruth Chalice wollte mitkommen, und Lawson faßte den Plan, sie im Freien zu porträtieren. Auch Clutton wurde aufgefordert, sich ihnen anzuschließen, aber er zog es vor, den Sommer für sich zu verbringen. Er hatte eben Cézanne entdeckt und brannte darauf, in die Provence zu gehen; er wünschte sich einen schweren Himmel, von dem das heiße Blau wie Schweiß heruntertroff, breite, weiße, staubige Straßen, blasse Dächer, aus denen die Sonne alle Farben herausgezogen hatte, und Olivenbäume, grau vor Hitze.

Am Tag vor der Abreise, nach dem Vormittagsunterricht, sprach Philip, während er seine Sachen zusammenpackte, mit Fanny Price.

»Morgen fahre ich fort«, sagte er höflich.

»Fort? Wohin?« fragte sie schnell. »Sie wollen doch nicht weggehen?« Ihr Gesicht zeigte einen bestürzten Ausdruck.

»Nur über den Sommer. Verreisen Sie nicht auch?«

»Nein, ich bleibe in Paris. Ich dachte, Sie würden ebenfalls hierbleiben. Ich hatte mich gefreut . . .«

Sie hielt inne und zuckte die Achseln.

»Aber wird es nicht furchtbar heiß werden, hier? Ist das nicht ungesund für Sie?«

»Das dürfte Ihre geringste Sorge sein, nehme ich an. Wo wollen Sie hin?«

»Nach Moret.«

»Doch nicht am Ende mit der Chalice?«

»Lawson und ich gehen miteinander, und sie wird auch dort sein. Aber man kann nicht sagen, daß sie mit uns geht.«

Fanny Price pfiff leise durch die Zähne, und ihr breites Gesicht wurde dunkelrot.

»Wie gemein! Ich hatte gedacht, daß Sie ein anständiger Mensch sind. Sie waren ungefähr der einzige hier. Mit Clutton, mit Potter, mit Flanagan ist sie zusammengewesen, ja selbst mit dem alten Foinet – darum kümmert er sich auch so viel um sie –, und jetzt auch Sie beide noch – Sie und Lawson. Es macht mich krank.«

»Ach, Unsinn! Sie ist eine nette Person. Man kann mit ihr umgehen wie mit einem Mann.«

»Ach, hören Sie auf. Hören Sie auf.«

»Ich verstehe Sie nicht«, sagte Philip. »Was geht es Sie an, wo und mit wem ich meinen Sommer verbringe?«

»Ich habe mich so sehr darauf gefreut«, stieß sie hervor, aber es klang, als spräche sie zu sich selbst. »Ich wußte nicht, daß Sie das Geld hätten wegzugehen. Es wäre sonst niemand hier gewesen, und wir hätten miteinander gearbeitet und uns Museen und Ausstellungen angesehen.« Dann erinnerte sie sich wieder an Ruth Chalice. »Das dreckige Biest«, schrie sie. »Sie ist es nicht wert, daß man mit ihr spricht.«

Philip blickte sie bestürzt an. Er gehörte nicht zu den Männern, die sich einbildeten, daß jedes Mädchen in sie verliebt ist; aber wie sonst sollte er sich diesen Ausbruch erklären? Fanny Price in ihrem schmutzigen braunen Kleid, zerzaust und unordentlich, stand vor ihm, und große Tränen rollten ihr über die Wangen. Sie sah abstoßend aus. Philip schielte nach der Tür, in der instinktiven Hoffnung, daß jemand hereinkommen und der peinlichen Szene ein Ende bereiten möge.

»Es tut mir furchtbar leid«, stammelte er.

»Sie sind genau so wie alle andern. Sie nehmen, was Sie bekommen, und sagen nicht einmal danke dafür. Alles, was Sie können, haben Sie von mir gelernt. Niemand sonst hat sich um Sie gekümmert. Oder doch? Foinet etwa? Aber es ist ja gleich, denn das eine kann ich Ihnen sagen: Sie werden nie etwas erreichen, und wenn Sie tausend Jahre hier arbeiten. Sie haben kein Talent. Sie haben keine Originalität. Und das ist nicht nur meine Meinung – alle sagen es. Aus Ihnen wird nie im Leben ein Maler.«

»Auch das geht Sie nichts an«, sagte Philip errötend.

»Sie glauben, ich rede im Zorn. Aber fragen Sie Clutton, fragen

Sie Lawson, fragen Sie Ruth Chalice. Nie, nie, nie. Sie haben nicht das Zeug dazu.«

Philip zuckte die Achseln und ging. Sie schrie ihm nach:

»Nie, nie, nie!«

Moret war in jenen Tagen eine altmodische, aus einer einzigen Straße bestehende Stadt am Rande des Waldes von Fontainebleau und *Ecu d'Or* ein Hotel, das noch etwas von der versunkenen Atmosphäre des *Ancien régime* an sich hatte. Es schaute auf den gewundenen Flußlauf der Loigne hinab, und Miss Chalice hatte ein Zimmer mit einer kleinen Terrasse, die auf das Wasser hinausging und von der aus man eine entzückende Aussicht auf eine alte Brücke und ihre befestigte Zufahrt genoß. Hier saßen die drei am Abend nach dem Essen, tranken Kaffee, rauchten und sprachen über Kunst. In den Fluß mündete in einiger Entfernung ein schmaler, von Pappeln bestandener Kanal, an dessen Ufern sie nach des Tages Arbeit häufig spazierengingen. Sie malten von früh bis abends. Wie die meisten ihrer Generation waren sie geplagt von der Angst vor dem Malerischen und kehrten den allzudeutlichen Schönheiten der Stadt den Rücken, um Gegenstände zu suchen, die nichts von jener Gefälligkeit hatten, die ihnen verächtlich war. Sisley und Monet hatten den Kanal mit seinen Pappeln gemalt, und Lawson, Philip und Miss Chalice fühlten den Wunsch, sich an einem Motiv zu versuchen, das so typisch für Frankreich war; aber sie fürchteten seine formale Schönheit und mühten sich um einen Weg, sie zu umgehen. Miss Chalice fing ein Bild an, in welchem sie das Alltägliche zu vermeiden suchte, indem sie die Spitzen der Bäume wegließ, und Lawson verfiel auf die glänzende Idee, ein großes blaues Chocolat-Menier-Plakat in den Vordergrund zu setzen.

Philip fing nun an, in Öl zu malen. Es war ein beseligendes Gefühl, als er zum erstenmal den Pinsel in die dankbaren Farben tauchte. Des Morgens ging er mit Lawson hinaus ins Freie, saß neben ihm und malte ein Paneel. Es machte ihm solche Freude, daß er nicht merkte, daß seine Arbeit nicht mehr war als eine bloße Kopie. Lawson malte sehr gedämpft im Ton, und mit ihm sah Philip das Smaragdgrün der Wiesen wie dunklen Samt, während der strahlende Glanz des Himmels sich unter seinen Händen in ein lastendes Ultramarin verwandelte. Den ganzen Juli hindurch hatten sie einen schönen Tag nach dem andern; es war sehr heiß, und die Hitze brannte sich in Philips Herz und machte ihn matt und sehnsüchtig; er konnte nicht arbeiten, tausend Gedanken beschäftigten ihn. Oft verbrachte er die Vormittage an den Ufern des Kanals, im Schatten der Pappeln, las ab und zu ein paar Zeilen, um dann halbe Stunden lang zu träumen. Manchmal mietete er ein wackliges Rad und fuhr die staubige Straße entlang, die in den Wald führte, und legte sich auf einer Lichtung ins Gras. Sein Kopf war voll von romantischen Phantasien. Es war ihm, als sehe er die Damen von Watteau heiter und unbeschwert mit ihren Kavalieren unter den prächtigen Bäumen wandeln, einander leichtsinnige, entzückende Dinge zuflüsternd und doch bedrückt von einer namenlosen Angst.

Sie waren die einzigen Gäste im Hotel, mit Ausnahme einer dicken Französin mittleren Alters, einer Figur von Rabelais, mit einem breiten, obszönen Lachen. Sie verbrachte ihre Tage am Fluß, geduldig nach Fischen angelnd, die sie nie fing, und Philip setzte sich manchmal neben sie und unterhielt sich mit ihr. Er entdeckte, daß sie einem Beruf angehört hatte, dessen bekannteste Vertreterin in unserer Generation Mrs. Warren gewesen war. Sie hatte es zu einem gewissen Wohlstand gebracht und führte nun das ruhige Leben einer *bourgeoise*. Sie erzählte Philip schlüpfrige Geschichten.

»Sie müssen nach Sevilla gehen«, sagte sie – sie sprach ein wenig Englisch –, »dort gibt es die schönsten Frauen der Welt.«

Sie zwinkerte und nickte, und ihr Doppelkinn und ihr dicker Bauch wackelten vor Lachen.

Es wurde so heiß, daß es fast unmöglich war, nachts zu schlafen. Die Hitze lastete unter den Bäumen wie etwas Körperliches. Die drei konnten sich abends nicht von dem sternhellen Himmel trennen und saßen Stunde um Stunde auf ihrer Terrasse, zu müde zum Sprechen, und genossen die köstliche Stille. Sie lauschten dem Murmeln des Flusses. Die Uhr schlug eins, zwei und manchmal drei, ehe sie sich entschließen konnten, zu Bett zu gehen. Mit einem Male merkte Philip, daß Ruth Chalice und Lawson einander liebten. Die Entdekkung war ein Schock für ihn. Er hatte Miss Chalice als einen sehr guten Kameraden betrachtet, und es machte ihm Freude, mit ihr zu sprechen. Nie aber wäre er auf den Gedanken gekommen, in eine nähere Beziehung zu ihr zu treten.

Eines Sonntags waren sie alle mit einem Picknickkorb in den Wald gegangen, und als sie an eine geeignete Lichtung kamen, bestand Miss Chalice darauf, Schuhe und Strümpfe auszuziehen, da sie es so idyllisch fand. Dies hätte sehr reizend sein können, aber ihre Füße waren ziemlich groß, und auf der dritten Zehe eines jeden Fußes hatte sie ein großes Hühnerauge. Philip war der Meinung, daß dies ihre Handlungsweise ein wenig lächerlich machte. Nun sah er sie plötzlich in einem anderen Licht. Es war etwas zärtlich Weibliches in ihren großen Augen und ihrer olivfarbenen Haut; er schalt sich einen Narren, daß er nicht früher gemerkt hatte, wie reizvoll sie war. Er beneidete Lawson, und er war eifersüchtig auf ihn, nicht so sehr, weil er ihm dieses Mädchen weggenommen hatte, sondern weil er überhaupt eine Freundin hatte. Ruth Chalice und Lawson waren nun nicht mehr die gleichen für ihn, und das ständige Zusammensein mit ihnen machte ihn unruhig. Er war unzufrieden mit sich selbst. Das Leben gab ihm nicht, was er sich wünschte, und er hatte das unbehagliche Gefühl, daß er seine Zeit vergeudete.

Die dicke Französin erriet sehr bald, in welcher Beziehung Ruth und Lawson zueinander standen, und sprach darüber zu Philip mit der größten Freimütigkeit.

»Und Sie«, fragte sie mit ihrem fetten Lächeln, »haben Sie keine *petite amie?*«

»Nein«, entgegnete Philip errötend.

»Warum denn nicht? *C'est de votre âge.*«

Er zuckte die Achseln. Mit einem Band Verlaine schlenderte er davon. Er versuchte zu lesen, aber seine Unruhe war zu groß. Er dachte an die Art von Liebschaften, die er durch Flanagan kennengelernt hatte, an die verstohlenen Besuche in gewissen Häusern, die samtgepolsterten Salons und die käuflichen Reize geschminkter Weiber. Er schauderte. Er warf sich ins Gras und streckte die Glieder wie ein eben vom Schlaf erwachtes Tier, und das plätschernde Wasser, die sanft vom Winde bewegten Pappeln und der blaue Himmel schienen mehr, als er ertragen konnte. Er war verliebt in die Liebe. In der Phantasie fühlte er die Küsse warmer Lippen auf den seinen und um seinen Hals die Berührung weicher Hände. Er träumte sich in die Arme von Ruth Chalice und dachte an ihre dunklen Augen und die wunderbare Klarheit ihrer Haut; er war verrückt, sich ein solch wunderbares Abenteuer entgehen zu lassen. Wenn es Lawson gelungen war, warum nicht auch ihm? Aber so dachte er nur, wenn er sie nicht sah, wenn er nachts wach lag oder müßig am Kanal saß und vor sich hin träumte; stand er ihr jedoch gegenüber, dann war alles dahin; er fühlte nicht mehr den Wunsch, sie zu umarmen, und konnte sich nicht vorstellen, sie zu küssen. Es war äußerst seltsam. War sie nicht da, hielt er sie für schön und erinnerte sich nur an ihre bezaubernden Augen und an die Blässe ihrer Haut; war er aber mit ihr zusammen, sah er nur, daß sie flachbrüstig war und etwas schadhafte Zähne hatte; er konnte die Hühneraugen auf ihren Zehen nicht vergessen. Er konnte sich nicht verstehen. Würde er immer nur aus der Ferne lieben und nicht imstande sein zu genießen, wenn sich ihm die Gelegenheit bot, durch jene unselige Schärfe des Blickes, die das Abstoßende übertrieb und steigerte?

Er bedauerte es nicht, als ein Wetterumsturz das Ende des langen Sommers ankündigte und sie alle nach Paris zurücktrieb.

Als Philip zu Armitrano zurückkehrte, sah er, daß Fanny Price nicht mehr da war. Sie hatte den Schlüssel zu ihrem Fach aufgegeben. Er fragte Mrs. Otter, ob sie etwas von ihr wüßte, und Mrs. Otter antwortete mit einem Achselzucken, daß sie wahrscheinlich nach England zurückgekehrt wäre. Philip fühlte sich erleichtert. Ihre Verdrießlichkeit war ihm äußerst lästig. Überdies bestand sie darauf, ihm Ratschläge bezüglich seiner Arbeit zu geben, und betrachtete diese mit Geringschätzung, wenn er ihren Anweisungen nicht folgte, und wollte nicht einsehen, daß er sich nicht länger für den Dummkopf hielt, der er zu Anfang gewesen war. Bald hatte er Fanny vollkommen vergessen. Er arbeitete jetzt in Öl und war voller Enthusiasmus. Er hoffte, bis zum Frühjahr etwas Ordentliches fertigzubringen, um es in den Salon einzuschicken. Lawson malte ein Porträt von Ruth Chalice. Sie eignete sich sehr gut zum Malen, und alle jungen Männer, die ihren Reizen zum Opfer gefallen waren, hatten sie porträtiert. Eine natürliche Trägheit, verbunden mit einer Leidenschaft für malerische Posen, machte sie zu einem ausgezeichneten Modell; und sie brachte genug Wissen mit, um sinnvolle Kritik anbringen zu können. Da ihre Leidenschaft für Kunst hauptsächlich die Leidenschaft war, das Leben der Künstler zu leben, hatte sie nichts dagegen, ihre eigene Arbeit zu vernachlässigen. Sie liebte die Wärme des Ateliers und die Möglichkeit, unzählige Zigaretten zu rauchen; und sie sprach mit leiser, angenehmer Stimme von der Liebe zur Kunst und der Kunst der Liebe. Sie machte keinen genauen Unterschied zwischen diesen beiden Dingen.

Lawson malte mit unendlichem Fleiß. Tagelang arbeitete er, bis er kaum mehr stehen konnte, um dann alles wieder abzuschaben. Niemand außer Ruth Chalice hätte die Geduld aufgebracht, ihm zu sitzen. Schließlich wußte er nicht mehr aus noch ein.

»Es bleibt mir nichts anderes übrig, als eine neue Leinwand anzufangen«, rief er.

Philip war gerade anwesend, und Miss Chalice meinte:

»Warum malen Sie mich nicht auch? Sie können eine Menge lernen, wenn Sie Mr. Lawson zusehen.«

Es war eine von Ruth Chalices Finessen, daß sie ihre Liebhaber stets mit dem Familiennamen anredete.

»Ich würde es furchtbar gerne tun, wenn Lawson nichts dagegen hat.«

»Mich kümmert das verdammt wenig«, sagte Lawson.

Es war das erstemal, daß Philip sich an ein Porträt heranwagte, und er machte sich mit Herzklopfen, aber auch mit Stolz ans Werk. Er saß neben Lawson und malte, wie er Lawson malen sah. Er lernte an dem Beispiel und an dem Rat, den sowohl Lawson als Miss Chalice ihm bereitwilligst zuteil werden ließen. Endlich wurde Lawson fertig und lud Clutton ein, um seine Kritik zu hören. Clutton war eben nach Paris zurückgekehrt. Von der Provence hatte er einen Abstecher nach Spanien gemacht, um in Madrid die Velasquez zu sehen, und von da aus war er nach Toledo gegangen. Dort blieb er drei Monate und kam mit einem Namen zurück, der all den jungen Leuten neu war: er erzählte Wunderdinge von einem Maler El Greco, der, wie es schien, nur in Toledo studiert werden konnte.

»Ach ja, ich habe von ihm gehört«, meinte Lawson. »Er ist der alte Meister, der so schlecht gemalt hat wie die Modernen.«

Clutton, schweigsamer denn je, antwortete nicht, sondern blickte Lawson mit sarkastischem Ausdruck an.

»Werden Sie uns die Bilder zeigen, die Sie aus Spanien mitgebracht haben?« fragte Philip.

»Ich habe in Spanien nicht gemalt. Ich hatte zu viel zu tun.«

»Wieso?«

»Ich habe alles gründlich überdacht. Ich glaube, ich bin fertig mit den Impressionisten; in ein paar Jahren werden sie uns sehr dünn und oberflächlich erscheinen. Ich will alles auslöschen, was ich gelernt habe, und von vorne anfangen. Vor meiner Abreise habe ich alles vernichtet, was ich gemalt hatte. In meinem Atelier habe ich nichts außer meiner Staffelei, meinen Farben und ein paar leeren Leinwandstücken.«

»Und was wollen Sie machen?«

»Das weiß ich noch nicht genau. Ich habe bloß eine undeutliche Ahnung von dem, was ich will.«

Er sprach langsam, sonderbar, als strengte er sich an, etwas zu hören, was nur eben vernehmlich war. Es war, als lebe eine geheimnisvolle Macht in ihm, die er selbst nicht begriff und die dumpf danach rang, einen Ausfluß zu finden. Seine Kraft hatte etwas Imposantes. Lawson fürchtete die Kritik, um die er gebeten hatte, und war bemüht, dem Tadel, der ihm möglicherweise drohte, von vornherein die Spitze abzubrechen, indem er eine große Verachtung für Cluttons Meinung an den Tag legte; aber Philip wußte, daß nichts ihn glücklicher machen würde als Cluttons Lob. Clutton betrachtete eine Zeitlang schweigend das Porträt und warf dann einen Blick auf Philips Bild, das daneben stand.

»Was ist das?« fragte er.

»Ach, ich habe auch einen Versuch gewagt.«

»Der geschäftige Affe«, murmelte Clutton.

Er wandte sich aufs neue Lawsons Leinwand zu. Philip errötete, sprach aber nicht.

»Nun, was hältst du davon?« fragte Lawson endlich.

»Es ist sehr plastisch«, meinte Clutton, »und sehr gut gezeichnet!«

»Glaubst du, daß die Farbwerte richtig sind?«

»Vollkommen.«

Lawson lächelte beglückt.

»Ich bin so froh, daß es dir gefällt.«

»Das gar nicht. Ich finde es vollkommen belanglos.«

Enttäuschung zeigte sich auf Lawsons Gesicht, und er starrte Clutton erstaunt an. Er hatte keine Ahnung, was er meinte. Clutton besaß nicht die Gabe, sich in Worten auszudrücken, und sprach, als bereitete es ihm große Anstrengung. Was er vorbrachte, war verworren, lahm und schwülstig; aber Philip kannte die Gedankengänge, die seiner weitschweifigen Rede zugrunde lagen. Clutton hatte sie von Cronshaw. Er mochte sie anfangs ziemlich achtlos hingenommen haben, aber mit einem Male waren sie vor ihm aufgestanden wie eine Offenbarung: für einen guten Maler gab es zwei große Gegenstände: den Menschen und das Streben seiner Seele. Die Impressionisten waren mit anderen Problemen beschäftigt gewesen. Sie hatten wunderbare Menschen gemalt, aber sie hatten sich so wenig wie die englischen Porträtmaler des achtzehnten Jahrhunderts um das Wesen ihrer Seele gekümmert.

»Ja, aber wenn man das versucht, wird man literarisch«, unterbrach ihn Lawson. »Man soll mich den Menschen malen lassen wie Manet, und dann kann sich das Streben seiner Seele zum Teufel scheren.«

»Das wäre alles recht schön, wenn du Manet mit seinen eigenen Waffen schlagen könntest, aber du kommst ihm nirgends auch nur nahe. Du kannst nicht vom Vorgestrigen zehren; das ist ausgebrannte Erde. Du mußt zurückgehen. Als ich die Grecos gesehen habe, habe ich gefühlt, daß aus einem Porträt mehr herauszuholen ist, als wir vorher je geglaubt haben.«

»Das heißt, zu Ruskin zurückkehren.«

»Nein, Ruskin verlangte Moral. Ich schere mich verdammt wenig um Moral. Was mir vorschwebt, hat nichts mit Ethik und solchen Dingen zu tun, sondern mit Leidenschaft und Gefühl. Die großen Porträtmaler haben beides gemalt, den Menschen und das Wesen seiner Seele; Rembrandt und El Greco; zweitrangige Maler haben nur den Menschen gemalt. Dieses Bild« – er zeigte auf Lawsons Porträt – »Gott, es ist gut gezeichnet, und es ist plastisch, aber es ist konventionell; es sollte so gezeichnet und so modelliert sein, daß man sofort fühlt, das Mädchen ist eine schlampige Hure. Korrektheit: gut und schön. Aber El Greco hat seine Leute acht Fuß hoch gemalt, weil er etwas ausdrücken wollte, was anders nicht auszudrücken war.«

»Deinen Greco soll der Teufel holen«, rief Lawson. »Was habe ich davon, daß du mir stundenlang Wunderdinge über ihn erzählst, wenn man nie ein Bild von ihm zu sehen kriegt.«

Clutton zuckte die Achseln, rauchte schweigend eine Zigarette und ging.

Philip und Lawson sahen einander an.

»An dem, was er gesagt hat, ist etwas dran«, sagte Philip.

Lawson starrte verdrossen auf sein Bild.

»Wie, zum Teufel, soll man das Streben der Seele darstellen, außer man malt, was man sieht?«

Um diese Zeit ungefähr schloß Philip eine neue Bekanntschaft. Montag früh versammelten sich die Modelle in der Schule, und dann wurde eines von ihnen für die Woche ausgesucht. Eines Tages nun fiel die Wahl auf einen jungen Mann, der offensichtlich kein Berufsmodell war. Er erweckte Philips Aufmerksamkeit durch die Art, wie er sich hielt. Er stand fest auf beiden Beinen, aufrecht, mit geballten Fäusten, den Kopf trotzig nach vorne geworfen; die Stellung brachte die Schönheit seines Körpers zur Geltung; es war kein Fett an ihm, und seine Muskeln zeichneten sich ab, als wären sie von Eisen. Sein Kopf mit dem kurzgeschorenen Haar war wohlgeformt, und er trug einen kurzen Bart. Er hatte große dunkle Augen und schwere Augenbrauen. Stunde um Stunde hielt er seine Pose ohne Zeichen von Müdigkeit. In seiner Miene lag ein Gemisch von Scham und Entschlossenheit. Die leidenschaftliche Energie, die aus ihm sprach, erregte Philips romantische Phantasie, und als er ihn nach Schluß der Sitzung in Kleidern sah, fand er, daß er sie trug wie ein König. Er war schweigsam und verschlossen, aber nach ein paar Tagen konnte Mrs. Otter Philip mitteilen, daß er Spanier war und nie vorher gesessen hatte.

»Wahrscheinlich hat er gehungert«, mutmaßte Philip.

»Haben Sie seine Kleider bemerkt? Sie sind sehr ordentlich und sauber, nicht?«

Zufällig ergab es sich, daß Potter, einer von den Amerikanern, die bei Armitrano arbeiteten, für ein paar Monate nach Italien ging und Philip sein Atelier zur Verfügung stellte. Philip freute sich. Er fing an, Lawsons Bevormundung als lästig zu empfinden, und wollte allein sein. Gegen Ende der Woche ging er zu dem Spanier hin und fragte ihn, ob er ihm noch einen Tag sitzen könnte.

»Ich bin kein Modell«, antwortete dieser. »Ich habe in der nächsten Woche keine Zeit.«

»Dann kommen Sie doch jetzt mit mir essen, damit wir alles weitere besprechen«, sagte Philip, und als der andere zögerte, fügte er mit einem Lächeln hinzu: »Das werden Sie mir doch nicht abschlagen?«

Mit einem Achselzucken willigte das Modell ein, und sie gingen miteinander in eine *crémerie*. Der Spanier sprach ein gebrochenes Französisch, fließend, aber etwas schwer verständlich, und Philip wurde ganz gut mit ihm fertig. Es stellte sich heraus, daß er Schriftsteller war. Er war nach Paris gekommen, um Romane zu schreiben, und erhielt sich indessen durch jede Art von Beschäftigung, die einem völlig mittellosen Menschen offensteht: er gab Stunden, übersetzte, was sich ihm bot, hauptsächlich Geschäftsdokumente, und sah sich schließlich gezwungen, aus seinem schönen Körper Kapital zu schlagen. Modellsitzen wurde gut bezahlt, und was er in acht Tagen verdiente, reichte aus, um ihn zwei weitere Wochen zu erhalten; er erzählte dem erstaunten Philip, daß er leicht mit zwei Francs im Tag leben konnte, aber es erfüllte ihn mit Scham, seinen Körper für Geld zeigen zu müssen, und das Modellsitzen war für ihn eine Erniedrigung, die nur der Hunger zu entschuldigen imstande war. Philip erklärte, daß er bloß seinen Kopf brauchte; er wollte ein Porträt malen, um es in den Salon einzuschicken.

»Aber warum wollen Sie gerade mich malen?« fragte der Spanier.

»Weil mich Ihr Kopf interessiert.«

»Aber ich kann die Zeit nicht aufbringen. Ich muß schreiben. Es tut mir leid um jede Minute, die ich verliere.«

»Es wäre ja nur am Nachmittag. Vormittags habe ich in der Schule zu tun. Und es ist doch immerhin angenehmer, zu sitzen, als Geschäftsbriefe zu übersetzen.«

Im Quartier Latin lief die Kunde von einer sagenhaften Zeit, da die Angehörigen der verschiedenen Völker in vertrautem Umgang miteinander gelebt hatten, aber davon war nun nichts mehr zu spüren, und die einzelnen Nationen waren ebenso streng voneinander getrennt wie in einer orientalischen Stadt. Französischen Studenten wurde es von ihren Landsleuten übel vermerkt, wenn sie mit Ausländern verkehrten, und für einen Engländer war es so gut wie unmöglich, zu einem Pariser in eine Beziehung zu treten, die über das oberflächliche Maß der Bekanntschaft hinausging. Tatsächlich konnten viele der Studenten, nachdem sie fünf Jahre in Paris gelebt hatten, nicht mehr Französisch, als sie es in den Geschäften brauchten, und lebten ein so englisches Leben, als arbeiteten sie in South Kensington.

Philip, mit seiner Leidenschaft für das Romantische, war glücklich, einen Spanier kennengelernt zu haben, und wandte seine ganze Überredungskunst auf, den Widerstrebenden umzustimmen.

»Ich mache Ihnen einen Vorschlag«, sagte der Spanier schließlich. »Ich werde Ihnen sitzen, aber nicht für Geld, sondern zu meinem Vergnügen.«

Trotz aller Einwände blieb er fest, und so wurde denn bestimmt, daß er am nächsten Montag um ein Uhr zum erstenmal kommen sollte. Er gab Philip eine Karte, auf der sein Name gedruckt stand: Miguel Ajuria.

Miguel saß regelmäßig, und obgleich er an seiner Weigerung, eine Bezahlung anzunehmen, festhielt, lieh er sich hin und wieder fünfzig Francs: das kam ein klein wenig teurer, als wenn Philip in der üblichen Weise für das Modellsitzen bezahlt hätte, gab aber dem Spanier die Genugtuung, daß er seinen Lebensunterhalt nicht auf eine erniedrigende Art verdiente. Philip fragte ihn begierig nach Sevilla, Gra-

nada, Velasquez und Calderon aus, aber Miguel hatte nichts übrig
für die Größe seines Landes. Für ihn wie für so viele seiner Landsleute war Frankreich das einzige Land, das für einen geistigen Menschen in Betracht kam, und Paris das Zentrum der Welt.

»Spanien ist tot«, rief er. »Es hat keine Schriftsteller, es hat keine
Kunst, es hat nichts.«

Nach und nach offenbarte er Philip seine Pläne. Er schrieb an
einem Roman, der, wie er hoffte, seinen Ruhm begründen sollte. Er
stand unter dem Einfluß von Zola und hatte den Schauplatz seiner
Handlung nach Paris verlegt. Der Inhalt seiner Geschichte, den er
Philip ausführlich erzählte, schien diesem plump und dumm. Die
naive Unflätigkeit, deren er sich befleißigte – c'est la vie, mon cher,
c'est la vie, rief er –, diente nur dazu, die Banalität des Stoffes augen-
fälliger zu machen. Er schrieb nun schon seit zwei Jahren unter den
unglaublichsten Entbehrungen, indem er sich alle Freuden des Lebens
versagte und der Kunst zuliebe mit dem Hunger kämpfte, entschlossen, sein großes Werk zu Ende zu führen. Es war ein heroisches
Ringen.

»Aber warum schreiben Sie nicht über Spanien?« rief Philip. »Das
wäre viel interessanter. Sie kennen das dortige Leben.«

»Aber Paris ist der einzige Ort, der wert ist, beschrieben zu werden. Paris ist das Leben.«

Eines Tages brachte er einen Teil seines Manuskriptes mit, und aufgeregt in sein schlechtes Französisch übersetzend, so daß Philip kaum
verstehen konnte, las er Stellen daraus vor. Es war erbärmlich. Kopfschüttelnd betrachtete Philip das Porträt, das er malte: der Geist,
der hinter dieser breiten Stirn lebte, war banal, diese blitzenden,
leidenschaftlichen Augen sahen nichts als das Trivialste. Philip war
nicht zufrieden mit seinem Porträt und löschte fast nach jeder Sitzung
wieder aus, was er gemalt hatte. Das Wesen der Seele auszudrük-
ken – das war leicht gesagt. Aber wie sollte man dieses Wesen erraten, wenn alle Menschen nur aus Widersprüchen zusammengesetzt
schienen? Philip hatte Miguel gern, und es war ihm schmerzlich, die
Sinnlosigkeit seines heldenmütigen Kampfes erkennen zu müssen. Er
besaß alles, was einen guten Schriftsteller ausmachte, bloß kein Talent.
Philip betrachtete seine eigene Arbeit. Wie sollte er entscheiden, ob
sie etwas taugte oder ob er einfach seine Zeit vergeudete? Es war klar,
daß es nicht allein auf den Willen, etwas zu leisten, ankam und daß
Selbstvertrauen noch kein Beweis für Tauglichkeit war. Philip dachte
an Fanny Price; sie hatte einen leidenschaftlichen Glauben an ihr Talent; ihre Willensstärke war außerordentlich.

›Wenn ich wüßte, daß ich nicht etwas wirklich Großes erreiche,
würde ich das Malen aufgeben‹, dachte Philip. ›Es hat keinen Sinn,
ein zweitrangiger Maler zu werden.‹

Bald darauf, als er eines Morgens ausging, rief ihm die *concierge* zu, daß ein Brief für ihn da sei. Niemand schrieb ihm außer Tante Louisa und hin und wieder Hayward, und dies war eine Handschrift, die er nicht kannte. Der Brief lautete folgendermaßen:

*Bitte kommen Sie sofort, wenn Sie diesen Brief erhalten. Ich konnte es nicht länger aushalten. Bitte, kommen Sie allein. Ich kann den Gedanken nicht ertragen, von jemand anderem angefaßt zu werden. Alles, was ich hinterlasse, gehört Ihnen.*

F. Price

*Ich habe seit drei Tagen nichts zu essen gehabt.*

Philip wurde übel vor Angst. Er eilte zu dem Haus, in dem sie wohnte. Er war erstaunt, daß sie überhaupt noch in Paris war. Er hatte sie seit Monaten nicht mehr gesehen und sich vorgestellt, sie wäre längst nach England zurückgekehrt. Dort angekommen, fragte er den *concierge*, ob sie zu Hause wäre.

»Ja. Ich habe sie schon zwei Tage nicht mehr ausgehen gesehen.«

Philip rannte die Treppe hinauf und klopfte an die Tür. Es kam keine Antwort. Er rief ihren Namen. Die Tür war versperrt, und als er näher hinsah, merkte er, daß der Schlüssel im Schloß steckte.

»Mein Gott, sie wird sich doch nichts angetan haben!« rief der laut.

Er rannte hinunter und erklärte dem Portier, daß sie bestimmt in der Wohnung wäre. Es müßte ein Unglück geschehen sein. Er schlug vor, die Tür aufzubrechen. Der Portier, anfangs mürrisch und kaum zum Zuhören zu bewegen, geriet in Aufregung; er allein könne die Verantwortung nicht übernehmen; man müsse den *commissaire de police* holen. Sie gingen miteinander zu dem *bureau* und holten dann einen Schlosser. Philip erfuhr, daß Miss Price die Miete für das letzte Vierteljahr nicht mehr bezahlt hatte. Am Neujahrstage hatte sie dem *concierge* das Geschenk nicht gegeben, das er, einem alteingeführten Brauch zufolge, von jedem Hausbewohner bekam und als sein gutes Recht zu betrachten gelernt hatte. Die vier Männer stiegen miteinander hinauf und klopften abermals an die Tür. Es kam keine Antwort. Der Schlosser machte sich ans Werk, und endlich drangen sie in das Zimmer ein. Philip stieß einen Schrei aus und bedeckte instinktiv die Augen mit den Händen. Die unglückselige Frau hing mit einem Strick um den Hals von der Zimmerdecke herunter, an einem Haken, der von einem früheren Mieter eingeschlagen worden war, um die Bettvorhänge zu halten. Sie hatte ihr eigenes Bett beiseitegeschoben und sich auf einen Stuhl gestellt, den sie dann weggestoßen hatte. Er lag umgekippt auf dem Fußboden. Man schnitt sie herunter. Der Körper war ganz kalt.

Die Geschichte, die sich Philip nun zusammenreimte, war entsetzlich. Eines vor allem wurde ihm unheimlich klar: Fanny Price hatte unter der nacktesten, bittersten Armut gelitten. Er erinnerte sich an das Mittagessen, zu dem er sie zu Beginn seines Pariser Aufenthaltes eingeladen hatte, und an die Gier, mit der sie die Speisen verschlungen hatte: nun wußte er, daß sie heißhungrig gewesen war. Der *concierge* erzählte ihm, woraus ihre Nahrung bestanden hatte. Man brachte ihr jeden Tag eine Flasche Milch, und dazu kaufte sie sich einen Laib Brot; zu Mittag, wenn sie aus der Schule kam, aß sie die eine Hälfte des Brotes und trank die Hälfte der Milch, und am Abend verzehrte sie den Rest. Tag für Tag war es das gleiche gewesen. Philips Herz krampfte sich zusammen, wenn er bedachte, was sie ausgestanden hatte. Das kleine Zimmer enthielt nur die notdürftigste Einrichtung, und außer dem schäbigen braunen Kostüm, das sie immer getragen hatte, waren keine Kleider da. Philip suchte unter ihren Sachen nach der Adresse irgendeines Freundes, mit dem er sich in Verbindung setzen konnte. Er fand ein Stück Papier, auf dem viele Male sein eigener Name geschrieben stand. Das erschreckte ihn seltsam. Es mußte also wahr sein, daß sie ihn geliebt hatte. Er dachte an den ausgemergelten Körper in dem braunen Kleid, der von dem Haken in der Decke herunterhing, und er schauderte. Er machte sich Gewissensbisse, weil er es einfach nicht zur Kenntnis hatte nehmen wollen, daß sie ihm ein tieferes Gefühl entgegengebracht hatte. Und jene Worte in ihrem Brief: *»Ich kann den Gedanken nicht ertragen, von jemand anderem angefaßt zu werden«*, erschienen ihm nun unendlich erschütternd.

Sie war Hungers gestorben.

Endlich fand Philip einen Brief mit der Unterschrift: ›*Dein Dich liebender Bruder Albert*‹. Er war zwei bis drei Wochen alt, in London geschrieben und verweigerte ein Darlehen von fünf Pfund. Der Schreiber hatte für Frau und Kind zu sorgen und fühlte sich nicht berechtigt, Geld wegzuleihen. Er riet Fanny, nach London zu kommen und sich eine Stellung zu suchen. Philip telegrafierte an Albert Price und erhielt sehr bald Antwort:

*»Tief bestürzt. Sehr schwierig, von Geschäft abzukommen. Ist Anwesenheit unbedingt erforderlich? Price.«*

Philip erwiderte mit einem entschiedenen »Ja«, und am nächsten Morgen fand sich ein Fremder in seinem Atelier ein.

»Mein Name ist Price«, sagte er, als Philip die Tür öffnete.

Er war ein gewöhnlich aussehender Mensch in Schwarz, mit einem Trauerflor um seinen steifen Hut; er hatte etwas von Fannys ungeschicktem Äußern; er trug einen borstigen Schnurrbart und sprach mit einem Cockney-Akzent. Philip forderte ihn auf näherzutreten. Mr. Price ließ seine Blicke neugierig im Atelier umherschweifen, während

Philip ihn über die Einzelheiten des Unglücks unterrichtete und ihm mitteilte, was er bisher unternommen hatte.

»Ich brauche sie doch nicht zu sehen, nicht wahr?« fragte Albert Price. »Meine Nerven sind nicht sehr stark, und das Geringste regt mich furchtbar auf.«

Er fing an zu erzählen. Er war Gummihändler und hatte eine Frau und drei Kinder. Fanny war Erzieherin gewesen, und er konnte nicht begreifen, warum sie nicht bei diesem Beruf geblieben war.

»Ich und meine Frau haben ihr immer gesagt, daß Paris keine Stadt für ein junges Mädchen ist und daß man mit Malerei kein Geld verdienen kann.«

Es war klar, daß er nicht sehr freundschaftlich mit seiner Schwester gestanden hatte; ihren Selbstmord betrachtete er sozusagen als ein letztes Unrecht, das sie ihm angetan.

Der Gedanke, die Armut hätte sie dazu gezwungen, war ihm unangenehm: das würde ein bezeichnendes Licht auf die Familie werfen. Es kam ihm der Gedanke, daß es möglicherweise einen achtbaren Grund für diese Handlung geben könnte.

»Ich hoffe, sie hatte keinerlei Schwierigkeiten mit einem Mann. Was meinen Sie? Sie wissen, was ich sagen will – Paris und all das. Sie könnte es getan haben, um sich eine Schande zu ersparen.«

Philip fühlte, wie er rot wurde, und verwünschte seine Schwäche. Die scharfen, kleinen Augen von Price schienen ihn einer Liaison zu verdächtigen.

»Ich glaube, daß Ihre Schwester wirklich tugendhaft gelebt hat«, antwortete er sauer. »Sie hat sich getötet, weil sie am Verhungern war.«

»Ja, aber das ist sehr hart für die Familie, Carey. Sie hätte mir nur zu schreiben brauchen. Ich hätte meine Schwester nicht im Stich gelassen.«

Philip hatte die Adresse des Bruders auf dem Brief gefunden, in dem er ihr ein Darlehen von fünf Pfund verweigert hatte; aber er zuckte die Schultern: es hatte keinen Sinn, eine Gegenbeschuldigung vorzubringen.

Philip empfand eine heftige Abneigung gegen den kleinen Mann und hatte bloß den einen Wunsch, so schnell wie möglich mit ihm fertigzuwerden. Ebenso war es Albert Price darum zu tun, das, was zu geschehen hatte, rasch abzuwickeln, um unverzüglich wieder nach London zurückzukehren. Die beiden begaben sich miteinander in Fannys winziges Zimmer. Albert Price musterte die Bilder und die Möbel.

»Ich verstehe zwar nichts von Kunst«, sagte er, »aber viel werden diese Bilder wohl nicht einbringen.«

»Gar nichts«, entgegnete Philip.

»Und die Einrichtung ist keine zehn Shilling wert.«

Albert Price konnte nicht Französisch, und es blieb Philip überlassen, die nötigen Formalitäten zu erledigen. Es schien ein nichtendenwollender Prozeß, den armen Leichnam unter die Erde zu bringen: Papiere mußten an einer Stelle beschafft und an einer anderen unterschrieben werden. Man hatte mit Behörden zu unterhandeln. Drei Tage war Philip von morgens bis abends beschäftigt. Endlich fuhr er mit Albert Price hinter dem Sarge her nach dem Friedhof Montparnasse.

»Sie soll anständig begraben werden«, sagte Albert Price, »aber es hat keinen Sinn, Geld hinauszuwerfen.«

Die kurze Zeremonie an dem kalten, grauen Morgen war unendlich grausig. Ein halbes Dutzend Leute, die mit Fanny gearbeitet hatten, nahmen an der Beerdigung teil: Mrs. Otter, weil sie *massière* war und es für ihre Pflicht hielt; Ruth Chalice, weil sie ein gutes Herz hatte, und dann noch Lawson, Clutton und Flanagan. Sie alle hatten Fanny, solange sie lebte, nicht gemocht. Philip ließ seine Blicke über den mit armseligen, aber geschmacklos-protzigen Grabmonumenten übersäten Friedhof hinwandern und schauderte. Es war entsetzlich trostlos. Als sie den Friedhof verließen, fragte Albert Price Philip, ob er mit ihm essen gehen wollte. Philip empfand Ekel vor ihm und war müde; er hatte schlecht geschlafen, da er ständig von Fanny Price träumte, wie sie in ihrem zerrissenen braunen Kostüm von dem Haken in der Decke des Zimmers herabhing, aber es fiel ihm keine Entschuldigung ein.

»Führen Sie mich irgendwohin, wo wir ein anständiges Essen bekommen. Diese ganze Geschichte tut meinen Nerven nicht gut.«

»*Lavenue* ist so ziemlich das beste Lokal hier in der Gegend«, antwortete Philip.

Albert Price ließ sich mit einem Seufzer der Erleichterung auf einem samtbezogenen Stuhl nieder. Er bestellte ein kräftiges Essen und eine Flasche Wein.

»Ich bin froh, daß es vorbei ist«, sagte er.

Er stellte einige listige Fragen, und Philip entdeckte, daß er begierig war, etwas über das Leben des Malers in Paris zu erfahren. Er stellte es sich bedauernswert vor, war aber eifrig bemüht, Einzelheiten von den Orgien zu erfahren, die er sich in seiner Phantasie ausmalte. Mit einem schlauen Zwinkern und einem verständnisvollen Kichern deutete er an, daß er sehr wohl wüßte, daß es da einiges mehr gäbe, als Philip einzugestehen bereit war. Er war ein Mann von Welt, und er war ein durchtriebener Bursche. Er fragte Philip, ob er einmal in einem jener berühmten Lokale am Montmartre gewesen wäre. Das Essen war gut und der Wein vorzüglich. Albert Price ging aus sich heraus, als der Verdauungsprozeß zufriedenstellend voranschritt.

»Wir wollen noch einen kleinen Schnaps trinken«, sagte er, als der Kaffee gebracht wurde, »und dann die Rechnung begleichen.«

Er rieb sich die Hände.

»Wissen Sie, ich hätte Lust, über Nacht zu bleiben und erst morgen zurückzufahren. Was halten Sie davon, den Abend gemeinsam zu verbringen?«

»Wenn Sie meinen, daß ich Sie heute nacht am Montmartre umherführe, haben Sie sich geirrt«, sagte Philip.

»Ich vermute, es wäre nicht ganz das Passende.«

Er sagte dies so feierlich, daß es Philip amüsierte.

»Außerdem würde es Ihren Nerven nicht guttun«, sagte er ernst.

Albert Price entschied, daß es das beste wäre, mit dem Vier-Uhr-Zug nach London zu fahren, und verließ Philip kurz darauf.

Philip war an diesem Nachmittag zu unruhig, um zu arbeiten. Und so sprang er denn am Nachmittag in einen Autobus und fuhr in die Stadt hinein, um sich die Bilder bei Durand-Ruel anzusehen. Danach schlenderte er den Boulevard entlang. Es war kalt und windig. Die Menschen eilten, in ihre Mäntel gehüllt und vor Kälte in sich selbst verkrochen, vorüber; ihre Gesichter waren spitz und sorgenvoll. Philip fühlte sich allein auf der Welt und seltsam heimatlos. Er sehnte sich nach Gesellschaft. Aber Cronshaw pflegte um diese Stunde zu arbeiten, und Clutton war kein Freund von Besuchen; Lawson arbeitete an einem neuen Porträt von Ruth Chalice und wollte nicht gestört werden. So beschloß Philip, Flanagan aufzusuchen. Er traf ihn bei der Arbeit; er war aber mit Freuden bereit, den Pinsel hinzuwerfen und sich zu unterhalten. Das Atelier war behaglich und warm geheizt, denn der Amerikaner hatte mehr Geld als die übrigen. Flanagan schickte sich an, Tee zu kochen. Philip betrachtete die beiden Köpfe, die er in den Salon einsenden wollte.

»Es ist furchtbar frech von mir, überhaupt etwas einzuschicken«, sagte Flanagan, »aber ich tue es trotzdem. Finden Sie meine Arbeiten sehr schlecht?«

»Nicht so schlecht, wie ich gedacht hätte«, entgegnete Philip.

Sie zeigten in der Tat eine verblüffende Fertigkeit. Schwierigkeiten waren geschickt umgangen, und es lag eine Kühnheit in der Art, in der die Farben aufgesetzt waren, die etwas Erstaunliches und sogar Reizvolles hatte.

»Wenn es verboten wäre, ein Bild länger als dreißig Sekunden anzusehen, könnte man Sie für einen großen Meister halten, Flanagan«, scherzte Philip.

»In Amerika hat man keine Zeit, ein Bild länger als dreißig Sekunden anzusehen«, lachte der andere.

Flanagan, obgleich der leichtsinnigste Mensch der Welt, besaß eine Herzensgüte, die unerwartet und bezaubernd war. Jedesmal wenn jemand krank war, stellte er sich als Krankenpfleger zur Verfügung. Seine Heiterkeit half mehr als jede Medizin. Wie vielen seiner Landsleute war ihm nicht die englische Furcht vor Sentimentalität eigen, die alle Gefühle im Zaum hält; und da er es nicht lächerlich fand, seine Gefühle zu zeigen, kam er seinen Freunden mit echter Anteilnahme entgegen, was diesen sehr willkommen war, wenn sie unglücklich waren. Er merkte, wie niedergeschlagen Philip war, und bemühte sich, mit ungeheuchelter Freundlichkeit und großem Lärm und Getöse, ihn aufzuheitern. Er übertrieb die Amerikanismen, die, wie er wußte, alle Engländer zum Lachen brachten, und sprudelte einen Strom von drolligen, witzigen und übermütigen Reden hervor. Schließlich gingen sie miteinander essen und nachher in die *Gaîté Montparnasse*, Flanagans Lieblingslokal. Je weiter der Abend fortschritt, desto fröhlicher wurde er. Er hatte eine Menge getrunken, aber der Rausch war eher eine Folge seiner Lebhaftigkeit als des Alkoholgenusses. Nach Schluß der Vorstellung schlug er vor, ins *Bal Bullier* zu gehen. Philip, zu müde zum Schlafen, willigte gerne ein. Sie setzten sich an einen Tisch auf der Seitenestrade, die ein wenig über die Tanzfläche emporragte, so daß sie bequem zusehen konnten, und tranken ein Glas Bier. Plötzlich erblickte Flanagan eine Freundin und sprang mit einem wilden Schrei über die Brüstung zu den Tanzenden hinunter. Philip betrachtete die Leute. Es war Donnerstag, und das Lokal war gesteckt voll. Man sah eine Anzahl von Studenten der verschiedenen Fakultäten, aber die meisten der Männer waren kleine Beamte oder Kommis; sie trugen ihre Alltagskleider und hatten die Hüte auf dem Kopf, denn sie hatten sie mit in den Saal gebracht und wußten nicht, wo sie sie beim Tanzen lassen sollten. Von den Frauen sahen verschiedene aus wie Dienstmädchen, einige wie geschminkte Straßendirnen, aber in der Mehrzahl waren es Ladenmädchen, armselig gekleidet, in billigen Imitationen der Moden jenseits des Flusses. Der Saal war erhellt von großen, niedrighängenden weißen Lampen, welche die Schatten auf den Gesichtern scharf hervortreten ließen. Alle Linien wurden hart in diesem Licht, und die Farben waren grell und roh. Es war ein abstoßender Anblick. Philip lehnte sich über die Brüstung, starrte hinunter und hörte schließlich die Musik nicht mehr. Die Paare tanzten wild. Sie tanzten im Saal umher, langsam, sehr wenig sprechend, völlig dem Tanze hingegeben. Es war sehr heiß, und ihre Gesichter glänzten vor Schweiß. Philip schien es, als hätten sie die Masken abgeworfen, hinter denen sich ihr Inneres sonst verbarg, ihren Tribut an die Konvention, und als würde mit einem Male ihr wirkliches Wesen sichtbar. In diesem Augenblick der Selbstvergessenheit wirkten sie merkwürdig tierhaft; einige erinnerten an Füchse, andere an Wölfe, und wieder andere hatten die langen, dämlichen Gesichter von Schafen. Ihre Haut war fahl von dem ungesunden Leben, das sie führten, und der kümmerlichen Nahrung, die sie zu sich nahmen. Ihre Züge waren verroht durch niedrige Interessen und ihre Augen unstet und verschlagen. Ihre Haltung hatte nichts von Adel, und man fühlte, daß das Leben für sie alle eine Folge von kleinlichen Sorgen und trivialen Gedanken war. Aber sie tanzten wild, wie unter einem seltsamen inneren Zwang. Das Verlangen nach Genuß, das, wie Cronshaw behauptete, das einzige Motiv menschlichen Handelns war, trieb sie blindlings vorwärts, und die Heftigkeit dieses Verlangens war so groß, daß der Genuß gar nicht aufkommen konnte. Sie wurden dahingejagt von einem großen Sturm, hilflos, ohne zu wissen, wohin und warum. Das Schicksal schwebte über ihnen, und sie tanzten, als wäre ewige Finsternis unter ihren Füßen. Ihre Schweigsamkeit hatte etwas Beunruhigendes an sich. Es war, als erschreckte sie das Leben und raubte ihnen die Gewalt über die Sprache, so daß der Schrei aus ihren Herzen in ihren Kehlen erstickte. Ihr Blick war wild und finster; und ungeachtet der viehischen Gier, die sie entstellte, und der Gewöhnlichkeit ihrer Gesichter und der Grausamkeit und ungeachtet des Stumpfsinns, der das Ärgste war, machte die Angst in diesen starren Augen diese ganze Menge entsetzlich und erschütternd.

Philip empfand Ekel, und sein Herz schmerzte vor Mitleid.

Er holte seinen Mantel aus der Garderobe und ging hinaus in die bittere Kälte der Nacht.


Philip konnte über das unglückliche Ereignis nicht hinwegkommen. Was ihn am meisten erschütterte, war die Nutzlosigkeit von Fannys Kampf. Niemand hätte angestrengter und ehrlicher arbeiten können als sie; sie glaubte an sich von ganzem Herzen, aber es unterlag keinem Zweifel, daß Selbstvertrauen sehr wenig zu bedeuten hatte; alle seine Freunde besaßen es in reichem Maße, Miguel Ajuria so gut wie die anderen; und Philip war schockiert über den Gegensatz zwischen den heldenhaften Bemühungen des Spaniers und dem, was dabei herauskam. Philips traurige Schuljahre hatten die Gabe der Selbstbeobachtung in ihm entwickelt, und dieses Laster, tückisch wie Rauschgift, hatte Besitz von ihm ergriffen, so daß er es zu einer besonderen Scharfsicht in der Zergliederung seiner Gefühle gebracht hatte. Er konnte nicht umhin zu sehen, daß die Kunst auf ihn anders wirkte als auf seine Kollegen. Ein schönes Bild verursachte Lawsons spontanes Entzücken. Er reagierte instinktiv. Selbst Flanagan empfand Dinge, die Philip nur mit dem Verstand begriff. Er reagierte mit dem Intellekt. Er begann an seiner Künstlerschaft zu zweifeln. Er fragte sich, ob er wirklich mehr besaß als eine gewisse Handfertigkeit, die ihn befähigte, Dinge genau zu kopieren. Das war nichts. Er hatte gelernt, bloße technische Geschicklichkeit zu verachten. Worauf es ankam, war, in malerischen Werten zu empfinden. Lawson malte auf eine bestimmte Art, weil es seine Natur war, so zu malen, und hinter der zur Nachahmung neigenden und jedem Einfluß zugänglichen Unsicherheit des Schülers machte sich seine Individualität bemerkbar. Philip betrachtete das Porträt von Ruth Chalice, das er selbst gemalt hatte, und nun, nach drei Monaten, erkannte er, daß es nichts weiter war als eine sklavische Kopie von Lawsons Bild. Er malte mit dem Kopf und wußte doch: ein gutes Bild müßte mit dem Herzen gemalt sein.

Er hatte sehr wenig Geld, kaum sechshundert Pfund, und würde in strengster Sparsamkeit leben können. Er konnte nicht darauf rechnen, vor zehn Jahren etwas zu verdienen. In der Geschichte der Malerei wimmelte es von Künstlern, die nie etwas verdient hatten. Er mußte mit der Möglichkeit rechnen, Not zu leiden. Das lohnte sich, wenn man Arbeiten von großem künstlerischem Wert hervorbrachte; aber er hatte schreckliche Angst davor, niemals mehr als zweitrangig zu sein. War es der Mühe wert, dafür seine Jugend, den Frohsinn des Lebens und die mannigfachen Möglichkeiten des Daseins aufzugeben? Er kannte das Leben der ausländischen Maler in Paris gut genug, um zu wissen, daß es kleinbürgerlich war. Er kannte einige, die zwanzig Jahre lang hinter ihrem Ruhm hergejagt waren, ohne ihn zu erreichen, und schließlich der Niedertracht und dem Alkohol verfielen. Fannys Selbstmord hatte Erinnerungen geweckt, und Philip hörte grausige Geschichten über die Art, in der der eine oder andere der Verzweiflung entflohen war. Er erinnerte sich an den verschmähten Rat, den der Lehrer Fanny gegeben hatte: es wäre gut für sie gewesen, wenn sie ihn angenommen und das hoffnungslose Beginnen aufgegeben hätte.

Philip beendete das Porträt von Miguel Ajuria und sandte es in den Salon. Er hatte so fleißig an dem Bilde gearbeitet, daß er meinte, es müßte etwas taugen. Wenn er es betrachtete, fühlte er allerdings, daß irgend etwas nicht stimmte, aber er hätte nicht sagen können, was es war. Das Bild wurde abgelehnt. Er nahm es sich nicht weiter zu Herzen, weil er sich von vornherein bemüht hatte, seine Sache als möglichst aussichtslos anzusehen, um sich vor Enttäuschungen zu bewahren – bis ein paar Tage später Flanagan hereingestürzt kam und Lawson und Philip mitteilte, daß eines seiner Bilder angenommen war. Mit bleichem Gesicht sprach Philip ihm seine Gratulation aus, und Flanagan war so eifrig damit beschäftigt, sich selbst zu beglückwünschen, daß er den unwillkürlich ironischen Ton in Philips Stimme völlig überhörte. Lawson hingegen hatte ihn bemerkt und sah Philip befremdet an. Sein Bild war ebenfalls angenommen worden, wie er vor ein paar Tagen erfahren hatte, und er nahm Philip sein Verhalten ein wenig übel. Um so überraschter war er über die plötzliche Frage, die Philip an ihn richtete, sobald der Amerikaner gegangen war.

»Wenn du an meiner Stelle wärest, würdest du die ganze Sache aufgeben?«

»Was in aller Welt meinst du damit?«

»In anderen Berufen, siehst du, als Arzt, zum Beispiel, oder als Geschäftsmann, hat es nichts zu sagen, wenn man mittelmäßig ist. Man verdient seinen Unterhalt, und damit hat es sein Bewenden. Aber was hat es für einen Sinn, uninteressante Bilder herauszubringen?«

Sobald Lawson zu merken meinte, daß Philip über die Ablehnung seines Bildes ernstlich gekränkt war, tat er sein möglichstes, um ihn zu trösten. Jeder wußte, daß der Salon Bilder zurückgewiesen hatte, die später berühmt geworden waren. Es war das erstemal, daß Philip eingeschickt hatte, und eine Ablehnung durfte ihn nicht weiter wundern. Flanagans Erfolg war erklärlich, sein Bild war roh und oberflächlich, genau das, was einer verkalkten Jury imponierte. Philip wurde ungeduldig. Er fand es demütigend, daß Lawson ihn für fähig hielt, sich durch eine so nebensächliche Angelegenheit aus dem Gleichgewicht bringen zu lassen, und die tieferen Ursachen seiner Niedergeschlagenheit nicht begriff.

In letzter Zeit hatte sich Clutton ein wenig von der Gesellschaft bei *Gravier* zurückgezogen und lebte für sich allein. Flanagan sagte, er hätte eine Freundin, aber Cluttons hartes Gesicht wies auf keine Leidenschaft hin; Philip hielt es für wahrscheinlicher, daß er sich von den Freunden absonderte, um sich über die neuen Ideen in seinem Inneren klarzuwerden. An jenem Abend jedoch, als die andern das Restaurant bereits verlassen hatten und Philip einsam an seinem Tische saß, kam Clutton herein und bestellte ein Abendessen. Sie kamen ins Gespräch, und da Philip Clutton aufgeschlossen fand und weniger sarkastisch als sonst, beschloß er, seine gute Laune auszunützen.

»Du würdest mir einen großen Gefallen tun, wenn du dir mein Bild ansehen wolltest«, sagte er. »Ich möchte wissen, was du davon hältst.«

»Nein, das werde ich nicht tun.«

»Warum nicht?« fragte Philip errötend.

Es war nichts Außergewöhnliches, was er von Clutton verlangt hatte, und kein anderer hätte daran gedacht, ein solches Ersuchen abzulehnen. Clutton zuckte die Achseln.

»Die Leute bitten einen um Kritik, aber in Wirklichkeit wollen sie nichts anderes hören als Lob. Was liegt daran, ob dein Bild gut oder schlecht ist?«

»Mir liegt sehr viel daran.«

»Nein. Der einzige Grund, warum man malt, ist der, daß man nicht anders kann. Es ist etwas Zwangsläufiges. Man malt für sich selbst, sonst würde man Selbstmord begehen. Bedenk es doch: du mühst dich, Gott weiß wie lange, ab, etwas auf die Leinwand zu bringen, wendest den Schweiß deiner Seele daran – und was ist das Ergebnis? Zehn zu eins wird es vom Salon zurückgewiesen; wird es angenommen, so bleiben die Leute ein paar Sekunden davor stehen und gehen dann weiter. Hat man besonderes Glück, so kauft es irgendein ahnungsloser Idiot, hängt es in seinem Zimmer auf und beachtet es so wenig wie seinen Speisetisch. Die Kritik hat nichts mit dem Künstler zu tun. Sie urteilt objektiv, aber das Objektive geht den Künstler nichts an.«

Clutton legte die Hand über die Augen, um sich besser konzentrieren zu können.

»Der Künstler empfängt einen bestimmten Eindruck und fühlt sich gedrängt, ihn in Farben und Linien wiederzugeben. Es ist wie bei einem Komponisten; er liest ein oder zwei Zeilen, und eine bestimmte Tonfolge ersteht vor ihm: er weiß nicht, warum diese und jene Worte diese und jene Töne hervorrufen, aber sie tun es. Und ich kann dir noch einen anderen Grund nennen, warum Kritik bedeutungslos ist: ist einer ein großer Maler, so zwingt er die Welt, die Natur zu sehen, wie er sie sieht; aber in der nächsten Generation kommt ein neuer Maler, der die Welt auf seine Weise sieht, und dann wird er in der Öffentlichkeit nicht nach sich selbst, sondern nach seinem Vorgänger beurteilt. So hatten unsere Väter gelernt, Bäume auf eine bestimmte Art zu sehen, und als nun Monet auftauchte und anders malte, riefen sie: ›Aber so sehen doch Bäume nicht aus!‹ Nie kamen sie auf den Gedanken, daß Bäume genauso aussehen, wie der Maler sie sieht. Wir malen die Dinge, wie sie sich in unserem Innern spiegeln. Was danach mit unserer Arbeit geschieht, ist unwichtig.«

Es trat eine Pause ein, während der Clutton heißhungrig das Essen hinunterschlang, das man vor ihn hingestellt hatte. Philip hatte sich eine billige Zigarette angezündet und beobachtete ihn aufmerksam. Der wilde Kopf, der aussah, als wäre er aus einem dem Meißel des Bildhauers widerstrebenden Stein herausgehauen, die zottige Mähne dunklen Haares, die große Nase und die massiven Kinnladen ließen auf einen kraftvollen Menschen schließen. Dennoch fragte sich Philip, ob sich hinter dieser Maske nicht am Ende eine seltsame Schwäche verbarg. Cluttons Weigerung, seine Arbeiten zu zeigen, konnte reinste Eitelkeit sein. Vielleicht scheute er die Kritik und wollte sich nicht der Demütigung aussetzen, vom Salon abgewiesen zu werden. Während der achtzehn Monate, die Philip ihn kannte, war Clutton immer härter und verbitterter geworden. Obgleich er es ablehnte, in die Öffentlichkeit zu treten und sich mit den andern zu messen, ärgerte er sich über ihre billigen Erfolge. Mit Lawson stand er lange nicht mehr so gut wie zu der Zeit, da Philip die beiden kennengelernt hatte.

»Um Lawson mache ich mir keine Sorgen«, sagte er. »Er wird nach England zurückkehren und ein berühmter Modemaler werden mit zehntausend Pfund Jahreseinkommen. Handgemalte Porträts für den Adel und die höheren Kreise.«

Aber auch Philip schaute in die Zukunft und sah Clutton zwanzig Jahre später, verbittert, einsam, wild und unbekannt; immer noch in Paris, denn das Leben dort ließ ihn nicht los – mit schonungsloser Zunge einen kleinen Kreis von Jüngern regierend, im Krieg mit sich selbst und der Welt, wenig produzierend, in seiner wachsenden Leidenschaft für das Vollkommene, das er nie erreichen konnte, und schließlich vielleicht dem Trunk verfallen. In letzter Zeit hatte sich Philip manchmal gefragt, ob man nicht bestrebt sein müßte, sein Leben, das einzige, das einem gegeben war, erfolgreich zu gestalten. Aber er verstand unter Erfolg nicht Geld und Ruhm; er wußte noch nicht genau, was er darunter verstand, vielleicht Mannigfaltigkeit des Erlebens und Ausbildung seiner Fähigkeiten. Auf alle Fälle war es klar, daß das Leben, das Clutton bestimmt schien, ein verfehltes sein würde. Nur eines würde imstande sein, es zu rechtfertigen: das Hervorbringen unvergänglicher Meisterwerke. Er erinnerte sich an Cronshaws wunderliches Gleichnis von dem persischen Teppich; er hatte oft daran gedacht; aber Cronshaw mit seinem bizarren Humor hatte sich geweigert, es näher zu erklären. Jeder mußte für sich selbst den Sinn herausfinden. Es war dieser Wunsch, sein Leben erfolgreich zu gestalten, der Philips Zweifel, ob er seine künstlerische Laufbahn fortsetzen sollte, zugrunde lag. Aber Clutton fing wieder zu sprechen an:

»Du wirst dich erinnern, daß ich dir von einem Maler erzählt habe, den ich in der Bretagne kennengelernt hatte. Ich bin ihm neulich begegnet. Er ist jetzt nach Tahiti abgereist. Er war ein vielverdienender Börsenmakler in London und hatte Frau und Kinder. Aber er hat alles aufgegeben, um Maler zu werden. Er ist in die Bretagne gegangen und hat angefangen zu malen. Er hatte gar kein Geld und hungerte sich durch.«

»Und seine Familie?« fragte Philip.

»Ach, die hat er fallenlassen.«

»Das finde ich nicht gerade anständig.«

»Lieber Junge, wenn du ein Gentleman sein willst, mußt du es aufgeben, Künstler zu sein. Diese beiden Dinge haben nicht das geringste miteinander zu tun. Man hört von Menschen, die Blumentöpfe bemalen, um eine alte Mutter zu erhalten – das zeigt, daß sie ausgezeichnete Söhne sind, ist aber keine Entschuldigung für schlechte Arbeit. Sie sind Geschäftsleute und nichts anderes. Ein Künstler würde seine Mutter ins Armenhaus stecken. Ich kenne einen Schriftsteller hier, der mir erzählt hat, daß seine Frau an Kindbettfieber gestorben ist. Er liebte sie und verlor beinah den Verstand vor Kummer, aber während er an ihrem Bette saß und zusah, wie sie starb, bemerkte er plötzlich, daß er im Geiste festzuhalten versuchte, wie sie aussah, was sie sagte und was er dabei fühlte. Ein Gentleman, nicht?«

»Aber ist dein Freund ein guter Maler?«

»Nein, noch nicht, er malt genauso wie Pissarro. Er hat sich noch nicht gefunden, aber er besitzt sehr viel Farbensinn und eine stark dekorative Begabung. Aber darauf kommt es nicht an. Das Ausschlaggebende ist das Gefühl, und das hat er. Er hat sich gegenüber seiner Frau und seinen Kindern benommen wie ein Schwein; er benimmt sich immer wie ein Schwein. Es ist schauderhaft, wie er die Leute behandelt, die ihm geholfen haben – mehr als einmal hat man ihn aus purer Herzensgüte vor dem Hunger gerettet –, aber er ist ein großer Künstler.«

Philip grübelte über diesen Menschen nach, der bereit war, alles zu opfern, Bequemlichkeit, Heim, Geld, Liebe, Ehre, Pflicht, um auf einem Stück Leinwand die Empfindung festzuhalten, die die Welt in ihm wachrief. Es war großartig, und doch traute er sich diesen Mut nicht zu.

Bei dem Gedanken an Cronshaw fiel ihm ein, daß er ihn seit einer Woche nicht gesehen hatte, und nachdem Clutton gegangen war, begab er sich in das Café, in dem der Schriftsteller allabendlich war. Während der ersten Monate seines Pariser Aufenthaltes hatte Philip jedes Wort, das Cronshaw sprach, wie eine Weisheit der Bibel hingenommen, allmählich aber verlor er die Geduld angesichts dieser Theorien, die sich niemals in Taten umsetzten. Cronshaws dünnes Gedichtbändchen schien ihm keine genügende Rechtfertigung für sein verkommenes Leben. Philip war nicht imstande, sich über die Maßstäbe des Mittelstandes, aus dem er stammte, hinwegzusetzen; und die Hungerleiderei, die untergeordnete Arbeit, zu der Cronshaw sich bereitfand, um sich über Wasser zu halten, die Eintönigkeit seines Daseins, zwischen einer dreckigen Dachkammer und einem Caféhaustisch – das alles ging gegen sein Gefühl für Anstand und Ehrbarkeit. Cronshaw war scharfsinnig genug, um zu merken, daß der junge Mensch nicht einverstanden mit ihm war, und griff seine Philisterei mit einer Ironie an, die manchmal scherzhaft, oft aber sehr scharf war.

»Sie sind ein Kaufmann«, sagte er zu ihm. »Sie wollen Ihr Leben in soliden Wertpapieren anlegen, damit es Ihnen sichere drei Prozent einbringt. Ich bin ein Verschwender und lebe vom Kapital. Mit dem letzten Herzschlag werde ich meinen letzten Penny ausgegeben haben.«

Die Metapher ärgerte Philip, weil sie den Sprecher mit einem Schein von Romantik umgab, während sie seinen eigenen Standpunkt herabsetzte, der sicherlich mehr für sich hatte, als er im Augenblick anzuführen imstande war.

Aber an diesem Abend hatte Philip in seiner Unschlüssigkeit das Bedürfnis, sich mit jemandem auszusprechen.

»Würden Sie mir einen Rat geben?« fragte er unvermittelt.

»Sie haben doch nicht etwa die Absicht, ihn zu befolgen?«

Philip zuckte ungeduldig die Achseln.

»Ich glaube nicht, daß ich als Maler jemals etwas leisten werde. Ich trage mich mit der Absicht, das Malen aufzugeben.«

»Und was hält Sie davor zurück?«

Philip zögerte einen Augenblick.

»Ich glaube, mir gefällt das Leben hier.«

Eine Veränderung kam über Cronshaws friedliches rundes Gesicht. Seine Mundwinkel verzogen sich, die Augen sanken tiefer in ihre Höhlen; er sah mit einem Male seltsam gebeugt und alt aus.

»Dies?« rief er, indem er sich in dem Café umblickte. Wahrhaftig, seine Stimme zitterte ein wenig.

»Wenn Sie hier herauskommen können, dann tun Sie es, solange noch Zeit ist.«

Philip starrte ihn erstaunt an, aber der Anblick dieses zutiefst erregten Menschen machte ihn befangen, und rasch senkte er wieder die Augen. Er wußte, daß er die Tragödie eines verfehlten Lebens vor sich hatte. Eine Stille trat ein. Philip glaubte zu erraten, worüber Cronshaw nachsann; er mochte an seine Jugend denken mit ihren strahlenden Hoffnungen und an die Enttäuschungen, die allen Glanz ausgelöscht hatten; an die kärgliche Einförmigkeit des Genusses und an die dunkle Zukunft. Philips Augen blieben an dem Stoß von Untersätzen haften, der sich auf dem Tische türmte, und er fühlte, daß Cronshaws Blicke das gleiche Ziel hatten.


Zwei Monate vergingen.

Es schien Philip, der diesen Dingen nachgrübelte, daß in den wahren Malern, Schriftstellern und Musikern eine Kraft wohnte, die sie zu solch vollkommenem Aufgehen in ihrer Arbeit trieb, daß es ihnen selbstverständlich wurde, das Leben der Kunst unterzuordnen. Einem Einfluß unterliegend, der ihnen niemals völlig bewußt wurde, waren sie die Marionetten eines Instinktes, der sie beherrschte, und das Leben glitt ihnen ungelebt durch die Finger. Aber er hatte das

Gefühl, daß das Leben da war, um gelebt, und nicht, um porträtiert zu werden, und es war sein Wunsch, es in allen seinen Möglichkeiten auszukosten und jedem Augenblick abzuringen, was er an Erlebenswertem bot. Schließlich faßte er den Entschluß, einen bestimmten Schritt zu unternehmen und dessen Ergebnis als entscheidend anzusehen. Und zwar wollte er diesen Schritt sofort tun. Glücklicherweise fügte es sich, daß am nächsten Tag Foinet ins Atelier kam, und Philip nahm sich vor, ihn ohne Umschweife zu fragen, ob er ihm rate, mit der Malerei fortzufahren. Er hatte niemals den brutalen Rat vergessen, den der Meister Fanny Price erteilt hatte. Er war vernünftig gewesen.

Philip konnte Fanny nie vollständig vergessen. Das Atelier wirkte fremd ohne sie, und ab und zu ließ ihn die Bewegung einer der dort arbeitenden Frauen oder der Klang einer Stimme auffahren, da sie ihn an sie erinnerten; nun, da sie tot war, war ihre Nähe wahrnehmbarer, als diese jemals während ihres Lebens gewesen war; und des Nachts träumte er von ihr und wachte dann mit einem Entsetzensschrei auf. Es war schrecklich, an all das Leid zu denken, das sie erduldet hatte.

Philip wußte, daß Foinet an den Tagen, an denen er in die Schule kam, in einem kleinen Restaurant in der Rue d'Odessa aß, und er beeilte sich, mit seiner eigenen Mahlzeit fertig zu werden, um den Maler draußen zu erwarten. In der belebten Straße ging Philip auf und ab, bis er schließlich Monsieur Foinet mit gesenktem Kopf auf sich zukommen sah. Philip war sehr aufgeregt, aber er zwang sich, an ihn heranzutreten.

»*Pardon, monsieur.* Ich möchte Sie einen Augenblick sprechen.«

Foinet hob rasch den Blick, erkannte ihn, grüßte aber mit keinem Lächeln.

»Sprechen Sie«, sagte er.

»Ich arbeite seit zwei Jahren unter Ihnen und wollte Sie bitten, mir aufrichtig zu sagen, ob es für mich einen Sinn hat weiterzumalen.«

Philips Stimme zitterte ein wenig. Foinet setzte seinen Weg fort, ohne aufzuschauen. Philip, der sein Gesicht beobachtete, vermochte keine Spur eines Ausdrucks darauf zu erkennen.

»Ich verstehe nicht.«

»Ich bin arm. Wenn ich kein Talent habe, möchte ich lieber etwas anderes tun.«

»Wissen Sie nicht, ob Sie Talent haben?«

»Alle meine Freunde wissen, daß sie Talent haben. Aber ich merke, daß einige von ihnen sich täuschen.«

Foinets bitterer Mund verzog sich zu dem Schatten eines Lächelns, und er fragte:

»Wohnen Sie in der Nähe?«

Philip nannte seine Adresse, und Foinet kehrte um.

»Gehen wir hin. Sie werden mir Ihre Arbeiten zeigen.«

»Jetzt gleich?« rief Philip.

»Warum nicht?«

Philip hatte nichts zu entgegnen. Schweigend ging er neben dem Meister her. Er kämpfte mit einer schrecklichen Übelkeit. Nie hätte er gedacht, daß Foinet seine Sachen auf der Stelle würde sehen wollen; er hatte die Absicht gehabt, ihn, um sich in Ruhe vorbereiten zu können, für einen späteren Tag in sein Atelier zu bitten. Er zitterte vor Aufregung. In seinem Herzen hoffte er, daß Foinet seine Bilder betrachten und dann mit jenem Lächeln, das so selten auf seinem Gesicht erschien, seine Hand ergreifen und ausrufen würde: »*Pas mal*. Nur so weiter, mein Junge. Sie haben Talent, wirkliches Talent.« Philips Herz schwoll bei diesem Gedanken. Welche Erlösung, welches Glück! Nun durfte er mit Mut weiterarbeiten; was bedeuteten Mühsal, Entbehrung und Enttäuschung, wenn er des endlichen Sieges sicher war? Er hatte sehr fleißig gearbeitet; es wäre zu grausam, wenn alle Mühe umsonst gewesen wäre. Aber mit Schrecken erinnerte er sich, daß Fanny Price genau das gleiche gedacht hatte. Sie gelangten zu dem Haus, und Philip wurde von Angst gepackt. Am liebsten hätte er Foinet gebeten, wieder umzukehren. Er wollte die Wahrheit nicht wissen. Sie traten ein, und als sie an der Portiersloge vorüberkamen, überreichte die *concierge* Philip einen Brief. Er warf einen Blick auf das Kuvert und erkannte die Handschrift seines Onkels. Foinet stieg hinter ihm die Treppe hinauf. Philip fiel nichts zu sagen ein; auch Foinet war stumm, und die Stille fiel Philip auf die Nerven. Der Professor setzte sich, und Philip stellte wortlos das Porträt vor ihn hin, das der Salon zurückgewiesen hatte; Foinet nickte, sprach aber nichts; hierauf zeigte ihm Philip die beiden Porträts von Ruth Chalice, zwei, drei Landschaften, die er in Moret gemalt hatte, und ein paar Skizzen.

»Das ist alles«, sagte er schließlich mit einem nervösen Lachen.

Monsieur Foinet drehte sich eine Zigarette und zündete sie an.

»Sie haben sehr wenig Vermögen?« fragte er endlich.

»Sehr wenig«, antwortete Philip mit einem plötzlichen Gefühl von Kälte im Herzen. »Nicht genug, um davon zu leben.«

»Es gibt nichts Entwürdigenderes als die ständige Sorge um das tägliche Brot. Ich habe nichts als Geringschätzung für die Leute, die das Geld verachten. Sie sind Heuchler oder Narren. Geld gleicht einem sechsten Sinn, ohne den man keinen vollkommenen Gebrauch von den übrigen Sinnen machen kann. Ohne ein angemessenes Einkommen ist man der Hälfte der Lebensmöglichkeiten beraubt. Manche Leute behaupten, daß Armut der beste Ansporn für künstlerisches Schaffen sei. Sie haben sie niemals am eigenen Leibe zu spüren bekommen. Sie wissen nicht, wie gemein sie den Menschen macht. Sie setzt ihn endlosen Demütigungen aus, sie stutzt ihm die Flügel, sie frißt sich in seine Seele ein wie ein Krebs. Es ist nicht Reichtum, wonach man strebt; man verlangt nur gerade genug, um seine Würde zu bewahren, ungehindert arbeiten zu können, großzügig, frei und unabhängig zu sein. Ich bemitleide von ganzem Herzen den Künstler, ob er nun schreibt oder malt, der in seinem Lebensunterhalt einzig und allein auf die Kunst angewiesen ist.«

Philip legte still die Bilder beiseite, die er gezeigt hatte.

»Das klingt, als ob Sie mir keine großen Hoffnungen machen könnten.«

Monsieur Foinet zuckte leicht die Achseln.

»Sie haben eine gewisse manuelle Geschicklichkeit. Mit fleißiger Arbeit und Beharrlichkeit könnten Sie es dazu bringen, ein braver und nicht untüchtiger Maler zu werden. Sie würden Hunderte finden, die schlechter malen als Sie, und Hunderte, die ebenso gut malen. Ich sehe kein Talent in den Dingen, die Sie mir gezeigt haben; ich sehe bloß Fleiß und Intelligenz. Sie werden nie über das Mittelmaß hinauskommen.«

Philip zwang sich, vollkommen ruhig zu antworten.

»Ich bin Ihnen unendlich dankbar für Ihre Mühe. Sie haben mir einen großen Dienst erwiesen.«

Monsieur Foinet stand auf und schickte sich an zu gehen, aber gleich darauf besann er sich und legte stehenbleibend die Hand auf Philips Schulter.

»Sollte Ihnen an meinem Rat gelegen sein, dann hören Sie: nehmen Sie Ihren Mut in beide Hände und fangen Sie etwas anderes an. Das klingt sehr hart, aber glauben Sie mir: ich selbst würde alles, was ich auf der Welt besitze, dafür geben, wenn ich in Ihrem Alter diesen Rat empfangen und befolgt hätte.«

Philip blickte überrascht zu ihm auf. Der Meister zwang seinen Lippen ein Lächeln ab, aber seine Augen blieben ernst und traurig.

»Es ist grausam, seine Mittelmäßigkeit zu entdecken, wenn es schon zu spät ist. Es macht einen nicht umgänglicher.«

Er lachte auf, als er die letzten Worte aussprach, und verließ rasch das Zimmer.

Philip nahm mechanisch den Brief seines Onkels vom Tisch. Der Anblick seiner Schriftzüge machte ihn besorgt, denn gewöhnlich schrieb Tante Louisa. Sie war seit drei Monaten krank, und Philip hatte sich erbötig gemacht, nach England zu reisen und sie zu besuchen; sie jedoch hatte abgelehnt, aus Angst, ihn in seiner Arbeit zu stören. Sie wollte bis August warten, hatte sie geschrieben, dann würde er ohnedies nach Blackstable kommen und hoffentlich zwei bis drei Wochen bleiben. Falls sich ihr Zustand unvermutet verschlechtern sollte, würde sie ihn verständigen, da sie nicht sterben wollte, ohne ihn vorher noch einmal gesehen zu haben. Wenn ihm nun sein Onkel schrieb, so war sie offenbar zu krank, um die Feder zu halten. Philip öffnete den Brief. Er hatte folgenden Wortlaut:

*Mein lieber Philip,*
*Ich muß Dir zu meinem Leidwesen mitteilen, daß Deine liebe Tante Louisa heute am frühen Morgen aus dem Leben geschieden ist. Sie ist plötzlich, aber ganz friedlich gestorben. Die Verschlechterung in ihrem Befinden trat so rasch ein, daß wir keine Zeit fanden, Dich herbeizurufen. Die Tante war völlig vorbereitet auf das Ende und ging in dem festen Glauben an eine selige Auferstehung und ergeben in den Willen unseres Herrn Jesus Christus in die ewige Ruhe ein. Deine Tante hatte den Wunsch, daß Du bei ihrer Beerdigung zugegen sein mögest, und ich nehme an, daß Du sobald wie möglich kommen wirst. Es ruht jetzt natürlich eine große Arbeitslast auf meinen Schultern, und ich bin sehr mitgenommen. Ich hoffe, daß Du mir in allem behilflich sein wirst.*

*Dein Dich liebender Onkel*
*William Carey*

Am nächsten Tag traf Philip in Blackstable ein. Seit dem Tode seiner Mutter hatte er keinen ihn nahestehenden Menschen mehr verloren. Der Tod seiner Tante erschreckte ihn und erfüllte ihn zugleich mit einer seltsamen Angst; er fühlte zum erstenmal seine eigene Sterblichkeit. Er konnte sich nicht vorstellen, wie sich das Leben nun für seinen Onkel gestalten sollte, ohne die vertraute Gegenwart der Frau, die ihn vierzig Jahre lang geliebt und betreut hatte. Er machte sich darauf gefaßt, ihn zusammengebrochen und von Kummer überwältigt anzutreffen. Er fürchtete sich vor der ersten Begegnung; er wußte, daß er nichts Tröstliches sagen konnte, und verwarf immer aufs neue die Phrasen, die er sich im Geiste zurechtgelegt hatte.

Er betrat das Pfarrhaus durch die Seitenpforte und begab sich ins Speisezimmer. Onkel William las die Zeitung.

»Dein Zug hatte Verspätung«, sagte er aufblickend.

Philip war auf einen Gefühlsausbruch gefaßt gewesen, und der sachlich-nüchterne Empfang verblüffte ihn. Sein Onkel, gedrückt, aber ruhig, reichte ihm ein Zeitungsblatt.

»In der *Blackstable Times* steht ein sehr netter Artikel über sie«, sagte er.

Philip las ihn mechanisch.

»Möchtest du sie sehen?«

Philip nickte, und sie gingen miteinander in das obere Stockwerk. Tante Louisa lag mitten auf einem großen Bett, von Blumen umgeben.

»Du möchtest vielleicht ein kurzes Gebet sprechen?« meinte der Vikar.

Er selbst sank in die Knie, und da es von ihm erwartet wurde, folgte Philip seinem Beispiel. Er betrachtete das kleine, runzelige Gesicht und war sich nur einer einzigen Empfindung bewußt: was für ein vertanes Leben! Nach einer Weile hustete Mr. Carey und stand auf.

»Ich glaube, der Tee ist fertig.«

Sie gingen wieder ins Speisezimmer zurück. Die Jalousien waren heruntergelassen, so daß es in einem düsteren Halbdunkel lag. Der Vikar setzte sich an den Platz, den sonst seine Frau innegehabt hatte, und schenkte zeremoniell den Tee ein. Philip erwartete unwillkürlich, daß es ihnen beiden unmöglich sein würde, etwas zu essen. Als er jedoch sah, daß der Appetit seines Onkels unbeeinträchtigt war, griff auch er mit der gewohnten Herzhaftigkeit zu. Eine Zeitlang wurde nichts gesprochen. Philip saß mit kummervoller Miene da und verzehrte einen ausgezeichneten Kuchen.

»Seit meiner Jugend hat sich viel verändert«, sagte der Vikar schließlich. »Als ich Kurat war, war es üblich, den Trauergästen ein Paar schwarze Handschuhe und ein Stück schwarzer Seide für ihre Hüte zu schenken. Deine arme Tante hat die Seide gesammelt und sich dann Kleider daraus genäht. Zwölf Begräbnisse ergeben ein Kleid, pflegte sie zu sagen.«

Dann erzählte er Philip, wer Kränze geschickt hatte; es waren ihrer schon vierundzwanzig da. Als Mrs. Rawlingson, die Frau des Vikars von Ferne, gestorben war, hatte sie zweiunddreißig gehabt. Jedenfalls würden morgen noch viele kommen. Die Beerdigung fand um elf Uhr statt, und Mrs. Rawlingson würde leicht zu schlagen sein. Louisa hatte Mrs. Rawlingson nie gemocht.

»Ich werde das Begräbnis selbst übernehmen. Das habe ich Louisa versprochen.«

Philip beobachtete mit Mißbilligung, daß sein Onkel ein zweites Stück Kuchen nahm. Unter diesen Umständen blieb ihm nichts anderes übrig, als ihn für gefräßig zu halten.

»Mary Ann versteht sich großartig aufs Kuchenbacken. Das werde ich sehr vermissen, wenn sie fort ist.«

»Ja, soll sie denn gehen?« rief Philip erstaunt.

Mary Ann war im Pfarrhaus gewesen, solange er denken konnte. Sie erinnerte sich stets an seinen Geburtstag und versäumte nie, ihm ein kleines Geschenk zu schicken, wenn es auch noch so bescheiden war. Er hatte sie aufrichtig gern.

»Ja«, antwortete Mr. Carey. »Es scheint mir nicht ganz schicklich, eine ledige Frau im Haus zu haben.«

»Aber, guter Gott, sie muß doch längst über vierzig sein!«

»Das stimmt. Aber sie hat mir nicht mehr recht gefallen in der letzten Zeit. Sie ist mir ein wenig zu eigenmächtig geworden, und ich hielt es für eine günstige Gelegenheit, ihr zu kündigen.«

Philip nahm eine Zigarette heraus, aber sein Onkel gestattete ihm nicht, sie anzuzünden.

»Erst wenn die Beerdigung vorbei ist«, sagte er sanft.

»Ist gut«, sagte Philip.

»Es scheint mir nicht ehrerbietig, zu rauchen, solange die arme Tante noch im Haus ist.«

Josiah Graves, Kirchenvorsteher und Bankleiter, kam nach dem Begräbnis zum Essen ins Pfarrhaus. Die Jalousien waren hinaufgezogen worden, und Philip empfand wider Willen ein seltsames Gefühl der Erleichterung. Der Leichnam im Hause war ihm unangenehm gewesen: in ihrem Leben war die arme Frau freundlich und sanft; und doch schien es, als sie kalt und steif oben in ihrem Schlafzimmer lag, als übe sie auf die Überlebenden einen unheilbringenden Einfluß aus. Der Gedanke erschreckte Philip.

Vor dem Essen blieb er ein paar Minuten mit dem Kirchenvorsteher allein.

»Ich hoffe, Sie werden eine Weile bei Ihrem Onkel bleiben können«, sagte Mr. Graves. »Es wäre nicht richtig, ihn jetzt allein zu lassen.«

»Ich habe noch keine festen Pläne«, erwiderte Philip. »Wenn er mich braucht, werde ich gerne bleiben.«

Bemüht, den trauernden Gatten aufzuheitern, sprach der Kirchenvorsteher bei Tisch von einem Feuer, das vor kurzem in Blackstable ausgebrochen war und einen Teil der methodistischen Kapelle zerstört hatte.

»Wie ich höre, waren sie nicht versichert«, sagte er mit einem Lächeln.

»Das hat nicht viel zu bedeuten«, meinte der Vikar. »Sie werden Geld bekommen, soviel sie brauchen. Methodisten sind immer bereit zu spenden, wenn es um ihre Sache geht.«

»Ich sehe, daß Holden einen Kranz geschickt hat.«

Holden war der methodistische Geistliche, und obgleich Mr. Carey ihm um Christi willen, der auch für ihn gestorben war, auf der Straße zunickte, sprach er nicht mit ihm.

»Ich finde es sehr zudringlich von ihm«, bemerkte er. »Es waren im ganzen zweiundvierzig Kränze. Der Ihre war wunderschön. Philip und ich haben ihn sehr bewundert.«

»Sie beschämen mich«, sagte der Bankier.

Er hatte mit Genugtuung festgestellt, daß sein Kranz größer gewesen war als alle andern. Er hatte sehr gut ausgesehen. Man fing an, über die Leute zu sprechen, die an der Beerdigung teilgenommen hatten. Die Läden waren anläßlich der Trauerzeremonie geschlossen worden, und der Kirchenvorsteher zog eine gedruckte Anzeige aus der Tasche: *Anläßlich des Begräbnisses von Mrs. Carey wird dieses Lokal erst um ein Uhr wieder geöffnet.*

»Das war meine Idee«, sagte er.

»Es war sehr nett von Ihnen, daß Sie geschlossen haben«, sagte der Vikar. »Die arme Louisa hätte dies zu würdigen gewußt.«

Philip saß vor seinem Teller. Mary Ann hatte ein Sonntagsessen auf den Tisch gebracht. Es gab gebratenes Huhn und Stachelbeertorte.

»Sie werden sich noch nicht überlegt haben, was für einen Grabstein Sie setzen wollen?« fragte der Kirchenvorsteher.

»Doch, doch. Ich dachte an ein einfaches Steinkreuz. Louisa war immer gegen alles Auffällige.«

»Ein Kreuz ist wirklich das Schönste. Jetzt müssen Sie nur noch eine passende Inschrift finden. Was meinen Sie zu: ›*Mit Jesus in eine bessere Welt*‹?«

Der Vikar verzog die Lippen. Das sah Bismarck wieder einmal ähnlich. In alles mußte er sich einmischen. Mr. Carey gefiel dieser Text nicht. Er warf ein schlechtes Licht auf ihn selbst.

»Nein, ich glaube, ich werde eine andere Inschrift wählen. ›*Der Herr hat's gegeben, der Herr hat's genommen*‹ gefällt mir eigentlich viel besser.«

»Wirklich? Ich habe es immer ein bißchen gleichgültig gefunden.«

Der Vikar gab eine kühle Antwort, und Mr. Graves erwiderte in einem Ton, den der Witwer anmaßend fand. Das ging doch wirklich zu weit, daß er sich nicht einmal den Text für den Grabstein seiner Frau aussuchen durfte! Es trat eine Pause ein, und dann ging das Gespräch auf Gemeindeangelegenheiten über. Philip begab sich in den Garten, um eine Pfeife zu rauchen. Er setzte sich auf eine Bank und fing plötzlich hysterisch zu lachen an.

Einige Tage später sprach sein Onkel die Hoffnung aus, daß er die nächsten Wochen in Blackstable verbringen würde.

»Ja, das paßt mir sehr gut«, entgegnete Philip.

»Es genügt vielleicht, wenn du im September nach Paris zurück-kehrst.«

Philip antwortete nicht. Er hatte viel über das, was Foinet ihm gesagt hatte, nachgedacht, war aber noch so unentschlossen, daß er nicht über die Zukunft sprechen wollte. Es gehörte Mut dazu, die Kunst aufzugeben, weil man überzeugt war, nichts Hervorragendes leisten zu können. Aber würde er bei den anderen Verständnis für diesen Heroismus finden? Würden sie seinen Verzicht nicht bloß als Einge-ständnis seiner Niederlage betrachten? Und er wollte nicht zugeben, daß er geschlagen war. Derartige Erwägungen hätten ihn zurückhalten können, jemals den entscheidenden Schritt zu tun, aber der Wechsel der Umgebung ließ ihn die Dinge plötzlich in einem anderen Lichte sehen. Wie mancher andere entdeckte er, daß mit der Fahrt über den Kanal vieles, was ihm wichtig erschienen war, merkwürdig nebensächlich wurde. Das Leben, das ihn dermaßen bezaubert hatte, daß er meinte, es niemals lassen zu können, schien ihm plötzlich abgeschmackt. Eine Abscheu ergriff ihn gegen die Cafés, die Restaurants mit ihrer schlechten Küche, die schäbige Lebensweise, die alle führten. Es lag ihm nichts mehr daran, was seine Freunde von ihm dachten: Cronshaw mit seinen Reden, Mrs. Otter mit ihrer Ehrbarkeit, Ruth Chalice mit ihrer Affektiertheit, Lawson und Clutton mit ihren Streitigkeiten; ein Widerwillen gegen alle erfüllte ihn. Er schrieb an Lawson und bat ihn, ihm seine Sachen nachzusenden. Eine Woche später kamen sie an. Als er seine Arbeiten auspackte, war er imstande, sie ohne Gemütsbewegung zu betrachten. Er stellte diese Tatsache mit Interesse fest. Sein Onkel zeigte sich begierig, seine Bilder zu sehen. Obgleich er Philips Wunsch, nach Paris zu gehen, so heftig mißbilligt hatte, nahm er die Situation nun mit Seelenruhe hin. Er interessierte sich lebhaft für das Leben der Kunstschüler und fragte Philip ständig darüber aus. Ja er war sogar ein wenig stolz darauf, daß Philip Maler war, und versuchte immer, ihn vor Bekannten herauszustreichen. Voll Anteilnahme betrachtete er die Studien, die Philip ihm zeigte. Philip stellte das Porträt von Miguel Ajuria vor ihn hin.

»Warum hast du gerade ihn gemalt?« fragte Mr. Carey.

»Ach, ich brauchte ein Modell, und sein Kopf gefiel mir.«

»Jetzt, wo du nichts Besseres zu tun hast, könntest du vielleicht mich malen?«

»Es würde dich langweilen, Modell zu sitzen.«

»Das glaube ich gar nicht.«

»Wir wollen sehen.«

Philip schmunzelte belustigt über die Eitelkeit seines Onkels. Es war klar, daß ihm furchtbar viel daran gelegen war, porträtiert zu werden. Etwas umsonst zu bekommen, war eine Gelegenheit, die genützt werden mußte. Zwei, drei Tage lang begnügte er sich mit gelegentlichen Andeutungen. Er warf Philip Faulheit vor, fragte ihn, wann er mit der Arbeit beginnen werde, und begann schließlich, jedem, den er traf, zu erzählen, daß Philip ihn zu malen gedenke. Endlich, an einem Regentag, sagte er nach dem Frühstück:

»Nun, was meinst du? Könntest du nicht heute mit meinem Porträt anfangen?«

Philip legte sein Buch hin und lehnte sich in seinem Stuhl zurück.

»Ich habe das Malen aufgegeben«, sagte er.

»Warum?« fragte Mr. Carey erstaunt.

»Weil ich erkannt habe, daß mein Talent nicht ausreicht.«

»Wie merkwürdig. Ehe du nach Paris gingst, warst du überzeugt, daß du ein Genie bist.«

»Das war ein Irrtum.«

»Wenn man sich einmal zu einem Beruf entschlossen hat, dann sollte man stolz genug sein, an ihm festzuhalten. Es fehlt dir an Ausdauer, mein Junge – das ist es.«

Philip war ein wenig verärgert, daß sein Onkel das Heroische seines Entschlusses nicht einsah.

»Auf einem rollenden Stein wächst kein Moos«, fuhr der Geistliche fort. Philip haßte dieses Sprichwort über alles, und es schien ihm vollkommen bedeutungslos. Sein Onkel hatte es oft während der Auseinandersetzungen, die der Aufgabe seiner Berufsausbildung vorangegangen waren, wiederholt. Allem Anschein nach brachte es jene Angelegenheit seinem Vormund in Erinnerung.

»Du bist kein Kind mehr; du mußt daran denken, dich häuslich einzurichten. Zuerst bestehst du darauf, beeidigter Bücherrevisor zu werden, und dann wirst du dessen überdrüssig und willst Maler werden. Und nun beliebt es dir, deine Meinung wiederum zu ändern. Es unterstreicht deine . . .«

Er zögerte einen Augenblick, um zu überlegen, auf welche Charakterfehler dies schließen ließe, und Philip beendete den Satz:

»Unschlüssigkeit, Unfähigkeit, Unvorsichtigkeit.«

Der Vikar blickte schnell auf. In Philips Augen war ein Zwinkern, das den Alten irritierte. Er fühlte die Berechtigung, Philip einen Hieb zu versetzen.

»Deine Geldangelegenheiten gehen mich nichts mehr an. Du bist dein eigener Herr. Ich möchte dich bloß daran erinnern, daß dein Vermögen nicht ewig ausreichen und dein Gebrechen dir den Kampf ums Dasein nicht eben erleichtern wird.«

Philip hatte sich allmählich daran gewöhnt, von Menschen, die etwas gegen ihn hatten, an seinen Klumpfuß erinnert zu werden. Aber gleichzeitig hatte er sich dazu erzogen, durch kein Zeichen zu verraten, daß ihn die Anspielung verletzte. Er hatte sich sogar so weit in der Gewalt, das Erröten zu unterdrücken, das ihn in seiner Knabenzeit so sehr gequält hatte.

»Wie du ganz richtig feststellst«, antwortete er, »gehen dich meine Geldangelegenheiten nichts mehr an, und ich bin mein eigener Herr.«

»Auf alle Fälle mußt du zugeben, daß ich mit meiner Weigerung, dich Maler werden zu lassen, recht gehabt habe.«

»Das möchte ich nicht behaupten. Vermutlich lernt man mehr an den Fehlern, die man aus eigenem Antrieb begeht, als an vielen wichtigen Schritten, zu denen man sich durch fremden Rat bestimmen läßt.«

»Und was gedenkst du nun zu tun?«

Philip war auf diese Frage nicht vorbereitet, da er sich noch nicht entschlossen hatte. Ein Dutzend Berufe waren ihm durch den Kopf gegangen.

»Das Vernünftigste wäre, du würdest Arzt wie dein Vater.«

»Merkwürdig, genau das hatte ich auch gedacht.«

Er hatte unter anderem auch den Arztberuf erwogen, hauptsächlich weil mit diesem ein großes Maß an persönlicher Freiheit verbunden zu sein schien und er aufgrund seiner Erfahrungen mit dem Büroleben mit einem solchen nichts mehr zu tun haben wollte; die Worte waren ihm unversehens über die Lippen gekommen, aus einer spielerischen Freude an der passenden Antwort. Aber da sie einmal ausgesprochen waren, wollte er sie als bindend ansehen. Und er beschloß auf der Stelle, im Herbst mit dem Studium der Medizin zu beginnen.

»Deine beiden Pariser Jahre können demnach als pure Zeitverschwendung angesehen werden?«

»Das möchte ich nicht sagen. Es waren zwei sehr vergnügte Jahre, und ich habe eine Menge gelernt.«

»Nämlich?«

Philip überlegte einen Augenblick, und seine Antwort war nicht frei von der Absicht, Ärgernis zu erregen.

»Ich habe gelernt, Hände anzuschauen, wie ich sie nie vorher angeschaut habe. Und anstatt bloß Häuser und Bäume anzusehen, habe ich gelernt, Häuser und Bäume anzusehen, wie sie sich gegen den Himmel abheben. Und außerdem habe ich gelernt, daß Schatten nicht schwarz, sondern farbig sind.«

»Du kommst dir wahrscheinlich sehr witzig vor. Ich finde deinen Mangel an Ernst äußerst bedauerlich.«


Mr. Carey nahm die Zeitung und zog sich in sein Studierzimmer zurück. Philip vertauschte seinen Stuhl mit dem bequemen, in dem sein Onkel gesessen hatte, und schaute durch das Fenster in den strömenden Regen hinaus. Trotz des traurigen Wetters war etwas unendlich Friedliches an diesen grünen Wiesen, die sich bis zum Horizont hin erstreckten. Die Landschaft hatte einen stillen Zauber, den er früher nicht erkannt hatte. Zwei Jahre in Frankreich hatten ihm die Augen für die Schönheiten seiner Heimat geöffnet.

Er dachte mit einem Lächeln an die Bemerkung seines Onkels. Welches Glück, daß ihm dieser sogenannte Mangel an Ernst gegeben war! Er hatte zu erkennen begonnen, welch großen Verlust er durch den Tod seines Vaters und seiner Mutter erlitten hatte. Das machte einen der Unterschiede in seinem Leben aus, die ihn daran hinderten, die Dinge ebenso zu sehen wie andere Leute. Die Liebe der Eltern zu ihren Kindern ist das einzige vollkommen selbstlose Gefühl. Unter Fremden aufgewachsen, war er nur selten mit Geduld oder Nachsicht behandelt worden. Er war stolz auf seine Selbstbeherrschung. Er hatte sie erlangt durch den Spott seiner Kameraden. Danach nannten sie ihn zynisch und hart. Er hatte gelernt, gefaßt zu sein und fast immer gleichmütig zu erscheinen, so daß er nun außerstande war, seine Gefühle zu zeigen. Die Leute sagten, er wäre gefühllos; aber er wußte, daß er seinen Gefühlen ausgeliefert war: eine zufällige Freundlichkeit konnte ihn so sehr rühren, daß er manchmal nicht zu sprechen wagte, um sich durch das Schwanken seiner Stimme nicht zu verraten. Er erinnerte sich der Bitterkeit seiner Schuljahre, der Demütigungen, die er erlitten, der Spöttereien, die ihm eine krankhafte Angst vor der Lächerlichkeit eingeflößt hatten, und er erinnerte sich, wie einsam er sich später draußen im Leben gefühlt und wieviel an Ernüchterung und Enttäuschung er erfahren hatte – denn wie groß ist der Unterschied zwischen dem, was die Welt verspricht, und dem, was sie zu halten vermag! Und trotz alledem war er nun imstande, sich selbst mit unbefangenen Augen zu betrachten und über das, was er sah, belustigt zu lächeln.

›Bei Gott, wenn mir dieser Mangel an Ernst nicht gegeben wäre, müßte ich mich aufhängen‹, dachte er vergnügt.

Und dann wanderten seine Gedanken zurück zu einer Antwort auf die Frage, was er in Paris gelernt habe. Er hatte um vieles mehr gelernt, als er seinem Onkel sagen konnte. Ein Gespräch mit Cronshaw haftete in seinem Gedächtnis, und eine der Phrasen, die er gebraucht hatte, ein echter Gemeinplatz, hatte ihn zum Nachdenken veranlaßt.

»Mein lieber Freund«, sagte Cronshaw, »abstrakte Moral gibt es nicht.«

Als Philip aufgehört hatte, an die christliche Religion zu glauben, fühlte er, daß eine schwere Last von seinen Schultern genommen worden war; indem er die Verantwortung abschüttelte, die auf jeder Handlung lastete, sobald jede Handlung unendlich bedeutsam war für das Wohlergehen seiner unsterblichen Seele, erfuhr er einen lebendigen Sinn der Freiheit. Aber nun wußte er, daß das eine Illusion war. Als er den Glauben, in dem er aufgezogen worden war, abgelegt hatte, hatte er die Moral, die ein Teil davon war, unverändert beibehalten. Daher entschloß er sich, selbst über die Dinge nachzudenken. Er wollte sich von keinen Vorurteilen beeinflussen lassen. Er erkannte die Tugenden und Laster, die etablierten Gesetze von Gut und Böse nicht länger an, in der Absicht, die Normen für das Leben selbst herauszufinden. Er wußte nicht, warum überhaupt Normen notwendig waren. Dies war eines der Dinge, die er erforschen wollte. Es war völlig klar, daß das, was bindend erschien, nur deshalb so erschien, weil es ihm von frühester Jugend an gelehrt worden war. Er hatte eine Anzahl von Büchern gelesen, aber sie halfen ihm nicht viel, da sie auf der Moral des Christentums gegründet waren; und sogar diejenigen Schriftsteller, die die Tatsache betonten, daß sie nicht daran glaubten, waren niemals zufrieden, bevor sie ein ethisches System entworfen hatten, das in Einklang mit der Bergpredigt stand. Es schien kaum der Mühe wert, ein umfangreiches Buch zu lesen, um daraus zu lernen, daß man sich genau wie jeder andere verhalten sollte. Philip wollte herausfinden, wie er sich verhalten sollte, und er dachte, er könnte sich davor bewahren, von den Meinungen seiner Umwelt beeinflußt zu werden. Aber in der Zwischenzeit mußte er weiterleben, und bis zu dem Zeitpunkt, wo er eine Verhaltenstheorie erstellt hätte, gab er sich eine provisorische Vorschrift:

»Folge deinen Neigungen mit gebührender Rücksicht auf den Polizisten um die Ecke.«

Der größte Gewinn, den er mitbrachte, war die Befreiung von den geistigen Fesseln, die er seit seiner Kindheit mitgeschleppt hatte. Ohne bestimmten Plan hatte er eine ganze Reihe philosophischer Werke gelesen und sah nun mit Freude den Ferienmonaten entgegen, die vor ihm lagen. Er fing an, aufs Geratewohl zu lesen. Mit Herzklopfen und Aufregung stürzte er sich auf jedes neue System, stets hoffend, in ihm die Führung zu finden, die ihm den Weg für sein Verhalten weisen sollte. Er fühlte sich wie ein Reisender in einem fremden Land, und je weiter er vordrang, desto fesselnder fand er sein Unternehmen. Er las gespannt, wie andere Menschen Romane lesen, und sein Herz jubelte, als er in edlen Worten ausgedrückt fand, was er selbst längst dunkel empfunden hatte. Sein Denken war konkret und bewegte sich nur mit Anstrengung in den Regionen des Abstrakten; aber selbst wenn er nicht alle Einzelheiten aufzufassen vermochte, bereitete es ihm ein eigenartiges Vergnügen, den verwickelten Gedankengängen zu folgen, die sich auf schwindligen Pfaden am Rande des Unverständlichen dahinbewegten. Es gab große Philosophen, die ihm nichts zu sagen hatten, aber in anderen erkannte er eine Wesensart, in der er sich sofort zu Hause fühlte. Er bewunderte den robusten Menschenverstand von Thomas Hobbes; Spinoza erfüllte ihn mit Ehrfurcht; nie vorher war er einem so edlen, unnahbaren und hehren Geist begegnet; und dann entdeckte er Hume; der Skeptizismus dieses bezaubernden Philosophen berührte eine verwandte Seite in Philip, und schwelgend in dem kristallklaren Stil, der imstande schien, die kompliziertesten Gedanken in einfache, wohlklingende und gemessene Worte zu fassen, las er, als habe er ein Gedicht vor sich sich, mit einem Lächeln des Genusses auf den Lippen. Aber bei keinem dieser Schriftsteller konnte er wirklich finden, was er suchte. Er hatte einmal gelesen, daß der Mensch als Platoniker, Aristoteliker, Stoiker und Epikureer geboren werde. Und George Henry Lewes behauptete (abgesehen davon, daß er alle Philosophie für Schwindel erklärte), daß jeder Philosoph untrennbar von seiner Natur abhängig wäre. Kannte man diese, dann konnte man mit ziemlicher Sicherheit auf seine Philosophie schließen. Es sah demnach aus, als wäre das Tun des Menschen nicht von seinem Denken bestimmt, sondern als würde dieses Denken von seiner Wesensart abhängig. Das hatte mit Wahrheit nichts zu tun. Es gab keine Wahrheit. Jeder Mensch war sein eigener Philosoph, und die kunstvollen Systeme, welche die großen Männer der Vergangenheit aufgestellt hatten, galten bloß für sie selbst.

Es hieß also vor allem sein eigenes Ich zu erforschen und daraus das Nötige abzuleiten. Über drei Dinge, so schien es Philip, mußte man sich Klarheit verschaffen: über sein Verhältnis zur Welt, über sein Verhältnis zu den Mitmenschen und über sein Verhältnis zu sich selbst. Philip arbeitete einen sorgfältigen Studienplan aus.

Das Leben in der Fremde hatte einen großen Vorteil: man beobachtete die Sitten der Völker, unter denen man lebte, gleichsam von außen und war dadurch imstande zu erkennen, daß diese nicht die Notwendigkeit hatten, die ihnen von denen, die sie ausübten, zugeschrieben wurde. Unwillkürlich gelangte man zu der Einsicht, daß Anschauungen, die man selbst als unanfechtbar richtig betrachtete, dem Außenstehenden unsinnig erscheinen könnten. Das Jahr in Deutschland, der lange Aufenthalt in Paris hatten Philip für die skeptischen Lehren vorbereitet, die er nun mit einem solchen Gefühl der Erleichterung in sich aufnahm. Er sah, daß nichts gut und nichts schlecht war; die Dinge waren lediglich bestimmten Zwecken untergeordnet. Er las den *Ursprung der Arten* und fand darin Erklärung für vieles, was ihn beschäftigte. Das großartige Bild des Lebenskampfes, das sich vor ihm auftat, ergriff ihn tief, und das ethische Gesetz, das hier zum Ausdruck kam, entsprach durchaus dem, was ihm vorschwebte. Die Gesellschaft, ein Organismus mit eigenen Gesetzen des Wachstums und der Selbsterhaltung, stand auf der einen, das Individuum auf der anderen Seite. Handlungen, die der Gesellschaft zum Vorteil gereichten, wurden als tugendhaft, solche, die dieser Forderung nicht entsprachen, als böse bezeichnet. Gut und Böse bedeuteten nichts weiter als dies. Und da die Gesellschaft stärker war als das Individuum, mußte dieses ihre Gesetze anerkennen und mit Geld und Dienstleistungen bezahlen, was sie ihm an Bequemlichkeiten gewährte. Sünde aber war ein Vorurteil, von dem der freie Mensch sich loszumachen bestrebt sein mußte. Wenn es aber für das Individuum weder Gut noch Böse gab, dann verlor, so schien es Philip, das Gewissen seine Macht.

Mit einem Schrei des Triumphes schüttelte Philip den trügerischen Eindringling ab. Und doch war er dem Sinn des Lebens nicht nähergekommen. Warum die Welt da war und zu welchem Zweck die Menschen existierten, blieb ihm ebenso unverständlich wie zuvor. Sicherlich mußte es einen Grund dafür geben. Er dachte an Cronshaws Gleichnis von dem persischen Teppich. Es sollte eine Lösung des Rätsels enthalten. Aber Cronshaw hatte geheimnisvoll angedeutet, daß es nur dem eine Antwort bot, der sie selbst zu entdecken vermochte.

›Was er nur gemeint haben mag‹, lächelte Philip.

Und so machte er sich denn, voll Ungeduld, all seine neuen Theorien in die Praxis umzusetzen, mit sechshundert Pfund in der Tasche am letzten Septembertage auf, um zum drittenmal im Leben sein Glück zu versuchen.


Die Prüfung, die Philip vor seinem Eintritt in Mr. Carters Büro abgelegt hatte, bildete eine genügende Qualifikation für das Studium der Medizin. Philip hatte beschlossen, im Hospital St. Luke anzufangen, wo sein Vater studiert hatte, und war vor Ende des Sommersemesters nach London gefahren, um sich mit dem Sekretär in Verbindung zu setzen. Von ihm hatte er auch eine Liste von Zimmern erhalten und sich darauf in einem schäbigen Hause eingemietet, das den Vorteil hatte, bloß ein paar Schritte vom Hospital entfernt zu sein.

»Sie werden sich einen Teil zum Sezieren sichern müssen«, sagte der Sekretär zu ihm. »Ich rate Ihnen, mit einem Bein anzufangen. Das tun die meisten. Sie behaupten, daß es das Leichteste sei.«

Philip stellte fest, daß die erste Vorlesung, Anatomie, um elf Uhr stattfand, und gegen halb zehn hinkte er über die Straße und begab sich, etwas nervös, in die medizinische Fakultät. Gleich hinter dem Eingang waren ein paar Bekanntmachungen angeschlagen, Vorlesungsverzeichnisse, Sportnachrichten und dergleichen; vor diesen blieb er lässig stehen, bemüht, sicher und unbefangen auszusehen. Junge Männer kamen herein und schauten nach Briefen auf dem Ständer, plauderten miteinander und gingen hinunter ins Souterrain, in dem sich das Lesezimmer befand. Philip bemerkte ein paar ratlos und schüchtern aussehende Leute, die zaudernd umherstanden, und schloß, daß sie wie er selbst wohl zum ersten Male hier waren. Als er die Anschläge zu Ende gelesen hatte, bemerkte er eine Glastür, die in eine Art von Museum führte, und da er noch zwanzig Minuten Zeit hatte, trat er ein. Es war eine Sammlung pathologischer Präparate. Nach einer Weile wandte sich ein Junge von ungefähr achtzehn Jahren an ihn.

»Sind Sie Anfänger?« fragte er.

»Ja«, antwortete Philip.

»Können Sie mir sagen, wo der Hörsaal ist? Es ist gleich elf.«

»Lassen Sie uns auf die Suche gehen.«

Sie verließen das Museum und kamen in einen langen dunklen Gang, dessen Wände in zwei Schattierungen von Rot gemalt waren; andere junge Leute, die vor ihnen einhergingen, wiesen ihnen die Richtung, und schließlich gelangten sie zu einer Tür, über der ›Hörsaal der Anatomie‹ geschrieben stand. Es waren bereits zahlreiche Studenten anwesend. Die Bänke waren ansteigend angeordnet, und gerade als Philip eintrat, kam ein Diener herein und stellte ein Glas Wasser auf den Vorlesungstisch. Dann brachte er einen Beckenknochen und einen rechten und einen linken Schenkelknochen. Es fanden sich immer mehr Leute ein, und gegen elf Uhr war der Saal nahezu voll. Im ganzen waren ungefähr sechzig Studenten da. Zum größten Teil waren sie bedeutend jünger als Philip, achtzehnjährige Jungen mit glatten Gesichtern, aber es gab auch einige ältere unter ihnen. Philip bemerkte einen großen Mann mit einem kühnen roten Schnurrbart, der dreißig Jahre alt sein mochte, und einen anderen, der höchstens ein bis zwei Jahre jünger war, und dann war einer da mit einer Brille, der einen ganz grauen Bart hatte.

Der Professor trat ein, ein schöner Mann mit weißen Haaren und klaren Zügen. Er rief eine lange Reihe von Namen auf. Dann hielt er eine kleine Rede. Er sprach mit angenehmer Stimme, in wohlgewählten Worten, deren sorgfältige Anordnung ihm Freude zu bereiten schien. Er nannte ein paar Bücher, die man sich kaufen sollte, und riet zur Anschaffung eines Skeletts. Er sprach mit Begeisterung über die Anatomie: sie bilde die Grundlage der Medizin; ihre Kenntnis trage zu einem höheren Verständnis der Kunst bei. Philip spitzte die Ohren. Später hörte er, daß Mr. Cameron auch die Studenten an der Royal Academy unterrichtete. Er hatte viele Jahre lang in Japan gelebt, wo er ein Lehramt an der Universität von Tokio innehatte, und er war selbst von seinem Verständnis für das Schöne entzückt.

»Sie werden viele langweilige Dinge zu lernen haben«, schloß er mit einem nachsichtigen Lächeln, »die Sie sofort vergessen werden, wenn Ihre Prüfung hinter Ihnen liegt. Aber in der Anatomie ist es besser, gelernt und wieder vergessen als überhaupt nie gelernt zu haben.«

Er nahm den Beckenknochen zur Hand, der auf dem Tisch lag, und fing an, ihn zu beschreiben. Er sprach gut und klar.

Nach Schluß der Vorlesung schlug der Junge, der Philip im pathologischen Museum angesprochen und nachher neben ihm gesessen hatte, vor, in den Seziersaal zu gehen. Philip und er gingen den Korridor entlang, und ein Diener wies ihnen den Weg. Sobald sie eintraten, wurde Philip klar, was der merkwürdige, scharfe Geruch zu bedeuten hatte, der ihm auf dem Korridor aufgefallen war. Er zündete sich eine Pfeife an. Der Diener lachte kurz auf.

»An den Geruch werden Sie sich bald gewöhnen. Ich bemerke ihn gar nicht mehr.«

Er fragte Philip nach seinem Namen und schaute auf die Liste am Brett.

»Sie haben ein Bein zugewiesen bekommen. Nummer vier.«

Philip bemerkte, daß noch ein zweiter Name neben dem seinen stand.

»Was hat das zu bedeuten?« fragte er.

»Wir haben im Augenblick nicht genug Leichen. Es müssen immer zwei Personen an einem Teil arbeiten.«

Der Seziersaal war ein großer Raum, in der gleichen Weise ausgemalt wie die Korridore, der obere Teil kräftig lachsrot, der untere in einem dunklen Terrakotta. An den Längsseiten waren in gleichmäßigen Abständen rechtwinklig zur Wand eiserne, wie Fleischschüsseln vertiefte Behälter angebracht, und auf jedem dieser Behälter lag eine Leiche. Die meisten waren männlich. Sie waren sehr dunkel von dem Konservierungspräparat, in dem sie gelegen hatten, und die Haut wirkte wie Leder. Die Körper waren im höchsten Grade abgezehrt. Der Diener führte Philip zu einem Behälter, neben dem bereits ein junger Mann stand.

»Heißen Sie Carey?« fragte er.

»Ja.«

»Dann arbeiten wir zusammen an diesem Bein.«

Philip betrachtete die Leiche. Arme und Beine waren so abgemagert, daß sie jede Form verloren hatten, und die Rippen standen dermaßen hervor, daß die sie bedeckende Haut stark gespannt war. Es war ein Mann von ungefähr fünfundvierzig Jahren, mit einem dünnen grauen Bart und spärlichem farblosem Haar; die Augen waren geschlossen und der Unterkiefer eingesunken. Es kostete Philip Anstrengung, sich vorzustellen, daß dies jemals ein Mensch gewesen war, und doch hatte diese Reihe starrer Leiber etwas Furchtbares und Grausiges.

»Ich wollte um zwei anfangen«, sagte der junge Mann, der mit Philip sezierte.

»Gut, ich werde pünktlich sein.«

Er hatte den Tag zuvor einen Kasten mit den nötigen Instrumenten gekauft und bekam nun ein Fach zugewiesen. Er blickte sich nach dem jungen Menschen um, mit dem er in den Seziersaal gekommen war, und sah, daß er ganz weiß war.

»Ist Ihnen nicht wohl?« fragte Philip.

»Ich habe noch nie einen Toten gesehen.«

Sie gingen miteinander den Korridor entlang bis zum Ausgang. Philip erinnerte sich an Fanny Price. Sie war die erste Leiche, die er je gesehen hatte, und er erinnerte sich, wie seltsam es ihn berührt hatte. Es bestand unermeßliche Distanz zwischen den Lebendigen und den Toten; sie schienen nicht derselben Spezies anzugehören; und es war befremdend, sich vorzustellen, daß sie vor einer kleinen Weile noch gesprochen, sich bewegt, gegessen und gelacht hatten. Den Toten haftete etwas Schreckliches an, und man konnte sich vorstellen, daß sie einen schlechten Einfluß auf die Lebenden haben mochten.

»Wollen wir nicht eine Kleinigkeit essen gehen?« fragte ihn sein neuer Freund.

Sie begaben sich miteinander ins Souterrain, wo ein dunkler Raum als Restaurant eingerichtet war. Hier gab es die gleichen Erfrischungen zu kaufen wie in jedem Büfett. Während sie aßen (Philip hatte sich eine Buttersemmel und eine Tasse Schokolade bestellt), erfuhr er, daß sein Gefährte Dunsford hieß. Er war ein junger Bursche mit frischer Haut, hübschen blauen Augen, dunklem gelocktem Haar, langen, kräftigen Gliedern, langsam in Sprechweise und Bewegung. Er zeigte sich genau über den Studiengang informiert und setzte Philip die verschiedenen Bestimmungen auseinander. Die erste Prüfung, die man abzulegen hatte, umfaßte Biologie, Anatomie und Chemie; aber man konnte sich in jedem Gegenstand einzeln prüfen lassen, und die meisten Studenten traten bereits drei Monate nach Beginn des Studiums zur Biologieprüfung an.

Als Philip in den Seziersaal zurückkehrte – er kam um ein paar Minuten zu spät, weil er vergessen hatte, sich ein Paar Ärmelschützer zu besorgen –, waren die meisten Studenten bereits an der Arbeit. Sein Partner hatte auf die Minute pünktlich angefangen und war eifrig damit beschäftigt, Nervenstränge bloßzulegen. Zwei andere sezierten an dem zweiten Bein der Leiche und wieder andere an den Armen.

»Sie entschuldigen, daß ich bereits angefangen habe?«

»Aber natürlich, lassen Sie sich nicht stören«, entgegnete Philip.

Er nahm das Buch, in dem eine Zeichnung des zu sezierenden Beines aufgeschlagen war, und sah nach, was verlangt wurde.

»Sie scheinen ja ein Künstler zu sein auf diesem Gebiet«, sagte er zu seinem Kameraden.

»Oh, ich habe schon eine ganze Menge seziert, Tiere, als Junge.«

An dem Seziertisch wurde allerhand gesprochen, teils über die Arbeit, teils über die Aussichten bei den Fußballspielen, die Demonstratoren und Professoren. Philip fühlte sich um vieles älter als die andern. Sie kamen ihm alle wie unreife Schuljungen vor. Aber stärker als durch Jahre wird das Alter durch das Wissen bestimmt, und Newson, der fleißige junge Mann, der mit ihm arbeitete, war mit seinem Gegenstand sehr vertraut. Es machte ihm Freude, sein Licht leuchten zu lassen, und er setzte Philip ausführlich auseinander, was er tat. Philip hörte ihm bescheiden zu. Dann nahm er das Sezierbesteck zur Hand und fing unter den Blicken der andern zu arbeiten an.

»Fein, daß er so mager ist«, sagte Newson und wischte sich die Hände ab. »Der Kerl muß mindestens einen Monat nichts mehr zu essen gehabt haben.«

»Woran er wohl gestorben ist?« murmelte Philip.

»Gott, ich weiß nicht. An Hunger, wahrscheinlich ... Halt, aufgepaßt, schneiden Sie nicht in diese Arterie hinein.«

»Leicht gesagt«, bemerkte der Student, der an dem andern Bein arbeitete, »der Mensch hat die Arterie an einer ganz falschen Stelle.«

»Arterien sind immer an der falschen Stelle«, sagte Newson. »Das Normale existiert nämlich kaum. Deshalb wird es das Normale genannt.«

»Hören Sie auf mit solchen Reden«, rief Philip, »sonst schneide ich mich.«

»Wenn das passiert, müssen Sie sich auf der Stelle desinfizieren. Das ist das einzige, worauf man achten muß. Voriges Jahr hatten wir einen jungen Mann hier, der sich nur ein ganz klein wenig ritzte, ohne sich weiter darum zu kümmern; eine Woche später war er tot.«

Als es Zeit zum Tee wurde, schmerzte Philips Rücken bereits empfindlich, und auch der Hunger meldete sich. Seine Hände hatten etwas von jenem merkwürdigen Geruch angenommen, den er des Morgens auf dem Korridor gespürt hatte. Auch seine Semmel schmeckte danach.

»Oh, daran werden Sie sich gewöhnen«, meinte Newson.

»Jedenfalls soll es mir den Appetit nicht verderben«, sagte Philip und ließ der Semmel ein Stück Kuchen folgen.

Philips Vorstellungen vom Leben der Medizinstudenten wie überhaupt von der gesamten Öffentlichkeit gründeten auf den Bildern, die Charles Dickens in der Mitte des neunzehnten Jahrhunderts gezeichnet hatte. Er entdeckte bald, daß Bob Sawyer, falls er jemals existiert hatte, für den Medizinstudenten der Gegenwart nicht typisch war.

Es ist ein gemischter Haufen, der sich dem Arztberuf zuwendet, und naturgemäß sind einige darunter, die faul und rücksichtslos sind. Sie glauben, es wäre ein leichtes Leben, und verbummeln einige Jahre; wenn ihr Geldvorrat ausgeht oder die verärgerten Eltern sich weigern, sie noch länger zu unterstützen, verlassen sie das Hospital. Andere halten die Prüfungen für zu schwierig: aufgrund wiederholter Mißerfolge verlieren sie die Nerven und, von Panik ergriffen, vergessen sie ihre Kenntnisse, sobald sie in die widerwärtigen Gebäude der Ministerien kommen. Sie bleiben Jahr um Jahr, eine Zielscheibe für den gutmütigen Spott der jungen Männer; einige von ihnen schaffen die Apothekerprüfung, andere werden unqualifizierte Assistenten, ein unsicherer Beruf, in dem sie ihrem Arbeitgeber ausgeliefert sind; ihr Los ist Armut, Trunksucht, und nur der Himmel kennt ihr Ende. Aber zum überwiegenden Teil sind Medizinstudenten fleißige junge Männer aus dem Mittelstand mit genügend Geld, um in der soliden Art leben zu können, die sie gewohnt sind; viele sind Söhne von Ärzten und bringen bereits etwas vom Gehaben eines Arztes mit; ihre Karriere ist vorgezeichnet: sobald sie ihr Studium abgeschlossen haben, bewerben sie sich um eine Stelle in einem Krankenhaus, und nachdem sie diese innegehabt haben (und vielleicht als Schiffsarzt in den Fernen Osten gekommen sind), kehren sie zu ihrem Vater zurück und verbringen den Rest ihrer Tage in einer Landpraxis. Ein oder zwei sind außergewöhnlich begabt; sie erhalten die verschiedenen Preise und Stipendien, welche Jahr für Jahr den Würdigen zur Verfügung gestellt werden, sie bekommen eine Stelle nach der anderen im Krankenhaus, werden angestellt, eröffnen eine Ordination in Harley Street, und nachdem sie sich in dem einen oder anderen Fach spezialisiert haben, werden sie erfolgreich und berühmt und erhalten Titel. Der Beruf eines Arztes ist der einzige, dem man sich in jedem Alter zuwenden kann mit der Hoffnung, sein Auskommen zu finden. Unter den Männern in Philips Jahrgang waren drei oder vier, die nicht mehr ganz jung waren: einer war bei der Marine gewesen, von der er – zufolge des amtlichen Berichtes – wegen Trunksucht entlassen worden war; er war um die Dreißig, hatte ein rotes Gesicht, ein barsches Auftreten und eine laute Stimme. Ein anderer, verheiratet und Vater von zwei Kindern, hatte bei einem Prozeß Geld verloren; er hatte einen niedergeschlagenen Blick, als könnte er den Anblick der Welt nicht ertragen; still ging er seiner Arbeit nach, und es war offenbar, daß er es in seinem Alter für schwierig hielt, Dinge im Gedächtnis zu behalten. Sein Verstand arbeitete langsam. Es war peinlich zu sehen, wie er sich abmühte.

Philip richtete sich in seinem winzigen Zimmer ein. Er stellte seine Bücher auf und schmückte die Wände mit den Bildern und Skizzen, die er mitgebracht hatte. Über ihm wohnte ein Mediziner aus dem fünften Jahr, namens Griffith; aber Philip sah ihn nur wenig, teils weil er zumeist in den Kliniken zu tun hatte, teils weil er in Oxford gewesen war und beinahe ausschließlich mit seinen früheren Kameraden verkehrte. Studenten, die miteinander an einer Universität gewesen waren, schlossen sich weitgehend von den übrigen ab und bedienten sich aller Mittel, um diesen weniger Glücklichen ihre Minderwertigkeit fühlbar zu machen. Griffith war ein großer Bursche mit dichtem lockigem rotem Haar, blauen Augen, weißer Haut und einem sehr roten Mund; er war einer von jenen glücklichen Menschen, die von allen geliebt werden, denn er war immer heiter und fröhlich. Er klimperte ein wenig auf dem Klavier und sang dazu ausgelassene Lieder, und Abend für Abend, wenn Philip in seinem einsamen Zimmerchen saß und las, hörte er über sich übermütiges Lärmen und Lachen von Griffiths Freunden. Er dachte an seine bezaubernden Abende in Paris, an denen sie im Atelier gesessen waren, Lawson und er, Flanagan und Clutton, und über Kunst und Moral gesprochen hatten, über die gegenwärtigen Liebesaffären und den zukünftigen Ruhm. Das Herz tat ihm weh. Er fand, daß es leicht war, eine heroische Geste zu tun, aber schwer, ihre Folgen zu tragen. Das schlimmste war, daß ihn seine Arbeit nicht interessierte. Er war es nicht mehr gewohnt, Fragen beantworten zu müssen. Bei Vorlesungen konnte er seine Gedanken nicht konzentrieren. Anatomie ödete ihn an; sie bestand aus nichts anderem als dem Auswendiglernen einer ungeheuren Anzahl von Einzelheiten. Das Sezieren fand er langweilig; er verstand nicht, warum man sich so viel Mühe geben mußte, Nerven und Arterien bloßzulegen, wenn man an Zeichnungen oder an Präparaten im pathologischen Museum um so viel einfacher sehen konnte, wo sie lagen.

Er schloß ein paar zufällige Bekanntschaften, freundete sich aber mit niemandem näher an, denn er hatte mit seinen Kameraden nicht viel gemein. Wenn er versuchte, sich für ihre Angelegenheiten zu interessieren, fühlte er deutlich, daß sie ihn als gönnerhaft empfanden. Er zählte nicht zu jenen, die über das, was sie bewegt, sprechen können, unbekümmert darum, ob es die, die ihm zuhören, langweilt oder nicht. Er war unduldsam Ansichten gegenüber, die mit den seinen nicht übereinstimmten, und, schnell fertig mit seinem abschreckenden Urteil, wurde er einsilbig. Philip sehnte sich sehr nach Beliebtheit, konnte sich aber nicht dazu bringen, andern entgegenzukommen. Die Angst, zurückgewiesen zu werden, hinderte ihn daran, liebenswürdig zu sein, und er verbarg seine Schüchternheit, die immer noch sehr groß war, hinter einer eisigen Schweigsamkeit. Er erlebte ungefähr das gleiche wie während seiner Schulzeit, aber die Freiheit seines gegenwärtigen Daseins gab ihm die Möglichkeit, sich von den andern abzusondern.

Es war auf keinerlei Bemühungen von seiner Seite zurückzuführen, daß er sich schließlich mit Dunsford anfreundete, der sich ihm einzig aus dem Grund anschloß, weil er der erste Mensch gewesen war, den er im St. Luke kennengelernt hatte. Dunsford hatte keine Freunde in London, und er und Philip nahmen die Gewohnheit an, an Samstagen miteinander auszugehen, auf einen billigen Sitz ins Theater oder ins Varieté. Dunsford war nicht gescheit, aber er war gutmütig und wurde niemals böse; er sagte die banalsten Dinge, lächelte jedoch bloß, wenn Philip ihn auslachte. Er hatte ein reizendes Lächeln. Und trotz aller Überlegenheit hatte Philip ihn gern; er amüsierte sich über seine Naivität und war entzückt über seine Gutartigkeit. Dunsford besaß den Charme, der ihm selbst, wie er schmerzlich fühlte, versagt war.

Nachmittags gingen sie häufig in eine Teestube in Parliament Street, weil Dunsford eines von den jungen Mädchen bewunderte, die dort bedienten. Philip konnte nichts Anziehendes an ihr finden. Sie war groß und dünn, mit schmalen Hüften und knabenhafter Brust.

»In Paris würde sie kein Mensch ansehen«, meinte er verächtlich.

»Sie hat ein bezauberndes Gesicht«, erwiderte Dunsford.

»Das Gesicht spielt keine Rolle.«

Sie hatte die kleinen regelmäßigen Züge, die blauen Augen und die breite niedrige Stirn, welche die viktorianischen Maler, Lord Leighton, Alma Tadema und hundert andere ihrer Zeitgenossen als das griechische Schönheitsideal anzusehen gelehrt hatten. Sie schien sehr viel Haar zu haben und trug es kunstvoll frisiert und in die Stirn gekämmt. Sie war sehr blutarm. Ihre Lippen waren blaß, und ihre zarte Haut hatte einen schwach grünlichen Ton, ohne den geringsten Hauch von Rot. Sie hatte sehr gute Zähne. Sie wandte große Mühe daran, sich bei der Arbeit die Hände nicht zu verderben, die klein, schmal und weiß waren. Sie ging ihren Pflichten mit gelangweiltem Ausdruck nach.

Dunsford, Frauen gegenüber sehr schüchtern, war es nie gelungen, mit ihr ins Gespräch zu kommen, und er drängte Philip, ihm behilflich zu sein.

»Ich brauche ja nur eine kleine Hilfe«, sagte er. »Dann geht es schon weiter.«

Philip richtete, um ihm den Gefallen zu tun, einige Bemerkungen an sie, bekam aber bloß ein paar spärliche Worte zur Antwort. Sie hatte ihre beiden Gäste bereits eingeschätzt. Sie waren grüne Jungen, vermutlich Studenten. Sie hatte keine Verwendung für sie. Dunsford bemerkte, daß ein Mann mit rotem Haar und borstigem Schnurrbart, der wie ein Deutscher aussah, stets, wenn er in die Teestube kam, mit besonderer Gunst von ihr empfangen wurde. Fremde Kunden behandelte sie mit impertinenter Unverfrorenheit und zeigte sich, wenn sie sich mit Bekannten unterhielt, taub und unzugänglich für die eiligsten Rufe. Sie hatte die Kunst, weiblichen Wesen gegenüber, die eine Erfrischung wünschten, genau den richtigen Grad von Frechheit zu treffen, um sie zu ärgern, ohne ihnen Gelegenheit zu geben, sich bei der Leitung zu beschweren. Eines Tages entdeckte Dunsford, daß sie Mildred hieß. Er hatte gehört, wie eines der Mädchen sie angeredet hatte.

»Was für ein abscheulicher Name«, rief Philip.

»Warum?« fragte Dunsford. »Ich finde ihn hübsch.«

»Er ist so anspruchsvoll.«

Es ergab sich zufällig, daß an diesem Tage der Deutsche nicht da war, und als sie den Tee brachte, bemerkte Philip lächelnd:

»Ihr Freund ist heute nicht da.«

»Ich weiß nicht, was Sie meinen«, entgegnete sie kalt.

»Ich dachte an den Herrn mit dem roten Schnurrbart. Ist er Ihnen untreu geworden?«

»Manche Leute täten besser, sich um ihre eigenen Angelegenheiten zu kümmern«, erwiderte sie.

Sie entfernte sich, und da ein paar Minuten lang niemand da war, den sie zu bedienen hatte, setzte sie sich hin und warf einen Blick in die Abendzeitung, die ein Gast liegengelassen hatte.

»Das hast du davon. Warum machst du sie böse?« sagte Dunsford.

»Sie ist mir vollkommen gleichgültig«, antwortete Philip.

Aber er ärgerte sich. Seine Eigenliebe sträubte sich, eine derartige Abfuhr hinzunehmen. Und als er die Rechnung verlangte, wagte er einen zweiten Versuch.

»Sie wollen wohl nichts mehr mit mir zu tun haben?« lächelte er.

»Ich bin hier, um Bestellungen entgegenzunehmen und die Gäste zu bedienen. Sonst habe ich mit ihnen nichts zu reden und wünsche auch nicht, daß *Sie* mit mir reden.«

Sie legte den Zettel hin, auf dem der Betrag verzeichnet stand, den er zu bezahlen hatte, und ging an ihren Tisch zurück. Philip errötete vor Zorn.

»Das war deutlich, Carey«, sagte Dunsford, als sie draußen waren.

»Ungezogene Person«, rief Philip. »Dieses Lokal sieht mich nicht wieder.«

Sein Einfluß auf Dunsford war stark genug, ihn zu bewegen, anderswo Tee zu trinken, und Dunsford fand auch bald ein anderes Mädchen zum Flirten. Aber Philip ließ die erlittene Demütigung keine Ruhe. Hätte ihn die Kellnerin höflich behandelt, so wäre sie ihm vollständig gleichgültig geblieben; durch ihre offensichtlich zur Schau getragene Abneigung jedoch fühlte er sich in seinem Stolz verletzt. Er konnte den Wunsch nicht unterdrücken, mit ihr abzurechnen. Er schalt sich wegen dieses kleinlichen Verlangens, aber drei oder vier Tage der Festigkeit, an denen er sich mit eisernem Willen zwang, nicht in die Teestube zu gehen, halfen ihm nicht, es zu überwinden, und schließlich gelangte er zu der Überzeugung, daß es das Vernünftigste sein würde, Mildred wiederzusehen. Dann würde er bestimmt aufhören, an sie zu denken. Und eine Verabredung vorschützend, denn er schämte sich seiner Schwäche, ließ er Dunsford eines Nachmittags allein und begab sich geradewegs in die Teestube, die er nie mehr zu betreten geschworen hatte. Sofort bei seinem Eintritt erblickte er die Kellnerin und setzte sich an einen ihrer Tische. Er erwartete eine

Bemerkung darüber, daß er eine Woche ausgeblieben war, aber sie äußerte kein Wort. Zu andern Gästen hatte er sie sagen gehört:

»Sie lassen sich ja gar nicht mehr blicken.«

Sie verriet mit keinem Zeichen, daß sie ihn überhaupt kannte. Um festzustellen, ob sie ihn wirklich vergessen hatte, fragte er, als sie den Tee brachte:

»War mein Freund heute hier?«

»Nein, er kommt schon seit ein paar Tagen nicht mehr.«

Er hätte das Gespräch gerne fortgesetzt, war aber merkwürdig nervös, und es fiel ihm nichts zu sagen ein. Sie ließ ihm auch keine Zeit zur Überlegung, sondern drehte sich sofort um und ging. Erst als er die Rechnung bezahlte, konnte er wieder ein paar Worte anbringen.

»Scheußliches Wetter, nicht?« sagte er.

Es war beschämend, daß er sich zu einer solchen Banalität herabließ, und er konnte sich seine Befangenheit nicht erklären.

»Mir ist es ziemlich gleich, was für Wetter draußen ist, da ich ja so oder so den ganzen Tag hier drinnen zubringen muß.«

In ihrem Ton lag eine Impertinenz, die ihn eigentümlich irritierte. Eine spöttische Bemerkung kam ihm auf die Lippen, aber er zwang sich, still zu sein.

›Wenn sie doch einmal eine wirkliche Unverschämtheit sagen wollte‹, raste er innerlich, ›damit ich mich beschweren könnte und man sie entließe.‹

Er konnte nicht aufhören, an sie zu denken. Er lachte zornig über seine Torheit: es war hirnverbrannt, sich den Kopf darüber zu zerbrechen, was eine bleichsüchtige kleine Kellnerin sagte; aber er fühlte sich seltsam gedemütigt. Obgleich niemand von seiner Niederlage wußte außer Dunsford und dieser sie wahrscheinlich längst vergessen hatte, war es Philip, als könnte er keine Ruhe finden, ehe er sie nicht ausgemerzt hatte. Er überlegte, was er nun tun sollte. Auf alle Fälle wollte er jeden Tag in die Teestube gehen; es war klar, daß er einen unangenehmen Eindruck gemacht hatte, aber mit ein wenig Verstand würde es ihm schon gelingen, ihn zu verwischen; er wollte sich zusammennehmen und nicht das geringste sagen, was den empfindlichsten Menschen verletzen konnte. All das tat er, aber es hatte keinerlei Wirkung. Wenn er beim Eintreten guten Abend sagte, antwortete Mildred mit den gleichen Worten, unterließ er es aber, um zu sehen, ob sie als erste grüßen würde, dann sagte sie auch nichts. Mit einem stillen Fluch, aber unbewegten Gesichtes bestellte er seinen Tee. Er beschloß nun, kein Wort mehr zu sprechen, und verließ die Teestube ohne den gewohnten Gruß. Er schwor sich zu, nie mehr hinzugehen, aber am nächsten Tage, um die gewohnte Stunde, wurde er unruhig. Er versuchte, an andere Dinge zu denken, aber er hatte keine Herrschaft über seine Gedanken. Endlich sagte er verzweifelt:

»Warum soll ich eigentlich *nicht* hingehen, wenn ich Lust habe?«

Der Kampf mit sich selbst hatte lange gedauert, und es war nahezu sieben Uhr, als er die Teestube betrat.

»Ich dachte mir schon, daß Sie noch kommen würden«, sagte das Mädchen zu ihm, als er sich hinsetzte.

Sein Herz hüpfte, und er fühlte, daß er errötete.

»Ich wurde aufgehalten. Ich konnte nicht früher kommen.«

»Wahrscheinlich mußten Sie noch schnell ein paar Menschen zerschneiden?«

»Na, ganz so schlimm war es nicht.«

»Sie studieren wohl, nicht wahr?«

»Ja.«

Aber damit schien ihre Neugier befriedigt. Sie entfernte sich, und da zu dieser späten Stunde keine Gäste mehr da waren, vertiefte sie sich in einen Roman. Das war noch in der Zeit vor den Dreigroschenromanen. Es gab ein regelmäßiges Angebot von billigen Romanen, die Lohnschreiber auf Bestellung verfaßten, um den Bedarf der Ungebildeten zu decken. Philip war beseligt; sie hatte ihn aus freien Stücken angesprochen; er sah die Zeit herannahen, da *er* die Zügel in die Hand bekommen und ihr gründlich seine Meinung würde sagen können. Welche Wohltat würde es sein, sie die Grenzenlosigkeit seiner Verachtung fühlen zu lassen. Er betrachtete sie. Es war wahr: ihr Profil war schön – seltsam, wie häufig man bei englischen Mädchen dieser Klasse eine geradezu atemberaubende Vollkommenheit der Linie antraf –, aber es war kalt wie Marmor, und der schwach grünliche Ton ihrer zarten Haut machte einen ungesunden Eindruck. Die Kellnerinnen waren alle gleich gekleidet, weiße Schürze, weiße Manschetten und ein kleines weißes Häubchen. Auf ein Blatt Papier, das er in der Tasche hatte, zeichnete Philip eine Skizze von ihr, wie sie über ihr Buch gebeugt dasaß (sie formte im Lesen die Worte mit den Lippen nach), und ließ das Blatt im Fortgehen auf dem Tisch liegen. Das war eine glückliche Eingebung, denn am folgenden Tag, als er eintrat, lächelte sie ihm entgegen.

»Ich wußte nicht, daß Sie zeichnen können«, sagte sie.

»Ich habe zwei Jahre in Paris Malerei studiert.«

»Ich habe die Zeichnung der Chefin gezeigt, und sie war ganz weg. Soll sie auch wirklich mir gehören?«

»Selbstverständlich«, sagte Philip.

Als sie seinen Tee holte, kam eines der anderen Mädchen heran.

»Ich habe das Bild gesehen, das Sie von Miss Rogers gemacht haben. Es ist ihr sehr ähnlich.«

Auf diese Weise erfuhr er, wie sie hieß, und als er die Rechnung verlangte, rief er nach Miss Rogers.

»Ich sehe, Sie kennen meinen Namen«, sagte sie.

»Ihre Kollegin hat ihn erwähnt, als sie mir vorhin ein Kompliment über meine Zeichnung machte.«

»Sie möchte, daß Sie sie auch zeichnen. Aber tun Sie es nicht. Wenn sie einmal anfangen, werden Sie sich nicht mehr retten können. Alle werden ein Bild haben wollen.« Und ohne Pause fuhr sie mit seltsamer Sprunghaftigkeit fort:

»Wo ist eigentlich der junge Mann, der früher immer mit Ihnen gekommen ist? Ist er nicht mehr hier?«

»Daß Sie sich noch an ihn erinnern!« rief Philip.

»Er sah nett aus.«

Philip spürte ein merkwürdiges Gefühl im Herzen. Er wußte nicht, was es war. Dunsford hatte hübsches lockiges Haar, eine frische Haut und ein wunderschönes Lächeln. Philip dachte mit Neid an diese Eigenschaften.

»Ach, er ist verliebt«, sagte er auflachend.

Philip wiederholte sich jedes Wort dieses Gespräches, während er nach Hause hinkte. Sie war ganz freundlich zu ihm. Bei Gelegenheit wollte er sich erbötig machen, eine weniger flüchtige Skizze von ihr anzufertigen. Das würde sie sicherlich freuen. Ihr Gesicht war interessant, das Profil entzückend, und die bleichsüchtige Färbung hatte etwas merkwürdig Faszinierendes. Er dachte nach, woran sie ihn erinnerte; zuerst fiel ihm Erbsensuppe ein, aber ärgerlich verwarf er diese Idee und entschied sich für die Blütenblätter einer gelben Rosenknospe, die man öffnete, noch ehe sie aufgeblüht war. Er empfand nun keinen Groll mehr gegen das Mädchen.

»Sie ist eine ganz nette Person«, murmelte er.

Es war dumm von ihm gewesen, ihr die schnippischen Antworten übelzunehmen; zweifellos war er der Schuldige gewesen; sie hatte nicht die Absicht gehabt, ihn zu verletzen: und nachgerade sollte er sich daran gewöhnt haben, daß er im ersten Augenblick einen schlechten Eindruck auf die Menschen machte. Es schmeichelte ihm, daß ihr seine Zeichnung gefiel; sie betrachtete ihn, seitdem sie sein Talent entdeckt hatte, mit größerem Interesse. Am nächsten Tage konnte er sich nicht zur Ruhe zwingen. Er dachte daran, zum Lunch in die Teestube zu gehen, aber es würden bestimmt sehr viele Leute da sein und Mildred würde keine Zeit finden, mit ihm zu sprechen. Er hatte sich längst davon freigemacht, mit Dunsford Tee zu trinken, und pünktlich um halb fünf (mindestens zwanzigmal hatte er auf die Uhr geschaut) begab er sich in das Lokal.

Mildred kehrte ihm den Rücken zu, als er eintrat. Sie saß da und unterhielt sich mit dem Deutschen, den Philip früher täglich, in den letzten vierzehn Tagen jedoch überhaupt nicht mehr gesehen hatte. Sie lachte über etwas, was er ihr erzählte. Philip fand, daß sie ein ordinäres Lachen hatte, und ein Schauder überlief ihn. Er rief sie, aber sie nahm keine Notiz davon; er rief noch einmal, und als sie sich immer noch nicht rührte, wurde er böse und klopfte mit dem Stock laut auf die Tischplatte. Mürrisch kam sie heran.

»Guten Tag«, sagte er.

»Sie scheinen es sehr eilig zu haben.«

Sie schaute auf ihn mit der unverschämten Miene herab, die er so gut kannte.

»Was ist denn mit Ihnen los?« fragte er.

»Wenn Sie mir gütigst sagen wollen, was Sie wünschen, werde ich es Ihnen bringen. Ich kann nicht den ganzen Abend dastehen und mich mit Ihnen unterhalten.«

»Tee und Toast, bitte«, bestellte Philip kurz.

Er war wütend. Er hatte den *Star* bei sich und las ostentativ, als sie den Tee brachte.

»Geben Sie mir gleich die Rechnung, dann brauche ich Sie nicht weiter zu bemühen«, sagte er eisig.

Sie schrieb den Zettel aus, legte ihn auf den Tisch und ging zu dem Deutschen zurück. Bald war sie wieder in die lebhafteste Unterhaltung mit ihm vertieft. Er war ein Mann von mittlerer Größe, mit rundem Schädel und farblosem Gesicht; sein Schnurrbart war lang und borstig; er hatte einen Gehrock und graue Hosen an und trug eine massive goldene Uhrkette. Philip hatte das Gefühl, daß die anderen Mädchen von ihm zu dem Paar an dem Tisch hinübersahen und bedeutungsvolle Blicke tauschten. Er war überzeugt, daß sie ihn auslachten, und sein Blut kochte. Er verabscheute Mildred nun von ganzem Herzen und beschloß, ihr zu zeigen, wie er sie verachtete. Am nächsten Tag setzte er sich an einen andern Tisch und bestellte den Tee bei einer anderen Kellnerin. Mildreds Freund war wieder da, und sie unterhielt sich mit ihm. Um Philip kümmerte sie sich nicht, und er wählte daher zum Hinausgehen einen Moment, da sie seinen Weg kreuzen mußte; als sie an ihm vorbeikam, schaute er sie an, als hätte er sie nie gesehen. Dies wiederholte er drei oder vier Tage lang. Er erwartete, daß sie ihn nach einiger Zeit anhalten und nach dem Grund seines Verhaltens fragen würde; und für diese Gelegenheit hatte er eine Antwort bereit, die mit dem ganzen Haß geladen war, den er für sie fühlte. Aber Mildred fragte nicht. Sie hatte ihn wieder geschlagen. Der Deutsche verschwand plötzlich, aber Philip blieb an dem anderen Tische sitzen. Mildred kümmerte sich nicht um ihn. Mit einem Male wurde ihm klar, daß alles, was er tat, ihr vollständig gleichgültig war; er konnte sein Manöver bis zum Jüngsten Tag fortsetzen; es blieb wirkungslos.

›Und doch ist noch nicht aller Tage Abend‹, sagte er zu sich selbst.

Am nächsten Nachmittag setzte er sich an seinen alten Platz, und als sie herkam, begrüßte er sie, als wäre nichts zwischen ihnen vorgefallen. Sein Gesicht war unbewegt, aber er konnte ein wildes Herzklopfen nicht unterdrücken.

»Ach«, sagte er plötzlich, »hätten Sie Lust, einen Abend mit mir zu essen und nachher ins Theater zu gehen? Ich will uns Parkettplätze besorgen.«

Er fügte den letzten Satz hinzu, um sie zu locken. Er wußte, daß Mädchen im Theater gewöhnlich im Parterre saßen, selten aber auf teureren Plätzen als im zweiten Rang, und das nur, falls sie ein Mann mitnahm. Mildreds blasses Gesicht zeigte keine Spur von Überraschung oder Freude.

»Ich habe nichts dagegen«, erwiderte sie.

»Wann hätten Sie Zeit?«

»Donnerstag kann ich früher weggehen.«

Sie besprachen das Nötige. Mildred wohnte bei einer Tante in Herne Hill. Das Stück fing um acht Uhr an, so daß sie um sieben essen mußten. Sie schlug vor, daß er sie im Wartesaal zweiter Klasse auf dem Victoriabahnhof treffen sollte. Sie nahm die Einladung an, als gewähre sie ihm eine Gunst. Philip war leise verärgert.


Philip kam nahe eine halbe Stunde vor der mit Mildred verabredeten Zeit am Victoriabahnhof an und setzte sich in den Wartesaal zweiter Klasse. Er wartete, und sie erschien nicht. Er fing an, unruhig zu werden, trat auf den Bahnsteig hinaus und spähte die ankommenden Vorstadtzüge ab. Die Stunde, die sie festgesetzt hatten, ging vorüber, und immer noch war keine Spur von Mildred zu sehen. Philip wurde ungeduldig. Er schaute in die anderen Wartesäle hinein. Mit einem Male spürte er einen heftigen Ruck im Herzen.

»Da sind Sie ja. Ich dachte schon, Sie würden gar nicht mehr kommen.«

»Das ist doch die Höhe, nachdem Sie mich so lange warten lassen! Ich hatte gute Lust, wieder nach Hause zu gehen.«

»Aber Sie haben doch gesagt, Sie würden im Wartesaal zweiter Klasse warten.«

»Das habe ich nicht gesagt. Wenn ich in der Ersten sitzen kann, werde ich mich doch nicht in die Zweite setzen.«

Obgleich Philip genau wußte, daß er sich nicht geirrt hatte, sagte er nichts mehr, und sie stiegen in eine Droschke.

»Wo werden wir essen?« fragte sie.

»Ich dachte, vielleicht im *Adelphi*. Ist Ihnen das recht?«

»Mir ist es ganz gleich, wo wir essen.«

Sie sprach unliebenswürdig. Sie war verstimmt, weil man sie hatte warten lassen, und beantwortete Philips Versuche, ein Gespräch anzuknüpfen, mit einsilbigen Worten. Sie trug einen langen Mantel aus rauhem dunklem Stoff und einen gehäkelten Schal um den Kopf. Sie erreichten das Restaurant und ließen sich an einem Tisch nieder. Mildred blickte befriedigt um sich. Die roten Lampenschirme über den Kerzen, die auf den Tischen standen, die goldenen Dekorationen, die Spiegel verliehen dem Zimmer ein prunkvolles Aussehen.

»Hier war ich noch nie.« Sie blickte Philip lächelnd an. Sie hatte ihren Mantel abgelegt, und Philip sah, daß sie ein hellblaues, viereckig ausgeschnittenes Kleid anhatte; ihr Haar war noch kunstvoller frisiert als sonst. Philip hatte Sekt bestellt, und als er kam, leuchteten seine Augen.

»Ich war ganz überrascht, als Sie mich ins Theater einluden.«

Das Gespräch wollte nicht recht in Gang kommen; Mildred schien nicht viel zu sagen zu haben, und Philip hatte das peinigende Gefühl, daß er sie nicht unterhielt. Sie hörte unbeteiligt seinen Reden zu und ließ dabei ihre Augen über die anderen Tische hinschweifen, ohne den geringsten Versuch, ein Interesse an ihm zu heucheln. Er machte ein paar scherzhafte Bemerkungen, aber sie nahm sie vollkommen ernst auf. Erst als er von ihren Kolleginnen zu sprechen anfing, wurde sie etwas lebhafter; sie konnte die Leiterin nicht leiden und erzählte ihm ausführlich alle ihre Missetaten.

»Ich kann sie nicht ausstehen, die eingebildete Person. Möchte wissen, wofür sie sich hält. Aber ich weiß etwas von ihr, was sie nicht ahnt – und das kriegt sie noch einmal von mir zu hören.«

»Wieso? Was ist es denn?« fragte Philip.

»Ich habe zufällig erfahren, daß sie es nicht verschmäht, das Wochenende hin und wieder mit einem gewissen Herrn in Eastbourne zu verbringen. Sie trägt dann einen Ehering und wohnt mit ihm in ein und derselben Pension. Dabei ist keine Rede davon, daß sie verheiratet ist.«

Philip füllte ihr Glas aufs neue und hoffte auf die belebende Wirkung des Sektes; es war ihm viel daran gelegen, sein kleines Fest zu einem Erfolg zu gestalten. Er bemerkte, daß Mildred das Messer hielt, als wäre es ein Federhalter, und daß sie beim Trinken den kleinen Finger wegspreizte. Er versuchte es mit mehreren Gesprächsthemen, konnte aber nur wenig aus ihr herausbekommen. Unwillkürlich mußte er sich daran erinnern, daß sie mit dem Deutschen gelacht und geplaudert hatte wie ein Wasserfall. Nach dem Dinner gingen sie ins Theater. Philip war ein sehr kultivierter junger Mann und blickte auf die Operette mit Verachtung herab. Er fand die Witze ordinär und die Musik banal; er fand, daß solche Dinge in Frankreich viel besser gemacht wurden; aber Mildred unterhielt sich großartig; sie lachte, bis ihr die Seiten schmerzten, und warf Philip von Zeit zu Zeit, wenn ihr etwas besonders gefiel, einen verständnisinnigen Blick zu, und sie applaudierte wie besessen.

»Das ist das siebentemal, daß ich dieses Stück sehe«, sagte sie nach dem ersten Akt, »und ich hätte nichts dagegen, es mir noch einmal anzuschauen.«

Sie interessierte sich lebhaft für die Frauen, die ringsumher im Parkett saßen, und machte Philip auf diejenigen aufmerksam, die geschminkt waren oder falsches Haar trugen.

»Furchtbar, diese West-End-Leute«, sagte sie. »Ich verstehe nicht, wie man sich so etwas anstecken kann.« Sie fuhr mit der Hand über ihr eigenes Haar. »Meines ist vollkommen echt.«

Niemand fand Gnade vor ihren Augen, und über jeden hatte sie etwas Unangenehmes zu sagen. Philip wurde ganz nervös. Sicherlich würde sie am nächsten Tage den Mädchen in der Teestube erzählen, daß er sie ausgeführt und zu Tode gelangweilt habe. Er mochte sie nicht und hatte dennoch das Verlangen, mit ihr zusammen zu sein. Auf dem Heimweg sagte er zu ihr:

»Ich hoffe, daß Ihnen der Abend Spaß gemacht hat.«

»Sehr.«

»Werden Sie wieder einmal mit mir ausgehen?«

»Ich habe nichts dagegen.«

Mehr konnte er nicht aus ihr herausbekommen. Ihre Gleichgültigkeit machte ihn rasend.

»Das klingt, als ob es Ihnen ziemlich einerlei wäre, ob wir miteinander ausgehen oder nicht.«

»Ach, wenn Sie mich nicht einladen, nimmt mich ein anderer mit. Ich habe nie Mangel an Männern, die mich ins Theater führen.«

Philip schwieg. Sie kamen zum Bahnhof, und Philip begab sich an die Kasse.

»Ich habe meine Saisonkarte«, sagte sie.

»Es ist spät, und ich hatte die Absicht, Sie nach Hause zu begleiten.«

»Wenn es Ihnen Vergnügen macht, bitte.«

Er nahm zwei Fahrkarten erster Klasse.

»Nun, knausrig sind Sie nicht, das muß man Ihnen lassen«, sagte sie, als er ihr die Coupétür öffnete.

Philip wußte nicht, ob er sich freute oder unglücklich war, als andere Leute einstiegen und es unmöglich wurde, zu sprechen. Sie stiegen in Herne Hill aus, und er begleitete sie bis an die Ecke der Straße, in der sie wohnte.

»Ich verabschiede mich lieber schon hier von Ihnen«, sagte sie und hielt ihm die Hand hin. »Es ist besser, wenn Sie nicht bis zum Haus-

tor mitkommen. Sie wissen ja, wie die Leute sind, und ich will keinen
Anlaß zum Klatschen geben.«

Sie sagte gute Nacht und ging schnell davon. Ihr weißer Schal
leuchtete in der Dunkelheit. Philip dachte, daß sie sich vielleicht noch
einmal umdrehen würde, aber das tat sie nicht. Er sah, in welches
Haus sie eintrat, und ging nach einer Weile hin, um es näher zu betrachten. Es war ein sauberes gewöhnliches kleines Haus aus gelben
Ziegeln, genau wie alle andern Häuser in der Straße. Er blieb ein
paar Minuten davor stehen, bis in einem Zimmer im letzten Stockwerk ein Licht verlösche. Dann schlenderte er langsam zum Bahnhof
zurück. Der Abend war nicht so ausgefallen, wie er gehofft hatte.
Er fühlte sich gereizt, unbefriedigt und unglücklich.

Als er im Bett lag, sah er sie immer noch vor sich, wie sie, den weißen, gehäkelten Schal überm Kopf, in ihrer Coupé-Ecke gesessen
hatte. Er wußte nicht, wie er über die Stunden bis zum nächsten Wiedersehen hinwegkommen sollte. Schlaftrunken dachte er an ihr schmales Gesicht mit den zarten Zügen und an die grünliche Blässe ihrer
Haut. Er war nicht glücklich in ihrer Nähe, aber unglücklich, wenn er
von ihr getrennt war. Es verlangte ihn, neben ihr zu sitzen und sie
anzusehen, es verlangte ihn, sie zu berühren, es verlangte ihn – der
Gedanke kam ihm, und er beendete ihn nicht, mit einem Male war
alle Schläfrigkeit verschwunden –, es verlangte ihn, ihren schmalen
Mund zu küssen, diesen blassen Mund mit den dünnen Lippen. Und
endlich wurde er sich der Wahrheit bewußt. Er liebte sie. Es war
unglaublich.

Er hatte sich in Gedanken häufig damit beschäftigt, wie es sein
würde, wenn er sich einmal verliebte, und es gab eine Szene, die er
sich immer wieder ausgemalt hatte. Er sah sich in einen Ballsaal eintreten: seine Augen fielen auf eine Gruppe von Männern und Frauen,
die beisammenstanden und sich unterhielten, und eine der Frauen
drehte sich um. Sie erblickte ihn, und er wußte, daß ihr der Atem
stockte wie ihm selbst. Er stand ganz still. Sie war hochgewachsen
und dunkel und schön, ihre Augen glichen der Nacht; sie trug ein
weißes Kleid, und in ihrem schwarzen Haar glitzerten Diamanten;
sie starrten einander an, die Menschen ringsum vergessend. Er trat
auf sie zu, und auch sie machte eine kleine Bewegung zu ihm hin.
Beide fühlten, daß es einer formellen Vorstellung nicht bedürfte. Er
sprach als erster.

»Ich habe dich mein ganzes Leben lang gesucht.«

»Endlich bist du gekommen«, flüsterte sie.

»Willst du mit mir tanzen?«

Sie überließ sich seinen ausgestreckten Armen, und sie tanzten.
(Philip stellte sich immer vor, daß er nicht lahm war.) Sie tanzte
himmlisch.

»Ich will heute abend mit keinem andern tanzen als mit dir.«

Und sie zerriß ihre Tanzordnung.

Die Leute im Ballsaal starrten sie an. Sie achteten nicht darauf. Sie hatten gar nicht den Wunsch, ihre Leidenschaft zu verbergen. Endlich gingen sie in den Garten. Er warf einen leichten Mantel über ihre Schultern und setzte sie in einen Wagen, der draußen wartete. Sie stiegen in den Nachtzug nach Paris, und durch die stille, sternhelle Nacht flogen sie dem Unbekannten entgegen.

Er dachte an dieses alte Traumbild, und es schien ihm unfaßbar, daß er nun Mildred Rogers liebte. Ihr Name war grotesk. Er fand sie unschön; ihre Magerkeit störte ihn; gerade an diesem Abend hatte er bemerkt, wie an ihrem Dekolleté die Knochen hervorstanden; er ließ die Einzelheiten ihres Gesichtes an sich vorüberziehen; ihr Mund gefiel ihm nicht, und das Ungesunde ihrer Hautfarbe hatte etwas Abstoßendes für ihn. Sie war gewöhnlich. Ihre Redensarten, so spärlich, platt und ständig wiederkehrend, zeigten deutlich ihre innere Leere; er erinnerte sich, wie verständnisinnig sie im Theater über die banalsten Witze gelacht hatte, und er erinnerte sich an den affektiert gespreizten kleinen Finger, wenn sie ein Getränk zum Munde führte; ihre Manieren waren ebenso wie ihre Gespräche unerträglich ›fein‹. Er entsann sich ihrer Unverschämtheit; manchmal war er in Versuchung geraten, sie zu schlagen, und plötzlich – ob nun durch die Erinnerung an diese Regung oder durch den Gedanken an ihre winzigen, wundervollen Ohren – stieg eine heiße Welle von Liebe in ihm auf. Er sehnte sich nach ihr. Er wünschte sich, sie in die Arme zu schließen, den kleinen, zerbrechlichen Körper, und ihren blassen Mund zu küssen; mit den Fingern wollte er über ihre grünlichen Wangen streicheln. Er verlangte nach ihr.

Er hatte sich die Liebe als eine Verzückung vorgestellt, die einem die ganze Welt frühlingshaft erscheinen ließ, als eine überschwengliche Glückseligkeit; aber dies war kein Glück, es war ein Hungern der Seele, ein schmerzvolles Sehnen, eine bittere Qual, wie er sie nie vorher erfahren hatte. Er versuchte sich zu erinnern, wann es ihn zum erstenmal gepackt hatte. Aber er wußte es nicht mehr. Er erinnerte sich bloß, daß er jedesmal, wenn er in die Teestube gekommen war, einen merkwürdigen kleinen Schmerz im Herzen gespürt hatte, und er erinnerte sich an ein sonderbares Gefühl von Atemlosigkeit, wenn sie mit ihm gesprochen hatte. Wenn sie von ihm fortging, war er elend, wenn sie wieder da war, verzweifelt.

Er streckte sich in seinem Bett, wie sich ein Hund streckt. Er fragte sich voll Angst, wie er diesen unaufhörlichen Schmerz in seinem Innern ertragen sollte.

Philip erwachte früh am nächsten Morgen, und sein erster Gedanke war Mildred. Es fiel ihm ein, daß er sie am Victoriabahnhof erwarten und bis zur Teestube begleiten könnte. Er rasierte sich rasch, fuhr eilig in seine Kleider und sprang in einen Autobus. Zwanzig Minuten vor acht war er am Bahnhof und beobachtete die einlaufenden Züge. Scharen von Menschen entströmten ihnen zu dieser frühen Stunde, Beamte und Geschäftsangestellte, und drängten sich auf den Bahnsteig; sie eilten dahin, paarweise bisweilen, manchmal in Gruppen, am häufigsten aber einzeln. Die meisten von ihnen waren bleich und häßlich in dem fahlen Licht des Morgens und hatten einen geschäftigen Ausdruck; die jüngeren eilten leicht dahin, als wäre es ihnen angenehm, den Zement zu treten, aber die andern gingen wie von einer Maschine getrieben: ihre Gesichter waren finster und kummervoll verzerrt.

Endlich erblickte Philip Mildred und trat freudig auf sie zu.

»Guten Morgen«, sagte er. »Ich bin gekommen, um zu sehen, wie Ihnen der gestrige Abend bekommen ist.«

Sie trug eine alte braune Jacke und einen Matrosenhut. Es war deutlich zu merken, daß sie nicht übermäßig entzückt war, ihn zu sehen.

»Ach, danke. Es geht mir gut. Ich habe große Eile.«

»Erlauben Sie, daß ich Sie ein Stück begleite?«

»Es ist sehr spät. Ich werde schnell gehen müssen«, antwortete sie mit einem Blick auf Philips Klumpfuß.

Er wurde purpurrot.

»Verzeihen Sie. Ich will Sie nicht aufhalten.«

»Wie Sie meinen.«

Sie ging davon, und er machte sich wehen Herzens wieder auf den Heimweg. Er haßte sie. Er wußte, es war Narrheit, sich um sie zu grämen; dieser Frau würde er niemals auch nur das geringste bedeuten, sein Gebrechen mußte ihr Abscheu einflößen. Er beschloß, an diesem Nachmittag nicht in die Teestube zu gehen, aber so sehr er sich auch verachtete, er ging schließlich doch hin. Sie nickte ihm zu, als er eintrat, und lächelte.

»Mir scheint, ich war heute früh ein wenig scharf zu Ihnen«, sagte sie. »Aber ich hatte so gar nicht erwartet, Sie zu sehen, und war ganz überrascht.«

»Ach, das tut ja nichts.«

Ihm war zumute, als fiele plötzlich ein großes Gewicht von ihm ab. Unendliche Dankbarkeit erfüllte sein Herz.

»Warum setzen Sie sich nicht ein wenig zu mir?« fragte er. »Es braucht Sie doch im Augenblick niemand.«

»Schön, auf ein Weilchen kann ich mich zu Ihnen setzen.«

Er sah sie an, aber es fiel ihm nichts zu sagen ein; er zermarterte sich den Kopf, um eine Bemerkung zu finden, die sie in seiner Nähe festhielt; er wollte ihr sagen, wieviel sie ihm bedeutete, aber nun, da er wirklich liebte, kamen ihm keine verliebten Reden in den Sinn.

»Wo ist Ihr Freund mit dem roten Schnurrbart? Ich habe ihn schon lange nicht mehr gesehen?«

»Ach, er ist nach Birmingham zurückgefahren. Er kommt nur ab und zu nach London, wenn er geschäftlich hier zu tun hat.«

»Ist er in Sie verliebt?«

»Das müssen Sie *ihn* fragen«, antwortete sie lachend. »Übrigens geht es Sie nicht das geringste an.«

Eine bittere Antwort lag ihm auf der Zunge, aber er hatte gelernt, sich zu beherrschen.

Sie blickte ihn mit ihren gleichgültigen Augen an.

»Es sieht nicht gerade aus, als ob Sie sich besonders viel aus mir machten«, sagte er.

»Das habe ich auch nie behauptet.«

»Allerdings.«

Er griff nach der Zeitung.

»Sind Sie aber empfindlich«, sagte sie. »Gleich sind Sie beleidigt.«

Er lächelte und schaute sie bittend an.

»Wollen Sie mir etwas zuliebe tun?« fragte er.

»Hängt davon ab, was es ist.«

»Erlauben Sie mir, daß ich Sie am Abend zum Bahnhof bringe?«

»Wenn es Ihnen Spaß macht.«

Er ging, nachdem er seinen Tee getrunken hatte, wieder in seine Wohnung zurück, aber um acht Uhr, als das Lokal geschlossen wurde, wartete er draußen.

»Sie sind ein komischer Mensch«, sagte sie, als sie herauskam. »Ich verstehe Sie nicht.«

»Das merke ich«, antwortete er bitter.

»Hat eines der Mädchen gesehen, daß Sie hier auf mich warten?«

»Ich weiß nicht. Es ist mir auch vollkommen gleichgültig.«

»Alle lachen über Sie. Sie behaupten, Sie wären in mich verschossen.«

»Was kümmert es Sie?« murmelte er.

»Na, nur nicht gleich böse sein!«

Auf dem Bahnhof löste er eine Karte und erklärte, daß er sie nach Hause begleiten wollte.

»Sie scheinen ja reichlich Zeit zu haben«, bemerkte sie.

»Jedenfalls kann ich mit ihr anfangen, was mir beliebt.«

Immer waren sie um Haaresbreite von einem Streit entfernt. Im Grunde haßte er sie wegen seiner Liebe zu ihr. Sie schien immer darauf erpicht, ihn zu verletzen, und jede Demütigung, die sie ihm zufügte, wollte er ihr vergelten. Aber an jenem Abend war sie freundlich gestimmt und auch gesprächiger als sonst; sie erzählte ihm, daß sie keine Eltern mehr habe. Sie gab ihm zu verstehen, daß sie es eigentlich nicht nötig hätte, ihren Unterhalt zu verdienen, und bloß zum Vergnügen arbeitete.

»Meine Tante ist gar nicht einverstanden, daß ich ins Geschäft gehe. Ich kann zu Hause haben, was ich will.«

Philip wußte, daß sie nicht die Wahrheit sprach. Aufgrund ihrer Herkunft gebrauchte sie diesen Vorwand, um der Schande zu entgehen, die ihr anhaftete, weil sie ihren Lebensunterhalt selbst verdiente.

»Meine Familie ist sehr gut situiert.«

Philip lächelte schwach, und sie merkte es.

»Worüber lachen Sie?« fragte sie schnell. »Glauben Sie vielleicht, daß ich lüge?«

»Aber keine Spur!«

Sie schaute ihn mißtrauisch an, aber im nächsten Moment schon siegte die Versuchung, ihm mit dem Glanz ihrer frühen Jugendzeit zu imponieren.

»Mein Vater hielt sich einen Jagdwagen, und wir hatten drei Dienstleute: eine Köchin, ein Hausmädchen und einen Diener für alles. Wir haben wunderschöne Rosen gezogen. Es ist natürlich nicht gerade angenehm, immer mit den Mädchen in der Teestube zu tun zu haben – schließlich gehören sie einer Klasse an, die nicht die meine ist, und aus diesem Grunde werde ich den Beruf noch einmal aufgeben. Die Arbeit an sich würde mir nichts ausmachen.«

Sie saßen einander im Zuge gegenüber, und Philip, der ihren Reden teilnahmsvoll zuhörte, fühlte sich ganz glücklich. Ihre Naivität belustigte und rührte ihn zugleich. Ihre Wangen waren leicht gerötet. Er dachte daran, wie köstlich es sein müßte, die Spitze ihres Kinns zu küssen.

»Ich merkte sofort, als ich Sie zum erstenmal sah, daß Sie ein Gentleman sind in jedem Sinne des Wortes. Was war Ihr Vater eigentlich?«

»Er war Arzt.«

»Ach, man sieht doch sofort, ob jemand den gebildeten Ständen angehört.«

Sie verließen miteinander den Bahnhof.

»Ich wollte Sie fragen, ob Sie wieder einmal mit mir ins Theater kommen wollen«, sagte er.

»Ich habe nichts dagegen«, war die Antwort.

»Könnten Sie nicht einmal sagen, daß es Ihnen Freude macht?«

»Warum?«

»Nur so! Lassen Sie uns einen Tag bestimmen. Paßt es Ihnen Samstagabend?«

»Ja, ganz gut.«

Sie besprachen alles Nähere und standen mit einem Male an der Ecke der Straße, in der sie wohnte. Sie reichte ihm die Hand, und er hielt sie fest.

»Ich möchte Sie so furchtbar gern Mildred nennen.«

»Bitte, wenn es Ihnen Spaß macht. Ich habe nichts dagegen.«

»Und Sie nennen mich Philip, ja?«

»Schön. Hoffentlich erinnere ich mich bloß. Es kommt mir natürlicher vor, Mr. Carey zu Ihnen zu sagen.«

Er zog sie leicht an sich, aber sie lehnte sich zurück.

»Was machen Sie?«

»Wollen Sie mir keinen Gutenachtkuß geben?« flüsterte er.

»Frechheit!« rief sie.

Sie entriß ihm ihre Hand und eilte davon.

Philip kaufte Karten für Samstagabend. Es war einer der Tage, an denen sie nicht früher weggehen konnte, und sie würde also keine Zeit haben, nach Hause zu fahren, um sich umzuziehen. Aber sie wollte sich am Morgen ein Kleid mit ins Geschäft bringen und vor dem Weggehen schnell hineinschlüpfen. Wenn die Leiterin guter Laune war, würde sie sie um sieben Uhr gehen lassen. Philip hatte sich bereit erklärt, von Viertel acht Uhr an draußen zu warten. Er sehnte den Abend mit Ungeduld herbei. Vielleicht würde sie sich im Wagen, auf dem Wege vom Theater zum Bahnhof, von ihm küssen lassen. Das Fahrzeug gab dem Mann die günstige Gelegenheit, seinen Arm um die Taille eines Mädchens zu legen (ein Vorteil, den die altmodische Droschke gegenüber dem heutigen Taxi hatte), und das Vergnügen daran wog die Kosten des Abends auf.

Aber am Samstagnachmittag, als er kam, um seinen Tee zu trinken und das Verabredete noch einmal durchzusprechen, begegnete er dem Mann mit dem blonden Schnurrbart, der eben die Teestube verließ. Er war ein naturalisierter Deutscher, der seinen Namen anglisiert hatte und seit vielen Jahren in England lebte. Philip hatte ihn sprechen gehört und fand, daß sein Englisch fließend und natürlich war, aber nicht ganz den Tonfall des Einheimischen hatte. Philip wußte, daß er sich für Mildred interessierte, und war schrecklich eifersüchtig auf ihn. Er tröstete sich bloß mit der Kühle ihres Temperaments, das ihm sonst soviel Kummer bereitete. Einer wirklichen Leidenschaft war sie, wie er meinte, nicht fähig, und sein Rivale war sicherlich nicht viel besser daran als er selbst. Dennoch sank sein Herz, als er ihn so unvermutet erblickte, denn sein erster Gedanke war, daß sein Auftauchen den Abend vereiteln könnte, auf den er sich so sehr gefreut hatte. Krank vor Besorgnis trat er ein. Die Kellnerin kam an seinen Tisch, nahm seine Bestellung entgegen und brachte ihm den Tee.

»Es tut mir furchtbar leid«, sagte sie mit einem Ausdruck ehrlicher

Bestürzung auf dem Gesicht, »aber ich kann heute abend doch nicht kommen.«

»Warum nicht?« fragte Philip.

»Machen Sie kein so böses Gesicht«, lachte sie. »Es ist nicht meine Schuld. Meine Tante ist gestern erkrankt, und das Mädchen hat Ausgang, so daß ich bei ihr bleiben muß. Man kann sie doch nicht allein lassen.«

»Nun ja, es macht nichts. Ich werde Sie dafür nach Hause begleiten.«

»Aber Sie haben doch die Theaterkarten. Wollen Sie die verfallen lassen?«

Er nahm sie aus der Tasche und riß sie in Stücke.

»Warum tun Sie das?«

»Sie glauben doch nicht, daß ich mir diese alberne Operette allein ansehen werde? Ich habe die Karten bloß Ihnen zuliebe genommen.«

»Es geht aber nicht, daß Sie mich nach Hause begleiten.«

»Weil Sie eine andere Verabredung haben, wie?«

»Ich weiß nicht, was Sie meinen. Sie sind genauso egoistisch wie alle Männer. Sie denken nur an sich. Kann ich etwas dafür, daß es meiner Tante nicht gut geht?«

Sie schrieb schnell seine Rechnung und verließ ihn. Philip wußte sehr wenig von den Frauen, sonst wäre es ihm klar gewesen, daß man ihre durchsichtigen Lügen hinnehmen muß. Er beschloß, die Teestube im Auge zu behalten, um sich zu vergewissern, ob Mildred mit dem Deutschen ausging. Er hatte eine unselige Leidenschaft für Gewißheit. Um sieben Uhr stellte er sich auf dem gegenüberliegenden Trottoir auf. Er spähte nach Miller aus, konnte ihn aber nirgends erblicken. Nach zehn Minuten kam Mildred heraus. Sie war genauso gekleidet wie damals, als sie mit ihm im Theater gewesen war. Es war unverkennbar, daß sie nicht nach Hause ging. Sie erblickte ihn, ehe er noch Zeit hatte, sich zu entfernen, blieb einen Moment verdutzt stehen und ging dann schnurstracks auf ihn zu.

»Was machen Sie hier?« fragte sie.

»Luft schöpfen«, war seine Antwort.

»Sie spionieren mir nach, Sie gemeiner Mensch. Ich hatte gedacht, Sie wären ein Gentleman.«

»Halten Sie es für möglich, daß ein Gentleman sich für Sie interessieren könnte?«

Irgendein Teufel in seinem Innern zwang ihn zu einer solchen Antwort. Er wollte ihr ebenso weh tun wie sie ihm.

»Ich bin Ihnen keine Rechenschaft schuldig. Sie können mich nicht zwingen, mit Ihnen auszugehen. Ich habe Ihnen gesagt, daß ich nach Hause muß, und ich verbitte es mir, kontrolliert und bespitzelt zu werden.«

273

»Haben Sie heute Miller gesehen?«

»Das geht Sie nichts an! Überdies habe ich ihn nicht gesehen, wenn Sie es hören wollen.«

»Ich habe ihn gesehen. Ich bin ihm am Nachmittag begegnet, als er eben die Teestube verließ.«

»Und was ist dabei? Glauben Sie, ich werde mir von Ihnen verbieten lassen, mit ihm auszugehen?«

»Er läßt Sie wohl warten, wie?«

»Ach, es ist mir lieber, auf ihn zu warten als von Ihnen erwartet zu werden. Schlucken Sie das gefälligst. Und jetzt werden Sie vielleicht nach Hause gehen und sich in Zukunft um Ihre eigenen Angelegenheiten kümmern.«

Seine Wut schlug mit einem Male in Verzweiflung um, und seine Stimme zitterte, als er sprach.

»Seien Sie doch nicht so häßlich zu mir, Mildred. Ich hatte mich so sehr auf diesen Abend gefreut. Sie wissen nicht, wie ich Sie liebe. Können Sie nicht doch mit mir kommen? Sie sehen doch, daß er nicht gekommen ist; Sie sind ihm wahrscheinlich vollkommen gleichgültig. Wollen Sie nicht mit mir essen gehen? Ich werde neue Karten besorgen, und wir werden dorthin gehen, wohin Sie wollen.«

»Nein, das kann ich nicht. Es hat keinen Sinn, weiter darüber zu reden. Wenn ich mich einmal zu etwas entschlossen habe, bleibe ich dabei.«

Er sah sie einen Augenblick an. Sein Herz war zerrissen. Auf dem Trottoir drängten sich die Menschen, und Droschken und Omnibusse rollten lärmend vorbei. Er sah, daß Mildreds Augen suchend umherspähten. Sie hatte Angst, Miller in der Menge zu verpassen.

»So geht es nicht weiter«, stöhnte Philip. »Es ist zu erniedrigend. Wenn ich jetzt gehe, gehe ich für immer. Wenn Sie heute abend nicht mit mir kommen, sehen Sie mich nie wieder.«

»Ich werde froh sein, wenn ich Sie los bin.«

»Dann adieu!«

Er nickte und hinkte langsam davon, denn er hoffte von ganzem Herzen, daß sie ihn zurückrufen würde. Beim nächsten Laternenpfahl blieb er stehen und drehte sich um. Wenn sie ihn jetzt rief, wollte er alles vergessen; er war zu jeder Demütigung bereit – aber sie hatte sich abgewandt und dachte offenbar gar nicht mehr an ihn. Es wurde ihm klar, daß sie wirklich froh war, ihn los zu sein.

Philip verbrachte den Abend trostlos und unglücklich. Er hatte seiner Wirtin gesagt, daß er nicht zu Hause sein würde, so daß kein Abendbrot für ihn vorbereitet war und er zum Essen ausgehen mußte.

Danach kehrte er in sein Zimmer zurück, aber Griffith in dem Stockwerk über ihm hatte Gäste eingeladen, und die lärmende Unterhaltung ließ ihm sein Unglück nur noch unerträglicher erscheinen. Er ging in ein Varieté, aber es war Samstag, und er konnte nur mehr einen Stehplatz bekommen. Nach einer halben Stunde war er müde und schlenderte wieder nach Hause. Er versuchte zu lesen, vermochte aber nicht, sich zu konzentrieren, und dennoch war es notwendig, daß er fleißig arbeitete. Seine Biologieprüfung stand unmittelbar bevor, und er hatte in der letzten Zeit seine Vorlesungen vernachlässigt und wußte noch gar nichts. Doch war es bloß eine leichte Prüfung, und er war überzeugt, daß er in den vierzehn Tagen, die ihm noch blieben, das Nötigste erlernen konnte. Er vertraute auf seine Intelligenz. Und so warf er denn sein Buch beiseite und gab sich ungehemmt den Gedanken hin, die ihn mehr als alles andere beschäftigten.

Er machte sich bittere Vorwürfe wegen seines Benehmens. Warum hatte er Mildred die Alternative gestellt, mit ihm auszugehen oder ihn nie mehr wiederzusehen? Es war selbstverständlich, daß sie nein gesagt hatte. Er hatte ihren Stolz verletzt. Er hatte das Kind mit dem Bade ausgeschüttet. Alles wäre leichter zu ertragen gewesen, wenn er gewußt hätte, daß sie ebenso litt wie er, aber er kannte sie nur allzu gut: sie empfand nichts als Gleichgültigkeit ihm gegenüber. Warum liebte er sie? Er hatte von der Idealisierung gelesen, mit der die Liebe ihren Gegenstand verklärt; davon war bei ihm keine Rede, er sah Mildred so, wie sie war. Sie war weder unterhaltend noch klug, sie war gewöhnlich; sie hatte eine ordinäre Schlauheit, die ihn abstieß, sie besaß weder Güte noch Weichheit. Sie war ›auf Gewinn aus‹, wie sie selbst es ausgedrückt hätte. Einen vertrauensseligen Menschen tüchtig hineinlegen, das war es, was sie am meisten bewunderte. Philip lachte grimmig, als er an die Geziertheit und falsche Vornehmheit dachte, mit der sie aß; sie konnte kein derbes Wort ertragen; soweit ihr beschränkter Wortschatz reichte, hatte sie Vorliebe für gespreizte Ausdrücke, überall witterte sie Unschicklichkeiten; sie sprach nie von Hosen, sondern nur von Beinkleidern; sie hielt es für unfein, sich die Nase zu putzen, und tat es verstohlen und gleichsam um Entschuldigung bittend. Sie war furchtbar blutarm und litt an der schlechten Verdauung, die dieses Leiden mit sich bringt. Philip fand ihre flache Brust und ihre schmalen Hüften abscheulich und ihre gekünstelte Frisur im höchsten Grade geschmacklos. Er haßte sie und verabscheute sich wegen seiner Liebe zu ihr.

Und doch blieb er hilflos. Er fühlte sich, wie er sich manchmal in den Händen eines größeren Jungen in der Schule gefühlt hatte. Er hatte gegen einen Überlegenen gekämpft, bis seine eigenen Kräfte verbraucht waren, und war vollkommen erschöpft gewesen – er erinnerte sich an die eigentümliche Schwäche, die er in seinen Gliedern gespürt hatte, beinahe als wäre er gelähmt –, so daß er sich überhaupt nicht helfen konnte. Er hätte sterben mögen. Jetzt fühlte er genau die gleiche Schwäche. Er liebte die Frau so sehr, daß er wußte, nie zuvor geliebt zu haben. Ihre schlechten Eigenschaften und charakterlichen Mängel machten ihm nichts aus; er glaubte, auch diese zu lieben: zumindest waren sie ihm bedeutungslos. Er fühlte, daß er von einer unbekannten Macht getrieben wurde, zu seinem eigenen Schaden; und da er die Freiheit leidenschaftlich liebte, haßte er die Ketten, die ihn fesselten.

Wenn er nur daran dachte, wie oft er die große Leidenschaft herbeigesehnt hatte, lachte er bitter. Er verfluchte sich, weil er sich ihr überlassen hatte. Er dachte an den Anfang. All dies wäre nicht geschehen, wenn er nicht mit Dunsford in die Teestube gegangen wäre. Nur seine lächerliche Eitelkeit hatte ihn dazu getrieben, sich um die ungezogene Person zu kümmern.

Auf alle Fälle war es nun zu Ende. Wenn ihm noch eine Spur von Schamgefühl geblieben war, durfte er nie mehr zurückkehren. Nach einer Weile würde sein Schmerz erträglicher werden. Er dachte an die Vergangenheit. Ob Emily Wilkinson und Fanny Price dieselben Qualen ausgestanden hatten, die er nun litt? Sein Gewissen regte sich.

»Ich wußte nicht, wie es ist«, sagte er zu sich selbst.

Er schlief sehr schlecht. Der nächste Tag war ein Sonntag, und er studierte Biologie. Das Buch aufgeschlagen vor sich auf dem Tisch, saß er da und formte die Worte mit den Lippen nach, um sich zu konzentrieren, aber es gelang ihm nicht. Seine Gedanken wanderten immer wieder zu Mildred zurück, und er wiederholte Satz für Satz den Streit, den sie gehabt hatten. Mit Gewalt mußte er sich wieder zu seinem Buch zurückrufen. Dann ging er spazieren. Die Straßen längs des Südufers der Themse waren schon an Wochentagen trostlos genug, aber sonntags, wenn die Läden geschlossen waren und aller Verkehr ruhte, wurden sie unsagbar öde. Philip meinte, daß der Tag niemals enden würde. Aber er war dermaßen müde, daß er nachts schwer schlief und am Morgen erfrischt und voll von neuen Vorsätzen erwachte. Weihnachten stand vor der Tür, und viele von den Studenten waren über die kurzen Ferien aufs Land gefahren; aber Philip hatte die Einladung seines Onkels, nach Blackstable zu kommen, abgelehnt. Er führte zur Entschuldigung die bevorstehende Prüfung an, in Wirklichkeit jedoch hatte er sich nicht entschließen können, London und Mildred zu verlassen. Nun blieben ihm nur mehr vierzehn Tage für einen auf drei Monate berechneten Stoff, und er fing ernsthaft zu arbeiten an. Von Tag zu Tag fand er es leichter, nicht an Mildred zu denken. Er beglückwünschte sich zu seiner Charakterstärke. Sein Schmerz war nun keine Qual mehr, sondern eine Art von Wundheit, wie man sie etwa nach einem Sturz vom Pferd fühlt, bei dem man sich zwar keine Knochen gebrochen, aber doch sein Teil an Schreck und Zerschlagenheit abbekommen hat. Philip stellte fest, daß er imstande war, den Zustand, in dem er sich die letzten Wochen über befunden hatte, mit Neugier zu beobachten. Er analysierte interessiert seine Gefühle. Er mußte unwillkürlich über sich lächeln. Was ihn besonders wunderte, war, wie wenig es unter solchen Umständen bedeutete, was man dachte; das philosophische System, das er sich für seine Person zurechtgelegt hatte, hatte ihm nicht das geringste geholfen. Wie seltsam war das.

Manchmal jedoch kam es vor, daß er auf der Straße eine Mädchengestalt erblickte, die Mildred ähnlich war, und das Herz blieb ihm stehen. Dann konnte er sich nicht helfen und rannte aufgeregt hinter ihr her, um schließlich, wenn er sie eingeholt hatte, erkennen zu müssen, daß es eine Wildfremde war. Die Studenten kehrten vom Lande zurück, und er ging mit Dunsford in eine ABC-Teestube. Beim Anblick der wohlbekannten Uniform wurde ihm ganz elend. Der Gedanke durchfuhr ihn, daß Mildred vielleicht in eine andere Filiale versetzt worden war und plötzlich vor ihm stehen könnte. Diese Möglichkeit erfüllte ihn mit solchem Entsetzen, daß es ihn die größte Mühe kostete, sich seine Verstörtheit nicht anmerken zu lassen. Aber es fiel ihm nichts zu sagen ein, und er mußte sich mit aller Gewalt zwingen, Dunsford zuzuhören. Das Gespräch machte ihn wahnsinnig. Am liebsten hätte er Dunsford angeschrien, doch um Gottes willen den Mund zu halten.

Dann kam sein Prüfungstag heran. Philip trat mit der größten Zuversicht vor den Professor. Er beantwortete drei oder vier Fragen. Dann wurden ihm verschiedene Präparate gezeigt; er hatte sehr wenig Vorlesungen gehört; und sobald er nach diesen Dingen gefragt wurde, die er nicht aus Büchern hatte lernen können, versagte er. Er tat, was er konnte, um seine Unwissenheit zu verbergen, der Examinator forschte nicht weiter, und bald waren seine zehn Minuten um. Er zweifelte nicht daran, daß er durchgekommen war; als er jedoch am nächsten Tag die angeschlagenen Resultate las, sah er zu seiner Verblüffung, daß sein Name auf der Liste der durchgekommenen Kandidaten fehlte. Erstaunt las er ein zweites und ein drittes Mal. Dunsford hatte ihn begleitet.

»Es tut mir furchtbar leid, daß du durchgefallen bist«, sagte er.

Philip drehte sich um und sah an Dunsfords strahlendem Gesicht, daß dieser durchgekommen war.

»Ach, da kann man nichts machen«, meinte er. »Es freut mich, daß es dir besser gegangen ist. Ich muß es eben im Juli noch einmal versuchen.«

Er war bemüht, sich möglichst unbekümmert zu zeigen, und sprach auf dem Heimweg von den gleichgültigsten Dingen. Dunsford wollte in seiner Gutartigkeit die Ursachen von Philips Mißerfolg besprechen, aber Philip blieb unverändert gleichgültig. Er war fürchterlich gekränkt; daß Dunsford, den er als sehr netten, aber gänzlich unintelligenten Burschen ansah, die Prüfung bestanden hatte, ließ ihn den eigenen Rückschlag noch schwerer ertragen. Er war immer stolz auf seine Intelligenz gewesen, und nun fragte er sich verzweifelt, ob er sich etwa falsch eingeschätzt hatte. Während der drei Monate des Wintersemesters hatten die Studenten, die im Oktober begonnen hatten, bereits Gruppen gebildet, und es stand fest, wer außerordentlich begabt, wer klug und fleißig und wer ein Versager war. Philip war sich dessen bewußt, daß sein Mißerfolg für niemanden außer ihm eine Überraschung bedeutete. Es war gegen fünf Uhr nachmittag, und er wußte, daß um diese Stunde viele von den Studenten im Erfrischungsraum der medizinischen Fakultät Tee tranken: diejenigen, die die Prüfung bestanden hatten, würden triumphieren, die, die ihn nicht leiden konnten, mit Schadenfreude auf ihn herunterschauen, und die armen Teufel, die durchgefallen waren, ihn bemitleiden, um selbst Mitleid zu erregen. Sein Impuls war, sich mindestens eine Woche lang nicht blicken zu lassen, bis die Prüfungen vergessen waren, aber gerade weil es ihm so schwer fiel, ging er schließlich doch in den Erfrischungsraum hinunter. Er wollte sich selbst Leiden zufügen. Für einen Augenblick vergaß er seinen Grundsatz: seinen Neigungen zu folgen mit gebührender Rücksicht auf den Polizisten um die Ecke.

Aber später, als die Marter, die er sich auferlegt hatte, überstanden war und er nach der lärmenden Unterhaltung im Rauchzimmer in die Nacht hinaustrat, überkam ihn ein Gefühl völliger Vereinsamung. Er fühlte sich unnütz und überflüssig. Ein heißes Trostverlangen packte ihn, und die Versuchung, Mildred wiederzusehen, wurde unwiderstehlich. Zwar war er sich bitter bewußt, daß er sich nicht viel Hoffnung machen durfte, von ihr getröstet zu werden, aber er wollte sie sehen, selbst wenn er nicht mit ihr sprechen konnte. Sie war der einzige Mensch auf Erden, der ihm etwas bedeutete. Das konnte er sich nicht verhehlen. Wohl war es demütigend, wieder vor sie hinzutreten, als ob nichts geschehen wäre; sie wußte, daß ein an das Hospital gerichteter Brief ihn erreichte. Aber sie hatte nicht geschrieben: es war klar, daß es ihr gleichgültig war, ob sie ihn wiedersah oder nicht. Und er sagte sich ein über das andere Mal:

»Ich muß sie sehen. Ich muß sie sehen.«

Sein Verlangen war so heftig, daß er sich nicht einmal die Zeit nahm, zu Fuß zu gehen, sondern eiligst in eine Droschke sprang. Vor der Teestube blieb er ein paar Minuten stehen. Dann kam ihm der Gedanke, daß Mildred vielleicht gar nicht mehr da war, und angsterfüllt trat er ein. Er erblickte sie sofort. Sie kam, als er sich niedergesetzt hatte, zu ihm heran.

»Eine Tasse Tee und ein Brötchen«, bestellte er.

Er konnte kaum sprechen. Einen Augenblick fürchtete er, in Tränen auszubrechen.

»Ich dachte schon, Sie wären gestorben«, sagte sie.

Sie lächelte. Lächelte! Sie schien die Szene vollständig vergessen zu haben, die sich Philip hundert Male ins Gedächtnis zurückgerufen hatte.

»Ich dachte, Sie würden mir schreiben.«

»Dazu habe ich zu viel zu tun.«

Sie ging, um ihm seinen Tee zu holen.

»Soll ich mich ein bißchen zu Ihnen setzen?« fragte sie, als sie wiederkam.

»Bitte.«

»Wo waren Sie die ganze Zeit?«

»In London.«

»Warum sind Sie denn nicht hergekommen?«

Philip sah sie mit hungrigen, leidenschaftlichen Augen an.

»Erinnern Sie sich nicht, daß ich Sie nie mehr wiedersehen wollte?«

»Und was tun Sie jetzt?«

Sie schien darauf erpicht, ihn den Kelch der Demütigung bis zur Neige auskosten zu lassen; und doch kannte er sie nun schon soweit, um zu wissen, daß sie ganz ohne Absicht sprach; sie tat ihm furchtbar weh und wußte es nicht einmal.

Er antwortete nicht.

»Es war gemein von Ihnen, mir nachzuspionieren. Ich hatte immer gedacht, Sie wären ein Gentleman in jedem Sinne des Wortes.«

»Seien Sie nicht häßlich zu mir, Mildred. Ich kann es nicht ertragen.«

»Was für ein komischer Junge Sie sind. Einfach unverständlich.«

»Ach, es ist nicht so schwierig, mich zu verstehen. Ich bin verrückt genug, Sie zu lieben, und Sie machen sich nichts aus mir. Das ist alles.«

»Wenn Sie ein Gentleman wären, dann wären Sie am nächsten Tag gekommen und hätten mich um Entschuldigung gebeten.«

Sie hatte kein Erbarmen. Er betrachtete ihren Hals, und eine böse Lust packte ihn, ihn mit dem Messer, das neben seinem Teller lag, zu durchbohren. Er wußte genug von Anatomie, um mit ziemlicher Sicherheit die Halsschlagader zu treffen. Und zu gleicher Zeit sehnte er sich danach, ihr blasses, schmales Gesicht mit Küssen zu bedecken.

»Sie haben mich noch nicht um Verzeihung gebeten.«

Er wurde sehr bleich. Sie wußte also nicht, daß sie an jenem Abend unrecht gehabt hatte. Sie verlangte von ihm, daß er sich vor ihr demütigen sollte. Er war sehr stolz. Einen Augenblick fühlte er sich versucht, sie zum Teufel zu jagen. Aber seine Leidenschaft machte ihn gefügig. Er war bereit, alles auf sich zu nehmen, ehe er darauf verzichtete, sie zu sehen.

»Es tut mir leid, daß ich Sie verletzt habe, Mildred. Verzeihen Sie mir.«

Er mußte sich die Worte abringen. Es kostete ihn furchtbare Anstrengung.

»Jetzt, wo Sie sich entschuldigt haben, kann ich Ihnen ja sagen, daß es mir damals sehr leid getan hat, nicht lieber mit Ihnen gegangen zu sein. Ich dachte, Miller wäre ein Gentleman, aber das war ein Irrtum. Ich will nichts mehr von ihm wissen.«

Philip stockte der Atem.

»Mildred, wollen Sie heute abend mit mir ausgehen? Lassen Sie uns irgendwo zusammen essen.«

»Ach, ich kann nicht. Meine Tante erwartet mich.«

»Ich werde ihr telegrafieren. Sie können doch sagen, daß Sie länger im Geschäft bleiben mußten. Kommen Sie – bitte – ich habe Sie so lange nicht mehr gesehen.«

Sie schaute an ihrem Kleid hinunter.

»Das hat doch nichts zu sagen. Wir wollen irgendwohin gehen, wo es nichts ausmacht, wie man angezogen ist. Und nachher gehen wir in ein Varieté. Bitte sagen Sie ja. Sie würden mir eine solche Freude machen.«

Sie zögerte ein wenig; er blickte sie mit heißen, flehenden Augen an.

»Na schön. Wenn Sie unbedingt wollen. Ich war schon endlos lange nicht mehr aus.«

Nur mit der größten Mühe konnte er sich zurückhalten, vor allen Leuten ihre Hand zu ergreifen und sie mit Küssen zu bedecken.


Sie aßen in Soho. Philip war außer sich vor Freude. Es war ein bescheidenes Restaurant, von einem braven Mann aus Rouen und seiner Frau geführt, das Philip zufällig entdeckt hatte. Er hatte sich angezogen gefühlt durch das gallische Aussehen des Auslagefensters, in dem gewöhnlich ein Teller mit einem rohen Beefsteak, flankiert von zwei Schüsseln mit frischen Gemüsen ausgestellt war. Die Bedienung besorgte ein schäbiger französischer Kellner, der sich bemühte, Englisch zu lernen in einem Hause, in dem ausschließlich französisch gesprochen wurde, und die Stammgäste waren ein paar Damen zweifelhafter Tugend, ein, zwei *ménages*, die ihre eigenen Servietten mithatten, und ein paar kuriose Männer, die hereingestürzt kamen und eilig ein kärgliches Mahl verzehrten.

Hier konnten Philip und Mildred einen eigenen Tisch bekommen. Philip schickte den Kellner um eine Flasche Burgunder in die benachbarte Weinstube, und sie aßen eine *potage aux herbes*, ein *beefsteak aux pommes* aus dem Fenster und eine *omelette au kirsch*. Die Mahlzeit und das Lokal hatten wirklich etwas Romantisches. Mildred, anfangs ein wenig reserviert in ihrer Anerkennung – »ich traue diesen ausländischen Plätzen nicht; man weiß nie, was in diesen zusammengepanschten Speisen drinnen ist« – unterlag allmählich dem Zauber der Umgebung.

»Ich finde es reizend hier, Philip«, sagte sie. »Es hat so etwas Gemütliches, Legeres, nicht?«

Ein hochgewachsener Mensch mit einer Mähne grauen Haares und einem zerzausten, dürftigen Bart kam herein. Er trug einen fadenscheinigen Mantel und einen verwegenen Hut. Er nickte Philip, den er schon einige Male hier angetroffen hatte, zu.

»Der sieht aus wie ein Anarchist«, meinte Mildred.

»Ist er auch. Einer der gefährlichsten von Europa. Es gibt wenige Gefängnisse, in denen er nicht schon gesessen hat, und er hat mehr Leute umgebracht als so mancher Gehenkte. Er trägt immer eine Bombe bei sich, und das macht den Umgang mit ihm ein bißchen schwierig, denn sowie man etwas vorbringt, was ihm nicht gefällt, legt er sie vielsagend auf den Tisch.«

Sie schaute den Mann voll Entsetzen und Staunen an und blinzelte dann mißtrauisch zu Philip hinüber. Seine Augen lachten. Sie wurde böse.

»Sie machen sich lustig über mich.«

Er stieß einen kleinen Freudenschrei aus. Er war so glücklich. Aber Mildred liebte es nicht, ausgelacht zu werden.

»Ich kann nichts Komisches an solchen Lügen finden.«

»Ärgern Sie sich doch nicht.«

Er nahm ihre Hand und drückte sie zärtlich.

»Sie sind bezaubernd, und ich könnte den Boden küssen, den Ihre Füße berühren«, sagte er.

Die grünliche Blässe ihrer Haut berauschte ihn, und ihre schmalen weißen Lippen hatten unbeschreiblichen Reiz. Ihre Blutarmut machte sie etwas kurzatmig, und sie hielt den Mund stets leicht geöffnet. Das erhöhte den Zauber ihres Gesichtes.

»Sie haben mich doch ein klein wenig gern, nicht?« fragte er.

»Sonst wäre ich nicht hier, sollte man annehmen. Sie sind ein Gentleman in jedem Sinne des Wortes. Das muß man Ihnen lassen.«

Sie hatten ihr Dinner beendet und tranken Kaffee. Philip schickte seine Sparsamkeit zum Teufel und rauchte eine teure Zigarre.

»Sie können sich nicht vorstellen, wie glücklich es mich macht, Ihnen gegenüberzusitzen und Sie anzusehen. Wie habe ich mich nach Ihnen gesehnt! Ich war krank vor Verlangen nach Ihnen.«

Mildred lächelte ein wenig und errötete leicht. Sie fühlte sich stärker zu Philip hingezogen als je zuvor, und die ungewohnte Zärtlichkeit in ihren Augen beglückte ihn. Er wußte instinktiv, daß es

Wahnsinn war, sich in ihre Hände zu geben; nie durfte sie wissen, welch ungezügelte Leidenschaft in seinem Innern tobte. Aber er konnte jetzt nicht vorsichtig sein: er erzählte ihr alles, was er während seiner Trennung von ihr gelitten, erzählte ihr von seinen Kämpfen mit sich selbst, wie er versucht hatte, seine Liebe zu überwinden, sie schon besiegt zu haben vermeinte, und daß sie in Wahrheit um nichts geringer geworden war. Er sah jetzt ein, daß er seine Liebe niemals wirklich hatte überwinden wollen. Er liebte Mildred so sehr, daß es ihm nichts ausmachte zu leiden. Er entblößte sein Herz vor ihr. Stolz zeigte er ihr seine ganze Schwäche.

Am liebsten wäre er endlos in dem kleinen Restaurant geblieben, aber er wußte, daß Mildred sich unterhalten wollte. Sie hatte keine Ruhe und strebte, wo immer sie war, nach Abwechslung. Er wagte nicht, sie zu langweilen.

»Wir wollten doch noch ins Varieté gehen«, sagte er.

Im stillen hoffte er, daß sie es vorziehen würde, zu bleiben.

»Ja, es wird wohl Zeit sein aufzubrechen.«

»Los also.«

Philip wartete ungeduldig auf das Ende der Vorstellung. Er hatte sich sein Verhalten im Geiste genau zurechtgelegt, und als sie in eine Droschke stiegen, ließ er seinen Arm wie zufällig um ihre Taille gleiten. Aber mit einem kleinen Aufschrei zog er ihn schnell wieder zurück. Er hatte sich gestochen. Sie lachte.

»Das kommt davon«, sagte sie. »Ich kenne die Männer und weiß, was sie im Schilde führen. Diese Nadel habe ich absichtlich hineingesteckt.«

»In Zukunft werde ich vorsichtiger sein.«

Er legte abermals den Arm um sie. Sie leistete keinen Widerstand.

»Wie glücklich bin ich!« seufzte er selig.

Sie fuhren durch St. James' Street in den Park, und Philip küßte sie schnell. Er war merkwürdig furchtsam ihr gegenüber, und es erforderte seinen ganzen Mut. Sie ließ ihn wortlos und ohne das geringste Zeichen von Einwilligung oder Ablehnung gewähren.

»Wenn du wüßtest, wie lange ich mich danach gesehnt habe, dies zu tun«, flüsterte er.

Er versuchte, sie noch einmal zu küssen, aber diesmal wandte sie den Kopf ab.

»Einmal ist genug.«

Auf die Möglichkeit hoffend, sie noch ein zweites Mal küssen zu dürfen, fuhr er mit ihr nach Herne Hill, und an der Straße, in der sie wohnte, fragte er sie:

»Willst du mir noch einen Kuß geben?«

Sie warf ihm einen gleichgültigen Blick zu und schaute dann die Straße hinauf, ob niemand zu sehen wäre.

»Von mir aus.«

Er riß sie in seine Arme und küßte sie leidenschaftlich; sie aber stieß ihn von sich fort.

»Paß doch auf meinen Hut auf, du ungeschickter Mensch«, sagte sie.


Von nun an sah er sie täglich. Er fing an, auch sein Mittagessen in der Teestube einzunehmen, aber Mildred verbot es ihm alsbald. Die Mädchen sollten keinen Anlaß zum Klatschen haben; so mußte er sich mit dem Nachmittag begnügen; aber er wartete täglich auf sie, um sie zum Bahnhof zu begleiten, und ein- bis zweimal in der Woche gingen sie abends miteinander essen. Er machte ihr kleine Geschenke, goldene Anhängsel, Taschentücher, Handschuhe und dergleichen. Sie wußte genau Bescheid über den Wert jeder einzelnen Sache, und ihre Dankbarkeit stand im genauen Verhältnis zu dem Wert seines Geschenkes. Er kümmerte sich nicht darum. Er war zu glücklich, wenn sie sich herbeiließ, ihm einen Kuß zu geben, als daß er sich Gedanken darüber gemacht hätte, wodurch er dieser Gunst teilhaftig geworden war. Er entdeckte, daß sie die Sonntage zu Hause langweilig fand, und fuhr des Morgens nach Herne Hill, traf sie an ihrer Straßenecke und ging mit ihr zur Kirche.

»Einmal in der Woche sollte jeder Mensch in die Kirche gehen«, sagte sie. »Das gehört sich doch, nicht?«

Dann kehrte sie zum Mittagessen nach Hause zurück, er aß eine Kleinigkeit im Hotel, und nachmittags unternahmen sie miteinander einen Spaziergang. Sie hatten einander nicht viel zu sagen, und Philip, voll zitternder Angst, daß sie sich langweilen könnte – sie langweilte sich sehr leicht –, zerbrach sich den Kopf nach Gesprächsstoffen. Er verhehlte sich nicht, daß diese Spaziergänge für beide Teile wenig unterhaltend waren, aber in Mildreds Nähe zu sein war ihm wichtiger als alles andere, und so tat er alles, um die Wege in die Länge zu ziehen, bis sie müde und verdrießlich wurde. Er wußte, daß sie sich nichts aus ihm machte, und versuchte, eine Liebe zu erzwingen, die, wie ihm sein Verstand sagte, ihrer Natur nicht entsprach: sie war kalt. Er hatte kein Anrecht auf sie und konnte es dennoch nicht unterlassen, Forderungen an sie zu stellen. Nun, da sie näher miteinander verkehrten, fand er es schwerer, sich zu beherrschen; er war häufig verstimmt und hielt seine Zunge nicht im Zaum. Oft stritten sie, und dann sprach sie eine Weile nicht mit ihm. Damit zwang sie ihn jedesmal zur Kapitulation, und er erniedrigte sich vor ihr. Nachher war er bitterböse auf sich, weil er so wenig Würde gezeigt hatte. Sah er sie mit einem andern Mann sprechen, so wurde er rasend eifersüchtig und geriet völlig außer sich. Er beschimpfte sie, verließ die Teestube, und wälzte sich nachher die ganze Nacht schlaflos auf seinem Bett, hin- und hergerissen zwischen Wut und Reue. Aber am nächsten Tag ging er doch wieder in die Teestube und flehte Mildred an, ihm zu verzeihen.

»Treibe es bloß nicht zu weit«, konnte sie dann sagen, »sonst ist es eines Tages aus.«

Er hatte den Wunsch, bei ihr zu Hause eingeführt zu werden, um sich dadurch eine Vorzugsstellung gegenüber ihren anderen Herrenbekanntschaften zu sichern; aber sie wollte nichts davon hören.

»Meine Tante würde das komisch finden«, sagte sie.

Sie wollte offenbar verhindern, daß er ihre Tante kennenlernte. Mildred hatte erzählt, diese wäre die Witwe eines Akademikers (das war für sie der Inbegriff von Ansehen), und war nun ängstlich, weil sie wußte, daß die gute Frau kaum als angesehen bezeichnet werden konnte. Philip vermutete, daß sie in Wirklichkeit die Witwe eines kleinen Geschäftsmannes war. Philip wußte, daß Mildred ein Snob war. Aber es gelang ihm nicht, ihr begreiflich zu machen, daß es ihm ganz gleichgültig war, welchem Stand ihre Tante angehörte.

Den heftigsten Streit hatten sie eines Abends, als sie ihm während des Essens erzählte, daß sie von einem Herrn ins Theater eingeladen worden wäre. Philip erbleichte, und sein Gesicht wurde hart und streng.

»Du wirst doch nicht hingehen?« stieß er hervor.

»Warum nicht? Er ist ein sehr netter Mensch.«

»Ich gehe mit dir, wohin du willst.«

»Das ist nicht das gleiche. Ich kann nicht immer nur mit dir ausgehen. Außerdem hat er es mir überlassen, den Tag zu bestimmen, und ich werde einen Abend wählen, an dem ich nicht mit dir zusammen bin.«

»Du hast kein Taktgefühl, nicht die geringste Spur von Dankbarkeit.«

»Ich weiß nicht, was du unter Dankbarkeit verstehst. Wenn du auf die Sachen anspielst, die du mir geschenkt hast, so kannst du sie jederzeit zurückbekommen. Ich brauche sie nicht.«

Ihre Stimme hatte den verstockten Ton, der ihr manchmal eigen war.

»Es ist nicht sehr unterhaltsam, immer mit dir zusammen zu sein. Ewig heißt es: Liebst du mich? Liebst du mich? Das kann man nicht aushalten.«

Er wußte, es war Wahnsinn, immer wieder diese Frage zu stellen, und doch konnte er sie nicht unterdrücken.

»Ach, ich mag dich ganz gern«, pflegte sie dann zu antworten.

»Und das ist alles? Ich liebe dich von ganzem Herzen.«

»So was bringe ich nicht über die Lippen. Es liegt mir nicht, große Worte zu machen.«

Aber manchmal drückte sie sich noch deutlicher aus.

»Ach, hör doch auf mit dem ewigen Gefrage.«

Dann wurde er verstockt und schwieg. Er haßte sie.

Und nun sagte er:

»Wenn es so ist, wundert es mich, daß du dich überhaupt herabläßt, mit mir auszugehen.«

»Du zwingst mich ja förmlich dazu. Ich habe mich bestimmt niemals darum gerissen.«

Das war eine bittere Wunde für seinen Stolz, und wütend antwortete er:

»Ich bin dir gut genug, solange kein anderer da ist, der dich ins Restaurant und ins Theater ausführt. Aber dafür bedanke ich mich. Ich habe keine Lust, den Lückenbüßer zu spielen.«

»Na! Das ist ja eine eigenartige Auffassung. Aber ich will dir zeigen, wieviel mir an deinen Einladungen liegt.«

Sie stand auf, schlüpfte in ihre Jacke und verließ schnell das Lokal. Philip blieb sitzen. Er nahm sich fest vor, sich nicht zu rühren, aber zehn Minuten später sprang er in einen Wagen und fuhr ihr nach. Sie war vermutlich mit dem Omnibus zum Victoriabahnhof gefahren und würde ungefähr gleichzeitig mit ihm dort ankommen. Er erblickte sie auf dem Perron, ohne von ihr bemerkt zu werden, und fuhr mit dem gleichen Zug mit ihr nach Herne Hill. Er wollte sie erst auf dem Heimweg ansprechen, wenn sie ihm nicht mehr entwischen konnte.

Sobald sie aus der hellerleuchteten und von lärmendem Verkehr erfüllten Hauptstraße abbog, holte er sie ein.

»Mildred«, rief er.

Sie setzte ihren Weg fort, ohne ihn eines Wortes oder eines Blickes zu würdigen. Er rief noch einmal ihren Namen. Nun blieb sie stehen.

»Was willst du von mir? Ich sah dich vorhin am Victoriabahnhof. Kannst du mich nicht in Ruhe lassen?«

»Es tut mir furchtbar leid, daß ich so häßlich zu dir war. Bitte, sei mir nicht mehr böse!«

»Nein. Ich habe genug von deiner Eifersucht und deinem Jähzorn. Du bist mir gleichgültig und wirst es immer bleiben. Ich will nichts mehr mit dir zu tun haben.«

Sie ging rasch weiter, und er mußte sich beeilen, um mit ihr Schritt zu halten.

»Kannst du dich nicht in mich hineindenken? Es ist keine Kunst, heiter und liebenswürdig zu sein, wenn man sich nichts aus einem Menschen macht. Aber ich liebe dich doch. Hab Mitleid mit mir. Ich verlange ja nichts anderes von dir, als daß du mir erlaubst, dich liebzuhaben!«

Sie antwortete nicht, und Philip sah verzweifelt, daß sie nur mehr ein paar Meter bis zu ihrem Hause zu gehen hatte. Er stammelte unzusammenhängende Worte von Reue und Liebe.

»Wenn du mir nur dieses eine Mal vergibst, verspreche ich dir, daß du in Zukunft über nichts mehr zu klagen haben wirst. Du kannst ausgehen, mit wem immer du willst. Ich werde zufrieden sein, mit dir weggehen zu dürfen, wenn du nichts Besseres vorhast.«

Sie blieb wieder stehen, da sie die Ecke erreicht hatten, an der er sie immer verließ.

»Geh jetzt. Ich mag nicht, daß du mich bis zum Hause begleitest.«

»Ehe du mir nicht verziehen hast, rühre ich mich nicht weg.«

»Ich habe genug von deinen Szenen.«

Er zögerte einen Augenblick; ein Instinkt sagte ihm, daß es etwas gäbe, womit er sie rühren konnte. Aber nur mit Mühe brachte er es über die Lippen.

»Es ist so grausam, ein Krüppel zu sein. Es ist selbstverständlich, daß du mich nicht liebst. Wie sollte es auch anders sein?«

»Philip, das habe ich nicht gemeint«, rief sie schnell, und ihre Stimme bebte vor Mitleid. »Du weißt, daß es nicht so ist.«

Nun fing er an, Komödie zu spielen. Heiser und leise stieß er die Worte hervor.

»Doch. Du weißt es vielleicht selber nicht.«

Sie erfaßte seine Hand und blickte ihn an, und ihre Augen füllten sich mit Tränen.

»Ich schwöre dir, daß es mir nie etwas ausgemacht hat. Nach den ersten paar Tagen habe ich es vollkommen vergessen.«

Er verharrte in düsterem, trauervollem Schweigen. Sie sollte glauben, daß er von Erschütterung übermannt war.

»Du weißt, daß ich dich furchtbar gern habe, Philip. Du machst es mir bloß manchmal so schwer. Laß uns wieder gut sein.«

Sie hielt ihm die Lippen entgegen, und mit einem Seufzer der Erleichterung küßte er sie.

»Nun, bist du jetzt wieder froh?« fragte sie.

»Wahnsinnig.«

Sie wünschte ihm gute Nacht und eilte die Straße hinunter. Am nächsten Tag brachte er ihr eine kleine Uhr, die man wie eine Brosche am Kleid befestigen konnte und die sie sich schon lange gewünscht hatte.

Aber drei, vier Tage später, als sie ihm seinen Tee brachte, sagte Mildred:

»Du erinnerst dich doch an dein Versprechen von neulich. Hoffentlich wirst du es halten.«

»Ja.«

Er wußte genau, um was es sich handelte, und war auf das, was folgte, vorbereitet.

»Ich gehe nämlich heute abend mit dem Herrn, von dem ich dir erzählt habe, aus.«

»Schön. Unterhalte dich gut.«

»Du bist mir doch nicht böse?«

Er hatte sich nun vollkommen in der Gewalt.

»Nur ein ganz klein wenig«, lächelte er. »Aber das soll dich nicht weiter stören.«

Sie freute sich auf den Abend und plauderte unbefangen darüber. Philip wußte nicht, ob sie es mit Absicht tat, um ihn zu quälen, oder aus bloßer Gedankenlosigkeit. Er hatte die Gewohnheit angenommen, ihre herzlose Art mit Dummheit zu entschuldigen. Sie war nicht klug genug, zu merken, daß sie verletzte.

›Es ist nicht schön, in ein Mädchen verliebt zu sein, das keine Einfühlungsgabe und keinen Sinn für Humor hat‹, dachte er bei sich, während er ihr zuhörte.

»Er hat Sitze fürs *Tivoli* besorgt«, erzählte sie. »Und wir werden im *Café Royal* dinieren. Das ist das teuerste Lokal von London, hat er mir gesagt.«

›Er ist ein Gentleman in jedem Sinn des Wortes‹, dachte Philip. Aber er mußte die Zähne zusammenbeißen, um sich keine Silbe entschlüpfen zu lassen.

Philip ging ins *Tivoli* und sah Mildred mit ihrem Begleiter, einem glattgesichtigen jungen Menschen mit strähnigem Haar und dem geschniegelten Aussehen eines Handlungsreisenden, in der zweiten Parkettreihe sitzen. Mildred trug einen breitrandigen Hut mit Straußenfedern, der ihr gut stand. Sie hörte den Reden ihres Kavaliers mit jenem ruhigen Lächeln zu, das Philip so genau kannte; es war nicht leicht und erforderte eine derbe Art von Humor, um sie zum Lachen zu bringen; aber Philip merkte, daß sie angeregt und aufgeschlossen war. Mit Bitterkeit stellte er fest, daß ihr Begleiter, oberflächlich und aufgeräumt, wie er war, ausgezeichnet zu ihr paßte. Aufgrund ihrer Trägheit schätzte sie laute Personen. Philip diskutierte leidenschaftlich gern, besaß aber nicht das Talent, eine seichte Unterhaltung zu führen. Er bewunderte die Kunst, ungezwungen Späße zu machen, die manche seiner Freunde, zum Beispiel Lawson, meisterhaft beherrschten, und sein Gefühl der Unterlegenheit machte ihn schüchtern und linkisch. Die Dinge, die ihn interessierten, langweilten Mildred. Sie erwartete von Männern, daß sie über Fußball und Rennen sprächen, und er wußte davon nicht das geringste. Er kannte die Stichwörter nicht, die gesagt werden mußten, um sie zum Lachen zu reizen.

Gedrucktes war für Philip immer ein Fetisch gewesen, und nun las er, um sich interessanter zu machen, eifrig die *Sporting Times*.

Philip überließ sich nicht widerstandslos der Leidenschaft, die ihn verzehrte. Er wußte, daß alle menschlichen Dinge vergänglich sind und daß auch sie eines Tages enden müßte. Er sehnte diesen Tag mit aller Inbrunst herbei. Die Liebe war wie ein Parasit in seinem Herzen, der sich von seinem Lebensblute nährte; sie füllte sein Dasein so vollkommen aus, daß für nichts anderes mehr Raum blieb. Früher hatte er sich an den Schönheiten der Natur erfreuen können; stundenlang war er im St. James' Park gesessen und hatte die Bäume betrachtet, wie sie sich gegen den Himmel abhoben; es war wie ein japanischer Stich; die Themse mit ihren Schiffen und Kähnen hatte ihn immer aufs neue bezaubert, und der wechselnde Himmel von London hatte seiner Seele liebliche Träume vorgegaukelt. Nun aber hatte all dies keine Bedeutung mehr für ihn. Er war unbefriedigt und ruhelos, wenn er nicht mit Mildred zusammen war. Manchmal wollte er sich durch den Anblick schöner Bilder über seinen Kummer hinwegtrösten, aber er ging durch die National Gallery wie ein Tourist, und kein Bild löste auch nur eine Regung von Begeisterung in ihm aus. Ob sein Interesse für alle diese Dinge jemals wiederkehren würde? Er hatte leidenschaftlich gern gelesen; aber auch Bücher sagten ihm nun nichts mehr: seine freien Stunden brachte er im Rauchzimmer des Hospital-Klubs zu, wo er in unzähligen Zeitschriften blätterte. Diese Liebe war eine Qual, und er vermerkte mit Bitterkeit, daß sie ihn unterjochte; er war ein Gefangener, und er sehnte sich nach Freiheit. Manchmal erwachte er des Morgens und empfand nichts. Dann jubelte er, denn er glaubte sich befreit. Seine Liebe war überwunden, aber nach einer Weile erwachte der Schmerz wieder und nistete sich in seinem Herzen ein. Obgleich er so wahnsinnig nach Mildred verlangte, verabscheute er sie. Und er sagte sich, daß es keine ärgere Qual geben könnte, als zu lieben und gleichzeitig zu hassen.

Seinen Gefühlen nachspürend, wie es seine Gewohnheit war, und andauernd über seinen Zustand nachgrübelnd, gelangte Philip zu der Ansicht, daß er sich von seiner erniedrigenden Leidenschaft nur dadurch heilen konnte, indem er Mildred zu seiner Geliebten machte. Zwar wußte er, daß sie nichts für ihn empfand. Wenn seine Küsse drängender wurden, zog sie sich jedesmal von ihm zurück. Sie war kalt. Manchmal hatte er versucht, sie eifersüchtig zu machen, indem er von seinen Abenteuern in Paris erzählte. Aber diese Abenteuer interessierten sie nicht. Ein paarmal hatte er sich in der Teestube an einen anderen Tisch gesetzt und mit der Kellnerin, die ihn bediente, geflirtet; sie blieb vollkommen gleichgültig. Das war keine Komödie, seine Seitensprünge berührten sie nicht.

»Du bist doch nicht böse, daß ich mich heute an einen andern Tisch gesetzt habe«, fragte er einmal, als er sie zum Bahnhof begleitete. »Bei dir war kein Platz mehr.«

Das stimmte nicht, aber sie nahm es widerspruchslos hin. Er lechzte nach einem Wort des Vorwurfs. Es wäre Balsam für seine Wunden gewesen.

»Ich fände es überhaupt besser, wenn du nicht jeden Tag an demselben Tisch säßest.«

Aber je mehr er darüber nachdachte, desto fester wurde seine Überzeugung, daß er nur durch ihre restlose Hingabe Befreiung finden konnte. Er glich dem verzauberten Prinzen aus dem Märchen, der unablässig nach den Mitteln sucht, die ihm seine wahre und edle Gestalt wiedergeben können. Philip hatte nur eine Hoffnung. Mildred wünschte sich brennend, nach Paris zu fahren. Wie den meisten Engländern, schien es ihr das Zentrum des Vergnügens und der Mode: sie hatte vom Magasin du Louvre gehört, wo man den letzten Schrei um die Hälfte billiger als in London bekommen konnte; Freunde von ihr hatten die Flitterwochen in Paris verbracht und waren den ganzen Tag hindurch in diesem Kaufhaus gewesen; ›und sie und ihr Mann, mein Lieber, gingen die ganze Zeit über nie vor sechs Uhr in der Früh ins Bett; das *Moulin Rouge* und noch alles mögliche andere‹. Philip beachtete nicht, daß, ginge sie auf seinen Vorschlag ein, dies für sie nur der widerwillig bezahlte Preis für die Erfüllung ihres Wunsches wäre. Er kümmerte sich nicht darum, mit welchen Mitteln er seine Leidenschaft befriedigte. Er hatte sogar die verrückte, melodramatische Idee gehabt, sie mit einem Schlafmittel zu betäuben. Er hatte ihr mit Alkohol zugesetzt, aber Wein schmeckte ihr nicht; und obwohl sie wollte, daß er Champagner bestellte, weil dies gut aussähe, trank sie nie mehr als ein halbes Glas. Sie liebte es, ein volles Glas unberührt stehen zu lassen.

»Es zeigt dem Kellner, wer man ist«, sagte sie.

Er wählte einen Tag, an dem sie freundlicher und aufgeschlossener war als gewöhnlich. Ende März wollte er seine Anatomieprüfung ablegen. Eine Woche später kam Ostern, und Mildred würde drei volle Tage Ferien haben.

»Sag, könnten wir nicht miteinander nach Paris fahren?« fragte er, »das wäre doch herrlich, nicht?«

»Woher willst du das Geld nehmen? So eine Reise ist doch furchtbar teuer.«

Aber Philip hatte sich bereits alles überlegt. Es würde mindestens fünfundzwanzig Pfund kosten. Das war eine große Summe. Er war bereit, seinen letzten Penny zu opfern.

»Was liegt daran! Sag zu, Liebling!«

»Und sonst willst du nichts? Ich kann doch nicht mit einem Mann fahren, mit dem ich nicht verheiratet bin. So etwas solltest du gar nicht von mir verlangen.«

»Was liegt daran?«

Und er verbreitete sich über die Lockungen der Rue de la Paix und die grelle Pracht der *Folies Bergères*. Er schilderte den Louvre und den Bon Marché. Er erzählte Mildred vom *Cabaret du Néant*, vom *Jungle* und andern Vergnügungsstätten von Paris. Er malte ihr in glühenden Farben jene Seite von Paris aus, die er verabscheute. Er drängte sie, sich zu der Reise zu entschließen.

»Du behauptest immer, daß du mich liebst. Wenn das wirklich wahr wäre, würdest du mich heiraten. Aber davon hast du noch nie etwas gesagt.«

»Wie sollte ich auch? Ich bin doch erst im ersten Jahr. Ehe ich verdienen kann, brauche ich noch sechs Jahre.«

»Natürlich. Ich mache dir auch keinen Vorwurf daraus. Außerdem würde ich dich nie und nimmer heiraten, und wenn du mich auf den Knien darum bätest.«

Er hatte mehr als einmal ans Heiraten gedacht, aber es war ein Schritt, vor dem er zurückschreckte. In Paris hatte er sich angewöhnt, die Ehe als eine lächerliche, für Philister bestimmte Institution anzusehen. Er wußte auch, daß eine feste Bindung ihn ruinieren würde. Mit seinen tiefeingewurzelten bürgerlichen Begriffen fand er es unmöglich, eine Kellnerin zu heiraten. Es würde seine Karriere verderben. Überdies hatte er nur gerade noch Geld genug, um seine Studien zu Ende zu führen. Er konnte keine Frau erhalten, von Kindern gar nicht zu reden. Er dachte an Cronshaws verkommenes Weib und schauderte vor Entsetzen. Er stellte sich vor, was aus Mildred mit ihren vornehmen Ideen und ihrem gewöhnlichen Geist werden würde. Er konnte sie unmöglich heiraten. Aber nur sein Verstand urteilte so. Sein Gefühl sagte ihm, daß sie sein werden mußte, was immer es kostete; und wenn er sie nicht bekommen konnte, ohne sie zu heiraten, so würde er sich eben zur Ehe entschließen. Mochte es enden, wie es wollte, es war ihm gleich.

Er war von der Idee so sehr besessen, daß er an nichts anderes denken konnte, und er hatte eine ungewöhnliche Kraft, sich selbst von der Vernünftigkeit dessen, was er sich wünschte, zu überzeugen. Er schob alle sinnvollen Argumente, die ihm gegen die Ehe einfielen, beiseite. Von Tag zu Tag war er ihr leidenschaftlicher ergeben; aufgrund seiner unbefriedigenden Liebe wurde er aufgebracht und begann zu grollen.

›Wenn ich sie heirate, dann soll sie mir bezahlen, was ich für sie gelitten habe, bei Gott‹, sagte er sich.

Endlich konnte er die Qual nicht länger ertragen. Eines Abends, in dem kleinen Restaurant in Soho, in dem sie nun häufig Gäste waren, sprach er mit ihr.

»War es dein Ernst, daß du mich nicht heiraten würdest, wenn ich dich darum bäte?«

»Ja. Warum?«

»Weil ich ohne dich nicht leben kann. Ich brauche dich. Willst du mich heiraten?«

Sie hatte zu viele Romane gelesen, um nicht zu wissen, wie man sich in einem solchen Fall verhielt.

»Ich danke dir, Philip. Dein Antrag ehrt mich.«

»Ach, rede keinen Unsinn. Du willigst ein, ja?«

»Glaubst du denn, daß wir miteinander glücklich werden könnten?«

»Nein, aber was liegt daran?«

Die Worte entrangen sich ihm wider Willen. Mildred blickte ihn erstaunt an.

»Bist du ein komischer Mensch! Warum willst du mich dann heiraten? Neulich sagtest du, du könntest es dir nicht leisten.«

»Ich habe noch vierzehnhundert Pfund übrig. Zwei können ebenso billig leben wie einer. – Wir hätten also genug, bis ich meine Studien beendet habe. Nachher könnte ich eine Assistentenstellung annehmen.«

»Bis dahin müßten wir mit vier Pfund wöchentlich auskommen, nicht?«

»Mit etwas über drei. Das übrige brauche ich für meine Kollegiengelder.«

»Und was bekämst du als Assistent?«

»Drei Pfund wöchentlich.«

»Du mußt also sechs Jahre arbeiten und ein kleines Vermögen ausgeben, um schließlich drei Pfund wöchentlich zu verdienen? Da bin ich nicht besser dran als jetzt.«

Philip schwieg einen Augenblick.

»Du willst also nicht«, sagte er schließlich. »Meine große Liebe bedeutet dir nichts.«

»Man muß in solchen Dingen vernünftig sein. Ich hätte nichts dagegen, zu heiraten, aber nur, wenn ich meine Lage dadurch verbessere, sonst bleibe ich lieber ledig.«

»Wenn du mich lieb hättest, würdest du nicht nur ans Geld denken.«

»Vielleicht nicht.«

Er verstummte. Hastig, um das Würgen in seiner Kehle zu unterdrücken, trank er ein Glas Wein.

»Hast du das Mädchen gesehen, das eben zur Tür hinausgegangen ist?« fragte Mildred unvermittelt. »Den Pelz hat sie bei Bon Marché in Brixton gekauft. Ich habe ihn in der Auslage liegen sehen, als ich kürzlich vorbeigegangen bin.«

Philip lächelte grimmig.

»Worüber lachst du?« fragte sie. »Es ist wahr. Und damals habe ich zu meiner Tante gesagt, ich würde nichts kaufen, was in der Auslage gelegen ist, denn dann weiß jeder, wieviel ich dafür bezahlt habe.«

»Ich verstehe dich nicht. Du machst mich fürchterlich unglücklich, und im nächsten Augenblick redest du belangloses Zeug, das nichts mit dem zu tun hat, worüber wir sprechen.«

»Du bist gehässig«, antwortete sie gekränkt. »Ich kann nichts dafür, daß mir dieser Pelz aufgefallen ist, denn ich habe meiner Tante gesagt . . .«

»Ich kümmere mich verdammt wenig um das, was du zu deiner Tante gesagt hast«, unterbrach er sie ungeduldig.

»Ich wünschte, du würdest solche Ausdrücke vermeiden, wenn du mit mir sprichst, Philip. Du weißt, ich mag das nicht.«

Er lächelte ein wenig, aber seine Augen blickten verzweifelt. Eine Weile schwieg er. Finster schaute er zu ihr hinüber. Wie haßte, wie verachtete, wie liebte er sie!

»Wenn ich nur eine Spur von Verstand hätte«, sagte er schließlich, »würde ich dich nie mehr wiedersehen. Du ahnst nicht, wie tief ich mich wegen meiner Liebe zu dir verachte.«

»Ich finde es nicht gerade nett, daß du solche Dinge zu mir sagst«, war die unwillige Antwort.

»Nicht?« lachte er. »Laß uns in den Pavillon gehen!«

»Das Komische an dir ist, daß du zu lachen beginnst, wenn niemand es erwartet. Warum gehst du mit mir in den Pavillon, wenn ich dich so unglücklich mache? Ich bin durchaus bereit, nach Hause zu gehen.«

»Weil ich mit dir weniger unglücklich bin als ohne dich.«

»Ich möchte wissen, was du wirklich über mich denkst.«

Er lachte aus vollem Hals.

»Meine Liebe, wenn du das wüßtest, würdest du nicht mehr mit mir sprechen.«


Philip bestand die Anatomieprüfung nicht, die Ende März stattfand. Er und Dunsford hatten miteinander am Skelett gearbeitet, bis sie jedes Knöchelchen, jedes kleinste Gelenk des menschlichen Körpers auswendig wußten, aber im Prüfungssaal wurde Philip nervös und versagte bei den einfachsten Antworten aus lauter Angst, sie könnten falsch sein. Er wußte, daß er durchgefallen war, und nahm sich am nächsten Tag nicht einmal die Mühe, die Prüfungsresultate nachzusehen. Sein zweiter Mißerfolg reihte ihn endgültig unter die unfähigen und faulen Elemente seines Jahrganges ein.

Es lag ihm nicht viel daran. Er hatte an andere Dinge zu denken. Er sagte sich, daß Mildred Sinne hatte wie jede andere Frau und daß der Tag kommen mußte, an dem seine Beharrlichkeit belohnt wurde. Es handelte sich darum, die richtige Gelegenheit abzuwarten, die Beherrschung nicht zu verlieren und sich zu einer Art Hafen für Mildred zu machen, einer Zuflucht vor allen Ärgerlichkeiten ihres Lebens. Er erzählte ihr von den Beziehungen zwischen seinen Freunden in Paris und den schönen Damen, die sie bewunderten. Das Leben, das er beschrieb, hatte einen Zauber, eine unbeschwerte Fröhlichkeit, an der nichts Rohes war. Er griff Mildreds Vorurteile niemals direkt an, sondern suchte sie dadurch zu bekämpfen, daß er sie kleinbürgerlich nannte. Er ließ sich niemals durch ihre Unaufmerksamkeit stören noch durch ihre Gleichmütigkeit aus der Fassung bringen. Schien es ihm, daß er sie langweilte, so setzte er alles daran, sich liebenswürdig und unterhaltsam zu zeigen; er gestattete sich niemals, böse zu werden, er bat nie um etwas, er klagte nie, er schalt nie. Wenn sie Verabredungen traf und nicht einhielt, kam er ihr am nächsten Tage mit lächelndem Gesicht entgegen; entschuldigte sie sich, dann antwortete er, daß es nichts zu bedeuten habe. Er ließ sie niemals merken, daß sie ihm weh tat. Er war heroisch.

Obgleich er nie über die Veränderung in seinem Verhalten sprach und Mildred keine Notiz von ihr nahm, hatte sie doch eine gewisse Wirkung: Mildred kam mit all ihren Kümmernissen zu ihm, und mochte, was sie sagte, noch so banal sein – er wurde nie müde, ihr zuzuhören.

»Ich mag dich gern, wenn du nicht von Liebe mit mir sprichst«, meinte sie eines Tages.

»Das ist sehr schmeichelhaft für mich«, lachte er.

Sie ahnte nicht, wie schmerzlich ihn ihre Worte trafen und was für eine Anstrengung es ihn kostete, so unbekümmert zu antworten.

»Gott, es macht mir nichts, wenn du mir hie und da einen Kuß gibst. Mir tut es nicht weh, und dir macht es Vergnügen.«

Gelegentlich ging sie so weit, ihn zu bitten, abends mit ihr auszugehen, dann kannte seine Seligkeit keine Grenzen, weil die Anregung von ihr kam.

»Dir gegenüber kann ich mir das erlauben«, sagte sie gleichsam entschuldigend. »Ein anderer könnte es falsch auslegen.«

»Du könntest mir keine größere Freude machen«, war seine Antwort.

Eines Abends im April gingen sie auf ihren Vorschlag hin miteinander essen.

»Wo wollen wir nachher hingehen?« fragte er sie.

»Ach, laß uns einfach sitzen und plaudern. Es ist dir doch recht?«

»Das will ich meinen!«

Fast schien es, als finge sie an, ihn liebzugewinnen. Vor drei Monaten hätte es sie zu Tode gelangweilt, einen Abend mit ihm zu verplaudern. Es war ein schöner Tag, und der Frühling machte Philip noch froher. Er begnügte sich nun mit sehr wenig.

»Ach«, sagte er. »Ich freue mich ja so auf den Sommer. Jeden Sonntag wollen wir auf dem Fluß verbringen. Unser Essen nehmen wir mit.«

Sie lächelte leicht, und er wagte es, ihre Hand zu nehmen. Sie entzog sie ihm nicht.

»Jetzt hast du mich doch schon ein bißchen lieb, nicht?« lächelte er.

»Du Dummer. Wenn ich dich nicht lieb hätte, wäre ich nicht hier.«

Sie waren allmählich Stammgäste in dem kleinen Restaurant in Soho geworden, und die *patronne* lächelte ihnen zu, wenn sie hereinkamen. Der Kellner war voll Ehrerbietung.

»Laß *mich* heute das Essen bestellen«, sagte Mildred.

Philip fand sie bezaubernder denn je und reichte ihr die Speisekarte. Sie wählte ihre Lieblingsgerichte. Die Auswahl war klein, und sie hatten alles, was das Restaurant bieten konnte, viele Male durchgegessen. Philip war glücklich. Er schaute ihr in die Augen und verweilte bei der Vollkommenheit ihrer blassen Wangen. Nach dem Essen nahm Mildred ausnahmsweise eine Zigarette. Sie rauchte sehr selten.

»Es gefällt mir nicht, wenn Frauen rauchen«, sagte sie.

Sie zögerte einen Augenblick, dann sprach sie.

»Hat es dich überrascht, daß ich dich ersucht habe, mit mir heute abend essen zu gehen?«

»Es hat mich gefreut.«

»Ich habe dir etwas zu sagen, Philip.«

Er blickte schnell zu ihr hinüber, und sein Herz sank. Aber er hatte gelernt, sich zu beherrschen.

»Nun, los!« antwortete er.

»Aber du wirst hoffentlich nicht unvernünftig sein. Ich muß dir nämlich mitteilen, daß ich mich verheiraten werde.«

»Ach wirklich?« sagte Philip.

Es fiel ihm nichts anderes ein. Er hatte oft und oft an diese Möglichkeit gedacht und sich auszumalen versucht, was er tun und sagen würde. Er hatte Qualen gelitten bei dem Gedanken an die Verzweiflung, an die Raserei, die ihn ergreifen würde; er hatte sich vorgestellt, daß er Selbstmord begehen würde; aber vielleicht hatte er all diese Erschütterungen in der Phantasie zu oft durchlebt; was er nun fühlte, war nichts anderes als eine grenzenlose Erschöpfung. Es war ihm zumute wie während einer schweren Krankheit, wenn die Lebenskraft so geschwächt ist, daß es einem gleichgültig ist, ob man gesund wird oder nicht, und man nur in Ruhe gelassen werden möchte.

»Ich muß an die Zukunft denken, siehst du. Schließlich bin ich vierundzwanzig Jahre alt, und es ist Zeit, daß ich mich häuslich einrichte.«

Er antwortete nicht. Er schaute die *patronne* an, die hinter der Theke saß, und seine Augen blieben auf der roten Feder haften, die eine von den Besucherinnen im Hut stecken hatte. Mildred war pikiert.

»Du könntest mir gratulieren«, sagte sie.

»Ja, vielleicht. Aber ich habe es noch nicht begriffen. Wen heiratest du denn eigentlich?«

»Miller«, antwortete sie, leise errötend.

»Miller?« rief Philip verblüfft. »Aber du hast ihn doch seit Monaten nicht mehr gesehen.«

»Er ist vorige Woche plötzlich wieder aufgetaucht und hat mir seinen Antrag gemacht. Er verdient sehr gut. Sieben Pfund die Woche, und Aussicht auf Erhöhung.«

Wiederum schwieg Philip. Er erinnerte sich, daß sie Miller immer gerne gemocht hatte; er verstand es, sie zu unterhalten, sein Ausländertum hatte etwas Exotisches für sie.

»Wahrscheinlich mußte es so kommen«, sagte er schließlich. »Der Meistbietende hat den Sieg davongetragen. Wann gedenkst du zu heiraten?«

»Nächsten Samstag. Ich habe bereits gekündigt.«

Philip spürte einen Stich im Herzen.

»So bald schon?«

»Wir werden auf dem Standesamt heiraten. Es ist Emil lieber.«

Philip fühlte sich furchtbar müde. Er hatte das Verlangen, von ihr wegzukommen. Er wollte sofort zu Bett gehen und rief nach der Rechnung.

»Ich setze dich in eine Droschke, und du fährst zum Victoriabahnhof. Sicherlich wirst du nicht lange auf einen Zug warten müssen.«

»Begleitest du mich nicht?«

»Ich möchte lieber gleich nach Hause gehen, wenn es dir nichts ausmacht.«

»Wie du willst«, antwortete sie hochmütig. »Dann sehe ich dich morgen nachmittag.«

»Nein, wir wollen lieber gleich einen Schlußpunkt machen. Wozu sollen wir einander quälen. Die Droschke ist bezahlt.«

Er nickte ihr zu und zwang ein Lächeln auf seine Lippen. Dann sprang er auf einen Omnibus. Vor dem Zubettgehen rauchte er noch eine Pfeife, aber er konnte kaum die Augen offenhalten. Er litt nicht. Kaum hatte sein Kopf das Kissen berührt, fiel er in einen schweren Schlaf.

Aber gegen drei Uhr früh erwachte Philip und konnte nicht wieder einschlafen. Seine Gedanken gingen zu Mildred. Er wehrte sich dagegen, aber sie ließen sich nicht verscheuchen. Er wiederholte sich immer und immer wieder das gleiche, bis ihm der Kopf schwirrte. Natürlich mußte Mildred einmal heiraten. Das Leben war schwer für ein Mädchen, das sich seinen eigenen Lebensunterhalt zu verdienen hatte. Warum sollte sie nicht zugreifen, wenn sie jemanden fand, der ihr ein behagliches Heim bot? Philip sah ein, daß für sie eine Heirat mit ihm Wahnsinn gewesen wäre. Liebe allein hätte solche Armut erträglich machen können, und sie liebte ihn nicht. Es war nicht ihre Schuld, es war eine Tatsache und mußte als Tatsache hingenommen werden. Philip suchte sich Vernunft einzureden. Er sagte sich, daß letztlich verletzter Stolz im Spiele war; seine Leidenschaft hatte mit gekränkter Eitelkeit angefangen, und das war zum großen Teil auch jetzt der Grund, warum er sich so elend fühlte. Er verachtete sich selbst, wie er sie verachtete. Dann entwarf er Zukunftspläne, immer wieder die gleichen, zwischendurch tauchten Erinnerungen auf an ihre weichen blassen Wangen und an den Klang ihrer Stimme mit dem etwas schleppenden Akzent. Er hatte eine Menge Arbeit vor sich, da ihm im Sommer außer den beiden Examen, bei denen er schon einmal durchgefallen war, auch noch das Physikum bevorstand. Von seinen Freunden im Krankenhaus hatte er sich getrennt, jetzt aber sehnte er sich nach Gesellschaft. Es traf sich glücklich, daß Hayward ihm vor vierzehn Tagen geschrieben hatte, er käme durch London. Er hatte ihn zum Essen eingeladen, aber Philip hatte damals abgesagt, weil er nicht gestört sein wollte. Er hatte jedoch die Absicht, zum Semesteranfang wieder nach London zurückzukommen. Philip entschloß sich, ihm zu schreiben.

Er war froh, als es acht schlug und er aufstehen konnte. Er war blaß und übernächtig. Aber nachdem er gebadet, sich angezogen und gefrühstückt hatte, sah er wieder mit freundlicheren Augen in die Welt. Der Schmerz schien leichter zu ertragen. Es war ihm nicht danach zumute, an diesem Morgen die Vorlesungen zu besuchen; statt dessen ging er ins Warenhaus, um für Mildred ein Hochzeitsgeschenk zu besorgen. Nach langem Hin und Her entschied er sich für ein Reisenécessaire. Es kostete zwanzig Pfund – eigentlich weit mehr, als er sich leisten konnte –, aber es stellte etwas vor, und es war so recht nach ihrem ordinären Geschmack: er wußte, daß sie sofort abschätzen würde, wieviel es kostete; es bereitete ihm eine etwas melancholische Genugtuung, ihr etwas zu schenken, was ihr Vergnügen bereitete und gleichzeitig der heimliche Ausdruck seiner Verachtung für sie war.

Philip hatte dem Tag, an dem Mildred sich verheiraten sollte, mit Furcht entgegengesehen. Wie qualvoll würde es für ihn sein! Um so erleichterter war er, als er am Samstagmorgen einen Brief von Hayward erhielt, in dem dieser ihm mitteilte, daß er heute früh nach London zurückkäme. Philip sah im Fahrplan nach und stellte fest, daß Hayward nur mit einem bestimmten Zuge eintreffen konnte; er ging also zum Bahnhof, um ihn abzuholen. Die beiden Freunde feierten ein überschwengliches Wiedersehen. Sie ließen das Gepäck auf dem Bahnhof und liefen fröhlich los. Natürlich schlug Hayward vor, zuerst einmal auf eine Stunde in die National Gallery zu gehen. Sie wandelten durch die Galerie und zeigten sich gegenseitig ihre Lieblingsbilder. Sie unterhielten sich lebhaft, ein Thema führte zum andern. Die Sonne schien, und die Luft war milde.

»Komm, wir setzen uns jetzt in den Park«, sagte Hayward. »Wir können nach dem Essen auf Zimmersuche gehen.«

Es war jetzt im Frühling dort sehr schön, ein Tag, an dem man es einfach gut findet zu leben. Das junge Grün der Bäume hob sich wunderbar vom Himmel ab: und der blaßblaue Himmel war mit weißen Wolken gesprenkelt. Hinter den Ziergewässern erhob sich die graue Masse des Marstalls. Die Szenerie wirkte in ihrer sorgfältig geordneten Eleganz reizvoll wie ein Bild aus dem achtzehnten Jahrhundert. Sie erinnerte nicht an Watteau, dessen Landschaften so idyllisch sind, daß sie nur die bewaldeten Hänge, die man von Träumen her kennt, ins Gedächtnis zurückrufen, sondern an den prosaischeren Jean-Baptiste Pater. Philip wurde das Herz leicht. Es ging ihm auf, daß Kunst, wie er erst kürzlich gelesen hatte – und die Art und Weise, wie er die Natur betrachtete, hatte etwas von Kunst – die Kraft besaß, die Seele vom Schmerz zu befreien.

Sie gingen zum Lunch in ein italienisches Restaurant und bestellten eine Flasche Chianti. Sie ließen sich Zeit beim Essen und setzten ihre Gespräche fort. Sie brachten sich gegenseitig Leute in Erinnerung, die sie in Heidelberg gekannt hatten, sie sprachen über Philips Freunde in Paris, sie unterhielten sich über Bücher, Bilder, über die Moral und das Leben; plötzlich hörte Philip eine Uhr drei schlagen. Nun war Mildred also bereits verheiratet. Es fuhr ihm wie ein Stich durchs Herz, eine oder zwei Minuten lang hörte er nicht mehr, was Hayward sagte. Aber er füllte sein Glas mit Chianti. Er war an Alkohol nicht gewöhnt, und dieser stieg ihm zu Kopf. Mit der Zeit jedenfalls vergaß er seinen Kummer. Sein lebhafter Geist war so viele Monate lang brachgelegen, daß er von den Gesprächen nun wie berauscht war. Er war dankbar, jemanden zu haben, mit dem er sich über gemeinsame Interessen unterhalten konnte.

»Ich glaube, wir sollten diesen schönen Tag nicht mit der Zimmersuche vertrödeln. Ich werde dich am Abend bei mir aufnehmen. Du kannst morgen oder am Montag nach einem Zimmer suchen.«

»Ist gut. Was werden wir unternehmen?« antwortete Hayward.

»Wir wollen mit einem kleinen Dampfer nach Greenwich fahren.«
Hayward war damit einverstanden, und sie sprangen in einen Wagen, der sie zur Westminsterbrücke brachte. Sie betraten das Dampfschiff knapp bevor es abfuhr. Bald darauf sagte Philip mit einem Lächeln auf den Lippen:

»Ich erinnere mich, als ich das erstemal nach Paris kam, da hielt, ich glaube, es war Clutton, eine lange Rede darüber, daß die Dinge ihre Schönheit durch Maler und Dichter erhalten. Sie erschaffen die Schönheit. Für sie gibt es keine Wahl zwischen dem Campanile von Giotto und einem Fabriksschornstein. Und dann entstehen schöne Dinge, reich an Gefühlen, die sie in nachfolgenden Generationen wecken. Darum sind alte Sachen schöner als moderne. Die *Ode an eine griechische Urne* ist nun lieblicher als zu dem Zeitpunkt, an dem sie geschrieben worden ist, weil sie hundert Jahre hindurch immer wieder von Liebenden gelesen worden ist und so manches kranke Herz in ihren Zeilen Trost gefunden hat.«

Philip ließ Hayward den Schluß ziehen, warum ihm in der vorüberziehenden Landschaft diese Worte in den Sinn gekommen waren; und es war erfreulich zu wissen, daß er sicher imstande sein würde, den Schluß zu ziehen. Es war eine plötzliche Reaktion auf das Leben, das er so lange geführt hatte, daß er nun so tief bewegt war. Das zarte Schillern der Londoner Luft verlieh dem grauen Stein der Bauwerke die Sanftheit eines Pastellbildes; und in den Anlegeplätzen und den Lagerhäusern lag die ernsthafte Anmut japanischer Drucke. Sie fuhren weiter hinunter, und der prächtige Kanal, ein Symbol des großen Reiches, wurde breiter und war voll von Verkehr; Philip dachte an die Maler und die Dichter, die all diese Dinge so schön gemacht hatten, und sein Herz war von Dankbarkeit erfüllt. Sie kamen zum Londoner Hafen. Wer kann dessen Majestät beschreiben? Der Anblick läßt einen erschauern, und der Himmel weiß, was die Menschen noch an dem breiten Strom erbauen werden. Mit leuchtenden Augen wandte sich Philip Hayward zu:

»Guter Charles Dickens«, murmelte er und lächelte ein wenig über seine Rührung.

»Tut es dir noch leid, daß du die Malerei an den Nagel gehängt hast?« fragte Hayward.

»Nein.«

»Du bist also gern Arzt?«

»Im Gegenteil. Es ist mir zuwider; aber was sollte ich sonst tun? Die Plackerei während der ersten beiden Jahre ist schrecklich, und leider bringe ich kein besonderes Interesse für wissenschaftliche Arbeit mit.«

»Man kann auch schließlich nicht immer von einem Beruf in den anderen springen.«

»Nein, sicher nicht. Ich bleibe bei meinem. Ich glaube, es wird mir viel mehr Freude machen, wenn ich erst einmal im Hospital arbeiten kann. Ich habe so ein Gefühl, daß mein stärkstes Interesse Menschen gilt. Und soweit ich es überblicken kann, ist der Beruf eines Arztes der einzige, in dem man seine Freiheit hat. Das, was man wissen muß, trägt man bei sich, im Kopf. Ein Instrumentenköfferchen, ein paar Medizinen, und dann kann man seinen Lebensunterhalt verdienen, wo man Lust hat.«

»Willst du dir denn keine Praxis einrichten?«

»Fürs erste jedenfalls noch nicht«, antwortete Philip. »Sobald ich meine Praktikantenzeit im Hospital hinter mir habe, sehe ich zu, daß ich eine Stellung als Schiffsarzt bekomme. Ich möchte nach dem Fernen Osten – dem Malaiischen Archipel, Siam, China oder so. Und dann nehme ich die Arbeit an, die sich gerade bietet. Es gibt immer etwas, Choleradienst in Indien – was weiß ich. Ich möchte die Welt kennenlernen. Dazu ist die einzige Möglichkeit für einen Menschen, der kein Geld besitzt, der ärztliche Beruf.«

Dann kamen sie nach Greenwich. Das vornehme Gebäude von Inigo Jones stand mächtig am Ufer des Flusses.

Sie streiften im Park umher. Zerlumpte Kinder spielten darin, und es war laut von ihrem Geschrei; hier und dort sonnten sich alte Seemänner. Es war, als wäre die Zeit hier vor hundert Jahren stehengeblieben.

»Ist es nicht schade, daß du zwei Jahre in Paris vertan hast?« sagte Hayward.

»Vertan? Sieh dir die Bewegungen dieses Kindes an, sieh dir die Muster an, die die Sonne auf den Boden zeichnet, wenn sie durch die Bäume scheint, sieh dir den Himmel an – ich hätte diesen Himmel niemals gesehen, wäre ich nicht in Paris gewesen.«

Hayward dachte, Philip sei ein Snob geworden, und sah ihn erstaunt an. »Was ist los mit dir?«

»Nichts. Es tut mir leid, daß ich so verdammt gefühlvoll bin, aber seit sechs Monaten hungere ich nach Schönheit.«

»Du scheinst immer so sachlich. Es ist sehr interessant, dich das sagen zu hören.«

»Zum Teufel, ich will nicht interessant sein«, lachte Philip. »Komm, wir wollen Tee trinken gehen.«


Haywards Besuch kam Philip sehr zu Hilfe. Seine Gedanken beschäftigten sich immer weniger mit Mildred. Er konnte nur mit Ekel an das, was hinter ihm lag, zurückdenken. Er begriff nicht, wie er einer solch schmählichen Liebe hatte erliegen können; wenn er an

Mildred dachte, geschah es nur mit dem Gefühl der Wut, denn sie war die Ursache seiner Erniedrigung und Demütigung. Alles, was in ihrer Persönlichkeit und in ihrem Benehmen mangelhaft war, nahm nun in der Phantasie übersteigerte Formen an. Er mußte sich schütteln bei dem bloßen Gedanken, daß er je etwas mit ihr zu tun gehabt hatte.

›Das zeigt wieder einmal, wie verdammt schwach ich bin‹, sagte er sich. Sein Grauen über das entwürdigende Erlebnis, das er durchgemacht hatte, kam ihm jetzt zu Hilfe. Wie eine Schlange warf er die alte Haut ab. Er triumphierte, daß er sich wieder zurückgewonnen habe. Er merkte nun erst, wie viele Freuden ihm entgangen waren, solange er in dem Irrsinn steckte, den man Liebe nennt. Er hatte es satt. Wenn das die Liebe war, so wollte er nichts mehr von Liebe wissen. Philip erzählte Hayward einiges von dem, was er durchgemacht hatte.

»War es nicht Sophokles«, fragte er, »der gebetet hat, die Zeit möge kommen, wo die wilden Tiere der Leidenschaft nicht mehr sein Herz zerreißen?«

Philip war wirklich wie neugeboren. Er sog die Luft mit tiefen Zügen ein, als hätte er sie noch nie zuvor geatmet. Jede Kleinigkeit bereitete ihm ein kindliches Vergnügen. Er nannte die Zeit seiner Vernarrtheit sechs Monate Zuchthaus.

Ein paar Tage nach Haywards Ankunft erhielt Philip eine Einladungskarte zur privaten Besichtigung einer Gemäldeausstellung. Er nahm Hayward mit und sah beim Durchblättern des Kataloges, daß Lawson ein Bild auf der Ausstellung hatte.

»Vermutlich hat er die Karte geschickt«, sagte Philip. »Komm, wir wollen uns nach ihm umsehen; er steht sicher vor seinem Bild.«

Das Bild, ein Porträt von Ruth Chalice im Profil, war in einem Winkel untergebracht; Lawson stand nicht weit davon. In dem Gedränge der modisch gekleideten Menschen, die sich hier zusammengefunden hatten, sah Lawson mit seinem großen weichen Hut und dem lose hängenden hellen Anzug ein bißchen verloren aus. Er begrüßte Philip selig und erzählte sofort mit der ihm eigenen Redseligkeit, daß er in London bleiben werde, daß Ruth Chalice ein liederliches Frauenzimmer sei, daß er ein Atelier gemietet habe, mit Paris sei es aus, er habe einen Auftrag für ein Porträt erhalten und ob sie nicht lieber zusammen essen gehen und plaudern sollten wie ehedem. Philip fragte ihn, ob er sich Haywards nicht erinnere. Es belustigte ihn, daß Lawson sich doch ein wenig von Haywards elegantem Anzug und seinen großartigen Umgangsformen imponieren ließ. Sie standen ihm jetzt besser als damals in dem schäbigen kleinen Atelier, in dem Lawson und Philip gemeinsam gehaust hatten.

Während des Essens fuhr Lawson mit der Erzählung seiner Neuigkeiten fort. Flanagan war nach Amerika zurückgekehrt. Clutton war verschwunden. Er war zu der Überzeugung gekommen, daß man nichts erreiche, solange man mit Künstlern und Kunstbetrieb in Berührung bleibe. Das einzig Richtige sei, einfach wegzugehen. Um sich selbst diesen Schritt zu erleichtern, hatte er sich mit allen Freunden gezankt. Er entwickelte ein regelrechtes Talent, ihnen die Wahrheit zu sagen, so daß sie nicht mehr erschüttert waren, als er ihnen dann mitteilte, er sei mit der Stadt endgültig fertig und werde nach Gerona übersiedeln, einem kleinen Städtchen in Nordspanien, das er einmal von der Bahn aus auf dem Weg nach Barcelona gesehen und das ihn gleich angezogen habe. Er wohnte dort jetzt ganz für sich allein.

»Ich bin neugierig, ob aus ihm etwas wird«, sagte Philip.

Er war an der menschlichen Seite dieses Kampfes interessiert, etwas ausdrücken zu wollen, das im Bewußtsein des Mannes so unklar war, daß er krank und mürrisch wurde. Philip fühlte undeutlich, daß er sich in der gleichen Lage befand, aber bei ihm war es die gesamte Lebensführung, die ihn verwirrte. Er wußte nicht genau, was er mit seinen Ausdrucksmitteln anfangen sollte. Aber er hatte keine Zeit, diese Gedankengänge fortzusetzen, denn Lawson sprudelte die Geschichte seiner Affäre mit Ruth Chalice hervor. Sie hatte ihn eines jungen Studenten wegen verlassen, der gerade von England gekommen war, und verhielt sich schändlich. Lawson dachte wirklich daran, jemand sollte eingreifen und den jungen Mann retten. Sie würde ihn ruinieren. Philip erkannte, daß Lawson hauptsächlich deshalb klagte, weil der Bruch zu einer Zeit stattgefunden hatte, als er ein Porträt von ihr erst zur Hälfte gemalt hatte.

»Frauen haben kein Gefühl für Kunst«, sagte er. »Sie geben nur vor, eines zu haben.« Aber er schloß mit der weisen Bemerkung: »Jedenfalls habe ich vier Porträts von ihr gemalt, und ich bin nicht sicher, ob das letzte, an dem ich gearbeitet habe, ein Erfolg geworden wäre.«

Philip beneidete ihn, weil er seine Liebesaffären so leicht nahm. Er hatte angenehme achtzehn Monate verbracht, hatte umsonst ein ausgezeichnetes Modell gehabt und hatte sich von ihr ohne großen Schmerz getrennt.

»Und wie steht's mit Cronshaw?« fragte Philip.

»Oh, der ist erledigt«, antwortete Lawson mit der Gleichgültigkeit seiner Jugend. »Der macht es nicht mehr länger als sechs Monate. Er hat sich im vorigen Winter eine Lungenentzündung geholt. Er hat sieben Wochen in einem englischen Krankenhaus gelegen. Bei der Entlassung hat man ihm gesagt, daß es nur besser werden kann, wenn er mit dem Trinken aufhört.«

»Armer Teufel«, lächelte Philip, der selbst sehr enthaltsam war.

»Er hat es eine Zeitlang versucht. Zu den *Lilas* ging er trotzdem, davon konnte er nicht lassen; aber er trank nur heiße Milch *avec de la fleur d'oranger*; stumpf und langweilig war er dabei.«

»Das habt ihr ihn natürlich spüren lassen.«

»Ach, das hat er selber gewußt. Nun hat er vor kurzem wieder mit Whisky angefangen. Er sagte, er wäre zu alt, um ein neues Blatt aufzuschlagen. Lieber wollte er sechs Monate glücklich sein und dann sterben, anstatt noch fünf Jahre lang dahinzuvegetieren. Außerdem ist es ihm, glaube ich, in letzter Zeit furchtbar schlecht gegangen. Während er krank war, hat er nichts verdient, und die Schlampe, mit der er zusammenlebt, hat ihm die Hölle heiß gemacht.«

»Ich erinnere mich, wie ich ihn das erstemal traf und wie sehr ich ihn bewunderte«, sagte Philip. »Es ist widerlich, daß nur die ganz gemeine Mittelklassenbravheit sich lohnt.«

»Nun, schließlich war er ein verkommenes Subjekt. Es war klar, daß er einmal vor die Hunde gehen würde«, sagte Lawson.

Philip kränkte es, daß Lawson die Tragik daran nicht sah. Natürlich war es nur der gewöhnliche Ablauf von Ursache und Wirkung, aber in der Gesetzmäßigkeit, mit der die eine auf die andere folgt, liegt schließlich die ganze Tragik des Lebens.

»Ach, beinahe hätte ich's vergessen«, sagte Lawson. »Kurz nachdem du fort warst, hat er ein Geschenk für dich herübergeschickt. Ich dachte, du würdest zurückkommen, deshalb habe ich mich nicht weiter darum gekümmert. Ich konnte mir übrigens auch nicht vorstellen, daß es sich lohnen würde, es nachzuschicken. Aber es kommt jetzt mit meinen übrigen Sachen nach London, und dann kannst du es einmal abholen, wenn du Lust hast.«

»Du hast mir noch nicht gesagt, was es ist.«

»Ach, nur ein zerlumptes Stück Teppich. Ich glaube nicht, daß es den geringsten Wert hat. Ich habe ihn später einmal gefragt, warum er dieses dreckige Ding eigentlich geschickt habe. Er hätte es gelegentlich in einem Laden in der Rue de Rennes gesehen, hat er gesagt, und da habe er es für fünfzehn Franken gekauft. Es scheint ein persischer Teppich zu sein. Er sagte noch, du hättest ihn einmal nach dem Sinn des Lebens gefragt, und das sei die Antwort darauf. Aber er war furchtbar betrunken.«

Philip lachte.

»O ja, ich weiß. Ich werde ihn nehmen. Es war eine seiner Lieblingsbemerkungen. Er sagte, ich müßte die Antwort selbst herausfinden, sonst wäre sie bedeutungslos.«


Philip arbeitete gut und leicht; er hatte eine Menge zu tun, und das Leben schien ihm wieder angenehm. Er schloß eine neue Freundschaft. Lawson hatte auf der Suche nach Modellen ein Mädchen entdeckt, das beim Theater war und Rollen studierte, um einspringen zu können, wenn einmal eine Schauspielerin krank war. Um sie leichter dazu zu bewegen, daß sie ihm einmal Modell stünde, arrangierte er eines Sonntags eine kleine Tischgesellschaft. Sie brachte sich eine Anstandsdame mit, und Philip wurde als vierter eingeladen, um diese Frau zu unterhalten. Es wurde ihm sehr leicht, denn es stellte sich heraus, daß sie eine angenehme Plaudertasche war und amüsant erzählen konnte. Sie lud Philip ein, sie einmal aufzusuchen; sie wohne am Vincent Square und sei stets gegen fünf zum Tee zu Hause. Er ging hin, war entzückt von der Art, wie er empfangen wurde, und ging wieder hin. Mrs. Nesbit war erst fünfundzwanzig Jahre alt, sehr klein, mit einem häßlichen, aber angenehmen Gesicht. Sie hatte leuchtende Augen, hervortretende Backenknochen und einen breiten Mund. Der scharfe Gegensatz der Farben erinnerte irgendwie an das Bild eines der modernen französischen Maler: ihre Haut war sehr hell, ihre Wangen sehr rot, ihre dichten Augenbrauen, ihr Haar waren sehr schwarz. Die Gesamtwirkung war eigenartig, ein bißchen unnatürlich – aber keineswegs unangenehm. Sie hatte sich von ihrem Mann getrennt und verdiente ihren Lebensunterhalt für sich und ihr Kind durch das Schreiben von Groschenromanen. Ein oder zwei Verleger hatten eine Spezialität aus diesen Dingern gemacht, und sie hatte so viel zu tun, wie sie nur schaffen konnte. Die Arbeit wurde schlecht bezahlt – sie bekam fünfzehn Pfund für eine solche Geschichte von dreißigtausend Worten –, aber sie war zufrieden damit.

»Immerhin«, sagte sie, »die Leser brauchen nur zwei Pennies dafür zu bezahlen, und sie hören immer wieder gern die gleichen Geschichten. Ich erfinde neue Namen, und das ist alles. Wenn es mich einmal langweilt, denke ich an die Wäsche und die Miete und die Kleider für die Kleine, und dann mache ich weiter.«

Außerdem hatte sie als Statistin bei mehreren Theatern zu tun, was, solange es Arbeit gab, auch noch fünfzehn Shillinge bis eine Guinee wöchentlich einbrachte. Nach getanem Tagewerk war sie dann so müde, daß sie wie ein Murmeltier schlief. Sie verstand es, das Leben zu meistern, obgleich es nicht leicht für sie war. Mit ihrem ausgeprägten Sinn für Humor fand sie bei allem Verdrießlichen noch immer Spaßhaftes. Manchmal wollte es nicht klappen, dann war sie ganz ohne Geld; zu solchen Zeiten wanderten ihre kleinen Besitztümer ins Leihhaus an der Vauxhall Bridge Road. Sie aß dann so lange einfache Butterbrote, bis wieder bessere Zeiten kamen. Dabei verlor sie nie ihre Heiterkeit.

Ihr bewegtes Leben interessierte Philip, und sie brachte ihn mit den phantastischen Erzählungen ihrer Kämpfe zum Lachen. Er fragte sie, warum sie sich nicht einmal in literarischen Arbeiten von etwas höherem Niveau versuchte, aber sie wußte, daß sie kein Talent hatte, und das fürchterliche Zeug, das sie – in Tausenden von Worten –

produzierte, wurde nicht nur erträglich bezahlt, sondern war auch das Beste, was sie leisten konnte. Ihr Leben würde immer nur eine Fortsetzung des Lebens, das sie jetzt führte, sein – nirgendwo war ein Hoffnungsschimmer, daß es einmal anders werden könnte. Sie schien keine Verwandten zu haben, und ihre Freunde waren so arm wie sie selbst.

»Ich denke nicht an die Zukunft«, sagte sie. »Solange ich genug Geld habe, um für die nächsten drei Wochen Miete zu zahlen, und ein oder zwei Pfund extra zum Leben, mache ich mir nicht den Kopf schwer. Das Dasein wäre überhaupt nicht mehr lebenswert, wenn ich mir nicht nur über die Gegenwart, sondern auch noch um die Zukunft Sorgen machen wollte. Wenn's am schlimmsten ist, kommt plötzlich doch noch immer etwas.«

Es wurde Philip bald zur Gewohnheit, täglich zum Tee zu ihr zu gehen; damit seine Besuche sie nicht in Verlegenheit bringen sollten, nahm er je nachdem einen Kuchen, ein Pfund Butter oder etwas Tee mit. Sie nannten sich schließlich beim Vornamen. Weibliche Anteilnahme war ihm neu, und er war selig, daß er jemanden hatte, der willens war, auf seine Kümmernisse einzugehen. Sie war ein entzückender Kamerad. Unwillkürlich verglich er sie mit Mildred, und er stellte die bockige Dummheit der einen, die für nichts, wovon sie nichts wußte, Interesse hatte, der schnellen Auffassungsfähigkeit und Klugheit der andern gegenüber. Sein Herz zog sich zusammen, wenn er daran dachte, daß er sein Leben an das einer Frau wie Mildred hätte binden können. Eines Abends erzählte er Norah die ganze Geschichte seiner Liebe. Sie war nicht dazu angetan, ihm viel Grund zu Selbstachtung zu geben, es war deshalb besonders nett, wie sie es aufnahm.

»Das hast du, glaube ich, nun hinter dir«, sagte sie, als er mit seiner Erzählung fertig war.

Sie hatte manchmal eine spaßige Art, den Kopf wie ein Scotch-Terrier auf die Seite zu legen. Sie saß auf einem geraden Stuhl und nähte; denn sie hatte keine Zeit zum Nichtstun, und Philip hatte es sich ihr zu Füßen bequem gemacht.

»Ich kann dir gar nicht sagen, wie von Herzen dankbar ich bin, daß das nun vorbei ist«, seufzte er.

»Armer Kerl, du mußt eine scheußliche Zeit durchgemacht haben«, sagte sie leise, und um ihre Anteilnahme deutlicher zu zeigen, legte sie ihm die Hand auf die Schulter.

Er nahm sie und küßte sie, aber sie zog sie schnell zurück.

»Warum hast du das getan?« fragte sie errötend.

»Hast du etwas dagegen?«

Sie sah ihn einen Augenblick mit blinkenden Augen an und lächelte.

»Nein«, sagte sie.

Er erhob sich auf die Knie und sah ihr ins Gesicht. Sie blickte ihm gerade in die Augen, ihr breiter Mund zitterte.

»Also?« sagte sie.

»Weißt du, du bist ein famoser Kerl. Ich bin dir so dankbar dafür, daß du so nett zu mir bist. Ich habe dich so gern.«

»Sei kein Idiot«, sagte sie.

Philip griff sie bei den Ellbogen und zog sie zu sich. Sie leistete keinen Widerstand, sondern beugte sich ein wenig vor, und er küßte ihre roten Lippen.

»Warum hast du das getan?« fragte sie wieder.

»Weil es angenehm ist.«

Sie antwortete nicht, aber ein zärtlicher Ausdruck kam in ihre Augen, und sie strich ihm weich mit der Hand über das Haar.

»Weißt du, es ist schrecklich töricht von dir, daß du das tust. Wir waren so gute Freunde. Es wäre so schön, wenn es dabei bliebe.«

»Wenn es dir wirklich daran liegt, mein besseres Ich anzurufen«, entgegnete Philip, »wäre es richtig, wenn du solange aufhörtest, mir die Wange zu streicheln.«

Sie lachte, halb unterdrückt, auf; aber sie fuhr dennoch fort, ihn zu streicheln.

»Es ist sehr unrecht von mir, nicht wahr?« sagte sie.

Philip blickte ihr, überrascht und leicht belustigt, in die Augen. Sie wurden unter seinen Blicken weich und sanft, ein Ausdruck lag darin, der ihn entzückte. Sein Herz regte sich, und plötzlich traten ihm die Tränen in die Augen.

»Norah, du liebst mich nicht – oder doch?« fragte er ungläubig.

»Du kluger Junge, was du doch für dumme Fragen stellst.«

»Ach, du Liebe, daran habe ich nie gedacht.«

Er warf die Arme um sie und küßte sie; sie ergab sich unter Lachen, Erröten und Weinen willig seiner Umarmung.

Dann ließ er sie auf einmal los, hockte sich auf die Fersen und sah sie voll Verwunderung an.

»Da hört doch alles auf!« sagte er.

»Wieso?«

»Ich bin so überrascht.«

»Angenehm?«

»Natürlich«, rief er aus vollem Herzen. »Ich bin so stolz und so glücklich und so dankbar.«

Er nahm ihre Hand und bedeckte sie mit Küssen. Es war der Anfang eines Glückes für Philip, das so echt wie dauerhaft schien. In ihrer Liebesbeziehung blieben sie dennoch Freunde. Norah besaß einen mütterlichen Instinkt, der von der Liebe zu Philip befriedigt wurde. Sie brauchte jemanden zum Verhätscheln, zum Schelten, zum Betreuen; sie war häuslich, und es bereitete ihr Freude, sich um seine

Gesundheit und um seine Wäsche zu kümmern. Sie hatte Mitleid mit seiner Verkrüppelung, deretwegen er so empfindlich war, und ihr Mitleid wurde instinktiv zur Zärtlichkeit. Sie war jung, kräftig und gesund, und es schien ihr ganz natürlich, ihm ihre Liebe zu schenken. Sie war hochherzig und hatte eine fröhliche Seele. Sie mochte Philip gerne, weil er mit ihr über all die komischen Dinge lachte, die sie im Leben aufspürte. Vor allem aber hatte sie ihn gern, weil er eben er war.

Als sie ihm das sagte, antwortete er fröhlich:

»Unsinn. Du magst mich gern, weil ich so schweigsam bin und nicht ebenfalls reden will.«

Philip liebte sie nicht. Er mochte sie außerordentlich gern, er war gern mit ihr zusammen und hörte ihren Gesprächen belustigt und mit Interesse zu. Sie stellte seinen Glauben an sich selbst wieder her und legte heilenden Balsam auf sein verwundetes Herz. Er fühlte sich mächtig geschmeichelt, weil sie ihn gern mochte. Er bewunderte ihren Mut, ihren Optimismus, die Art, wie sie ihrem Schicksal keck die Stirne bot. Sie hatte sich eine eigene kleine Lebensphilosophie zurechtgemacht, naiv und praktisch.

»Weißt du, ich glaube nicht an Kirchen und Pfarrer und all das«, sagte sie, »aber ich glaube an Gott, und ich glaube, daß es Ihm nicht viel ausmacht, was du tust, wenn du dich nur tapfer durchschlägst und jemandem aus Schwierigkeiten hilfst, wo du kannst. Und ich finde, daß die Menschen im allgemeinen recht nett sind, und die, die es nicht sind, tun mir leid.«

»Und was kommt nachher?« fragte Philip.

»Ach, nun ... Das weiß ich nicht so genau« – sie lächelte –, »aber ich hoffe das Beste. Und jedenfalls wird dort keine Miete zu bezahlen und werden keine Romane zu schreiben sein.«

Sie hatte die weibliche Gabe unaufdringlicher, zarter Schmeichelei. Sie fand, daß Philip eine tapfere Tat vollbracht hatte, als er von Paris wegging, weil es ihm bewußt geworden war, kein großer Künstler werden zu können, und er war entzückt, wenn sie ihrer begeisterten Bewunderung für ihn Ausdruck gab. Er selber war sich nie ganz schlüssig darüber geworden, ob diese Tat Mut oder Ziellosigkeit bedeutet hatte. Er war entzückt, daß sie es heldenhaft fand. Sie ließ es darauf ankommen, ein Thema anzuschneiden, das seine Freunde instinktiv mieden.

»Es ist sehr töricht von dir, daß du wegen des Klumpfußes so empfindsam bist«, sagte sie. Sie sah, wie er dunkelrot wurde, fuhr aber ruhig fort. »Die andern denken nämlich nicht halb soviel daran wie du selber. Es fällt ihnen das erstemal auf, wenn sie dich sehen, und dann vergessen sie es.«

Er antwortete nicht.

»Du bist mir nicht böse, nicht wahr?«

»Nein.«

Sie legte ihren Arm um seinen Hals.

»Du weißt es doch. Ich spreche nur davon, weil ich dich liebe. Ich möchte nicht, daß es dich unglücklich macht.«

»Ich glaube, du kannst mir alles sagen, was du willst«, sagte er lächelnd. »Ich wünschte, ich könnte dir irgendwie zeigen, wie dankbar ich bin.«

Sie nahm sich auch in anderen Beziehungen seiner an. Er durfte nicht brummig sein, und sie lachte ihn aus, wenn er böse war. Sie machte ihn umgänglicher.

»Du kannst mit mir machen, was du willst«, sagte er einmal.

»Hast du etwas dagegen?«

»Nein, ich tue gern, was du willst.«

Er war auch vernünftig genug, sein Glück einzusehen. Sie schien ihm alles zu geben, was eine Frau ihm nur geben konnte, und doch durfte er seine Freiheit behalten. Sie war der entzückendste Freund, den er je gehabt hatte, mit einem Verständnis und einer Anteilnahme, wie sie ihm noch bei keinem Mann begegnet war. Die geschlechtliche Beziehung war nichts weiter als das stärkste Band ihrer Freundschaft. Es vervollständigte sie, aber es war nicht wesentlich. Und da Philips Verlangen befriedigt war, wurde er ausgeglichener, und es war leichter, mit ihm zu leben. Er hatte sich in der Hand. Er dachte manchmal an den Winter und an die Leidenschaft, die ihn damals so schrecklich gequält hatte, und er empfand Ekel vor Mildred und Grauen vor sich selbst.

Die Examen rückten näher, und Norah nahm so viel Interesse daran wie er selbst. Ihr Eifer schmeichelte ihm und rührte ihn. Er mußte ihr versprechen, daß er sofort zu ihr kommen werde, um ihr das Ergebnis mitzuteilen. Er bestand die drei Teile diesmal ohne Zwischenfall, und als er zu ihr kam, um es ihr zu erzählen, brach sie in Tränen aus.

»Ach, ich bin so froh. Ich war so unruhig.«

»Du kleines Dummerchen«, lachte er, aber die Kehle war ihm wie zugeschnürt.

Jeder hätte sich über die Art, in der sie es aufnahm, gefreut. »Und was wirst du jetzt tun?« fragte sie.

»Jetzt kann ich mit gutem Gewissen Ferien machen. Ich habe bis zum Oktober, wenn das neue Semester anfängt, nichts mehr zu tun.«

»Ich nehme an, daß du nach Blackstable zu deinem Onkel gehst.«

»Da nimmst du etwas ganz Falsches an. Ich bleibe in London und spiele mit dir.«

»Es wäre mir lieber, wenn du weggingst.«

»Wieso? Hast du mich satt?«

Sie lachte und legte ihm die Hände auf die Schultern.

»Weil du angestrengt gearbeitet hast. Du siehst völlig mitgenommen aus. Du brauchst frische Luft und Ruhe. Bitte geh!«

Er antwortete nicht gleich. Er sah sie mit liebevollen Augen an.

»Ich würde es niemandem glauben außer dir. Du denkst nur an mich. Ich möchte einmal wissen, was du eigentlich an mir findest.«

»Willst du mir ein Lob ins Entlassungszeugnis schreiben?« lachte sie fröhlich.

»Ich werde sagen, daß du freundlich und voller Rücksicht bist, und du bist nicht anspruchsvoll. Du machst dir nie schwere Gedanken, du bist nicht schwierig, und es ist leicht, dich zufriedenzustellen.«

»Das ist alles Unsinn«, sagte sie, »aber ich werde dir einmal etwas sagen: unter den Menschen, die mir begegnet sind, gehöre ich zu den wenigen, die es fertigbrachten, aus ihren Erfahrungen zu lernen.«


Philip wartete ungeduldig darauf, nach London zurückzukehren. Während der zwei Monate, die er in Blackstable zubrachte, schrieb Norah ihm häufig. Lange Briefe mit großen, kühnen Schriftzügen, in denen sie mit fröhlichem Humor die kleinen Tagesereignisse beschrieb, die Familienschwierigkeiten ihrer Wirtin – viel Grund zum Lachen –, die komischen Schererein bei den Proben – sie wirkte als Statistin bei einer großen Schau in einem der Londoner Theater mit – und die seltsamen Abenteuer mit den Verlegern ihrer Romane. Anfang Oktober kam er nach London und machte sich an die Vorbereitung für sein zweites Examen. Es lag ihm viel daran, es zu bestehen, denn das bedeutete, daß der Student von da ab die Bücher in der Poliklinik zu führen und mit Männern und Frauen, nicht nur mit Lehrbüchern zu tun hatte. Philip sah Norah täglich.

Lawson hatte den Sommer in Poole verlebt und hatte eine Anzahl Skizzen vorzuweisen, die er vom Hafen und vom Strand gemacht hatte. Er hatte ein paar Porträtaufträge und wollte so lange, bis das schlechte Licht ihn vertrieb, in London bleiben. Hayward, der ebenfalls in London war, wollte den Winter auf dem Kontinent zubringen, blieb jedoch Woche um Woche aus reiner Entschlußunfähigkeit. Hayward hatte in den letzten zwei bis drei Jahren Fett angesetzt – es war fünf Jahre her, daß Philip ihn in Heidelberg kennengelernt hatte –, und er war vorzeitig kahl. Er war sehr empfindlich und trug sein Haar deshalb lang, um die peinliche Stelle auf dem Kopf zu verdecken. Sein einziger Trost war, daß die Stirn jetzt sehr edel aussah. Seine blauen Augen hatten ihre Farbe verloren und sein Mund die Fülle der Jugend: er war schwach und blaß. Hayward sprach noch immer in unbestimmten Andeutungen über alle die Dinge, die er künftig machen würde, aber es stand weniger Überzeugungskraft dahinter; er spürte, daß seine Freunde nicht mehr an ihn glaubten. Wenn er zwei oder drei Glas Whisky getrunken hatte, neigte er dazu, sich elegisch zu geben.

»Ich bin ein Versager«, murmelte er. »Ich eigne mich nicht für die Brutalität des Lebenskampfes. Alles, was mir zu tun übrigbleibt, ist, beiseite stehen und die gewöhnliche Masse Mensch, die den Dingen nachjagt, vorbeihasten zu lassen.«

Er tat so, als wäre es feiner, vornehmer, ein Versager zu sein, als zu Erfolg zu kommen. Er deutete an, daß sein Darüberstehen nur aus dem Ekel kam, der ihn vor allem Gemeinen und Niedrigen ergriff. Er sprach mit schönen Worten über Plato.

»Ich finde, du könntest mit Plato jetzt allmählich fertig sein«, sagte Philip ungeduldig.

»So?« fragte er und zog die Augenbrauen hoch.

Er zeigte keinerlei Neigung, das Thema weiter zu verfolgen. Er hatte kürzlich entdeckt, daß Schweigen eine wirkungsvolle Würde verleiht.

»Ich sehe nicht ein, wozu es dienen soll, daß man dieselben Geschichten immer und immer wieder liest«, sagte Philip.

»Bildest du dir vielleicht ein, daß du den tiefgründigsten Schriftsteller beim ersten Lesen verstehen kannst?«

»Ich will ihn gar nicht verstehen. Ich bin kein Kritiker. Ich nehme nicht seinet-, sondern meinetwegen Interesse an ihm.«

»Warum liest du dann überhaupt?«

»Teilweise, weil es eine angenehme Gewohnheit ist, und teilweise, weil ich mich selbst gern kennenlernen möchte. Wenn ich ein Buch lese, so scheinen zuerst nur meine Augen zu lesen, aber dann treffe ich hin und wieder einmal eine Stelle, vielleicht auch nur einen einzigen Satz, der mir etwas sagt, und so wird es ein Teil von mir. Ich habe aus dem Buch dann alles, was für mich von Nutzen ist, herausgeholt, und mehr kann ich nicht bekommen, wenn ich es auch noch ein dutzendmal läse. Weißt du, mir scheint es, als sei man eine geschlossene Knospe, und das meiste, was man liest und tut, hat überhaupt keine Wirkung; aber es gibt gewisse Dinge, die eine besondere Bedeutung für einen haben, durch sie wird ein Blumenblatt geöffnet, und so öffnen sich die Blumenblätter eines um das andere, und schließlich ist eine Blüte da.«

Philip war nicht glücklich über diesen Vergleich, aber er wußte nicht, wie er das, was er fühlte und worüber er sich noch nicht ganz klar war, anders hätte erklären sollen.

»Du möchtest etwas tun, du möchtest etwas werden«, sagte Hayward. »Es ist so gewöhnlich.«

Philip kannte Hayward jetzt recht gut. Er war schwach und eitel, so eitel, daß man sich ständig in acht nehmen mußte, um seine Eitelkeit nicht zu verletzen. Müßiggang und Idealismus brachte er so durcheinander, daß man sie kaum auseinanderkennen konnte. Eines Tages traf er in Lawsons Atelier einen Journalisten, der von seiner Unterhaltung ganz bezaubert war. Eine Woche darauf schrieb ihm der Herausgeber der Zeitung, für die der Journalist schrieb, und schlug ihm vor, daß er Kritiken für ihn schreiben solle. Achtundvierzig Stunden lang lebte Hayward nun in der Qual der Unentschlossenheit. Er hatte so lange geredet, er wolle eine Beschäftigung finden, daß er sich schämte, das Angebot einfach auszuschlagen. Der Gedanke jedoch an irgendeine Arbeit erfüllte ihn mit panischem Schrecken. Schließlich lehnte er das Angebot dennoch ab und atmete erleichtert auf.

»Es hätte mich bei meiner Arbeit gestört«, sagte er zu Philip.

»Was für einer Arbeit?« fragte Philip brutal.

»Meinem inneren Leben«, antwortete er darauf.

Aber noch immer konnte Hayward ganz herrlich über Bücher reden. Er hatte einen erlesenen Geschmack, und sein Wertgefühl war äußerst fein. Er interessierte sich beständig für alle Gedanken und war deshalb ein sehr unterhaltsamer Gesellschafter. In Wirklichkeit allerdings bedeuteten sie ihm sehr wenig, da sie niemals seine Lebenshaltung auch nur im geringsten beeinflußten. Er ging mit ihnen um, als handelte es sich um altes Porzellan, das versteigert werden sollte. Er befühlte sie genießerisch und freute sich an ihrer Form, der Glasur, stellte in Gedanken ihren Wert fest und dachte nie wieder daran, sobald er sie in die Vitrinenfächer zurückgestellt hatte.

Und doch war es gerade Hayward, der eine ungeheure Entdeckung machte. Er nahm Philip und Lawson eines Abends nach gebührender Vorbereitung in ein Restaurant in der Beak Street mit, das nicht nur wegen seiner geschichtlichen Bedeutung bemerkenswert war (es hatte Erinnerungen an das glorreiche achtzehnte Jahrhundert, durch die die romantische Phantasie angeregt wurde), sondern auch wegen seines Schnupftabaks, des besten in ganz London, und ganz besonders wegen seines Punsches. Hayward führte sie in einen langen, großen Raum, dem etwas von schmierigem Prunk anhaftete. An den Wänden hingen riesige Bilder nackter Frauen: Allegorien aus der Schule von Haydon; doch hatten der Rauch, das Gas und die Londoner Atmosphäre ihnen eine Reife gegeben, so daß sie wie alte Meister aussahen. Die dunkle Täfelung, das fleckig gewordene Gold des Gesimses und die Mahagonitische gaben dem Raum einen Anstrich von kostbarer Pracht, und die ledergepolsterten Bänke, die sich an den Wänden entlangzogen, waren weich und bequem. Auf einem Tisch gegenüber der Tür stand ein Widderkopf, und darin war der berühmte Schnupftabak enthalten. Sie bestellten Punsch. Sie tranken ihn. Es war heißer Rum-Punsch. Die Feder versagt, wenn man die Herrlichkeit zu beschreiben versucht; der nüchterne Wortschatz, die knappen Beiwörter dieser Erzählung sind der Aufgabe nicht gewachsen. Pompöse Ausdrücke, kostbare exotische Sätze schießen aus der erregten Phantasie. Er wärmte das Blut und machte den Kopf klar. Er erfüllte die Seele mit dem Gefühl des Wohlbehagens, er machte den Verstand zu geschliffener Geistigkeit bereit und gab ihm zugleich das nötige Verständnis für den Geist der andern; ihm eignete das Unbestimmte der Musik und zugleich die präzise Bestimmtheit der Mathematik. Nur eine seiner Eigenschaften ließ einen Vergleich zu: er hatte die Wärme eines guten Herzens; sein Geschmack jedoch, der Duft – kein Wort reicht, sie zu beschreiben.

Hayward hatte die Taverne, in der es dieses unbezahlbare Getränk gab, dadurch entdeckt, daß er eines Tages einen Mann namens Macalister traf, der mit ihm zusammen in Cambridge studiert hatte. Er war Börsenmakler und Philosoph. Er pflegte gewöhnlich einmal in der Woche dort einzukehren, und so nahmen auch Philip, Lawson und Hayward die Gewohnheit an, sich dort jeden Donnerstagabend zu treffen. Durch den mit den Zeiten sich ändernden Geschmack war die Taverne jetzt nur wenig besucht – ein Vorteil mehr für die, die Freude am Gespräch haben. Macalister war ein grobknochiger Mann, für seine Dicke viel zu kurz, mit einem fleischigen Gesicht und einer sanften Stimme. Er war Kantianer und beurteilte alles vom Standpunkt der reinen Vernunft aus. Er trug seine Lehren gern vor. Philip hörte interessiert und erregt zu. Er war schon lange zu dem Schluß gekommen, daß er der Metaphysik mehr Interesse entgegenbrachte als anderen Dingen, aber er war sich ihrer Wirksamkeit im alltäglichen Leben nicht sicher. Das ordentliche kleine System, das er als Ergebnis seiner Meditationen in Blackstable errichtet hatte, war, während er in Mildred vernarrt gewesen war, von keinem sichtbaren Nutzen gewesen. Er war sich nicht ganz sicher, ob der Verstand im Leben wirklich viel helfen konnte. Es schien ihm, als lebe das Leben sich selbst. Er erinnerte sich sehr lebhaft an die Leidenschaft, die ihn besessen hatte, und an seine Unfähigkeit, ihr entgegenzuwirken, als wäre er mit Stricken gebunden. Er las viele weise Sachen in den Büchern – aber urteilen konnte er nur gemäß seinen Erfahrungen (er wußte nicht, ob er vielleicht anders war als andere Leute). Er berechnete niemals das Für und Wider einer Handlung, das Gute, das ihm widerfahren müßte, wenn er es täte, das Nachteilige, das sich für ihn ergeben würde, wenn er es unterließe; aber sein ganzes Sein drängte nach Unwiderstehlichkeit. Er handelte nicht mit einem Teil seiner selbst, sondern als Ganzes. Die Macht, die von ihm Besitz ergriff, schien mit seinem Verstand nichts zu tun zu haben: alles, was der Verstand tat, war, ihm die Methoden zu zeigen, mit deren Hilfe er erreichen konnte, wonach er mit ganzem Herzen strebte.

Macalister erinnerte ihn an den Kategorischen Imperativ.

»Handle so, daß die Maxime deines Tuns jederzeit auch als Prinzip einer allgemeinen Gesetzgebung gelten kann.«

»Das scheint mir völliger Unsinn«, sagte Philip.

»Es ist ein bißchen kühn, das von etwas zu behaupten, was Immanuel Kant gesagt hat«, entgegnete Macalister.

»Wieso? Ehrfurcht vor dem, was jemand gesagt hat, ist eine Eigenschaft, die verblödet. Es gibt eine verdammte Menge zuviel Respekt in der Welt. Kant dachte seine Gedanken nicht, weil sie wahr waren, sondern weil er eben Kant war.«

»Was haben Sie gegen den Kategorischen Imperativ einzuwenden?« (Sie redeten, als hinge das Schicksal der Welt davon ab.)

»Er tut so, als könnte man sein Schicksal durch eine Willensanstrengung bestimmen; so, als wäre die Vernunft der sicherste Führer. Warum sollten ihre Befehle besser sein als das, was die Leidenschaft befiehlt? Sie sind verschieden, das ist alles!«

»Sie scheinen ein selbstzufriedener Sklave Ihrer Leidenschaften zu sein.«

»Ein Sklave schon, weil ich nichts dagegen tun kann – ein selbstzufriedener jedoch nicht«, lachte Philip.

Während er sprach, dachte er an den Irrsinn, der ihn hinter Mildred hergetrieben hatte. Er erinnerte sich, wie er dagegen aufbegehrt und wie er die Erniedrigung empfunden hatte.

›Gott sei Dank‹, dachte er, ›davon bin ich jetzt frei.‹

Und doch war er, selbst im Augenblick, als er sich das sagte, nicht ganz sicher, ob es ihm ehrlich damit war. Als er unter dem Einfluß der Leidenschaft stand, hatte er eine einzigartige Kraft gefühlt; sein Geist hatte mit ungewöhnlicher Energie gearbeitet. Er war lebendiger, das reine Dasein war voller Erregung, eine kühne Vehemenz der Seele – wogegen das Leben jetzt ein wenig stumpf schien.

Durch Philips unglückselige Äußerung kam eine Diskussion über die Willensfreiheit in Gang. Macalister mit seinem gutgeordneten Gedächtnis brachte Argument auf Argument vor. Er hatte Freude an der Dialektik und zwang Philip zum Widerspruch mit sich selbst; er trieb ihn in die Enge, aus der er sich nur durch Konzessionen retten konnte, die seinen Standpunkt schwächten; er stellte seiner Logik Fallen und schlug ihn mit Autoritäten.

Schließlich sagte Philip:

»Über andere Leute mag ich vielleicht nichts aussagen können; ich kann nur über das reden, was mich selbst angeht. Die Illusion der Willensfreiheit ist in meinem Denken sehr stark, so daß ich nicht davon loskomme; aber ich glaube, es ist eben nur eine Illusion. Ehe ich etwas tue, habe ich ein Gefühl, als hätte ich die freie Wahl, und dieses Gefühl beeinflußt mein Tun; aber nachher, wenn die Sache getan ist, glaube ich, daß sie von aller Ewigkeit her so bestimmt und unvermeidlich war.«

»Was schließen Sie daraus?«

»Nun – bloß, daß jedes Bedauern hinterher sinn- und zwecklos ist. Es hat keinen Sinn, über vergossene Milch zu jammern, wenn alle Kräfte des Universums dahin arbeiteten, daß sie vergossen wird.«


Eines Morgens, beim Aufstehen, hatte Philip ein Schwindelgefühl. Als er sich wieder zu Bett legte, wurde ihm klar, daß er krank war. Alle seine Glieder taten ihm weh, und es schüttelte ihn vor Kälte. Als die Wirtin sein Frühstück brachte, rief er ihr durch die offene Tür zu, er fühle sich nicht wohl und bitte um eine Tasse Tee und ein Stück Toast. Ein paar Augenblicke später klopfte es, und Griffith trat ein. Sie hatten über ein Jahr im gleichen Hause gewohnt, sich jedoch höchstens mit einem Kopfnicken auf dem Flur gegrüßt.

»Ich habe eben gehört, Ihnen ist elend«, sagte Griffith. »Da habe ich gedacht, ich will lieber mal nachsehen, was los ist.«

Philip, der aus einem ihm unerklärlichen Grunde errötete, suchte seinen Zustand zu bagatellisieren. Er würde nach ein, zwei Stunden schon wieder auf dem Damm sein.

»Immerhin ist es wohl das beste, wenn ich mal Ihre Temperatur messe«, sagte Griffith.

»Das ist ganz unnötig«, antwortete Philip irritiert.

»Los!«

Philip nahm das Thermometer in den Mund. Griffith setzte sich auf den Bettrand und schwatzte fröhlich ein Weilchen, dann nahm er das Thermometer und betrachtete es.

»Nun, alter Freund, Sie müssen im Bett bleiben, und ich bringe den alten Deacon her, damit er mal nach Ihnen sieht.«

Seine Art hatte einen besonderen Charme, ein Gemisch aus Ernst und Freundlichkeit, das äußerst anziehend war.

»Sie haben eine wundervolle Art, mit Kranken umzugehen«, murmelte Philip und schloß lächelnd die Augen.

Griffith schüttelte ihm das Kissen auf, glättete schnell und geschickt die Bettücher und packte ihn ein. Er ging in Philips Wohnzimmer, um sich nach einem Siphon umzusehen. Er konnte keinen finden und holte ihn aus seinem Zimmer. Er ließ die Jalousien herunter.

»So, jetzt schlafen Sie, und dann bringe ich den Alten her, sobald er mit dem Krankenhaus fertig ist.«

Philip war zumute, als müßten Stunden vergangen sein, ehe jemand kam, um nach ihm zu sehen. Der Kopf schmerzte, als würde er zerspringen, Angst saß ihm in den Gliedern; er fürchtete, er werde zu weinen anfangen. Dann klopfte es, und Griffith, gesund und fröhlich, trat ein.

»Doktor Deacon ist da«, sagte er.

Der Arzt trat vor; es war ein ältlicher Herr mit freundlichem Wesen, den Philip nur vom Sehen kannte. Ein paar Fragen, eine kurze Untersuchung und dann die Diagnose.

»Was glauben Sie?« fragte er Griffith mit einem Lächeln.

»Influenza.«

»Sehr richtig.«

Doktor Deacon sah sich in dem dunklen Mietzimmer um. »Möchten Sie nicht lieber ins Krankenhaus gehen? Man würde Sie auf Privatstation legen, und Sie könnten besser betreut werden als hier.«

»Ich bleibe lieber hier«, sagte Philip.

Er wollte sich in seinen Gewohnheiten nicht stören lassen und hatte eine Scheu vor neuen Umgebungen. Die Vorstellung, daß Pflegerinnen unnötiges Aufhebens mit ihm machten, und die trostlose Sauberkeit eines Krankenhauses paßten ihm nicht.

»Ich kann nach ihm sehen, Herr Doktor«, sagte Griffith sofort.

»Nun, meinetwegen.«

Er schrieb ein Rezept aus, gab seine Anweisungen und ging.

»So, jetzt werden Sie genau das tun, was ich Ihnen sage«, sagte Griffith. »Ich bin Tages- und Nachtschwester in einem.«

»Das ist sehr freundlich von Ihnen, aber ich brauche nichts«, sagte Philip.

Griffith legte die Hand auf Philips Stirn, und die Berührung dieser großen, kühlen, trockenen Hand schien ihm gutzutun.

»Ich gehe eben zur Poliklinik hinüber, um die Medizin zurechtmachen zu lassen, und dann komme ich zurück.«

Nach kurzer Zeit brachte er die Medizin und gab Philip davon. Dann ging er nach oben, um seine Bücher herunterzuholen.

»Sie haben doch nichts dagegen, daß ich heute nachmittag in Ihrem Zimmer arbeite, nicht wahr?« fragte er, als er zurückkam. »Ich lasse die Tür offen, Sie brauchen nur zu rufen, wenn Sie irgend etwas wünschen.«

Als Philip später aus unruhigem Halbschlaf aufwachte, hörte er Stimmen im Wohnzimmer. Griffith hatte einen Freund zu Besuch.

»Ich glaube, es ist besser, wenn ihr heute abend nicht kommt«, hörte er Griffith sagen.

Und dann kam ein oder zwei Minuten später jemand anderer herein und drückte seine Verwunderung darüber aus, Griffith hier zu finden. Philip hörte, wie er erklärte:

»Ich muß einen Studenten pflegen, der hier wohnt. Der verdammte Kerl hat Influenza. Also, kein Whist heute nacht, alter Freund.«

Gleich darauf war Griffith allein, und Philip rief ihn zu sich.

»Sie geben doch nicht etwa meinetwegen Ihre Gesellschaft heute abend auf, oder doch?« fragte er.

»Nicht Ihretwegen, ich muß mein Chirurgie-Pensum lernen.«

»Lassen Sie doch Ihre Gäste kommen. Ich werde schon wieder in Ordnung sein. Sie brauchen sich nicht um mich zu kümmern.«

»Ist schon recht.«

Es ging Philip schlechter. Als es Abend wurde, fing er an, leicht zu phantasieren, aber am Morgen erwachte er aus einem unruhigen Schlaf. Er sah, wie Griffith sich aus dem Lehnstuhl erhob, hinkniete und ein Stück Kohle nach dem andern auf das Feuer tat. Er hatte Pyjamas an und einen Morgenrock.

»Was tun Sie denn hier?« fragte er.

»Habe ich Sie aufgeweckt? Ich habe versucht, das Feuer möglichst ohne Krach anzumachen.«

»Warum liegen Sie nicht im Bett? Wie spät ist es?«

»Gegen fünf. Ich dachte, ich bleibe heute nacht besser bei Ihnen. Ich habe einen Lehnstuhl heruntergeholt, weil ich dachte, wenn ich eine Matratze hinlege, schlafe ich vielleicht zu fest und höre Sie nicht, wenn Sie etwas wollen.«

»Ich wünschte, Sie wären nicht so gut zu mir«, stöhnte Philip.

»Wenn Sie sich nun anstecken?«

»Dann werden Sie mich pflegen, mein Bester«, sagte Griffith und lachte.

Als der Morgen gekommen war, zog Griffith die Jalousien auf. Er sah nach seiner Nachtwache blaß und müde aus, war aber quicklebendig. »So, jetzt werde ich Sie waschen«, sagte er fröhlich zu Philip.

»Ich kann mich alleine waschen«, sagte Philip voller Scham.

»Unsinn. Wenn Sie im Krankenhaus lägen, würde eine Schwester Sie waschen, und ich kann das so gut wie eine Schwester.«

Philip, der sich zu schwach und zu elend fühlte, um Widerstand zu leisten, ließ sich von Griffith Hände, Gesicht, Füße, Brust und Rücken waschen. Der hatte dabei eine entzückende Zartheit und schwatzte währenddem freundlich drauflos. Dann wechselte er genau wie im Krankenhaus das Laken, schüttelte das Kopfkissen auf und ordnete die Decken.

»Schwester Arthur sollte mich sehen. Die würde Respekt kriegen! Deacon kommt heute früh, um nach Ihnen zu sehen.«

»Ich kann mir nicht denken, warum Sie so gut zu mir sind«, sagte Philip.

»Das ist für mich eine gute Übung. Es ist eigentlich ein richtiger Spaß, einen Patienten zu haben.«

Griffith gab ihm sein Frühstück und ging fort, um sich anzuziehen und etwas zu essen. Ein paar Minuten vor zehn kam er zurück und brachte Philip eine Weintraube und ein paar Blumen mit.

»Sie sind schrecklich nett«, sagte Philip.

Er lag fünf Tage lang im Bett.

Norah und Griffith teilten sich in die Pflege. Obwohl Griffith und Philip gleichaltrig waren, nahm Griffith eine spaßige, leicht mütterliche Haltung ihm gegenüber ein. Er war aufmerksam, freundlich und aufmunternd; seine stärkste Eigenschaft aber war seine Vitalität, die auf jeden, mit dem er in Berührung kam, Gesundheit ausstrahlte. Philip war an das Verhätscheln nicht gewöhnt, das anderen von Müttern oder Schwestern her vertraut ist, und er war tief gerührt über die weibliche Zartheit dieses starken jungen Mannes. Philip erholte sich. Dann saß Griffith in Philips Zimmer und unterhielt ihn mit den fröhlichen Erzählungen seiner Liebesabenteuer. Er flirtete gern und bekam es fertig, zu gleicher Zeit drei oder vier Verhältnisse zu haben. Und sein Bericht über die Kunstgriffe, die er anwenden mußte, um nicht in Schwierigkeiten zu geraten, war amüsant anzuhören. Er hatte eine besondere Gabe, über alles, was ihm passierte, einen romantischen Schimmer zu breiten. Er stak tief in Schulden; alles, was er besaß und den geringsten Wert hatte, befand sich im Leihhaus – trotzdem brachte er es immer fertig, heiter, extravagant und großzügig zu sein. Er war Abenteurer von Natur. Er liebte Menschen, die zweifelhaften Beschäftigungen nachgingen und undurchsichtige Ziele hatten, und die Zahl seiner Bekanntschaften unter dem Menschenabschaum, der sich in den Londoner Bars herumtrieb, war ungeheuer. Leichtlebige Frauen, die ihn als Freund betrachteten, erzählten ihm von den Sorgen, Schwierigkeiten und Erfolgen ihres Lebens, und Bauernfänger, die seine Geldnöte respektierten, hielten ihn frei oder liehen ihm Fünfpfundnoten. Man ließ ihn in den Examen immer wieder durchfallen, aber er ertrug auch das mit Heiterkeit und unterwarf sich den väterlichen Vorhaltungen mit so viel Charme, daß sein Vater, der praktischer Arzt in Leeds war, nicht das Herz hatte, ihm ernsthaft böse zu sein.

»Ich bin ein furchtbarer Dummkopf, was Bücher angeht«, sagte er fröhlich, »aber ich kann einfach nicht arbeiten.«

Das Leben war viel zu vergnüglich. Aber es war schon jetzt klar, daß er einmal, wenn er sich ausgetobt und schließlich durch die Examen durchgekommen wäre, als praktischer Arzt sehr erfolgreich sein würde. Er würde die Leute einfach mit dem Charme seines Wesens kurieren.

Philip verehrte ihn so, wie er während der Schulzeit Knaben verehrt hatte, die schlank und gutgewachsen und lebensfroh waren. Als er schließlich wieder obenauf war, waren sie längst innige Freunde geworden, und es gab Philip ein besonderes Gefühl der Befriedigung, daß Griffith allem Anschein nach so gern in seinem kleinen Wohnzimmer saß und ihm mit amüsantem Geschwätz die Zeit stahl und unzählige Zigaretten dabei qualmte. Philip nahm ihn manchmal mit in die Taverne in der Nähe von Regent Street. Hayward fand ihn blöd; Lawson erkannte seinen Charme und wollte ihn gerne malen. Er war eine malerische Erscheinung mit seinen blauen Augen, der weißen Haut und dem lockigen Haar. Häufig debattierten sie über Sachen, von denen er nicht das geringste verstand, und dann saß er still da mit einem gutartigen Lächeln auf dem hübschen Gesicht, in dem berechtigten Gefühl, daß seine Gegenwart allein schon Beitrag genug zur Unterhaltung war. Als er erfuhr, daß Macalister Börsenmakler war, wollte er gern Tips haben, und Macalister erzählte ihm mit feierlichem Lächeln, was für Vermögen er hätte anhäufen können, wenn er bestimmte Aktien zu bestimmten Zeiten gekauft hätte. Philip lief das Wasser im Munde zusammen, denn irgendwie verbrauchte er stets mehr Geld, als er eigentlich ausgeben durfte, und es wäre ihm sehr gelegen gekommen, wenn er auf die leichte Art, die Macalister andeutete, ein bißchen Geld hätte machen können.

»Das nächstemal, wenn ich von etwas wirklich Gutem höre, lasse ich es Sie wissen«, sagte der Börsenmakler. »Es kommt schon gelegentlich vor. Man muß nur den richtigen Zeitpunkt erwischen.«

Philip dachte, wie herrlich es sein müßte, fünfzig Pfund extra zu machen; dann könnte er Norah die für den Winter so dringend nötige Pelzgarnitur kaufen. Er besah sich die Schaufenster in Regent Street und suchte sich die Sachen aus, die er für das Geld würde erstehen können. Sie verdiente es redlich. Sie machte sein Leben so glücklich.

Eines Nachmittags kam er vom Krankenhaus aus nach Hause, um sich zu waschen und ein bißchen zurechtzumachen, bevor er wie gewöhnlich zu Norah zum Tee ging. Noch ehe er den Schlüssel im Schloß umdrehen konnte, öffnete ihm seine Wirtin.

»Eine Dame wartet auf Sie«, sagte sie.

»Auf mich?« rief Philip aus.

Er war überrascht. Es würde Norah sein – er hatte keine Ahnung, was sie zu ihm geführt haben mochte.

»Ich hätte sie nicht hereinlassen sollen – aber sie ist dreimal hier gewesen, und sie schien so aufgeregt, weil sie Sie nicht antraf, daß ich ihr sagte, sie könne warten.«

Er stürzte an der Wirtin, die noch immer weiterredete, vorbei und stürmte ins Zimmer. Sein Herz zog sich zusammen. Es war Mildred.

Sie saß, stand aber eilig auf, als er hereinkam. Sie ging ihm nicht entgegen – sie sprach nicht. Er war so überrascht, daß er nicht wußte, was er sagte.

»Was zum Teufel willst denn du?« fragte er.

Sie antwortete nicht, sondern fing an zu weinen. Dabei legte sie nicht die Hände vor die Augen, sondern ließ die Arme am Körper herunterhängen. Sie sah wie ein Hausmädchen aus, das sich um eine Stellung bewirbt. In ihrer Haltung war etwas schrecklich Unterwürfiges. Philip wußte nicht, was für Gefühle ihn überkamen. Er spürte den Drang, einfach kehrtzumachen und davonzulaufen.

»Ich habe nicht geglaubt, daß ich dich noch einmal sehen würde«, sagte er schließlich.

»Ich wünschte, ich wäre tot«, stöhnte sie.

Philip ließ sie stehen, wo sie stand – er hatte nur einen Gedanken: sich beruhigen. Ihm zitterten die Knie. Er sah sie an und stöhnte verzweifelt auf.

»Also, was gibt's?« sagte er.

»Er hat mich sitzenlassen – Emil.«

Philips Herz schlug schneller. Er wußte nun, daß er sie genauso leidenschaftlich liebte wie eh und je. Er hatte nie aufgehört, sie zu lieben. Sie stand demütig und ergeben vor ihm. Er hätte sie am liebsten in die Arme genommen und ihr tränenüberströmtes Gesicht mit Küssen bedeckt. Wie lang doch die Trennung gewesen war! Er wußte nicht, wie er es hatte ertragen können.

»Setz dich lieber hin. Ich werde dir einen Drink machen.«

Er zog den Stuhl ans Feuer, und sie setzte sich. Er mischte Whisky und Soda für sie, und sie trank, ohne dabei mit ihrem Schluchzen aufzuhören. Sie sah ihn aus großen, traurigen Augen an, unter denen breite schwarze Schatten lagen. Sie war dünner und bleicher als das letztemal, als er sie gesehen hatte.

»Ich wünschte, ich hätte dich geheiratet, als du mich darum gefragt hast«, sagte sie.

Philip wußte nicht, warum ihm bei dieser Bemerkung das Herz schwoll. Er konnte den Abstand zu ihr, den er sich auferlegt hatte, nicht länger wahren. Er legte ihr die Hand auf die Schulter.

»Es tut mir furchtbar leid, daß du in solchen Schwierigkeiten bist.«

Sie lehnte den Kopf gegen seine Brust und brach in hysterisches Weinen aus. Ihr Hut war ihr dabei im Wege, und sie nahm ihn ab. Er hätte es sich nicht träumen lassen, daß sie fähig sei, so zu weinen. Er küßte sie immer und immer wieder. Es schien sie etwas zu beruhigen.

»Du bist immer gut zu mir gewesen, Philip«, sagte sie; »deshalb wußte ich, daß ich zu dir kommen könnte.«

»Erzähl mir, was geschehen ist.«

»Ach, ich kann nicht – ich kann nicht!« schluchzte sie auf und machte sich von ihm frei.

Er sank neben ihr auf die Knie nieder und legte seine Wange gegen die ihre.

»Weißt du nicht, daß es nichts gibt, was du mir nicht erzählen kannst? Ich kann dich ja gar nicht schelten, wegen nichts ...«

Sie erzählte ihm die Geschichte Stück für Stück, und dabei schluchzte sie manchmal so sehr, daß er sie nicht verstehen konnte.

»Vorigen Montag ist er nach Birmingham gegangen und hat versprochen, am Donnerstag zurück zu sein, und er ist nicht gekommen. Er ist auch am Freitag nicht gekommen. Da habe ich schließlich geschrieben, was denn los sei, und er hat den Brief nicht beantwortet. Und dann habe ich ihm geschrieben und gesagt, daß ich nach Birmingham komme, wenn ich nicht postwendend von ihm höre, und heute morgen habe ich nun einen Brief von einem Anwalt bekommen, und er teilt mir mit, daß ich keine Ansprüche gegen ihn hätte und daß er, wenn ich ihn weiter belästige, den Schutz der Gesetze in Anspruch nehmen muß.«

»Aber das ist doch Unsinn!« rief Philip. »Ein Mann kann doch seine Frau nicht so behandeln. Habt ihr eine Auseinandersetzung gehabt?«

»Ach ja, wir hatten am Sonntag Streit bekommen, und da sagte er, er hätte mich satt – aber das hat er früher auch schon gesagt und ist dann doch wieder zurückgekommen. Ich dachte also, es sei nicht sein Ernst. Aber er hatte Angst gekriegt. Ich hatte ihm erzählt, daß ein Kind unterwegs ist. Ich hatte es ihm so lange verschwiegen, wie es nur irgend ging. Aber dann ging's nicht mehr. Er sagte, es sei meine Schuld und ich hätte es nicht dazu kommen lassen dürfen. Wenn du nur gehört hättest, was er mir alles gesagt hat! Das jedenfalls habe ich schnell genug herausfinden können: ein feiner Mann ist er nicht. Er hat mich ohne einen Penny sitzenlassen. Er hatte die Miete nicht bezahlt, und ich hatte kein Geld, um sie zu bezahlen, und die Frau, die das Haus verwaltet, hat mir Sachen gesagt – na, man hätte glauben können, ich sei eine Diebin, wenn man sie reden hörte.«

»Ich dachte, ihr wolltet eine eigene Wohnung nehmen.«

»Das hatte er auch gesagt. Aber dann haben wir nur eine möblierte Wohnung genommen. So gemein war er. Er sagte, ich sei verschwenderisch, aber er hat mir nichts gegeben, womit ich hätte verschwenderisch sein können.«

Sie hatte eine besondere Art, Triviales und Wichtiges durcheinanderzumengen. Philip fand sich nicht zurecht. Die ganze Angelegenheit war ihm unverständlich.

»So gemein kann kein Mann sich benehmen.«

»Du kennst ihn nicht. Ich gehe nicht mehr zu ihm zurück, und wenn er mich auf den Knien darum bittet. Ich war ein schöner Dummkopf, daß ich überhaupt jemals an ihn gedacht habe. Und das Geld hat er auch nicht verdient, wie er gesagt hat – die Lügen, die er mir alle erzählt hat!«

Philip dachte einen Augenblick nach. Er war so tief bewegt durch ihre Not, daß er nicht an sich denken konnte.

»Soll ich nach Birmingham fahren? Ich könnte ihn aufsuchen und den Versuch machen, die Dinge in Ordnung zu bringen.«

»Ach, das ist aussichtslos. Er kommt nicht mehr zurück – ich kenne ihn!«

»Aber er muß für dich sorgen, da hilft ihm nichts. Ich verstehe nichts von diesen Sachen – es wäre das beste, wenn du einen Anwalt befragtest.«

»Wie kann ich das denn? Ich habe kein Geld.«

»Das bezahle ich. Ich werde meinem Anwalt eine Zeile schreiben, er war schon Testamentsvollstrecker meines Vaters. Soll ich gleich mitkommen? Ich nehme an, daß er noch im Büro ist.«

»Nein, gib mir einen Brief an ihn mit. Ich gehe allein.«

Sie war jetzt etwas ruhiger. Er setzte sich hin und schrieb ein paar Zeilen. Dann fiel ihm ein, daß sie kein Geld hatte. Glücklicherweise hatte er gerade am Tag vorher einen Scheck eingelöst, und so konnte er ihr fünf Pfund geben.

»Du bist zu gut zu mir, Philip«, sagte sie.

»Ich bin so glücklich, daß ich etwas für dich tun kann.«

»Hast du mich noch lieb?«

»So lieb wie eh und je.«

Sie reichte ihm ihre Lippen zum Kuß, und er küßte sie. Daß sie so etwas von sich aus tat, zeigte eine Hingabe, wie er sie noch nie an ihr erlebt hatte. Es entschädigte ihn für all die Qualen, die er durchgemacht hatte.

Sie ging – zwei Stunden lang war sie bei ihm gewesen. Er war maßlos glücklich.

»Armes, armes Ding«, murmelte er vor sich hin; sein Herz erglühte in größerer Liebe denn je zuvor.

Er dachte überhaupt nicht an Norah, bis so gegen acht ein Telegramm kam. Noch ehe er es öffnete, wußte er, daß es von ihr war.

*»Ist etwas passiert? Norah.«*

Er wußte nicht, was er nun tun oder was er darauf antworten solle. Er könnte sie nach dem Stück, in dem sie als Statistin mitwirkte, abholen und mit ihr, wie schon manches Mal, nach Hause schlendern, aber seine ganze Seele begehrte gegen den Gedanken auf, sie heute abend zu sehen. Er dachte daran, ihr zu schreiben; aber er brachte es nicht fertig, sie mit *liebste Norah* anzureden. So entschloß er sich, zu depeschieren:

»*Bedaure. Konnte nicht wegkommen, Philip.*«

Er sah sie vor sich. Er fühlte sich ein klein wenig abgestoßen durch ihr häßliches kleines Gesicht mit den hohen Backenknochen und den rohen Farben. Ihre Haut hatte etwas Grobes; bei dem Gedanken daran überlief ihn eine Gänsehaut. Er wußte, daß er es bei dem Telegramm nicht bewenden lassen konnte – aber es war wenigstens ein Aufschub.

Am folgenden Tage telegrafierte er wieder:

»*Bedaure. Kommen unmöglich. Brief folgt.*«

Mildred hatte vorgeschlagen, am Nachmittag um vier zu ihm zu kommen, und er wollte ihr nicht sagen, daß die Stunde ihm nicht paßte. Aber schließlich ging sie allem vor. Er wartete ungeduldig auf sie. Er sah vom Fenster nach ihr aus und öffnete ihr selbst die Haustür.

»Nun – hast du mit Nixon gesprochen?«

»Ja«, antwortete sie. »Er hat gesagt, es hat keinen Zweck. Da kann man nichts tun. Ich muß eben ein freundliches Gesicht machen und es einstecken.«

»Das ist doch unmöglich!« rief Philip.

Sie setzte sich stumpf und müde hin.

»Hat er dir denn irgendeinen Grund dafür angegeben?« fragte er.

Sie gab ihm einen zerknüllten Brief.

»Da ist dein Brief, Philip. Ich habe ihn nicht benutzt. Ich konnte es dir gestern nicht sagen. Emil hat mich nicht geheiratet. Er konnte nicht. Er hatte schon eine Frau und drei Kinder.«

Philip fühlte eine plötzliche Aufwallung von Eifersucht und Wut. Es war fast mehr, als er ertragen konnte.

»Das ist der Grund, warum ich nicht zu meiner Tante zurück konnte. Ich habe niemand, zu dem ich gehen kann, außer dir.«

»Warum bist du mit ihm davongelaufen?« fragte Philip mit leiser Stimme, der er mühsam einen festen Klang zu geben suchte.

»Ich weiß nicht. Ich wußte zuerst nicht, daß er ein verheirateter Mann war, und als er mir das sagte, habe ich ihm meine Meinung gesagt. Und dann habe ich ihn monatelang nicht gesehen, und als er dann wieder ins Geschäft kam und mich fragte – ich weiß nicht, was da über mich gekommen ist. Ich konnte einfach nicht anders. Ich mußte mit ihm gehen.«

»Hast du ihn geliebt?«

»Ich weiß nicht. Ich konnte mir kaum helfen, ich mußte immer lachen über die Sachen, die er sagte. Und dann war da noch etwas – er hat gesagt, ich würde es nie bedauern, er würde mir sieben Pfund die Woche geben – er hat gesagt, er verdient fünfzehn, und es war lauter Lüge. Es stimmt gar nicht. Und dann hatte ich es satt, jeden Morgen ins Geschäft zu gehen, und mit meiner Tante stand ich auch nicht gut. Sie wollte mich immer so behandeln, als wenn ich ein Dienstbote wäre und nicht eine Verwandte; mein Zimmer sollte ich selber machen, und wenn ich's nicht tat, machte es eben niemand. – Ach, hätte ich es bloß nicht getan. Aber als er ins Geschäft kam und fragte, hatte ich ein Gefühl, als könnte ich einfach nicht anders.«

Philip ging von ihr fort. Er setzte sich an den Tisch und vergrub das Gesicht in den Händen. Er fühlte sich furchtbar gedemütigt.

»Du bist mir nicht böse, Philip?« fragte sie scheinheilig.

»Nein«, antwortete er und sah auf, jedoch nicht zu ihr hin, »aber es trifft mich schwer.«

»Warum?«

»Du weißt, ich habe dich abgöttisch geliebt. Ich habe alles getan, was ich konnte, um dich mir gewogen zu machen. Ich habe gedacht, du seist unfähig, jemanden zu lieben. Es ist so schrecklich zu wissen, daß du für diesen ungebildeten Kerl bereit gewesen bist, alles zu opfern. Ich verstehe nicht, was du an ihm gefunden hast.«

»Es tut mir schrecklich leid, Philip. Ich habe es danach bitter bereut, glaube mir.«

Er dachte an Emil Miller mit seinem ungesunden Aussehen, seinen unruhigen blauen Augen und seiner ordinär auffälligen Art, sich anzuziehen; er trug stets knallrote gestrickte Westen. Philip seufzte. Sie stand auf und ging zu ihm hin. Sie legte ihren Arm um seinen Hals.

»Ich werde dir das nie vergessen, daß du mich hast heiraten wollen, Philip.«

Er nahm ihre Hand und sah zu ihr auf. Sie beugte sich nieder und küßte ihn.

»Philip, wenn du mich noch magst, werde ich jetzt alles tun, was du willst. Ich weiß, du bist ein Gentleman, in jedem Sinn des Wortes.«

Das Herz stand ihm still. Es wurde ihm bei ihren Worten leicht übel.

»Das ist sehr freundlich von dir, aber ich kann nicht.«

»Magst du mich nicht mehr?«

»Ja, ich liebe dich von ganzem Herzen.«

»Warum sollen wir es uns dann nicht angenehm machen, solange wir's können? Es macht jetzt sowieso nichts aus.«

Er löste sich von ihr.

»Du verstehst das nicht. Ich bin ganz krank vor Liebe nach dir gewesen, von dem Augenblick an, wo ich dich das erstemal gesehen habe. Aber jetzt – dieser Mensch. Unglücklicherweise habe ich eine lebhafte Phantasie. Der Gedanke daran ekelt mich einfach an.«

»Du bist komisch«, sagte sie.

Er nahm wieder ihre Hand und lächelte ihr zu.

Sie sprachen weiter und hatten bald zu der vertrauten Kameradschaft vergangener Tage zurückgefunden. Es wurde spät. Philip schlug vor, sie sollten gemeinsam essen und dann ins Varieté gehen. Es brauchte einige Überredung, denn sie hatte ein Gefühl, daß es eigentlich nicht zu dem Kummer ihrer Lage passe, in ein Vergnügungslokal zu gehen. Schließlich bat Philip sie, ihm zu Gefallen mitzukommen, und da sie es nun als ein Opfer betrachten konnte, nahm sie die Einladung an. Sie war nachdenklich und aufmerksam, und Philip war darüber entzückt. Sie bat ihn, mit ihr in das kleine Restaurant in Soho zu gehen, wo sie oft gewesen waren. Er war ihr unendlich dankbar dafür, denn es zeigte, daß sich auch für sie glückliche Erinnerungen damit verbanden. Während der Mahlzeit wurde sie immer vergnügter. Der Burgunder aus der Kneipe an der Ecke wärmte ihr das Herz, und sie vergaß ganz, daß sie eigentlich eine Schmerzenshaltung aufrechterhalten sollte. Philip hielt den Augenblick für gekommen, mit ihr von der Zukunft zu reden.

»Ich vermute, du hast keinen Penny mehr, nicht wahr?« fragte er, als sich die Gelegenheit dazu ergab.

»Nur das, was du mir gestern gegeben hast, und davon habe ich der Wirtin drei Pfund geben müssen.«

»Dann gebe ich dir wohl besser einen Zehnpfundschein, damit du weiterkommst. Ich werde meinen Anwalt aufsuchen und ihn einen Brief an Miller schreiben lassen. Wir können ihn sicher dazu bringen, daß er etwas zahlt, das glaube ich bestimmt. Wenn wir hundert Pfund aus ihm herauskriegen können, würde das reichen, bis das Kind da ist.«

»Ich würde keinen Penny von ihm annehmen. Lieber will ich verhungern.«

Es war eine etwas peinliche Lage für Philip. Er mußte auf strengste Sparsamkeit sehen, sollte das Geld, das ihm noch geblieben war, bis nach dem Examen reichen. Und es mußte ihm sogar noch etwas übrigbleiben für das Jahr, das er als Krankenhausarzt oder chirurgischer Assistenzarzt entweder in seinem jetzigen oder in einem andern Krankenhaus zubringen wollte. Aber Mildred hatte ihm so viele Geschichten über Emils Kleinlichkeit erzählt, daß er keine Einwendungen machen mochte, aus Angst, sie würde ihn auch des Mangels an Freigebigkeit bezichtigen.

»Ich hätte mich schon lange nach Arbeit umgesehen, aber es würde mir in dem Zustand, in dem ich bin, nicht guttun. Man muß an seine Gesundheit denken, nicht?«

»Du brauchst dir wegen der Gegenwart keine Sorgen zu machen. Ich kann dir alles geben, was du brauchst, bis du wieder arbeiten kannst«, sagte Philip.

»Ich wußte ja, daß ich mich auf dich verlassen kann. Ich habe

Emil immer gesagt, er soll sich nicht etwa einbilden, daß ich niemanden habe, zu dem ich gehen kann. Ich habe ihm gesagt, daß du in jeder Beziehung ein Gentleman bist.«

Nach und nach erfuhr Philip, wie es zu der Trennung gekommen war. Allem Anschein nach hatte die Frau des Burschen das Abenteuer entdeckt, das ihn während seiner zeitweiligen Besuche in London in Anspruch nahm; sie war zum Chef der Firma, bei der er beschäftigt war, gegangen. Sie drohte Emil mit Scheidung, und die Firma ließ ihn wissen, daß sie ihn dann entlassen würde. Er war seinen Kindern leidenschaftlich zugetan und konnte den Gedanken, sich von ihnen zu trennen, nicht ertragen. Als er vor die Wahl zwischen seiner Frau und seiner Freundin gestellt war, wählte er die Frau. Er hatte immer sehr viel Wert darauf gelegt, daß kein Kind das Durcheinander noch schwieriger machen sollte. Als Mildred ihm dann die Tatsache mitteilte, da sie sie nicht länger vor ihm geheimhalten konnte, erfüllte ihn das mit panischem Schrecken. Er brach einen Streit vom Zaun und ließ sie sitzen.

»Wann erwartest du deine Niederkunft?« fragte Philip.

»Anfang März.«

»Drei Monate also noch.«

Es war nötig, Zukunftspläne durchzusprechen. Mildred erklärte, sie würde nicht mehr in den Zimmern in Highbury wohnen bleiben, und auch Philip hielt es für zweckentsprechend, daß sie mehr in seine Nähe zog. Er versprach ihr, daß er sich am nächsten Tag umsehen würde. Sie schlug Vauxhall Bridge Road vor, das sei eine Gegend, in der es sich gut leben ließe.

»Und es würde nahe sein für nachher«, sagte sie.

»Was heißt das?«

»Ich kann ja nur rund zwei Monate dableiben, denn nachher muß ich in ein Entbindungsheim. Ich kenne ein sehr anständiges, wo zumeist höhergestellte Leute sind, und sie nehmen einen für vier Guineen in der Woche, alles inbegriffen. Die Arztrechnung ist natürlich extra, aber das ist alles. Eine Freundin von mir ist dagewesen, und die Dame, die die Sache hat, ist eine wirkliche Dame. Ich werde ihr wohl sagen, daß mein Mann ein Offizier in Indien ist und daß ich wegen des Kindes nach London gekommen bin, weil das für meine Gesundheit besser ist.«

Es schien Philip unfaßbar, daß sie so sprach. Mit ihren zarten Gesichtszügen und ihrem blassen Gesicht sah sie kalt und mädchenhaft aus. Wenn er an die Leidenschaften dachte, die da unversehens durchbrachen, fühlte er sich seltsam bekümmert im Herzen. Sein Puls schlug schnell.

Philip erwartete, bei der Rückkehr in seine Wohnung einen Brief von Norah vorzufinden, aber es war nichts da; auch am nächsten Morgen kam nichts. Dieses Schweigen irritierte und beunruhigte ihn gleichzeitig. Seit Juni vergangenen Jahres hatten sie sich täglich, wenn er in London war, gesehen; und es mußte ihr schon merkwürdig vorkommen, daß er zwei Tage vorbeigehen ließ, ohne sie zu besuchen oder ihr auch nur einen Grund für sein Fernbleiben anzugeben. Er fragte sich, ob sie ihn wohl durch einen unglücklichen Zufall mit Mildred gesehen haben könnte. Er konnte den Gedanken nicht ertragen, daß sie verletzt oder gar unglücklich sei, und so entschloß er sich, am Nachmittag zu ihr zu gehen. Er fühlte sich fast geneigt, ihr Vorwürfe zu machen, weil sie es ihm erlaubt hatte, so intim mit ihr zu werden. Der Gedanke an eine Fortsetzung ihrer Beziehung erfüllte ihn mit Widerwillen.

Er fand zwei Zimmer für Mildred im zweiten Stockwerk eines Hauses in der Vauxhall Bridge Road. Sie waren laut, aber er wußte, sie hatte das Geratter des Straßenverkehrs unter den Fenstern gern.

»Ich kann keine toten Straßen leiden, wo man den ganzen Tag keine Menschenseele zu sehen bekommt«, sagte sie. »Ich brauche ein bißchen Leben.«

Dann zwang er sich, nach Vincent Square zu gehen. Er war, als er an der Glocke zog, krank in Erwartung dessen, was ihm bevorstand. Er hatte ein unbehagliches Gefühl, daß er Norah schlecht behandle, ihm graute vor Vorwürfen, er wußte, sie war leicht erregbar, und er haßte Szenen. Vielleicht wäre es am besten, wenn er ihr offen sagte, daß Mildred zurückgekommen sei und seine Liebe zu ihr noch genauso heftig wäre wie früher. Es tue ihm sehr leid, aber er könne Norah nichts mehr bieten. Dann dachte er an ihren Kummer, denn er wußte, daß sie ihn liebte. Es hatte ihm vorher geschmeichelt, und er war ihr unsagbar dankbar dafür gewesen, aber jetzt war es schrecklich. Sie hatte es nicht um ihn verdient, daß er ihr Kummer zufügte. Er fragte sich, wie sie ihn jetzt wohl begrüßen würde, und während er die Treppen hinaufging, zogen ihm alle möglichen Verhaltensweisen durch den Kopf. Er klopfte an der Tür. Er fühlte, daß er bleich war, und wußte nicht, wie er seine Nervosität am besten verbergen sollte.

Sie war fleißig am Schreiben, sprang aber gleich auf, als er eintrat.

»Ich habe dich sofort am Schritt erkannt«, rief sie. »Wo hast du dich so lange versteckt, du böser Junge?«

Sie kam voller Freude auf ihn zu und legte ihre Arme um seine Schulter. Sie war selig, ihn wiederzusehen. Er küßte sie und sagte dann, um sich zu fassen, daß er furchtbar durstig sei und Tee wolle. Sie schürte das Feuer, damit das Wasser schnell zum Kochen käme.

»Ich bin schrecklich beschäftigt gewesen«, sagte er etwas lahm.

Sie fing in ihrer fröhlichen Art an zu plaudern: daß sie einen neuen Auftrag für einen Schmöker habe, und zwar für eine Firma, für die sie bisher noch nichts geschrieben hätte. Sie würde fünfzehn Guineen dafür bekommen.

»Das ist vom Himmel gesandtes Geld. Ich weiß, was wir damit machen. Wir leisten uns einen kleinen Ausflug. Wir gehen zusammen nach Oxford, ja? Ich würde so schrecklich gern einmal die Universität sehen.«

Er sah sie an, um herauszufinden, ob ein Schatten von Vorwurf in ihren Augen läge, aber sie waren so frei und offen und so heiter wie immer; sie war voller Freude, daß er da war. Das Herz war ihm schwer. Er brachte es nicht fertig, ihr die grausame Wahrheit zu sagen. Sie machte ihm etwas Toast zurecht, schnitt ihn in kleine Happen und gab sie ihm, als wäre er ein Kind.

»Ist die Bestie nun gesättigt?« fragte sie.

Er nickte lächelnd, und sie zündete ihm eine Zigarette an. Dann kam sie zu ihm und setzte sich ihm, wie sie das gerne tat, auf den Schoß. Sie war sehr leicht. Sie lehnte sich mit einem Seufzer tiefen Glücks in seine Arme zurück.

»Sage mir etwas Nettes«, murmelte sie.

»Was soll ich denn sagen?«

»Du könntest vielleicht, wenn du deine Phantasie sehr anstrengst, sagen, daß du mich ziemlich gern hast.«

»Das weißt du ja.«

Er hatte einfach nicht den Mut, ihr jetzt seine Eröffnung zu machen. Er wollte ihr wenigstens den Frieden für diesen Tag lassen, und vielleicht würde er ihr schreiben. Das war leichter. Er konnte den Gedanken, daß sie weinte, nicht ertragen. Sie ließ sich von ihm küssen, aber während er sie küßte, dachte er an Mildred und an Mildreds schmale, blasse Lippen. Er wurde die Erinnerung an Mildred die ganze Zeit über nicht los, sie war da wie eine körperlose Gestalt, aber greifbarer doch als ein Schatten, und dieses Bild lenkte ihn beständig ab.

»Du bist heute sehr still«, sagte Norah.

Ihre Beredsamkeit war die Ursache ständiger Neckerei zwischen ihnen, und so antwortete er:

»Du läßt mich nie zu Wort kommen. Ich habe mir das Sprechen schon ganz abgewöhnt.«

»Aber du hörst auch nicht zu, und das ist ein ungehöriges Betragen.«

Er wurde ein bißchen rot und war nicht sicher, ob sie eine Ahnung von seinem Geheimnis hatte oder nicht; er wandte sich unbehaglich ab. Ihr Gewicht lastete heute auf ihm, und er wollte nicht, daß sie ihn berührte.

»Mein Fuß ist eingeschlafen«, sagte er.

»Das tut mir leid«, rief sie und sprang auf. »Ich muß eine Entfettungskur machen, wenn ich die Gewohnheit, Männern auf den Knien zu sitzen, nicht aufgeben kann.«

Er tat alles, was man bei eingeschlafenen Füßen zu tun pflegt, stampfte mit dem Fuß auf und wanderte umher. Dann stellte er sich vor das Fenster, damit sie ihre alte Stellung nicht wieder einnehmen könnte. Während sie sprach, dachte er, daß sie zehn Mildreds wert sei, sie war viel unterhaltsamer, und es war viel vergnüglicher, mit ihr zu reden. Sie war klüger, und sie hatte ein viel netteres Wesen. Sie war eine gute, tapfere, ehrliche kleine Frau, während Mildred, so dachte er bitter, keine dieser Bezeichnungen verdiente. Wenn er auch nur ein bißchen Vernunft hätte, würde er an Norah festhalten, sie würde ihn glücklicher machen, als er je mit Mildred werden könnte, sie liebte ihn schließlich, während ihm Mildred nur der Hilfe wegen dankbar war. Aber trotz aller Überlegungen war es eben doch das Wichtigste, zu lieben, nicht geliebt zu werden, und er sehnte sich nach Mildred von ganzem Herzen. Lieber wollte er zehn Minuten mit ihr verbringen als einen ganzen Nachmittag mit Norah, er schätzte einen Kuß von ihren kalten Lippen höher als alles, was Norah ihm geben konnte.

›Ich kann es nicht ändern‹, dachte er, ›sie steckt mir im Blut.‹

Es kümmerte ihn nicht, daß sie herzlos, bösartig und vulgär, dumm und habgierig war, er liebte sie. Er wollte lieber mit der einen unglücklich sein als mit der anderen glücklich.

Als er sich erhob, um zu gehen, sagte Norah so nebenher:

»Dann werde ich dich also morgen wieder sehen, nicht wahr?«

»Ja«, antwortete er.

Er wußte, daß er nicht würde kommen können, da er Mildred beim Umzug helfen müßte, aber er hatte nicht den Mut, ihr das zu sagen. Er entschloß sich, ihr dann wieder ein Telegramm zu schicken. Mildred besah sich am Vormittag die Zimmer und war zufrieden, und nach Tisch ging Philip mit ihr nach Highbury. Sie hatte einen großen Koffer für ihre Kleider und einen andern für verschiedene Kleinigkeiten, Kissen, Lampenschirme, Bilderrahmen, mit denen sie ihrer Wohnung ein behagliches Aussehen zu geben versucht hatte, außerdem hatte sie noch etwa zwei oder drei große Kartons, aber alles zusammen ließ sich auf dem Verdeck einer Pferdedroschke unterbringen. Als sie durch die Victoria Street fuhren, lehnte sich Philip tief in den Wagen zurück, für den Fall, daß Norah gerade vorüberkommen würde. Er hatte noch keine Gelegenheit gehabt, ihr zu depeschieren, und vom Postamt in der Vauxhall Bridge Road aus konnte er es auch nicht tun, weil Norah sich fragen würde, was er denn dort in der Gegend zu tun habe. Und wenn er schon da war, so gab es keine Entschuldigung, warum er nicht bis zum nächsten Platz ging, wo sie wohnte. Er hielt es doch für richtiger, daß er auf eine halbe Stunde zu ihr ginge, aber die Notwendigkeit dazu ärgerte ihn. Er war böse auf Norah, weil sie ihn zu gemeinen und erniedrigenden Ausflüchten zwang. Aber glücklich war er, daß er mit Mildred zusammensein konnte. Es machte ihm Spaß, ihr beim Auspacken zu helfen, und eine wunderbare Besitzerfreude erfüllte ihn dabei, sie hier in Räumen unterzubringen, die er für sie gefunden hatte und bezahlte. Es war ein Vergnügen, für sie etwas zu tun, und sie hatte keinerlei Wunsch, selbst etwas zu machen, was dem anderen allem Anschein nach für sie zu tun Freude machte. Er packte ihre Kleider aus und räumte sie weg. Sie hatte nicht vor, noch auszugehen, und so holte er ihre Hauspantoffeln und zog ihr die Schuhe aus. Es gefiel ihm, Handlangerdienste zu leisten.

»Du verwöhnst mich aber richtig«, sagte sie und ließ ihre Finger zärtlich durch sein Haar gleiten, während er vor ihr auf den Knien hockte und ihr die Stiefel aufknöpfte.

Er nahm ihre Hand und küßte sie.

»Es ist famos, daß du hier bist.«

Er ordnete die Kissen und stellte die Fotografien auf. Sie hatte verschiedene grüne irdene Krüge.

»Ich hole dir ein paar Blumen dafür«, sagte er.

Er besah sich voller Stolz sein Werk.

»Ich werde meinen Kimono anziehen«, sagte sie, »da ich ja heute doch nicht mehr ausgehe. Mache mir einmal hinten auf, ja?«

Sie drehte sich so selbstverständlich um, als wenn er eine Frau wäre. Sein Geschlecht bedeutete ihr nichts. Sein Herz war von Dankbarkeit über die Vertraulichkeit, die aus dieser Bitte sprach, erfüllt. Er löste mit ungeschickten Fingern Haken und Ösen.

»Als ich damals am ersten Tag in die Teestube kam, habe ich es mir nicht träumen lassen, daß ich das je für dich tun würde«, sagte er mit einem erzwungenen Lächeln.

»Irgend jemand muß es doch tun«, antwortete sie.

Sie ging ins Schlafzimmer und streifte sich einen blaßblauen Kimono über, er war mit ganzen Wasserfällen billiger Spitze verziert. Dann machte Philip es ihr auf dem Sofa bequem und bereitete ihr Tee.

»Ich fürchte, ich kann nicht zum Tee bleiben«, sagte er bedauernd. »Ich habe eine scheußliche Verabredung, aber in einer halben Stunde bin ich zurück.«

Er wußte nicht, was er ihr antworten würde, wenn sie fragen sollte, was denn das für eine Verabredung sei. Sie zeigte jedoch keinerlei Neugier. Er hatte das Abendessen für sie beide bestellt, als er das Zimmer mietete, und hatte vor, einen stillen Abend mit Mildred zu verleben. Er war in solcher Eile, wieder zurückzukommen, daß er die Straßenbahn durch die Vauxhall Bridge Road nahm. Er dachte, es wäre das beste, wenn er Norah gleich offen sagte, daß er nur ein paar Minuten bleiben könne.

»Du, ich habe gerade nur so viel Zeit, um dir guten Tag zu sagen«, sagte er sofort, als er ins Zimmer trat. »Ich habe schrecklich viel zu tun.«

Ihr Gesicht wurde lang.

»Wieso? Was ist los?«

Es erbitterte ihn, daß sie ihn zwang, sie zu belügen, und er fühlte, wie er rot wurde, als er darauf antwortete: im Krankenhaus wäre eine anatomische Vorlesung mit praktischen Erläuterungen, zu der er gehen müßte. Er bildete sich ein, daß sie aussah, als glaubte sie ihm nicht, und das reizte ihn nur noch mehr.

»Na schön, es macht nichts«, sagte sie, »dann werde ich dich morgen den ganzen Tag haben.«

Er sah sie bestürzt an. Morgen war Sonntag, und er hatte sich darauf gefreut, den ganzen Tag mit Mildred zusammenzusein. Er sagte sich, daß das nur eine selbstverständliche Anstandspflicht wäre, er könnte sie doch nicht in einem fremden Haus allein lassen.

»Es tut mir schrecklich leid, aber ich habe schon eine Verabredung für morgen.«

Er wußte, das war der Anfang einer Szene, die er um alles in der Welt lieber vermieden hätte. Die Farbe auf Norahs Wangen wurde tiefer.

»Ich habe doch die Gordons zum Essen eingeladen« – es war ein Schauspieler mit seiner Frau, die in der Provinz Vorstellungsreisen machten und über Sonntag in London waren. »Ich habe es dir bereits vor einer Woche gesagt.«

»Das tut mir schrecklich leid. Aber ich habe es ganz vergessen.« Er zögerte. »Ich fürchte, ich kann unmöglich kommen. Ist nicht sonst jemand da, den du dazu einladen kannst?«

»Was hast du denn morgen vor?«

»Vielleicht nimmst du mich lieber nicht ins Kreuzverhör!«

»Du willst es mir also nicht sagen?«

»Ich habe absolut nichts dagegen, es dir zu sagen, aber es ist reichlich lästig, wenn man gezwungen wird, über jeden Schritt Rechenschaft abzulegen.«

Norah war plötzlich ganz verändert. Sie bezwang ihren aufsteigenden Zorn, ging zu ihm und nahm seine Hände.

»Enttäusch mich morgen nicht, Philip. Ich habe mich so darauf gefreut, den Tag mit dir zu verleben. Die Gordons möchten dich sehen, und wir werden so viel Freude miteinander haben.«

»Ich täte es gerne, wenn ich es einrichten könnte.«

»Ich bin nicht sehr anspruchsvoll, nicht wahr? Ich bitte dich nicht oft um etwas, was dir lästig ist. Kannst du nicht – dieses eine einzige Mal – deine Verabredung fallenlassen?«

»Es tut mir schrecklich leid. Ich sehe nicht, wie ich das machen könnte«, antwortete er eigensinnig.

»Sag mir doch, was es ist«, sagte sie schmeichelnd.

Er hatte Zeit, etwas zu erfinden.

»Griffiths Schwestern sind auf Wochenendbesuch hier, und wir gehen mit ihnen aus.«

»Ist das alles?« fragte sie erfreut, »Griffith kann so leicht einen andern jungen Mann auftreiben.«

Er wünschte, er hätte sich etwas Dringlicheres ausgedacht. Es war eine ungeschickte Lüge.

»Nein, es tut mir schrecklich leid, ich kann nicht – ich hab's versprochen, und ich halte meine Versprechen.«

»Aber mir hast du es doch auch versprochen. Gehe ich denn nicht vor?«

»Wenn du doch nicht so halsstarrig wärst«, sagte er.

Sie fuhr hoch.

»Du kommst nicht, weil du keine Lust hast. Ich weiß nicht, was du die letzten Tage über getrieben hast, aber du bist völlig verwandelt.«

Er sah auf seine Taschenuhr.

»Ich fürchte, es ist Zeit, daß ich gehe.«

»Du kommst also morgen nicht?«

»Nein.«

»In diesem Falle brauchst du dir auch fernerhin nicht mehr die Mühe zu machen«, schrie sie, denn es riß ihr endgültig die Geduld.

»Ganz wie du willst«, antwortete er.

»Ich will dich dann nicht länger aufhalten«, fügte sie voller Ironie hinzu.

Er zuckte die Schultern. Er fühlte sich erleichtert, daß es nicht schlimmer abgelaufen war. Es hatte keine Tränen gegeben. Als er so dahinging, beglückwünschte er sich, daß er so leicht aus der Sache herausgekommen war. Er ging zur Victoria Street und kaufte ein paar Blumen für Mildred.

Das kleine Essen war ein rechter Erfolg. Philip hatte ihr ein Döschen Kaviar geschickt, denn er wußte, daß sie ihn sehr gern aß. Die Wirtin brachte ihnen Koteletts mit Gemüse und eine süße Nachspeise. Philip hatte Mildreds Lieblingswein, Burgunder, bestellt. Mit den vorgezogenen Vorhängen, einem fröhlichen Feuer im Kamin und einem der mitgebrachten Lampenschirme auf der Lampe wirkte das Zimmer recht gemütlich.

»Hier fühlt man sich wirklich wie zu Hause«, sagte Philip lächelnd.

»Es könnte mir schlechter gehen, nicht?« antwortete sie.

Als sie fertig waren, zog Philip zwei Lehnstühle vors Feuer, und sie setzten sich. Er rauchte mit Behagen seine Pfeife. Er fühlte sich glücklich und großmütig.

»Was möchtest du morgen unternehmen?« fragte er.

»Ach, ich gehe nach Tulse Hill. Erinnerst du dich an die Leiterin unserer Teestube? Sie ist jetzt verheiratet und hat mich eingeladen, den Tag bei ihr zu verbringen. Natürlich denkt sie, daß ich auch verheiratet bin.«

Philip wurde das Herz schwer.

»Aber ich habe eine Einladung abgelehnt, damit ich den Sonntag mit dir verbringen kann.«

Er glaubte, daß sie nun, wenn sie ihn liebte, sagen würde, in diesem Fall wollte sie bei ihm bleiben. Er wußte sehr wohl, daß Norah sich keinen Augenblick besonnen hätte.

»Du bist aber dumm, daß du das getan hast. Ich habe es schon seit mehr als drei Wochen versprochen.«

»Aber wie kannst du allein gehen?«

»Ach, ich sage, daß Emil geschäftlich verreist sei. Ihr Gatte ist im Handschuhhandel – er ist ein feiner Kerl.«

Philip schwieg; sein Herz war voll bitterer Gefühle. Sie sah ihn von der Seite an.

»Du mißgönnst mir das bißchen Vergnügen nicht, Philip? Es ist doch das letztemal, für wer weiß wie lange, daß ich ausgehen kann, und ich hab es versprochen.«

Er nahm ihre Hand und lächelte.

»Nein, mein Liebling. Ich hoffe, du hast recht viel Spaß. Ich will ja nichts weiter, als daß du glücklich bist.«

Auf dem Sofa lag ein kleines blaugebundenes Buch mit aufgeschlagenen Seiten. Philip nahm es gedankenverloren auf. Es war ein Dreigroschenroman, und die Autorin war Courtenay Paget. Das war Norahs Schriftstellername.

»Ich habe ihre Bücher sehr gern«, sagte Mildred. »Ich lese sie alle; sie sind so vornehm.«

Er erinnerte sich, was Norah von sich gesagt hatte:

»Ich habe eine ungeheure Popularität unter Küchenmädchen. Sie finden mich so nobel.«


Philip hatte Griffith im Austausch für die ihm anvertrauten Geheimnisse auch die Einzelheiten seiner eigenen verwickelten Liebesgeschichte mitgeteilt. Als sie nun am Sonntagmorgen nach dem Frühstück in ihren Bademänteln vor dem Kamin saßen und rauchten, berichtete er ihm von der Szene, die sich gestern zugetragen hatte. Griffith gratulierte ihm, daß er so leicht aus den Schwierigkeiten herausgekommen war.

»Es ist das Einfachste in der Welt, mit einer Frau eine Beziehung zu haben«, sagte er sinnig; »aber es ist eine verteufelt lästige Angelegenheit, sie wieder loszuwerden.«

Philip fühlte sich geneigt, sich selbst großartig zu finden, weil er die Sache so wunderbar erledigt hatte. Jedenfalls war er außerordentlich erleichtert. Er dachte an Mildred und daran, wie sie sich wohl in Tulse Hill amüsieren mochte. Es war ihm eine rechte Befriedigung, daß er sie glücklich wußte. Es war Selbstüberwindung, daß er ihr das Vergnügen nicht mißgönnte, obwohl er es mit seiner eigenen Enttäuschung hatte bezahlen müssen. Das erfüllte sein Herz mit angenehmer Glut.

Am Montag abend aber fand er einen Brief von Norah auf seinem Schreibtisch. Sie schrieb:

*Liebster!*
*Es tut mir leid, daß ich Samstag so böse war. Vergib mir und komme am Nachmittag wie gewöhnlich zum Tee. Ich liebe Dich.*
*Deine Norah*

Er wußte nicht, was er nun tun sollte. Er zeigte das Briefchen Griffith.

»Das beste ist, du antwortest gar nicht«, sagte er.

»Das kann ich nicht«, rief Philip. »Es macht mich ganz elend, wenn ich mir vorstelle, daß sie nun in einem fort auf mich wartet. Du weißt nicht, was es heißt, wie irre auf den Briefträger zu warten. Ich weiß es aber, und ich kann niemand dieser Qual aussetzen.«

»Mein lieber Freund, man kann eine solche Art von Beziehung nicht beenden, ohne daß einer darunter leidet. Du mußt eben die Zähne zusammenbeißen. Aber, glaube mir, es ist bald vorüber.«

Philip fand, Norah habe es nicht verdient, daß er ihr Schmerz zufüge, und was wußte Griffith von dem Grad des Kummers, dessen sie fähig war? Er erinnerte sich an seinen eigenen Schmerz, an das, was er selbst gelitten hatte, als Mildred ihm sagte, daß sie sich verheiraten würde. Er wünschte niemandem, was er damals selbst durchgemacht hatte.

»Wenn dir so viel daran liegt, daß sie nicht leidet, geh zu ihr zurück!« sagte Griffith.

»Das kann ich nicht.«

Er stand auf und lief voller Nervosität im Zimmer auf und ab. Er war böse auf Norah, weil sie die Angelegenheit nicht hatte ruhen lassen. Sie mußte doch gesehen haben, daß er keine Liebe mehr zu ihr empfand. Man sagte doch immer, daß Frauen so etwas sehr schnell spüren.

»Du könntest mir helfen«, sagte er zu Griffith.

»Mein lieber Freund, mach nicht so viel Aufhebens davon. Man kommt über solche Sachen hinweg – weißt du. Wahrscheinlich ist sie gar nicht so in dich verknallt, wie du es dir einbildest. Man übersteigert die Leidenschaft leicht, die man andern eingeflößt hat.«

Er hörte zu sprechen auf und sah leicht amüsiert zu Philip hin. »Schau her, es gibt nur eins, was du tun kannst. Schreib und sag ihr, daß es aus ist. Formuliere es so, daß kein Mißverständnis möglich ist. Es wird ihr weh tun; aber es wird ihr weniger weh tun, wenn du die Sache brutal zu Ende bringst, als wenn du es mit halbem Herzen weiter versuchst.«

Philip setzte sich hin und schrieb den folgenden Brief:

*Meine liebe Norah!*

*Es tut mir leid, wenn ich Dich unglücklich mache; aber ich glaube, es ist besser, wenn wir so verbleiben, wie wir uns am Samstag getrennt haben. Ich finde, es hat keinen Zweck, diese Dinge weiterzuschleppen, wenn sie aufgehört haben, Spaß zu machen. Du hast mir gesagt, ich solle gehen, und ich bin gegangen. Ich habe nicht vor, zurückzukommen. Adieu!*

*Philip Carey*

Er zeigte Griffith den Brief und fragte ihn nach seiner Meinung. Griffith las ihn und sah Philip mit Augenzwinkern an. Er äußerte seine Ansicht nicht.

»Das wird die Sache schon erledigen«, sagte er.

Philip trug den Brief zum Briefkasten. Er verbrachte einen unbehaglichen Vormittag; denn er konnte sich bis in jede Einzelheit vorstellen, wie Norah zumute sein würde, wenn sie den Brief erhielt. Die Vorstellung, daß sie weinen würde, quälte ihn. Gleichzeitig aber atmete er erleichtert auf. Nur vorgestellter Kummer war immerhin leichter zu ertragen als solcher, bei dem man zugegen war. Jetzt war er frei, Mildred aus ganzer Seele zu lieben. Sein Herz hüpfte vor Freude in der Erwartung, sie heute nach vollbrachtem Tagewerk im Krankenhaus zu sehen.

Als er wie gewöhnlich nach Hause ging, um sich ein bißchen in Ordnung zu bringen, hörte er, gerade als er den Schlüssel ins Schlüsselloch gesteckt hatte, eine Stimme hinter sich.

»Darf ich hereinkommen? Ich warte schon seit einer halben Stunde auf dich.«

Es war Norah. Er fühlte, wie er bis unter die Haarwurzeln errötete. Ihre Stimme klang fröhlich; keine Spur von Nachtragen, kein

Zeichen, daß es zwischen ihnen einen Bruch gegeben hatte, war darin. Er fühlte sich in die Enge getrieben. Ihm war ganz elend vor Angst; aber er gab sich Mühe zu lächeln.

»Ja, bitte«, sagte er.

Er öffnete die Tür, und sie ging vor ihm her ins Wohnzimmer. Er war nervös und bot ihr eine Zigarette an, um seine Haltung wiederzugewinnen; auch sich selbst zündete er eine an. Sie sah strahlend zu ihm auf.

»Warum hast du mir einen solch schrecklichen Brief geschrieben, du böser Junge? Wenn ich ihn ernst genommen hätte, hätte ich mich ganz unglücklich und erbärmlich fühlen müssen.«

»Er war ernst gemeint«, antwortete er feierlich.

»Sei doch nicht töricht. Ich bin neulich böse geworden, und dann habe ich dir geschrieben und dich um Verzeihung gebeten. Damit warst du noch nicht zufrieden, so bin ich also hergekommen, um noch einmal um Verzeihung zu bitten. Schließlich bist du dein eigener Herr, und ich habe keine Ansprüche an dich zu stellen. Ich will nicht, daß du irgend etwas tust, was du nicht willst.«

Sie erhob sich von ihrem Stuhl und ging mit ausgestreckten Händen impulsiv auf ihn zu.

»Laß uns wieder Freunde werden, Philip! Es tut mir sehr leid, daß ich dich gekränkt habe.«

Er konnte es nicht hindern, daß sie seine Hände ergriff; aber er brachte es nicht fertig, sie anzusehen.

»Ich fürchte, es ist zu spät«, sagte er.

Sie ließ sich neben ihm auf dem Boden nieder und umfing seine Knie.

»Philip, sei nicht töricht. Ich bin auch leicht reizbar, und ich kann verstehen, daß ich dich gekränkt habe; aber es ist dumm, deswegen zu schmollen. Was haben wir davon, wenn wir uns beide unglücklich machen? Es ist so schön gewesen – unsere Freundschaft.« Sie ließ langsam ihre Finger über seinen Kopf gleiten. »Ich liebe dich, Philip.«

Er machte sich von ihr los, stand auf und ging auf die andere Seite des Zimmers hinüber.

»Es tut mir schrecklich leid, ich kann nichts tun. Die ganze Sache ist aus.«

»Willst du damit sagen, daß du mich nicht mehr liebst?«

»Ich fürchte, ja.«

»Du hast auf eine Gelegenheit gewartet, um mir den Abschied zu geben, und unsere Szene kam dir gerade recht?«

Er antwortete nicht. Sie sah ihn eine Weile, die ihm unerträglich schien, regungslos an. Sie saß auf dem Boden, gegen den Lehnstuhl gestützt, wo er sie verlassen hatte. Sie fing lautlos an zu weinen, ohne ihr Gesicht in den Händen zu bergen, und die schweren Tränen rollten ihr eine nach der andern die Wangen hinunter. Sie schluchzte nicht. Es war gräßlich und schmerzlich, sie so zu sehen. Philip wandte sich ab.

»Es tut mir leid, daß ich dir so weh tun muß. Ich kann nichts dafür, daß ich dich nicht liebe.«

Sie antwortete nicht. Sie saß nur da, und die Tränen rannen ihr weiter die Wangen hinunter. Es wäre leichter zu ertragen gewesen, wenn sie ihm Vorwürfe gemacht hätte. Er hatte gehofft, daß sie heftig werden würde; darauf war er gefaßt. Im Unterbewußtsein fühlte er, daß ein richtiger Streit, in dem man einander grausame Sachen sagt, sein Verhalten irgendwie gerechtfertigt hätte. Die Zeit verging. Schließlich fing er an, sich vor diesem lautlosen Weinen zu fürchten. Er ging in sein Schlafzimmer und holte ein Glas Wasser. Er beugte sich über sie.

»Willst du nicht etwas trinken? Es wird dir guttun.«

Sie brachte ihre Lippen lautlos an das Glas und trank zwei oder drei Schlucke. Dann bat sie ihn erschöpft im Flüsterton um ein Taschentuch. Sie trocknete sich die Augen.

»Natürlich, ich wußte ja, daß du mich nicht so liebst wie ich dich«, klagte sie.

»Ich fürchte, das ist immer so«, sagte er. »Da ist immer ein liebender Teil und einer, der sich lieben läßt.«

Er dachte dabei an Mildred, und ein bitterer Schmerz durchzog sein Herz. Norah antwortete lange nicht.

»Ich bin so furchtbar unglücklich gewesen, und mein Leben war so hassenswert«, sagte sie schließlich.

Sie sprach nicht mit ihm, sondern mit sich selbst. Er hatte sie noch nie über das Leben, das sie mit ihrem Mann geführt hatte, oder über ihre Armut klagen hören. Er hatte immer an ihr bewundert, wie kühn sie der Welt die Stirn bot.

»Und dann bist du gekommen, und du warst so gut zu mir. Und ich habe dich bewundert, weil du so klug bist, und es war so himmlisch, jemanden zu haben, dem ich vertrauen konnte. Ich liebte dich. Ich habe nicht geglaubt, daß das jemals zu Ende gehen könnte, und dabei ohne irgendein Verschulden meinerseits.«

Wieder begannen ihre Tränen zu fließen; aber jetzt hatte sie sich mehr in der Gewalt, und sie verbarg ihr Gesicht in Philips Taschentuch. Sie versuchte mühsam, sich zu beherrschen.

»Gib mir noch etwas Wasser«, sagte sie.

Sie wischte sich die Augen trocken.

»Es tut mir leid, daß ich mich so anstelle. Es kam so unvorbereitet.«

»Es tut mir schrecklich leid, Norah. Du sollst wissen, daß ich dir für alles, was du für mich getan hast, sehr dankbar bin.«

»Ach, es ist immer das gleiche«, seufzte sie; »wenn du willst, daß

Männer dich gut behandeln, mußt du ekelhaft zu ihnen sein; wenn du sie anständig behandelst, lassen sie dich dafür leiden.«

Sie stand vom Boden auf und sagte, sie müsse nun gehen. Sie sah Philip noch einmal mit einem langen, ruhigen Blick an. Dann seufzte sie.

»Es ist so unverständlich. Was bedeutet das nur alles?«

Philip faßte einen schnellen Entschluß.

»Ich glaube, ich sage es dir lieber. Ich möchte nicht, daß du zu schlecht von mir denkst. Ich möchte gern, daß du einsiehst, daß ich nichts dafür kann. Mildred ist zurückgekommen.«

Ein Rot stieg ihr ins Gesicht.

»Warum hast du mir das nicht gleich gesagt? Das hätte ich doch wenigstens verdient.«

»Ich hatte Angst.«

Sie besah sich im Spiegel und schob sich den Hut zurecht.

»Willst du mir bitte eine Droschke rufen?« sagte sie. »Ich glaube, ich kann nicht gehen.«

Er ging zur Tür und rief einen vorüberfahrenden Wagen an. Aber als sie ihm auf der Straße nachkam, war er erschrocken darüber, wie bleich sie aussah. Ihre Bewegungen hatten etwas Schweres, als wäre sie plötzlich älter geworden. Sie sah so krank aus, daß er nicht das Herz hatte, sie allein gehen zu lassen.

»Ich fahre mit, wenn es dir recht ist.«

Sie antwortete nicht, und er stieg ein. Sie fuhren schweigend über die Brücke, durch schmierige Straßen, wo Kinder mit lautem Gekreisch spielten. Als sie bei ihrer Tür ankamen, stieg sie nicht sofort aus. Es schien, als hätte sie nicht Kraft genug, ihre Beine zu bewegen.

»Ich hoffe, du vergibst mir, Norah«, sagte er.

Sie wandte ihm die Augen zu, und er sah, daß sie wieder feucht von Tränen waren; aber sie zwang ein Lächeln auf ihre Lippen.

»Armer, du bist ganz besorgt meinetwegen! Sorge dich nicht. Ich tadle dich nicht. Ich komme schon drüber hinweg.«

Mit leichten, schnellen Händen streichelte sie sein Gesicht, um ihm zu zeigen, daß sie ihm nicht böse war; es war eine kaum angedeutete Geste. Dann sprang sie aus dem Wagen und verschwand im Haus.

Philip zahlte und ging zu Mildreds Wohnung. Ihm war das Herz seltsam schwer. Er machte sich fast Vorwürfe. Aber warum? Er wußte nicht, was er sonst hätte tun können. Als er bei einem Obstladen vorbeikam, erinnerte er sich daran, daß Mildred gerne Trauben aß. Er war so dankbar, daß er ihr seine Liebe dadurch zeigen konnte, daß er sich an jeden ihrer kleinsten Wünsche erinnerte.

Während der nächsten drei Monate ging Philip täglich zu Mildred. Er nahm seine Bücher mit und arbeitete nach dem Tee, während Mildred auf dem Sofa lag und Romane las. Manchmal sah er auf und betrachtete sie. Ein glückliches Lächeln lag dann auf seinen Lippen. Sie fühlte seine Augen auf sich ruhen.

»Vergeude deine Zeit nicht damit, mich anzugucken, Dummer. Arbeite weiter«, sagte sie dann.

»Tyrann«, antwortete er fröhlich.

Er legte sein Buch fort, wenn die Wirtin hereinkam, um den Tisch zum Abendessen zu decken. Vor lauter Fröhlichkeit neckten sie einander. Sie war eine einfache kleine Londonerin in mittleren Jahren, mit einem amüsanten Humor und schlagfertig. Mildred hatte dicke Freundschaft mit ihr geschlossen. Sie hatte ihr einen sorgfältig ausgearbeiteten, aber verlogenen Bericht der Umstände gegeben, die sie in diese traurige Lage gebracht hatten. Die gutherzige kleine Frau war gerührt und fand keine Mühe zu groß, um es Mildred behaglich zu machen. Mildred mit ihrem Tick der Schicklichkeit hatte vorgeschlagen, daß Philip sich als ihr Bruder ausgeben sollte. Sie aßen zusammen, und Philip war erfreut, wenn er etwas bestellt hatte, was Mildreds launenhaftem Appetit zusagte. Es entzückte ihn, sie ihm gegenüber sitzen zu sehen, und immer wieder nahm er aus reiner Glückseligkeit ihre Hand und drückte sie. Nach dem Essen saß sie in ihrem Lehnstuhl beim Feuer, und er ließ sich neben ihr auf dem Boden nieder, schmiegte sich gegen ihre Knie und rauchte. Sehr häufig sprachen sie überhaupt nicht, und manchmal sah Philip, daß sie halb eingeschlafen war. Er wagte es dann nicht, sich zu bewegen, damit er sie nicht aufweckte, saß ganz still, blickte träge ins Feuer und freute sich seines Glücks.

»Schönes Schläfchen gehabt?« lächelte er, wenn sie erwachte.

»Ich habe nicht geschlafen«, antwortete sie; »ich habe nur ein bißchen die Augen zugemacht.«

Sie gab nie zu, daß sie eingeschlafen war. Sie war phlegmatisch, und ihr Zustand machte ihr nicht sonderlich zu schaffen. Sie kümmerte sich viel um ihre Gesundheit und nahm jeden Rat an, den irgendwer ihr gab. Sie machte jeden Vormittag, wenn das Wetter schön war, einen längeren ›Verdauungsspaziergang‹ und blieb eine ganz bestimmte Zeit draußen. Wenn es nicht zu kalt war, saß sie im Park von St. James. Den übrigen Tag aber brachte sie höchst vergnügt auf dem Sofa liegend zu, las einen Roman nach dem andern oder schwatzte mit der Wirtin; sie hatte ein unerschöpfliches Interesse an Klatschereien und erzählte Philip nachher mit vielen Einzelheiten die Lebensgeschichte ihrer Wirtin oder des Untermieters im anderen Stockwerk und der Leute, die nebenan oder gegenüber wohnten. Hin und wieder war sie von panischer Angst erfüllt; dann breitete sie die

Furcht, die sie bei dem Gedanken an die Entbindung überkam, vor Philip aus und war entsetzt, daß sie vielleicht würde sterben müssen. Sie gab ihm einen ausführlichen Bericht über die Entbindung der Wirtin und der Dame unter ihnen (Mildred kannte sie nicht; »ich bin jemand, der gern für sich bleibt«, sagte sie; »ich laß mich nicht mit jedem ein«), und sie erzählte die Einzelheiten mit einem Gemisch von Schrecken und Vergnügen; gewöhnlich aber sah sie dem Ereignis mit Gleichmut entgegen.

»Schließlich bin ich nicht die erste, die ein Kind bekommt, nicht wahr? Und der Doktor sagt, ich brauche mir keine Sorge zu machen. Es sieht nicht so aus, als ob ich schlecht gebaut wäre.«

Mrs. Owen, die Besitzerin des Heims, in das sie gehen wollte, wenn ihre Zeit gekommen war, hatte ihr einen Arzt empfohlen, und Mildred besuchte ihn einmal wöchentlich. Er bekam fünfzehn Guineen als Honorar.

»Ich hätte es natürlich auch billiger haben können; aber Mrs. Owen hat ihn mir sehr empfohlen, und ich dachte, es wäre unrecht, am falschen Ort zu sparen.«

»Wenn du dich glücklich und behaglich fühlst, kommt es mir auf die Ausgaben nicht an«, sagte Philip.

Sie nahm alles, was Philip für sie tat, so selbstverständlich hin, als wäre es das Natürlichste auf der Welt, und er seinerseits gab gern Geld für sie aus: jede Fünfpfundnote, die er ihr gab, verursachte ihm einen kleinen Glücksschauer und machte ihn stolz; er gab ihr eine ganze Menge, denn sparen konnte sie nicht.

»Ich weiß nicht, wo das Geld immer hingeht«, sagte sie selbst; »es scheint mir wie Wasser durch die Finger zu rinnen.«

»Es macht nichts«, sagte Philip; »ich bin so froh, daß ich etwas für dich tun kann.«

Sie konnte nicht gut nähen, und so machte sie die notwendigen Sachen für das zu erwartende Baby nicht selbst; sie erzählte Philip, daß es letzten Endes billiger käme, sie fertig zu kaufen. Philip hatte vor kurzem eine der Hypotheken veräußert, in denen ein Teil seines Geldes investiert gewesen war; jetzt fühlte er sich mit den fünfhundert Pfund auf der Bank, die auf eine Anlage warteten, bei der sie leichter realisierbar waren, ungewöhnlich reich. Sie sprachen oft von der Zukunft. Philip drang sehr darauf, daß Mildred das Kind bei sich behalten solle; aber das lehnte sie ab. Sie mußte ihren Unterhalt verdienen, und das würde leichter sein, wenn sie sich nicht um das Kind zu kümmern brauchte. Sie wollte wieder in einem der Läden ihrer frühern Gesellschaft Arbeit nehmen, und das Kind konnte bei einer ordentlichen Frau auf dem Lande untergebracht werden.

»Ich kann jemanden finden, der es für siebeneinhalb Shilling wöchentlich gut betreut. Es ist besser für das Kind und besser für mich.«

Das schien Philip gefühllos. Aber als er mit ihr darüber zu reden versuchte, tat sie so, als glaubte sie, daß es ihm um die Ausgabe zu tun wäre.

»Du brauchst dir keine Sorgen darum zu machen«, sagte sie, »ich werde *dich* nicht bitten, daß du es bezahlst.«

»Du weißt, daß es mir nicht darauf ankommt, wieviel es kostet.«

Im Grunde ihres Herzens hoffte sie, daß das Kind tot geboren werden würde. Sie deutete es nur an; aber Philip merkte wohl, daß sie daran dachte. Er war zuerst entsetzt; aber als er es überlegte, mußte er zugeben, daß es für alle in Betracht kommenden Teile das beste sein würde.

»Es ist alles leicht gesagt«, bemerkte Mildred klagend, »aber es ist nicht so einfach, wenn sich ein Mädchen seinen Lebensunterhalt selber verdienen muß, und es wird nicht eben leichter dadurch, wenn es ein Kind hat.«

»Glücklicherweise hast du ja mich, auf den du dich verlassen kannst«, lächelte Philip und nahm ihre Hand.

»Du bist gut zu mir gewesen, Philip.«

»Unsinn!«

»Du kannst aber nicht sagen, daß ich dir für das, was du für mich getan hast, nichts angeboten hätte.«

»Himmelherrgott, ich brauche nichts dafür. Wenn ich etwas für dich getan habe, so habe ich es deshalb getan, weil ich dich liebe. Du bist mir nichts schuldig. Ich will nichts von dir, oder doch nur, wenn du mich liebst.«

Es entsetzte ihn ein wenig, daß sie meinen konnte, ihr Körper wäre eine Ware, die man gleichmütig als Dank für geleistete Dienste hingeben konnte.

»Aber ich möchte es gern, Philip. Du bist so gut zu mir gewesen.«

»Nun, ein bißchen Warten schadet nichts. Wenn du wieder in Ordnung bist, dann können wir eine kleine Hochzeitsreise machen.«

Mildred erwartete ihre Niederkunft Anfang März. Dann sollte sie, sobald sie sich wieder wohl genug fühlte, für vierzehn Tage an die See. Das würde es auch Philip möglich machen, ununterbrochen für sein Examen zu arbeiten. Darauf kamen die Osterferien, und sie hatten abgemacht, dann zusammen nach Paris zu fahren. Philip sprach unaufhörlich von allem, was sie unternehmen würden. Paris wäre gerade um diese Zeit bezaubernd. Sie würden sich in einem kleinen Hotel im Quartier Latin, das er kannte, ein Zimmer nehmen. Sie würden in allen möglichen kleinen reizenden Restaurants essen, sie würden ins Theater gehen, und er würde sie ins Varieté mitnehmen. Es würde ihr Spaß machen, seine Freunde kennenzulernen. Er hatte ihr von Cronshaw erzählt, sie würde ihn sehen, und dann war Lawson da – er war für ein paar Monate nach Paris gegangen –, und sie würden zum *Bal Bullier* gehen. Dann gab es Ausflüge: sie würden nach Versailles, Chartres, Fontainebleau fahren.

»Das wird aber eine Menge Geld kosten«, sagte sie.

»Ach, was kümmert mich das! Denk nur, wie sehr ich mir das schon gewünscht habe. Weißt du nicht, was das für mich bedeutet? Ich habe nie jemanden außer dir geliebt, und ich werde es nie tun.«

Sie hörte seiner Begeisterung mit lächelnden Augen zu. Er glaubte, in ihnen eine neue Zärtlichkeit zu sehen, und war ihr dankbar dafür. Sie war viel weicher als gewöhnlich. Sie hatte nicht mehr das anmaßende Wesen, das ihn so gereizt hatte. Sie hatte sich jetzt so an ihn gewöhnt, daß sie sich nicht mehr die Mühe gab, ihr Getue aufrechtzuerhalten. Sie bemühte sich nicht mehr, ihr Haar wie früher in künstlerischer Vollendung aufzustecken, sondern band es einfach zu einem Knoten zusammen. Sie trug die langen Ponyfransen nicht mehr wie früher; der etwas zwanglosere Stil stand ihr gut. Ihr Gesicht war so schmal, daß ihre Augen dadurch sehr groß erschienen; sie hatte dunkle Ringe darunter, deren Farbe noch durch die Blässe ihrer Wangen vertieft wurde. Ihr Blick hatte etwas Verloren-Sehnsüchtiges, was sehr rührend wirkte. Es schien Philip etwas Madonnenhaftes an ihr zu sein. Er wünschte nur, daß es immer so bleiben möge wie jetzt. Er war glücklicher, als er je in seinem Leben gewesen war.

Er verabschiedete sich gewöhnlich abends gegen zehn Uhr; denn sie ging gern früh zu Bett, und er mußte noch ein paar Stunden arbeiten als Ausgleich für den verlorenen Abend. Meistens bürstete er ihr erst das Haar, ehe er ging. Er hatte die Gutenachtküsse zu einem feierlichen Ritus gemacht: erst küßte er ihr die Handflächen (wie dünn doch ihre Finger waren! Die Nägel waren schön; denn sie verbrachte viel Zeit damit, sie zu maniküren), dann küßte er sie auf die geschlossenen Augenlider, erst auf das rechte, dann auf das linke, und schließlich küßte er sie auf die Lippen. Er ging mit vor Liebe überfließendem Herzen nach Hause. Er sehnte sich nach Gelegenheiten, um sein verzehrendes Begehren nach Selbstaufopferung zu befriedigen.

Dann kam die Zeit, wo sie in das Entbindungsheim übersiedelte. Philip konnte sie dort nur am Nachmittag besuchen. Mildred änderte ihre Geschichte und gab sich als Frau eines Soldaten aus, der nach Indien zu seinem Regiment gegangen war, und Philip wurde der Dame, die das Unternehmen leitete, als Schwager vorgestellt.

»Ich muß recht vorsichtig sein mit dem, was ich sage«, erzählte sie ihm, »weil nämlich noch eine Dame da ist, deren Mann in Indien bei der Zivilbehörde angestellt ist.«

»Ich würde mich an deiner Stelle dadurch nicht beunruhigen lassen«, sagte Philip. »Ich bin überzeugt, daß ihr Mann auf dem gleichen Schiff mit deinem hinübergefahren ist.«

»Auf welchem Schiff?« fragte sie einfältig.

»Dem ›Fliegenden Holländer‹.«

Mildred wurde ohne Schwierigkeiten von einer Tochter entbunden, und das Kind lag neben ihr, als Philip zum erstenmal hinein durfte. Mildred war sehr schwach, aber doch erleichtert, daß es nun überstanden war. Sie zeigte ihm das Baby und sah selbst prüfend darauf nieder.

»Es ist ein komisch aussehendes kleines Ding, nicht wahr? Ich kann gar nicht glauben, daß es von mir ist.«

Es war rot und voller Runzeln und wunderlich. Philip lächelte, als er es betrachtete. Er wußte nicht recht, was er sagen sollte, und es machte ihn verlegen, daß die Pflegerin, der das Haus gehörte, neben ihm stand. Außerdem fühlte er an der Art, wie sie ihn ansah, daß sie Mildreds komplizierter Geschichte keinen Glauben schenkte und ihn für den Vater hielt.

»Wie wirst du es nennen?« fragte er.

»Ich kann mich noch nicht entscheiden, ob ich sie Madeleine oder Cäcilie nennen soll.«

Die Schwester ließ sie für ein paar Minuten allein, und Philip beugte sich nieder und küßte Mildred auf den Mund.

»Ich bin so froh, Liebling, daß alles glücklich vorüber ist!«

Sie legte ihre dünnen Arme um seinen Hals.

»Du bist ein lieber Kerl, Philip!«

»Jetzt fühle ich endlich, daß du mein bist. Ich habe so lange auf dich gewartet, du Liebe!«

Sie hörten die Schwester an der Tür, und Philip stand schnell auf. Die Pflegerin trat ein. Auf ihren Lippen lag ein leichtes Lächeln.


Drei Wochen später brachte Philip Mildred und das Baby zum Zug nach Brighton. Sie hatte sich sehr schnell erholt und sah besser aus, als er sie je gesehen hatte. Sie ging in eine Pension, wo sie schon ein paarmal zum Wochenende mit Emil Miller gewesen war. Sie hatte der Wirtin geschrieben, daß ihr Mann nach Deutschland hatte fahren müssen und daß sie mit ihrem Kind komme. Sie meinte, sie würde in Brighton schon eine Frau finden, die das Kind in Pflege nehmen würde. Philip war überrascht über die Gefühllosigkeit, mit der sie darauf bestand, es so schnell loszuwerden. Aber sie behauptete, daß es besser wäre, das Kind jetzt fortzugeben, ehe es sich zu sehr an sie gewöhnt hätte. Philip hatte geglaubt, daß der Mutterinstinkt in ihr erwachen würde, wenn sie das Kind erst einmal zwei oder drei Wochen hätte, und hatte damit gerechnet, um sie leichter überreden zu können, daß sie es behielte. Aber nichts dergleichen geschah.

Mildred war gegen das Kind nicht etwa unfreundlich; sie tat alles, was nötig war. Es machte ihr manchmal Spaß, und sie redete eine ganze Menge darüber; aber im tiefsten Herzen war es ihr gleichgültig. Sie konnte es nicht als einen Teil von sich ansehen. Sie bildete sich ein, daß es bereits seinem Vater ähnelte. Sie fragte sich ständig, wie sie es einrichten sollte, wenn es älter werde, und sie war außer sich, daß sie solch ein Narr gewesen war, es überhaupt zu bekommen.

»Wenn ich damals nur alles das, was ich jetzt weiß, gewußt hätte«, sagte sie.

Sie lachte Philip aus, weil er sich so um das Wohl des Kindes sorgte.

»Du könntest dich nicht mehr darum sorgen, wenn du der Vater wärest«, sagte sie.

Philip erzählte Geschichten über Engelmacher und Leute, die die ihnen von selbstsüchtigen Eltern anvertrauten Kinder einfach umbrachten.

»Sei doch nicht so dumm«, sagte Mildred. »Das kommt bloß vor, wenn du einer Frau eine Summe auf den Tisch legst, mit der ihre Pflege abgegolten ist. Aber wenn du ihr eine bestimmte Summe pro Woche bezahlst, liegt es in ihrem eigenen Interesse, das Kind gut zu warten.«

Philip bestand darauf, daß Mildred das Kind nur an kinderlose Eheleute geben sollte, die auch versprechen wollten, sonst keine Kinder anzunehmen.

»Feilsche nicht um den Preis«, sagte er. »Lieber will ich eine halbe Guinee pro Woche zahlen, statt fürchten zu müssen, daß das Kind hungert und mißhandelt wird.«

»Du bist ein komischer Kerl, Philip«, lachte sie.

Für ihn lag in der Hilflosigkeit des Kindes etwas sehr Rührendes. Es war klein, häßlich und schrie. Man hatte seine Geburt mit Scham und Angst erwartet. Niemand hatte es gewünscht. Es war auf ihn angewiesen, einen Fremden, für Nahrung, Unterkunft und etwas, um seine Nacktheit zu bedecken.

Als der Zug sich in Bewegung setzte, küßte er Mildred. Er hätte auch das Kind gern geküßt, aber er fürchtete, daß sie ihn auslachen würde.

»Du wirst mir schreiben, Liebling, nicht wahr? Und ich werde, ach, mit solcher Ungeduld deine Rückkehr erwarten.«

»Fall nicht durchs Examen!«

Er hatte fleißig darauf hingearbeitet, und jetzt, wo nur noch zehn Tage vor ihm lagen, strengte er sich besonders an. Es war ihm sehr darum zu tun, daß er es bestand, erstens einmal, um Zeit und Geld zu sparen, denn das Geld war ihm während der letzten vier Monate mit unglaublicher Schnelligkeit durch die Finger geronnen; und dann auch, weil das bestandene Examen das Ende der Schufterei bedeutete: danach kam für den Medizinstudenten Geburtshilfe und Chirurgie, was ihn lebhafter interessierte als jetzt Anatomie und Physiologie. Philip freute sich auf das noch zu absolvierende Pensum.

Außerdem wollte er Mildred gegenüber einen Mißerfolg nicht eingestehen müssen; obwohl die Prüfung schwierig war und die Mehrzahl der Kandidaten beim ersten Versuch durchfiel, wußte er, daß er in ihrer Achtung sinken würde, wenn er keinen Erfolg hätte; sie hatte eine besonders demütigende Art zu zeigen, was sie dachte.

Mildred schickte ihm eine Postkarte, daß sie gut angekommen wäre, und er stahl sich täglich eine halbe Stunde ab, um ihr einen längeren Brief zu schreiben. Eine gewisse Scheu hinderte ihn ständig, wenn er sich mündlich ausdrücken wollte, aber er fand, daß er ihr mit der Feder alles mögliche sagen konnte, was ihm, gesprochen, lächerlich vorgekommen wäre. Froh über diese neue Entdeckung, schüttete er ihr sein ganzes Herz aus. Er schrieb über ihre Zukunft, über das Glück, das vor ihnen lag, über die Dankbarkeit, die er ihr schuldete. Er fragte sich (wie er sich schon oft gefragt hatte, ohne es allerdings genau formulieren zu können), was eigentlich an ihr war, das ihn mit solch überschwenglichem Entzücken erfüllte; er wußte es nicht; er wußte nur, daß er glücklich war, wenn sie bei ihm war, und daß die Welt plötzlich grau und trübe wurde, wenn sie von ihm fort war; er wußte nur, daß sein Herz, wenn er an sie dachte, sich in seiner Brust dehnte und weitete, so daß er kaum atmen konnte (so als preßte es gegen die Lunge), es klopfte mit lauten Schlägen, so daß das Glück ihrer Anwesenheit ihm fast weh tat; die Knie zitterten ihm, und er fühlte sich seltsam schwach, als fieberte er vor ungestilltem Hunger. Er wartete mit Sehnsucht auf ihre Antworten. Er erwartete nicht, daß sie häufig schrieb, denn er wußte, daß ihr das Briefeschreiben schwerfiel, und war ganz zufrieden mit den ungeschickten Briefchen, die er als Antwort – eines von ihr kam auf vier von ihm – erhielt. Sie erzählte von der Pension, in der sie ein Zimmer genommen hatte, vom Wetter und vom Baby, erzählte ihm, daß sie mit einer Freundin, die sie in der Pension kennenlernte, einen Spaziergang unternommen hätte, daß diese Dame sich ganz in das Kleine verliebt hätte, daß sie am Samstag ins Theater gehen würde und daß immer mehr Leute nach Brighton kämen. Es rührte Philip, weil es so nüchtern war. Der verworrene Stil, die Förmlichkeit lösten in ihm den Wunsch aus, zu lachen und sie in die Arme zu nehmen und zu küssen.

Er stieg mit froher Zuversicht ins Examen. Die Aufgaben enthielten nichts, was ihm Schwierigkeiten bereitete. Er wußte, daß er sie gut erledigt hatte, und obwohl das mündliche Examen ihn ein bißchen nervös machte, gelang es ihm doch, angemessene Antworten zu geben. Als das Resultat bekannt war, schickte er Mildred ein strahlendes Telegramm.

Nach Hause zurückgekehrt, fand er einen Brief von Mildred, in dem sie ihm mitteilte, daß es besser für sie sein würde, wenn sie noch eine Woche länger bliebe. Sie hatte eine Frau ausfindig gemacht, die das Kleine gern für sieben Shilling die Woche in Pflege nehmen wollte; aber sie gedachte erst Nachforschungen über sie anzustellen, und ihr selbst tue die Seeluft so gut, daß ein paar Tage mehr sehr erholsam für sie sein würden. Sie hasse es, Philip um Geld zu bitten; aber würde er ihr bitte postwendend etwas zugehen lassen, da sie sich einen Hut habe kaufen müssen; sie hätte nicht länger in dem alten mit ihrer Freundin umherlaufen können, da die Freundin immer gut angezogen sei. Philip war einen Augenblick lang bitter enttäuscht. Es nahm ihm die ganze Freude an dem bestandenen Examen.

›Wenn sie mich nur ein Viertel so lieb hätte wie ich sie, könnte sie es nicht ertragen, auch nur einen Tag länger wegzubleiben als nötig.‹

Er wies den Gedanken schnell von sich, es war reine Selbstsucht; natürlich war ihre Gesundheit wichtiger als alles übrige. Aber er hatte nun nichts zu tun, er könnte eigentlich die Woche mit ihr zusammen in Brighton verleben, und dann konnten sie den ganzen Tag zusammen sein. Beim bloßen Gedanken daran hüpfte ihm das Herz vor Freude. Was für ein Spaß würde das sein, plötzlich vor Mildred zu erscheinen mit der Erklärung, daß er in der Pension ein Zimmer genommen habe! Er sah im Fahrplan nach. Er hielt mit einemmal inne. Er war nicht ganz sicher, ob sie erfreut sein würde, ihn zu sehen. Sie hatte in Brighton Freunde gefunden; er war still, und sie hatte gern lärmende Lustigkeit. Er sah ein, daß sie sich mit andern besser amüsierte als mit ihm. Es würde ihn quälen, wenn er auch nur einen Augenblick spürte, daß er im Wege war. Sie wußte schließlich, daß er nichts zu tun hatte; hätte sie gewünscht, daß er kommen sollte, so hätte sie es ihm gesagt. Er wollte den Schmerz nicht riskieren, den er zu ertragen hätte, wenn er ihr sein Kommen vorschlüge und sie nach Ausflüchten suchte, um ihn daran zu hindern.

Er schrieb ihr am nächsten Tage, schickte ihr eine Fünfpfundnote und erwähnte am Ende des Briefes, daß er, wenn sie lieb und brav wäre und ihn gern sehen möchte, zum nächsten Wochenende nach Brighton kommen würde; aber sie sollte deswegen um des Himmels willen keine Pläne umwerfen, die sie etwa schon gemacht habe. Er wartete voll Ungeduld auf ihre Antwort. Sie schrieb darin, daß sie es hätte einrichten können, wenn sie es früher gewußt hätte, daß sie nun aber bereits zugesagt hätte, am Samstag abend zu einem Varieté zu gehen; außerdem würden die Leute in der Pension darüber reden, wenn er dort wohnte. Warum er denn nicht am Sonntag käme und tagsüber bliebe? Sie könnten im *Metropol* essen, und sie würde nachher mit ihm zu der sehr feinen Dame gehen, die das Kind nehmen wollte.

Sonntag. Er segnete den Tag, weil schönes Wetter war. Als der Zug sich Brighton näherte, strahlte die Sonne durch das Fenster seines Abteils. Mildred erwartete ihn auf dem Bahnsteig.

»Wie nett von dir, daß du mich abholst!« rief er und ergriff ihre Hände.

»Das hast du doch erwartet, nicht wahr?«

»Gehofft, ja. Wie gut du aussiehst!«

»Es hat mir mächtig gutgetan; aber ich glaube, es ist klug, wenn ich so lange hier bleibe, wie ich nur kann. Und die Leute in der Pension, das sind sehr feine Leute. Ich brauchte ein bißchen Aufheiterung, nachdem ich die ganzen Monate lang niemanden gesehen hatte. Es war manchmal langweilig.«

Sie sah in ihrem neuen Hut sehr elegant aus. Es war ein großer, schwarzer, mit einer Menge billiger Blumen garnierter Strohhut, und um den Hals floß ihr eine lange Boa von nachgemachtem Schwanenpelz. Sie war noch immer sehr dünn und ging ein bißchen vornübergebeugt (das hatte sie stets getan); aber ihre Augen schienen nicht mehr so groß, und obwohl sie niemals Farbe im Gesicht gehabt hatte, hatte ihre Haut doch wenigstens das erdige Aussehen verloren. Sie gingen zum Meer hinunter. Philip, dem es einfiel, daß er seit Monaten nicht mehr mit ihr zusammen gegangen war, kam plötzlich zum Bewußtsein, daß er hinkte. Er ging steifbeinig, um diese Tatsache zu verstecken.

»Freust du dich, daß ich da bin?« fragte er, das Herz voll überquellender Liebe.

»Natürlich; das brauchst du doch nicht erst zu fragen.«

»Übrigens, Griffith läßt dich herzlich grüßen.«

»Was für eine Unverschämtheit!«

Er hatte ihr häufig von Griffith erzählt. Er hatte ihr gesagt, daß er so gerne flirte, und er hatte sie oft damit amüsiert, daß er seine Abenteuer weitererzählte, die er ihm unter dem Siegel der Verschwiegenheit anvertraut hatte. Mildred hatte, manchmal mit scheinbarer Empörung, meist jedoch voll Neugier, zugehört, und Philip hatte dann voll Bewunderung seines Freundes gutes Aussehen und dessen Charme noch übertrieben.

»Du wirst ihn bestimmt so gern haben wie ich. Er ist so vergnügt und amüsant und ein furchtbar netter Kerl.«

Philip erzählte ihr davon, wie er ihn, als sie noch vollkommen fremd miteinander waren, während einer Krankheit gepflegt hatte. Er ließ in der Erzählung nichts aus, was Griffiths Selbstaufopferung ins rechte Licht rückte.

»Ich kann mir nicht helfen, ich habe ihn gern«, sagte Philip.

»Ich mag hübsche Männer nicht«, meinte Mildred. »Sie sind mir zu eingebildet.«

»Er möchte dich gern kennenlernen. Ich habe ihm schrecklich viel von dir erzählt.«

»Was denn?« fragte Mildred.

Philip hatte niemanden, mit dem er über seine Liebe zu Mildred sprechen konnte, und so hatte er Griffith allmählich die ganze Geschichte seiner Beziehung zu ihr erzählt. Er beschrieb sie ihm an die fünfzig Male. Er verweilte verliebt bei jeder Kleinigkeit ihrer Erscheinung. Und Griffith wußte ganz genau, wie ihre schmalen Hände geformt waren und wie weiß ihr Gesicht war; und er lachte über Philip, wenn er ihm über den Reiz erzählte, der von ihren dünnen blassen Lippen ausging.

»Lieber Gott, was bin ich froh, daß ich die Dinge nicht so schwer nehme wie du«, sagte er. »Das Leben wäre nicht lebenswert.«

Philip lächelte. Griffith wußte nicht, wie wunderbar es war, so irrsinnig verliebt zu sein, daß es wie Fleisch oder Wein war oder wie die Luft, die man atmete, oder wie sonst irgend etwas, das zum Dasein wesentlich ist. Griffith wußte, daß Philip sich des Mädchens angenommen hatte, als sie das Kind bekam, und daß er nun mit ihr fortfahren wollte.

»Nun, ich muß schon sagen, du hast es verdient, etwas dafür zu bekommen«, bemerkte er. »Es muß dich eine Stange Geld gekostet haben. Du hast Glück, daß du dir das leisten kannst.«

»Eigentlich kann ich es mir nicht leisten«, sagte Philip; »aber was frag ich danach!«

Da es noch zu früh war, um essen zu gehen, setzten sich Philip und Mildred in einen der Strandkörbe auf der Promenade, sonnten sich und betrachteten die Vorübergehenden. Da spazierten die Ladenburschen von Brighton zu zweit oder zu dritt und schwangen ihre Spazierstöcke, und die Ladenmädchen von Brighton trippelten gruppenweise kichernd dahin. Die Leute, die über den Sonntag von London heruntergekommen waren, erkannte man sofort. Die frische Seeluft regte sie an. Es waren viele Juden darunter, kräftige Damen mit engen Satinkleidern und Diamanten, kleine, beleibte Männer mit einem gebärdenreichen Gehaben. Da waren Herren in mittleren Jahren, die, aufs sorgfältigste angezogen, hier in einem der großen Hotels ihr Wochenende verlebten. Sie gingen fleißig spazieren, um sich nach einem zu reichlichen Frühstück Appetit für ein zu reichliches Mittagessen zu machen; sie begrüßten Freunde und sprachen von Dr. Brighton oder London am Meer. Hin und wieder kam ein bekannter Schauspieler vorüber, der sich die größte Mühe gab, so auszusehen, als bemerke er die Aufmerksamkeit nicht, die er erregte. Auf dem blauen Wasser spiegelte sich die Sonne, und das Meer sah aus, als wäre es für den Sonntag säuberlich hergerichtet.

Nach dem Essen gingen sie nach Hove, um die Frau zu besuchen, die die Pflege des Kindes übernehmen sollte. Sie wohnte in einem Häuschen in einer der hinteren Straßen; aber das Haus selbst war sauber und gepflegt. Die Dame hieß Mrs. Harding. Sie war eine ältere, dickliche Person mit grauem Haar und einem roten, fleischigen Gesicht. Sie wirkte mütterlich in ihrem Häubchen, und Philip hatte den Eindruck, daß sie auch freundlich war.

»Werden Sie es nicht als eine schreckliche Plage empfinden, ein Kind versorgen zu müssen?« fragte er sie.

Sie erzählte, daß ihr Mann Pfarrgehilfe sei, beträchtlich älter als sie, der nur schwer feste Arbeit finden könne, da die Geistlichen lieber junge Leute als Hilfe nähmen. Er verdiente sich ein bißchen mit Vertretungen, wenn einmal jemand Urlaub nahm oder krank wurde; eine Wohltätigkeitskasse gab ihnen eine kleine Pension. Aber sie fühlte sich einsam; es gäbe etwas zu tun, wenn ein Kind im Hause sei, und dann würden auch die paar Shilling, die sie pro Woche bekäme, es leichter machen zu wirtschaften. Sie versprach, das Kind gut zu ernähren.

»Eine richtige Dame, nicht wahr?« sagte Mildred, als sie fortgingen.

Sie kehrten zu einer Tasse Tee ins *Metropol* zurück. Mildred war gern unter Menschen und hatte Freude an Konzerten. Philip war müde vom vielen Sprechen. Er saß da und beobachtete ihr Gesicht, wenn sie mit scharfen Augen die Kleider der hereinkommenden Damen musterte. Sie hatte eine besondere Fähigkeit, genau zu berechnen, was Sachen kosteten; hin und wieder beugte sie sich zu ihm hinüber und flüsterte ihm das Ergebnis ihrer Überlegungen zu.

»Siehst du dort das Aigrette? Das kostet mindestens sieben Guineen.«

Oder: »Sieh mal den Hermelin, Philip! Es ist natürlich Kanin – kein Hermelin!« Sie lachte triumphierend. »Das sieht man doch auf einen Kilometer Entfernung.«

Philip lächelte glücklich. Er war froh mitanzusehen, wie sie sich freute. Ihre Unbefangenheit in der Unterhaltung amüsierte und rührte ihn. Die Kapelle spielte sentimentale Weisen.

Nach dem Abendessen gingen sie zum Bahnhof hinunter, und Philip nahm ihren Arm. Er erzählte ihr, welche Vorbereitungen er für ihre gemeinsame Reise nach Frankreich getroffen hätte. Sie sollte Ende der Woche nach London kommen. Aber sie sagte ihm, daß sie nicht vor dem Samstag der nächsten Woche fort könne.

Er hatte bereits ein Zimmer in einem Pariser Hotel bestellt. Er brannte darauf, die Fahrkarten zu kaufen.

»Dir macht es doch nichts aus, in der zweiten Klasse zu fahren, oder? Ich glaube, es ist besser, wir sparen hiebei und lassen es uns dann dort gut gehen.«

Er hatte ihr hundertmal über das Quartier erzählt. Sie würden durch seine freundlichen, alten Straßen streifen, und sie würden faul im bezaubernden Jardin du Luxembourg sitzen. Falls das Wetter schön wäre und wenn sie von Paris genug hätten, könnten sie nach Fontainebleau fahren. Die Bäume würden gerade zu treiben beginnen. Das Grün der Wälder im Frühling war schöner als alles, was er kannte; es war wie ein Lied, und es war wie der glückselige Schmerz der Liebe. Mildred hörte ruhig zu. Er wandte sich ihr zu und versuchte ihr tief in die Augen zu sehen.

»Du möchtest doch mit mir reisen, nicht wahr?« fragte er sie.

»Natürlich«, sagte sie lächelnd.

»Du kannst dir nicht denken, wie sehr ich mich darauf freue. Ich weiß nicht, wie ich die nächsten Tage überstehen soll. Ich habe solche Angst, daß noch etwas dazwischenkommt. Es macht mich manchmal ganz verrückt, daß ich dir nicht sagen kann, wie sehr ich dich liebe. Und jetzt endlich – endlich . . .«

Er hielt inne. Sie erreichten den Bahnhof. Aber da sie unterwegs ziemlich viel Zeit vertrödelt hatten, blieb Philip kaum eine Minute, gute Nacht zu sagen. Er küßte sie eilig und rannte, so schnell er konnte, auf das Tor zu. Sie blieb auf der Stelle stehen, wo er sich von ihr verabschiedet hatte. Es wirkte seltsam grotesk, wenn er so lief.


Am darauffolgenden Samstag kam Mildred zurück, und an diesem Abend hatte sie Philip für sich. Er hatte Theaterkarten besorgt, und zum Essen tranken sie Champagner. Es war ihr erstes Vergnügen in London seit langer Zeit, und deshalb genoß sie alles ganz unbefangen. Sie kuschelte sich gegen Philip, als sie vom Theater aus zu ihr nach Hause fuhren; Philip hatte ihr ein Zimmer in Pimlico gemietet.

»Ich glaube wirklich, du bist ganz froh, mich zu sehen«, sagte er.

Sie antwortete nicht, sondern drückte leicht seine Hand. Sie war so selten zärtlich, daß es Philip ganz entzückte.

»Ich habe Griffith eingeladen, morgen mit uns zusammen zu essen«, sagte er.

»Ach, das freut mich. Ich möchte ihn gern kennenlernen.«

Es gab am Sonntag keine Vergnügungsstätten, zu denen Philip sie hätte ausführen können, und Philip hatte befürchtet, daß sie sich langweilen würde, wenn sie mit ihm allein den ganzen Tag verbringen mußte. Griffith war amüsant; er würde ihnen helfen, über den Abend hinwegzukommen; außerdem mochte Philip beide so gern, daß er sich wünschte, sie möchten sich kennen und lieben lernen. Er verabschiedete sich von Mildred mit den Worten:

»Nur noch sechs Tage.«

Sie hatten verabredet, daß man bei *Romano* essen wollte, denn das Essen dort war ausgezeichnet und wirkte so, als kostete es viel mehr, als es in Wirklichkeit der Fall war. Philip und Mildred kamen zuerst und mußten eine Weile auf Griffith warten.

»Er ist ein unpünktlicher Kerl«, sagte Philip. »Wahrscheinlich macht er gerade einer seiner zahlreichen Flammen den Hof.«

Aber er erschien gleich darauf. Er war ein hübscher Bursche, groß und schlank; sein Kopf saß gut auf dem Körper, es gab ihm etwas Sieghaftes, was sehr anziehend war. Sein gewelltes Haar, seine kekken, freundlich blauen Augen, sein roter Mund waren bezaubernd. Philip sah, wie Mildred ihn mit voller Wertschätzung ansah, und er fühlte eine seltsame Befriedigung darüber. Griffith begrüßte sie mit einem Lächeln.

»Ich habe schon sehr viel von Ihnen gehört«, sagte er zu Mildred, als er ihre Hand nahm.

»Nicht so viel wie ich von Ihnen«, antwortete sie.

»Und nicht so viel Schlechtes«, sagte Philip.

»Hat er mich angeschwärzt?«

Griffith lachte, und Philip sah, daß es Mildred auffiel, wie weiß und regelmäßig seine Zähne waren und wie angenehm er lächelte.

»Ihr solltet euch eigentlich wie alte Freunde vorkommen«, sagte Philip. »Ich habe euch so viel voneinander erzählt.«

Griffith war allerbester Laune, denn jetzt, nachdem er endlich sein Examen bestanden hatte, hatte er die Berechtigung zu praktizieren und war bereits als Assistenzarzt in ein Krankenhaus im Norden Londons berufen worden. Er mußte Anfang Mai dort seinen Dienst antreten und ging während der Zwischenzeit nach Hause in die Ferien. Er war gerade die letzte Woche in London und wollte sie so gut genießen, wie er nur konnte. Er fing an, den vergnügten Blödsinn zu reden, den Philip, da er selbst nicht mitmachen konnte, so bewunderte. Es lag zwar nicht viel drin in dem, was er sagte, aber durch seine Lebhaftigkeit gab es überall Pointen. Eine Lebenskraft ging von ihm aus, die jeden beeindruckte, der ihn kannte; man konnte sie fast so sinnlich spüren wie Körperwärme. Mildred war lebhafter, als Philip sie je gekannt hatte, und er war selig, daß seine kleine Gesellschaft ein solcher Erfolg war. Mildreds Lachen wurde immer lauter. Sie vergaß ganz die vornehme Zurückhaltung, die ihr zur zweiten Natur geworden war.

Es dauerte nicht lange, so sagte Griffith:

»Es ist scheußlich schwer für mich, Sie mit Mrs. Miller anzureden. Philip hat Sie immer nur Mildred genannt.«

»Sie wird dir sicher nicht die Augen auskratzen, wenn du sie auch so anredest«, sagte Philip lachend.

»Dann muß sie mich aber auch Harry nennen.«

Philip saß schweigend dabei, während sie drauflos schwatzten, und dachte, wie gut es doch sei, Leute glücklich zu sehen. Hin und wieder neckte Griffith ihn auf freundliche Art ein wenig, weil er immer so ernst war.

»Ich glaube, er hat dich sehr gern, Philip«, sagte Mildred lächelnd.

»Er ist gar kein übler Bursche«, antwortete Griffith, nahm Philips Hand und schüttelte sie fröhlich.

Es schien Griffiths Charme noch zu erhöhen, daß er Philip gern mochte. Alle drei tranken für gewöhnlich nicht, und daher stieg ihnen der ungewohnte Wein zu Kopf. Griffith wurde noch geschwätziger und so lärmend, daß Philip ihn amüsiert bitten mußte, sich leiser zu verhalten. Eine Anekdote jagte die andere. Mildred trieb ihn mit vor Erregung leuchtenden Augen zu immer neuen Erzählungen an. Als die Lichter ausgemacht wurden, war sie ganz erstaunt.

»Himmel, ist der Abend schnell vergangen. Ich habe gemeint, es wäre nicht später als halb zehn.«

Sie stand auf, und als sie auf Wiedersehen sagte, fügte sie noch hinzu:

»Ich bin morgen bei Philip zum Tee. Vielleicht kommen Sie auch ein bißchen herein, wenn Sie Zeit haben.«

»Gern«, sagte er lächelnd.

Auf dem Rückweg nach Pimlico sprach Mildred von nichts anderem als von Griffith. Sie war von seinem netten Aussehen, seinen gut geschnittenen Kleidern, seiner Stimme, seiner Fröhlichkeit sehr angetan.

»Ich bin froh, daß du ihn magst«, sagte Philip. »Erinnerst du dich, du warst zuerst ziemlich eigensinnig, als ich sagte, ihr müßtet euch kennenlernen?«

»Ich finde es so nett von ihm, daß er dich gern hat, Philip. Es ist gut, daß du ihn zum Freund hast.«

Sie kehrte Philip das Gesicht zu, um sich von ihm küssen zu lassen, etwas, was sie sehr selten tat.

»Ich habe viel Freude heute abend gehabt, Philip. Vielen Dank.«

»Sei doch nicht dumm«, lachte er. Er war so gerührt von ihrer Anerkennung, daß ihm die Augen feucht wurden.

Sie schloß sich die Tür auf und drehte sich noch einmal, ehe sie ins Haus ging, zu Philip um:

»Sag Harry, daß ich irrsinnig verliebt in ihn bin«, sagte sie.

»Schön. Wird ausgerichtet«, entgegnete er lachend. »Gute Nacht.«

Als sie am nächsten Tag beim Tee saßen, kam Griffith herein. Er ließ sich lässig in einen Lehnstuhl fallen. Es lag etwas eigenartig Sinnliches in den langsamen Bewegungen seiner großen Gliedmaßen. Philip blieb schweigsam, während die beiden andern drauflos schwatzten, aber es machte ihm Freude. Er bewunderte sie beide so sehr, daß es ihm ganz natürlich erschien, daß auch sie sich gegenseitig bewunderten. Es machte ihm nichts aus, daß Griffith Mildreds Aufmerksamkeit mit Beschlag belegte; am Abend würde er sie für sich haben. Er fühlte sich ein bißchen wie ein liebevoller Ehemann, der im sicheren Vertrauen auf die Zuneigung seiner Frau belustigt zusieht, wie sie harmlos mit einem Fremden flirtet. Aber um halb acht schaute er auf seine Taschenuhr und sagte:

»Es ist wohl Zeit, daß wir essen gehen, Mildred.«

Einen Augenblick trat eine Pause ein, und Griffith schien unschlüssig über etwas nachzudenken.

»Also, da werde ich mich auf den Weg machen«, sagte er schließlich. »Ich habe nicht gedacht, daß es bereits so spät ist.«

»Haben Sie für den Abend etwas vor?« fragte Mildred.

»Nein.«

Wieder Schweigen. Philip fühlte sich leicht gereizt.

»Ich gehe mir eben die Hände waschen«, sagte er und fügte, an Mildred gerichtet, hinzu: »Möchtest du dir auch die Hände waschen?«

Sie antwortete ihm nicht darauf.

»Warum kommen Sie nicht mit uns essen?« fragte sie Griffith.

Er sah Philip an und merkte, daß der ihn düster anstarrte.

»Ich habe erst gestern mit euch gegessen«, lachte er. »Ich würde im Wege sein.«

»Ach, das macht nichts«, sagte Mildred mit Nachdruck. »Sag, er soll mitkommen, Philip. Er ist nicht im Wege, nicht?«

»Natürlich soll er mitkommen, wenn er gern möchte.«

»Also denn«, sagte Griffith prompt. »Ich gehe nur eben nach oben und mache mich ein bißchen zurecht.«

Sobald er das Zimmer verlassen hatte, wandte sich Philip ärgerlich zu Mildred:

»Warum um alles in der Welt hast du ihn eingeladen?«

»Ich konnte nicht anders. Es hätte so komisch ausgesehen, wenn ich nichts gesagt hätte, wo er doch sagte, er habe sonst nichts vor.«

»Ach, was ist das für ein Unsinn! Und warum hast du ihn denn, zum Teufel, gefragt, ob er etwas vorhabe?«

Mildreds blasse Lippen zogen sich leicht zusammen.

»Ich möchte manchmal auch ein bißchen Vergnügen haben. Ich kriege es satt, immer mit dir allein zu sein.«

Sie hörten Griffith mit schweren Schritten die Treppe herunterkommen, und Philip ging ins Schlafzimmer, um sich zu waschen. Sie aßen in einem italienischen Restaurant in der Nähe. Philip war ärgerlich und schweigsam, aber er sah schnell ein, daß er im Vergleich zu Griffith unvorteilhaft wirkte, und zwang sich daher, seinen Ärger zu verbergen. Er trank eine Menge Wein, um seinen Schmerz zu betäuben, der ihm am Herzen nagte, und gab sich Mühe mitzuplaudern.

Mildred schien über das, was sie gesagt hatte, Gewissensbisse zu haben und tat alles, um sich ihm freundlich zu bezeigen. Sie war nett und zärtlich. Sofort kam Philip der Gedanke, daß er ein Narr gewesen war, dem Gefühl der Eifersucht nachzugeben. Nach dem Essen nahmen sie sich eine Droschke, um ins Varieté zu fahren. Mildred saß zwischen den beiden Männern und gab Philip aus freien Stücken ihre Hand. Sein Ärger verging. Pötzlich wurde ihm bewußt, er wußte selbst nicht wodurch, daß Griffith ihre andere Hand hielt. Wieder ergriff ihn ein heftiger Schmerz – es war ein richtiger körperlicher Schmerz –, und er fragte sich in panischem Schrecken, was er sich eigentlich schon hätte früher fragen können, ob Mildred und Griffith ineinander verliebt seien. Von der Vorstellung sah er nichts. Ein Schleier von Argwohn, Ärger, Abscheu und Elendigkeit schien ihm vor den Augen zu liegen; aber er zwang sich dazu, es sich nicht anmerken zu lassen, daß irgend etwas nicht in Ordnung sei; er sprach und lachte weiter. Dann wurde er von einem seltsamen Wunsch, sich selbst zu peinigen, ergriffen, und er stand auf und sagte, er wolle nur etwas trinken gehen. Mildred und Griffith waren noch nie allein zusammen gewesen. Er wollte sie sich selbst überlassen.

»Ich komme mit«, sagte Griffith. »Ich habe einen ziemlichen Durst.«

»Unsinn, du bleibst und unterhältst Mildred.«

Philip wußte selbst nicht, warum er das sagte. Er warf sie jetzt einander in die Arme, nur um den Schmerz, den er durchlitt, noch unerträglicher zu machen. Er ging nicht an die Bar, sondern oben auf die Galerie, von wo aus er sie beobachten konnte, ohne selbst gesehen zu werden. Sie sahen nicht mehr auf die Bühne, sondern schauten sich lächelnd in die Augen. Griffith sprach mit seiner gewohnten glücklichen Geläufigkeit, und Mildred schien ihm an den Lippen zu hängen. Philip fing der Kopf schrecklich zu schmerzen an. Er stand dort völlig regungslos. Er wußte, er würde nur im Wege sein, wenn er zurückging. Sie unterhielten sich herrlich ohne ihn, und er litt und litt. Die Zeit verging, und nun scheute er sich, wieder zu ihnen zu gehen. Er wußte, sie hatten sich überhaupt nicht um ihn gekümmert, und voller Bitterkeit dachte er daran, daß er das Essen und die Plätze im Varieté hatte bezahlen dürfen. Was für einen Narren sie aus ihm machten! Es wurde ihm heiß vor Scham. Er konnte sehen, wie glücklich sie ohne ihn waren. Sein Instinkt riet ihm, sie sich selbst zu überlassen und nach Hause zu gehen, aber er hatte seinen Hut und Mantel nicht mit, und dann würden endlose Erklärungen nötig sein ... Er ging zurück. Er fühlte, wie in Mildreds Augen ein Schatten von Verdruß lag, als sie ihn sah. Das Herz sank ihm.

»Du bist ja reichlich lange weggewesen«, sagte Griffith mit einem Willkommenslächeln.

»Ich habe ein paar Bekannte getroffen. Ich habe mit ihnen reden müssen und konnte mich nicht losmachen. Ich dachte, ihr würdet schon miteinander zurechtkommen.«

»Ich habe mich herrlich unterhalten«, sagte Griffith. »Ob Mildred auch, weiß ich nicht.«

Sie lachte in zufriedenem Behagen. Es war ein ordinärer Ton in dem Gelächter, der Philip erschreckte. Er schlug vor aufzubrechen.

»Komm«, sagte Griffith, »wir bringen dich beide nach Hause.«

Philip argwöhnte, daß sie das vorgeschlagen hatte, damit sie nicht mit ihm allein zu sein brauchte. Als sie im Wagen saßen, nahm er nicht ihre Hand, die sie ihm allerdings auch nicht anbot, aber er wußte, daß sie die ganze Zeit hindurch Griffiths Hand hielt. Sein Hauptgedanke war, daß alles so erschreckend ordinär war. Im Dahinfahren fragte er sich, welche Pläne sie wohl miteinander verabredet hätten, um sich ohne sein Wissen zu treffen; er verfluchte sich, daß er sie allein gelassen hatte; er hatte sich geradezu Mühe gegeben, daß sie Verabredungen treffen konnten.

»Wir wollen im Wagen bleiben«, sagte Philip, als sie an dem Haus angekommen waren, wo Mildred wohnte; »ich bin zu müde zum Laufen.«

Auf der Heimfahrt redete Griffith fröhlich und schien die Tatsache, daß Philip einsilbig antwortete, gar nicht zu bemerken. Philip meinte, er müßte eigentlich spüren, daß etwas nicht stimmte. Schließlich wurde Philips Schweigsamkeit zu merkbar, so daß Griffith nicht mehr dagegen ankämpfen konnte, nervös wurde und aufhörte zu reden. Philip wollte etwas sagen, aber er war so scheu, daß er es nicht fertigbrachte; aber die Zeit verging, und die Gelegenheit würde verpaßt sein. Es war das beste, wenn er der Wahrheit gleich auf den Grund kam. Er zwang sich zum Sprechen.

»Bist du in Mildred verliebt?« fragte er plötzlich.

»Ich?« fragte Griffith lachend. »Bist du deshalb den ganzen Abend über so komisch gewesen? Natürlich nicht, mein lieber alter Freund.«

Er versuchte, seine Hand unter Philips Arm zu schieben, aber Philip entzog sich dem. Er wußte, Griffith log. Er mochte Griffith nicht zwingen, daß er ihm sagte, er hätte nicht Mildreds Hand gehalten. Er fühlte sich plötzlich ganz schwach und zerbrochen.

»Dir macht es nichts aus, Harry«, sagte er. »Du hast so viele Frauen – nimm sie mir nicht weg. Sie bedeutet für mich das ganze Leben.«

Seine Stimme brach, und er konnte den Seufzer, der sich aus ihm losriß, nicht mehr zurückhalten. Er schämte sich schrecklich.

»Mein guter alter Junge, du weißt, ich würde nichts tun, was dich kränken könnte. Dazu hab ich dich viel zu gern. Ich habe nur den Narren gespielt. Wenn ich gewußt hätte, daß du es so nimmst, wäre ich vorsichtiger gewesen.«

»Ist das wahr?« fragte Philip.

»Ich mache mir überhaupt nichts aus ihr. Ich geb dir mein Ehrenwort.«

Philip atmete erleichtert auf. Der Wagen hielt vor ihrer Tür.


Philip war am nächsten Tag bei guter Laune. Er gab sich große Mühe, nicht zuviel mit Mildred zusammen zu sein, um sie nicht zu langweilen; deshalb hatte er abgemacht, daß er sie bis zum Abendessen nicht sehen würde. Sie war fertig, als er sie abholen ging, und er neckte sie wegen ihrer ungewöhnlichen Pünktlichkeit. Sie hatte ein neues Kleid an, das er ihr geschenkt hatte. Er machte eine Bemerkung darüber, wie schick es aussehe.

»Ich muß es zurückbringen und ändern lassen«, sagte sie. »Der Rock sitzt schlecht.«

»Du wirst der Schneiderin sagen müssen, daß sie sich beeilt, wenn du es nach Paris mitnehmen willst.«

»Es wird schon rechtzeitig fertig sein.«

»Nur noch ganze drei Tage. Wir nehmen den Elf-Uhr-Zug, meinst du nicht auch?«

»Wie du willst.«

Er würde sie fast einen ganzen Monat für sich allein haben. Seine Augen ruhten voll verzehrender Anbetung auf ihr. Er konnte sogar ein bißchen über seine Leidenschaft zu ihr lachen.

Ihr Körper war so dünn geworden, man konnte die Knochen sehen. Ihre Brust war flach wie bei einem Knaben. Ihr Mund mit den schmalen blassen Lippen war häßlich, und ihre Haut spielte ins Grüne.

»Ich werde dich unterwegs mit Blaud's Pillen füttern«, sagte Philip lachend. »Ich bringe dich rund und rosig zurück.«

»Ich will nicht fett werden.«

Sie erwähnte Griffith nicht, und Philip sagte während des Essens, halb im Spott, denn er fühlte sich seiner selbst und seiner Macht über sie sicher:

»Mir scheint, du hattest gestern abend einen großen Flirt mit Harry.«

»Ich hab's dir ja gesagt, daß ich in ihn verliebt bin«, sagte sie lachend.

»Es freut mich wenigstens, daß er nicht auch in dich verliebt ist.«

»Woher weißt du das?«

»Weil ich ihn gefragt habe.«

Sie zögerte einen Augenblick, sah Philip an, und dann stieg ein seltsames Funkeln in ihren Augen auf.

»Möchtest du gern einen Brief lesen, den ich heute morgen von ihm bekommen habe?«

Sie reichte ihm ein Kuvert, und Philip erkannte darauf Griffiths kühne, leicht leserliche Handschrift. Acht Seiten lagen vor ihm. Der Brief war gut geschrieben, freimütig und voller Charme; ein Brief, wie Männer ihn schreiben, die gewohnt sind, Frauen den Hof zu machen. Er schrieb ihr, daß er sie leidenschaftlich liebe, daß er sich auf den ersten Blick in sie verliebt habe; daß er dagegen angekämpft habe, denn er wisse ja, wie sehr Philip sie liebe, daß er aber nichts dagegen tun könne. Philip wäre solch ein lieber Kerl, und er schäme sich schrecklich, aber es wäre nicht seine Schuld, es hätte ihn einfach umgeworfen. Er machte ihr entzückende Komplimente. Schließlich dankte er ihr dafür, daß sie eingewilligt habe, mit ihm am nächsten Tage zusammen zu essen, und daß er voll schrecklicher Ungeduld auf das Wiedersehen warte. Philip sah, daß der Brief das Datum des gestrigen Abends trug; Griffith mußte ihn also geschrieben haben, kurz nachdem er von Philip weggegangen war; er hatte sich extra die Mühe gemacht, noch einmal hinauszugehen, um den Brief in den Kasten zu werfen, als Philip glaubte, er läge bereits im Bett. Das Herz klopfte ihm zum Übelwerden, als er das las, aber er ließ seine Überraschung nach außen hin nicht merken. Er reichte ihn Mildred ruhig, mit einem Lächeln, zurück.

»Hat dir euer gemeinsames Essen Spaß gemacht?«

»Freilich«, sagte sie mit Nachdruck.

Er fühlte, wie seine Hände zitterten, und so verbarg er sie unter dem Tisch.

»Du mußt Griffith nicht zu ernst nehmen. Er ist flatterhaft und tändelt gern, das ist alles.«

Sie nahm den Brief und sah ihn sich nochmals an.

»Ich kann es auch nicht ändern«, sagte sie mit einer Stimme, die nonchalant klingen sollte. »Ich weiß nicht, was über mich gekommen ist.«

»Es ist ein bißchen peinlich für mich, meinst du nicht?«

Sie sah ihn mit einem schnellen Blick an.

»Du nimmst es ziemlich ruhig auf, das muß ich schon sagen.«

»Was hast du denn erwartet? Soll ich mir die Haare büschelweise ausraufen?«

»Ich wußte, daß du böse auf mich sein wirst.«

»Komisch, aber das bin ich nun durchaus nicht. Ich hätte wissen müssen, daß es so kommt. Ich war ein Dummkopf, euch zusammenzubringen. Ich weiß ja sehr gut, daß er mir gegenüber jeden Vorzug voraus hat; er ist viel vergnüglicher, und er ist sehr hübsch, er ist unterhaltsamer, er kann mit dir über das sprechen, was dich interessiert.«

»Ich weiß nicht, was du damit sagen willst. Wenn ich nicht klug bin, kann ich es auch nicht ändern, aber so dumm, wie du denkst, bin ich noch lange nicht, das laß dir gesagt sein. Du bist mir ein bißchen zu eingebildet, mein junger Freund.«

»Hast du es darauf abgesehen, mit mir zu streiten?« fragte er sanft.

»Nein, aber ich sehe nicht ein, warum ich mich von dir als was weiß ich behandeln lassen muß.«

»Es tut mir leid, ich habe dich nicht beleidigen wollen. Ich wollte die Sache nur ruhig mit dir besprechen. Wir wollen keine peinliche Sache daraus machen. Ich habe gesehen, daß du von ihm sehr angetan warst, und es schien mir nur natürlich. Das einzige, was mich dabei kränkt, ist, daß er dich darin bestärkt hat. Er hat genau gewußt, wie schrecklich scharf ich auf dich bin. Ich finde es furchtbar schäbig von ihm, daß er dir, fünf Minuten nachdem er mir gerade noch gesagt hatte, daß er sich überhaupt nichts aus dir macht, einen solchen Brief schreibt.«

»Wenn du meinst, daß du durch das gemeine Gerede über ihn mich dazu bekommst, daß ich ihn weniger gern habe, dann irrst du dich gewaltig.«

Philip war einen Augenblick still. Er wußte nicht, welche Worte er wählen sollte, damit sie seinen Standpunkt einsah. Er wollte kühl und besonnen sprechen, aber er war in einem solchen Aufruhr der Gefühle, daß er keinen klaren Gedanken fassen konnte.

»Es lohnt sich doch nicht, wegen einer Vernarrtheit, von der du doch weißt, daß sie nicht lange dauern kann, alles zu opfern. Er macht sich aus niemandem mehr als zehn Tage etwas, und du bist eine ziemlich kalte Natur. So was bedeutet doch nicht viel für dich.«

»So, das also denkst du.«

Sie machte es ihm noch schwerer, dadurch, daß sie einen rechthaberischen Ton annahm.

»Wenn du in ihn verliebt bist, so kannst du nichts dafür. Ich werde es so gut tragen, wie ich nur kann. Du und ich, wir kommen sehr gut miteinander aus, und ich habe mich dir gegenüber nicht schlecht benommen, stimmt's? Ich habe immer gewußt, daß du mich nicht liebst, aber du hast mich doch ganz gern, und wenn wir erst in Paris sind, wirst du Griffith vergessen. Hast du dich erst entschlossen, nicht mehr an ihn zu denken, wirst du es gar nicht so schwer finden, und ich habe es schließlich um dich verdient, daß du mir etwas zu Gefallen tust.«

Sie antwortete nicht, und sie fuhren in ihrer Mahlzeit fort. Als das Schweigen zwischen ihnen zu drückend wurde, begann Philip von gleichgültigen Dingen zu reden. Er gab sich den Anschein, als merke er gar nicht, daß Mildred nicht zuhörte. Ihre Antworten waren oberflächlich, und sie machte keinerlei Bemerkungen von sich aus. Schließlich unterbrach sie ihn abrupt mitten in der Rede.

»Philip, ich fürchte, ich werde am Samstag nicht mit dir fortfahren können. Der Doktor hat gesagt, ich soll nicht.«

Er wußte, das war nicht wahr, aber er antwortete:

»Wann wirst du dann fahren können?«

Sie streifte ihn mit einem Blick, sah, daß sein Gesicht ganz weiß und hart war, und sah nervös fort. In diesem Augenblick fürchtete sie sich ein bißchen vor ihm.

»Ich kann es dir gleich sagen, dann ist die Sache wenigstens überstanden. Ich kann überhaupt nicht mitkommen.«

»Das habe ich mir gedacht, daß du darauf hinaus wolltest. Jetzt ist es zu spät; du kannst nicht mehr zurück. Du mußt mitkommen.«

»Du hast gesagt, du wolltest nur, daß ich mitgehe, wenn ich es möchte, und ich will nicht.«

»Ich habe mich anders entschlossen. Ich laß mich nicht länger zum Narren halten. Du mußt mitkommen.«

»Ich habe dich sehr gern, Philip, als Freund. Aber ich kann es nicht ertragen, an irgend etwas anderes zwischen uns zu denken. Was das angeht, da mag ich dich nicht. Ich könnte es nicht, Philip.«

»Vor einer Woche warst du noch durchaus bereit dazu.«

»Das war auch etwas anderes.«

»Da hattest du Griffith noch nicht getroffen?«

»Du hast ja selber gesagt, ich könne nichts dafür, wenn ich in ihn verliebt sei.«

Ihr Gesicht nahm einen schmollenden Ausdruck an, und sie hielt ihre Augen starr auf den Teller gerichtet. Philip raste innerlich vor Wut; am liebsten hätte er sie mit geballter Faust ins Gesicht geschlagen; er stellte sich bereits vor, wie sie mit einem blauen Auge aussehen würde. An einem Tisch in der Nähe saßen zwei halbwüchsige, achtzehnjährige Jungen; hin und wieder sahen sie zu Mildred herüber; vielleicht beneideten sie ihn, weil er ein reizendes Mädchen bei sich hatte, und wünschten, daß sie an seiner Stelle wären. Schließlich brach Mildred das Schweigen.

»Was hätten wir davon, wenn wir zusammen weggehen? Ich würde doch die ganze Zeit über an ihn denken. Du würdest auch keinen großen Spaß daran haben.«

»Das ist meine Sache«, antwortete er.

Sie dachte über alle Andeutungen nach, die in dieser Antwort lagen, und wurde rot.

»Aber das ist einfach ekelhaft.«

»Und wenn schon?«

»Ich hatte gedacht, du wärst in jedem Sinne ein richtiger Herr.«

»Dann hast du dich eben geirrt.«

Ihre Antwort amüsierte ihn, und er lachte, als er das sagte.

»Himmelherrgott, lach nicht!« schrie sie. »Ich kann nicht mit dir gehen, Philip. Es tut mir schrecklich leid. Ich weiß, ich habe mich nicht gut gegen dich benommen, aber man kann sich dazu nicht zwingen.«

»Hast du vergessen, daß ich alles für dich getan habe, als du in der Patsche saßest? Ich habe dir das Geld hingeworfen und dich durchgebracht, bis das Kleine geboren wurde; ich habe deinen Arzt und alles bezahlt; ich habe die Kosten deiner Reise nach Brighton getragen, und ich zahle für die Pflege der Kleinen; ich bezahle deine Kleider; jeden Fetzen, den du jetzt anhast, habe ich bezahlt.«

»Wenn du wirklich ein Herr wärest, würdest du mir jetzt nicht vorhalten, was du alles für mich getan hast.«

»Ach, hör schon auf. Was meinst du wohl, was ich mir daraus mache, ob ich ein Herr bin oder nicht. Wenn ich ein Herr wäre, hätte ich meine Zeit überhaupt nicht mit einem so ordinären Frauenzimmer, wie du eins bist, vergeudet. Mir ist es egal, ob du mich magst oder nicht. Ich habe es satt, zum Narren gehalten zu werden. Du wirst sehr wohl am Samstag mit mir nach Paris kommen, oder du kannst die Folgen tragen.«

Ihre Wangen waren ganz rot vor Empörung, und als sie antwortete, war ihre Stimme grob und gemein, was sie gewöhnlich unter einer feinen Ausspracheweise verbarg.

»Ich habe dich nie leiden können, von Anfang an nicht, aber du hast dich mir aufgedrängt; ich habe es jedesmal gehaßt, wenn du mich küßtest. Ich lasse mich nicht von dir berühren, und wenn ich verhungern müßte.«

Philip versuchte das Essen vor ihm auf dem Teller hinunterzuwürgen, aber die Speiseröhre war wie gelähmt. Er goß etwas zu trinken hinunter und zündete sich eine Zigarette an. Er zitterte am ganzen Körper. Er sprach nicht. Er wartete darauf, daß sie eine Bewegung machte; aber sie saß nur schweigend da und starrte auf das weiße Tischtuch. Wenn sie allein gewesen wären, hätte er sie in die Arme genommen und leidenschaftlich geküßt. Sie saßen ohne zu sprechen eine Stunde lang da, und Philip hatte schließlich ein Gefühl, als finge der Kellner bereits an, neugierig herüberzustarren. Er bat um die Rechnung.

»Sollen wir gehen?« fragte er dann in gleichmütigem Ton.

Sie antwortete nicht, nahm aber ihre Tasche und ihre Handschuhe. Sie zog den Mantel an.

»Wann wirst du Griffith wiedersehen?«

»Morgen«, sagte sie gleichgültig.

»Am besten besprichst du die Sache mit ihm.«

Sie öffnete mechanisch ihre Handtasche und sah darin ein Stück Papier. Sie nahm es heraus.

»Da ist die Rechnung für das Kleid«, sagte sie zögernd.

»Ja und?«

»Ich habe ihr versprochen, daß ich ihr morgen das Geld bringe.«

»So?«

»Soll das heißen, daß du es nicht bezahlen willst, nachdem du mir gesagt hast, daß ich es bekommen soll?«

»Ja.«

»Dann werde ich Harry bitten«, sagte sie und wurde plötzlich rot.

»Er wird dir sehr gern helfen. Mir schuldet er im Moment sieben Pfund, und in der vorigen Woche hat er sein Mikroskop aufs Leihhaus gebracht, weil er so pleite war.«

»Du brauchst nicht zu glauben, daß du mir dadurch einen Schrekken einjagen kannst. Ich bin durchaus imstande, mir meinen Unterhalt selbst zu verdienen.«

»Das ist das Beste, was du tun kannst. Ich habe nicht vor, dir noch einen Groschen zu geben.«

Sie dachte daran, daß ihre Miete am Samstag fällig war und auch das Pflegegeld für das Kind, aber sie sagte nichts. Sie traten aus dem Restaurant, und auf der Straße fragte Philip:

»Soll ich dir einen Wagen rufen? Ich will ein bißchen laufen.«

»Ich habe kein Geld. Ich hatte heute nachmittag eine Rechnung zu bezahlen.«

»Es wird dir nicht weiter schaden, ein bißchen zu Fuß zu gehen. Wenn du mich morgen sehen willst, um die Teezeit bin ich zu Hause.«

Er nahm seinen Hut ab und schlenderte los. Er sah sich noch einmal um; sie stand hilflos auf dem gleichen Fleck, wo er sie stehengelassen hatte, und sah auf den Verkehr. Er ging zurück und steckte ihr mit einem Lachen eine Münze in die Hand.

»Da hast du zwei Shilling, um nach Hause zu kommen.«

Ehe sie noch antworten konnte, war er davongeeilt.


Am nächsten Nachmittag saß Philip in seinem Zimmer und fragte sich, ob Mildred wohl kommen würde. Er hatte schlecht geschlafen. Den Vormittag hatte er im Klub der Mediziner zugebracht und eine Zeitung nach der andern gelesen. Es waren Ferien, und nur wenige Studenten, die er kannte, waren in London, aber er fand immerhin zwei oder drei Leute, mit denen er sprach; er spielte eine Partie Schach und vertrieb sich so die langweiligen Stunden. Nach dem Essen fühlte er sich so müde und hatte solche Kopfschmerzen, daß er nach Hause zurückging und sich ein bißchen hinlegte; er versuchte, einen Roman zu lesen. Er hatte Griffith nicht gesehen. Er war nicht zu Hause gewesen, als Philip gestern abend zurückkam. Er hörte ihn heimkommen, aber er warf nicht wie sonst einen Blick in Philips Zimmer, um nachzusehen, ob er schon schliefe, und am Morgen hatte Philip ihn frühzeitig weggehen hören. Es war offensichtlich, daß er ihm aus dem Wege ging. Plötzlich klopfte es leise gegen die Tür. Philip sprang hoch und machte auf. Mildred stand auf der Schwelle. Sie rührte sich nicht.

»Komm rein«, sagte Philip.

Er schloß die Tür hinter ihr. Sie setzte sich nieder. Sie zögerte, ehe sie anfing.

»Vielen Dank dafür, daß du mir gestern abend die zwei Shilling gegeben hast«, sagte sie.

»Schon recht.«

Sie lächelte unmerklich. Es erinnerte Philip an den verschüchterten, bettelnden Blick junger Hunde, die Schläge bekommen haben, weil sie sich nicht gut aufgeführt haben, und nun ihren Herrn wieder versöhnen wollen.

»Ich bin mit Harry essen gegangen«, sagte sie.

»So?«

»Wenn du noch willst, Philip, so komme ich am Samstag mit.«

Ein plötzliches Jubelgefühl schoß ihm durchs Herz, aber es dauerte nur einen Augenblick lang. Sofort stieg ihm ein Verdacht auf.

»Des Geldes wegen?« fragte er.

»Teils«, antwortete sie einfach. »Harry kann nichts für mich tun. Er ist hier schon fünf Wochen im Rückstand, und er schuldet dir sieben Pfund, und sein Schneider drängt auch auf Geld. Er würde alles aufs Leihhaus bringen, aber er hat nichts mehr. Es war schwer genug, meine Schneiderin zu vertrösten, und dann ist am Samstag die Miete fällig, und ich kann nicht innerhalb von fünf Minuten Arbeit finden. Man muß immer ein bißchen warten, ehe etwas frei wird.«

Sie leierte das alles in gleichmäßigem, mürrischem Ton herunter, als zählte sie nur die Ungerechtigkeiten des Schicksals auf, die eben als Teil der natürlichen Ordnung hingenommen werden müssen. Philip antwortete nicht. Was sie ihm da erzählte, wußte er selbst gut genug.

»Du hast eben ›teils‹ gesagt«, bemerkte er endlich.

»Na ja, Harry sagt, du habest dich uns gegenüber famos verhalten. Du wärst ihm ein richtiger guter Freund gewesen, hat er gesagt, und du hättest für mich getan, was wahrscheinlich sonst niemand getan hätte. Wir müssen das Richtige tun, sagte er. Und er sagte, was du über ihn gesagt hast, daß er nämlich unbeständig wäre; er wäre nicht wie du, und ich wäre ein Narr, wenn ich dich seinetwegen wegwerfen würde. Bei ihm hat das keine Dauer, aber bei dir doch, hat er selbst gesagt.«

»Möchtest du mit mir kommen?« fragte Philip.

»Es ist mir schon recht.«

Er sah sie an und ließ elend die Mundwinkel sinken. Er hatte triumphiert, jawohl, und er bekam, was er wollte. Er lachte leise und spöttisch im Gefühl seiner Erniedrigung auf. Sie warf ihm einen schnellen Blick zu, sagte aber nichts.

»Ich habe mich aus ganzem Herzen darauf gefreut, mit dir fortzugehen, und ich dachte, ich würde endlich, nach all dem Jammer, einmal glücklich sein . . .«

Er brachte, was er sagen wollte, nicht zu Ende. Und plötzlich, ohne irgendeinen Übergang, brach Mildred in einen Strom von Tränen aus. Sie saß in dem Stuhl, in dem Norah gesessen und geweint hatte, und sie verbarg, wie sie, ihr Gesicht an der Lehne.

›Ich habe kein Glück bei Frauen‹, dachte Philip.

Ihr magerer Körper wurde von Schluchzen geschüttelt. Philip hatte noch niemals eine Frau mit solcher Hingabe weinen sehen. Es war schrecklich schmerzhaft und zerriß sein Herz. Ohne selbst zu wissen, was er tat, ging er zu ihr hin und legte seine Arme um sie; sie widerstrebte ihm nicht, sondern gab sich seinem Zuspruch in ihrem Jammer willig hin. Er flüsterte ihr kleine Trostworte zu. Er wußte kaum, was er sagte; er neigte sich über sie und küßte sie zu wiederholten Malen.

»Bist du schrecklich unglücklich?« fragte er endlich.

»Ich wünschte, ich wäre tot«, stöhnte sie. »Ich wünschte, ich wäre gestorben, als das Kind kam.«

Ihr Hut war ihr im Wege, und Philip nahm ihn ihr ab. Er legte ihren Kopf bequemer im Lehnstuhl zurecht, und dann ging er und setzte sich an den Tisch und schaute sie an.

»Liebe ist schrecklich, nicht wahr?« sagte er. »Daß jemand sich wünschen kann, verliebt zu sein . . .«

Dann hörte plötzlich die Heftigkeit ihres Schluchzens auf, und sie saß ganz erschöpft im Stuhl, mit zurückgeworfenem Kopf und herabhängenden Armen. Es war ein grotesker Anblick: wie eine Kleiderpuppe, an der Maler Gewandfalten drapieren.

»Ich habe nicht gewußt, daß du ihn so sehr liebst«, sagte Philip.

Er verstand Griffiths Liebe gut genug, denn er stellte sich an Griffiths Stelle, sah mit seinen Augen, berührte mit seinen Händen; er konnte sich in Griffiths Körper hineindenken; er küßte sie mit dessen Lippen, lächelte ihr mit seinen blauen Augen zu. Was ihn aber überraschte, war ihr Gefühl. Er hatte nie geglaubt, daß sie überhaupt solcher Leidenschaftlichkeit fähig wäre. Er spürte, wie irgend etwas in seinem Herzen zerbrach, und er fühlte sich seltsam schwach.

»Ich möchte dich nicht unglücklich machen. Du brauchst nicht mit mir zu kommen, wenn du nicht magst. Ich gebe dir das Geld auch so.«

Sie schüttelte den Kopf.

»Nein, ich habe gesagt, ich komme, und ich komme auch.«

»Was nützt es denn, wo du doch krank bist vor Liebe nach ihm.«

»Ja, das ist das richtige Wort. Ich bin krank vor Liebe. Ich weiß, es wird nicht lange dauern, genau wie bei ihm; aber gerade jetzt ...«

Sie unterbrach sich und schloß die Augen, als wenn sie ohnmächtig würde. Philip kam ein seltsamer Gedanke, und wie er ihm kam, so sprach er ihn aus, ohne erst darüber nachzudenken.

»Warum gehst du nicht mit ihm fort?«

»Wie soll ich das? Du weißt doch, daß wir kein Geld haben.«

»Ich gebe dir das Geld dazu.«

»Du?«

Sie setzte sich auf und sah ihn an. Ihre Augen fingen an zu leuchten; in ihre Wangen kam die Farbe zurück.

»Es wäre vielleicht das beste, daß du es hinter dich bringst, und dann kommst du vielleicht zu mir zurück.«

Jetzt, wo er den Vorschlag gemacht hatte, war er elend vor Kummer, und doch verursachte die Qual, die darin lag, ihm ein seltsam gehobenes Gefühl. Sie starrte ihn mit offenen Augen an.

»Ach, wie könnten wir das tun, mit deinem Geld? Harry würde das nicht annehmen.«

»O doch, das würde er schon, wenn du ihn überredest.«

Ihr Widerspruch reizte ihn, fest zu bleiben, obwohl er von ganzem Herzen wünschte, daß sie sein Angebot heftig ablehnte.

»Ich gebe dir eine Fünfpfundnote, und ihr könntet von Samstag bis Montag fortfahren. Das ließe sich leicht machen. Am Montag fährt er nach Hause, bis er seine Stellung antreten muß.«

»O Philip, meinst du das wirklich?« rief sie und schlug in die Hände. »Wenn du uns nur gehen lassen könntest – ich würde dich nachher so lieben; ich tue alles für dich. Ich werde sicher drüber wegkommen, wenn du das tust. Willst du uns wirklich das Geld geben?«

»Ja«, sagte er.

Sie war jetzt völlig verändert. Sie fing an zu lachen. Er konnte es ihr ansehen, daß sie außer Rand und Band war vor Glück. Sie stand auf, kniete neben Philip nieder und nahm seine Hände.

»Du bist ein goldiger Kerl, Philip. Du bist der Beste, den ich jemals kennengelernt habe. Wirst du mir auch nachher nicht böse sein?«

Er schüttelte lächelnd den Kopf, aber im Herzen war ihm sterbenselend zumute.

»Darf ich jetzt zu Harry gehen und es ihm erzählen? Und darf ich ihm sagen, daß es dir recht ist? Er willigt bestimmt nicht ein, wenn du nicht versprichst, daß es dir nichts ausmacht. Ach, du kannst dir gar nicht denken, wie ich ihn liebe! Und nachher, dann tu ich alles, was du willst. Ich komme mit dir am Montag nach Paris mit oder sonstwohin.«

Sie stand auf und setzte sich den Hut auf.

»Wohin gehst du?«

»Ich gehe jetzt und frage ihn, ob er mich mitnehmen will.«

»Schon?«

»Soll ich noch bleiben? Ich bleibe, wenn du es gern möchtest.«

Sie setzte sich wieder, aber er lachte leicht auf.

»Nein, es macht nichts. Geh nur gleich. Nur eins: ich kann es im Moment nicht ertragen, Griffith zu sehen; es würde mir furchtbar weh tun. Sag ihm, ich trüge ihm nichts nach oder so, aber bitte ihn, daß er mir nicht in den Weg kommen soll.«

»Gut!« Sie sprang auf und zog sich die Handschuhe an. »Ich erzähl dir dann, was er sagte.«

»Am besten wird es sein, du ißt heute abend mit mir zusammen.«

»Gern.«

Sie hielt ihm ihr Gesicht hin, damit er sie küßte, und als er seine Lippen auf ihre preßte, warf sie ihm die Arme um den Hals.

»Du bist ein lieber Kerl, Philip.«

Sie schickte ihm ein paar Stunden darauf ein Zettelchen, auf dem sie ihm mitteilte, daß sie Kopfschmerzen habe und nicht mit ihm essen gehen könne. Philip hatte es eigentlich erwartet. Er wußte, sie ging mit Griffith aus. Er war schrecklich eifersüchtig; aber die plötzliche Leidenschaft, die die beiden ergriffen hatte, schien von irgendwo außerhalb ihrer gekommen zu sein, als hätte sie ein Gott damit heimgesucht, und er fühlte sich hilflos davor. Es schien so natürlich, daß sie einander liebten. Er sah alle die Vorzüge, die Griffith ihm voraus hatte, und gab zu, daß er an Mildreds Stelle wohl genauso gehandelt hätte. Was ihn am meisten kränkte, war Griffiths Verrat; sie waren so gute Freunde gewesen, und Griffith wußte, wie leidenschaftlich er Mildred zugetan war: er hätte ihm das ersparen sollen.

Er sah Mildred bis Freitag nicht; er war krank vor Sehnsucht nach ihrem Anblick; als sie aber kam und er erkannte, daß er völlig aus ihren Gedanken verschwunden war, weil nur noch Griffith darin Platz hatte, haßte er sie plötzlich. Er sah mit einemmal, warum sie und Griffith sich liebten: Griffith war dumm, ach, so dumm – er hatte es immer gewußt, hatte aber die Augen davor zugemacht –, ein dummer Hohlkopf; sein Charme verhüllte nur äußerste Selbstsucht, seinen Lüsten opferte er jeden. Und wie blöd war das Leben, das er führte. Herumlungern in Bars, Trinken in Restaurants und Varietés, Hinundherflattern von einer Liebesaffäre zur andern. Er las niemals ein Buch; er war allem gegenüber, was nicht gemein und frivol war, blind; er hatte niemals einen schönen Gedanken: das

Wort, das er fast stets auf den Lippen führte, war ›smart‹, es war die höchste Lobpreisung, die er für Frauen oder Männer übrig hatte. Kein Wunder, daß er Mildred gefiel. Sie paßten zueinander.

Philip sprach mit Mildred über gleichgültige Dinge. Er wußte, sie wollte gern von Griffith sprechen, aber er gab ihr dazu keine Gelegenheit. Er berührte auch nicht die Tatsache, daß sie ihm vorgestern abend mit einer fadenscheinigen Ausrede abgesagt hatte. Er war nur halb und halb bei ihr; mochte sie denken, daß er plötzlich gleichgültig gegen sie geworden sei; er zeigte eine besondere Geschicklichkeit, ihr Kleinigkeiten zu sagen, von denen er wußte, daß sie sie verletzen würden, aber sie waren so unbestimmt, von so subtiler Grausamkeit, daß sie keinen Anstoß daran nehmen konnte. Schließlich stand sie auf.

»Ich muß jetzt wohl gehen«, sagte sie.

»Du scheinst ja immer viel zu tun zu haben.«

Sie hielt ihm die Hand hin; er nahm sie, sagte adieu und öffnete ihr die Tür. Er wußte, wovon sie sprechen wollte, und wußte ebenfalls, daß seine kalte, ironische Art sie eingeschüchtert hatte. Seine Schüchternheit ließ ihn oft so kalt erscheinen, daß er, ohne es zu wollen, Leute verängstigte, und da er das herausgefunden hatte, war er gelegentlich imstande, es mit Absicht zu tun.

»Du hast nicht vergessen, was du versprochen hast?« sagte sie endlich, als er ihr die Tür aufhielt.

»Was denn?«

»Wegen des Geldes?«

»Wieviel willst du haben?«

Er sprach mit eisiger Sachlichkeit, was seinen Worten einen besonders beleidigenden Ton gab. Mildred wurde ganz rot. Er wußte, daß sie ihn in diesem Augenblick haßte, und er war erstaunt über die Selbstbeherrschung, die sie davon zurückhielt, gegen ihn loszurasen. Er wollte, daß sie litt.

»Für das Kleid und dann die Miete morgen. Das ist alles. Harry kommt nicht; wir brauchen also kein Geld dafür.«

Philips Herz klopfte ihm dröhnend gegen die Rippen, und er ließ die Türklinke los. Die Tür fiel zu.

»Wieso nicht?«

»Er sagt, das könnten wir nicht. Nicht von deinem Geld.«

Ein Teufel ritt Philip, ein Teufel der Selbstquälerei, der immer in ihm auf der Lauer lag, und obwohl er von ganzem Herzen wünschte, daß Griffith und Mildred nicht zusammen wegfahren würden, konnte er nicht widerstehen; er schlug ihr vor, sie sollte Griffith überreden.

»Ich sehe nicht ein, warum nicht, wenn ich nichts dagegen habe«, sagte er.

»Das habe ich ihm auch gesagt.«

»Man könnte meinen, daß er nicht zögern würde, falls er wirklich wegfahren wollte.«

»Ach, das ist es nicht. Er möchte schon. Wenn er das Geld hätte, würde er auf der Stelle fahren.«

»Wenn er zimperlich ist, gebe ich *dir* das Geld.«

»Ich habe ihm gesagt, du würdest es uns leihen, falls ihm das lieber wäre, und wir zahlen es zurück, sobald wir können.«

»Es ist eine Abwechslung, auf den Knien zu betteln, damit ein Mann übers Wochenende mit dir wegfährt.«

»Ja, vielleicht«, sagte sie mit einem kurzen, schamlosen Lachen. Über Philips Rücken lief ein kalter Schauer.

»Was werdet ihr also machen?« fragte er.

»Nichts. Er fährt morgen nach Hause. Er muß.«

Das würde Philips Rettung sein. War Griffith erst aus dem Wege, dann würde er Mildred zurückgewinnen. Sie kannte niemanden in London; sie würde auf seine Gesellschaft angewiesen sein, und wenn sie erst einmal allein wären, so würde er schon dafür Sorge tragen, daß sie ihre Vernarrtheit vergaß. Wenn er nichts weiter sagte, so war er gerettet. Aber er hatte einen teuflischen Wunsch, ihre Skrupel zu zerstreuen, er wollte herausfinden, wie weit die Abscheulichkeit ging, mit der sie gegen ihn handeln konnte; wenn er sie noch ein bißchen weiter versuchte, so würde sie nachgeben, und es lag eine wilde Freude in dem Gedanken an ihre Schmach. Obwohl ihm jedes Wort, das er sagte, Qualen bereitete, so fand er doch in diesen Qualen ein grauenhaftes Entzücken.

»Also heißt es: jetzt oder nie.«

»Das habe ich ihm auch gesagt.«

Es war ein leidenschaftlicher Ton in ihrer Stimme, der Philip beeindruckte. Vor lauter Nervosität biß er die Fingernägel.

»Wo wolltet ihr denn hin?«

»Ach, nach Oxford. Er war da auf der Uni. Er sagte, er wolle mir die Gebäude zeigen.«

Philip fiel ein, wie er einmal vorgeschlagen hatte, daß sie einen Tagesausflug nach Oxford machen sollten und wie sie sich damals entschieden dagegen gestemmt hatte, da Sehenswürdigkeiten sie schon beim bloßen Gedanken langweilten.

»Und es sieht aus, als würdet ihr schönes Wetter haben. Es müßte gerade jetzt eigentlich sehr schön dort sein.«

»Ich habe alles getan, was ich nur konnte, um ihn zu überreden.«

»Warum machst du nicht noch einen Versuch?«

»Soll ich sagen, du möchtest, daß wir fahren?«

»Ich glaube nicht, daß du so weit zu gehen brauchst«, sagte Philip.

Sie sah Philip ein paar Augenblicke schweigend an. Philip zwang sich, ihren Blick freundlich zu erwidern. Er haßte sie, er verachtete sie, er liebte sie von ganzem Herzen.

»Ich werde dir sagen, was ich mache. Ich gehe hin und sehe nach, ob er es nicht einrichten kann. Und dann, wenn er ja sagt, komme ich her und hole mir das Geld morgen ab. Wann bist du zu Hause?«

»Ich komme nach dem Essen zurück und warte.«

»Gut.«

»Das Geld für das Kleid und die Miete gebe ich dir jetzt.«

Er ging an seinen Schreibtisch und nahm alles Geld, was er hatte, heraus. Das Kleid war sechs Guineen, dann die Miete und Essen für sie und das Pflegegeld für das Kleine. Er gab ihr acht Pfund und zehn Shilling.

»Vielen Dank!« sagte sie.

Sie ging fort.


Nachdem Philip in der Medical School unten im Kasino gegessen hatte, ging er nach Hause zurück. Es war Samstagnachmittag, und die Wirtin machte die Treppen sauber.

»Ist Mr. Griffith da?« fragte er.

»Nein. Er ist heute morgen ausgegangen, sehr bald, nachdem Sie weg waren.«

»Kommt er nicht zurück?«

»Ich glaube nicht. Er hatte seine Koffer mit.«

Philip fragte sich, was das wohl zu bedeuten hätte. Er nahm ein Buch vor und begann zu lesen. Es war Burtons *Journey to Meccah*, das er sich gerade aus der Westminster Volksbibliothek entliehen hatte; er las die erste Seite, aber er wußte nicht, was er las, denn seine Gedanken waren woanders; er horchte die ganze Zeit auf ein Läuten der Glocke. Er wagte nicht zu hoffen, daß Griffith schon ohne Mildred nach seiner Heimat in Cumberland abgefahren sei. Mildred würde sicher gleich wegen des Geldes kommen. Er nahm sich zusammen und las weiter; er versuchte verzweifelt, sich zu konzentrieren; durch die Kraft seiner Anstrengung prägten sich die Sätze zwar tief in sein Gehirn, aber sie waren durch die Qual verzerrt, die er durchlitt. Er wünschte von ganzem Herzen, daß er nicht den schrecklichen Vorschlag, ihnen Geld zu geben, gemacht hätte; aber jetzt, da er nun einmal gemacht war, fehlte ihm die Kraft, dieses Geld zu verweigern, nicht Mildreds, sondern seiner selbst wegen. Es war ein krankhafter Trotz in ihm, der ihn zwang, das zu tun, was er sich vorgenommen hatte. Sollten sie kommen und das Geld annehmen; dann würde er wenigstens wissen, zu welchen Tiefen der

Gemeinheit Menschen herabsinken konnten. Er konnte nicht weiterlesen. Er konnte einfach die Worte nicht sehen. Er lehnte sich in seinen Stuhl zurück, schloß die Augen; ganz benommen vor Elend wartete er auf Mildred.

Die Wirtin trat ein.

»Wollen Sie Mrs. Miller empfangen?«

»Führen Sie sie herein.«

Philip riß sich zusammen, um sie nichts von seinen Gefühlen sehen zu lassen. Er fühlte einen Drang, sich vor ihr auf die Knie zu werfen, ihre Hände zu ergreifen und sie anzuflehen, nicht zu gehen. Aber er wußte, daß er sie durch nichts würde bewegen können; sie würde nur Griffith weitererzählen, was er gesagt und wie er sich benommen habe. Er schämte sich.

»Na, wie steht's mit dem kleinen Ausflug?« sagte er heiter.

»Wir fahren. Harry ist draußen. Ich habe ihm gesagt, du wolltest ihn nicht sehen; so ist er dir denn aus dem Weg gegangen. Aber er möchte gern wissen, ob er nur eben auf einen Augenblick hereinkommen kann, um dir adieu zu sagen.«

»Nein, ich will ihn nicht sehen«, sagte Philip.

Er sah es ihr an, daß es ihr gleichgültig war, ob er Griffith sah oder nicht. Jetzt, da sie hier war, wollte er nur, daß sie schnell wieder ginge.

»Da. Hier sind die fünf Pfund. Ich möchte, daß du jetzt gehst.«

Sie nahm es und dankte ihm. Sie wandte sich um, um aus dem Zimmer zu gehen.

»Wann kommst du wieder?« fragte er.

»Am Montag. Harry muß dann doch nach Hause.«

Er wußte, daß das, was er jetzt sagen würde, erniedrigend war, aber er war ganz zerbrochen vor Eifersucht und Begierde.

»Dann werde ich dich doch sehen, nicht wahr?«

In seiner Stimme schwang etwas Bettelndes, er konnte nicht anders.

»Selbstverständlich. Ich gebe dir Bescheid, sobald ich zurück bin.«

Sie schüttelten einander die Hände. Hinter dem Vorhang stehend, beobachtete er, wie sie in einen Wagen sprang, der vor der Tür wartete. Er rollte fort. Da warf er sich auf das Bett und barg das Gesicht in den Händen. Er fühlte, wie ihm die Tränen in die Augen traten, und er war ärgerlich auf sich; er ballte die Fäuste und verkrampfte seinen Körper, um die Tränen zurückzuhalten; es gelang ihm jedoch nicht; tiefe, schmerzerfüllte Seufzer entrangen sich ihm.

Endlich stand er auf, ganz erschöpft und beschämt, und wusch sich das Gesicht. Er mischte sich einen starken Whisky mit Soda. Danach fühlte er sich etwas besser. Dann fiel sein Blick auf die Fahrkarten nach Paris, die auf dem Kaminsims lagen; er ergriff sie und warf sie in plötzlich aufbrechender Wut ins Feuer. Er wußte wohl, daß er das Geld zurückbezahlt bekommen hätte, aber es gewährte ihm eine Erleichterung, sie zu vernichten. Dann machte er sich auf, um jemanden zu suchen, mit dem er zusammensein konnte. Im Klub war niemand. Er fühlte, er würde irrsinnig werden, wenn er nicht einen Menschen fand, mit dem er reden konnte; aber Lawson war auf dem Kontinent. Er ging zu Hayward; das Mädchen öffnete ihm und sagte, er wäre über das Wochenende nach Brighton gefahren. Dann ging Philip in eine Kunstgalerie, aber dort wurde gerade geschlossen. Er wußte nicht, was er tun sollte. Er war wie wahnsinnig. Und er dachte, daß sich Mildred und Griffith im Zug nach Oxford glücklich gegenübersaßen. Er ging nach Hause zurück; aber die Räume erfüllten ihn mit Grauen; er war so elend hier gewesen; er versuchte noch einmal Burtons Buch zu lesen, aber während er las, sagte er sich immer und immer wieder, welcher Narr er gewesen war; er war es gewesen, der den Vorschlag gemacht hatte, sie sollten wegfahren, er hatte das Geld angeboten, er hatte es ihnen aufgedrängt; er hätte wissen müssen, was geschehen würde, als er Griffith Mildred vorstellte; seine eigene heftige Leidenschaft genügte, um das Verlangen des anderen zu wecken. Jetzt erreichten sie Oxford. Sie würden in einem der Hotels in John Street absteigen; Philip war niemals in Oxford gewesen, aber Griffith hatte ihm so viel darüber erzählt, daß er genau wußte, wohin sie gehen würden; sie würden im *Clarendon* essen; Griffith war dort Stammgast gewesen.

Er ging wieder hinaus und bestellte sich in einem Restaurant am Charing Cross etwas zu essen; er hatte sich entschlossen, ins Theater zu gehen, und so kämpfte er sich denn nachher zum Parterre eines Theaters durch, in dem ein Stück von Oscar Wilde aufgeführt wurde. Ob Griffith und Mildred heute abend wohl auch zusammen im Theater waren? Sie mußten den Abend schließlich irgendwie totschlagen; sie waren beide zu dumm, als daß sie sich hätten mit Unterhaltungen begnügen können; es lag eine wilde Freude für ihn in dem Gedanken an die Gewöhnlichkeit ihres Geistes, die sie wie füreinander geschaffen machte. Er sah dem Stück ziemlich geistesabwesend zu und versuchte sich dadurch in fröhliche Stimmung zu bringen, daß er in jeder Pause Whisky trinken ging; er war nicht an den Genuß von Alkohol gewöhnt, und so wirkte er sehr schnell, aber es war eine wilde und finstere Trunkenheit. Als die Aufführung vorüber war, trank er noch ein Glas. Er konnte nicht zu Bett gehen; er wußte, er würde nicht schlafen, und ihm graute vor dem Bild, das seine lebhafte Phantasie ihm vorspielen würde. Er versuchte, nicht an Mildred zu denken. Er wußte, er hatte zuviel getrunken. Eine schreckliche Begierde ergriff ihn, grauenhafte, niederträchtige Dinge zu tun; er hätte sich gern in der Gosse gewälzt; es verlangte ihn nach einer Schweinerei; er wollte sich erniedrigen.

Er ging Piccadilly hinauf, schleifte seinen Klumpfuß hinter sich her, düster betrunken, während Wut und Elend ihm das Herz zerfleischten. Eine geschminkte Dirne hielt ihn an und legte ihm die Hand auf den Arm; mit brutalen Worten stieß er sie von sich. Er ging ein paar Schritte weiter und blieb stehen. Ob sie es nun war oder eine andere. Es tat ihm leid, daß er so barsch zu ihr gewesen war. Er ging zu ihr.

»Du, hör mal«, begann er.

»Geh zum Teufel«, sagte sie.

Philip lachte.

»Ich wollte nur fragen, ob du mir die Ehre erweisen würdest, heute nacht mit mir zusammen essen zu gehen.«

Sie sah ihn voller Erstaunen an und zögerte ein Weilchen. Sie sah, daß er betrunken war.

»Mir recht.«

Er fand es lustig, daß sie einen Ausdruck gebrauchte, den er so oft von Mildreds Lippen gehört hatte. Er führte sie in eines der Restaurants, wo er mit Mildred hinzugehen pflegte. Er sah, wie sie beim Weitergehen auf seinen Klumpfuß hinuntersah.

»Ich habe einen Klumpfuß«, sagte er. »Hast du was dagegen?«

»Du bist ein komischer Kerl«, lachte sie zurück.

Als er heimkam, taten ihm alle Knochen im Leibe weh, und es hämmerte in seinem Kopf, daß er am liebsten aufgeschrien hätte. Er nahm noch einen Whisky mit Soda, um sich zu beruhigen, ging zu Bett und fiel sofort in einen tiefen, traumlosen Schlaf, der bis gegen Mittag des andern Tages dauerte.


Endlich kam der Montag heran, und Philip glaubte nun seine Qualen überstanden. Er studierte die Zugverbindungen und stellte fest, daß der letzte Zug, mit dem Griffith seine Heimat erreichen konnte, Oxford um ein Uhr verließ; er nahm an, daß Mildred einen Zug nehmen würde, der ein paar Minuten später nach London fuhr. Sein Wunsch war, hinzugehen und sie abzuholen; aber er glaubte, Mildred würde sicher gern einen Tag allein gelassen werden; vielleicht schickte sie ihm am Abend ein Briefchen, um ihm mitzuteilen, daß sie zurück sei; wenn nicht, so würde er am nächsten Morgen zu ihr gehen. Er fühlte sich bezwungen. Er empfand einen bitteren Haß gegen Griffith, aber nach Mildred – trotz allem, was passiert war – nur ein herzzerreißendes Verlangen. Er war jetzt nur froh, daß Hayward am Sonnabend nicht in London gewesen war, als er verzweifelt nach menschlicher Tröstung suchte; er hätte sich nicht zurückgehalten und ihm alles erzählt, und Hayward würde über seine

Schwäche höchst erstaunt gewesen sein. Er hätte ihn verachtet, wäre vielleicht sogar schockiert oder abgestoßen gewesen, daß er es fertigbekam, Mildred zu seiner Freundin zu machen, nachdem sie erst einen andern Mann gehabt hatte. Was kümmerte es ihn, ob es schockierend oder abstoßend war! Er war zu jedem Kompromiß bereit und auf noch weitere Erniedrigungen gefaßt, wenn er nur seine Begierde stillen konnte.

Am Abend führten seine Schritte ihn gegen seinen Willen zu dem Haus, in dem Mildred wohnte, und er sah zu ihrem Fenster hinauf. Es war dunkel. Er wagte nicht nachzufragen, ob sie zurück sei. Er vertraute auf ihr Versprechen. Aber auch am Morgen kam kein Brief von ihr, und als er am Mittag doch nachfragen ging, sagte das Mädchen, daß Mildred noch nicht zurück wäre. Er konnte es nicht verstehen. Er wußte, daß Griffith am Tage vorher hatte nach Hause fahren müssen, denn er war Trauzeuge bei einer Hochzeit, und Mildred hatte kein Geld. Er dachte alle Möglichkeiten durch. Er ging am Nachmittag wieder hin und hinterließ einen Zettel, worin er sie einlud, mit ihm am Abend zu essen. Der Zettel war in einem so ruhigen Ton gehalten, als wären die Ereignisse der letzten vierzehn Tage nicht gewesen. Er verabredete Zeit und Ort, wo sie sich treffen wollten, und hielt die Verabredung ein, obwohl er auf ihr Kommen kaum zu hoffen wagte. Obwohl er eine Stunde lang wartete, erschien sie nicht. Am Mittwoch schämte er sich, selbst wieder bei ihr zu Hause nachzufragen, und schickte statt dessen einen Boten mit einem Brief; er gab ihm Anweisung, auf die Antwort zu warten; aber nach einer Stunde kam der Junge mit Philips ungeöffnetem Brief wieder und brachte als Antwort, daß die Dame noch nicht vom Lande zurück sei. Philip war außer sich. Dieser letzte Vertrauensbruch war mehr, als er ertragen konnte. Er wiederholte sich immer und immer wieder, daß er Mildred verabscheute, und da er Griffith die Schuld an dieser neuen Enttäuschung gab, haßte er ihn so sehr, daß er sich plastisch vorstellen konnte, welche Freude Mord bereiten kann: er ging umher und stellte sich vor, was es für ein Genuß sein müßte, in einer finstern Nacht über ihn herzufallen und ihm einen Dolch in die Kehle zu stoßen, gerade über der Schlagader – und ihn dann auf der Straße wie einen Hund krepieren zu lassen. Philip war völlig von Sinnen vor Kummer und Wut. Er machte sich eigentlich nichts aus Whisky, aber er trank, um sich zu betäuben. Zwei Tage hintereinander ging er betrunken zu Bett.

Am Donnerstagmorgen stand er sehr spät auf und schleppte sich bleich, mit trüben Augen, ins Wohnzimmer, um nachzusehen, ob ein Brief da wäre. Ein eigenartiges Gefühl schoß ihm durchs Herz, als er Griffiths Handschrift erkannte:

*Lieber alter Freund!*

*Ich weiß kaum, wie ich Dir schreiben soll, und doch fühle ich, daß ich es tun muß. Ich hoffe, Du bist mir nicht schrecklich böse. Ich weiß, ich hätte nicht mit Milly weggehen sollen, aber ich konnte einfach nicht anders. Es hat mich einfach umgeworfen, und ich würde alles getan haben, um sie zu bekommen. Als sie mir sagte, daß Du uns das Geld zum Fortgehen angeboten hättest, konnte ich nicht widerstehen. Und jetzt, da alles vorbei ist, schäme ich mich so schrecklich und möchte nur, ich wäre nicht ein solcher Narr gewesen. Ich wünschte, Du würdest mir schreiben, daß Du mir nicht böse bist, und ich wünschte, daß ich zu Dir kommen und Dich sehen dürfte. Es hat mir sehr weh getan, daß Du Milly gesagt hast, Du wolltest mich nicht sehen. Schreib mir eine Zeile, sei ein lieber Kerl, und sag mir, daß Du mir vergeben hast. Es wird mein Gewissen beruhigen. Ich hatte gedacht, es machte Dir nichts aus, sonst hättest Du uns ja nicht das Geld angeboten. Aber ich weiß natürlich doch, daß ich es nicht hätte nehmen dürfen. Ich kam Montag heim, und Milly wollte gern noch ein paar Tage für sich allein in Oxford bleiben. Sie fährt am Mittwoch nach London zurück, Du wirst sie also, wenn Du diesen Brief erhältst, bereits gesehen haben, und ich hoffe, es kommt nun alles wieder ins Lot. Bitte schreib mir, daß Du mir vergeben hast. Schreibe bitte sofort.*

*Immer der Deine.*

*Harry*

Philip zerriß den Brief voller Wut. Er hatte nicht vor, ihn zu beantworten. Er verachtete Griffith wegen der langen Entschuldigungen, er hatte keine Nachsicht mit seinen Gewissensbissen: man konnte sich gemein verhalten, wenn man wollte, aber es war verachtenswert, es hernach zu bedauern. Er hielt den Brief für feig und heuchlerisch. Er war von dessen Sentimentalität angeekelt.

»Es wäre sehr leicht, wenn man etwas Gemeines tun und dann einfach sagen könnte, daß es einem leid tut – und dann wäre alles wieder in bester Ordnung«, murmelte Philip vor sich hin.

Er hoffte von ganzem Herzen, daß er auch eines Tages Griffith etwas würde antun können.

Jedenfalls wußte er nun, daß Mildred hier war. Er zog sich eilig an, ließ sich nicht einmal Zeit zum Rasieren, trank eine Tasse Tee und nahm einen Wagen zu ihrer Wohnung. Der Wagen schien ihm zu kriechen. Es verlangte ihn schmerzlich, sie zu sehen, und ohne es zu wissen, schickte er zu dem Gott, an den er nicht glaubte, ein Stoßgebet, daß sie ihn freundlich empfangen möge. Mit klopfendem Herzen klingelte er. Vor dem leidenschaftlichen Wunsch, sie wieder einmal in die Arme zu schließen, vergaß er alles, was er durchgemacht hatte.

»Ist Mrs. Miller zu Hause?« fragte er fröhlich.

»Sie ist nicht mehr da«, antwortete das Mädchen.

Er sah sie verwundert an.

»Sie war vor ungefähr einer Stunde da und hat ihre Sachen abgeholt.«

Einen Augenblick lang wußte er nicht, was er sagen sollte.

»Haben Sie ihr meinen Brief gegeben? Hat sie hinterlassen, wohin sie gezogen ist?«

Dann ging ihm auf, daß Mildred ihn wieder einmal betrogen hatte. Er bemühte sich, die äußere Haltung zu wahren.

»Na schön, ich werde schon von ihr hören.«

Er wandte sich um und kehrte hoffnungslos in seine Wohnung zurück. Das hätte er wissen müssen, daß sie das tun würde; sie hatte sich nie etwas aus ihm gemacht; sie hatte ihn, von Anfang an, zum Narren gehalten; sie kannte kein Mitleid, keine Güte, keine Nächstenliebe. Das einzige war jetzt, das Unumgängliche hinzunehmen. Der Schmerz, den er durchlitt, war grauenhaft; lieber tot, als das noch weiter aushalten zu müssen. Da kam ihm der Gedanke, daß es das beste wäre, er machte Schluß mit allem; er könnte sich in den Fluß werfen oder den Kopf auf die Eisenbahnschienen legen. Aber er hatte diesen Gedanken kaum in Worte gefaßt, als in ihm auch schon etwas dagegen rebellierte. Seine Vernunft sagte ihm, daß er mit der Zeit über sein Unglück wegkommen würde; wenn er wirklich mit aller Kraft versuchte, würde er sie vergessen, und es wäre schon grotesk, wollte er sich um eines solch gemeinen, liederlichen Frauenzimmers willen umbringen. Er hatte nur ein Leben, und es war Wahnsinn, es von sich zu werfen. Er *fühlte*, daß er seine Leidenschaft niemals unterkriegen könnte, aber er *wußte*, daß es schließlich nur eine Frage der Zeit war.

In London mochte er nicht bleiben. Alles erinnerte ihn hier an sein Unglück. Er telegrafierte seinem Onkel, daß er nach Blackstable kommen würde, und nahm dann, nachdem er eilig seine Sachen gepackt hatte, den erstmöglichen Zug. Er wollte aus diesen schmutzigen Räumen, in denen er so viel Leid durchgemacht hatte, fort. Er wollte wieder einmal frische, saubere Luft atmen. Er ekelte sich vor sich selbst. Er fühlte, er war ein bißchen verrückt.

Seit er erwachsen war, hatte man ihm im Pfarrhaus immer das beste der leeren Zimmer gegeben. Es war ein Eckzimmer, und vor dem einen Fenster stand ein alter Baum, der die Aussicht versperrte, aber von dem andern aus sah man über den Pfarrgarten und das angrenzende Feld, das zum Pfarrhaus gehörte, hinaus auf weite Wiesen. Philip erinnerte sich der Tapete noch aus den frühesten Jahren. An den Wänden hingen altmodische Aquarelle aus der frühen viktorianischen Epoche, die ein Jugendfreund des Pfarrers gemalt hatte.

Sie hatten einen verblichenen Charme. Der Ankleidetisch war von einem steifen Musselinvorhang umgeben. Dann war eine alte hohe Kommode da, wo man seine Kleider hineinlegte. Philip gab einen Seufzer des Wohlbehagens von sich; noch nie war ihm bewußt geworden, daß alle diese Sachen ihm etwas bedeuteten. Im Pfarrhaus ging das Leben seinen gewohnten Gang. Kein Möbelstück war von der Stelle gerückt; der Pfarrer aß genau das gleiche, sagte das gleiche, machte jeden Tag den gleichen Spaziergang; er war etwas behäbiger, etwas schweigsamer und etwas engherziger geworden. Er hatte sich an das Leben ohne seine Frau gewöhnt und vermißte sie wenig. Er lag sich noch immer mit Josiah Graves in den Haaren. Philip besuchte den Kirchenvorsteher. Er war ein bißchen dünner, ein bißchen weißhaariger, ein bißchen strenger; er war noch immer selbstherrlich und lehnte Kerzen auf dem Altar ab. Die Läden waren immer noch altmodisch, und Philip stand vor dem einen, in dem alles, was der Seemann brauchen kann, feilgeboten wird, Schifferschuhe und Persenning und Tauwerk, und erinnerte sich daran, wie er hier in seiner Kindheit vom Schauer des Meeres und vom abenteuerlichen Zauber des Unbekannten ergriffen wurde.

Er konnte nicht dagegen an, sein Herz schlug jedesmal beim Pochen des Briefträgers, ob nicht ein Brief von Mildred, den seine Wirtin ihm nachgeschickt haben würde, dabei wäre; aber er wußte, es würde keiner kommen. Jetzt, da er ruhiger darüber nachdenken konnte, sah er ein, daß er das Unmögliche versucht hatte, als er Mildred dazu zwingen wollte, ihn zu lieben. Er wußte nicht, was es eigentlich war, was zwischen Mann und Frau hin- und herschwang und was einen Teil zum Sklaven des andern machte: es war bequem, es den Geschlechtstrieb zu nennen; wenn es aber nichts weiter war, so verstand er nicht, warum man gerade von diesem oder jenem und nicht von einem beliebigen andern Menschen so ungestüm angezogen wurde. Es war unwiderstehlich: es hatte keinen Sinn, daß der Kopf dagegen rebellierte; Freundschaft, Dankbarkeit, Interessen, sie alle verloren ihre Macht daneben. Da er Mildred erotisch nicht anzog, hatte nichts, was er tat, Wirkung auf sie. Der Gedanke empörte ihn, die menschliche Natur bekam dadurch etwas Tierisches, und plötzlich fühlte er, daß das Menschenherz voll dunkler Winkel ist.

Weil Mildred ihm gegenüber gleichgültig war, hatte er sie für geschlechtslos gehalten; ihre anämische Erscheinung und die dünnen Lippen, der Körper mit den schmalen Hüften und der flachen Brust, die Mattigkeit ihres Gehabens bestärkten ihn in seiner Vermutung; und doch war sie plötzlicher Leidenschaften fähig, und sie war gewillt, alles aufs Spiel zu setzen, um diese zu befriedigen. Er hatte ihr Abenteuer mit Emil Miller nie verstanden: es schien nicht zu ihr zu passen, und sie war nie fähig gewesen, es zu erklären; aber nun, da er sie mit Griffith gesehen hatte, wußte er, daß beinahe das gleiche geschehen war: sie war von einem unbändigen Verlangen hingerissen worden. Er versuchte daraufzukommen, was sie an jenen zwei Männern so ungewöhnlich fesselte. Beide hatten sie eine vulgäre Witzigkeit, die ihren einfachen Sinn für Humor ansprach, und ein gewisses rohes Wesen; aber was sie vielleicht gefangennahm, war die nicht zu übersehende Sinnlichkeit, die ihr hervorstechendstes Merkmal war. Sie gab sich elegant und fein und schauderte angesichts der Wirklichkeit, sie betrachtete körperliche Funktionen als unanständig, sie hatte alle Arten mildernder Ausdrücke für gewöhnliche Gegenstände bereit, sie hielt ein feineres Wort immer für passender als ein einfaches: die Brutalität dieser Männer war wie eine Peitsche auf ihren dünnen weißen Schultern, und sie zitterte unter wollüstigem Schmerz.

Über eines war Philip sich klar geworden: er würde nicht mehr in die Wohnung, in der er so viel gelitten hatte, zurückkehren. Er schrieb seiner Wirtin und kündigte. Er wollte seine eigenen Sachen um sich haben. Er beschloß, ein Leerzimmer zu nehmen, das würde angenehm und noch dazu billiger sein. Das letztere war eine dringend nötige Erwägung, denn er hatte während der letzten anderthalb Jahre fast siebenhundert Pfund ausgegeben. Das mußte er jetzt durch allerstrengste Sparsamkeit wieder einholen. Hin und wieder jagte der Gedanke an die Zukunft ihm einen panischen Schrecken ein; er war ein Narr gewesen, so viel Geld für Mildred auszugeben; dabei wußte er jedoch, er würde, wenn es dazu käme, genau wieder so handeln. Es amüsierte ihn, daß ihn seine Freunde für eigenwillig, besonnen und kühl hielten, weil er ein Gesicht hatte, das seine Gefühle nicht sehr lebhaft widerspiegelte, und weil seine Bewegungen langsam waren. Sie hielten ihn für verständig und priesen seinen gesunden Menschenverstand; er aber wußte, daß sein gleichmäßiger Gesichtsausdruck nichts als eine Maske war, die er unbewußt angenommen hatte und die nun wie eine Schutzfarbe bei Schmetterlingen ihre Wirkung tat; er selbst war erstaunt über seine Willensschwäche. Es schien ihm, als könnte die geringste Erregung ihn hin- und hertreiben, als wäre er ein Blatt im Winde, und wenn Leidenschaft ihn ergriff, dann war er machtlos.

Er betrachtete die Philosophie, die er für sich entwickelt hatte, mit einiger Ironie, denn bei dem, was er durchgemacht hatte, war sie nicht gerade von großem Nutzen gewesen. Und er dachte darüber nach, ob Denken überhaupt dem Menschen in den kritischen Lebensdingen helfen könne; ihm schien es eher, als würde er von einer Macht, die ihm feindlich und doch in ihm selbst drin war, getrieben, so wie der große Höllenwind Paolo und Francesca ewig vorantrieb.

Er dachte, was er nun machen werde; wenn die Zeit zum Handeln kam, war er machtlos der Gewalt der Triebe, der Gefühle und er wußte nicht, was noch allem, ausgeliefert. Er handelte, als wäre er eine Maschine, die von zwei Kräften angetrieben wird: seiner Umwelt und seiner Persönlichkeit; sein Verstand war wie ein Zuschauer, der die Handlungen beobachtete, aber zu machtlos war, um einschreiten zu können: er war wie jene Götter des Epikur, die die Taten der Menschen von den himmlischen Höhen aus sehen, aber keine Macht haben, auch nur den kleinsten Teil dessen, was geschieht, zu verändern.

Philip kehrte ein paar Tage vor Semesteranfang nach London zurück, um Zimmer zu suchen. Er jagte in den Straßen herum, die von Westminster Bridge Road abzweigten, aber ihr Schmutz war ihm widerlich, schließlich fand er eine Straße, Kennington Road, wo es still war und ein wenig altväterisch aussah. Es erinnerte einen hier ein bißchen an das London, das Thackeray gekannt hatte. In Kennington Road, wo der große Landauer der Newcomes durchgefahren sein mußte, als die Familie nach West-London fuhr, platzten gerade die Knospen der Platanen. Die Häuser der Straße, auf die es Philip abgesehen hatte, waren zweistöckig, und fast in allen Fenstern hingen Schilder, auf denen stand, daß hier Zimmer zu vermieten seien. Er klopfte bei einem Haus an, wo angekündigt war, daß es sich um Leerzimmer handle; eine strengaussehende, schweigsame Frau zeigte ihm vier Zimmer, in einem war ein Herd und ein Abwaschbecken. Die Miete betrug neun Shilling pro Woche. Philip suchte eigentlich nicht so viele Zimmer, aber die Miete war niedrig, und er wollte sich sofort an die Arbeit machen. Er fragte die Wirtin, ob sie für ihn die Reinigung übernehmen und sein Frühstück bereiten könne; aber sie entgegnete, daß sie ohnehin genug Arbeit habe; er war eigentlich froh darüber, denn sie ließ durchblicken, daß sie außer dem Empfang der Miete nichts weiter mit ihm zu tun haben wolle. Sie sagte ihm, daß er sicher eine Frau finden würde, die für ihn die Arbeit machte, wenn er beim Krämer um die Ecke, der auch gleichzeitig eine Postfiliale habe, nachfragte.

Philip besaß ein paar Einrichtungsgegenstände, die er sich allmählich gesammelt hatte: einen Lehnstuhl, der in Paris gekauft war, und einen Tisch, ein paar Zeichnungen und den kleinen persischen Teppich, den Cronshaw ihm gegeben hatte. Sein Onkel hatte ihm ein Feldbett angeboten, das er jetzt nicht mehr brauchte, da er das Haus im August nicht mehr vermietete, und für zehn Pfund kaufte er sich, was sonst noch alles nötig war. Er gab zehn Shilling aus, um das zukünftige Wohnzimmer mit einer kornfarbenen Tapete zu tapezieren, und an der Wand hängte er eine Skizze auf, die Lawson ihm einmal vom Quai des Grands Augustins geschenkt hatte, eine Fotografie der *Odalisque* von Ingres und eine von Manets *Olympia*, die in Paris Gegenstand seiner Meditationen gewesen waren, während er sich rasierte. Um sich daran zu erinnern, daß er auch einmal ein Jünger der schönen Künste gewesen war, hängte er eine Kohlezeichnung von dem jungen Spanier Miguel Ajuria auf: es war das Beste, was er je gemacht hatte: ein Akt mit geballten Fäusten und den Boden mit eigenartiger Kraft festpackenden Füßen, mit jenem Ausdruck der Entschlossenheit im Gesicht, der ihn so beeindruckt hatte. Obwohl Philip nach der langen inzwischen verflossenen Zeit die Mängel seiner Arbeit wohl erkannte, so betrachtete er sie doch mit freundlicher Nachsicht, der Erinnerungen wegen, die damit verknüpft waren. Er hätte gern gewußt, was aus Miguel geworden war. Es gibt nichts Schrecklicheres, als wenn Untalentierte sich der Kunst widmen. Vielleicht hatte er, ruiniert von Armut, Hunger und Krankheit, in irgendeinem Krankenhaus ein Ende gefunden, oder er hatte in einem Anfall von Verzweiflung in der trüben Seine den Tod gesucht; aber vielleicht hatte er aufgrund seiner südländischen Unbeständigkeit den Kampf freiwillig aufgegeben und hatte als Angestellter in irgendeinem Büro in Madrid seine glühende Sprache der Politik oder dem Stierkampf zugewandt.

Als alles fertig war, lud er Lawson und Hayward ein, sich seine neue Wohnung anzusehen; der eine erschien mit einer Flasche Whisky, der andere mit Gänseleberpastete, und er war begeistert, als sie seinen guten Geschmack lobten. Er hätte auch den schottischen Börsenmakler eingeladen, aber er hatte nur drei Stühle und konnte deshalb nur eine bestimmte Anzahl Gäste haben. Lawson wußte, daß Philip durch ihn Norah Nesbit kennengelernt hatte, und erwähnte nun, daß er ihr vor einigen Tagen begegnet wäre.

»Sie hat gefragt, wie es dir gehe.«

Philip wurde rot bei der Erwähnung ihres Namens (er konnte die peinliche Angewohnheit nicht loswerden, zu erröten, wenn ihn etwas in Verlegenheit setzte), und Lawson sah ihn forschend an. Lawson, der jetzt den größten Teil des Jahres in London zubrachte, hatte sich seiner neuen Umgebung insoweit angepaßt, als er sein Haar nun kurzgeschnitten hatte und einen sauberen Sergeanzug und einen steifen Hut trug.

»Ich vermute, es ist zwischen euch aus?«

»Ich habe sie seit Monaten nicht mehr gesehen.«

»Sie sah sehr nett aus. Sie hatte einen sehr eleganten Hut auf, mit einer Menge Straußenfedern darauf. Es scheint ihr sehr gut zu gehen.«

Philip wechselte das Thema, aber seine Gedanken beschäftigten sich mit ihr, und als sie nach einer Weile von ganz anderem sprachen, fragte er plötzlich:

»Hattest du den Eindruck, daß Norah mir böse ist?«

»Nicht im geringsten. Sie sprach sehr nett von dir.«

»Ich habe fast vor, sie aufzusuchen.«

»Sie wird dich nicht beißen.«

Philip hatte oft an Norah gedacht. Als Mildred ihn verlassen hatte, hatte sein erster Gedanke ihr gegolten, und er sagte sich mit Bitterkeit, daß sie ihn nie so behandelt hätte. Er hatte den Wunsch, zu ihr zu gehen; er konnte sich auf ihr Mitleid verlassen; aber er schämte sich; sie war zu ihm immer gut gewesen, und er hatte sie abscheulich behandelt.

›Wenn ich nur vernünftig gewesen wäre und zu ihr gehalten hätte!‹ sagte er zu sich selbst nachher, als Lawson und Hayward gegangen waren und er noch eine letzte Pfeife rauchte, ehe er zu Bett ging.

Er erinnerte sich der angenehmen Stunden, die sie zusammen in dem behaglichen Wohnzimmer am Vincent Square verlebt hatten, ihrer gemeinsamen Besuche in Museen und Theatern, der reizenden Abende voll vertraulicher Unterhaltung. Er rief sich ihre Sorge für sein Wohlergehen ins Gedächtnis zurück und ihren Anteil an allem, was ihn anging. Sie hatte ihn mit einer Liebe geliebt, die gütig und beständig war; es war mehr als eine rein erotische Angelegenheit, es war fast etwas Mütterliches. Er hatte immer gewußt, daß es etwas Kostbares war, wofür er den Göttern danken müsse. Sie mußte fürchterlich gelitten haben, aber er fühlte, daß sie die Herzensgröße besaß, ihm zu verzeihen. Sie war unfähig zu hassen oder jemandem Groll nachzutragen. Sollte er ihr schreiben? Nein, er würde sie plötzlich überfallen, sich ihr zu Füßen werfen – er wußte, wenn es soweit war, würde er viel zu scheu sein, um eine solch dramatische Geste durchzuführen, aber so stellte er es sich gern vor – und ihr sagen, daß sie sich für ewig auf ihn verlassen könnte, wenn sie ihn wieder in Gnaden aufnähme. Er sei von der scheußlichen Krankheit, an der er gelitten habe, geheilt. Er kenne ihren Wert, und nun möge sie ihm vertrauen. Seine Phantasie sprang in die Zukunft. Er stellte sich vor, wie sie zusammen sonntags auf dem Fluß rudern würden; er würde mit ihr nach Greenwich fahren; er hatte die entzückende Fahrt dorthin mit Hayward nie vergessen, und die Schönheit des Londoner Hafens blieb ein unvergeßlicher Schatz in seiner Erinnerung. An warmen Sommerabenden würden sie miteinander im Park sitzen und sich erzählen: er lachte vor sich hin, als er an ihr fröhliches Schwatzen dachte, das wie ein Wildbach über kleine Steine, unterhaltsam, redselig und voll Eigenart dahinsprang. Die Qual, die er durchgemacht hatte, würde wie ein böser Traum aus seinem Kopf weichen.

Als dann aber der nächste Tag da war, und er um die Teezeit, zu der man Norah mit ziemlicher Sicherheit zu Hause treffen konnte, an ihre Tür klopfte, da sank ihm der Mut. War es möglich für sie, ihm zu vergeben? Es wäre unverschämt von ihm, sich ihr etwa aufzudrängen. Die Tür wurde von einem Mädchen geöffnet, das erst nach der Zeit, als er täglich herzukommen pflegte, aufgenommen worden war, und er fragte, ob Mrs. Nesbit zu Hause wäre.

»Wollen Sie bitte fragen, ob Mr. Carey sie besuchen dürfte?« sagte er. »Ich warte hier draußen.«

Das Mädchen ging nach oben und kam sofort wieder heruntergeklappert.

»Wollen Sie bitte hinaufgehen. Zweites Stockwerk nach vorn.«

»Ich weiß«, sagte Philip mit einem kleinen Lächeln.

Er ging mit pochendem Herzen. Er klopfte an die Tür.

»Herein«, sagte die wohlbekannte heitere Stimme.

Es schien wie ein Herein zu einem neuen Leben voll Frieden und Glück. Als er eintrat, trat Norah hervor, um ihn zu begrüßen. Sie schüttelte ihm die Hände, als hätten sie einander erst gestern gesehen. Ein Mann erhob sich.

»Mr. Carey – Mr. Kingsford.«

Philip setzte sich bitter enttäuscht hin, da er sie nicht allein antraf, und besah sich prüfend den Fremden. Er hatte seinen Namen von ihr gehört, aber es schien Philip, daß er so im Stuhl saß, als wenn er hier zu Hause wäre. Er war um die Vierzig, glatt rasiert, mit langem blondem Haar, das fein säuberlich wie angeklebt lag, und rötlicher Haut sowie bläßlichen, müden Augen, wie sie blonde Männer bekommen, wenn ihre Jugend vorbei ist. Er hatte eine große Nase, einen breiten Mund; der Knochenbau des Gesichtes war deutlich sichtbar, und er war von schwerer Gestalt. Es war ein Mann von überdurchschnittlicher Größe und breitschultrig.

»Ich habe mich schon gewundert, was aus dir geworden ist«, sagte Norah in ihrer munteren Art. »Neulich habe ich Mr. Lawson getroffen – hat er dir erzählt? –, und ich habe ihm gesagt, es wäre höchste Zeit, daß du dich wieder einmal sehen ließest.«

Philip sah in ihrer ganzen Haltung nicht die geringste Verlegenheit, und er bewunderte die Leichtigkeit, mit der sie eine Begegnung erledigte, die ihm so unerhört peinlich vorkam. Sie setzte ihm Tee vor. Sie wollte gerade Zucker dazu tun, als er sie zurückhielt.

»Wie dumm von mir«, rief sie, »das habe ich ganz vergessen.«

Er glaubte es nicht. Sie mußte sich doch daran erinnern, daß er nie Zucker zum Tee nahm. Er nahm es als ein Zeichen, daß ihre Nonchalance gekünstelt war.

Die Unterhaltung, die Philip unterbrochen hatte, ging weiter, und sofort fühlte er sich etwas im Wege. Kingsford nahm von ihm keine besondere Notiz. Er sprach flüssig und gut, nicht ohne Humor, aber in einer leicht dogmatischen Art: er war Journalist, wie es schien, und wußte zu allem, worauf man zu sprechen kam, etwas Amüsantes zu sagen; aber es verbitterte Philip, daß er so aus der Unterhaltung verdrängt war. Er war entschlossen, dazubleiben, bis der Besucher gegangen wäre. Ob es wohl ein Verehrer von Norah war? In alten Tagen hatten sie häufig über die Männer, die mit Norah flirten wollten, geredet und gemeinsam über sie gelacht. Philip versuchte, die Unterhaltung auf Dinge zu bringen, die nur ihm und Norah vertraut waren, jedesmal aber unterbrach ihn der Journalist und lenkte das Gespräch erfolgreich auf solche Themen, bei denen Philip schweigen mußte. Er wurde ein bißchen ärgerlich auf Norah; sie mußte doch sehen, wie lächerlich die Lage für ihn war; aber vielleicht wollte sie es ihm als Strafe auferlegen, und bei diesem Gedanken gewann er seine gute Laune zurück. Endlich aber schlug die Uhr sechs, und Kingsford erhob sich.

»Ich muß gehen«, sagte er.

Norah gab ihm die Hand und begleitete ihn nach draußen. Sie zog die Tür hinter sich zu und blieb ein paar Minuten fort. Philip fragte sich, worüber sie wohl miteinander sprachen.

»Wer ist Mr. Kingsford?« fragte er fröhlich, als sie zurückkam.

»Ach, das ist der Redakteur von einer der Harmsworth-Zeitschriften. Er hat in letzter Zeit eine Menge von mir gebracht.«

»Ich dachte, er würde überhaupt nicht mehr gehen.«

»Ich freue mich, daß du noch geblieben bist. Ich wollte gern noch mit dir sprechen.« Sie kuschelte sich in den großen Lehnstuhl, Füße und alles ganz klein zusammengerollt, und zündete sich eine Zigarette an. Er lächelte, als er sie die Haltung einnehmen sah, die ihn schon immer so amüsiert hatte.

»Du siehst wie ein Kätzchen aus.«

Sie sah ihn mit einem schnellen Blick aus ihren schönen dunklen Augen an.

»Ich sollte es mir wirklich abgewöhnen. Es ist lächerlich, sich wie ein Kind zu benehmen, wenn man so alt ist wie ich, aber ich fühle mich so behaglich, wenn ich auf meinen Beinen sitze.«

»Es ist furchtbar nett, wieder in diesem Zimmer zu sein«, sagte Philip glücklich. »Du kannst dir gar nicht denken, wie sehr ich es vermißt habe.«

»Warum bist du dann, um Himmels willen, nicht eher gekommen?« fragte sie fröhlich.

»Ich hatte Angst«, antwortete er errötend.

Sie sah ihn mit einem Blick an, der voller Güte war. Auf ihren Lippen lag ein süßes Lächeln.

»Das hättest du nicht gebraucht.«

Er zögerte einen Augenblick. Das Herz schlug ihm schnell.

»Erinnerst du dich an das letztemal, als wir uns trafen? Ich bin so schlecht zu dir gewesen. – Ich schäme mich fürchterlich.«

Sie sah ihn ruhig an. Sie antwortete nicht. Er verlor den Kopf. Er schien mit einer Absicht hier zu sein, deren Abscheulichkeit ihm erst jetzt voll aufging. Sie half ihm nicht, und so konnte er nur barsch herausplatzen:

»Kannst du mir je verzeihen?«

Dann erzählte er ihr ungestüm, daß Mildred ihn verlassen habe und daß sein Jammer so groß gewesen sei, daß er sich fast hatte das Leben nehmen wollen. Er erzählte ihr alles, was zwischen ihnen geschehen war, von der Geburt des Kindes und vom Zusammentreffen mit Griffith, seiner Narrheit, seinem Vertrauen und von dem ungeheuren Betrug. Er sagte ihr, wie oft er an ihre Liebe und Freundlichkeit gedacht habe und wie bitterlich er bedauert habe, sie von sich gestoßen zu haben. Er wäre nur mit ihr glücklich gewesen, und er wüßte jetzt, wie groß ihr Wert sei. Seine Stimme war vor Erregung heiser. Manchmal schämte er sich dessen, was er sagte, so sehr, daß er die Augen beim Sprechen auf den Boden heftete. Sein Gesicht war von Schmerz verzerrt, und dennoch spürte er während des Erzählens eine seltsame Erleichterung. Schließlich war er fertig. Er warf sich erschöpft in den Stuhl zurück und wartete. Er hatte nichts verhüllt, ja er hatte sich sogar in seiner Selbsterniedrigung verächtlicher gemacht, als er wirklich war. Er war überrascht, daß sie nicht sprach; schließlich hob er die Augen. Sie sah ihn nicht an. Ihr Gesicht war ganz bleich, und sie schien in Gedanken verloren.

»Hast du mir gar nichts zu sagen?«

Sie fuhr hoch und wurde rot.

»Ich glaube, das war eine scheußliche Zeit für dich«, sagte sie. »Es tut mir furchtbar leid.«

Es schien, als wollte sie fortfahren, aber sie hielt an und wartete wieder. Schließlich schien sie sich zum Sprechen zu zwingen.

»Ich bin mit Mr. Kingsford verlobt.«

»Warum hast du mir das nicht gleich gesagt?« schrie er. »Du hättest nicht zulassen dürfen, daß ich mich so vor dir erniedrige.«

»Es tut mir leid. Ich konnte dich nicht unterbrechen ... Ich habe ihn kennengelernt, bald nachdem du ...« – sie schien nach einem Wort zu suchen, das ihm nicht weh tun würde – »... mir gesagt hast, daß deine Freundin zurückgekommen sei. Ich war zuerst sehr unglücklich; er war außerordentlich nett zu mir. Er wußte, daß mir irgendwer weh getan hatte – natürlich weiß er nicht, daß du es warst –, und ich weiß nicht, was ich ohne ihn angefangen hätte. Und plötzlich hatte ich das Gefühl, daß ich nicht so weitermachen kann, nur Arbeit, Arbeit, Arbeit; ich war so müde, ich fühlte mich so elend. Ich erzählte ihm von meinem Mann. Er bot mir Geld an, um die Scheidung durchzuführen, wenn ich ihn dann, sobald es möglich wäre, heiratete. Er hätte eine sehr gute Stellung, und ich brauchte nicht zu arbeiten, höchstens, wenn es mir Spaß machte. Er war so zärtlich zu mir und so besorgt um mich. Ich war schrecklich gerührt. Und jetzt habe ich ihn sehr, sehr lieb.«

»Bist du also jetzt geschieden?«

»Die Scheidung wird im Juli rechtskräftig, und dann heiraten wir gleich.«

Eine ganze Weile lang sagte Philip nichts.

»Ich wünschte, ich hätte mich nicht so dumm benommen«, murmelte er schließlich.

Er dachte dabei an seine lange, beschämende Beichte. Sie sah ihn verwundert an.

»Du warst niemals richtig in mich verliebt«, sagte sie.

»Es ist keine sehr angenehme Sache, verliebt zu sein.«

Aber er erholte sich stets schnell von etwas, das ihn traf; so stand er denn auf, reichte ihr die Hand und sagte:

»Ich hoffe, du wirst sehr glücklich werden. Es ist schließlich das Beste, was dir geschehen konnte.«

Sie sah ihn ein bißchen wehmütig an, als sie seine Hand nahm, und hielt sie fest.

»Du wirst wiederkommen, nicht wahr?« fragte sie.

»Nein«, sagte er und schüttelte den Kopf. »Es würde mich zu eifersüchtig machen, dich glücklich zu sehen.«

Er ging langsam von ihrem Haus fort. Schließlich hatte sie recht, wenn sie sagte, daß er sie nie geliebt hatte. Er war enttäuscht, sogar gereizt; aber es war weniger sein Herz als seine Eitelkeit, die dadurch berührt worden war. Er wußte es selber. Und plötzlich kam ihm der Gedanke, wie die Götter ihm einen Schabernack gespielt hatten, und er lachte freudlos über sich selbst. Es ist keine sehr behagliche Sache, wenn man die Gabe hat, sich über seine eigene Torheit lustig zu machen.

Während der nächsten drei Monate hatte Philip auf Gebieten zu arbeiten, die ihm neu waren. Die unübersehbare Menge von Studenten, die vor fast zwei Jahren die Medical School überschwemmt hatten, hatte sich gelichtet; manche waren verschwunden, weil sie die Examen schwieriger fanden, als sie erwartet hatten; manche waren von ihren Eltern wieder zurückgeholt worden, weil die Ausgaben des Londoner Lebens höher waren als vorausgesehen, und manche waren in andere Berufe abgewandert.

Einer der jungen Männer, die Philip gekannt hatte, hatte einen genialen Plan erdacht, zu Geld zu kommen; er hatte auf Versteigerungen verschiedene Dinge gekauft und sie dann verpfändet, bald aber hielt er es für einträglicher, Dinge zu verpfänden, die er mit Hilfe eines Kredits gekauft hatte; es hatte eine kleine Aufregung im Krankenhaus verursacht, als jemand darauf hinwies, daß sein Name in den Akten des Polizeigerichtes stünde. Es war zu einer Untersuchungshaft gekommen, dann zu Zusicherungen von seiten eines beunruhigten Vaters, und der junge Mann war freigelassen worden, um in Übersee die ›Bürden des weißen Mannes‹ zu tragen. Ein anderer, ein Bursche, der nie zuvor in einer Stadt gewesen war, verfiel dem Zauber der Varietés und Bars; er verbrachte seine Zeit unter Rennsportlern, Auskunftgebern und Zureitern und war nun bei einem Buchmacher angestellt. Philip hatte ihn einmal in einer Bar nahe Piccadilly Circus gesehen, mit einem engtaillierten Mantel und einem braunen Hut mit einer breiten flachen Krempe. Ein dritter, der mit seiner Nachahmung weltbekannter Komiker bei den Rauchkonzerten der Medical School Erfolg gehabt hatte, hatte das Krankenhaus verlassen, um sich dem Chor einer musikalischen Komödie anzuschließen. Und noch ein anderer – er hatte Philip interessiert, weil sein ungeschlachtes Gehaben und seine Redeweise nicht auf tiefere Gefühlsregungen schließen ließen – hatte sich von den Londoner Häusern erdrückt gefühlt. Er bekam Platzangst, und die Seele, von der er nicht wußte, daß er sie besaß, sträubte sich wie ein Spatz, der in der Hand gehalten wird – er schnappte erschreckt nach Luft, und sein Herz klopfte schnell: er sehnte sich nach dem weiten Himmel und den offenen, einsamen Plätzen, wo er seine Kindheit verbracht hatte; und eines Tages ging er weg, ohne ein Wort, zwischen zwei Vorlesungen; und das nächste, was die Freunde von ihm hörten, war, daß er das Medizinstudium aufgegeben hatte und auf einem Bauernhof arbeitete.

Philip besuchte nun Vorlesungen über Medizin und Chirurgie. An bestimmten Vormittagen in der Woche verband er auswärts wohnende Patienten, froh, dabei ein bißchen Geld zu verdienen. Man belehrte ihn, wie man abhorchte und das Stethoskop gebrauchte. Er lernte Arzneien bereiten. Das Medicum sollte im Juli stattfinden, und es machte ihm Spaß, mit verschiedenen Drogen zu spielen, Mixturen zu mischen, Pillen zu drehen und Salben zu machen. Er griff alles auf, was, wenn auch nur andeutungsweise, Bezug zum Menschen hatte.

Er sah Griffith einmal von weitem, ging ihm jedoch aus dem Wege, um ihn nicht direkt schneiden zu müssen. Philip war zuerst im Verkehr mit Griffiths Freunden, die zum Teil jetzt seine Freunde waren, etwas verlegen gewesen, weil er gemerkt hatte, daß sie von seinem

Streit mit Griffith wußten, und, wie er annahm, auch den Grund kannten. Einer darunter, ein sehr schlanker Bursche mit einem kleinen Kopf und gelangweiltem Wesen, ein Jüngling namens Ramsden, einer von Griffiths treuesten Verehrern, der seine Krawatten, seine Schuhe, seine Art zu sprechen und seine Gesten kopierte, erzählte Philip, daß Griffith sehr betroffen wäre, weil Philip seinen Brief nicht beantwortet hätte. Er wollte sich gern mit ihm aussöhnen.

»Hat er dich beauftragt, mir das zu hinterbringen?« fragte Philip.

»Ach nein, das sage ich ganz von mir aus«, sagte Ramsden. »Es tut ihm schrecklich leid, daß er das gemacht hat, und er sagt, du hättest dich immer wunderbar gegen ihn benommen. Ich weiß, daß er froh wäre, wenn er das wiedergutmachen könnte. Er kommt auch nicht ins Hospital, weil er Angst hat, er könnte dich dort treffen; er denkt, du würdest ihn dann schneiden.«

»Da hat er recht.«

»Er ist ziemlich unglücklich deswegen.«

»Ich kann diese sehr unwichtige Tatsache, daß er sich unbehaglich fühlt, mit einiger Kraft ertragen.«

»Er würde alles tun, um es wiedergutzumachen.«

»Wie kindisch und hysterisch! Ich bin eine sehr unbedeutende Persönlichkeit, und er kann sehr gut ohne meine Gesellschaft auskommen. Ich habe kein Interesse mehr an ihm.«

Ramsden hielt Philip für kalt und hartherzig. Er schwieg ein paar Augenblicke und blickte verlegen umher.

»Harry wünscht, er hätte nie etwas mit dieser Frau zu tun gehabt.«

»So?« fragte Philip.

Er sprach mit einer Gleichgültigkeit, die ihn befriedigte. Niemand hätte erraten können, wie heftig ihm das Herz schlug. Er wartete voll Ungeduld darauf, daß Ramsden fortfuhr.

»Du bist jetzt wahrscheinlich gänzlich darüber weg, was?«

»Ich?« sagte Philip. »Gänzlich.«

Nach und nach erfuhr er die Geschichte von Mildreds Beziehung zu Griffith. Er hörte mit einem Lächeln auf den Lippen zu, mit einem geheuchelten Gleichmut, der den begriffsstutzigen Jungen, der da mit ihm sprach, völlig hinters Licht führte. Das Wochenende, das sie mit Griffith in Oxford verlebt, hatte ihre plötzliche Leidenschaft eher entfacht als gelöscht, und so entschloß sie sich, als Griffith nach Hause ging, aus einem Gefühl, das man in ihr kaum hätte erwarten können, allein für ein paar Tage in Oxford zu bleiben, weil sie dort so glücklich gewesen war. Sie fühlte, daß sie nichts verlocken könnte, zu Philip zurückzugehen. Er stieß sie ab. Griffith war bestürzt über das Feuer, das er da entzündet hatte, denn er hatte die beiden Tage auf dem Lande mit ihr etwas langweilig gefunden, und er hatte keineswegs Lust, eine amüsante Episode zu einer lästigen Beziehung werden zu lassen. Sie ließ sich von ihm das Versprechen geben, daß er ihr schreiben würde, und so schrieb er ihr denn von zu Hause – da er doch nun einmal ein ehrlicher, anständiger Kerl wäre – aus natürlicher Höflichkeit und dem Wunsch, jedermann gefällig zu sein, einen langen und reizenden Brief. Sie antwortete darauf mit seitenlanger Leidenschaft, schwerfällig freilich, denn sie konnte sich nicht ausdrücken, schlecht geschrieben und ordinär. Der Brief stieß ihn ab, und als am nächsten Tag gleich wieder einer kam, und ein dritter einen Tag später, fing er an, diese Liebesaffäre nicht schmeichelhaft, sondern alarmierend zu finden. Er antwortete nicht, und sie bombardierte ihn mit Telegrammen, fragte an, ob er krank sei und ob er ihre Briefe erhalten habe; sie sagte, sein Schweigen ängstige sie schrecklich. Er war gezwungen, ihr zu schreiben, aber er versuchte seine Antwort so gleichgültig wie nur möglich zu halten. Er bat sie, nicht mehr zu depeschieren, da er seiner Mutter, einer altmodischen Dame, für die Depeschen noch ein Ereignis waren, das einen zittern macht, den Grund für die Telegramme nicht angeben könne. Sie antwortete postwendend, daß sie ihn sehen müsse, und kündigte an, daß sie ihre Sachen aufs Leihhaus bringen würde, um zu ihm zu kommen – sie habe noch das Reisenecessaire, das Philip ihr geschenkt hatte, und dafür könne sie acht Pfund flüssig machen. Sie würde in dem Marktflecken, vier Meilen von dem Dorf entfernt, wo sein Vater praktizierte, wohnen. Das erschreckte Griffith, und diesmal telegrafierte auch er und teilte ihr mit, daß sie das unter keinen Umständen tun dürfe. Er versprach, sich sofort bei ihr zu melden, wenn er nach London zurückkäme. Als er das tat, hörte er, daß sie bereits im Hospital gewesen war, wo er seine neue Stellung hatte, um nach ihm zu fragen. Das gefiel ihm nicht, und als er sie sah, sagte er Mildred, daß sie unter keinem Vorwand dort erscheinen dürfe, und jetzt fand er auch, nach dreiwöchiger Pause, daß sie ihn ganz entschieden langweilte. Er wußte eigentlich nicht, warum er sich je mit ihr abgegeben hatte, und entschloß sich, sobald wie möglich mit ihr zu brechen. Er war jemand, der Zank haßte, er mochte andern auch kein Leid bereiten, aber schließlich hatte er auch noch anderes zu tun und war fest entschlossen, sich von Mildred nicht belästigen zu lassen. Wenn er sie traf, war er angenehm, fröhlich, amüsant, zärtlich; er erfand überzeugende Ausreden für die langen Zeiten, die zwischen dem letzten Zusammensein und dem jetzigen lagen; aber er tat alles, um ihr aus dem Weg zu gehen. Wenn sie ihn dazu zwang, Verabredungen mit ihr zu treffen, so schickte er ihr im letzten Moment Telegramme, um sie loszuwerden, und seine Wirtin hatte Weisung, wenn Mildred nach ihm fragte, zu sagen, er wäre aus. Sie lauerte ihm auf der Straße auf, und er sagte ihr ein paar nette, freundliche

Worte, da er ja wußte, wie sie stundenlang gewartet hatte, daß er aus dem Krankenhaus käme, und eilte mit der Entschuldigung weg, er habe eine dringende Verabredung. Er entwickelte ein besonderes Geschick, sich ungesehen aus dem Staube zu machen. Als er dann einmal um Mitternacht zu seinem Quartier zurückkam, sah er eine Frau am Gitter vor dem Haus stehen, und da er den Verdacht hatte, daß sie es sei, ging er zu Ramsden und bat ihn um ein Nachtlager; am nächsten Tage erzählte ihm seine Wirtin, daß Mildred stundenlang heulend auf dem Treppenabsatz gesessen hätte, bis sie ihr endlich gesagt habe, sie werde leider die Polizei rufen müssen, wenn sie nicht fortginge.

»Ich kann dir nur gratulieren, mein Bester«, sagte Ramsden. »Sei froh, daß du das los bist. Harry sagt, wenn er auch nur halbwegs geahnt hätte, daß sie solch verdammte Ungelegenheiten machen könnte, hätte er sich verteufelt vorgesehen und nichts mit ihr angefangen.«

Philip stellte sich vor, wie sie auf dem Treppenabsatz die langen Nachtstunden hindurch gesessen hatte. Er sah ihr Gesicht vor sich, wie sie die Wirtin, die sie wegschickte, stumpf anguckte.

»Was mag sie jetzt tun?«

»Ach, sie hat irgendwo eine Stellung, Gott sei Dank. Da ist sie wenigstens den ganzen Tag über beschäftigt.«

Das letzte, was er dann hörte, war, daß Griffiths Wohlerzogenheit schließlich doch unter der Erbitterung über diese ständige Verfolgung zusammengebrochen war. Er hatte Mildred gesagt, daß er es satt habe, ständig belästigt zu werden, und sie solle gefälligst verschwinden und ihn in Ruhe lassen.

»Es war das einzige, was er tun konnte«, meinte Ramsden. »Es wurde allmählich zu bunt.«

»Dann ist also alles aus?« fragte Philip.

»Er hat sie seit zehn Tagen nicht mehr gesehen. Harry versteht es großartig, Leute fallenzulassen. Das ist wohl die härteste Nuß, die er je zu knacken gehabt hat, aber er hat sie geknackt.«

Dann hörte Philip überhaupt nichts mehr von ihr. Sie verschwand in der ungeheuren anonymen Masse der Bevölkerung von London.

Zu Beginn des Wintersemesters kam Philip an die Poliklinik. Es gab drei Assistenzärzte, die Ambulante zur Behandlung hatten, und Philip meldete sich zu Dr. Tyrell. Dr. Tyrell war bei den Studenten beliebt, und es gab ziemliche Konkurrenz unter den Bewerbern. Dr. Tyrell war ein großer, magerer Mann von fünfunddreißig Jahren, mit sehr kleinem Kopf, roten kurzgeschnittenen Haaren und hervorstehenden blauen Augen, sein Gesicht war leuchtend rot. Er sprach gut, mit angenehmer Stimme, machte gern kleine Witze und nahm die Welt auf die leichte Schulter. Er war ein erfolgreicher Mann mit einer großen Ordination und mit Aussicht auf Verleihung des Adels. Durch den Umgang mit Studenten und armen Leuten hatte er einen etwas gönnerhaften Ton und dadurch, daß er immer mit Kranken zu tun hatte, die dem Gesunden eigene joviale Herablassung. Er gab seinen Patienten das Gefühl, als stünden sie vor einem vergnügten Schulmeister; ihre Krankheiten waren kleine, lächerliche Ungezogenheiten, die einen im Grunde mehr amüsierten als irritierten.

Die Studenten sollten eigentlich täglich in der Poliklinik sein, Fälle mit ansehen und dabei so viel Wissen auflesen, wie sie eben konnten; aber an den Tagen, an denen Philip zu assistieren hatte, waren die Pflichten ein wenig bestimmter. Zu jener Zeit bestand die poliklinische Abteilung von St. Luke's Hospital aus drei ineinandergehenden Räumen und einem großen dunklen Wartezimmer mit massiven Steinsäulen und langen Bänken. Hier warteten die Patienten, nachdem sie am Mittag ihre ›Karten‹ bekommen hatten, in langer Reihe, mit Flaschen und Salbentöpfen in der Hand, manche zerlumpt und schmutzig, andere ziemlich ordentlich; sie saßen im Halbdunkel, Männer und Frauen jeglichen Alters, auch Kinder, ein grauenhafter und unheimlicher Eindruck. Es war wie eine bittere Zeichnung von Daumier. Alle Räume waren in der gleichen Farbe gestrichen, lachsfarben, mit einem hoch hinaufreichenden braunen Anstrich; in allen lag der Geruch von Desinfektionsmitteln, der sich im Verlauf des Nachmittags immer stärker mit den Gerüchen menschlicher Ausdünstung mischte. Der erste Raum war am größten, in der Mitte standen ein Tisch und ein Bürostuhl für den Arzt; an beiden Seiten daneben standen zwei kleinere, etwas niedrigere Tische. An einem saß der Anstaltsarzt und an dem andern der Assistent, der gerade an dem Tag das Buch zu führen hatte. Dieses Buch war ein dicker Band, in dem Name, Alter, Geschlecht und Beruf des Patienten eingetragen wurden und dann die Diagnose seiner Krankheit.

Um halb eins kam der Anstaltsarzt, läutete und trug dem Portier auf, die alten Patienten hereinzuführen. Davon waren immer eine ganze Menge da, und man mußte möglichst viele erledigen, ehe um zwei Uhr Dr. Tyrell kam. Der Anstaltsarzt, mit dem Philip zu tun hatte, war ein flinkes Männchen, das sich seiner Wichtigkeit äußerst bewußt war: die Assistenten behandelte er herablassend und nahm es übel auf, wenn die älteren Studenten, die seinem Jahrgang angehört hatten, zu vertraulich taten und ihm nicht mit dem gehörigen Respekt, den sie seiner jetzigen Stellung schuldeten, begegneten. Er machte sich an die Fälle. Ein Praktikant half ihm. Die Patienten strömten herein, die Männer zuerst. Chronische Bronchitis, ›ein scheußlich hakkender Husten‹ war das, worunter sie meistens litten. Einer ging zum diensthabenden Arzt, der andere zum Assistenten, um seine Karte abzugeben: wenn es ihnen besser ging, wurden die Worte Rec. 14 daraufgeschrieben, und dann gingen sie zur Krankenhausapotheke mit ihren Fläschchen, um für die nächsten vierzehn Tage Medizin in Empfang zu nehmen. Manche alte Kunden blieben zurück, damit der Arzt selbst sie ansehen sollte, aber es gelang ihnen nur in den seltensten Fällen, und nur drei oder vier, deren Zustand Beachtung verlangte, wurden für ihn dabehalten.

Dr. Tyrell kam mit schnellen Bewegungen, in seiner lebhaften Art, herein. Er erinnerte einen ein bißchen an einen Clown, der mit dem Ruf »Da sind wir also wieder« in die Zirkusarena gesprungen kommt. In seiner Haltung lag etwas wie: was soll denn dieser Unsinn von wegen Kranksein bedeuten? Das werden wir gleich in Ordnung kriegen. Er nahm seinen Platz ein, fragte, ob von den alten Patienten welche da wären, die er ansehen müsse, ließ sie schnell Revue passieren; während er sie scharf anblickte, sprach er über die Symptome, rief einen Witz (über den die Praktikanten alle lachten) dem diensttuenden Arzt zu, der dann auch herzlich lachte, aber mit einer Miene, als wäre es eigentlich ziemlich unverschämt, daß die Praktikanten zu lachen wagten, bemerkte, daß es ein schöner oder, je nach dem Wetter, heißer Tag sei, und läutete dem Diener, daß er neue Patienten hereinführen sollte.

Sie traten einer um den andern ein und gingen zum Tisch hinüber, an dem Dr. Tyrell saß. Da waren alte und junge Männer und solche in reifen Jahren; die meisten kamen aus der Arbeiterklasse: Dockarbeiter, Rollkutscher, Fabrikarbeiter, Kellner; aber auch einige sorgfältig gekleidete höhergestellte Leute waren dabei, Geschäftsgehilfen, Buchhalter und ähnliche. Dr. Tyrell war ihnen gegenüber argwöhnisch. Sie hatten sich manchmal nur schäbig angezogen, um arm auszusehen; aber er durchschaute sie schnell, verhütete solchen Betrug und weigerte sich manchmal, Leute zu behandeln, von denen er glaubte, daß sie gut und gern für medizinische Betreuung zahlen konnten. Frauen begingen die schlimmsten Verstöße in dieser Hinsicht, und sie bewerkstelligten es ungeschickter. Sie trugen zum Beispiel Rock und Mantel, die fast Lumpen waren, vergaßen aber, die Ringe abzulegen.

»Wenn Sie Schmucksachen tragen können, können Sie sich auch einen Arzt leisten. Die Poliklinik ist eine Wohltätigkeitsanstalt«, erklärte Dr. Tyrell.

Er gab die Karte zurück und rief nach dem nächsten Fall.

»Aber ich habe doch den Zulassungsschein bekommen!«

»Ihr Zulassungsschein ist mir völlig egal; machen Sie, daß Sie rauskommen. Sie haben kein Recht, herzukommen und den wirklich Armen die Zeit wegzustehlen.«

Der Patient zog sich grollend mit einem ärgerlichen Blick zurück.
»Sie wird jetzt wahrscheinlich einen Brief über die grobe Mißverwaltung der Polikliniken an die Zeitungen schreiben«, sagte Dr.
Tyrell lächelnd, während er dem nächsten Patienten die Papiere abnahm und ihn mit dem ihm eigenen scharf prüfenden Blick maß.

Die meisten hatten das Gefühl, daß die Poliklinik eine Staatseinrichtung sei, die von ihren Steuern unterhalten wurde; deshalb nahmen sie die Betreuung als ihr gutes Recht in Anspruch. Sie bildeten
sich ein, daß der Arzt, der sie behandelte, schwer dafür bezahlt werde.

Dr. Tyrell gab jedem seiner Praktikanten einen Fall zur Untersuchung. Der Praktikant nahm den Patienten in eines der inneren
Zimmer mit; sie waren kleiner, in jedem stand eine Couch mit schwarzem Roßhaarbezug; er stellte dann jedem Patienten eine Reihe
Fragen, untersuchte Lungen, Herz, Leber, trug die Notizen auf dem
Karteiblatt ein, machte sich in Gedanken eine Diagnose zurecht und
wartete, bis Dr. Tyrell kam. Das tat er denn auch, von einer kleinen
Gruppe Studenten umgeben, wenn er mit den Untersuchungen fertig
war, und der Praktikant las ihm den Befund vor. Der Arzt stellte
eine oder zwei Fragen und untersuchte dann den Patienten selbst.
Gab es dabei etwas Interessantes zu hören, so legten die Studenten
ihre Stethoskope an: der Mann stand dann mit zweien oder dreien
an der Brust und zwei andern am Rücken da, während der Rest
ungeduldig wartete, um auch an die Reihe zu kommen. Der Patient
war dann wohl ein bißchen verlegen, fand es aber nicht eigentlich unangenehm, der Mittelpunkt des allgemeinen Interesses zu sein: er hörte verwirrt zu, was Dr. Tyrell zungenfertig über seinen Fall vortrug.

Nachdem dann die verschiedenen Fälle untersucht waren, ging
Dr. Tyrell in den großen Raum zurück und setzte sich wieder an seinem Schreibtisch nieder. Er fragte irgendeinen Studenten, der zufällig in seiner Nähe stand, was er einem solchen Patienten, wie er ihn
eben gesehen habe, verschreiben würde. Der Student erwähnte dann
eine oder zwei Drogen.

»So?« sagte Dr. Tyrell. »Zum mindesten originell. Und es scheint
mir auch sorgfältig erwogen.«

Das brachte die Studenten immer zum Lachen. Und dann verschrieb der Arzt mit einem vergnügten Lächeln über seinen eigenen
strahlenden Humor ein anderes Medikament als das, welches der
Student vorgeschlagen hatte. Wenn einmal zwei völlig gleiche Fälle
vorlagen und der Student dann die gleiche Behandlung vorschlug,
die der Arzt beim ersten angeordnet hatte, so dachte sich Dr. Tyrell
mit beachtlicher Geschicklichkeit etwas anderes aus. Manchmal vergnügte er sich damit, an Tagen, wo er wußte, daß sie in der Apotheke
alle Hände voll zu tun hatten und am liebsten die Medizinen ausgaben, die fertig vorrätig waren, nämlich die guten Krankenhaus-

mixturen, die sich in jahrelanger Erfahrung bewährt hatten, ein höchst umständliches Rezept auszuschreiben.

»Wir müssen dem Apotheker ein bißchen was zu tun geben. Wenn wir nur immer ›mixt: alb:‹ verschreiben, verlernt er alles.«

Die Studenten lachten, und der Arzt sah in die Runde und freute sich über seinen Witz. Dann klingelte er und sagte dem Diener, der den Kopf hereinsteckte:

»Die alten Frauen, bitte.«

Er lehnte sich in seinem Stuhl zurück, schwatzte mit dem Anstaltsarzt, währenddem der Diener die alten Patientinnen wie eine Hammelherde hereinführte. Sie kamen herein, lange Reihen von blutarmen Mädchen, mit Pony-Fransen und bleichen Lippen, die ihre schlechte, ungenügende Nahrung nicht verdauen konnten; alte Damen, fette und magere, durch häufige Schwangerschaften vorzeitig Gealterte, Erkältete, solche, denen dies und jenes oder sonst etwas fehlte. Dr. Tyrell und der Anstaltsarzt wurden schnell damit fertig. Die Zeit war schon vorgeschritten, und die Luft in dem kleinen Raum wurde immer ekelhafter. Der Arzt sah auf seine Uhr.

»Sind heute viele neue Frauen da?« fragte er.

»Eine ganze Menge, glaube ich«, sagte der Anstaltsarzt.

»Dann lassen wir sie am besten hereinkommen. Sie können die alten allein übernehmen.«

Sie traten ein. Bei den Männern kamen die meisten Beschwerden von zuviel Alkoholgenuß, bei den Frauen aber meistens aus Unterernährung. Gegen sechs Uhr waren sie erledigt. Philip war durch das stundenlange Stehen, die schlechte Luft und durch die angespannte Aufmerksamkeit völlig erschöpft und schlenderte nun mit seinen Kollegen zur Medical School zurück, um dort Tee zu trinken.

Philip fand die Arbeit unglaublich interessant. Hier war das Menschengeschlecht im Groben, das Material, aus dem die Künstler schöpften, und es war ein eigenartig erregendes Gefühl für Philip, daß er sich in der Lage des Künstlers befand und die Patienten Ton waren in seinen Händen. Er erinnerte sich mit amüsiertem Achselzucken seines Lebens in Paris, das ganz in Farbe, Ton und Lichtwerten aufgegangen war, mit dem Ziel, schöne Sachen hervorzubringen. Dieser direkte Kontakt mit Männern und Frauen gab ihm ein erregendes Gefühl der Macht, wie er es noch niemals gekannt hatte. Es war immer von neuem interessant, ihre Gesichter zu betrachten und ihnen zuzuhören. Jeder hatte seine absonderliche Art, einzutreten; manche kamen ungeschlacht hereingeschlürft, manche mit trippelnden Schrittchen, andere mit schweren, langsamen Schritten, wieder andere schüchtern. Oft konnte man ihren Beruf aus ihrem Aussehen erraten. Man lernte, wie man ihnen die Frage vorlegen mußte, damit sie sie verstanden; man entdeckte, betreffs welcher Dinge sie fast alle logen und wie man weiterforschen mußte, um doch die Wahrheit aus ihnen herauszubekommen. Man sah, wie verschieden Menschen auf die gleichen Sachen reagierten. Die Diagnose einer gefährlichen Krankheit wurde von dem einen mit Lachen und einem Witz, von einem andern mit dumpfer Verzweiflung aufgenommen. Philip fand heraus, daß er mit diesen Leuten hier weniger schüchtern war als sonst: es war nicht eigentlich Mitleid, was er empfand, im Mitleid liegt eine gewisse Herablassung: er fühlte sich einfach wie zu Hause bei ihnen. Er fand, daß er imstande war, ihnen jede Scheu zu nehmen, und wenn ihm ein Fall zur Prüfung übergeben wurde, so überließ sich der Patient mit sonderbarem Vertrauen seinen Händen.

›Vielleicht‹, so dachte er lächelnd, ›vielleicht bin ich wirklich der geborene Arzt. Es wäre schon ein Spaß, wenn ich zufällig gerade den Beruf ergriffen hätte, zu dem ich mich eigne.«

Philip schien es, daß er der einzige unter den Assistenten war, der das dramatische Interesse dieser Nachmittage erkannte. Für die andern waren Frauen und Männer nur Fälle; gute Fälle, wenn sie kompliziert waren, langweilige, wenn der Sachverhalt auf der Hand lag; sie hörten Geräusche und verwunderten sich über anomale Lebern; ein unerwartetes Geräusch in der Lunge lieferte ihnen Stoff zu Gesprächen. Aber für Philip war es weit mehr. Man überraschte in jenem Raum die menschliche Natur; die Maske der Gewohnheit war gewaltsam von ihr gerissen, so daß die nackte Seele sich zeigen mußte. Manchmal traf man auf einen nicht nur angelernten Stoizismus, der einen tief bewegte. Einmal sah Philip einen ungeschlachten und ungebildeten Mann, der sich dermaßen in der Gewalt hatte, als man ihm sagte, sein Fall sei hoffnungslos, daß Philip über den großartigen Urtrieb staunte, der diesen Menschen vor Fremden zwang, sich in seinem Unglück aufrecht zu halten. Würde es ihm möglich sein, auch dann tapfer zu bleiben, wenn er allein war, Auge in Auge mit seinem Seelenkampf, oder würde er dann der Verzweiflung anheimfallen? Manchmal gab es auch eine Tragödie. Einmal brachte eine junge Frau ihre Schwester zur Untersuchung; es war ein Mädchen von achtzehn Jahren, mit zarten Gesichtszügen, großen blauen Augen und blondem Haar, das golden schimmerte, wenn das Sonnenlicht es traf, und mit einer Haut von erstaunlicher Schönheit. Die Studenten sahen sie mit lächelnden Augen an. In diesen finsteren Räumen traf man nur selten ein hübsches Mädchen. Die ältere Frau erzählte die Familiengeschichte: Vater und Mutter waren an Schwindsucht gestorben, außerdem auch ein Bruder und eine Schwester; sie waren die beiden letzten, die übriggeblieben waren. Das Mädchen hatte in letzter Zeit gehustet und nahm ab. Sie zog die Bluse aus, und die Haut des Halses war zart wie Milch. Dr. Tyrell untersuchte sie schweigend in seiner gewohnten schnellen Art; er forderte zwei- oder dreimal die Assistenten auf, ihre Stethoskope an bestimmten Stellen anzulegen, die er ihnen mit dem Finger wies; dann konnte sich das Mädchen wieder anziehen. Die Schwester stand ein wenig abseits und sprach leise mit ihm, damit das Mädchen nichts hören sollte. Ihre Stimme bebte vor Angst.

»Sie hat es doch nicht, Herr Doktor, nicht wahr?«

»Ich fürchte, daß da kein Zweifel mehr ist.«

»Sie war die letzte. Wenn sie geht, habe ich niemanden mehr.«

Sie fing an zu weinen, während der Arzt sie ernst anschaute; er dachte bei sich, sie wäre auch der Typ, sie würde es auch nicht mehr lange machen. Das Mädchen drehte sich um und sah die Tränen ihrer Schwester. Sie verstand, was das bedeutete. Die Farbe wich aus ihrem lieblichen Gesicht, und die Tränen tropften ihr über die Backen. Die beiden standen ein, zwei Augenblicke da und weinten still, und dann ging die ältere, als hätte sie die gleichgültige Menge, die ihnen zusah, vergessen, zu ihr hin, nahm sie in die Arme und schaukelte sie zärtlich hin und her, als hielte sie ein Kind in den Armen.

Als sie fort waren, fragte einer der Studenten:

»Wie lange wird sie es wohl noch machen?«

Dr. Tyrell zuckte die Achseln.

»Ihr Bruder und ihre Schwester starben innerhalb von drei Monaten, nachdem sich die ersten Symptome gezeigt hatten. Bei ihr wird es ebenso sein. Wenn sie reich wäre, könnte man ihr vielleicht helfen. Aber man kann doch diesen Leuten nicht sagen, sie sollen nach St. Moritz gehen. Man kann nichts für sie tun.«

Einmal kam ein kräftiger Mann in den besten Jahren, weil ihm ständig etwas weh tat und ihm sein Klub-Arzt nicht besonders gut zu sein schien. Die Diagnose lautete auch bei ihm auf Tod, nicht jener unvermeidliche Tod, der einen in Schrecken versetzte und doch erträglich wäre, weil die Wissenschaft hilflos war, sondern ein Tod, der unvermeidbar war, weil dieser Mann ein kleines Rad in der großen Maschine einer komplexen Zivilisation war und ebenso wie ein Automat nur wenig Möglichkeiten hatte, seine Verhältnisse zu ändern. Vollkommene Ruhe war seine einzige Chance. Sein Arzt verlangte nichts Unmögliches.

»Sie sollten eine leichtere Arbeit verrichten.«

»In meiner Branche gibt es keine leichten Arbeiten.«

»Wenn Sie aber so weitermachen, werden sie sich umbringen. Sie sind schwer krank.«

»Wollen Sie damit sagen, daß ich sterben werde?«

»Ich würde es nicht so ausdrücken, aber Sie sind zweifellos für harte Arbeit ungeeignet.«

»Wer erhält aber meine Frau und meine Kinder, wenn ich nicht arbeite?«

Dr. Tyrell zuckte mit den Schultern. Vor diesem Dilemma war er schon hundertmal gestanden. Die Zeit drängte, und er hatte noch viele Patienten abzufertigen.

»Gut, ich gebe Ihnen eine Medizin, und Sie können in einer Woche wiederkommen und mir sagen, wie es Ihnen geht.«

Der Mann nahm das Rezept, auf dem die nutzlose Verordnung geschrieben stand, und ging hinaus. Der Arzt mochte sagen, was er wollte. Er fühlte sich nicht so schlecht, daß er nicht weiter arbeiten gehen konnte. Er hatte einen guten Posten und konnte es sich nicht leisten, diesen einfach aufzugeben.

»Ich gebe ihm ein Jahr«, sagte Dr. Tyrell.

Manchmal war das Ganze wie eine Komödie. Mitunter wurden sie mit Londoner Vorstadthumor konfrontiert, mitunter amüsierte sie eine alte Dame, die Charles Dickens skizziert haben könnte, mit ihrer Geschwätzigkeit. Einmal kam eine Frau, die dem Ballett eines berühmten Varietés angehörte. Sie sah wie fünfzig aus, gab aber ihr Alter mit achtundzwanzig an. Sie war übertrieben geschminkt und blickte die Studenten mit ihren großen schwarzen Augen unverschämt an. Ihr Lächeln war sehr herausfordernd. Sie war reichlich selbstbewußt und behandelte Dr. Tyrell mit der gleichen oberflächlichen Vertrautheit wie einen betrunkenen Verehrer. Sie hatte chronische Bronchitis und sagte ihm, diese hindere sie, ihren Beruf auszuüben.

»Ich weiß nicht, woher ich das Zeug habe, ich weiß es wirklich nicht, ich schwöre es Ihnen. Nie in meinem Leben bin ich krank gewesen. Sie brauchen mich ja nur anzusehen.«

Sie musterte die jungen Männer mit einem Augenaufschlag und fletschte ihre gelben Zähne.

»Sie haben einen sogenannten Winterhusten«, antwortete Dr. Tyrell ernst. »Viele Frauen in mittlerem Alter haben ihn.«

»Ich aber niemals. Das ist übrigens eine nette Art einer Dame gegenüber. Noch nie zuvor hat mir jemand gesagt, ich stehe im mittleren Alter.«

Sie riß ihre Augen weit auf, hielt ihren Kopf schräg und sah ihn mit unbeschreiblicher Schalkhaftigkeit an.

»Das ist der Nachteil unseres Berufes«, sagte er. »Er zwingt uns manchmal, ungalant zu sein.«

Sie nahm das Rezept und sah ihn noch einmal mit einem süßen Lächeln an.

»Werden Sie kommen, um mich tanzen zu sehen, mein Lieber?«

»Bestimmt.«

Er klingelte nach dem nächsten Patienten.

»Ich bin froh, daß Sie, meine Herren, hier sind, um mich zu beschützen.«

Im ganzen aber war der Eindruck weder tragisch noch komisch. Er ließ sich schlecht beschreiben. Es war mannigfaltig und abwechslungsreich; es gab Tränen, Lachen, Glück und Weh; es war scheußlich, interessant und gleichgültig, es war so, wie man es sah, es war heftig, leidenschaftlich, es war ernst, es war traurig und komisch, es war trivial, es war einfach und kompliziert. Freude gab es und Verzweiflung, Liebe der Mütter zu ihren Kindern, von Männern zu Frauen, mit bleiernen Füßen schleppte sich die Lustseuche durch die Räume, suchte Schuldige und Unschuldige heim, hilflose Frauen und elende Kinder. Trunksucht ergriff Männer und Frauen, und der Preis dafür mußte unweigerlich bezahlt werden; der Tod ächzte in diesen Räumen, und keimendes Leben, das manches arme Mädchen mit Entsetzen und Schande erfüllte, wurde hier festgestellt. Hier gab es weder Gut noch Böse. Nur Tatsachen. Das Leben selbst.

Gegen Ende des Jahres, als Philip sich dem Abschluß seiner dreimonatigen Assistentenzeit in der poliklinischen Abteilung näherte, erhielt er von Lawson einen Brief aus Paris:

*Lieber Philip!*
*Cronshaw ist in London und möchte Dich gerne sehen. Er wohnt in der Hyde Street, Nr. 43, Soho. Ich weiß nicht, wo das ist, aber Du wirst es schon finden. Sei so gut und schau mal ein bißchen nach ihm. Er hat Pech. Er wird Dir selbst sagen, was er macht. Hier ist alles wie immer. Es scheint sich nichts verändert zu haben, seit Du hier warst. Clutton ist zurück, aber er ist ganz unmöglich geworden. Er hat sich mit jedem gestritten. Soweit ich sehen kann, hat er keinen Cent; er lebt in einem kleinen Atelier gleich hinter dem Botanischen Garten, aber er zeigt keinem Menschen seine Arbeiten. Er zeigt sie nirgends, folglich weiß man auch nicht, was er tut. Es kann ja sein, daß er ein Genie ist, aber ebensogut kann er auch einfach verrückt sein. Übrigens bin ich neulich Flanagan begegnet. Er führte gerade Mrs. Flanagan im Quartier herum. Er hat die Kunst an den Nagel gehängt und ist jetzt in Papas Geschäft. Er scheint in Geld zu schwimmen. Mrs. Flanagan ist sehr niedlich, und ich versuche jetzt ein Porträt von ihr. Wieviel würdest Du an meiner Stelle dafür verlangen? Ich möchte sie nicht abschrecken, aber andererseits möchte ich nicht hundertfünfzig Pfund verlangen, wenn sie ihrerseits vielleicht gern bereit wären, dreihundert zu zahlen.*

*Immer Dein*
*Frederick Lawson*

Philip schrieb an Cronshaw und erhielt folgenden Brief als Antwort. Er war auf einem Notizblatt geschrieben, und der dünne Umschlag war schmutziger, als er nach seiner Postreise hätte sein dürfen.

*Lieber Carey!*
*Natürlich erinnere ich mich Ihrer sehr gut. Ich glaube, ich habe Sie einmal aus dem Sumpf der Verzweiflung retten helfen, in dem ich selbst nun hoffnungslos versinke. Es würde mich freuen, Sie wiederzusehen. Ich bin ein Fremdling in fremder Stadt, und ich bin geschlagen von den Philistern. Es wäre nett, von Paris zu reden. Ich lade Sie nicht zu mir ein, denn meine Wohnung hat nicht die Pracht, die sie für den Empfang eines hervorragenden Angehörigen des Klistierspritzenberufes geeignet erscheinen läßt. Sie können mich jedoch jederzeit zwischen sieben und acht beim bescheidenen Mahl im Restaurant zum sogenannten ›Au Bon Plaisir‹ in der Dean Street treffen.*

*Ergebenst Ihr*
*J. Cronshaw*

Philip ging noch am gleichen Tage, an dem er diesen Brief erhalten hatte, hin. Das Restaurant, das aus einem kleinen Zimmer bestand, gehörte zur armseligsten Klasse, und Cronshaw schien der einzige Kunde dort zu sein. Er saß in der Ecke, möglichst weit von jeder Zugluft entfernt, trug den gleichen schäbigen Mantel, ohne den Philip ihn noch nie gesehen hatte, und hatte seinen alten steifen Hut auf dem Kopfe.

»Ich esse hier, weil ich hier allein sein kann«, sagte er. »Es geht ihnen nicht gut; die einzigen Gäste sind ein paar Schlampen und ein oder zwei stellenlose Kellner, und das Essen ist abscheulich. Aber daß sie so heruntergekommen sind, ist mein Vorteil.«

Cronshaw hatte ein Glas Absinth vor sich. Fast drei Jahre waren vergangen, seit sie sich zuletzt gesehen hatten, und Philip war entsetzt über die Veränderungen in Cronshaws Erscheinung. Er war ziemlich korpulent gewesen, aber jetzt hatte er ein vertrocknetes gelbliches Aussehen; die Haut am Nacken war schlaff und voller Runzeln; die Kleider hingen an ihm, als wären sie für jemand anders gekauft worden, und sein Kragen, der drei oder vier Nummern zu groß für ihn war, vervollständigte die Verkommenheit seiner Erscheinung. Seine Hände zitterten fortwährend. Philip fiel die Handschrift ein, die in formlosen Buchstaben aufs Geratewohl über die Seite hingekritzelt war. Cronshaw war offensichtlich sehr krank.

»Ich esse sehr wenig in letzter Zeit«, sagte er. »Mir ist des Morgens immer übel. Ich nehme nur etwas Suppe zum Abendessen, und dann lasse ich mir ein bißchen Käse geben.«

Philips Augen streiften unwillkürlich das Glas Absinth, und Cronshaw, der es sah, warf ihm einen höhnischen Blick zu, der die Belehrung durch den gesunden Menschenverstand deutlich zurückwies.

»Sie sind mit der Diagnose meines Falles fertig, und Sie meinen, es ist falsch von mir, daß ich Absinth trinke.«

»Sie haben offensichtlich Leberzirrhose«, sagte Philip.

»Offensichtlich.«

Er sah Philip mit einem Blick an, unter dem sich dieser früher beschränkt vorgekommen wäre. Er schien zu sagen, daß das, was er da dachte, allerdings sehr offensichtlich war, und wenn man über dieses Offensichtliche einig ist, was bleibt da noch zu bemerken? Philip ging zu einem andern Gesprächsthema über.

»Wann gehen Sie nach Paris zurück?«

»Ich gehe überhaupt nicht nach Paris zurück. Ich gehe ans Sterben.«

Die Natürlichkeit, mit der er das sagte, erschreckte Philip. Ein halbes Dutzend Entgegnungen fielen ihm ein, aber sie schienen so sinnlos. Er wußte, daß Cronshaw ein Todeskandidat war.

»Sie wollen sich also in London niederlassen?« fragte er lahm.

»Was bedeutet mir schon London? Ich bin wie ein Fisch auf dem Trockenen; ich gehe durch die belebten Straßen, die Leute stoßen mich, und doch ist mir, als wandere ich durch eine tote Stadt. Ich fühlte, daß ich in Paris nicht sterben konnte. Ich wollte unter meinen eigenen Leuten sterben. Ich weiß nicht, was für ein verborgener Instinkt mich noch zu guter Letzt zurückgetrieben hat.«

Philip wußte von der Frau, mit der Cronshaw zusammengelebt hatte, und von den schlampigen Kindern; Cronshaw hatte sie jedoch ihm gegenüber nie erwähnt, und deshalb mochte er nicht gern von ihnen sprechen. Was wohl aus ihnen geworden war?

»Ich weiß nicht, warum Sie vom Sterben reden«, sagte er.

»Vor einigen Wintern hatte ich eine Lungenentzündung, und damals hat man mir gesagt, es wäre ein Wunder, daß ich durchgekommen wäre. Ich scheine dafür besonders anfällig zu sein; noch ein Anfall, und ich bin erledigt.«

»Ach, das ist Unsinn! So schlimm steht es nicht mit Ihnen. Sie müssen nur vorsichtig sein. Warum hören Sie nicht mit dem Trinken auf?«

»Weil ich keine Lust dazu habe. Es ist gleichgültig, was jemand tut, solange er bereit ist, die Konsequenzen zu tragen. Nun, ich bin bereit, die Folgen auf mich zu nehmen. Sie reden das so einfach hin, das Trinken aufgeben; es ist aber das einzige, was mir noch geblieben ist. Was glauben Sie denn, wäre das Leben sonst noch für mich? Können Sie das Glück verstehen, das ich durch meinen Absinth bekomme? Ich schmachte danach, und wenn ich ihn trinke, genieße ich jeden Tropfen, und hinterher schwimmt meine Seele in unaussprechlicher Seligkeit. Es ekelt Sie an. Sie sind ein Puritaner, und in Ihrem

Herzen verachten Sie Sinnesgenüsse. Die sinnlichen Freuden sind jedoch die heftigsten, köstlichsten. Ich bin ein Mensch, der mit lebhaften Sinnen gesegnet ist, und ich habe sie mit ganzer Seele ausgekostet. Jetzt habe ich die Strafe dafür zu zahlen, und ich bin bereit, sie zu zahlen.«

Philip sah ihn eine Weile fest an.

»Haben Sie keine Furcht?«

Einen Augenblick lang antwortete Cronshaw nicht. Er schien über die Antwort nachzudenken.

»Manchmal, wenn ich allein bin.« Er schaute Philip an. »Sie meinen, das sei eine Strafe? Sie irren. Ich fürchte mich nicht vor meiner Furcht. Es ist Narrheit, dieses christliche Argument, daß man immer im Hinblick auf den Tod leben solle. Leben kann man nur, indem man vergißt, daß man einmal wird sterben müssen. Der Tod ist unwichtig. Die Furcht davor sollte bei einem weisen Mann nicht eine einzige seiner Handlungen lenken. Ich weiß, daß ich beim Sterben schrecklich nach Atem werde ringen müssen, und ich weiß, daß ich mich fürchterlich ängstigen werde. Ich weiß auch, daß ich schließlich das Leben bitterlich bedauern werde, das mich in diese Patsche gebracht hat; aber ich erkenne dieses Bedauern nicht an. Jetzt halte ich, alt, krank, arm, dem Tode verfallen, meine Seele noch fest in der Hand, und ich bedaure nichts!«

»Erinnern Sie sich an den persischen Teppich, den Sie mir einstmals gegeben haben?« fragte Philip.

Cronshaw lächelte sein altes langsames Lächeln aus früheren Tagen.

»Ich habe es Ihnen ja gesagt, daß er Ihnen eine Antwort auf die Frage, wie das mit dem Sinn des Lebens ist, geben wird. Haben Sie jetzt die Antwort entdeckt?«

»Nein«, sagte Philip lächelnd. »Wollen Sie sie mir nicht sagen?«

»Nein, nein, das kann ich nicht. Die Antwort ist bedeutungslos, wenn Sie sie nicht selbst finden.«


Cronshaw war dabei, seine Gedichte zu veröffentlichen. Seine Freunde hatten ihn schon seit Jahren dazu gedrängt, seine Trägheit hatte ihn jedoch immer daran gehindert, die notwendigen Schritte zu unternehmen. Er hatte auf das Zureden der Freunde stets nur geantwortet, daß die Liebe zur Dichtung in England tot sei. Man brachte ein Buch heraus, das ein jahrelanges Nachdenken und endlose Arbeit gekostet hatte; dann erhielt es zwei oder drei verächtliche Zeilen unter einem ganzen Berg ähnlicher Bücher, zwanzig oder dreißig Exemplare wurden verkauft und der Rest der Ausgabe eingestampft. Seine Begierde nach Ruhm hatte sich schon lange erschöpft.

Das war wie alles andere eine Illusion. Aber einer seiner Freunde hatte nun die Sache selbst in die Hand genommen. Es war ein Literat namens Leonard Upjohn, den Philip ein- oder zweimal mit Cronshaw in den Cafés im Quartier gesehen hatte. Er hatte in England einen beträchtlichen Ruf als Kritiker und war dort der anerkannte Exponent der modernen französischen Literatur. Er hatte ziemlich viel in Frankreich unter den Leuten gelebt, die den *Mercure de France* zu einer der lebendigsten Zeitschriften ihrer Zeit machten, und hatte sich einfach dadurch, daß er ihren Standpunkt auf englisch ausdrückte, den Ruf der Originalität errungen. Leonard Upjohn hatte Cronshaw dahin gebracht, ihm alle seine Gedichte auszuhändigen, wobei sich herausstellte, daß genug da waren, um einen ansehnlichen Band zusammenzustellen. Er versprach, seinen Einfluß bei den Verlegern geltend zu machen. Cronshaw brauchte Geld. Seit seiner Krankheit war es ihm schwerer denn je geworden, mit Ausdauer zu arbeiten; er verdiente kaum genug, um sich den notwendigen Schnaps zu beschaffen, und als ihm Upjohn dann schrieb, daß dieser und jener Verleger die Gedichte zwar bewunderte, aber nicht veröffentlichen wollte, fing Cronshaw an, Interesse an der Sache zu nehmen. Er schrieb Upjohn, stellte ihm eindringlich seine Notlage dar und drang in ihn, sich noch eifriger zu bemühen. Jetzt, da es mit ihm zu Ende ging, hatte er den Wunsch, ein veröffentlichtes Buch zu hinterlassen, und im Innersten hatte er das Gefühl, daß er eine große Dichtung geschaffen hatte.

Sein Entschluß, nach England zu kommen, war die direkte Folge einer Mitteilung Leonard Upjohns, daß ein Verleger sich bereit erklärt habe, die Gedichte zu drucken. Durch ein Wunder an Überredungskunst hatte Upjohn ihn dazu gebracht, ein Vorschußhonorar von zehn Pfund zu zahlen.

»Vorschuß, bitte schön«, sagte Cronshaw zu Philip. »Milton hat im ganzen nur zehn Pfund bekommen.«

Upjohn hatte versprochen, einen von ihm gezeichneten Artikel über den Band zu schreiben und auch seine Freunde, die Bücher besprachen, zu bitten, daß sie sich für ihn einsetzten. Cronshaw tat so, als nähme er die ganze Angelegenheit nicht wichtig; aber man konnte leicht sehen, wie ihn der Gedanke an den Lärm entzückte, der sich nun erheben würde.

Eines Tages ging Philip verabredungsgemäß in das scheußliche Eßlokal, wo Cronshaw immer seine Mahlzeiten einnahm. Aber Cronshaw erschien nicht. Philip erfuhr, daß er schon drei Tage nicht mehr da gewesen war. Er aß etwas und ging dann zu der Wohnung, von der aus Cronshaw ihm zuerst geschrieben hatte. Es war nicht ganz einfach, Hyde Street zu finden. Es war eine Straße mit zusammengedrängten, finsteren Häusern; viele Fensterscheiben waren zerbrochen und mit Streifen aus französischen Zeitungen notdürftig repariert; die Türen waren seit Jahren nicht mehr gestrichen worden; im Erdgeschoß waren schäbige kleine Läden, Wäschereien, Flickschuster und Schreibwarenhandlungen. Zerlumpte Kinder spielten auf der Straße, und ein alter Leierkasten leierte eine ordinäre Melodie. Philip klopfte an die Tür von Cronshaws Haus (unten war ein billiger Bonbonladen), und eine ältere Französin in schmutziger Schürze machte ihm auf. Philip fragte sie, ob Herr Cronshaw zu Hause wäre.

»Ach ja, da ist ein Engländer, der wohnt ganz oben, nach hinten hinaus. Ich weiß nicht, ob er da ist. Wenn Sie ihn sprechen wollen, gehen Sie am besten hinauf und sehen nach.«

Die Treppe war von einer einzigen Gasflamme beleuchtet. Ein widerwärtiger Geruch lag in dem Haus. Als Philip nach oben ging, trat aus einem Zimmer im ersten Stock eine Frau heraus, sah ihn mißtrauisch an, sagte aber nichts. Auf dem obersten Flur waren drei Türen. Philip klopfte an eine und klopfte nochmals; er erhielt keine Antwort; er versuchte die Türklinke, aber die Tür war verschlossen. Er klopfte an eine andere, bekam keine Antwort und versuchte aufzumachen. Sie ging auf. Das Zimmer war dunkel.

»Wer ist denn da?«

Er erkannte Cronshaws Stimme.

»Carey. Kann ich hereinkommen?«

Er erhielt keine Antwort. Er ging hinein. Das Fenster war geschlossen, und der Gestank war überwältigend. Die Bogenlampe von der Straße her gab ein bißchen Licht, und er sah, daß er sich in einem kleinen Zimmer mit zwei hintereinanderstehenden Betten befand; dann war noch ein Waschtisch und ein Stuhl darin, aber sie ließen kaum Platz genug, um sich noch zu bewegen. Cronshaw lag in dem Bett, das dem Fenster am nächsten stand. Er regte sich nicht, kicherte nur leise vor sich hin.

»Warum zünden Sie die Kerze nicht an?« sagte er dann.

Philip brannte ein Streichholz an und entdeckte, daß neben dem Bett auf dem Boden ein Leuchter stand. Er zündete ihn an und stellte ihn auf den Waschtisch. Cronshaw lag unbeweglich auf dem Rücken; er sah sehr komisch aus im Nachthemd, und seine Kahlköpfigkeit brachte einen geradezu aus der Fassung. Sein Gesicht war erdfarben und totenähnlich.

»Hören Sie, Verehrtester, Sie sehen schrecklich krank aus. Haben Sie denn jemanden, der nach Ihnen sieht?«

»George holt mir jeden Morgen, ehe er zur Arbeit geht, eine Flasche Milch.«

»Wer ist George?«

»Ich nenne ihn George, weil er eigentlich Adolphe heißt. Er teilt mit mir diese Palastgemächer.«

Philip bemerkte, daß das zweite Bett nach der Benutzung nicht wieder zurechtgemacht worden war. Wo der Kopf gelegen hatte, war das Kissen schwarz. »Sie wollen doch nicht etwa sagen, daß Sie dieses Zimmer noch mit einem zweiten teilen?« rief er.

»Warum nicht? Wohnen kostet in Soho Geld. George ist Kellner; er geht um acht frühmorgens fort und kommt erst nach der Polizeistunde zurück; er ist mir also nie im Wege. Wir schlafen beide nicht gut, und so hilft er mir die Nachtstunden vertreiben, indem er mir Geschichten aus seinem Leben erzählt. Er ist Schweizer, und ich habe immer etwas für Kellner übrig gehabt. Sie sehen das Leben von einer unterhaltsamen Ecke aus.«

»Wie lange liegen Sie schon?«

»Seit drei Tagen.«

»Heißt das, daß Sie seit drei Tagen weiter nichts als eine Flasche Milch getrunken haben? Warum haben Sie mir denn um Gottes willen nicht eine Zeile geschrieben? Der Gedanke, daß Sie hier den ganzen Tag allein liegen, ohne daß eine Seele nach Ihnen sieht, ist mir unerträglich.«

Cronshaw lachte auf.

»Nun seh sich einer das Gesicht an. Mein lieber Junge, ich glaube wirklich, das geht Ihnen zu Herzen, Sie netter Kerl.«

Philip wurde rot. Er hatte nicht geahnt, daß sein Gesicht den Abscheu zeigte, der ihn beim Anblick dieses scheußlichen Zimmers und der jämmerlichen Lage des armen Poeten erfüllte. Cronshaw beobachtete Philip und fuhr mit stillem Lächeln fort:

»Ich bin ganz glücklich gewesen. Sehen Sie, hier sind die Korrekturfahnen. Vergessen Sie nicht, daß ich gegen Unbequemlichkeiten, die andere Leute quälen, unempfindlich bin. Was bedeuten Lebensumstände, wenn man sich in den Träumen zum Herrn über Zeit und Raum erheben kann?«

Die Korrekturfahnen lagen auf dem Bett, und er hatte im Dunkeln die Hand darauf legen können. Er zeigte sie Philip, und seine Augen leuchteten. Er blätterte die Seiten um und freute sich an dem klaren Druck; er las eine Stanze vor.

»Sie sehen nicht schlecht aus, was?«

Philip hatte eine Idee. Es würde zwar wieder Ausgaben bedeuten, und eigentlich durfte er sich nicht die geringste Erhöhung seiner Ausgaben leisten, aber andererseits war hier ein Fall, wo er nicht an Sparsamkeit denken wollte.

»Ich kann den Gedanken, daß Sie hier bleiben, einfach nicht ertragen. Ich habe ein Zimmer frei; augenblicklich ist es leer, aber ich kann sicher jemanden finden, der mir ein Bett leiht. Wollen Sie nicht zu mir kommen und vorläufig bei mir wohnen? Es erspart Ihnen das Geld für die Miete hier.«

»Ach, mein Bester, Sie würden darauf bestehen, daß ich die Fenster offen halte.«

»Sie können meinetwegen alle Fenster im Zimmer versiegeln lassen.«

»Ich bin morgen schon wieder in Ordnung. Ich hätte schon heute aufstehen können; ich war nur zu faul.«

»Dann können Sie leicht die Übersiedlung vornehmen. Und wenn Sie sich dann irgendwann einmal nicht wohl fühlen, können Sie einfach zu Bett gehen, und ich sehe nach Ihnen.«

»Wenn es Ihnen Vergnügen macht, komme ich«, sagte Cronshaw mit seinem stumpfen, aber nicht unangenehmen Lächeln.

»Das ist famos.«

Sie kamen also überein, daß Philip Cronshaw am nächsten Tag abholen würde, und Philip nahm sich trotz des arbeitsreichen Vormittags eine Stunde Zeit, um die nötigen Veränderungen vorzunehmen. Er traf Cronshaw fertig angezogen, in Hut und Mantel auf dem Bettrand sitzend. In einem kleinen schäbigen Handkoffer hatte er seine Kleider und Bücher verstaut; er stand neben ihm auf dem Fußboden. Cronshaw sah aus, als säße er im Wartesaal eines Bahnhofs. Philip lachte über den Anblick, den er bot. Sie fuhren in der Droschke nach Kennington hinüber, und Philip brachte seinen Gast erst einmal in seinem eigenen Zimmer unter. Er war schon frühmorgens ausgegangen, um sich eine alte Bettstelle, eine billige Kommode und einen Spiegel zu kaufen. Cronshaw setzte sich sofort an die Arbeit und korrigierte die Fahnen. Es ging ihm viel besser.

Philip empfand ihn als anspruchslosen Gast; er war zwar etwas reizbar, aber das war symptomatisch für seine Krankheit. Da eine von Philips Vorlesungen schon früh um neun anfing, sah er Cronshaw nur abends. Ein- oder zweimal überredete Philip ihn, sein karges Mahl, das er sich am Abend selbst zurechtmachte, mit ihm zu teilen, aber Cronshaw war zu unruhig, um zu Hause zu bleiben. Er zog es meist vor, sich in einem der billigsten Restaurants in Soho etwas zu essen geben zu lassen. Philip bat ihn, zu Dr. Tyrell zu gehen; aber das lehnte er standhaft ab; er wüßte, daß der Arzt ihm das Trinken verbieten würde, und davon wollte er nichts wissen. Er fühlte sich des Morgens immer schrecklich übel, aber sein Absinth am Mittag brachte ihn wieder auf die Beine, und wenn er dann um Mitternacht nach Hause kam, konnte er so glänzend reden wie damals, als Philip ihn kennengelernt hatte. Die Korrekturbogen waren durchgesehen; der Band sollte unter den Neuerscheinungen sein, die Anfang Frühjahr herauskamen, wenn die Leserschaft sich von der Flut der Weihnachtsbücher erholt hatte.

Zu Beginn des neuen Jahres wurde Philip Praktikant in der chirurgischen Abteilung der Poliklinik. Die Arbeit war von gleicher Art wie die, die er gerade hinter sich hatte, mit der größeren Unmittelbarkeit jedoch, die Chirurgie im Vergleich zur inneren Medizin bietet. Ein größerer Teil der Patienten litt an den beiden Krankheiten, denen die sorglose Öffentlichkeit in ihrer Prüderie gestattet, sich breitzumachen. Der Assistenzarzt, für den Philip arbeitete, hieß Jacobs. Es war ein untersetzter Mann von überschwenglicher Jovialität, kahlköpfig und laut; er sprach mit dem Londoner Vorstadtakzent und wurde von den Studenten gewöhnlich als ein ›schrecklicher Schuft‹ beschrieben; aber einige sahen darüber hinweg, weil er sowohl als Chirurg wie als Lehrer sehr tüchtig war. Er besaß sehr viel Witz, den er an Patienten und Studenten gleicherweise übte. Es bereitete ihm großes Vergnügen, seine Assistenten lächerlich zu machen. Das war nicht besonders schwierig, da sie wenig wußten, nervös waren und ihm nicht wie ihresgleichen antworten konnten. Er hatte viel mehr Spaß an diesen Nachmittagen und seinen bissigen Bemerkungen als die Studenten, die diese mit einem Lächeln einstecken mußten. Eines Tages kam ein Junge mit einem Klumpfuß. Seine Eltern wollten gern wissen, ob etwas dagegen getan werden könnte. Mr. Jacobs wandte sich an Philip.

»Sie übernehmen den Fall, Carey. Es ist ein Thema, über das Sie wohl etwas Bescheid wissen dürften.«

Philip wurde über und über rot, um so mehr, als der Chirurg offensichtlich im Spaß sprach, und seine eingeschüchterten Praktikanten lachten gehorsamst mit. Tatsächlich hatte sich Philip, seit er im Hospital arbeitete, sehr stark mit diesem Thema beschäftigt. Er hatte alle Bücher der Bibliothek, die von Talipes in seinen verschiedenen Formen handelten, gelesen. Er ließ den Jungen Schuh und Strümpfe ausziehen. Es war ein vierzehnjähriger Junge, mit Stupsnase, blauen Augen und einem sommersprossenübersäten Gesicht. Sein Vater erklärte, daß er, wenn irgend möglich, etwas dagegen tun wollte; es würde dem Jungen beim Brotverdienen so hinderlich sein. Philip sah ihn neugierig an. Es war ein lustiger Bursche, keineswegs schüchtern, sehr redselig und keck, wofür sein Vater ihn tadelte. Er zeigte großes Interesse für seinen Fuß.

»Wissen Sie, es ist nur wegen des Aussehens«, sagte er zu Philip. »Sonst stört er mich gar nicht.«

»Sei still, Ernie«, ermahnte sein Vater. »Du redest zuviel dummes Zeug.«

Philip untersuchte den Fuß und glitt langsam mit der Hand über das unförmige Gebilde. Er konnte nicht verstehen, wieso der Junge nichts von der Beschämung empfand, die ihn so bedrückte. Er fragte sich, warum er nicht ebenfalls seine Verkrüppelung mit diesem philosophischen Gleichmut hinnehmen konnte. Gleich darauf kam Mr. Jacobs zu ihm hin. Der Junge saß auf einer Couch; der Chirurg und Philip standen neben ihm; dicht gedrängt im Halbkreis standen die Studenten um sie herum. In seiner gewohnten glanzvollen Art gab Jacobs eine anschauliche Schilderung des Klumpfußes; er sprach von den verschiedenen Abarten und beschrieb, welche Formen auf verschiedene anatomische Bedingungen folgten.

»Sie haben wahrscheinlich talipes equinus?« fragte er, sich plötzlich Philip zuwendend.

»Ja.«

Philip spürte, wie alle Augen auf ihn gerichtet waren, und er fluchte innerlich, weil er abermals rot wurde. Er fühlte seine Hände heiß und feucht werden. Der Chirurg sprach so flüssig, wie seine lange Praxis es ihn gelehrt hatte, und mit dem bewundernswerten Scharfsinn, der ihn auszeichnete. Er hatte ein ungeheures Interesse an seinem Beruf. Aber Philip hörte nicht hin. Er wünschte nur, daß der Fall möglichst schnell erledigt würde. Plötzlich merkte er, daß Jacobs ihn anredete.

»Macht es Ihnen etwas aus, für einen Augenblick den Strumpf auszuziehen, Carey?«

Philip fühlte, wie ihm ein Schauer durch Mark und Bein lief. Es reizte ihn, dem Chirurgen zu sagen, er solle sich zum Teufel scheren, aber er hatte nicht den Mut, eine Szene zu machen.

»Nicht im geringsten«, war seine Antwort.

Er setzte sich hin und schnürte seinen Schuh auf. Die Finger zitterten ihm, und er glaubte, er würde den Knoten nie lösen können. Er erinnerte sich daran, wie sie ihn in der Schule gezwungen hatten, seinen Fuß zu zeigen, und wie sich ihm die Quälerei ins Herz gefressen hatte.

»Er hält seine Füße schön rein und sauber, nicht?« sagte Jacobs mit seiner kratzenden Stimme.

Die anwesenden Studenten kicherten. Philip bemerkte, wie der Junge, der zur Untersuchung hier war, voller Neugierde auf seinen Fuß hinuntersah.

Jacobs nahm den Fuß in die Hände und sagte:

»Ja, das dachte ich mir. Wie ich sehe, haben Sie eine Operation gehabt. Vermutlich als Kind, wie?«

Er fuhr mit seinen flüssigen Erklärungen fort. Die Studenten beugten sich vor und betrachteten den Fuß. Zwei oder drei untersuchten ihn eingehend, nachdem Jacobs ihn losgelassen hatte.

»Lassen Sie sich Zeit«, sagte Philip mit ironischem Lächeln. Er hätte sie alle miteinander umbringen können. Er dachte, wie fein es wäre, ihnen einen Meißel ins Genick zu treiben (er wußte nicht, wieso ihm gerade dieses Werkzeug in den Sinn kam). Wie brutal Menschen sein konnten! Er wünschte, er könnte an eine Hölle glauben, um die Genugtuung zu haben, daß sie schreckliche Qualen erleiden müßten. Mr. Jacobs wandte seine Aufmerksamkeit nun der Frage der Behandlung zu. Er sprach teils zum Vater des Jungen, teils zu den Studenten. Philip zog den Strumpf wieder an und schnürte seinen Schuh zu. Schließlich war der Chirurg fertig. Aber es schien ihm noch etwas einzufallen, und er wandte sich an Philip.

»Wissen Sie, ich glaube fast, es lohnt sich, daß Sie sich einer Operation unterziehen. Ich könnte Ihnen natürlich nicht einen ganz normalen Fuß verschaffen, aber immerhin, etwas ließe sich schon tun. Lassen Sie es sich einmal durch den Kopf gehen, und wenn Sie einmal eine kleine Erholungspause brauchen, dann kommen Sie einfach zu uns in die Klinik.«

Philip hatte sich schon oft gefragt, ob etwas getan werden könnte; aber seine Abneigung, das Thema auch nur zu streifen, hatte ihn abgehalten, einen der Chirurgen in der Klinik zu befragen. Nach dem, was er gelesen hatte, hätte sich vielleicht etwas tun lassen, solange er noch klein war; aber damals war man in der Behandlung von Talipes noch nicht so weit gewesen wie jetzt. Jedenfalls glaubte er nicht, daß er viel Aussicht hätte, von einer Operation zu profitieren. Aber schließlich würde sie sich schon lohnen, wenn er danach etwas normaleres Schuhwerk tragen könnte und nicht so zu hinken brauchte. Es fiel ihm ein, wie leidenschaftlich er um das Wunder gebetet hatte, das, wie sein Onkel ihm bestätigt hatte, dem Allmächtigen möglich war. Er lächelte wehmütig.

›Ich war damals eine einfältige Seele‹, dachte er.

Gegen Ende Februar wurde es klar, daß es Cronshaw immer schlechter ging. Er konnte nicht mehr aufstehen. Er lag im Bett, bestand darauf, daß das Fenster immer verschlossen blieb, und weigerte sich, einen Arzt kommen zu lassen. Er aß sehr wenig, verlangte jedoch nach Whisky und Zigaretten. Philip wußte, daß er eigentlich keines von beiden haben durfte, aber Cronshaws Argument war unwiderlegbar.

»Ich glaube wohl, daß sie mich umbringen. Das ist mir jedoch gleichgültig. Sie haben mich gewarnt, Sie haben alles getan, was nötig ist: ich beachte Ihre Warnung nicht. Geben Sie mir etwas zu trinken und lassen Sie mich in Frieden.«

Leonard Upjohn kam zwei- oder dreimal wöchentlich hereingeweht, ja, im wahrsten Sinne des Wortes hereingeweht, denn er hatte etwas von einem toten, abgestorbenen Blatt an sich. Er war ein kraftloser Bursche, fünfunddreißig Jahre alt, mit langem ausgeblichenem Haar und weißlichem Gesicht; er sah wie jemand aus, der zuwenig ins Freie kommt. Er trug einen Hut wie die Geistlichen der Dissidenten. Philip mochte ihn seiner gönnerhaften Art wegen nicht leiden und langweilte sich bei seiner geläufig dahinfließenden Unterhaltung. Leonard Upjohn hörte sich gerne reden. Er war nicht sehr feinhörig, um das herauszuspüren, was seine Zuhörer interessierte – was die erste Voraussetzung eines guten Redners sein muß –, und er spürte nie, daß er den Leuten das sagte, was sie eigentlich bereits wußten. Mit wohlabgewogenen Worten teilte er Philip mit, was er von Rodin, Alber Samain und César Franck zu halten hätte. Philips Aufwartefrau kam nur auf eine Stunde jeden Morgen, und da Philip den ganzen Tag über im Hospital sein mußte, war Cronshaw viel allein. Upjohn sagte zu Philip, er fände, daß er jemand zur Pflege haben müßte, aber er erbot sich nicht, das zu ermöglichen.

»Es ist schrecklich, diesen großen Dichter so allein zu wissen. Ach, er könnte sterben, ohne daß ihm eine Meschenseele beisteht.«

»Das wird er wahrscheinlich auch«, sagte Philip.

»Wie kann man nur so gefühllos sein!«

»Warum kommen Sie nicht her und arbeiten hier? Dann wären Sie in seiner Nähe, wenn er irgend etwas braucht«, sagte Philip trocken.

»Ich? Mein Verehrtester, ich kann nur dort arbeiten, wo die Umgebung mir vertraut ist. Außerdem muß ich so viel ausgehen.«

Upjohn fühlte sich auch ein wenig gekränkt, weil Philip Cronshaw zu sich genommen hatte.

»Hätten Sie ihn doch in Soho gelassen«, sagte er, mit einer Geste seiner langen dünnen Hände. »Die schmutzige Dachkammer hatte etwas Romantisches. Ich könnte es noch ertragen, wenn es Wapping oder Shoreditch wäre, aber ausgerechnet dieses respektierliche Kennington! Was für ein Sterbeort für einen Dichter!«

Cronshaw war oft so übellaunig, daß Philip nur mit Mühe seine Ruhe bewahren konnte. Er mußte sich vor Augen halten, daß Cronshaws Reizbarkeit ein Symptom seiner Krankheit sei. Manchmal kam Upjohn, ehe Philip zu Hause war, und dann beklagte sich Cronshaw bitter über ihn. Upjohn hörte selbstzufrieden zu.

»Carey hat eben kein Gefühl für Schönheit«, sagte er lächelnd; »er hat einen kleinbürgerlichen Geist.«

Er war Philip gegenüber sehr sarkastisch, und Philip brauchte seine ganze Selbstbeherrschung, um mit ihm fertigzuwerden. Eines Abends aber konnte er sich nicht mehr zurückhalten. Er hatte einen schweren Tag im Hospital hinter sich und war todmüde. Leonard Upjohn kam zu ihm in die Küche, als er dort eine Tasse Tee kochte, und sagte ihm, daß Cronshaw sich beschwert hätte, weil Philip drängte, er solle einen Arzt kommen lassen.

»Ist Ihnen denn nicht klar, daß Sie ein sehr seltenes und kostbares Privileg genießen? Sie sollten alles, was nur in Ihrer Macht liegt, tun, um das große Vertrauen, das in Sie gesetzt ist, zu rechtfertigen.«

»Es ist ein seltenes und kostbares Privileg, das ich mir schlecht leisten kann«, sagte Philip.

Jedesmal, wenn die Rede auf Geld kam, nahm Leonard Upjohn eine leicht verächtliche Haltung an. Sein empfindliches Gemüt wurde durch solche Andeutungen beleidigt.

»Es ist etwas Feines in Cronshaws Haltung, und Sie stören es durch Ihre Belästigungen. Sie sollten auf zarte Phantasiegebilde, die Sie nicht nachempfinden können, wenigstens Rücksicht nehmen.«

Philips Gesicht verfinsterte sich.

»Wir gehen wohl am besten zu Cronshaw hinein«, sagte er eisig.

Der Dichter lag auf dem Rücken, las in einem Buch und hielt die Pfeife im Mund. Die Luft war muffig, und das Zimmer machte, trotz Philips Bemühen, es sauberzuhalten, den schmierigen Eindruck, der überall da war, wo Cronshaw auch war. Er nahm die Brille ab, als sie eintraten. Philip war voller Wut.

»Upjohn sagt mir eben, daß Sie sich beklagt haben, weil ich einen Arzt kommen lassen will«, sagte er. »Ich möchte, daß ein Doktor kommt, weil Sie jederzeit sterben können; hat Sie vorher niemand gesehen, dann kriege ich keinen Totenschein. Da würde es Nachforschungen geben, und ich würde verantwortlich dafür gemacht werden, daß ich keinen Arzt hinzugezogen habe.«

»Daran hatte ich nicht gedacht. Ich dachte, Sie wollten den Arzt für mich, nicht um Ihretwillen. Der Arzt soll kommen, wann es Ihnen paßt.«

Philip antwortete nicht, zuckte jedoch kaum merklich mit den Achseln. Cronshaw, der ihn beobachtete, kicherte leise.

»Schauen Sie nicht so böse, mein Lieber. Ich weiß wohl, daß Sie den besten Willen haben, mir zu helfen. Also her mit dem Arzt; vielleicht kann er etwas für mich tun, und Sie wird es auf alle Fälle beruhigen.« Er wandte seine Augen Upjohn zu. »Du bist ein verdammter Narr, Leonard. Warum willst du den Jungen ärgern? Er hat genug zu schaffen, um mit mir fertigzuwerden. Du wirst doch nichts weiter tun, als nachher, nach meinem Tode, einen netten Artikel schreiben. Ich kenne dich.«

Am nächsten Tag ging Philip zu Dr. Tyrell. Er fühlte, daß er der richtige Mann war, um sich für einen solchen Fall zu interessieren. Sobald Tyrell nach seiner Tagesarbeit frei war, begleitete er Philip nach Kennington. Er konnte dem, was Philip ihm gesagt hatte, nur zustimmen. Der Fall war hoffnungslos.

»Ich nehme ihn im Krankenhaus auf, wenn Sie das wollen«, sagte er. »Er kann in einen kleinen Saal gelegt werden.«

»Da bringt ihn nichts hin.«

»Er kann aber jede Minute sterben oder aber einen neuen Anfall von Lungenentzündung bekommen.«

Philip nickte. Dr. Tyrell gab ein oder zwei Ratschläge und versprach wiederzukommen, wann immer Philip es für wünschenswert hielte. Er hinterließ seine Adresse. Als Philip zu Cronshaw zurückkam, fand er ihn ruhig beim Lesen. Er nahm sich nicht erst die Mühe, nachzuforschen, was der Arzt gesagt hatte.

»Sind Sie nun zufrieden, mein lieber Junge?« fragte er.

»Ich darf wohl annehmen, daß nichts Sie dazu bewegen könnte, das zu tun, was Tyrell riet?«

»Nichts«, antwortete Cronshaw mit einem Lächeln.


Etwa vierzehn Tage später klopfte Philip, als er des Abends von seinem Tagewerk im Hospital zurückkam, bei Cronshaw an. Er erhielt keine Antwort und trat ein. Cronshaw lag zusammengezogen auf der Seite, und Philip ging zum Bett hinüber. Er wußte nicht, ob Cronshaw schlief oder nur in einem seiner unkontrollierbaren Anfälle von Reizbarkeit so dalag. Er war überrascht, als er ihn mit geöffnetem Mund liegen sah. Er faßte ihn an der Schulter. Philip schrie entsetzt auf. Er glitt mit der Hand unter Cronshaws Hemd und fühlte nach seinem Herzen; er wußte nicht, was er machen sollte; hilflos hielt er ihm einen Spiegel vor den Mund, weil er gehört hatte, daß man das täte. Es erschreckte ihn, allein mit Cronshaw zu sein. Er hatte noch Hut und Mantel an und lief die Treppen hinunter auf die Straße; er rief eine Droschke an und fuhr nach Harley Street. Dr. Tyrell war zu Hause.

»Wäre es Ihnen wohl möglich, sofort mitzukommen? Ich glaube, Cronshaw ist tot.«

»Wenn das stimmt, hat mein Kommen wohl eigentlich wenig Sinn.«

»Ich wäre Ihnen unsagbar dankbar, wenn Sie mitkämen. Ich habe die Droschke vor der Tür warten lassen. Es dauert nur eine halbe Stunde.«

Tyrell setzte sich den Hut auf. Im Wagen stellte er ihm eine oder zwei Fragen.

»Es schien ihm nicht schlechter zu gehen als sonst, als ich heute früh fortging«, sagte Philip. »Es hat mir einen schrecklichen Schock versetzt, als ich eben hineinging. Und der Gedanke, daß er so ganz allein gestorben ist ... Glauben Sie, daß er es gewußt hat, daß er stirbt?«

Philip dachte an das, was Cronshaw ihm gesagt hatte. Ob er nun wohl im letzten Augenblick von dem Entsetzen vor dem Tod gepackt worden war? Philip versetzte sich in Gedanken in seine Lage, mit dem Bewußtsein des Unvermeidlichen und mit niemandem, keiner

Menschenseele um sich, die ihm in der letzten Angst ein Trostwort schenkte.

»Es scheint Sie sehr mitzunehmen«, sagte Dr. Tyrell.

Er schaute ihn mit seinen strahlenden blauen Augen an. Sie waren nicht ohne Verständnis. Als er Cronshaw sah, sagte er:

»Er muß schon etliche Stunden tot sein. Ich glaube fast, er ist im Schlaf gestorben. Das kommt vor.«

Der Körper sah zusammengeschrumpft und unedel aus. Es war nichts Menschliches an ihm. Dr. Tyrell betrachtete ihn gleichmütig. Mit einer mechanischen Geste zog er seine Taschenuhr heraus.

»Also, es ist Zeit, daß ich gehe. Ich schicke den Totenschein herüber. Sie werden sich wahrscheinlich mit den Verwandten in Verbindung setzen.«

»Ich glaube, er hat keine«, entgegnete Philip.

»Und die Beerdigung?«

»Das werde ich schon erledigen.«

Dr. Tyrell sah Philip mit einem Blick an. Er fragte sich, ob er ihm wohl etwas Geld zur Hilfe anbieten sollte. Er kannte Philips Verhältnisse nicht; vielleicht konnte er sich die Ausgabe leisten. Philip könnte es vielleicht als Zudringlichkeit empfinden, wenn er davon sprach.

»Gut, lassen Sie mich wissen, wenn ich irgend etwas tun kann«, sagte er.

Philip und er gingen zusammen fort, sie trennten sich am Hauseingang. Philip ging zum Telegraphenbüro, um Leonard Upjohn Mitteilung zu machen. Dann begab er sich zu einem Bestatter, an dessen Laden er täglich vorbeikam, wenn er ins Hospital ging. Der Laden hatte oft seine Aufmerksamkeit durch drei Worte, Silber auf schwarzem Tuch, angezogen, die zusammen mit zwei Mustersärgen das Schaufenster schmückten: Sparsamkeit, Geschwindigkeit, Schicklichkeit. Sie hatten ihn stets belustigt. Der Leichenbestatter war ein Jude mit krausem schwarzem Haar, das lang und fettig um den Kopf stand. Er war ganz in Schwarz, mit einem großen Diamantenring auf einem dicken Finger. Er empfing Philip mit einer merkwürdigen Mischung aus natürlichem Lautsein, seiner Veranlagung entsprechend, und einer gedämpften Miene, die sein Beruf verlangte. Er erkannte sofort, daß Philip ziemlich hilflos war, und versprach, eine Frau hinzuschikken, die alles Nötige erledigen würde. Seine Vorschläge für die Beerdigung waren prunkhaft, und Philip schämte sich, weil der Bestatter aus seinen Einwürfen entnehmen konnte, daß er kleinlich sei. Es war schrecklich, um solche Sachen zu feilschen, und schließlich willigte Philip ein, einen bestimmten Preis zu zahlen, den er sich schlecht leisten konnte.

»Ich verstehe Sie ganz und gar, mein Herr«, sagte der Bestatter.

»Sie wollen keine Parade daraus machen oder so etwas – ich selbst mag solche Schaustellungen auch nicht, wissen Sie; aber Sie wollen es nobel erledigt haben. Überlassen Sie es nur mir. Ich mache es so billig, wie es nur geht, so wie es recht und schicklich ist. Mehr kann ich nicht sagen, nicht wahr?«

Philip ging nach Hause, um zu Abend zu essen. Während er aß, erschien die Frau, die die Leiche zurechtmachte. Bald darauf kam ein Telegramm von Leonard Upjohn.

*Über alle Maßen entsetzt und betrübt. Kann leider heute abend nicht kommen. Zum Essen eingeladen. Bei Ihnen morgen früh. Tiefstes Beileid. Upjohn.*

Ein wenig später klopfte die Frau an die Wohnzimmertür.

»Ich bin fertig, Herr. Wollen Sie ihn sich bitte ansehen, ob es so recht ist?«

Philip folgte ihr. Cronshaw lag auf dem Rücken, die Augen waren geschlossen und die Hände fromm auf der Brust gefaltet.

»Eigentlich sollten Sie ja ein paar Blumen haben.«

»Ich besorge morgen welche.«

Sie sah die Leiche noch mit einem befriedigten Blick an. Sie hatte ihre Arbeit geleistet, und nun zog sie sich die Ärmel herunter, nahm die Schürze ab und setzte sich die Haube auf. Philip fragte, wieviel er ihr schulde.

»Ja, manche geben mir zweieinhalb Shilling und manche fünf.«

Philip schämte sich, ihr weniger als die höhere Summe zu geben. Sie dankte ihm mit so viel Überschwenglichkeit, als sich angesichts des Schmerzes, den er vielleicht empfinden mochte, geziemte, und ging. Philip trat in sein Wohnzimmer zurück und räumte die Reste seiner Mahlzeit fort. Dann setzte er sich hin, um in Walshams *Chirurgie* zu lesen. Er fand es recht schwierig. Er fühlte sich ungewöhnlich nervös. Wenn er einen Schritt auf der Treppe hörte, sprang er auf, und das Herz schlug ihm heftig. Das Ding, das da nebenan lag und einst ein Mensch gewesen war, ängstigte ihn. Die Stille schien voller Leben, als ginge eine geheimnisvolle Bewegung darin vor sich. Die Gegenwart des Todes lastete auf diesen Zimmern – unirdisch, Entsetzen einflößend: Philip fühlte plötzlich ein Grauen. Er versuchte, sich zum Lesen zu zwingen, schob aber bald das Buch verzweifelt fort. Was ihn so beunruhigte, war die absolute Sinnlosigkeit des Lebens, das da eben zu Ende gegangen war. Es war gleichgültig, ob Cronshaw lebte oder tot war. Es war ebenso, als hätte er nie gelebt. Philip malte sich Cronshaw aus, als er jung gewesen; er brauchte seine ganze Einbildungskraft, um ihn sich schlank, mit federnden Schritten, mit Haaren auf dem Kopf, frisch und hoffnungsfreudig vorzustellen. Philips Lebensregel, daß man seinen Instinkten folgen solle, ohne den Polizisten, der an der Ecke stand, außer acht zu lassen, hatte sich in diesem Falle nicht sonderlich günstig ausgewirkt, denn gerade das hatte Cronshaw getan und deshalb solch jämmerlichen Bankrott aus seinem Leben gemacht. Es schien, daß man seinen Instinkten nicht trauen durfte. Philip wußte nicht aus noch ein. Er fragte sich, welche Lebensregel es denn gab, wenn diese nichts nützte, und warum die Menschen eigentlich so und nicht anders handelten. Sie handelten gemäß ihren Gefühlen; die Gefühle jedoch konnten gut oder böse sein. Es schien ein reiner Zufall, ob sie zu Sieg oder Untergang führten. Das Leben war ein unentwirrbares Durcheinander. Die Menschen eilten dahin und dorthin, gedrängt von Kräften, die sie nicht kannten; und der Sinn von allem entglitt ihnen; sie schienen sich nur um des Eilens willen zu beeilen.

Am nächsten Morgen erschien Leonard Upjohn mit einem kleinen Lorbeerkranz. Es gefiel ihm, den toten Poeten damit zu kränzen, und er versuchte, trotz Philips ablehnendem Schweigen, ihn auf der Glatze zu befestigen; aber der Kranz sah grotesk aus. Er wirkte wie ein Hutrand, von der Art, wie er von minderwertigen Komikern im Tingeltangel getragen wird.

»Ich werde ihn ihm statt dessen aufs Herz legen«, sagte Upjohn.

»Sie haben ihn auf den Magen gelegt«, bemerkte Philip. Upjohn antwortete mit einem dünnen Lächeln.

»Nur ein Dichter weiß, wo Dichter ihr Herz haben«, antwortete er.

Sie gingen in das Wohnzimmer hinüber, und Philip erzählte ihm, welche Vorbereitungen er für die Beerdigung getroffen hatte.

»Ich hoffe, Sie haben keine Ausgaben gescheut. Ich hätte gern, daß dem Leichenwagen eine ganze Reihe leerer Kutschen folgt, und dann hätte ich gern, daß die Pferde lange wippende Federn tragen, und eine große Zahl Begräbniswärter mit langen Trauerbändern am Hut müssen dabei sein. Der Gedanke mit den vielen leeren Kutschen gefällt mir besonders.«

»Da die Kosten für die Beerdigung allem Anschein nach auf mich fallen werden und ich eben nicht gerade viel Geld übrig habe, habe ich versucht, es so bescheiden wie möglich zu machen.«

»Aber, mein Verehrtester, warum haben Sie dann nicht ein Armenbegräbnis gemacht? Da hätte doch Poesie darin gelegen. Sie haben einen absolut sicheren Instinkt für Mittelmäßigkeit.«

Philip wurde ein wenig rot, aber er antwortete nicht. Am nächsten Tag folgten er und Upjohn in der einen Kutsche, die Philip bestellt hatte, dem Leichenwagen. Lawson konnte nicht kommen und hatte einen Kranz geschickt, und Philip hatte noch ein paar Kränze dazugekauft, damit der Sarg nicht zu verlassen aussah. Auf dem Rückweg trieb der Kutscher die Pferde an. Philip war hundemüde und schlief sofort ein. Er wurde von Upjohns Stimme geweckt.

»Es ist eigentlich ein glücklicher Zufall, daß die Gedichte noch nicht herausgekommen sind. Ich glaube, wir halten sie am besten noch ein wenig zurück, und ich schreibe ein Vorwort. Ich habe, als wir zum Kirchhof fuhren, darüber nachgedacht. Ich glaube, ich kann etwas recht Gutes daraus machen. Auf alle Fälle werde ich erst einmal einen Artikel für *The Saturday* schreiben.«

Wenige Wochen darauf erschien er. Der Artikel machte erhebliches Aufsehen, und viele Zeitungen druckten Auszüge davon nach. Es war ein sehr guter Aufsatz: das Biographische war unbestimmt gehalten, denn niemand wußte viel von Cronshaws früherem Leben; aber alles war feinsinnig, gefühlvoll und malerisch. Leonard Upjohn zeichnete in seinem umständlichen Stil reizende Szenen aus Cronshaws Leben im Quartier Latin, wie er Gedichte schrieb und erzählte: Cronshaw wurde zu einer pittoresken Figur, einem englischen Verlaine. Leonard Upjohns farbige Phrasen nahmen eine flackernde Feierlichkeit, ein geschwollenes Pathos an, als er das jämmerliche Ende beschrieb, das schäbige Zimmerchen in Soho, und die Versuche, die er unternommen, um den Dichter in irgendein Häuschen zu transportieren, geißblattumwunden, inmitten eines blühenden Obstgartens. Voller Zurückhaltung war diese Beschreibung, ganz reizend; man konnte wohl sehen, daß er großmütigeren Anteil an allem gehabt hatte, als er jetzt in seiner Bescheidenheit eingestehen mochte. Und statt dessen hatte jemand aus mangelndem Verständnis, wohlmeinend natürlich, aber ach, so taktlos, den Poeten in die gemeine Respektierlichkeit von Kennington geholt. Mit zartem Sarkasmus berichtete er über die letzten Wochen: mit welcher Geduld Cronshaw die wohlmeinende Ungeschicklichkeit eines jungen Studenten, der sich zu seinem Pfleger aufgeworfen hatte, ertrug, und er schilderte, wie erbarmungswürdig der göttliche Vagabund in diesen hoffnungslos kleinbürgerlichen Verhältnissen gesteckt hatte. ›Schönheit aus der Asche‹ zitierte er aus dem Buch Jesaja. Es war ein Triumph der Ironie, daß der verstoßene Poet in den Fängen der gemeinen Respektierlichkeit sterben mußte. Es erinnerte Leonard Upjohn an Christus unter den Pharisäern, und diese Analogie gab ihm die Möglichkeit einer ausgezeichneten Passage. Und dann erzählte er, wie ein Freund – sein guter Geschmack konnte es nicht ertragen, mehr als nur subtil anzudeuten, wer der Freund mit solch anmutiger Phantasie war – einen Lorbeerkranz auf des toten Dichters Herz gelegt hatte; und die schönen toten Hände hatten mit wollüstiger Leidenschaft auf Apollos Blättern zu ruhen geschienen, wohlriechend von dem Wohlgeruch der Kunst und grüner als Jade, der von braungebrannten Matrosen aus dem vielfältigen und unerklärlichen China gebracht wird. Und so schloß der Artikel mit einer Beschreibung der kleinbürgerlichen, mittelmäßigen, prosaischen Beerdigung dieses Menschen, der wie ein

Fürst oder aber wie ein Armer hätte zu Grabe getragen werden müssen. Das war der letzte Schlag, der Sieg des Philistertums über Kunst, Schönheit und Geist.

Es war das Beste, was Leonard Upjohn je geschrieben hatte. Es war ein Wunderwerk an Charme, Grazie und Mitgefühl. Er druckte die besten Gedichte sämtlich in seinem Aufsatz ab, so daß der Haupttreiz des Buches schon weg war, als der Band erschien; aber seine eigene Position förderte er sehr dadurch. Von jetzt ab wurde er als ein Kritiker angesehen, mit dem man rechnen mußte. Vorher hatte er immer ein bißchen distanziert gewirkt. Aber in diesem Aufsatz war etwas warm Menschliches, was ungeheuer anziehend war.

Nachdem er die chirurgische Praktikantenzeit in der poliklinischen Abteilung beendigt hatte, wurde Philip im Frühjahr in die innere Abteilung übernommen. Er mußte jeden Vormittag zusammen mit dem Anstaltsarzt in die Krankensäle gehen, und zwar erst in die Männer-, dann in die Frauenabteilung. Er schrieb die Krankheitsgeschichten auf, machte Analysen und begrüßte die Krankenschwestern. Zweimal wöchentlich ging der behandelnde Arzt nachmittags mit einer Gruppe Studenten durch die Säle, untersuchte die Fälle und gab Auskünfte. Der Arbeit fehlte das Erregende, der ständige Wechsel, der nahe Kontakt mit der Wirklichkeit, den die Arbeit in der Poliklinik gehabt hatte; aber Philip lernte viel hinzu. Er kam gut mit den Patienten zurecht, und es schmeichelte ihm ein wenig, daß sie soviel Gefallen an seiner Betreuung zeigten. Er fühlte nicht etwa eine tiefe Sympathie für ihre Leiden, aber er mochte sie gern. Und weil er nicht wichtig tat, war er beliebter als andere Praktikanten. Wie jeder, der mit Krankenhausverhältnissen vertraut ist, fand er, daß man mit männlichen Patienten leichter fertigwird als mit weiblichen. Die Frauen waren oft streitsüchtig und übellaunig. Sie beklagten sich bitter über die mit Arbeit überlasteten Schwestern, die ihnen nicht die Aufmerksamkeit angedeihen ließen, die sie verlangen zu können glaubten. Sie waren schwierig, undankbar und grob.

Philip hatte bald das Glück, einen Freund zu finden. Eines Tages wies ihm der Anstaltsarzt einen neuen Fall zu, einen Mann. Philip begann, auf der Bettkante sitzend, Einzelheiten in die Karte einzutragen. Er bemerkte, als er sie überflog, daß der Patient als Journalist eingetragen war. Sein Name war Thorpe Athelny, etwas ungewöhnlich für einen Krankenhauspatienten; er war achtundvierzig Jahre alt. Er hatte einen schweren Gelbsuchtsanfall und war ins Hospital gebracht worden, weil verschiedene unverständliche Symptome eine Beobachtung nötig erscheinen ließen. Er beantwortete die verschiedenen Fragen, die Philip ihm pflichtgemäß stellte, mit angenehmer, gebildeter Stimme. Man konnte, da er im Bett lag, schwer sagen, ob er klein oder groß war; der schmale Kopf jedoch und die kleinen Hände ließen darauf schließen, daß er kaum mittelgroß sein mochte. Philip hatte die Angewohnheit, auf die Hände der Menschen zu achten, und Athelnys Hände erstaunten ihn: sie waren sehr klein, mit langen, nervösen Fingern und schönen rosafarbenen Fingernägeln; sie waren sehr glatt und wären wohl auch überraschend weiß gewesen, hätte die Gelbsucht sie nicht gefärbt. Der Patient hielt sie draußen auf der Bettdecke, die eine leicht auseinandergespreizt, wobei der zweite und dritte Finger nahe beieinander lagen. Er schien sie, während er sprach, mit Befriedigung zu betrachten. Philip warf mit zwinkernden Augen einen Blick auf das Gesicht des Mannes. Trotz der Gelbheit sah es distinguiert aus: er hatte blaue Augen und eine ausgesprochen kühne Nase, gebogen, angriffslustig, jedoch nicht grob, einen kleinen Bart, grau und spitz, er war ziemlich kahl, aber sein Haar war offensichtlich recht fein und zierlich gelockt gewesen. Er trug es noch immer lang.

»Ich sehe eben, Sie sind Journalist«, sagte Philip. »Für welche Zeitungen schreiben Sie denn?«

»Ich schreibe für alle Zeitungen. Sie können keine aufmachen, ohne auf meine Sachen zu stoßen.«

Es lag gerade eine neben dem Bett, er zog sie heran und wies auf ein Inserat. In großen Buchstaben stand da der Name einer Philip wohlbekannten Firma: Lynn and Sedley, Regent Street, London, und darunter etwas kleiner, aber noch immer ziemlich groß gedruckt stand der dogmatische Satz: Aufschub ist Zeitverlust. Dann eine Frage, in ihrer Vernünftigkeit überraschend: Warum nicht heute bestellen? Dann eine Wiederholung, in großen Buchstaben, die sich einhämmerte wie die Schläge an das Gewissen eines Mörders: Warum nicht? Dann kühn: Tausende von Handschuhen von den führenden Märkten der Welt zu erstaunlichen Preisen. Tausende von Strümpfen von den zuverlässigsten Fabrikanten der Welt zu sensationell herabgesetzten Preisen. Dann kam die Frage wieder, diesmal aber wie eine Herausforderung hingeworfen: Warum nicht heute bestellen?

»Ich bin der Presseagent für Lynn and Sedley.« Er machte eine schwungvolle Geste mit seiner schönen Hand. »Zu welch niederen Zwecken . . .«

Philip fragte seine vorschriftsmäßigen Fragen weiter; einige davon waren reine Routine, andere waren kunstfertig ausgedacht, um den Patienten dazuzubringen, daß er Sachen preisgab, von denen man annahm, daß er sie lieber verschwiege.

»Sind Sie je im Ausland gewesen?« fragte Philip.

»Ich war elf Jahre lang in Spanien.«

»Was haben Sie da gemacht?«

»Ich war Sekretär der Englischen Wasserwerke in Toledo.«

Philip erinnerte sich, daß Clutton einige Monate in Toledo zugebracht hatte, und die Antwort, die er von dem Journalisten erhalten hatte, machte ihn in seinen Augen interessanter; er spürte jedoch, daß er das hier nicht zeigen durfte, da es nötig war, daß die Distanz zwischen Patient und Hospitalstab gewahrt bliebe. Nachdem er die Untersuchung beendet hatte, ging er zu den andern Betten.

Thorpe Athelnys Krankheit war nicht weiter ernsthaft, und er fühlte sich bald, obwohl er noch immer gelb aussah, viel besser. Er blieb nur deshalb im Bett liegen, weil der Arzt es für ratsam hielt, ihn zu beobachten, bis gewisse Reaktionen normal geworden waren. Als Philip eines Tages in den Saal kam, sah er, daß Athelny mit einem Bleistift in der Hand ein Buch las. Er legte es hin, als Philip an sein Bett trat.

»Darf ich sehen, was Sie da lesen?« fragte Philip, der an keinem Buch vorbeigehen konnte, ohne es anzusehen.

Philip nahm es auf und sah, daß es ein Band spanischer Dichtung war, Gedichte von San Juan de la Cruz; als er es öffnete, fiel ein Blatt Papier heraus. Philip hob es auf und sah, daß Verse darauf standen.

»Sie haben doch nicht etwa Ihre freie Zeit benutzt, um Gedichte zu schreiben? Das ist eine höchst unpassende Tätigkeit für einen Hospitalpatienten.«

»Ich habe mich an ein paar Übersetzungen versucht. Können Sie Spanisch?«

»Nein.«

»Aber Sie sind doch sicherlich mit allem, was San Juan de la Cruz geschrieben hat, vertraut.«

»Ganz und gar nicht.«

»Er ist einer der spanischen Mystiker. Einer der besten Dichter, den sie je gehabt haben. Ich dachte, es wäre schon der Mühe wert, daß man ihn ins Englische übersetzt.«

»Kann ich mir Ihre Übersetzung einmal ansehen?«

»Sie ist noch sehr roh«, sagte Athelny; er gab Philip das Blatt jedoch mit so viel Bereitwilligkeit, daß man merken konnte, er wollte gern, daß Philip es lese.

Es war mit Bleistift geschrieben, in feiner, aber sehr eigenartiger Handschrift, die schwer leserlich war. Sie sah aus wie Fraktur.

»Braucht man nicht schrecklich viel Zeit, um so zu schreiben? Es ist wunderbar.«

»Ich weiß nicht, warum eine Handschrift nicht auch schön sein soll.«

Philip las den ersten Vers:

In dunkler Nacht,
Sehnsucht- und liebentbrannt
Oh – Glück!
So ging ich, ungesehen, hin.
Mein Haus liegt nun in Frieden ...

Philip sah Thorpe Athelny verwundert an. Er wußte nicht recht, ob er sich ein bißchen scheu vor ihm fühlte oder angezogen war von ihm. Er wußte wohl, daß er ihm gegenüber ein wenig herablassend freundlich gewesen war, und wurde rot, weil ihm plötzlich einfiel, daß Athelny ihn wohl für lächerlich gehalten haben mochte.

»Was Sie für einen ungewöhnlichen Namen haben«, bemerkte er, nur um etwas zu sagen.

»Es ist ein sehr alter Yorkshire-Name. Es hat einmal eine Zeit gegeben, wo das Haupt unserer Familie einen ganzen Tagesritt brauchte, um seine Güter zu umkreisen, aber die Macht ist dahin. Zu flotte Frauen und zu träge Pferde.«

Er war kurzsichtig und sah die Menschen mit eigenartiger Eindringlichkeit an, während er mit ihnen sprach. Er nahm seinen Band Dichtung wieder auf.

»Sie sollten Spanisch lesen«, sagte er. »Es ist eine edle Sprache. Es ist nicht so weichflüssig wie Italienisch – Italienisch ist die Sprache der Tenöre und Drehorgelmänner –, aber es hat Größe: es plätschert nicht wie ein Bächlein im Garten, sondern es strömt dahin wie ein mächtiger Strom während einer Überschwemmung.«

Das Pathos seiner Rede amüsierte Philip, aber er hatte eine Schwäche für rhetorische Leistungen; er hörte mit Vergnügen zu, als Athelny mit malerischen Ausdrücken und dem Feuer echter Begeisterung das herzliche Entzücken beschrieb, das einem das Lesen von *Don Quixote* im Originaltext bereitete, und wie musikalisch, romantisch, durchsichtig, leidenschaftlich der bezaubernde Calderon sei.

»Ich muß wieder an die Arbeit«, sagte Philip plötzlich.

»Ach, verzeihen Sie, das habe ich ganz vergessen. Ich werde meiner Frau sagen, sie soll eine Fotografie von Toledo mitbringen; ich zeige sie Ihnen dann. Kommen Sie her, wenn Sie Gelegenheit haben, und lassen Sie uns weitersprechen. Sie können sich nicht vorstellen, was für eine Freude es mir bereitet.«

Während der nächsten Tage entwickelte sich Philips Bekanntschaft mit dem Journalisten, in Augenblicken, die er sich, wo immer sich nur eine Gelegenheit bot, abstahl. Thorpe Athelny war ein guter Erzähler. Er sagte nichts Geistreiches, aber er sprach begeisternd, mit kühner Lebendigkeit, die die Phantasie anregte. Philip, der so stark in einer Welt des Scheins lebte, fühlte seine Phantasie von Bildern überströmen. Athelny hatte sehr gute Manieren. Er wußte sowohl von Büchern wie von der Welt weit mehr als Philip; er war viel älter, und seine Zungenfertigkeit machte ihn gewissermaßen überlegen. Aber hier im Hospital war er ein Wohlfahrtsempfänger, strikten Regeln unterworfen. Er hielt sich mit Grazie und Humor mitten zwischen diesen beiden Positionen. Philip fragte ihn einmal, warum er ins Hospital gekommen wäre.

»Ach, es ist mein Grundsatz, daß man alle Vorteile, die die Gesellschaft zur Verfügung stellt, ausnutzen soll. Ich mache mir das Zeitalter, in dem ich lebe, zunutze. Wenn ich krank bin, lasse ich mich im Hospital zusammenflicken – ich habe keine falsche Scham in dieser Hinsicht –, meine Kinder schicke ich in die öffentlichen Schulen.«

»Tatsächlich?« sagte Philip.

»Und eine großartige Erziehung bekommen sie dort, viel besser als die, die ich in Winchester hatte. Wie sollte ich ihnen allen auch sonst eine Ausbildung geben? Ich habe neun Kinder. Sie müssen zu uns kommen und sie sich ansehen, wenn ich wieder zu Hause bin. Ja?«

»Sehr gerne«, sagte Philip.


Zehn Tage später war Thorpe Athelny so weit hergestellt, daß er das Hospital verlassen konnte. Er gab Philip seine Adresse, und Philip versprach, am folgenden Sonntag um ein Uhr sich bei ihm zum Essen einzustellen. Athelny hatte ihm gesagt, daß er in einem Hause lebe, das von Inigo Jones erbaut worden war; er hatte von einer alten eichenen Balustrade geschwärmt – wie er von allem schwärmte –, und als er nach unten kam, um ihm zu öffnen, ließ er ihn sogleich das elegante Schnitzwerk der Oberbalken bewundern. Es war ein schäbiges Haus, das dringend einen neuen Anstrich brauchte, aber es hatte die Würde der Zeit, in der es erbaut worden war. Es lag in einer kleinen Straße zwischen Chancery Lane und Holborn, früher einmal eine vornehme Gegend, jetzt aber nicht besser als irgendein richtiges Elendsviertel. Es lag bereits ein Plan vor, es niederzureißen und statt dessen hübsche Bürohäuser zu errichten; in der Zwischenzeit jedoch waren die Mieten besonders niedrig, und so konnte Athelny die beiden oberen Stockwerke zu einem Preis mieten, der mit seinem Einkommen in Einklang stand. Philip hatte Athelny noch nicht außerhalb des Bettes gesehen und war nun von seiner Winzigkeit überrascht. Er war phantastisch angezogen: ein Paar blaue Leinwandhosen, wie sie die Arbeiter in Frankreich tragen, und eine alte braune Velvetjoppe; um die Hüften trug er eine leuchtend rote Schärpe; sein Kragen war niedrig, und statt des Schlipses hatte er eine wehende Schleife, wie sie im *Punch* die komischen Franzosen tragen. Er begrüßte Philip überschwenglich. Er fing sofort an, von dem

Haus zu sprechen, und ließ die Hand zärtlich über die Balustrade gleiten.

»Sehen Sie, fühlen Sie nur: wie Seide. Was für ein Wunderwerk der Grazie! Und in fünf Jahren wird es der Abbruchunternehmer als Brennholz verkaufen.«

Er bestand darauf, mit Philip zuerst in ein Zimmer im ersten Stock zu gehen, wo ein Mann in Hemdsärmeln, eine Frau in Bluse und drei Kinder beim Sonntagessen saßen.

»Ich habe diesen Herrn nur eben einmal hereingebracht, um ihm Ihre Deckentäfelung zu zeigen. Haben Sie je etwas so Herrliches gesehen? Wie geht's, Mrs. Hodgson? Das ist Mr. Carey, der mich im Hospital betreut hat.«

»Kommen Sie nur herein«, sagte der Mann. »Ein Freund von Mr. Athelny ist uns immer willkommen. Mr. Athelny zeigt allen seinen Freunden die Decke. Und es macht ihm nicht das geringste, was wir gerade tun, ob wir im Bett liegen oder ob ich mich gerade wasche, er kommt herein.«

Philip sah wohl, daß sie Athelny für ein bißchen seltsam hielten, aber sie mochten ihn trotzdem gut leiden, und sie hörten mit offenem Mund zu, als er mit seiner schwungvollen Beredsamkeit über die Schönheit der Decken aus dem 18. Jahrhundert predigte.

»Ist es nicht ein Verbrechen, das abzureißen, Hodgson? Sie sind ein einflußreicher Bürger; warum schreiben Sie nicht an die Zeitungen und legen Protest ein?«

Der Mann in Hemdsärmeln lachte und sagte zu Philip:

»Mr. Athelny muß immer ein Späßchen machen. Sie sagen, die Häuser hier seien so baufällig und ungesund, daß man des Lebens darin nicht sicher sei.«

»Die verdammten hygienischen Einrichtungen«, schrie Athelny. »Ich habe neun Kinder, und denen bekommt die schlechte Kanalisation ausgezeichnet. Nein, nein. Bleiben Sie mir nur mit Ihrem neumodischen Kram vom Leibe. Wenn ich hier ausziehen muß, sehe ich erst nach, ob die Kanalisation auch schlecht ist, ehe ich etwas Neues nehme.«

Es klopfte, und ein kleines blondköpfiges Mädchen öffnete die Tür.

»Papa, Mama sagt, du sollst aufhören zu sprechen und nach oben kommen, zum Essen.«

»Das ist meine dritte Tochter«, sagte Athelny und wies mit dramatisch ausgestrecktem Zeigefinger auf sie. »Sie heißt María del Pilar, aber sie hört lieber auf Jane. Jane, deine Nase läuft.«

»Ich habe kein Taschentuch, Papa.«

»Tt, tt, Kind«, antwortete er und zog ein großes, leuchtend bedrucktes Kattuntuch heraus. »Wozu glaubst du wohl, hat dir der Allmächtige Finger gegeben?«

Sie gingen nach oben, und Philip wurde in ein Zimmer geführt, das dunkle Eichentäfelung an den Wänden hatte. In der Mitte stand ein schmaler Tisch aus Teakholz auf einem Stützbock, mit zwei Eisenstützstäbchen; in Spanien heißt man das *mesa de bieraje*. Dort sollten sie essen, denn zwei Gedecke waren zurechtgelegt, und zwei große Lehnstühle mit breiten, flachen Armlehnen und Lederrücken sowie Ledersitzen standen davor. Sie sahen feierlich, elegant und unbequem aus. Das einzige andere Möbelstück im Zimmer war ein *bargueno*, der mit künstlerisch ausgeführtem vergoldetem Eisenwerk geschmückt war; er war auf einem Pult mit sakralem Muster, ziemlich roh, aber doch sehr schön geschnitzt. Darauf standen zwei oder drei Steingutteller, die zwar zerbrochen, jedoch von herrlicher Farbigkeit waren; an den Wänden hingen alte Meister der Spanischen Schule in schönen, wenn auch lädierten Rahmen. Obwohl die Darstellungen grausig und durch Alter und schlechte Behandlung sehr mitgenommen und überhaupt zweitrangig waren, hatten sie doch eine leidenschaftliche Glut. Es gab eigentlich nichts im Zimmer, das Wert besaß, aber die Wirkung war herrlich. Es war großartig und doch streng. Philip spürte, daß es den echten Geist des alten Spanien in sich trug. Athelny war gerade dabei, ihm den *bargueno* von innen zu zeigen, mit seinen wundervollen Ornamenten und Geheimfächern, als ein Mädchen hereinkam, dem zwei Zöpfe leuchtend brauner Haare über den Rücken fielen.

»Mutter sagt, das Essen sei fertig und warte. Ich soll es hereinbringen, sobald ihr Platz genommen habt.«

»Komm her und gib Mr. Carey die Hand, Sally.« Er wandte sich zu Philip. »Ist sie nicht enorm groß? Sie ist meine Älteste. Wie alt bist du, Sally?«

»Ich werde nächsten Juni fünfzehn, Vater.«

»Ich gab ihr den Taufnamen María del Sol, weil sie mein erstes Kind war und ich sie der glorreichen Sonne Kastiliens widmete; ihre Mutter aber nennt sie Sally und ihr Bruder Mondgesicht.«

Das Mädchen lächelte schüchtern; es hatte ebenmäßige weiße Zähne und errötete. Es war gut gebaut, groß für sein Alter, mit angenehmen grauen Augen und einer hohen Stirn. Es hatte rote Wangen.

»Geh, sag deiner Mutter, daß sie hereinkommen möchte, um Mr. Carey zu begrüßen, ehe er sich niedersetzt.«

»Mutter sagt, sie werde nach Tisch kommen. Sie hat sich noch nicht gewaschen.«

»Dann werden wir zu ihr gehen. Er soll den Yorkshire Pudding nicht essen, ehe er nicht die Hand gedrückt hat, die ihn gemacht hat.«

Philip folgte seinem Gastgeber in die Küche. Sie war klein und vollgestopft. Es war viel Lärm daraus zu hören, der aber sofort abbrach, als der Fremde hereintrat. In der Mitte stand ein großer

Tisch, um den Athelnys Kinder saßen und hungrig auf das Essen warteten. Am Herd stand eine Frau und nahm gebackene Kartoffeln heraus.

»Das ist Mr. Carey, Betty«, sagte Athelny.

»So etwas – ihn hier herein zu bringen! Was soll er denn denken?«

Sie hatte eine schmutzige Schürze um, und die Ärmel ihres baumwollenen Kleides waren bis über die Ellbogen aufgekrempelt; sie trug Lockenwickler im Haar. Mrs. Athelny war eine kräftige Frau, ein ganzes Stück größer als ihr Mann, blond, mit blauen Augen und einem gütigen Ausdruck; sie war ein hübsches Geschöpf gewesen, aber die Jahre und die Geburt der vielen Kinder hatten sie fett und schwammig gemacht; ihre blauen Augen waren verblaßt, ihre Haut war grob und rot, ihre Haare hatten die Farbe verloren. Sie richtete sich auf, wischte sich sorgfältig die Hand an der Schürze ab und hielt sie ihm hin.

»Herzlich willkommen, Sir«, sagte sie mit langsamer Stimme und mit einem Akzent, der Philip seltsam vertraut schien. »Athelny sagt, Sie seien so gut zu ihm gewesen im Krankenhaus.«

»So, jetzt müssen Sie dem ganzen lebenden Inventar vorgestellt werden: das ist Thorpe«, er wies auf einen pausbäckigen Buben mit lockigem Haar; »er ist mein ältester Sohn, Erbe des Titels, der Güter und der Verantwortlichkeiten der Familie. Das dort sind Athelstan, Harold, Edward.« Er wies mit dem Zeigefinger auf drei kleinere Jungen, alle rosig, gesund und fröhlich, die jedoch, als sie Philips lächelnde Augen auf sich fühlten, scheu auf ihre Teller niedersahen. »So, nun die Mädchen, der Reihe nach: María del Sol . . .«

»Mondgesicht«, sagte einer der kleineren Buben.

»Dein Humor ist sehr mangelhaft entwickelt, mein Sohn. María de los Mercedes, María del Pilar, María de la Concepcion, María del Rosario.«

»Ich nenne sie Sally, Molly, Connie, Rosie und Jane«, sagte Mrs. Athelny. »So, Athelny, jetzt geh in dein Zimmer, und ich schicke euch das Essen hinein. Die Kinder lasse ich nachher auf ein Weilchen hineinkommen, wenn ich sie erst gewaschen habe.«

»Meine Liebe, wenn ich dir hätte einen Namen geben müssen, hätte ich dich María von der Seifenlauge getauft. Ständig quälst du die armen Gören mit Seife.«

»Gehen Sie erst, Mr. Carey, sonst bringe ich ihn überhaupt nicht dazu, daß er sich hinsetzt und sein Essen ißt.«

Athelny und Philip richteten sich in den großen Mönchsstühlen ein, und Sally brachte ihnen zwei Teller mit Rindfleisch, Yorkshire-Pudding, gebackenen Kartoffeln und Kohl. Athelny nahm einen halben Shilling aus der Tasche und schickte sie fort, um einen Krug Bier zu holen.

»Hoffentlich haben Sie nicht meinetwegen hier decken lassen«, sagte Philip. »Ich wäre genau so vergnügt unter den Kindern gewesen.«

»Oh, nein, ich nehme meine Mahlzeiten immer allein ein. Ich mag die alten Gebräuche gern. Ich finde, Frauen sollen nicht mit den Männern zu Tisch sitzen. Es zerstört jede Unterhaltung, und für sie ist es ganz bestimmt nicht gut. Es setzt ihnen Ideen in den Kopf, und Frauen fühlen sich nicht wohl, wenn sie Ideen haben.«

Gastgeber und Gast aßen mit herzhaftem Appetit.

»Haben Sie schon jemals solchen Yorkshire-Pudding gegessen? Niemand versteht ihn so gut zu machen wie meine Frau. Das ist der Vorteil, wenn man keine Dame heiratet. Sie haben bemerkt, daß sie keine Dame ist, nicht wahr?«

Es war eine peinliche Frage, und Philip wußte nicht, was er antworten sollte.

»Daran habe ich nie gedacht«, sagte er lahm.

Athelny lachte. Er hatte ein eigenartig fröhliches Lachen.

»Nein, sie ist keine Dame, nichts dergleichen. Ihr Vater war Bauer. Wir haben zwölf Kinder gehabt; neun sind am Leben. Ich habe ihr gesagt, es sei Zeit, daß sie aufhöre; aber sie ist eigenwillig; sie hat es sich zur Gewohnheit gemacht, und ich glaube, sie wird nicht zufrieden sein, ehe sie zwanzig hat.«

In diesem Augenblick trat Sally ein und brachte das Bier. Nachdem sie Philips Glas vollgeschenkt hatte, ging sie auf die andere Seite des Tisches hinüber, um ihrem Vater ein Glas einzugießen. Er legte den Arm um ihre Taille.

»Haben Sie schon ein solch hübsches, stämmiges Mädchen gesehen? Erst fünfzehn und könnte ebensogut schon zwanzig sein. Sie ist in ihrem ganzen Leben noch nicht einen einzigen Tag krank gewesen. Ein glücklicher Mann, der sie heiratet, nicht, Sally?«

Sally hörte sich das alles mit leisem, langsamem Lächeln an. Sie war nicht sehr verlegen, denn sie war diese Ausbrüche ihres Vaters gewöhnt, aber es war etwas Keusches an ihr, das sie sehr anziehend machte.

»Laß dein Essen nicht kalt werden, Vater«, sagte sie und entzog sich seinen Armen. »Du rufst wohl, wenn ihr mit dem Essen fertig seid und ich den Nachtisch bringen soll.«

Sie waren allein, und Athelny hob den Zinnbecher an die Lippen. Er tat einen langen, kräftigen Schluck.

»Gibt es überhaupt etwas Besseres als englisches Bier?« sagte er. »Man sollte Gott danken für die einfachen Freuden: Roastbeef und Reispudding, einen guten Appetit und Bier. Ich war vor langer Zeit mit einer Dame verheiratet. Großer Gott! Heiraten Sie nur keine Dame, mein Lieber.«

Philip lachte. Die Szene belustigte ihn: der spaßige kleine Mann in seinen alten Sachen, der getäfelte Raum und die spanischen Möbel, das englische Menü: es paßte alles so herrlich wenig zueinander.

»Sie lachen, mein Junge, Sie können sich nicht vorstellen, unter Ihrem Stand zu heiraten. Sie wollen eine Frau, die Ihnen intellektuell ebenbürtig ist. Ihr Kopf ist vollgestopft mit Ideen von Kameradschaft. Unsinn, mein Junge. Ein Mann will mit seiner Frau nicht über Politik sprechen, und was glauben Sie, wie gleichgültig mir Bettys Ansichten über Differentialrechnungen sind. Ein Mann will eine Frau, die ihm sein Essen kochen kann und sich um seine Kinder kümmert. Ich habe beides versucht, und ich weiß es. Jetzt wollen wir den Pudding essen.«

Er klatschte in die Hände, und sofort kam Sally herein. Als sie das Geschirr abräumte, wollte Philip aufstehen und ihr helfen, aber Athelny hinderte ihn daran.

»Lassen Sie sie allein, mein Junge. Sie hat es nicht gern, wenn man um sie ein Getue macht, nicht wahr, Sally? Und sie findet es absolut nicht ungehörig von Ihnen, wenn Sie sitzen bleiben, während sie Ihnen aufwartet. Sie schert sich nicht um Ritterlichkeit, nicht wahr, Sally?«

»Nein, Vater«, antwortete Sally ernst.

»Weißt du, worüber ich spreche, Sally?«

»Nein, Vater, aber Mutter mag es nicht, wenn du fluchst.«

Athelny lachte laut.

Dann brachte Sally ihnen Teller voll Reispudding. Er war kräftig, sahnig und süß. Athelny machte sich mit Behagen an seine Portion.

»Es ist eine der Hausregeln, daß das Sonntagsessen immer gleich sein muß. Es ist ein Rituell. Roastbeef und Reispudding an fünfzig Sonntagen im Jahr. Ostersonntags Lamm und grüne Erbsen, und zu Michaelis Gänsebraten und Apfelmus. So erhalten wir uns die Tradition unseres Volkes. Sally wird, wenn sie einmal heiratet, viele der weisen Sachen, die ich sie gelehrt habe, vergessen; das aber wird sie nie vergessen, daß man Roastbeef und Reispudding sonntags essen muß, wenn man froh und glücklich sein will.«

»Du rufst, wenn ihr soweit seid, daß ich den Käse bringen kann«, sagte Sally gleichmütig.

»Kennen Sie die Legende vom Eisvogel?« fragte Athelny. Philip hatte sich bereits daran gewöhnt, daß er von einem Gesprächsthema zum andern sprang. »Wenn der Eisvogel beim Flug übers Meer erschöpft ist, fliegt seine Gefährtin so, daß er auf ihr ruhen kann, und trägt ihn auf ihren stärkeren Schwingen weiter. Die Kraft des Eisvogels, das ist es, was ein Mann im Weibe sucht. Ich habe mit meiner ersten Frau drei Jahre lang gelebt. Sie war eine Dame. Sie hatte fünfzehnhundert pro Jahr, und wir pflegten in unserem roten Klinkerhäuschen in Kensington nette Abendgesellschaften zu geben. Sie war eine reizende Frau; alle fanden das: die Anwälte und ihre Frauen, die zu uns zum Essen kamen, der Börsenmakler mit literarischen Neigungen und die jungen Politiker; oh, sie war eine reizende Frau. Sie sorgte dafür, daß ich in Zylinder und Gehrock zur Kirche ging; sie nahm mich zu klassischen Konzerten mit, und sie liebte die Sonntagnachmittagsvorträge; sie setzte sich Morgen für Morgen um acht Uhr dreißig zum Frühstück nieder; kam ich später, so war das Frühstück kalt; sie las die richtigen Bücher, bewunderte die richtigen Bilder und verehrte die richtige Musik. Lieber Gott, wie diese Frau mich gelangweilt hat. Sie ist noch immer reizend; sie lebt in dem kleinen roten Klinkerhäuschen in Kensington, mit echten Tapeten und Radierungen von Whistler an den Wänden, und gibt die gleichen kleinen netten Abendgesellschaften mit Kalbfleisch in Sahnesauce und Eiscreme aus der gleichen Konditorei wie vor zwanzig Jahren.«

Philip stellte keine Frage, um zu erfahren, wie es kam, daß das schlecht zusammenpassende Paar sich getrennt hatte; Athelny erzählte es ihm jedoch.

»Betty ist nicht meine Frau, müssen Sie wissen. Meine Frau willigte nicht in die Scheidung ein. Die Kinder sind alles Bastarde – sind sie deswegen irgendwie schlechter? Betty war eines der Mädchen im kleinen Häuschen in Kensington. Vor vier, fünf Jahren ging's mir mal sehr schlecht, und ich hatte sieben Kinder; da wandte ich mich an meine Frau und bat sie um Hilfe. Sie sagte, sie würde mir gern Geld geben, wenn ich Betty aufgäbe und aufs Festland ginge. Können Sie sich vorstellen, daß ich Betty aufgebe? Statt dessen hungerten wir uns durch. Meine Frau sagte, ich liebte die Gosse, ich wäre verkommen. Ich verdiene als Presseagent eines Weißwarengeschäfts drei Pfund in der Woche, und ich danke Gott täglich, daß ich nicht mehr in dem kleinen roten Klinkerhäuschen in Kensington bin.«

Sally brachte Cheddar-Käse, und Athelny setzte seinen Redefluß fort.

»Es ist der größte Irrtum auf Gottes Erde, wenn man sich einbildet, daß man Geld haben muß, um eine Familie aufzuziehen. Geld braucht man, wenn sie Damen und Herren werden sollen. Aber ich will ja gar nicht, daß sie Damen oder Herren werden sollen. Sally wird sich nach einem Jahr ihren Lebensunterhalt selbst verdienen können. Sie nimmt eine Lehrlingsstelle bei einer Schneiderin an, stimmt's, Sally? Und die Jungen werden dem Vaterland dienen. Sie sollen alle zur Marine; es ist ein fröhliches Leben und ein gesundes Leben: gutes Essen, guter Lohn und für den Lebensabend eine Pension.«

Philip zündete sich seine Pfeife an. Athelny rauchte selbstgedrehte Zigaretten mit Havannatabak. Sally räumte ab. Philip war zurückhaltend, es machte ihn verlegen, so viel Vertrauliches mitgeteilt zu bekommen. Athelny war mit seiner mächtigen Stimme in dem winzigen

Körper, mit seinem Schwulst, dem fremdländischen Aussehen und dem Nachdruck, mit dem er alles behandelte, ein erstaunlicher Typ. Er erinnerte Philip in vielem an Cronshaw. Er schien die gleiche Unabhängigkeit im Denken, die gleiche Bohemiennatur zu haben, aber er hatte eine weit stärkere Vitalität, sein Geist war gröber und er hatte nicht das gleiche Interesse für die abstrakten Dinge, das Cronshaws Gespräche so bezaubernd gemacht hatte. Athelny war sehr stolz auf den Landadel, zu dem er gehörte. Er zeigte Philip Fotografien eines elisabethanischen Gebäudes und sagte:

»Die Athelnys haben sieben Jahrhunderte lang dort gewohnt, mein lieber Junge. Ach, Sie sollten die Kamine und die Decken gesehen haben!«

In der Wandtäfelung war ein Fach, und er entnahm daraus einen Stammbaum. Er zeigte ihn Philip voll kindlicher Befriedigung. Er war wirklich imposant.

»Sie sehen, wie die alten Familiennamen immer wiederkehren: Thorpe, Athelstan, Harold, Edward; ich habe sie bei meinen Söhnen benutzt. Und den Mädchen habe ich spanische Namen gegeben.«

Ein unbehagliches Gefühl überkam Philip, daß die ganze Geschichte vielleicht erfunden sein könnte, nicht etwa aus niedrigen Motiven, sondern nur aus der Freude am Überraschen, Beeindrucken, Verblüffen. Athelny hatte ihm gesagt, daß er in Winchester gewesen war; aber Philip, mit einem Gefühl für Benehmen, glaubte nicht, daß sein Gastgeber die Kennzeichen eines Mannes hatte, der in einer der großen Public Schools erzogen worden war. Während Athelny auf die großen Heiraten hinwies, die seine Ahnen eingegangen waren, fragte sich Philip belustigt, ob er nicht vielleicht der Sohn eines Kaufmanns in Winchester, eines Auktionators oder Kohlenhändlers sei und ob die Gleichheit des Geschlechtsnamens nicht vielleicht die einzige Verbindung war, die ihn mit der Familie, mit deren altem Stammbaum er prahlte, verband.

Es klopfte, und eine Truppe von Kindern kam herein. Sie waren jetzt sauber und ordentlich, ihre Gesichter glänzten vor Seife, und ihr Haar war glatt gestriegelt, sie gingen unter Sallys Führung zum Sonntagsgottesdienst. Athelny scherzte in seiner dramatisch überschwenglichen Art mit ihnen, es war sehr deutlich, wie sehr er an ihnen allen hing. Sein Stolz über ihre Gesundheit und ihr hübsches Aussehen war rührend. Philip sah, daß sie sich in seiner Gegenwart ein bißchen scheu fühlten, und als ihr Vater sie fortschickte, flohen sie sichtlich erleichtert aus dem Zimmer. Ein paar Minuten später erschien Mrs. Athelny. Sie hatte die Lockenwickler abgenommen und trug nun eine kunstvoll angeordnete Ponyfrisur. Sie hatte ein einfaches schwarzes Kleid und einen Hut mit billigem Blumenschmuck angelegt, sie war gerade damit beschäftigt, ihre roten und von vieler Arbeit harten Hände in Glacéhandschuhe zu zwängen.

»Ich gehe zur Kirche, Athelny«, sagte sie. »Brauchst du noch irgend etwas?«

»Nur deine Gebete, meine Betty.«

»Sie werden dir nicht viel nützen, du steckst zu tief in Schuld, als daß das noch helfen könnte.« Sie lächelte. Dann wandte sie sich an Philip und sagte in ihrer schleppenden Sprechweise: »Ich kann ihn nicht dazu bekommen, daß er zur Kirche geht. Er ist nicht besser als ein Atheist.«

»Sieht sie nicht aus wie Rubens' zweite Frau?« rief Athelny. »Würde sie nicht herrlich in ein Kostüm des 17. Jahrhunderts passen? So sehen die Frauen aus, die man heiraten muß, mein Junge. Schauen Sie sie an!«

»Was du so ins Blaue hineinschwätzt, Athelny«, antwortete sie ruhig.

Es gelang ihr schließlich, die Handschuhe zuzuknöpfen. Ehe sie ging, wendete sie sich noch einmal mit freundlichem, leicht verlegenem Lächeln an Philip.

»Sie bleiben doch zum Tee? Athelny hat so gern jemand da, mit dem er reden kann, und er findet nicht oft einen Menschen, der klug genug ist.«

»Natürlich bleibt er zum Tee«, sagte Athelny. Als seine Frau dann gegangen war, erklärte er: »Ich halte darauf, daß die Kinder zum Sonntagsgottesdienst gehen, und ich sehe auch gern, wenn Betty zur Kirche geht. Ich finde, Frauen müssen religiös sein. Ich selber glaube nicht daran, sehe es aber gern bei Frauen und Kindern.«

Philip, der es mit der Wahrheit sehr genau nahm, war leicht schockiert über diese leichtfertige Haltung.

»Aber wie können Sie es mit ansehen, daß man Ihren Kindern Dinge beibringt, die Sie selbst nicht für wahr halten?«

»Wenn sie nur schön sind, dann macht es mir nichts aus, wenn sie nicht wahr sind. Es ist viel verlangt, daß Dinge an die Vernunft ebenso appellieren sollen wie an den Sinn für Ästhetik. Ich hätte gern, daß Betty katholisch würde; es wäre schön gewesen, sie konvertiert zu sehen, mit einer Krone von Papierblumen, aber sie bleibt hoffnungslos Protestantin. Übrigens ist Religion eine Sache der Frömmigkeit; man glaubt irgend etwas, wenn man eine religiöse Ader hat, und wenn man diese nicht hat, ist es gleichgültig, welcher Glaube einem beigebracht worden ist, man entwächst ihm. Vielleicht ist Religion die beste Schule für Moral. Sie ist vielleicht eine von jenen Arzneien, die man in der Medizin verwendet, um eine andere in eine

Lösung zu verwandeln. Sie hat selbst keine Wirkung, aber sie ermöglicht es der anderen, absorbiert zu werden. Man nimmt die Moral hin, weil sie mit der Religion verbunden ist; verliert man die Religion, tritt die Moral in den Hintergrund. Ein Mensch ist eher ein guter Mensch, wenn er das Gute durch Gottes Liebe gelernt hat als durch Herbert Spencer.«

Das war ganz gegen Philips Ansichten. Christentum war für ihn eine degradierende Knechtschaft, der man sich auf jeden Fall entledigen mußte. In seinem Unterbewußtsein war es mit den langweiligen Gottesdiensten in der Kathedrale von Tercanbury verbunden und mit den langen Stunden in der kalten Kirche von Blackstable. Und die Moral, von der Athelny sprach, war für ihn nicht mehr als ein Teil der Religion, den sich zögernde Intellektuelle bewahrten, wenn sie den Gauben längst beiseite gelegt hatten, der die Religion allein vernünftig macht.

Während Philip noch darüber nachdachte, was er darauf antworten sollte, hatte Athelny, der sich gerne allein reden hörte, eine ganze Tirade über den römischen Katholizismus losgelassen. Er bildete für ihn einen wesentlichen Teil Spaniens, und Spanien bedeutete ihm viel, weil er dorthin entflohen war aus der konventionellen Enge, die ihm sein Eheleben so zuwider gemacht hatte. Mit großen Gesten und dem emphatischen Ton, der alles, was er erzählte, so ungewöhnlich lebendig machte, beschrieb Athelny Philip die spanischen Kathedralen mit ihren ungeheuren dunklen Räumen, dem massiven Gold der Altarstücke, dem prächtigen schmiedeeisernen Gitterwerk in seiner verblichenen Vergoldung, die weihraucherfüllte Luft, das Schweigen. Philip sah die Kanoniker in ihren kurzen Batistchorhemden und die Ministranten in Rot fast leibhaftig vor sich, wie sie von der Sakristei zum Chor schritten, er hörte beinahe die monotonen Vespergesänge. Die Namen, die Athelny erwähnte: Avila, Tarragona, Saragossa, Segovia, Cordoba gingen ihm wie Trompetenstöße ins Herz. Er schien die großen grauen Granitberge der alten spanischen Städte zu sehen, inmitten der bräunlichen, wilden, winddurchwehten Landschaft.

»Ich habe immer gedacht, ich würde schrecklich gern einmal nach Sevilla gehen«, sagte er beiläufig, als Athelny mit dramatisch erhobener Hand einen Augenblick still war.

»Sevilla!« rief Athelny. »Nein, nein, gehen Sie nicht dorthin! Sevilla: da stellt man sich sofort Mädchen vor, die beim Geklapper der Kastagnetten tanzen, Gesänge in den Gärten am Guadalquivir, Stierkämpfe, Orangenblüten, Mantillas, *mantones de Manila*. Es ist das Spanien der Komischen Oper und des Montmartre. Sein leichter Charme kann nur einer oberflächlichen Intelligenz dauernde Unterhaltung bieten. Théophile Gautier hat schon alles aus Sevilla herausgeholt, was nur herauszuholen ist. Wir, die wir nach ihm kommen, können seine Erlebnisse nur wiederholen. Mit großen fleischigen Händen hat er das Banale ergriffen, und es gibt dort nur Banales; es hat alles schon Fingerspuren und ist abgegriffen. Murillo ist sein Maler.«

Athelny stand aus seinem Stuhle auf, ging zu dem spanischen Schränkchen hinüber, ließ die Vorderseite mit den großen vergoldeten Scharnieren und dem prächtigen Schloß herunter und zeigte eine Reihe kleiner Schubfächer. Er nahm ein Bündel Fotografien heraus.

»Kennen Sie El Greco?« fragte er.

»Oh, ich erinnere mich eines Mannes in Paris, dem er großen Eindruck gemacht hat.«

»El Greco war der Maler von Toledo. Betty konnte die Fotografie, die ich Ihnen hatte zeigen wollen, nicht finden. Es ist ein Bild, das El Greco von der Stadt, die er liebte, gemalt hat, und es ist echter als eine Fotografie es sein könnte. Kommen Sie, setzen Sie sich an den Tisch!«

Philip zog seinen Stuhl nach vorn, und Athelny stellte die Fotografie vor ihm auf. Er sah sie sich lange schweigend an. Er streckte die Hand nach den andern Fotografien aus, und Athelny reichte sie ihm. Er hatte das Werk dieses rätselhaften Meisters bisher noch nie gesehen, und beim ersten Anschauen verwirrte ihn die eigenwillige Art zu zeichnen; die Gestalten waren ungewöhnlich in die Länge gezogen, die Köpfe sehr schmal, die Haltung war übersteigert. Das war kein Realismus, und doch bekam man, selbst aus den Fotografien, den Eindruck einer beunruhigenden Wirklichkeit. Athelny schilderte eifrig, mit lebhaften Phrasen, aber Philip hörte kaum, was er sagte. Er war ganz verblüfft. Er war sonderbar bewegt. Diese Bilder schienen ihm voller Bedeutung, aber er wußte nicht, worin diese Bedeutung für ihn lag. Männerbildnisse waren darunter, mit großen, melancholischen Augen, die etwas, man wußte nicht recht was, zu sagen schienen; lange, schmale Mönche in Franziskaner- oder Dominikanertracht, mit verzerrten Gesichtern, mit Gesten, deren letzter Sinn sich nicht erschloß, eine Himmelfahrt der Jungfrau Maria, dann eine Kreuzigung, bei der der Maler durch ein geheimnisvolles Gefühl auszudrücken verstanden hatte, daß der tote Leib Jesu Christi nicht nur menschliches Fleisch, sondern göttliches Wesen war, dann ein Bild von Christi Himmelfahrt, auf dem der Heiland zum Firmament emporzusteigen schien und doch so still auf der Luft stand, als stünde er auf festem Boden; die erhobenen Arme der Apostel, der Schwung ihrer Gewänder, ihre ekstatischen Gesten gaben das Gefühl überschwenglich heiliger Freude. Bei nahezu allen war der Nachthimmel der Hintergrund, die düstere Nacht der Seele, durch die ein seltsamer Höllenwind wildbewegte Wolken fegte, geisterhaft erhellt vom unsicheren Licht des Mondes.

»Immer wieder habe ich diesen Himmel in Toledo gesehen«, sagte Athelny. »Ich könnte mir denken, daß El Greco zum erstenmal in einer solchen Nacht in die Stadt kam und daß es einen so ungeheuren Eindruck auf ihn machte, daß er nie wieder davon loskam.«

Philip erinnerte sich, wie Clutton von diesem seltsamen Meister, dessen Werk er hier zum erstenmal sah, beeindruckt gewesen war. Er hielt Clutton für den interessantesten unter all den Leuten, die er in Paris gekannt hatte. Seine hämische Art, seine feindselige Isoliertheit hatten eine nähere Bekanntschaft erschwert, jetzt aber, in der Rückerinnerung, schien es Philip, als wäre in ihm eine tragische Gewalt gewesen, die er umsonst in der Malerei auszudrücken versucht hatte. Er war ein Mann von außergewöhnlichem Charakter, ein Mystiker nach der Art des Zeitalters, das nicht zum Mystizismus neigte, umhergetrieben von Unruhe, weil er die Dinge nicht auszudrücken vermochte, zu denen der dunkle Drang seines Herzens ihn trieb. Kopf und Seele klafften zwiespältig auseinander. Kein Wunder, daß er diese tiefe Sympathie für El Greco fühlte, der eine neue Technik gefunden hatte, um die Sehnsucht der Seele zum Ausdruck zu bringen. Philip schaute noch einmal auf die Reihe spanischer Edelmänner mit ihren Halskrausen, spitzen Bärten, mit ihren bleichen Gesichtern, die vom nüchternen Schwarz ihrer Kleider und dem Dunkel des Hintergrundes abstachen. El Greco war der Maler der Seele, und diese Herren, bleich und verfallen, nicht etwa durch Erschöpfung, sondern durch zuchtvolle Zurückhaltung, schienen mit zerquältem Gesicht dahinzuschreiten, ohne die Schönheit dieser Welt zu sehen, denn ihre Augen waren nur auf ihr Inneres gerichtet, und sie waren durch die Pracht des Unsichtbaren geblendet. Kein Maler sonst hat erbarmungsloser gezeigt, daß diese Welt nur ein Durchgangstal ist. Aus den Augen der Menschen, die er malte, spricht die ungekannte Sehnsucht der Seele, ihre Sinne sind wunderbar fein, nicht jedoch für Laute, Gerüche und Farben, sondern für die feinsten Empfindungen der Seele. Der Edle schreitet mit dem Herz eines Mönches dahin, und seine Augen sehen Dinge, die der Heilige in seiner Zelle schaute, und er kennt das Wunder nicht. Seine Lippen haben das Lächeln nie gekannt.

Philip nahm wieder, noch immer schweigsam, die Fotografie von Toledo zur Hand, das ihm das packendste Bild unter allen schien. Er konnte seine Augen nicht losreißen. Ihm war zumute, als stünde er auf der Schwelle zu einer neuen Entdeckung des Lebens. Er bebte innerlich, als nähme er an einem Abenteuer teil. Er dachte einen Augenblick an die Liebe, die ihn verzehrt hatte; wie unbedeutend kam diese Liebe ihm nun angesichts der Erregung vor, die ihm hier das Herz sprengte. Das Bild, das er ansah, war groß. Häuser drängten sich auf einem Hügel zusammen, in einer Ecke hielt ein Knabe eine Karte von der Stadt, in der andern war eine klassische Gestalt, die den Fluß Tagus versinnbildlichte, im Himmel schwebte die Jungfrau Maria, von Engeln umgeben. Es war eine Landschaft, die allem, was Philip sich darunter vorstellte, feindlich war, denn er hatte in Kreisen gelebt, die einem exakten Realismus huldigten, und doch fand er hier, zu seinem eigenen Befremden, eine Wirklichkeit, die größer war als alles, was die Meister gestalteten, in deren Fußstapfen er demütig getreten war. Er hörte Athelny sagen, die Darstellung sei so wirklichkeitstreu, daß die Bürger von Toledo, wenn sie das Bild betrachteten, ihre eigenen Häuser darauf wiedererkannten. Der Maler hatte genau gemalt, was er sah, aber er hatte mit geistigen Augen gesehen. Es war etwas Unirdisches an dieser blaßgrauen Stadt. Es war eine Stadt der Seele, geschaut in einem vergehenden Licht, das weder das Licht der Nacht noch des Tages war. Sie stand auf einem grünen Hügel, aber das Grün war nicht von dieser Welt; sie war von massiven Mauern und Bastionen umgeben, gegen die keine von Menschen erdachten Maschinen anstürmen konnten, sondern nur Gebete und Fasten, Schmerzensseufzer und Kasteiungen des Fleisches. Es war eine Festung Gottes. Die grauen Häuser darauf waren aus Steinen gebaut, die kein Steinmetz kannte, ihr Anblick hatte etwas Grauenerregendes, und man konnte sich nicht vorstellen, welcher Art die Menschen sein mochten, die darin lebten. Man mochte dort wohl durch die Straßen wandern und erstaunt sein, weil niemand sich zeigte, aber sie würden nicht leer sein, denn überall fühlte man die Gegenwart des Unsichtbaren, der sich doch so sichtbar den inneren Sinnen offenbarte. Es war eine mystische Stadt, in der die Phantasie taumelte wie jemand, der aus dem Licht in die Dunkelheit tritt; dort ging die Seele unverhüllt, wußte das nicht durch Wissen Erkennbare und war sich der Erfahrung des tief vertrauten, aber nicht ausdrückbaren Absoluten bewußt. Und ohne Überraschung sah man in diesen blauen Himmel, dessen Wirklichkeit sich nicht den Augen, sondern der Seele offenbart, mit seinen dahineilenden leichten Wolken, die seltsame Winde wie Schreie und Seufzer verlorener Seelen vor sich hintrieben, man sah die Heilige Jungfrau im roten Gewand mit dem blauen Mantel, umgeben von geflügelten Engeln. Philip fühlte, daß die Bewohner dieser Stadt die Erscheinung ohne Erstaunen, fromm und dankbar, betrachtet haben würden, um dann ruhig weiter ihres Weges zu gehen.

Athelny sprach von den mystischen Dichtern Spaniens, von Teresa de Àvila, San Juan de la Cruz, Fray Luis de Léon; in ihnen allen lebte die Leidenschaft für das Ungesehene, das Philip in den Bildern El Grecos spürte, sie schienen die Kraft zu haben, das Körperlose zu berühren und das Unsichtbare zu sehen. Sie waren Spanier ihres Zeitalters, in denen alle Heldentaten einer großen Nation mitschwangen:

ihre Phantasie war voll der Herrlichkeit Amerikas und der grünen Inseln der Karibischen See; in ihren Adern war die Kraft vom jahrhundertelangen Kampf gegen die Mauren; sie waren stolz, denn sie waren Herren der Welt, und sie fühlten in sich die weiten Entfernungen, die gelbbraunen Wüsten, die schneebedeckten Berge Kastiliens, den Sonnenschein, den blauen Himmel und die Blumenfelder Andalusiens. Das Leben war leidenschaftlich und mannigfaltig, und da es so viel bot, spürten sie einen rastlosen Drang nach mehr; da sie Menschen waren, waren sie unersättlich, und mit ihrer begehrlichen Vitalität strebten sie leidenschaftlich nach dem Unaussprechlichen. Athelny war angenehm berührt, jemanden gefunden zu haben, dem er die Übersetzungen, mit denen er sich seine Mußestunden vertrieben hatte, vorlesen konnte. Mit seiner feinen, vibrierenden Stimme trug er den Lobgesang der Seele und Christi, ihres Bräutigams, vor, jenes liebliche Gedicht, das mit den Worten *en una noche oscura* beginnt, und dann die *noche serena* von Fray Luis de Léon. Er hatte sie sehr schlicht und nicht ohne Geschick übertragen, und er hatte Worte dafür gefunden, die jedenfalls die rohbehauene Großartigkeit des Originals andeuteten. Die Bilder El Grecos erläuterten sie, und sie wiederum erklärten die Bilder.

Philip hatte eine gewisse Abneigung gegen den Idealismus in sich kultiviert. Er hatte immer eine Leidenschaft für das Leben gehabt, und der Idealismus, dem er begegnet war, war ihm meistens als ein feiges Zurückschrecken davor erschienen. Der Idealist in ihm zog sich zurück, weil er das Gestoße der menschlichen Menge nicht ertragen konnte; er hatte nicht die Stärke zu kämpfen und bezeichnete daher den Kampf als vulgär. Er war eitel, und da ihn seine Freunde nicht in seiner Eigenart akzeptieren wollten, tröstete er sich damit, diese Freunde zu verachten. Philips Muster war Hayward, blond, schlaff, jetzt bereits zu dick und ziemlich kahlköpfig, hegte er noch immer die Überreste seines guten Aussehens und hatte vor, in einer ungewissen Zukunft auserlesene Dinge zu tun; und den Hintergrund zu all dem bildeten Whisky und vulgäre Liebesabenteuer. In Reaktion auf Hayward schrie Philip nach dem Leben, wie es eben war; Gemeinheit, Laster und Häßlichkeit verletzten ihn nicht; er erklärte, daß er Menschen in ihrer Nacktheit wollte, und er rieb sich die Hände, wenn er mit Niedrigkeit, Grausamkeit, Egoismus und Wollust konfrontiert wurde: das war das wirkliche Leben. In Paris hatte er gelernt, daß es weder Häßlichkeit noch Schönheit, sondern nur Wahrheit gab: das Suchen nach Schönheit war sentimental.

Aber hier kam ihm eine Ahnung von neuen Dingen. Er war, wenn auch zögernd, seit einiger Zeit auf dem Weg dahin, jetzt aber erst kam ihm diese Tatsache zu Bewußtsein. Er spürte, daß ihm eine neue Entdeckung bevorstand. Er hatte ein unbestimmtes Gefühl, daß es etwas Besseres gab als den Realismus, den er bisher verehrt hatte, keineswegs aber war es der blutlose Idealismus, der sich – aus Schwachheit – abseits vom Strom des Lebens stellte. Es war zu stark, es war zu männlich, es nahm das Leben in all seiner Lebenskraft, Schönes und Häßliches, Gemeines und Hochherziges hin, es war noch Realismus, aber Realismus auf höherer Ebene, wo die Tatsachen durch das lebendigere Licht, durch das sie geschaut werden, verwandelt erscheinen. Es schien ihm, als sähe er die Dinge durch die ernsten Augen dieser toten Edelleute von Kastilien tiefer. Die Gebärden der Heiligen, die ihm erst wild und verzerrt erschienen waren, bekamen jetzt einen geheimnisvollen Sinn. Was es war, hätte er nicht sagen können.

Er war im Tiefsten beunruhigt. Er sah die Wahrheit auftauchen, wie man eine Gebirgskette beim Aufzucken der Blitze in stürmisch dunkler Nacht sehen mag. Es schien ihm, als erkenne er, daß der Mensch sein Schicksal nicht dem Zufall anheimzugeben brauchte, daß vielmehr sein Wille mächtig war; es schien ihm, als sähe er, daß Selbstbeherrschung genauso leidenschaftlich und aktiv sein kann wie die Hingabe an eine Leidenschaft. Es schien ihm, daß das innere Leben so mannigfaltig reich an Erfahrung und Abwechslung sein kann wie das Leben dessen, der Königreiche erobert und unbekannte Länder entdeckt.


Die Unterhaltung zwischen Philip und Athelny wurde durch Getrappel auf der Treppe unterbrochen. Athelny öffnete den Kindern, die vom Sonntagsgottesdienst zurückkehrten; sie kamen lachend und lärmend herein. Heiter fragte er sie, was sie gelernt hatten, Sally erschien auf einen Augenblick, um ihrem Vater von der Mutter auszurichten, daß er sich mit den Kindern abgeben möchte, während sie den Tee bereite. Athelny fing an, ihnen eine Geschichte von Andersen zu erzählen. Es waren keine schüchternen Kinder, und sie fanden bald heraus, daß sie vor Philip keine Furcht zu haben brauchten. Jane kam zu ihm, und es dauerte nicht lange, so saß sie auf seinen Knien. Es war das erstemal in seinem Leben, daß Philip im Kreis einer Familie weilte. Seine Augen lächelten, als sie auf den hübschen Kindern ruhten, die ganz vertieft dem Märchen zuhörten. Das Leben seines neuen Freundes, das auf den ersten Blick so exzentrisch wirkte, schien jetzt die Schönheit vollkommener Natürlichkeit zu besitzen. Sally kam wieder herein.

»Kinder, kommt! Der Tee ist fertig«, sagte sie.

Jane glitt von Philips Knien, und sie gingen alle in die Küche zurück. Sally deckte den langen spanischen Tisch.

»Mutter läßt fragen, ob sie mit euch Tee trinken soll«, sagte sie. »Ich kann die Kinder versorgen.«

»Sag deiner Mutter, daß es uns eine große Ehre ist, wenn sie uns die Gunst erweisen will, uns Gesellschaft zu leisten«, sagte Athelny.

Philip schien es, als könnte er nichts ohne rhetorische Schnörkel sagen.

»Dann will ich für sie aufdecken«, sagte Sally.

Gleich darauf kam Sally wieder und brachte ein Tablett mit einem Landbrot, einem Stück Butter und einem Topf Erdbeermarmelade herein. Während sie die Sachen auf den Tisch stellte, neckte ihr Vater sie. Er sagte, es wäre höchste Zeit, daß sie ausginge. Er sagte Philip, daß sie sehr stolz sei und nichts mit den Verehrern zu tun haben wolle, die zwei und zwei draußen vor der Türe der Sonntagsschule aufgereiht stünden und begierig auf die Gunst warteten, sie nach Hause begleiten zu dürfen.

»Du redest was zusammen, Vater«, sagte Sally mit ihrem langsamen, gutartigen Lächeln.

»Wenn man sie so sieht, sollte man nicht glauben, daß ein Schneidergeselle sich zum Militär gemeldet hat, weil sie seinen Gruß nicht erwiderte, und daß ein Elektriker – jawohl, ein Elektrotechniker – zu trinken anfing, weil sie ihm nicht erlauben wollte, daß er in der Kirche mit in ihr Gebetbuch hineinsah. Mir graut vor dem Gedanken, was wohl alles passieren wird, wenn sie erst einmal die Haare aufgesteckt tragen wird.«

»Mutter bringt den Tee selbst mit«, sagte Sally.

»Sally hört nie auf mich«, lachte Athelny und sah sie mit zärtlichen, stolzen Augen an. »Sie geht ihrer Arbeit nach und kümmert sich nicht um Krieg, Revolution oder Sintflut. Was für eine Frau sie einmal einem anständigen Mann sein wird!«

Mrs. Athelny brachte den Tee herein. Sie setzte sich hin und machte Butterbrote zurecht. Es belustigte Philip, mit anzusehen, daß sie ihren Mann so behandelte, als wäre er ein Kind. Sie strich ihm Marmelade aufs Brot und schnitt ihm eßgerechte Häppchen zurecht. Sie hatte den Hut abgesetzt und sah nun in ihrem Sonntagskleid, das ihr ein wenig eng war, wie eine der Bauernfrauen aus, die Philip, als er noch ein kleiner Junge war, gelegentlich mit seinem Onkel aufzusuchen pflegte. Dann wurde ihm auch plötzlich klar, warum der Klang ihrer Stimme ihm so vertraut vorkam. Sie sprach gerade so wie die Leute in der Gegend von Blackstable.

»Aus welcher Gegend kommen Sie?« fragte er sie.

»Ich stamme aus Kent. Ich komme von Ferne.«

»Das habe ich mir fast gedacht. Mein Onkel ist Vikar in Blackstable.«

»Das ist aber wirklich spaßig«, sagte sie. »Ich dachte gerade in der

Kirche darüber nach, ob Sie etwa ein Verwandter Mr. Careys sein könnten. Ich habe ihn manchmal gesehen. Eine meiner Kusinen hat Mr. Barker, von Roxley Farm, drüben bei der Kirche von Blackstable, geheiratet, und ich bin öfters da zu Besuch hingegangen, als ich ein Mädchen war. Ist das nicht komisch?«

Sie sah ihn mit neu erwachtem Interesse an, und in ihre verblühten Augen trat ein Glanz. Sie fragte ihn, ob er Ferne kenne. Es war ein hübsches Dorf, etwa zehn Meilen von Blackstable landeinwärts, und der Vikar war manchmal zum Erntedankfest nach Blackstable gekommen. Sie nannte die Namen verschiedener Landwirte aus der Nachbarschaft. Sie war entzückt, daß sie wieder einmal vom Land reden konnte, in dem sie ihre Jugend verlebt hatte, und es bereitete ihr Freude, sich Szenen und Menschen zu vergegenwärtigen, die ihr aus jener Zeit tief im Gedächtnis geblieben waren. Es erweckte auch in Philip ein seltsames Gefühl. Es war, als wehe ein Luftzug vom freien Lande in den getäfelten Raum mitten in London hinein, als sähe er die fetten Felder von Kent mit den stattlichen Ulmen, und seine Nasenflügel weiteten sich vor dem Geruch dieser Luft, die gesättigt ist mit dem Salze der Nordsee, das sie scharf und schneidend macht.

Philip ging erst gegen zehn von den Athelnys fort. Die Kinder kamen um acht herein, um gute Nacht zu sagen, und reichten ganz natürlich Philip ihre Gesichter hin, um sich küssen zu lassen. Er hatte sie bereits ins Herz geschlossen. Nur Sally reichte ihm die Hand.

»Sally küßt Herren nie, ehe sie sie nicht zweimal gesehen hat«, sagte ihr Vater.

»Dann müssen Sie mich schon noch mal einladen«, sagte Philip.

»Sie müssen auf das, was Vater sagt, nicht hören«, bemerkte Sally mit einem Lächeln.

»Sie ist eine höchst beherrschte junge Frau«, fügte ihr Vater noch hinzu.

Sie aßen ihr Abendbrot, das aus Brot, Käse und Bier bestand, während Mrs. Athelny die Kinder zu Bett brachte. Als Philip dann in die Küche ging, um ihr gute Nacht zu sagen – sie saß dort und ruhte sich aus, während sie *The Weekly Despatch* las –, lud sie ihn herzlich ein, seinen Besuch zu wiederholen.

»Solange Athelny Arbeit hat, gibt es sonntags immer ein ordentliches Mittagessen«, sagte sie, »und es ist eine gute Tat, wenn Sie herkommen und sich mit ihm unterhalten.«

Am darauffolgenden Samstag erhielt Philip eine Postkarte von Athelny, worauf stand, daß man ihn morgen zum Essen erwarte. Da er jedoch fürchtete, daß Mrs. Athelny, bei ihren knappen Mitteln, es vielleicht lieber sähe, daß er ablehnte, schrieb er zurück, daß er erst zum Tee kommen könnte. Er kaufte einen großen Rosinenkuchen, damit seine Bewirtung nichts kosten sollte. Die gesamte Familie war höchst erfreut, ihn wiederzusehen, und der mitgebrachte Kuchen eroberte ihm die Kinder völlig. Er bestand darauf, daß sie alle zusammen ihren Tee in der Küche einnahmen, und die Mahlzeit war voll Trubel und Fröhlichkeit.

Philip gewöhnte sich bald daran, jeden Sonntag zu Athelnys zu gehen. Er wurde der große Liebling der Kinder, weil er schlicht und ohne jedes Getue war und weil es klar war, daß er sie liebhatte. Sobald sie ihn nur an der Tür läuten hörten, steckte eines den Kopf aus dem Fenster, um sicher zu sein, daß er es war, dann kam die ganze Bande lärmend herunter, um ihn einzulassen. Sie warfen sich ihm um den Hals. Beim Tee kämpften sie um das Vorrecht, neben ihm sitzen zu dürfen. Es dauerte nicht lange, so nannten sie ihn Onkel Philip.

Athelny war sehr mitteilsam, und so erfuhr Philip Stück für Stück die verschiedenen Phasen seines Lebens. Er hatte schon viele Beschäftigungen gehabt, und es wollte Philip scheinen, als hätte er eine besondere Geschicklichkeit, aus allem, was er versuchte, eine verpfuschte Sache zu machen. Er war auf einer Teepflanzung in Ceylon gewesen, dann als Reisender für italienische Weine in Amerika; seine Stellung als Sekretär bei den Wasserwerken in Toledo war von längerer Dauer gewesen als seine sonstigen Stellungen. Er hatte sich als Journalist betätigt und als Gerichtsreporter für eine Abendzeitung gearbeitet; er war Mitherausgeber einer Zeitung in Mittelengland und Herausgeber einer andern Zeitung an der Riviera gewesen. Bei allen seinen Stellungen hatte er amüsante Anekdoten gesammelt, die er mit großer Freude an seinen eigenen erzählerischen Gaben vortrug. Er hatte eine ganze Menge gelesen; das meiste Vergnügen bereiteten ihm Bücher, die etwas außergewöhnlich waren, und er öffnete die Schleusen seines abstrusen Wissens mit kindlicher Freude über die Verwunderung seines Zuhörers. Vor etwa drei oder vier Jahren hatte ihn die äußerste Armut zur Annahme der Stellung als Presse-Agent einer großen Weißwarenfirma getrieben, und obwohl er fühlte, daß die Arbeit seiner Fähigkeiten, die er sehr hoch einschätzte, unwürdig sei, hatten ihn doch die Entschlossenheit seiner Frau und die Sorge für seine Familie dazu bewogen, daß er bei der Stange blieb.


Wenn er die Athelnys verließ, ging Philip die Chancery Lane hinunter und den Strand entlang, um einen Omnibus am Ende der Parliament Street zu nehmen. Eines Sonntags, nachdem ihre Bekanntschaft etwa sechs Wochen alt war, tat er das auch wie sonst, aber der Kennington-Bus war überfüllt. Es war Juni, aber es hatte tagsüber geregnet, und die Nacht war kalt und rauh. Er ging bis zum Piccadilly Circus, um leichter einen Platz zu bekommen; der Omnibus hielt dort am Brunnen und hatte gewöhnlich nur zwei bis drei Fahrgäste. Die Linie fuhr alle Viertelstunden, und er mußte einige Zeit warten. Er sah gedankenlos auf die Menschenmenge. Die Kneipen wurden gerade geschlossen, und es waren viele Menschen auf der Straße. Sein Geist war noch mit den Gedanken beschäftigt, die Athelny stets so wundervoll anzuregen verstand.

Plötzlich blieb ihm das Herz stehen. Er sah Mildred. Er hatte seit Wochen nicht mehr an sie gedacht. Sie überquerte die Straße an der Ecke von Shaftesbury Avenue und blieb auf der Verkehrsinsel stehen, um eine Wagenreihe vorüberzulassen. Sie paßte auf die Gelegenheit zum Weitergehen und hatte für nichts Augen. Sie trug einen großen schwarzen Strohhut mit einer Federgarnitur darauf und ein schwarzes Seidenkleid; man trug in jener Zeit Schleppen. Die Straße war frei, und Mildred kam herüber, ihre Schleppe schleifte dabei auf dem Boden nach. Dann ging sie Piccadilly hinunter. Philip folgte ihr mit aufgeregt klopfendem Herzen. Er hatte nicht den Wunsch, mit ihr zu sprechen, aber er wollte sehen, wohin sie in dieser späten Nachtstunde ging, und hätte gern einen Blick in ihr Gesicht getan. Sie ging langsam und bog in die Air Street ein. Er folgte ihr bis zur Regent Street. Dann ging sie wieder zum Circus zurück. Philip wußte nicht, was er daraus entnehmen sollte. Was mochte sie hier tun? Vielleicht erwartete sie jemanden? Er war neugierig zu erfahren, wer das sei. Sie ging an einem untersetzten Mann mit steifem Hut vorüber, der langsam in der gleichen Richtung wie sie dahinschlenderte; sie warf ihm, als sie vorüberging, von der Seite aus einen langen Blick zu. Sie ging ein paar Schritte weiter bis zu Swan und Edgar, blieb stehen und wartete, mit dem Gesicht zur Straße gekehrt. Als der Mann näherkam, lächelte sie ihn an. Der Mann starrte ihr eine Weile ins Gesicht, drehte sich um und schlenderte weiter. Jetzt verstand Philip.

Er war von Grauen überwältigt. Einen Augenblick lang fühlte er seine Beine unter sich so schwach werden, daß er kaum stehen konnte, dann ging er ihr schnell nach; er berührte sie am Arm.

»Mildred.«

Sie drehte sich heftig erschreckt um. Er glaubte bemerkt zu haben, wie sie rot wurde, aber man konnte in der Dunkelheit schlecht sehen. Eine Zeitlang standen sie einander gegenüber und sahen sich an, ohne zu sprechen. Schließlich sagte sie:

»Nett, dich zu treffen!«

Er wußte nicht, was er antworten sollte. Er war furchtbar erschüttert, und die Worte, die ihm in wilder Folge durch den Kopf jagten, kamen ihm unerträglich melodramatisch vor.

»Das ist ja furchtbar«, keuchte er, als spräche er mit sich selbst.

Sie sagte nichts, wandte sich von ihm ab und sah auf das Pflaster nieder. Er fühlte, wie sein Gesicht sich vor Jammer verkrampfte.

»Können wir nicht irgendwohin gehen, wo wir miteinander reden können?«

»Ich habe gar keine Lust zum Reden«, sagte sie mürrisch. »Kannst du mich denn nicht in Frieden lassen?«

Ihm kam plötzlich der Gedanke, daß sie vielleicht so nötig Geld brauchte, daß sie es sich nicht leisten konnte, um diese Stunde von hier fortzugehen.

»Ich habe ein paar Shilling bei mir, wenn du Geld brauchen solltest«, entfuhr es ihm rauh.

»Ich verstehe nicht, was du meinst. Ich ging hier gerade entlang, weil ich auf dem Heimweg zu meiner Wohnung war. Ich dachte eigentlich, ich würde eines der Mädchen aus dem Laden treffen, wo ich arbeite.«

»Lieber Gott, lüge doch jetzt nicht noch!« sagte er.

Dann sah er, daß sie weinte, und wiederholte seine Frage.

»Wollen wir nicht irgendwohin gehen, wo wir miteinander reden können? Kann ich nicht mit dir nach Hause gehen?«

»Nein, das geht nicht«, schluchzte sie. »Ich darf keine Herren in die Wohnung mitbringen. Wenn du willst, dann kann ich dich morgen treffen.«

Er war sicher, daß sie keine Verabredung einhalten würde. Er durfte sie nicht gehen lassen.

»Nein. Du mußt jetzt mit mir irgendwohin gehen.«

»Ich wüßte schon ein Zimmer, aber sie verlangen sechs Shilling dafür.«

»Das ist egal. Wo ist es?«

Sie gab ihm die Adresse, und er rief eine Droschke. Sie fuhren zu einer schäbigen Straße hinter dem Britischen Museum, in der Nähe von Grays Inn Road, und sie ließ den Wagen an der Ecke halten.

»Sie sehen nicht gern, daß man vorfährt«, sagte sie.

Es waren die ersten Worte, die sie miteinander sprachen, seit sie in die Droschke gestiegen waren. Sie gingen ein paar Schritte weiter, und Mildred klopfte dreimal kurz und scharf gegen eine Tür. Philip bemerkte bei dem Licht, das aus dem Fensterchen über der Tür fiel, daß ein Pappschild draußen hing, das ankündigte, hier seien Wohnungen zu vermieten. Die Tür wurde leise geöffnet, und eine ältliche, große Frau ließ sie hinein. Sie warf einen Blick auf Philip und sprach dann mit gedämpfter Stimme zu Mildred. Mildred führte Philip einen Flur entlang zu einem Hinterzimmer. Es war ganz dunkel; sie bat ihn um ein Streichholz und zündete das Gas an. Die Lampe hatte keine Glocke, und das Gas flackerte grell. Philip sah, daß sie in einem schmierigen kleinen Schlafzimmer waren, in dem eine für den Raum viel zu große Garnitur Möbel stand, die alle so angestrichen waren, als wären sie aus Eichenholz. Die Spitzengardinen waren sehr schmutzig. Der Kaminschirm war hinter einem großen Papier verborgen. Mildred ließ sich auf einen Stuhl fallen, der neben dem Kamin stand. Philip setzte sich auf den Bettrand. Er hatte ein Gefühl würgender Scham. Er sah jetzt, daß Mildreds Wangen voll dick aufgetragenem Rouge waren, die Augenbrauen schwarz nachgezogen. Sie sah jedoch dünn und krank aus. Das Rot auf den Wangen betonte die grünliche Blässe ihrer Haut noch stärker. Sie starrte regungslos den Papierschirm an. Philip wußte nicht, was er sagen sollte, und es würgte ihn in der Kehle, als wenn er weinen müßte. Er bedeckte die Augen mit der Hand.

»Mein Gott, ist das schrecklich!« stöhnte er.

»Ich weiß nicht, warum du dich so gebärdest. Ich dächte, du könntest froh sein.«

Philip antwortete nicht; nach einer Weile brach sie in Schluchzen aus.

»Du meinst doch nicht etwa, daß ich das tue, weil ich Spaß daran habe?«

»Ach, meine Liebe«, rief er, »es tut mir so leid, so furchtbar leid.«

»Das ist allerdings eine wunderbare Hilfe für mich.«

Wieder wußte Philip nichts zu sagen. Er hatte verzweifelte Angst, daß sie alles, was er sagen mochte, als Vorwurf oder Hohn auffassen könnte.

»Wo ist die Kleine?« fragte er endlich.

»Bei mir in London. Ich hatte das Geld nicht, um sie weiter in Brighton zu lassen; so mußte ich sie also zu mir nehmen. Ich habe ein Zimmer oben in Highbury Way. Ich habe ihnen gesagt, ich sei beim Theater. Es ist ein langer Weg, jeden Tag nach West End zu gehen, aber es ist selten genug, daß überhaupt jemand an Damen vermietet.«

»Wollten Sie dich im Laden nicht wieder anstellen?«

»Ich habe nirgends Arbeit finden können. Ich habe mir die Beine nach Arbeit abgelaufen. Einmal fand ich welche; aber dann blieb ich einmal eine Woche lang weg, weil mir nicht gut war, und als ich zurückkam, sagten sie, sie brauchten mich nicht mehr. Man kann es ihnen ja auch nicht übelnehmen, nicht? Sie können es sich schließlich nicht leisten, Mädchen, die nicht kräftig sind, zu beschäftigen.«

»Du siehst nicht sehr gut aus«, sagte Philip.

»Es ging mir eigentlich auch nicht gut genug, um heute auszugehen, aber ich konnte es nicht ändern, ich brauche das Geld. Ich habe an Emil geschrieben und ihm gesagt, daß ich völlig pleite bin; aber er hat den Brief überhaupt nicht beantwortet.«

»Du hättest mir doch schreiben können.«

»Das wollte ich nicht, nach allem, was geschehen ist; außerdem wollte ich nicht, daß du weißt, daß ich in Schwierigkeiten stecke. Es hätte mich nicht weiter verwundert, wenn du mir einfach gesagt hättest, ich hätt's verdient.«

»Du scheinst mich noch immer nicht gut zu kennen.«

Auf einen Augenblick kam die Erinnerung an alle Qual, die er ihretwegen durchgemacht hatte, zurück, und er fühlte sich krank, wenn er daran dachte. Aber es war nichts mehr als eine Rückerinnerung. Als er sie jetzt ansah, war ihm klar, daß er sie nicht mehr liebte. Sie tat ihm schrecklich leid; er war jedoch froh, daß er frei war. Während er sie ernst betrachtete, fragte er sich, wie er so leidenschaftlich in sie hatte vernarrt sein können.

»Du bist in jedem Sinne ein Gentleman«, sagte sie. »Du bist der einzige, der mir je begegnet ist.« Sie schwieg einen Augenblick und wurde dann rot. »Ich hasse es, dich darum bitten zu müssen, Philip, aber kannst du etwas erübrigen?«

»Glücklicherweise habe ich etwas Geld bei mir. Aber es sind leider nur zwei Pfund.«

Er gab ihr die Münzen.

»Ich zahle es dir zurück, Philip.«

»Ist schon recht.« Er lächelte. »Mach dir keine Sorge deswegen.«

Er sagte nichts von dem, was er eigentlich sagen wollte. Sie hatten geredet, als wäre die ganze Sache höchst natürlich, und es sah so aus, als wollte sie nun zu ihrem grauenvollen Leben zurückkehren und als könnte er nichts tun, um sie daran zu hindern. Sie war aufgestanden, um sich das Geld zu holen, und sie standen nun beide.

»Halte ich dich auf?« fragte sie. »Du wirst doch wahrscheinlich nach Hause wollen?«

»Nein, es hat keine Eile«, antwortete er.

»Ich bin froh, daß ich ein bißchen sitzen kann.«

Ihre Worte, mit all dem, was verborgen dahinterstand, rissen ihm das Herz entzwei, und es war grauenhaft, mit anzusehen, wie sie sich wieder müde in den Stuhl fallen ließ. Das Schweigen dauerte so lange, daß Philip sich in seiner Verlegenheit eine Zigarette anzündete.

»Es ist sehr lieb von dir, daß du mir nichts Unfreundliches gesagt hast, Philip. Ich dachte, du würdest mir wer weiß was an den Kopf werfen.«

Er sah, daß sie wieder weinte. Er erinnerte sich, wie sie damals, als Emil Miller sie verlassen hatte, zu ihm gekommen war und bei ihm geweint hatte. Die Erinnerung an ihr Leid und an seine eigene Kränkung machte das Mitleid, das er nun mit ihr fühlte, um so tiefer.

»Wenn ich nur raus könnte!« stöhnte sie. »Ich hasse es so. Ich passe nicht zu dem Leben, ich bin kein Mädchen dafür. Alles würde ich tun, wenn ich nur davon weg könnte; ein Dienstmädchen würde ich sein, wenn ich's könnte. Ach, ich wünschte, ich wäre tot.«

Aus Mitleid mit sich brach sie nun völlig zusammen. Sie schluchzte hysterisch, so daß ihr dünner Körper ganz erschüttert wurde.

»Ach, du weißt ja nicht, was das heißt. Keiner weiß es, der es nicht selbst durchgemacht hat.«

Philip war es unerträglich, sie weinen zu sehen. Ihre grauenvolle Lage – er fühlte sich wie auf der Folter.

»Armes Kind«, flüsterte er, »armes Kind!«

Er war tief bewegt. Plötzlich kam ihm eine Eingebung. Er war ganz hingerissen vor Glück.

»Hör zu, wenn du wirklich gern davon fort möchtest – ich habe eine Idee. Ich bin zwar gerade jetzt furchtbar knapp und muß so sparsam wirtschaften wie nur irgend möglich, aber ich habe eine kleine Wohnung in Kennington, und da ist ein Zimmer frei. Wenn du also willst, kannst du mit dem Kind dort wohnen. Ich zahle der Frau drei und einen halben Shilling die Woche, damit sie mir die Wohnung ein bißchen sauberhält und gelegentlich etwas kocht. Das könntest du übernehmen, und das Essen für dich kann nicht mehr kosten, als was ich an der Frau spare. Es kommt nicht viel teurer, für zwei als für einen zu wirtschaften, und die Kleine ißt doch wahrscheinlich nicht viel.«

Sie hörte mit Weinen auf und sah ihn an.

»Soll das heißen, daß du mich wirklich wieder aufnehmen willst, nach all dem, was inzwischen geschehen ist?«

Philip wurde ein bißchen rot vor Verlegenheit, denn er wußte nicht, was er darauf sagen sollte.

»Ich möchte kein Mißverständnis. Ich gebe dir nur das Zimmer, das mich ja nichts kostet, und das Essen. Ich erwarte von dir nicht mehr und nicht weniger, als was die Frau, die ich habe, tut. Darüber hinaus will ich jedoch nichts von dir. Ich denke doch, daß du für den Zweck gut genug kochen kannst.«

Sie sprang auf die Füße und wollte gerade auf ihn zukommen.

»Du bist gut zu mir, Philip.«

»Nein, bleib bitte da, wo du bist«, sagte er schnell und streckte dabei den Arm aus, als wollte er sie von sich fortschieben.

Er wußte nicht, warum, aber er konnte den Gedanken, daß sie ihn jetzt berühren würde, nicht ertragen.

»Ich will dir nichts weiter sein als ein Freund.«

»Du bist gut zu mir«, wiederholte sie. »Wirklich gut.«

»Heißt das, du willigst ein?«

»Ach ja, ich täte alles, nur um hier wegzukommen. Du wirst es nie zu bereuen haben, Philip, nie. Wann darf ich kommen, Philip?«

»Am besten morgen.«

Plötzlich brach sie wieder in Tränen aus.

»Um Himmels willen, warum weinst du denn nun schon wieder?«

»Ich bin dir so dankbar. Ich weiß nicht, wie ich das je vergelten kann.«

»Das ist schon recht. Du gehst jetzt wohl am besten nach Hause.«

Er schrieb ihr seine Adresse auf und sagte ihr, daß er sich bereithalten würde, wenn sie um halb sechs käme. Es war inzwischen so spät geworden, daß er zu Fuß nach Hause gehen mußte. Aber der Weg kam ihm gar nicht lang vor, denn er war wie berauscht vor Entzücken; es war ihm, als schwebte er.

Am nächsten Morgen stand er frühzeitig auf, um das Zimmer für Mildred herzurichten. Er sagte der Frau, die ihn betreut hatte, daß er sie von jetzt ab nicht mehr brauche. Mildred kam gegen sechs. Philip hatte sie vom Fenster aus gesehen und ging hinunter, um ihr aufzumachen und das Gepäck heraufzutragen zu helfen: es bestand jetzt nur noch aus drei großen, in Packpapier verschnürten Paketen, denn sie hatte alles verkaufen müssen, was sie nicht unbedingt brauchte. Sie hatte das gleiche schwarze Seidenkleid an wie in der letzten Nacht, und obwohl sie jetzt kein Rouge aufgelegt hatte, war sie rund um die Augen doch noch ziemlich schwarz, da eine oberflächliche Morgenwäsche nicht alles entfernt hatte. Es war eine rührende Gestalt, die da mit dem Baby im Arm aus der Droschke stieg. Sie schien ein wenig scheu, und sie wußten nur ein paar banale Worte miteinander zu sprechen.

»Da bist du also.«

»Ich habe in diesem Viertel hier noch nie gewohnt.«

Philip zeigte ihr das Zimmer. Es war dasselbe, in dem Cronshaw gestorben war. Philip war nie gerne hineingegangen, obwohl er sich selber lächerlich dabei vorkam. Seit Cronshaws Tod war er in dem kleinen Zimmer wohnen geblieben, in das er damals übersiedelt war, damit sein Freund es behaglich haben sollte. Er schlief auf einem einfachen Feldbett. Die Kleine schlief ruhig.

»Du wirst sie vermutlich gar nicht wiedererkennen«, sagte Mildred.

»Ich habe sie, seit wir sie damals nach Brighton brachten, nicht mehr gesehen.«

»Wo soll ich sie hinlegen? Sie ist so schwer; ich kann sie nicht lange tragen.«

»Eine Wiege habe ich leider nicht«, sagte Philip mit etwas nervösem Lachen.

»Ach, sie kann bei mir schlafen. Das haben wir immer getan.«

Mildred legte das Kind in einen Lehnstuhl und sah sich im Zimmer um. Sie erkannte die meisten Sachen wieder, die sie von seinen alten Wohnungen her schon kannte. Nur etwas war neu, ein Brustbild, das Lawson von Philip Ende vorigen Sommers gemalt hatte. Mildred betrachtete es kritisch.

»In mancher Hinsicht mag ich es gern, in anderer wieder nicht. In Wirklichkeit bist du hübscher, glaube ich.«

»Das ist das erstemal«, lachte Philip, »daß ich von dir höre, ich wäre überhaupt hübsch.«

»Ich gehöre nicht zu denen, die sich über die Schönheit eines Mannes große Gedanken machen. Ich kann hübsche Männer eigentlich nicht leiden. Sie sind mir zu eingebildet.«

Ihre Augen wanderten umher und suchten instinktiv nach einem Spiegel; aber es war keiner vorhanden. Sie hob ihre Hand und strich ihre langen Ponies glatt.

»Was werden die Leute hier im Haus dazu sagen, daß ich da bin?« fragte sie plötzlich.

»Ach, hier wohnt nur ein Mann mit seiner Frau. Er ist den ganzen Tag über fort. Und sie sehe ich nie, nur samstags, wenn ich die Miete bezahlen gehe. Ich habe noch mit keinem von ihnen, seit ich hier bin, mehr als zwei Worte gewechselt.«

Mildred ging in das Schlafzimmer, um ihre Sachen auszupacken und einzuordnen. Philip versuchte zu lesen, aber er war zu vergnügt dazu. Er lehnte sich im Stuhl zurück, rauchte eine Zigarette und sah mit lächelnden Augen auf das Kind. Er fühlte sich sehr glücklich. Er war völlig sicher, daß er nicht mehr in Mildred verliebt war. Es wunderte ihn, daß das alte Gefühl ihn so völlig verlassen hatte; er entdeckte sogar einen gelinden physischen Widerwillen gegen sie in sich und meinte, er würde eine Gänsehaut bekommen, wenn er sie auch nur anfassen müßte. Er konnte sich nicht verstehen. Bald darauf klopfte es, und sie kam herein.

»Hör mal, klopfen brauchst du nicht«, sagte er. »Hast du dich auch schon überall in diesem Palast umgesehen?«

»Das ist die kleinste Küche, die mir je untergekommen ist.«

»Du wirst sie für unsere verschwenderischen Mahlzeiten groß genug finden«, entgegnete er leichthin.

»Ich habe schon gesehen, es ist nichts da. Es ist wohl am besten, wenn ich einkaufen gehe.«

»Ja. Aber darf ich dich daran erinnern, daß wir verteufelt sparsam sein müssen?«

»Was soll ich zum Abendessen besorgen?«

»Das beste wird sein, du holst das, was du nachher auch kochen kannst«, lachte Philip.

Er gab ihr etwas Geld, und sie ging fort. Sie kam eine halbe Stunde später zurück und legte ihre Einkäufe auf den Tisch. Sie war vom Treppensteigen ganz außer Atem.

»Bist du aber blutarm!« sagte Philip. »Ich werde dir Blauds Pillen geben müssen.«

»Es hat ein wenig lange gedauert, ehe ich die Läden finden konnte. Ich habe etwas Leber gekauft. Die schmeckt gut, nicht wahr? Und viel kann man davon nicht essen; infolgedessen ist es billiger als anderes Fleisch.«

In der Küche war ein Gasherd, und nachdem Mildred die Leber aufgesetzt hatte, kam sie ins Wohnzimmer zurück, um den Tisch zu decken.

»Warum deckst du nur für eine Person?« fragte Philip. »Willst du denn nichts essen?«

Mildred wurde rot.

»Ich dachte, du sähest es vielleicht nicht gern, daß ich mit dir zusammen esse.«

»Warum denn, um Himmels willen?«

»Weil ich doch nur als Dienstmädchen hier bin.«

»Sei kein Esel. Wie kann man bloß so dumm sein.«

Er lächelte, aber ihr demütiges Wesen zog ihm das Herz seltsam zusammen. Armes Ding. Er erinnerte sich wohl, was sie zuerst gewesen war, als er sie kennenlernte. Er zögerte einen Augenblick.

»Glaub nicht etwa, daß ich dir eine Wohltat erweise«, sagte er. »Es ist eine einfache Geschäftsabmachung. Ich gebe dir Essen und Wohnung als Gegenleistung für deine Arbeit. Du schuldest mir nichts. Und da ist nichts Demütigendes für dich dabei.«

Sie antwortete nicht, aber die Tränen liefen ihr über die Backen. Philip wußte aus seiner Erfahrung im Krankenhaus, daß Frauen ihrer Schicht Bedienung als etwas Erniedrigendes ansahen. Ohne daß er es wollte, erwachte ein Gefühl der Ungeduld gegen sie in ihm; aber er schalt sich, denn sie war eben krank und müde. Er stand auf und half ihr, noch ein Gedeck aufzulegen. Die Kleine war inzwischen wach geworden, und Mildred hatte ihr schon einen Brei zurechtgemacht. Leber und Speck waren fertig, und sie setzten sich hin. Der Sparsamkeit wegen trank Philip nur Wasser, aber er hatte eine halbe Flasche Whisky im Hause und meinte, es würde Mildred guttun, ein bißchen davon zu trinken. Er versuchte, das Abendessen nach besten Kräften vergnügt zu gestalten, aber Mildred war matt und erschöpft. Als sie fertig waren, stand sie auf, um die Kleine zu Bett zu bringen.

»Ich glaube, für dich ist es auch am besten, wenn du zeitig schlafen gehst«, sagte Philip. »Du siehst völlig erledigt aus.«

»Das werde ich wohl auch tun, wenn ich abgewaschen habe.«

Philip zündete sich die Pfeife an und begann zu lesen. Es war ein angenehmes Gefühl, nebenan jemanden sich bewegen zu hören. Seine Einsamkeit hatte ihn manches Mal bedrückt. Mildred kam und räumte ab; dann hörte er Tellergeklapper, als sie abwusch. Philip mußte bei dem Gedanken lächeln, daß sie das alles im schwarzen Seidenkleid

tat; es war so typisch für sie. Aber er hatte zu arbeiten und holte
sich ein Buch. Bald darauf erschien Mildred und rollte sich die Ärmel
herunter. Philip sah sie mit gleichgültigem Blick an, regte sich aber
nicht weiter. Es war eine eigenartige Situation, und er war ein wenig
nervös. Er fürchtete, daß Mildred sich einbilden könnte, er würde
sie belästigen, und wußte nicht recht, wie er sie darüber beruhigen
sollte, ohne brutal zu erscheinen.

»Übrigens habe ich um neun eine Vorlesung; ich hätte also gern
um viertel neun mein Frühstück. Geht das?«

»O ja. Als ich noch in Parliament Street war, mußte ich jeden
Morgen früh um acht Uhr zwölf mit dem Zug von Herne Hill weg.«

»Ich hoffe, du wirst dich in deinem Zimmer behaglich fühlen. Du
wirst wieder eine andere Frau sein, wenn du erst einmal eine ganze
Nacht gut geschlafen hast.«

»Du arbeitest wahrscheinlich bis spät?«

»Ich arbeite gewöhnlich bis gegen elf, halb zwölf.«

»Dann also: Gute Nacht.«

»Gute Nacht.«

Der Tisch stand zwischen ihnen. Er bot ihr nicht die Hand zum
Gutenachtsagen. Sie schloß die Tür still hinter sich. Er hörte, wie sie
im Schlafzimmer umherging, und nach einer Weile hörte er, wie das
Bett knarrte, als sie sich niederlegte.


Der folgende Tag war ein Dienstag. Philip schlang wie gewöhnlich
eilig sein Frühstück hinunter und raste davon, um um neun in der
Vorlesung zu sein. Er konnte nur eben ein paar Worte mit Mildred
wechseln. Als er am Abend nach Hause kam, saß sie am Fenster und
stopfte seine Socken.

»Du bist ja wirklich fleißig«, sagte er lächelnd. »Was hast du den
Tag über getrieben?«

»Oh, erst habe ich einmal gründlich saubergemacht, und dann habe
ich die Kleine ein bißchen an die frische Luft gebracht.«

Sie trug ein altes schwarzes Kleid, das gleiche, das sie als Dienstkleidung in der Teestube getragen hatte; es war schäbig, aber sie sah
darin besser aus als in dem seidenen, das sie am Tag vorher angehabt
hatte. Das Kind saß auf dem Boden. Es sah Philip mit großen, geheimnisvollen Augen an und lachte auf, als Philip sich zu ihm setzte
und mit seinen kleinen nackten Zehen spielte. Die Nachmittagssonne
schien ins Zimmer und tauchte alles in mildes Licht.

»Es ist eigentlich nett, so nach Hause zu kommen und jemand vorzufinden. Eine Frau und ein Kind sind wirklich ein guter Schmuck für
ein Zimmer.«

Er war in der Hospitals-Apotheke gewesen und hatte Blauds Pillen geholt. Er gab sie Mildred und wies sie an, nach jeder Mahlzeit welche einzunehmen. Es war ein Mittel, an das sie gewöhnt war, denn sie hatte seit ihrem sechzehnten Jahr diese Pillen immer wieder gelegentlich nehmen müssen.

»Ich werde nicht eher ruhen, als bis du weiß und rosig wie eine Milchmagd bist«, sagte Philip.

»Ich fühle mich schon besser«, war ihre Antwort.

Nach einem einfachen Abendessen füllte sich Philip seinen Tabaksbeutel mit Tabak und setzte den Hut auf. Dienstags ging er gewöhnlich in die Taverne in Beak Street, und er war froh, daß dieser Abend so bald nach Mildreds Ankunft folgte, denn er wollte seine Beziehung zu ihr von Anfang an unmißverständlich klargestellt haben.

»Gehst du aus?« fragte sie.

»Ja. Dienstags nehme ich mir gewöhnlich den Abend frei. Ich sehe dich dann morgen. Gute Nacht.«

Philip ging immer mit Freude zur Taverne. Macalister, der philosophische Börsenmakler, war meist da und debattierte gern über jedes Thema unter der Sonne. Hayward kam regelmäßig, wenn er in London war, und obwohl er und Macalister sich gegenseitig nicht leiden konnten, trafen sie sich doch aus alter Gewohnheit einmal wöchentlich an diesem einen Abend. Macalister hielt Hayward für ein armseliges Geschöpf und spottete über seine feinen Gefühle. Der Punsch war jedenfalls gut, und beide waren ihm sehr zugetan, und am Ende des Abends vergaßen sie dann meist ihre Verschiedenheiten und hielten sich gegenseitig für großartige Kerle. An diesem Abend fand Philip sie beide bereits anwesend; auch Lawson war da. Lawson kam jetzt, da er angefangen hatte, viele Leute in London kennenzulernen, und häufig zu Tisch eingeladen war, seltener. Sie waren alle miteinander zufrieden, denn Macalister hatte ihnen einen guten Börsentip gegeben, und Hayward und Lawson hatten je fünfzig Pfund gewonnen. Für Lawson war das eine große Sache, denn er war verschwenderisch und verdiente sehr wenig: er befand sich gerade in der Phase seiner Künstlerlaufbahn, wo er von Kritikern viel beachtet wurde und wo aristokratische Damen ihm gern erlaubten, sie – umsonst – zu malen (es war für beide eine Reklame, und sie konnten sich außerdem noch als Kunstmäzene fühlen) – aber es gelang ihm nur selten, an die soliden Philister heranzukommen, die ihr gutes Geld dafür hergaben, ein Porträt ihrer Ehefrauen anfertigen zu lassen. Lawson schäumte über vor Freude.

»Das ist die famoseste Art, zu Geld zu kommen, die mir je begegnet ist. Ich brauchte keinen Shilling dafür aus der Tasche zu holen.«

»Sie haben sich dadurch, daß Sie am letzten Dienstag nicht hier waren, etwas entgehen lassen, junger Mann«, sagte Macalister zu Philip.

»Lieber Gott, warum haben Sie mir denn nicht geschrieben?« rief Philip. »Wenn Sie wüßten, wie nötig ich hundert Pfund gebrauchen könnte!«

»Dazu war keine Zeit. Man muß an Ort und Stelle sein. Ich hatte gerade am letzten Dienstag von einer guten Sache gehört, und da habe ich die Burschen hier gefragt, ob sie mal einen Versuch machen wollten. Ich habe am Mittwochmorgen tausend Aktien für sie gekauft; am Nachmittag zogen sie an, da habe ich sie gleich wieder verkauft. Fünfzig Pfund habe ich für jeden von ihnen herausgeholt, und ein paar hundert für mich.«

Philip war ganz krank vor Neid. Er hatte kürzlich seine letzte Hypothek verkauft, in der sein karges Vermögen angelegt gewesen war, und besaß jetzt nicht mehr als sechshundert Pfund. Manchmal überkam ihn panischer Schrecken, wenn er an die Zukunft dachte. Er hatte noch zwei Jahre lang davon zu leben, ehe er seine Zulassung als Arzt bekommen konnte, und dann hatte er vor, sich um eine Hospitalanstellung zu bewerben, und das bedeutete, daß er noch ein weiteres Jahr, drei also im ganzen, nichts verdienen würde. Selbst bei größter Sparsamkeit würde er dann nicht mehr als hundert Pfund übrig haben. Das war sehr wenig als Notpfennig, falls er einmal krank wurde oder nichts verdiente oder einmal ohne Arbeit wäre. Eine glückliche Spekulation würde der Sache ein anderes Gesicht geben.

»Es ist schließlich nicht so schlimm«, sagte Macalister; »es wird bestimmt bald wieder etwas geben. Irgendwann in den nächsten Tagen kommt sicher eine Hausse in Südafrikanern, und dann wollen wir mal sehen, was sich machen läßt.«

Macalister war am Kaffir-Markt und erzählte ihnen oft Geschichten von den plötzlichen Vermögen, die bei der großen Hausse vor ein, zwei Jahren gemacht worden waren.

»Also, vergessen Sie's nicht beim nächsten Mal.«

Sie saßen zusammen und schwatzten bis kurz vor Mitternacht. Philip, der am weitesten entfernt wohnte, ging als erster. Als er nach oben kam, fand er Mildred noch in seinem Lehnsessel sitzend.

»Um Himmels willen, warum bist du denn noch nicht im Bett?« rief er.

»Ich war nicht müde.«

»Du hättest aber trotzdem schlafen gehen sollen. Es würde dir guttun.«

Sie bewegte sich nicht. Er bemerkte, daß sie sich umgezogen hatte, denn sie trug ihr schwarzes Seidenkleid.

»Ich dachte, es wäre vielleicht besser, wenn ich aufbliebe, falls du noch etwas wünschen solltest.«

443

Sie sah ihn an, und um ihre dünnen bleichen Lippen spielte der Anflug eines Lächelns. Philip war sich nicht klar, ob er es richtig verstand. Er war etwas verlegen, zwang sich jedoch zu einem sachlich heiteren Ausdruck.

»Das ist sehr nett von dir, aber auch sehr dumm. Geh so schnell wie möglich zu Bett, sonst kannst du morgen früh nicht aufstehen.«

»Mir ist aber nicht nach Schlafengehen zumute.«

»Unsinn«, sagte er kalt.

Sie stand ein bißchen mürrisch auf und ging in ihr Zimmer. Er lächelte, als er sie laut die Tür zuriegeln hörte.

Die nächsten Tage verliefen ohne Zwischenfall. Mildred richtete sich in ihrer neuen Umgebung häuslich ein. Wenn Philip nach dem Frühstück davongeeilt war, hatte sie den ganzen Vormittag für sich, um die Hausarbeiten zu erledigen. Sie aßen sehr einfach, aber sie nahm sich gern Zeit, um die paar Sachen, die sie brauchten, einzukaufen. Sie nahm sich nicht die Mühe, sich mittags etwas zu kochen; sie machte sich etwas Kakao und aß Butterbrote dazu; dann fuhr sie die Kleine im Kinderwagen aus, und nachher, wenn sie zurückkamen, faulenzte sie den Rest des Nachmittages. Sie war übermüdet, und es paßte ihr, so wenig zu tun zu haben. Sie schloß Freundschaft mit Philips abweisender Wirtin, als sie ihr die Miete zahlen ging, was Philip ihr übertragen hatte, und innerhalb einer Woche konnte sie ihm mehr von den Nachbarsleuten erzählen, als er selbst im Verlauf eines Jahres erfahren hatte.

»Sie ist eine sehr nette Frau«, sagte Mildred. »Ganz Dame. Ich habe ihr gesagt: wir sind verheiratet.«

»War das nötig?«

»Ich mußte ihr doch schließlich etwas sagen. Es sieht doch schließlich sehr komisch aus, daß ich hier bin, ohne mit dir verheiratet zu sein. Ich wußte nicht, was sie von dir denken soll.«

»Ich nehme kaum an, daß sie dir auch nur einen Augenblick geglaubt hat.«

»Das hat sie allerdings. Ich habe ihr gesagt, daß wir schon zwei Jahre verheiratet sind – das mußte ich schon, wegen des Kindes –, bloß deine Leute hätten nichts davon hören wollen, weil du nur Student warst, und deshalb hätten wir es geheimhalten müssen; aber sie hätten jetzt nachgegeben, und wir würden alle hinfahren und über den Sommer bei ihnen bleiben.«

»Im Erzählen von Lügengeschichten bist du Meisterin«, sagte Philip.

Es irritierte ihn irgendwie, daß Mildred noch immer diese Leidenschaft für Flunkereien hatte. Sie hatte in den letzten zwei Jahren nichts dazugelernt. Aber er zuckte nur die Schultern.

›Schließlich und endlich‹, sagte er sich, ›hat sie nicht viel Gelegenheit gehabt, anders zu sein.‹

Es war ein herrlicher Abend, warm und völlig wolkenlos; die ganze Bevölkerung von Süd-London schien sich auf die Straßen ergossen zu haben. Es war eine Unruhe in der Luft, die die armen Londoner Teufel manchmal packt, wenn ein Wetterumschlag sie ins Freie lockt. Nachdem Mildred den Abendbrottisch abgeräumt hatte, stellte sie sich ans Fenster. Die Geräusche der Straße kamen zu ihnen herauf, der Lärm der Menschen, die einander zuriefen, des vorbeiratternden Verkehrs, eines Leierkastens in der Ferne.

»Du mußt wohl heute abend arbeiten, Philip?« fragte sie mit einem wehmütigen Ausdruck.

»Ich sollte wohl; aber ich weiß nicht, ob ich muß. Warum? Möchtest du gern, daß ich etwas anderes tue?«

»Ich möchte so gern ein bißchen hinausgehen. Könnten wir nicht oben auf dem Omnibus ein Stück spazierenfahren?«

»Wenn du gern möchtest.«

»Ich gehe nur eben und setz mir den Hut auf«, sagte sie strahlend.

Es war fast unmöglich, an einem solchen Abend im Zimmer zu bleiben. Die Kleine schlief, man konnte sie unbesorgt allein lassen; Mildred sagte, sie hätte sie immer nachts allein gelassen, wenn sie wegging, sie wäre nie aufgewacht. Sie war sehr vergnügt, als sie mit dem Hut auf dem Kopf zurückkam. Sie hatte die Gelegenheit wahrgenommen, ein bißchen Rouge aufzulegen. Philip meinte, die Erregung hätte ihre blassen Wangen leicht gefärbt. Ihr kindliches Entzücken rührte ihn, und er machte sich wegen der strengen Art, mit der er sie behandelt hatte, Vorwürfe. Sie lachte, als sie ins Freie traten. Der erste Bus, den sie sahen, ging nach Westminster Bridge, und sie stiegen ein. Philip rauchte seine Pfeife, und sie sahen auf die bevölkerte Straße hinunter. Die Geschäfte waren offen, fröhlich beleuchtet, und die Leute kauften für den nächsten Tag ein. Sie kamen an einem Varieté vorbei, und Mildred rief aus:

»O Philip, laß uns hier hineingehen. Ich bin seit Monaten in keinem Varieté gewesen.«

»Wir können uns keine Logenplätze leisten, das weißt du.«

»Ach, das macht nichts. Ich bin genauso glücklich auf dem Rang.«

Sie erhielten wunderbare Sitze für einen halben Shilling pro Person. Mildreds Augen strahlten. Sie amüsierte sich königlich. Es war eine Einfältigkeit des Geistes an ihr, die Philip rührte. Sie war ihm ein Rätsel. Gewisse Dinge an ihr gefielen ihm noch, und er dachte, es wäre doch vieles in ihr, was gut war: sie hatte eine schlechte Erziehung gehabt, und ihr Leben war hart gewesen. Unter anderen Verhältnissen hätte sie vielleicht ein entzückendes Mädchen sein können. Sie besaß keinerlei Eignung für den Lebenskampf. Als er sie so im

Profil, mit leicht geöffnetem Mund und zart rot überhauchten Wangen ansah, schien sie ihm seltsam jungfräulich. Er fühlte ein überwältigendes Erbarmen für sie, und so vergab er von ganzem Herzen, daß sie über ihn so viel Elend gebracht hatte. Philips Augen brannten in der raucherfüllten Luft; aber als er vorschlug, daß sie gehen sollten, sah sie ihn mit so flehenden Augen an und bat, doch bis zum Ende zu bleiben, daß er nicht widerstehen konnte und lächelnd einwilligte. Sie nahm seine Hand und hielt sie bis zum Ende der Vorstellung. Als sie mit dem Publikum in die belebten Straßen hinausströmten, hatte sie keine Lust nach Hause zu gehen; sie wanderten die Westminster Bridge Road entlang und beobachteten die Menge.

»So viel Spaß habe ich seit Monaten nicht mehr gehabt«, sagte sie.

Philip war das Herz ganz voll, und er war dem Schicksal dankbar, das ihm die plötzliche Eingebung geschenkt hatte, Mildred und die Kleine in seiner Wohnung aufzunehmen. Endlich wurde sie doch müde, und sie sprangen auf eine Elektrische, um nach Hause zu fahren. Es war inzwischen spät geworden, und als sie abstiegen und in ihre Straße einbogen, war alles menschenleer. Sie hängte sich in seinem Arm ein.

»Es ist wie in alter Zeit, Phil«, sagte sie.

Sie hatte ihn nie vorher Phil genannt; so hatte Griffith ihn genannt, und selbst jetzt versetzte es ihm einen seltsamen Stich. Er dachte daran, wie gern er damals hätte sterben wollen. So lange schien das alles her. Er lächelte über sein eigenes vergangenes Selbst. Jetzt fühlte er nichts mehr für Mildred als unendliches Mitleid. Sie erreichten das Haus, und Philip zündete, als sie in das Wohnzimmer kamen, die Gaslampe an.

»Ist das Kind in Ordnung?« fragte er.

»Ich gehe eben mal nachsehen.«

Als sie zurückkam, war es nur, um ihm zu sagen, daß es sich, seit sie weggegangen waren, überhaupt nicht geregt habe. Es war ein prachtvolles Kind. Philip reichte ihr die Hand hin.

»Dann also: Gute Nacht.«

»Willst du denn wirklich schon schlafen gehen?«

»Es ist beinahe eins. Ich bin nicht mehr an spätes Schlafengehen gewöhnt«, sagte Philip.

Sie nahm seine Hand und sah ihm mit einem leichten Lächeln in die Augen, während sie sie festhielt.

»Phil, damals, in dem Zimmer, als du mir sagtest, ich sollte herkommen und bei dir wohnen, da habe ich nicht das gemeint, was du dachtest, als du sagtest, du wolltest nichts weiter von mir, als daß ich für dich koche und so.«

»So?« antwortete Philip und zog seine Hand zurück. »Ich aber.«

»Sei doch nicht so dumm«, sagte sie lachend.

Er schüttelte den Kopf.

»Ich habe es ganz ernsthaft so gemeint. Ich hätte dich unter keinen andern Bedingungen eingeladen, hier zu wohnen.«

»Wieso nicht?«

»Ich könnte nicht. Ich kann dir das nicht erklären, aber es würde alles verderben.«

Sie zuckte die Achseln.

»Na, also schön, wie du willst. Ich werde nicht auf den Knien darum betteln.«

Sie ging aus dem Zimmer und warf die Tür hinter sich zu.


Am nächsten Morgen war Mildred mürrisch und wortkarg. Sie blieb auf ihrem Zimmer, bis es Zeit war, das Abendessen anzurichten. Sie war eine schlechte Köchin und konnte eigentlich außer Schnitzel und Steaks nichts machen; außerdem hatte sie keine Ahnung davon, wie man Reste verwertete, so daß Philip mehr Geld ausgeben mußte, als er erwartet hatte. Als sie aufgetragen hatte, nahm sie ihren Platz Philip gegenüber ein. Aber sie aß nichts; er sagte etwas darüber, und sie meinte, sie hätte Kopfweh und wäre nicht hungrig. Er war froh, daß er den Rest des Tages woanders hingehen konnte: die Athelnys waren aufmunternd und freundlich. Es war ein wunderbarer Gedanke, daß dort jeder einzelne sich auf seinen Besuch freute. Mildred war, als er zurückkam, bereits zu Bett gegangen, aber am nächsten Morgen war sie noch immer schweigsam. Beim Abendessen saß sie mit einem hochmütigen Ausdruck im Gesicht und gerunzelter Stirn da. Es machte Philip ungeduldig, er sagte sich jedoch, daß er Rücksicht auf sie nehmen müsse; er fühlte sich verpflichtet, Nachsicht zu üben.

»Du bist sehr still«, sagte er mit freundlichem Lächeln.

»Ich kriege meinen Lohn fürs Kochen und Reinemachen. Ich habe nicht gewußt, daß ich auch noch reden soll.«

Er fand ihre Antwort sehr wenig liebenswürdig, aber schließlich mußte er, wenn sie zusammen leben wollten, alles tun, was er nur konnte, um Schwierigkeiten aus dem Wege zu räumen.

»Ich fürchte, du bist mir böse wegen neulich nacht«, sagte er.

Es war ihm peinlich, darüber zu sprechen, aber anscheinend war dies nötig.

»Ich verstehe nicht, was das heißen soll«, antwortete sie.

»Bitte sei mir nicht böse. Ich hätte dich jedoch niemals aufgefordert, herzukommen und hier zu wohnen, wenn ich nicht gemeint hätte, daß unsere Beziehungen rein freundschaftlicher Natur sein sollten.«

»Bild dir bloß nicht ein, daß mir das was ausmacht.«

»Das tue ich auch nicht«, beeilte er sich zu sagen. »Du mußt nicht glauben, daß ich undankbar bin. Ich weiß schon, daß du es nur meinetwegen vorgeschlagen hast. Es ist nur so ein Gefühl, ich kann mir nicht helfen, es würde die ganze Sache häßlich und scheußlich machen.«

»Du bist komisch«, sagte sie und sah ihn verwundert an. »Dich kann man nicht verstehen.«

Sie war jetzt nicht mehr böse auf ihn, aber ganz verblüfft. Sie hatte keine Idee von dem, was er sagen wollte. Sie nahm die Situation einfach hin; sie hatte sogar ein unbestimmtes Gefühl, daß er sich sehr nobel benahm und daß sie ihn eigentlich dafür bewundern müßte; andererseits aber fand sie ihn lächerlich und verachtete ihn sogar ein wenig.

›Er ist ein wunderlicher Kauz‹, dachte sie.

Das Leben ging glatt und reibungslos weiter. Philip verbrachte den ganzen Tag im Hospital und arbeitete abends zu Hause, wenn er nicht gerade einmal zu den Athelnys oder in die Taverne ging. Einmal lud ihn der Arzt, dem er assistierte, zu einem feierlichen Essen ein, und zwei- oder dreimal ging er zu kleinen Gesellschaften, die die Kollegen veranstalteten. Mildred nahm die Monotonie ihres Lebens hin. Wenn sie etwas dagegen einzuwenden hatte, daß Philip sie manchmal des Abends allein ließ, so erwähnte sie es doch nie. Gelegentlich ging er mit ihr ins Varieté. Er setzte seine Absicht durch, daß die Erledigung der häuslichen Pflichten als Gegenleistung für Wohnung und Essen das einzige Band zwischen ihnen bilden sollte. Sie hatte sich entschlossen, während des Sommers nicht nach Arbeit zu suchen, und entschied sich, mit Philips Zustimmung, bis zum Herbst da zu bleiben, wo sie war. Sie glaubte, es würde leicht sein, dann etwas Passendes zu finden.

»Meinetwegen kannst du, wenn du willst, auch nachher, wenn du Arbeit gefunden hast, hier bleiben. Das Zimmer ist da, und die Frau, die früher nach mir gesehen hat, kann wieder kommen und auf das Kleine achtgeben.«

Mildreds Kind wuchs ihm sehr ans Herz. Er hatte eine natürliche herzliche Veranlagung und wenig Gelegenheit, diese zu entfalten. Mildred war nicht unfreundlich zu dem kleinen Mädchen. Sie kümmerte sich sehr wohl um das Kind, und einmal, als es eine Erkältung hatte, bewährte sie sich als aufopfernde Kinderschwester; aber das Kind langweilte sie, und sie schrie es an, wenn es sie störte; sie hatte das Kind ganz gern, aber es fehlte ihr die mütterliche Liebe, die sie dazu hätte bringen können, sich selbst zu vergessen. Mildred ging nicht aus sich heraus, und sie hielt Gemütsbewegungen für lächerlich. Wenn Philip das Baby auf den Knien sitzen hatte, mit ihm spielte oder es küßte, lachte sie ihn aus.

»Du könntest nicht mehr Getue um sie machen, wenn du ihr eigener Vater wärst«, sagte sie. »Du bist einfach verrückt nach dem Kind.«

Philip errötete, denn er haßte es, ausgelacht zu werden. Es war natürlich töricht, sich für das Kind eines anderen Mannes so aufzuopfern, und er war ein wenig beschämt, wie sein Herz überging. Aber das Kind, das Philips Zuneigung fühlte, legte sein Gesicht gegen das seine oder schmiegte sich in seine Arme.

»Für dich ist das alles sehr nett«, sagte Mildred. »Du hast nur den angenehmen Teil davon. Wie würde es dir gefallen, mitten in der Nacht eine Stunde lang wachgehalten zu werden, weil das gnädige Fräulein nicht schlafen will?«

Philip erinnerte sich an viele Dinge aus seiner Kindheit, die er längst vergessen zu haben glaubte. Er nahm die Zehen des Babys.

»Dieses kleine Schwein ging aus, dieses kleine Schwein blieb zu Haus.«

Wenn er abends nach Hause kam und ins Wohnzimmer trat, galt sein erster Blick der Kleinen, die auf dem Boden herumkrabbelte, und es entzückte ihn, das Kind, wenn es seiner ansichtig wurde, vor Vergnügen krähen zu hören. Mildred brachte ihr bei, ihn Papa zu nennen, und sie lachte maßlos, als die Kleine es zum erstenmal von sich aus tat.

»Ich möchte mal wissen, ob du in das Kleine so vernarrt bist, weil es meins ist«, sagte Mildred, »oder ob du genauso wärst, wenn es jemand anderem gehörte.«

»Ich habe noch kein Kind von jemand anderem gekannt, folglich kann ich das nicht sagen«, entgegnete Philip.

Gegen Ende seines zweiten Semesters als Assistent in der Poliklinik ereignete sich ein kleiner Glücksfall für Philip. Es war gegen Mitte Juli. Er war eines Dienstagabends in die Taverne in der Beak Street gegangen und hatte nur Macalister dort angetroffen. Sie aßen zusammen, schwatzten über die nicht anwesenden Freunde, und nach einem Weilchen sagte Macalister:

»Ach, übrigens, ich habe heute von einer ziemlich guten Sache gehört: Neu-Kleinfontains, das ist eine Goldmine in Rhodesia. Wenn Sie mal einen Versuch machen wollen, vielleicht können Sie ein bißchen gewinnen.«

Philip hatte schon eifrigst auf eine solche Gelegenheit gewartet, jetzt aber, da sie sich bot, zögerte er. Er hatte verzweifelte Angst davor, Geld zu verlieren. Er hatte sehr wenig Spekulantenblut.

»Ich möchte so gern, aber ich weiß nicht recht, ob ich mich traue. Wieviel könnte ich denn schlimmstenfalls verlieren?«

»Ich hätte nicht davon gesprochen; Sie schienen nur so sehr dahinter«, sagte Macalister kalt.

Philip spürte, daß Macalister ihn für einen Esel hielt.

»Ich bin sehr dahinter, ein bißchen zu gewinnen«, sagte er lachend.

»Wer nichts wagt, kann nichts gewinnen.«

Macalister begann von andern Sachen zu reden, und Philip dachte, während er ihm antwortete, die ganze Zeit, daß der Börsenmakler, sofern das Abenteuer gut ausging, seinen Witz an ihm auslassen würde, wenn sie das nächstemal zusammenkämen. Macalister hatte eine sarkastische Zunge.

»Ich glaub, ich wage mal einen Versuch, wenn es Ihnen recht ist«, sagte Philip eifrig.

»Gut. Ich kaufe zweihundertundfünfzig Aktien für Sie, und bei einer Hausse von einer halben Krone verkaufe ich sie sofort wieder.«

Philip rechnete sich rasch aus, wieviel das sein würde; der Mund wurde ihm wäßrig: dreißig Pfund wären gerade jetzt ein Geschenk des Himmels, und er fand, daß das Schicksal ihm das eigentlich schuldig war. Beim Frühstück am nächsten Morgen erzählte er Mildred, was er getan hatte. Sie fand, daß es sehr dumm von ihm gewesen war.

»Ich habe noch niemanden kennengelernt, der an der Börse etwas gewonnen hat«, sagte sie.

Auf dem Heimweg kaufte Philip sich eine Abendzeitung und schlug sofort die Börsenberichte auf. Er verstand von diesen Sachen nichts und konnte die Gesellschaft, von der Macalister gesprochen hatte, nur mit Schwierigkeiten finden. Er sah, daß sie um ein Viertel gestiegen waren. Das Herz schlug ihm; eine plötzliche Furcht überkam ihn, daß Macalister vielleicht vergessen oder aus irgendeinem Grunde nichts gekauft haben könnte. Macalister hatte versprochen, er würde telegraphieren. Philip konnte die Elektrische nicht abwarten, um eiligst nach Hause zu kommen, und nahm sich eine Droschke. Es war eine ungewohnte Verschwendung.

»Ist ein Telegramm für mich gekommen?« fragte er, als er hereinplatzte.

»Nein«, sagte Mildred.

Sein Gesicht wurde lang; er ließ sich voll bitterer Enttäuschung in einen Stuhl fallen.

»Dann hat er sie also doch nicht für mich gekauft. Verdammt noch mal«, fügte er heftig hinzu. »Ein grausames Pech. Und ich habe mir schon den ganzen Tag vorgestellt, was ich damit machen würde.«

»Was denn?« fragte sie.

»Was hat das denn für einen Sinn, jetzt darüber zu reden? Ach, ich habe mir das Geld so sehr gewünscht.«

Sie lachte auf und übergab ihm ein Telegramm.

»Ich wollte nur Spaß machen. Ich habe es schon aufgemacht.«

Er riß es ihr aus den Händen. Macalister hatte zweihundertundfünfzig Aktien für ihn gekauft und sie mit einer halben Krone Gewinn, wie verabredet, wieder losgeschlagen. Der Kommissionszettel würde morgen folgen. Einen Augenblick lang war Philip wütend auf Mildred wegen des grausamen Scherzes, dann aber konnte er nur noch an seine Freude denken.

»Das gibt der Sache ein ganz anderes Gesicht«, rief er. »Ich spendiere dir ein neues Kleid, wenn du magst.«

»Ich brauche es nötig«, antwortete sie.

»Weißt du, was ich mache? Ende Juli lasse ich mich operieren.«

»Nanu, fehlt dir denn etwas?« unterbrach sie ihn.

Ihr kam plötzlich der Gedanke, daß vielleicht eine Krankheit, von der sie nichts wußte, das erklären konnte, worüber sie sich schon den Kopf zerbrochen hatte. Er wurde über und über rot, denn er haßte es, von seinem Gebrechen zu sprechen.

»Nein, aber sie glauben, daß man mit meinem Fuß etwas tun kann. Ich hatte vorher keine Zeit dafür übrig, aber jetzt ist es gleich. Ich werde eben im Oktober statt im nächsten Monat mit der neuen Assistentenstelle anfangen. Ich brauche nur auf ein paar Wochen ins Hospital zu gehen, und dann können wir für die übrigen Sommerwochen an die See fahren. Es wird uns allen guttun, dir, dem Kind und mir.«

»Ach, bitte, nach Brighton, Philip. Ich mag Brighton gern; es sind so nette Leute dort.«

Philip hatte vage an irgendeinen kleinen Fischerort in Cornwall gedacht, aber während sie sprach, fiel ihm ein, daß Mildred sich dort wahrscheinlich zu Tode langweilen würde.

»Mir ist es gleich, wo wir hingehen, wenn es nur ans Meer ist.«

Er wußte nicht warum, aber er fühlte plötzlich eine unwiderstehliche Sehnsucht zum Meer. Er wollte baden und stellte sich voller Entzücken vor, wie sie im salzigen Wasser herumplätschern würden. Er war ein guter Schwimmer, und nichts berauschte ihn mehr als die bewegte See.

»Himmel, wird das nett werden!« rief er aus.

»Wie eine Hochzeitsreise, nicht?« sagte sie. »Wieviel willst du mir für das neue Kleid geben, Phil?«


Philip bat Mr. Jacobs, den Assistenzarzt, für den er gearbeitet hatte, die Operation vorzunehmen. Jacobs nahm die Aufforderung mit Freuden an, da er sich gerade für vernachlässigte Talipes interessierte und Material für einen Vortrag sammelte. Er warnte Philip, etwa zu glauben, der Fuß würde völlig normal werden, war aber immerhin überzeugt, eine ganze Menge machen zu können. Wenn er auch weiterhin hinkte, so würde er doch einen weniger klobigen Schuh als bisher tragen können. Philip erinnerte sich, wie er zu dem Gott gebetet hatte, der Berge versetzen kann für den, der den Glauben hat, und er lächelte bitter.

»Ich erwarte kein Wunder«, antwortete Philip.

»Ich finde es klug von Ihnen, daß Sie mich versuchen lassen, was ich kann. Ein Klumpfuß ist doch in der Praxis ein ziemliches Handikap. Der Laie hat eine Menge Schrullen; er hat es nicht gern, wenn seinem Arzt etwas fehlt.«

Philip kam in ein kleines Zimmer, außerhalb jeder Abteilung, reserviert für besondere Fälle. Er blieb einen Monat lang dort, weil ihn der Chirurg erst entlassen wollte, wenn er wieder gehen konnte. Er hatte die Operation gut überstanden und verbrachte eine recht angenehme Zeit dort. Lawson und Athelny besuchten ihn, und eines Tages kam Mrs. Athelny mit zwei von den Kindern. Studenten aus seinem Bekanntenkreis sahen gelegentlich auf einen Schwatz herein. Mildred kam zweimal wöchentlich. Jeder war nett zu ihm, und Philip, den es immer überraschte, wenn sich jemand um ihn kümmerte, war gerührt. Er genoß es, daß ihm hier jede Sorge abgenommen war; er brauchte sich nicht um die Zukunft zu sorgen, weder ob das Geld reichen würde noch ob er seine Examen bestünde. Er konnte sich nach Herzenslust in Bücher vergraben. Er hatte in letzter Zeit nicht viel lesen können, da Mildred ihn störte; wenn er sich zu konzentrieren versuchte, unterbrach sie ihn mit einer sinnlosen Bemerkung und ruhte nicht eher, bis er sie beantwortet hatte; immer, wenn er es sich mit einem Buch bequem gemacht hatte, kam sie mit irgendeiner kleinen Arbeit, sei es, daß sie einen Kork nicht herausziehen konnte oder daß ein Nagel einzuschlagen war.

Sie beschlossen, im August nach Brighton zu gehen. Philip hätte gern eine Wohnung genommen, aber Mildred sagte, dann würde sie die Hausarbeit haben, und eine Erholung für sie wäre es nur, wenn sie in eine Pension gingen.

»Ich muß mich zu Hause täglich um das Essen kümmern, ich habe es gründlich satt und möchte eine völlige Abwechslung.«

Philip willigte ein. Mildred kannte zufällig in Kemp Town eine Pension, wo sie nicht mehr als fünfundzwanzig Shilling pro Person wöchentlich zu zahlen hatten. Es wurde abgemacht, daß sie der Zimmer wegen schreiben sollte; als Philip aber nach Kennington zurückkam, sah er, daß sie nichts unternommen hatte. Es irritierte ihn.

»Schließlich hast du doch nun wirklich nicht so viel zu tun«, sagte er.

»Ich kann auch nicht an alles denken. Es ist nicht meine Schuld, wenn ich einmal etwas vergesse, oder doch?«

Philip war so begierig darauf, ans Meer zu kommen, daß er es nicht abwarten wollte, erst mit der Pensionsinhaberin zu korrespondieren.

»Wir lassen das Gepäck auf dem Bahnhof und gehen hin und sehen, ob sie Zimmer frei hat, dann können wir uns einfach durch einen Gepäckträger die Sachen nachbringen lassen.«

»Das kannst du halten, wie du Lust hast«, sagte Mildred steif.

Sie ließ sich nicht gern etwas vorwerfen, und indem sie sich in ein hochmütiges Schweigen zurückzog, sah sie regungslos zu, wie Philip die Vorbereitungen für ihre Reise traf. Die kleine Wohnung war unter der Augustsonne heiß und dumpf, von der Straße her schlug eine übelriechende Schwüle herein. Während er im Hospital in seinem kleinen Zimmer mit den rotgetünchten Wänden gelegen hatte, hatte er sich nach frischer Luft und nach dem Meer, das ihm gegen die Brust spritzte, gesehnt. Er hatte ein Gefühl, als müßte er wahnsinnig werden, wenn er auch nur noch eine Nacht länger in London bliebe. Mildred gewann ihre gute Laune zurück, als sie die Straßen von Brighton sah, in denen die Menschen sich drängten, die zu den Ferien hier waren, und sie waren beide sehr vergnügt, als sie nach Kemp Town hinausfuhren. Philip streichelte der Kleinen die Wange.

»Wir werden ganz andere Farben haben, wenn wir erst ein paar Tage hier sind«, sagte er lächelnd.

Sie kamen bei der Pension an und entließen die Droschke. Ein unordentlich aussehendes Mädchen machte ihnen auf und sagte, als Philip sie gefragt hatte, ob Zimmer frei wären, sie wolle nachfragen gehen. Sie holte die Inhaberin. Eine Frau in mittleren Jahren, von kräftiger Gestalt und geschäftsmäßigem Gebaren, kam herunter, sah sie mit dem ihrem Berufe eigenen prüfenden Blick an und fragte, was für Zimmer sie wünschten.

»Zwei Einzelzimmer, und falls Sie so etwas haben, hätten wir in einem gerne ein Kinderbettchen.«

»Das habe ich nun leider nicht. Ich habe ein sehr nettes großes Doppelzimmer und könnte Ihnen gerne ein Kinderbettchen hineinstellen.«

»Ich glaube, das geht nicht«, sagte Philip.

»In der nächsten Woche könnte ich Ihnen noch ein Zimmer geben. Gerade jetzt ist Brighton sehr voll, und man nimmt, was man bekommt.«

»Wenn es nur auf ein paar Tage wäre, Philip, könnten wir es schon einrichten«, sagte Mildred.

»Ich glaube aber, zwei Zimmer wären angenehmer. Können Sie uns sonst irgend etwas empfehlen, wo man Pensionsgäste aufnimmt?«

»Das könnte ich schon, ich glaube aber nicht, daß sie mehr Platz frei haben als ich.«

»Vielleicht würden Sie so freundlich sein und mir die Adresse geben.«

Das Haus, das die dicke Frau vorschlug, lag in der nächsten Straße, und sie machten sich auf den Weg dahin. Philip konnte ganz gut gehen, obwohl er sich noch auf den Stock stützen mußte; er fühlte sich allerdings recht schwach. Mildred trug das Kind. Sie gingen eine Weile, ohne zu sprechen, und dann sah er, daß sie weinte. Es ärgerte ihn, und er tat, als merke er es nicht, aber sie zwang ihn dazu, daß er darauf achtete.

»Gib mir bitte mal dein Taschentuch. Ich kann an meines nicht heran mit der Kleinen auf dem Arm.« Sie sagte es mit vor Schluchzen erstickter Stimme und hielt dabei den Kopf abgewandt.

Er gab ihr sein Taschentuch, sagte jedoch nichts. Sie trocknete sich die Augen, und da er noch immer nicht sprach, fuhr sie fort:

»Als ob ich giftig wäre.«

»Mach bitte keine Szene auf der Straße«, sagte er.

»Es wirkt so komisch, daß du auf getrennten Zimmern bestehst. Was soll man denn von uns denken?«

»Wüßten sie die näheren Umstände, würden sie uns wahrscheinlich für erstaunlich unmoralisch halten«, sagte Philip.

Sie sah ihn mit einem Blick von der Seite her an.

»Du verrätst es doch nicht, daß wir nicht verheiratet sind?« fragte sie schnell.

»Nein.«

»Warum willst du dann nicht mit mir wohnen, wie wenn wir verheiratet wären?«

»Meine Liebe, das kann ich dir nicht erklären. Ich möchte dich nicht kränken, aber ich kann einfach nicht. Mag sein, daß es furchtbar dumm und unvernünftig ist, aber es ist stärker als ich. Ich habe dich so sehr geliebt, daß jetzt ...« Er hielt inne. »Dafür gibt es eben keine Erklärung.«

»Schöne Liebe das, von der du redest«, rief sie aus.

Die Inhaberin der Pension, zu der man sie geschickt hatte, war eine geschäftig lärmende ledige Frau mit schlauen Augen und fließender Sprache. Sie könnten ein Doppelzimmer für fünfundzwanzig Shilling pro Person die Woche haben, plus fünf Shilling extra für das Kind, oder aber, sie könnten auch zwei einzelne Zimmer haben, das würde aber ein Pfund mehr pro Woche machen.

»Ich muß so viel mehr verlangen«, erklärte die Frau, sich entschuldigend, »denn wenn es hart auf hart kommt, kann ich auch in die Einzelzimmer zwei Betten stellen.«

»Das wird uns nicht bankrott machen. Was meinst du, Mildred?«

»Oh, mir ist's egal. Mir ist alles recht.«

Philip reagierte auf ihre schmollende Antwort mit einem Lächeln, und nachdem die Wirtin angeordnet hatte, das Gepäck abholen zu lassen, setzten sie sich, um auszuruhen. Philip schmerzte der Fuß ein wenig, und er war froh, daß er sich in einen Sessel fallen lassen konnte.

»Ich hoffe, es macht dir nichts aus, mit mir im selben Zimmer zu sitzen«, sagte Mildred angriffslustig.

»Laß uns nicht streiten, Mildred«, sagte er freundlich.

»Ich habe nicht gewußt, daß es dir so gut geht, daß du ein Pfund pro Woche vergeuden kannst.«

»Ärgere dich nicht. Ich versichere dir, es ist die einzige Möglichkeit für uns, überhaupt miteinander zu leben.«

»Ich vermute, du verachtest mich, das ist es.«

»Keineswegs. Warum sollte ich?«

»Es ist so unnatürlich.«

»Wirklich? Du liebst mich nicht, nicht wahr?«

»Ich? Wofür hältst du mich?«

»Es sieht so aus, als wärest du keine sehr leidenschaftliche Frau.«

»Es ist so erniedrigend«, sagte sie schmollend.

»Ach, ich würde an deiner Stelle deshalb kein Aufhebens machen.«

In der Pension wohnten etwa ein Dutzend Leute. Sie aßen in einem engen, dunklen Zimmer an einem langen Tisch, obenan saß die Pensionsinhaberin und schnitt das Fleisch auf. Das Essen war schlecht. Die Wirtin nannte es ›französische Küche‹, womit sie wohl sagen wollte, daß das minderwertige Material, das sie zum Kochen benutzte, durch schlecht angerichtete Saucen verdeckt wurde. Die Küche war klein und unbequem, so daß alles lauwarm auf den Tisch kam. Die Leute waren langweilig und geziert, alte Damen mit altjüngferlichen Töchtern, komische alte Junggesellen mit zimperlicher Ziererei, bleichgesichtige Buchhalter in mittleren Jahren mit ihren Frauen, die von ihren verheirateten Töchtern und ihren Söhnen erzählten, die so gute Stellungen in den Kolonien hatten. Mildred erzählte den Damen bald von ihrer romantischen Heirat mit Philip, und er war Mittelpunkt des Interesses, da ihn seine Eltern, Landadel in sehr guten Verhältnissen, ausgestoßen hatten, weil er heiratete, als er noch Student war; und Mildreds Vater, der ein großes Anwesen irgendwo in Devonshire besaß, wollte ihnen auch nicht helfen, weil sie Philip geheiratet hatte. Deshalb hatten sie in einer Pension absteigen müssen und konnten sich für das Kleine keine Pflegerin halten; aber sie mußten zwei Zimmer haben, denn sie waren an Bequemlichkeit gewöhnt und wollten nicht gedrängt sein. Die anderen Gäste hatten ebenfalls Erklärungen dafür, warum sie ausgerechnet hier waren. Einer der ledigen alten Herren ging in den Ferien gewöhnlich ins *Metropol*, aber er mochte fröhliche Gesellschaft gern, und das konnte man in diesen teuren Hotels nicht haben. Und die alte Dame mit der altjüngferlichen Tochter ließ zur Zeit ihr schönes Haus in London renovieren, und da hatte sie denn zu ihrer Tochter gesagt: »Gwennie, meine Liebe, in diesem Jahr müssen wir billig reisen«, und so waren sie denn hierher gegangen, obwohl es eigentlich nicht das war, woran sie sonst gewöhnt waren. Mildred fand sie alle sehr nobel; gemeine, grobe Menschen konnte sie nicht ausstehen. Gentlemen sollten Gentlemen sein in jeder Hinsicht.

»Wenn Leute Gentlemen und Ladies sind«, sagte sie, »so will ich, daß sie wirklich Gentlemen und Ladies sind.«

Die Bemerkung schien Philip unklar, aber als er sie diese zwei- oder dreimal zu verschiedenen Personen sagen hörte und feststellte, daß diese aufrichtig zustimmten, kam er zu dem Schluß, daß sie nur für ihn unverständlich war. Zum erstenmal waren Mildred und Philip völlig aufeinander angewiesen. In London sah er sie den ganzen Tag über nicht, und der Haushalt, das Kind und die Nachbarn gaben ihnen, wenn er nach Hause kam, genug Gesprächsstoff, bis er sich dann an die Arbeit setzte. Jetzt war er den ganzen Tag mit ihr zusammen. Nach dem Frühstück gingen sie miteinander ans Meer, und der Vormittag verging schnell genug; man badete und schlenderte den Strand entlang; auch der Abend war erträglich, der, wenn das Kind zu Bett gebracht war, auf dem Pier verbracht wurde. Man konnte der Musik zuhören und die Menge beobachten, die unablässig vorüberströmte. (Philip unterhielt sich damit, sich vorzustellen, wer die Leute wären, und dichtete dann kleine Geschichten um sie herum. Er hatte sich angewöhnt, Mildreds Bemerkungen nur mit den Lippen zu beantworten, ohne daß dadurch seine Gedanken gestört wurden.) Die Nachmittage jedoch waren lang und trostlos. Sie saßen am Strand. Mildred sagte, sie müßten von Brighton soviel wie nur möglich profitieren, und er konnte nicht lesen, weil Mildred so häufig irgendwelche Betrachtungen über die Dinge im allgemeinen anstellte. Achtete er nicht auf sie, so beklagte sie sich.

»Ach, laß doch schon das dumme alte Buch! Es tut dir bestimmt nicht gut, daß du in einem fort liest, Philip.«

»Ach, Unsinn«, antwortete er.

»Außerdem, es ist so ungesellig.«

Er fand, daß es schwierig war, mit ihr zu reden. Sie konnte nicht einmal bei ihren eigenen Gedanken bleiben, ein Hund, der vor ihr herlief, ein vorübergehender Mann in schreiender Flanelljacke, bei allem und jedem mußte sie etwas bemerken, und darüber vergaß sie dann, worüber sie eben gesprochen hatte. Sie hatte ein schlechtes Namengedächtnis, und es irritierte sie, daß sie sich nicht erinnern konnte, so daß sie mitten in einer Geschichte eine Pause machte, um sich darüber den Kopf zu zerbrechen. Manchmal mußte sie es aufgeben, häufig aber fiel ihr der Name schließlich doch ein, und wenn Philip dann gerade über etwas sprach, unterbrach sie ihn.

»Collins, richtig. Ich wußte ja, er würde mir schon wieder einfallen. Collins, das ist der Name, an den ich mich nicht erinnern konnte.«

Es erbitterte ihn, denn es zeigte sich, daß sie auf nichts hinhörte, was er sagte, schwieg er jedoch, so warf sie ihm vor, er sei mürrisch. Ihr Geist war so beschaffen, daß sie nicht fünf Minuten lang abstrakt denken konnte, und sowie Philip einmal seiner Liebe zum Abstrahieren und Verallgemeinern nachgab, ließ sie ihn bald merken, daß es sie langweilte. Mildred träumte viel, und sie hatte ein sehr genaues Gedächtnis für ihre Träume und erzählte sie Philip täglich mit großer Weitschweifigkeit.

Eines Morgens erhielt er einen langen Brief von Thorpe Athelny. Er verbrachte die Ferien in der dramatischen Art, die typisch für ihn war, und es steckte immer, trotz allem, ein gut Teil gesunder Menschenverstand dahinter. Er hatte es seit zehn Jahren so gehalten: er ging mit der ganzen Familie auf ein Hopfenfeld in Kent, nicht weit weg von Mrs. Athelnys Heimat, und dort verlebten sie dann drei Wochen und halfen die Hopfenernte einbringen. So waren sie in der frischen Luft, verdienten ihr Geld – sehr zu Mrs. Athelnys Befriedigung – und erneuerten ihren Kontakt mit Mutter Erde. Auf das letztere legte Mr. Athelny den Nachdruck. Der Aufenthalt auf dem Lande gab ihnen neue Kraft. Er war wie eine magische Zeremonie, durch die sie ihre Jugend, die Kraft ihrer Glieder und die Sanftheit ihres Geistes erneuerten: Philip hatte ihn darüber viele phantastische rhetorische und pittoreske Sachen sagen hören. Nun lud Athelny ihn ein, auf einen Tag hinüberzukommen; er wollte ihm gerne bestimmte Betrachtungen über Shakespeare und die Glasharmonika mitteilen, außerdem schrien die Kinder nach dem Anblick Onkel Philips. Philip las den Brief nochmals, als er am Nachmittag mit Mildred am Strande lag. Er dachte an Mrs. Athelny, die heitere, freundliche Mutter so vieler Kinder, an ihre gütige Gastfreundlichkeit und ihre immer gute Laune; er dachte an Sally, die über ihre Jahre hinaus ernst war, mit ihren kleinen spaßig-mütterlichen Zügen, ihrer autoritären Art, mit ihrem langen blonden Zopf und der breiten Stirn, und dann an die ganze Schar der andern, fröhlich lärmend, gesund und hübsch. Er fühlte in seinem Herzen eine große Zuneigung zu ihnen. Sie hatten eine Eigenschaft, die er, soweit er sich erinnern konnte, noch nie in dieser Form in andern Menschen angetroffen hatte: Güte. Theoretisch glaubte er nicht an Güte, aber hier war sie, einfache Güte, die ganz natürlich kam und keinerlei Anstrengung bedurfte, und er fand, daß es etwas Schönes darum war. Nachdenklich riß er den Brief in kleine Schnitzel. Er sah nicht, wie er ohne Mildred hinfahren konnte, und er mochte nicht mit ihr gehen.

Es war sehr heiß, der Himmel war wolkenlos, und sie hatten sich in einen schattigen Winkel zurückgezogen. Die Kleine spielte ernsthaft mit Steinen, die am Strande lagen, und hin und wieder kam sie zu Philip gekrochen, um ihm einen Stein zum Halten zu geben; dann nahm sie ihn ihm wieder ab und legte ihn sorgfältig nieder. Sie spielte ein geheimnisvolles, kompliziertes Spiel, dessen Sinn nur sie selbst kannte. Mildred schlief. Sie lag mit zurückgeworfenem Kopf, ihr Mund war leicht geöffnet, ihre Beine waren gespreizt, weit ausgestreckt, und ihre Stiefel traten grotesk unter ihren Unterröcken hervor. Seine Augen hatten absichtslos und unbestimmt auf ihr geruht, aber jetzt betrachtete er sie mit sonderbarer Aufmerksamkeit. Er erinnerte sich, wie leidenschaftlich er sie geliebt hatte und wie er ihr jetzt so gänzlich gleichgültig gegenüberstand. Diese Verwandlung in ihm erfüllte ihn mit einem dumpfen Schmerz. Es schien ihm, daß alles Leid, das er um sie gelitten, umsonst und sinnlos gewesen war. Die Berührung ihrer Hand hatte ihn mit Entzücken erfüllt. Er hatte gewünscht, in ihre Seele zu treten, um jeden Gedanken und jedes Gefühl mit ihr teilen zu können. Er hatte echt gelitten, wenn es zwischen ihnen still geworden war, wenn eine Bemerkung von ihr zeigte, wie weit ihre Gedanken weggeeilt waren, und er hatte gegen die unübersteigbare Wand rebelliert, die jede Persönlichkeit von der anderen zu trennen schien. Er fand es merkwürdig tragisch, daß er sie so irrsinnig geliebt hatte und nun überhaupt nicht mehr liebte. Manchmal haßte er sie. Sie war unfähig, etwas zu lernen, die Lebenserfahrungen hatten sie um nichts weiser gemacht. Sie war so unmanierlich, wie sie es immer gewesen war. Es empörte ihn, mitanzusehen, wie unverschämt sie die überarbeiteten Dienstboten in der Pension behandelte.

Dann stiegen sofort seine eigenen Pläne auf. Am Ende des vierten Jahres würde er sein Examen über Geburtshilfe ablegen können, und nach einem weiteren Jahre konnte er praktizieren. Dann ließ sich vielleicht eine Reise nach Spanien ermöglichen. Er wollte die Bilder gerne sehen, die er nur von den Fotografien her kannte. Er spürte, daß El Greco ein Geheimnis barg, das für ihn von besonderer Bedeutsamkeit war, und er meinte, er würde sicherlich in Toledo dahinterkommen. Er wünschte sich nicht etwa ein großartiges Leben; für hundert Pfund könnte er sicherlich sechs Monate lang in Spanien leben, und das würde sich gewiß leicht machen lassen, wenn Macalister ihm noch einmal einen guten Tip gab. Ihm wurde das Herz warm in Gedanken an die schönen, alten Städte dort und an die braunen Ebenen von Kastilien. Er war überzeugt, daß man mehr vom Leben haben konnte, als es gegenwärtig bot, und er glaubte, er würde in Spanien mit ganz anderer Intensität zu leben vermögen, vielleicht könnte er in einer der alten Städte praktizieren. Es gab dort überall eine ganze Menge Ausländer, solche, die dort ansässig waren, und andere, die auf Besuch weilten. Es müßte doch möglich sein, sich sein Leben dort zu verdienen. Das würde jedoch erst viel später sein können; zuerst mußte er einmal ein paar Stellungen als Hospitalsarzt gehabt haben. Da konnte man die nötige Erfahrung sammeln. Er hatte den Wunsch, als Schiffsarzt eine Kajüte auf einem der großen Frachtschiffe zu erhalten, die gemächlich ihre Tour unternahmen, so daß man ein wenig von den Orten, wo sie anlegten, zu sehen bekam. Er wollte gerne nach dem Fernen Osten. In seiner Phantasie spiegelte sich der Reichtum der Bilder: Bangkok, Schanghai, die japanischen Häfen; er sah sich schon unter Palmen, unter blauem, heißem Himmel – dunkelhäutige Menschen – Pagoden; die Düfte des Orients zogen berauschend durch seine Nase. Sein Herz schlug voll leidenschaftlicher Sehnsucht nach der Schönheit und Eigenartigkeit der weiten Welt.

Mildred wachte auf.

»Ich glaube, ich habe wahrhaftig geschlafen«, sagte sie. »Du unartiges Ding, was hast du denn gemacht? Gestern war ihr Kleid noch ganz sauber, und sieh es dir jetzt an, Philip.«


Nachdem sie nach London zurückgekehrt waren, begann Philip mit seiner Arbeit in der chirurgischen Abteilung. Chirurgie interessierte ihn nicht so sehr wie innere Medizin, da die letztere seiner Phantasie weiteren Spielraum ließ. Die Arbeit selbst war etwas schwerer als die gleiche in der inneren Abteilung. Von neun bis zehn Uhr lag eine Vorlesung, dann ging es in die Krankensäle, dort mußten Wunden verbunden, Fäden herausgenommen und Verbände erneuert werden. Philip war ein wenig stolz auf seine Geschicklichkeit beim Anlegen von Verbänden, und es machte ihm Spaß, der Schwester gelegentlich ein anerkennendes Wort abzuringen. An bestimmten Nachmittagen fanden in jeder Woche Operationen statt. Er stand im weißen Mantel beim Operationstisch, um dem operierenden Arzt Instrumente zuzureichen oder Blut fortzuwischen, damit der Chirurg sehen konnte, woran er war. Wenn eine seltene Operation vorgenommen wurde, füllte sich der Operationssaal, gewöhnlich jedoch war nur ein halbes Dutzend Studenten anwesend, und dann hatten die Vorgänge etwas Intimes, was Philip sehr gern mochte. Zu dieser Zeit schien die ganze Welt eine Vorliebe für Blinddarmentzündungen zu haben, und zu seinem Leidwesen wurden viele Fälle operiert. Der Chirurg, für den Philip verband, stand in freundlicher Konkurrenz zu einem Kollegen, der in kürzester Zeit und mit dem kleinsten Schnitt einen Appendix entfernen konnte.

Nach einiger Zeit kam Philip, wie vorgesehen, auf die Unfallstation. Die Praktikanten wechselten einander dabei ab; es dauerte drei Tage, und während dieser Zeit wohnten sie im Hospital und nahmen ihre Mahlzeiten gemeinsam ein. Sie hatten einen Raum im Parterre neben der Unfallstation. In diesem befand sich ein aufklappbares Schrankbett. Der diensthabende Praktikant mußte Tag und Nacht bei der Hand sein, um sich um die eingelieferten Unglücksfälle zu kümmern. Man war die ganze Zeit über auf den Beinen, und es vergingen höchstens zwei Stunden, bis die Glocke über dem Kopf wieder schrillte, so daß man sofort instinktiv aus dem Bett sprang. Samstag abends war natürlich die anstrengendste Zeit und die Sperrstunde der Wirtshäuser die anstrengendste Stunde. Männer mit Alkoholvergiftung wurden von der Polizei hereingebracht, und es war notwendig, ihnen den Magen auszupumpen. Frauen, eher dem Likör zugetan, kamen mit Kopfwunden herein oder mit blutigen Nasen, die ihnen ihre Männer verpaßt hatten. Einige würden Anzeige erstatten, andere behaupteten, es sei ein Unfall gewesen. Was der Assistent allein tun konnte, tat er, aber war ein Fall schwieriger, ließ er den Anstaltsarzt kommen. Er tat dies mit Vorsicht, denn der Anstaltsarzt hatte es nicht gern, fünf Stiegenabsätze umsonst hinuntergehetzt zu werden. Die Fälle reichten vom Fingerschnitt bis zum Kehlkopfschnitt. Burschen kamen, die sich die Finger bei einer Maschine zerfetzt hatten, Männer, die von einem Wagen überfahren worden waren, und Kinder, die sich beim Spielen ein Bein gebrochen hatten. Philip sah einen totenbleichen, wild dreinblickenden Mann, mit einer riesigen, klaffenden Wunde von einem Ohr zum anderen; er blieb wochenlang im Krankenhaus unter Aufsicht eines Polizisten, still, ärgerlich, weil er am Leben geblieben war, und mürrisch. Er machte kein Geheimnis daraus, daß er sich wieder zu töten versuchen würde, sobald man ihn entließe. Die Zimmer waren überfüllt, und der Anstaltsarzt stand vor einem Dilemma, wenn Patienten von der Polizei eingeliefert wurden: wurden sie auf die Wachstube geschickt und starben dort, gab es unangenehme Meldungen in den Zeitungen, und es war oft sehr schwierig festzustellen, ob ein Mann nur betrunken war oder schon im Sterben lag. Philip ging nicht eher schlafen, als bis er vor Müdigkeit umfiel, damit er nicht jede Stunde aufzuspringen brauchte. Er saß auf der Unfallstation und sprach während der Pausen, die seine Arbeit ihm ließ, mit der Nachtschwester. Es war eine grauhaarige Frau, die fast männlich wirkte, und sie versah hier bereits seit zwanzig Jahren den Dienst als Nachtschwester. Sie hatte die Arbeit gern, weil sie ihr eigener Herr dabei war und keine Schwester sie belästigte. Sie hatte langsame Bewegungen, aber sie war ungeheuer fähig und hatte im Falle der Not noch nie versagt. Für die Praktikanten, die unerfahren und nervös waren, war sie ein Hort der Kraft. Sie hatte Tausende von ihnen zu sehen bekommen, und keiner hatte Eindruck auf sie gemacht. Sie nannte sie nur immer Mr. Brown, und wenn sie sich dagegen verwahrten und ihren richtigen Namen nannten, nickte sie nur und nannte sie weiterhin Mr. Brown. Es fesselte Philip, bei ihr in dem kahlen Zimmer mit den zwei Roßhaarsofas und dem flakkernden Gas zu sitzen und ihr zuzuhören. Sie hatte lange aufgehört, die Leute, die hereinkamen, als menschliche Wesen anzusehen. Es waren für sie Betrunkene oder gebrochene Arme oder durchgeschnittene Kehlen. Sie nahm das Laster der Welt, deren Grausamkeit und Elend als Selbstverständlichkeiten hin, an menschlichen Handlungen gab es für sie nichts zu loben und nichts zu tadeln; man konnte sie nur hinnehmen. Sie hatte einen gewissen grimmigen Humor.

»Ich erinnere mich an einen Selbstmörder«, sagte sie zu Philip, »der sich in die Themse gestürzt hatte. Sie fischten ihn wieder heraus und brachten ihn her, und dann bekam er Typhus, weil er zu viel Themsewasser geschluckt hatte.«

»Ist er gestorben?«

»Ja, er starb wohl, ich bin mir nie klargeworden, ob das nun ein Selbstmord war oder nicht ... Diese Selbstmörder, das sind komische Leute. Ich erinnere mich da an einen Mann, der konnte keine Arbeit finden, und seine Frau starb. Da hat er dann seine Kleider aufs Leihhaus getragen und sich für den Erlös einen Revolver gekauft; aber es ging alles daneben: er schoß sich nur ein Auge aus und kam wieder hoch. Und dann, wohlverstanden, mit einem Auge weniger und einem kaputtgeschossenen Gesicht, kam er zu dem Schluß, daß die Welt gar nicht so übel sei, und so lebte er denn glücklich weiter. Eines habe ich immer wieder festgestellt: aus Liebe begeht keiner Selbstmord, wie man das eigentlich erwartet, das bilden sich nur die Romanschreiber ein. Selbstmord wird begangen, weil kein Geld da ist. Ich weiß nicht, wieso das kommt.«

»Wahrscheinlich ist eben Geld doch wichtiger als Liebe«, meinte Philip.

Jedenfalls beschäftigten sich Philips Gedanken sehr stark mit Geldproblemen. Er entdeckte, wie wenig Wahrheit das obenhin ausgesprochene Wort enthielt, daß zwei so billig leben könnten wie einer, das er selbst so oft wiederholt hatte, und seine Ausgaben fingen an, ihn zu beunruhigen. Mildred konnte nicht gut haushalten; es kostete so viel, als wenn sie im Restaurant gegessen hätten; das Kind brauchte Sachen, Mildred Regenschuhe und einen Schirm und andere Kleinigkeiten, ohne die sie nie auskommen konnte. Als sie aus Brighton zurückgekehrt waren, hatte sie die Absicht geäußert, nach Arbeit zu suchen, aber sie unternahm nichts Bestimmtes, und bald darauf mußte sie sich mit einer Erkältung vierzehn Tage hinlegen. Als es ihr wieder gut ging, meldete sie sich auf ein oder zwei Annoncen, aber es kam nichts dabei heraus: entweder sie kam zu spät und die Stelle war bereits besetzt, oder aber sie fand die Arbeit zu schwer. Einmal erhielt sie ein Angebot, doch betrug der Lohn nur vierzehn Shilling pro Woche, und sie schätzte sich denn doch höher ein.

»Es hat keinen Zweck, daß man sich alles gefallen läßt«, bemerkte sie. »Man hat keinen Respekt vor jemandem, der sich zu billig hergibt.«

»Ich finde nicht, daß vierzehn Shilling so schlecht sind«, antwortete Philip trocken.

Er konnte sich nicht helfen, er mußte daran denken, wie gelegen sie kommen würden, um die Ausgaben etwas zu senken, und Mildred spielte bereits darauf an, daß sie nur deshalb keine Stellung finden konnte, weil sie kein anständiges Kleid besaß, in dem sie sich vorstellen konnte. Er gab ihr das Kleid, und sie machte noch ein paar Versuche; Philip merkte jedoch, daß kein rechter Ernst dahintersteckte. Sie hatte keine Lust zum Arbeiten. Die einzige Art, zu Geld zu kommen, von der er etwas wußte, war, an der Börse zu spekulieren, und er war sehr eifrig darauf aus, das glücklich verlaufene Experiment vom Sommer zu wiederholen. Inzwischen war jedoch Krieg mit Transvaal ausgebrochen, und so klappte es nicht mit Südafrika. Philip begann mit emsiger Beharrlichkeit den Handelsteil seiner Lieblingszeitung zu lesen. Er war beunruhigt und reizbar. Ein paarmal fuhr er Mildred scharf an, und da sie weder geduldig noch taktvoll war, antwortete sie heftig, und sie stritten. Philip drückte dann stets sein Bedauern aus über das, was er gesagt hatte; aber Mildred vergab nicht leicht und war ein paar Tage lang mürrisch. Sie fiel ihm aus allen möglichen Gründen auf die Nerven: durch die Art, wie sie aß, außerdem war sie nachlässig und ließ ihre Kleider in seinem Wohnzimmer umherliegen. Philip war ganz aufgeregt über den Krieg und verschlang morgens und abends die Zeitung; sie aber interessierte sich für nichts, was geschah. Sie hatte mit zwei oder drei Leuten, die in der gleichen Straße wohnten, Bekanntschaft geschlossen, und eine dieser Bekanntschaften hatte sie gefragt, ob ihr der Besuch des Geistlichen wohl erwünscht wäre. Sie trug einen Ehering und nannte sich Mrs. Carey. An Philips Wänden hingen zwei oder drei Zeichnungen, die er in Paris gemacht hatte: zwei Frauenakte und eine von Miguel Ajuria, der mit festen Füßen und geballten Fäusten dastand. Philip hatte sie behalten, weil sie das Beste waren, was er je zustande gebracht hatte und weil sie ihn außerdem an glückliche Zeiten erinnerten. Mildred hatte sie schon lange mit scheelen Blicken betrachtet.

»Wenn du doch diese Zeichnungen abnehmen würdest, Philip«, sagte sie schließlich. »Mrs. Foreman, von Nummer dreizehn, war gestern nachmittag hier, und ich wußte überhaupt nicht, wo ich hinschauen sollte. Ich habe gesehen, wie sie sie angestarrt hat.«

»Was ist denn los mit ihnen?«

»Sie sind unanständig. Meinst du vielleicht, es machte mir Spaß, den ganzen Tag diese nackten Leute ansehen zu müssen? Und es ist auch für das Kind nicht sehr vorteilhaft. Es ist schon so weit, daß es etwas zu merken beginnt.«

»Wie kannst du nur so vulgär sein?«

»Vulgär? Ich nenne das sittsam. Ich hätte nie davon gesprochen, aber glaubst du, ich habe es gern, den ganzen Tag lang auf diese nackten Leute zu schauen?«

»Hast du überhaupt keinen Sinn für Humor, Mildred?« fragte er eisig.

»Ich weiß nicht, was das mit Sinn für Humor zu tun haben könnte. Ich beabsichtige wirklich, sie selbst herunterzunehmen. Ich halte sie für widerlich.«

»Ich will gar nicht wissen, was du über sie denkst, und ich verbiete dir, sie anzurühren.«

War Mildred böse auf ihn, so strafte sie ihn durch die Kleine. Das kleine Mädchen hatte Philip so lieb, wie er es hatte, und es war seine große Freude, des Morgens zu ihm ins Zimmer zu krabbeln (es wurde nun bald zwei Jahre alt und konnte recht gut laufen) und sich von ihm ins Bett nehmen zu lassen. Wenn Mildred das nicht zuließ, weinte das arme Kind bitterlich. Machte Philip Mildred dann Vorwürfe, so sagte sie nur:

»Sie soll keine schlechten Gewohnheiten annehmen.«

Und wenn er dann darauf noch etwas sagte, so sagte sie:

»Es geht dich nichts an, was ich mit meinem Kind mache. Wenn man dich so reden hört, möchte man meinen, du wärst sein Vater. Ich bin die Mutter und soll wohl wissen, was gut für es ist, nicht wahr?«

Mildreds Dummheit verbitterte Philip, aber er stand ihr jetzt so gleichgültig gegenüber, daß er nur noch gelegentlich böse und ärgerlich auf sie wurde. Er gewöhnte sich daran, daß sie da war. Weihnachten kam, und das bedeutete ein paar Ferientage für Philip. Er brachte Stechpalmenzweige mit nach Hause und schmückte die Wohnung damit, und am Weihnachtstag gab er Mildred und der Kleinen ein paar Geschenke. Da sie nur zu zweien waren, konnten sie keinen Truthahn machen; aber Mildred briet ein Hühnchen und kochte einen Plumpudding. Sie leisteten sich auch eine Flasche Wein. Als sie mit dem Essen fertig waren, setzte sich Philip in den Lehnstuhl beim Kamin und rauchte seine Pfeife. Der ungewohnte Wein ließ ihn die Geldsorgen, die ihn jetzt ständig beschäftigten, vergessen. Er fühlte sich glücklich und behaglich. Bald darauf kam Mildred und sagte ihm, daß die Kleine ihn bäte, ihr einen Gutenachtkuß zu geben. Lächelnd ging er in Mildreds Schlafzimmer. Dann drehte er, nachdem er der Kleinen gesagt hatte, sie solle jetzt einschlafen, das Gas herunter und ging ins Wohnzimmer zurück. Die Tür ließ er offen, falls das Kind rufen sollte.

»Wo willst du sitzen?« fragte er Mildred.

»Setz dich nur in deinen Stuhl. Ich setze mich auf den Boden.«

Als er sich hingesetzt hatte, hockte sie sich vor den Kamin und lehnte sich gegen seine Knie. Er konnte nicht umhin, sich zu erinnern, daß dies genauso war, wie sie zusammen in ihrer Wohnung in der Vauxhall Bridge Road gesessen waren, aber die Stellungen waren jetzt umgekehrt: damals war er auf dem Boden gesessen und hatte seinen Kopf gegen ihre Knie gelehnt. Wie leidenschaftlich hatte er sie damals geliebt!

Er fühlte an diesem Abend eine Zärtlichkeit für sie wie seit langem nicht mehr. Er schien noch die sanften Ärmchen der Kleinen um seinen Hals zu fühlen.

»Ist es schön so?« fragte er.

Sie sah zu ihm auf, lächelte ihn leise an und nickte mit dem Kopf. Sie schauten träumend ins Feuer, ohne miteinander zu reden. Schließlich wandte sie sich zu ihm und sah ihn seltsam an.

»Weißt du übrigens, daß du mich noch nie geküßt hast, seit ich hergekommen bin?« fragte sie plötzlich.

»Möchtest du es denn?«

»Wahrscheinlich magst du mich – in der Art – nicht mehr.«

»Ich habe dich sehr lieb.«

»Aber die Kleine viel lieber.«

Er antwortete nicht, und sie legte ihre Wange gegen seine Hand.

»Du bist mir nicht böse?« fragte sie mit niedergeschlagenen Augen.

»Lieber Gott, warum sollte ich das denn?«

»Ich habe dich noch nie so gern gehabt wie jetzt. Erst jetzt, da ich durch das Fegefeuer bin, habe ich dich lieben gelernt.«

Es schauderte Philip, sie eine Phrase gebrauchen zu hören, die man in jedem Schmöker fand.

»Es ist so komisch, daß wir in dieser Art zusammenleben.«

Es verging eine Weile, ehe er antwortete; sie schwiegen beide, aber schließlich sprach er, und es war, als hätte er die Pause gar nicht bemerkt.

»Du darfst mir nicht böse sein. Man kann nichts gegen all diese Sachen tun. Ich erinnere mich, daß ich glaubte, du seist bösartig und grausam, weil du dies, das oder sonst etwas tatest. Das war jedoch sehr töricht von mir. Du hast mich nicht geliebt, und es war dumm, daß ich dir deswegen gram war. Ich dachte, ich könnte dich dahin bringen, daß du mich liebtest; jetzt aber weiß ich, daß das unmöglich war. Ich weiß nicht, was es eigentlich ist, was einen Menschen veranlaßt, einen andern zu lieben; was es aber auch sein mag, es ist das einzige, worauf es ankommt, und wenn es nicht vorhanden ist, so kann man es durch keine Güte, Großmut oder sonst etwas herbeischaffen.«

»Ich dachte, wenn du mich wirklich geliebt hast, dann müßtest du mich noch immer lieben.«

»Das hatte ich auch gedacht. Ich weiß noch sehr gut, wie ich glaubte, das würde immer so bleiben. In mir war ein Gefühl, daß ich lieber sterben als ohne dich weiterleben wollte. Damals sehnte ich die Zeit herbei, da du alt und voll Runzeln sein würdest, damit niemand mehr da wäre, der sich um dich kümmerte, und ich dich ganz für mich hätte.«

Sie antwortete nicht, aber bald darauf stand sie auf und sagte, sie ginge nun zu Bett. Sie lächelte ihn, etwas scheu, an.

»Heute ist Weihnachtsabend, Philip, willst du mir keinen Gutenachtkuß geben?«

Er lachte auf, errötete leicht und küßte sie. Sie ging in ihr Schlafzimmer, und er begann zu lesen.


Nach zwei oder drei Wochen erreichte die Spannung zwischen ihnen ihren Höhepunkt. Mildred wurde durch Philips Verhalten zu äußerster Verbitterung getrieben. In ihrer Seele waren viele verschiedene Gefühlsregungen, und ihre Stimmung wechselte leicht. Sie verbrachte einen Großteil ihrer Zeit allein und brütete über ihre Lage nach. Sie übertrug nicht alle ihre Gefühle in Worte, sie wußte nicht einmal, welcher Art diese waren, aber in ihrem Bewußtsein hatten sich einige Dinge festgesetzt, und über diese dachte sie immer wieder nach. Sie hatte Philip nie verstanden und hatte ihn auch nie wirklich gemocht; aber es war ihr angenehm, ihn um sich zu haben, weil sie glaubte, er wäre ein Gentleman. Sie war beeindruckt, daß sein Vater ein Arzt gewesen war und sein Onkel Geistlicher war. Sie verachtete ihn ein wenig, weil er aus sich solch einen Narren gemacht hatte und es ihm gleichzeitig nie wohl in seiner Haut gewesen war; sie konnte sich nicht gehenlassen, denn sie fühlte, daß er ihre Manieren kritisierte.

Als sie erstmals in die kleinen Räume in Kennington gekommen war, war sie übermüdet und beschämt gewesen. Sie war froh, alleingelassen zu werden. Es war für sie angenehm, keinen Zins zahlen zu müssen; sie mußte nicht bei jedem Wetter aus dem Haus gehen, und sie konnte ruhig im Bett bleiben, wenn sie sich nicht wohl fühlte. Sie hatte das Leben, das sie geführt hatte, gehaßt. Es war schrecklich, umgänglich und unterwürfig sein zu müssen. Und sogar jetzt, als sie daran dachte, weinte sie vor Selbstmitleid, wenn sie sich an die Roheit der Männer und deren brutale Sprache erinnerte. Aber sie dachte selten daran. Sie war Philip dankbar, daß er gekommen war, sie zu befreien. Und wenn sie daran dachte, wie ehrlich er sie geliebt und wie schlecht sie ihn behandelt hatte, fühlte sie Gewissensbisse. Es war leicht, ihn um den Finger zu wickeln, aber es bedeutete ihr sehr wenig. Sie war erstaunt gewesen, daß er ihren Vorschlag zurückgewiesen hatte, aber sie zuckte nur mit den Schultern: er sollte in der Luft verhungern, wenn er wollte, sie kümmerte sich nicht darum; in kurzer Zeit würde ihm sehr wohl daran liegen, aber dann würde sie sich weigern. Wenn er glaubte, daß es irgendein Verlust für sie wäre, irrte er sich. Sie besaß zweifellos Macht über ihn. Er hatte seine Eigenheiten, aber sie kannte ihn durch und durch. Er hatte so oft mit ihr gestritten und geschworen, er würde sie nie wieder sehen, und nach einer Weile war er dann auf den Knien gerutscht gekommen und hatte um Vergebung gebeten. Es schauderte sie, daran zu denken, wie er vor ihr zu Kreuz gekrochen war. Er war schon froh, vor ihr im Staub zu liegen, damit sie auf ihn treten konnte. Sie hatte ihn weinen sehen. Sie wußte genau, wie man ihn behandeln mußte, ihn ignorieren, einfach so tun, als würde man seine Launen nicht bemerken, ihn allein lassen, nach einer Weile war er dann sicher bereit, zu Kreuz zu kriechen. Sie hatte jetzt ihre volle Freiheit. Sie wußte, wie Männer waren, und sie hatte keine Lust, noch irgend etwas mit ihnen zu tun zu haben. Sie war durchaus bereit, sich mit Philip häuslich einzurichten. Schließlich war er ein Gentleman im wahrsten Sinne des Wortes, und das war etwas, worauf man nicht verzichten durfte, nicht wahr? Jedenfalls hatte sie keine Eile, und sie wollte nicht den ersten Schritt machen. Sie war froh, daß er stolz auf die Fortschritte des Kindes war, obwohl es sie einigermaßen belustigte, daß er so großen Wert auf das Kind eines anderen Mannes legte. Zweifellos hatte er seine Eigenheiten.

Aber einiges überraschte sie. Sie war an seine Unterwürfigkeit gewöhnt gewesen: in früherer Zeit war er überglücklich gewesen, für sie etwas tun zu können. Eines schiefen Wortes wegen war er niedergeschlagen gewesen, eines freundlichen wegen war er in Verzückung geraten; jetzt war er anders, und sie sagte sich selbst, daß er dies im letzten Jahr nicht überboten hatte. Sie dachte keinen Augenblick daran, daß sich seine Gefühle geändert haben könnten, und sie hielt es nur für Verstellung, daß er ihrer schlechten Laune keine Aufmerksamkeit schenkte. Er wollte manchmal lesen und sagte ihr, sie sollte ruhig sein; sie wußte nicht, ob sie aufbrausen oder schmollen sollte, und war so überrascht, daß sie dann beides bleiben ließ. Dann kam das Gespräch, in dem er ihr sagte, ihre Beziehungen sollten rein platonisch sein, und in Erinnerung an einen Vorfall in ihrer gemeinsamen Vergangenheit kam es ihr in den Sinn, daß er sich vor der Möglichkeit fürchtete, sie könnte schwanger werden. Sie bemühte sich, ihn zu beruhigen. Es änderte nichts. Sie gehörte zu jener Art Frauen, die sich nicht vorstellen kann, daß ein Mann ihre eigene sexuelle Besessenheit nicht teilt; ihre Beziehungen zu Männern waren immer auf dieses Gebiet beschränkt gewesen, und sie konnte nicht verstehen, daß diese je andere Interessen hatten. Es kam ihr der Gedanke, daß Philip sich in jemand anderen verliebt haben könnte, und sie beobachtete ihn; sie hatte die Krankenschwestern oder Leute, die er auswärts traf, in Verdacht; aufgrund listiger Fragen kam sie zu dem Schluß, daß es niemand Gefährlichen im Athelny-Haushalt gab; und sie kam außerdem darauf, daß Philip wie die meisten Medizinstudenten unbeeindruckt vom Sex jener Schwestern blieb, mit denen sie beruflich zu tun hatten. In seinem Bewußtsein identifizierte er sie mit dem Geruch von Jodoform. Philip bekam keine Briefe, und es gab keine Fotografien von Mädchen unter seinen Sachen. Wenn er in jemanden verliebt war, konnte er dies jedenfalls sehr geschickt verheimlichen. Er beantwortete Mildreds Fragen offen und allem Anschein nach ohne den Verdacht, daß irgendeine Absicht dahinterstecken könnte.

›Ich glaube nicht, daß er in jemand anderen verliebt ist‹, sagte sie schließlich zu sich selbst.

Es war eine Erleichterung für sie, denn in diesem Falle liebte er immer noch sie; aber sein Benehmen erschien deshalb nicht weniger merkwürdig. Wenn er sie so behandeln wollte, warum bat er sie dann, in seine Wohnung zu kommen? Das war unnatürlich. Mildred war keine Frau, die die Möglichkeit von Mitleid, Großzügigkeit oder Freundlichkeit begriff. Der einzige Schluß, den sie daraus zog, war, daß Philip ein Sonderling wäre. Sie setzte sich in den Kopf, die Gründe für sein Benehmen müßten ritterlicher Natur sein. Und da ihre Vorstellungen voll von Überspanntheiten waren, wie sie in Dreigroschenromanen vorkommen, dachte sie sich alle Arten romantischer Erklärungen für seine Schwächlichkeit aus. Ihre Phantasie schwelgte in bitteren Mißverständnissen, Reinigung durch Feuer, schneeweiße Seelen und Tod in der grausamen Kälte einer Christnacht. Sie war entschlossen, mit all diesem Unsinn ein Ende zu machen, sobald sie nach Brighton gingen; sie würden dort ganz allein sein, jeder würde glauben, sie wären verheiratet. Als sie feststellte, daß sie Philip nicht bewegen konnte, das Zimmer mit ihr zu teilen, und als er zu ihr mit einem Ton in der Stimme sprach, den sie nie zuvor gehört hatte, wurde ihr plötzlich klar, daß er sie nicht mehr wollte. Sie war erstaunt. Sie erinnerte sich an alles, was er ihr in der Vergangenheit gesagt hatte und wie heiß er sie geliebt hatte. Sie fühlte sich erniedrigt, und sie war verärgert, aber sie hatte eine Art angeborener Unverschämtheit, die ihr weiterhalf. Er brauchte nicht zu glauben, sie wäre in ihn verliebt, denn das war sie wirklich nicht. Sie haßte ihn manchmal, und sie sehnte sich danach, ihn zu demütigen, aber sie wußte, daß sie allein machtlos war; sie wußte nicht, wie sie ihn behandeln sollte. Er machte sie nervös. Ein- oder zweimal weinte sie. Ein- oder zweimal zwang sie sich, besonders nett zu ihm zu sein, aber wenn sie seinen Arm nahm, während sie miteinander in der

Nacht spazierengingen, suchte er nach einer Weile irgendeine Entschuldigung, um sich zu befreien, als wäre es für ihn unangenehm, von ihr berührt zu werden. Sie wurde nicht klug daraus. Den einzigen Einfluß auf ihn hatte sie durch das Kind, das er von Tag zu Tag mehr liebzugewinnen schien; er wurde weiß vor Zorn, wenn sie dem Kind einen Klaps oder einen Stoß gab; und sein altes zärtliches Lächeln trat nur in seine Augen, wenn sie mit dem Baby im Arm vor ihm stand. Sie merkte dies, als sie in dieser Stellung von einem Fotografen am Strand geknipst wurde, und nachher stand sie dann oft so vor Philip, um seine Aufmerksamkeit auf sich zu lenken.

Als sie wieder nach London zurückkehrten, begann sie sich nach der Arbeit umzusehen, von der sie behauptet hatte, sie wäre einfach zu finden; sie wollte nun von Philip unabhängig sein, und sie dachte daran, mit welcher Genugtuung sie Philip ankündigen würde, daß sie wieder in eine eigene Wohnung ziehen und das Kind mit sich nehmen werde. Aber ihr Mut verließ sie, als diese Möglichkeit näher kam. Sie war an die lange Dienstzeit nicht mehr gewöhnt, es störte sie, auf einen Wink oder auf einen Ruf des Vorgesetzten zur Stelle sein zu müssen, und es ließ sich mit ihrer Würde nicht vereinbaren, noch einmal Dienstkleidung zu tragen. Sie konnte sich vorstellen, wie es die Nachbarn aufnehmen würden, wenn sie hörten, daß sie wieder auswärts arbeiten mußte. Aber ihre angeborene Trägheit machte sich auch hier wieder geltend. Sie wollte Philip nicht verlassen, und solange er für sie sorgte, wußte sie nicht, warum sie es tun sollte. Sie durfte kein Geld vergeuden, aber sie hatte Kost und Quartier. Sein Onkel war ein alter Mann und würde eines Tages sterben, dann würde er eine kleine Erbschaft machen, und sogar die augenblickliche Lage war besser, als sich von morgens bis abends um ein paar Shilling wöchentlich abzurackern. Aber dann ergriff sie wieder Panik, und sie fürchtete, daß Philip müde werden könnte, für sie zu sorgen. Sie hatte jetzt keinen Einfluß mehr auf ihn, und sie bildete sich ein, daß er ihr nur zu bleiben erlaubte, weil er das Kind so gern hatte. Sie brütete über all dem, und sie dachte zornig, daß sie ihm eines Tages all dies zurückzahlen würde. Sie konnte sich mit der Tatsache, daß er nichts mehr für sie empfand, nicht abfinden. Sie würde dies ändern. Sie fühlte sich in ihrem Stolz getroffen, und manchmal sehnte sie sich sogar nach Philip. Es erbitterte sie, daß er jetzt so kalt zu ihr war. Unaufhörlich mußte sie daran denken. Sie meinte, daß er sie schlecht behandelte, und sie wußte nicht, womit sie das verdient hatte. Sie sagte sich immer wieder, daß es unnatürlich wäre, so zusammen zu leben. Dann kam ihr der Gedanke, daß alles anders sein würde, wenn sie ein Kind erwartete; dann würde er sie sicher heiraten. Er war ein seltsamer Kauz, aber er war ein Gentleman im vollen Sinne des Wortes, das konnte man nicht leugnen. Schließlich wurde es zu einer fixen Idee von ihr, und sie nahm sich vor, eine Änderung ihrer Beziehungen zueinander herbeizuführen. Er küßte sie nun nicht einmal mehr, aber sie sehnte sich danach: sie erinnerte sich, wie heiß er seine Lippen an die ihren gepreßt hatte. Es war für sie ein merkwürdiges Gefühl, daran zu denken. Sie sah oft auf seinen Mund.

Eines Abends, Anfang Februar, sagte ihr Philip, daß er zum Abendessen zu Lawson ginge, der Geburtstag hätte und in seinem Atelier eine kleine Gesellschaft veranstaltete. Er würde erst spät nach Hause kommen. Lawson habe ein paar Flaschen Punsch aus der Taverne in der Beak Street besorgt, und so wollten sie sich einen vergnügten Abend machen. Mildred fragte, ob auch Frauen dort sein würden, aber er sagte nein, es wären nur Männer eingeladen, und man würde beisammen sitzen, sich unterhalten und rauchen. Mildred hielt das nicht gerade für sehr unterhaltsam; sie würde, wenn sie ein Maler wäre, ein halbes Dutzend schöne Modelle um sich haben. Sie legte sich nieder, fand jedoch keinen Schlaf. Plötzlich kam ihr ein Gedanke. Sie erhob sich wieder und schob den Riegel der Wohnungstür vor. Philip kam gegen ein Uhr zurück, und sie hörte ihn fluchen, weil er nicht aufmachen konnte. Sie stand auf und öffnete ihm.

»Wie kommst du denn dazu, dich einzuschließen? Es tut mir leid, daß ich dich aus dem Bett holen muß.«

»Ich habe die Tür absichtlich unverriegelt gelassen. Ich habe keine Ahnung, wieso sie zu ist.«

»Marsch ins Bett, sonst erkältest du dich noch.«

Er ging ins Wohnzimmer und steckte die Gaslampe an. Sie kam ihm nach und ging zum Kamin hin.

»Ich möchte nur ein bißchen die Füße wärmen; sie sind wie Eisklumpen.«

Er setzte sich hin und zog die Schuhe aus. Seine Augen leuchteten, und seine Wangen glühten. Sie war der Meinung, daß er viel getrunken hatte.

»Hast du dich gut amüsiert?« fragte sie lächelnd.

»Ja, es war famos.«

Philip war völlig nüchtern, aber er hatte viel geredet und viel gelacht und war davon noch ganz erregt. Solch ein Abend erinnerte ihn an alte Zeiten in Paris. Er war guter Laune. Er nahm die Pfeife aus der Tasche und stopfte sie mit Tabak.

»Gehst du nicht zu Bett?« fragte sie.

»Noch nicht gleich. Ich bin gar nicht schläfrig. Lawson war in Form; er hat vom Augenblick, wo wir kamen, bis zuletzt nur so drauflos geredet.«

»Worüber habt ihr denn geredet?«

»Das weiß der liebe Gott! Von allem und jedem. Du hättest das nur mit ansehen sollen: alle schrien laut, und keiner hörte zu.«

Philip lachte noch in der Erinnerung voller Vergnügen, und Mildred lachte ebenfalls. Sie nahm mit ziemlicher Sicherheit an, daß er mehr getrunken hatte, als er vertragen konnte. Das war es, was sie erwartet hatte. Sie kannte sich mit Männern aus.

»Kann ich mich ein bißchen zu dir setzen?« fragte sie.

Ehe er noch antworten konnte, ließ sie sich auf seinen Knien nieder.

»Wenn du nicht zu Bett gehen willst, zieh lieber einen Schlafrock an.«

»Ach, ich fühle mich wohl, so wie ich bin.«

Dann legte sie ihm die Arme um den Hals, schmiegte ihr Gesicht gegen das seine und sagte: »Warum bist du so scheußlich zu mir, Phil?«

Er versuchte aufzustehen, aber sie ließ es nicht zu.

»Ich habe dich lieb, Philip«, sagte sie.

»Rede keinen solchen verdammten Unsinn!«

»Es ist kein Unsinn, es ist einfach wahr. Ich kann nicht ohne dich leben. Ich habe Sehnsucht nach dir.«

Er befreite sich aus ihren Armen.

»Steh bitte auf. Es ist lächerlich, wie du dich benimmst, und ich komme mir wie ein regelrechter Idiot vor.«

»Ich liebe dich, Philip. Ich möchte alles gutmachen, was ich dir je an Schmerz zugefügt habe. Es kann so nicht weitergehen, es ist gegen jede menschliche Natur.«

Er schlüpfte aus dem Lehnstuhl und ließ sie allein darin sitzen.

»Es tut mir sehr leid, aber es ist zu spät.«

Sie seufzte herzzerbrechend.

»Aber wieso denn? Wie kannst du denn so grausam sein?«

Sie ergriff seine Hand und bedeckte sie mit Küssen.

»Laß das!« rief er.

Sie sank in den Stuhl zurück.

»Ich kann das nicht länger ertragen. Wenn du mich nicht mehr liebst, gehe ich lieber fort.«

»Red doch nicht solch dummes Zeug; du hast nichts, wo du hingehen kannst. Du kannst hierbleiben, solange du willst, aber nur unter der Voraussetzung, daß wir Freunde sind und nichts weiter.«

Dann ließ sie plötzlich den Ton der Leidenschaft fallen und lachte weich und einschmeichelnd. Sie schob sich an Philip heran und umschlang ihn mit ihren Armen. Sie machte ihre Stimme leise und girrend.

»Sei doch nicht so dumm. Ich glaube, du bist nervös. Du weißt gar nicht, wie nett ich sein kann.«

Sie legte ihr Gesicht an seines und rieb ihre Wangen an den seinen. Philip sah in dem Lächeln nur das ordinäre Lockenwollen, und das vielsagende Geglitzer in ihren Augen erfüllte ihn mit Grauen. Er wich unwillkürlich zurück.

»Ich will nicht«, sagte er.

Aber sie wollte ihn nicht loslassen. Sie suchte mit ihren Lippen seinen Mund. Er nahm ihre Hände und riß sie grob auseinander, dann stieß er sie fort.

»Du ekelst mich an«, sagte er.

»Ich?«

Sie hielt sich mit einer Hand am Kaminsims fest. Sie sah ihn einen Augenblick lang an, und zwei rote Flecken erschienen auf ihren Wangen. Sie lachte ein schrilles, böses Lachen.

»Ich ekle *dich* an.«

Sie stockte und zog scharf den Atem ein. Dann brach sie in einen wütenden Schwall von Schimpfworten aus. Sie schrie aus voller Kehle. Sie schmähte ihn mit den gemeinsten Worten, die ihr nur einfielen. Sie gebrauchte so obszöne Worte, daß Philip ganz starr war vor Staunen; sie hatte sich immer so viel Mühe gegeben, die feine Dame zu spielen, hatte sich bei jedem gröberen Wort verletzt gefühlt, daß es Philip nie in den Sinn gekommen wäre, solche Worte könnten ihr überhaupt bekannt sein. Sie kam auf ihn zu und sah ihn mit vor Leidenschaft verzerrten Zügen an.

»Ich habe mir nie etwas aus dir gemacht, nicht einen Augenblick lang. Ich habe dich immer zum Narren gehalten, gelangweilt hast du mich, ja, tödlich gelangweilt, und ich habe dich gehaßt; ich hätte mich nie von dir anfassen lassen, wäre es nicht wegen des Geldes gewesen. Übel geworden ist mir, wenn ich mich habe von dir küssen lassen müssen. Ausgelacht haben wir dich, Griffith und ich, dich ausgelacht, weil du ein Hampelmann bist. Ein Hampelmann, ein Hampelmann!«

Wieder brach sie in abscheuliche Schmähungen aus. Sie beschuldigte ihn jeglicher Gemeinheit: sie sagte, er wäre geizig, sie sagte, er wäre langweilig, eitel und selbstsüchtig. Sie übergoß alles, was ihm wert war, mit bitterem Hohn. Und dann wandte sie sich zum Gehen. Noch immer schrie sie ihn voll hysterischer Heftigkeit an und beschimpfte ihn in gemeinster Weise. Sie ergriff die Klinke und riß die Tür auf. Dann drehte sie sich noch einmal um und schmiß ihm die Kränkung ins Gesicht, von der sie wußte, daß sie allein ihn wirklich traf. Sie goß alle Boshaftigkeit und all die Giftigkeit, deren sie fähig war, in dieses Wort. Sie schrie es ihm zu, als wäre es ein Schlag, den sie ihm versetzte:

»Krüppel!«

Am nächsten Morgen erwachte Philip mit einem Ruck aus tiefem Schlaf – es mußte schon spät sein. Er sah auf die Uhr: es war bereits neun. Er sprang aus dem Bett und ging in die Küche, um sich etwas heißes Wasser zum Rasieren zu holen. Von Mildred war nichts zu sehen; das Geschirr vom Abend vorher lag noch schmutzig im Spülbecken. Er klopfte bei ihr an.

»Aufstehen, Mildred! Es ist schon schrecklich spät.«

Keine Antwort – auch nicht, nachdem er noch ein zweitesmal, besonders laut, geklopft hatte. Er nahm deshalb an, daß sie verstimmt sei und schmolle. Nun, er konnte sich nicht darum kümmern, er hatte es zu eilig. Er stellte Wasser aufs Feuer und sprang in sein Bad, das schon immer am Abend vorher eingelassen wurde, damit es nicht gar zu kalt sei. Mildred würde inzwischen wahrscheinlich sein Frühstück zurechtmachen und im Wohnzimmer bereitstellen. Sie hatte das schon ein paarmal gemacht, wenn sie schlechter Laune war. Aber nichts regte sich. Das hieß also, daß er sich sein Frühstück selbst würde machen müssen, wenn er überhaupt etwas zu essen haben wollte. Er war gereizt, weil sie ihm das gerade an einem Morgen antat, wo er sowieso schon zu spät aufgestanden war. Sie ließ sich auch nicht sehen, als er sich fertig angekleidet hatte; aber er hörte, wie sie in ihrem Zimmer umherging. Offenbar stand sie gerade auf. Er machte sich Tee, richtete sich Butterbrote und aß sie, während er sich die Stiefel zuschnürte; dann lief er eilig los, die Hauptstraße hinunter, um seine Elektrische zu erreichen. Während seine Augen an den Zeitungsständen nach den neuesten Kriegsnachrichten suchten, dachte er an die Szene von gestern abend: jetzt, wo es vorbei war und er es überschlafen hatte, konnte er sich nicht helfen, er fand es grotesk. Er hatte sich wahrscheinlich ziemlich albern benommen, aber er war nicht Herr seiner Gefühle gewesen. Sie hatten ihn einfach überwältigt. Er war ärgerlich auf Mildred, weil sie ihn in diese lächerliche Lage gebracht hatte. Dann fiel ihm wieder ein, wie ausfällig sie geworden war, und er staunte von neuem über die schmutzige Sprache, deren sie sich bedient hatte. Unwillkürlich errötete er, als er an ihren letzten Hieb dachte, aber er zuckte nur verächtlich die Schultern.

Er war froh, sich in die Arbeit stürzen zu können. Die Krankensäle schienen ihm heute besonders angenehm und freundlich. Die Schwester begrüßte ihn mit einem schnellen, geschäftsmäßigen Blick.

»Sie kommen heute sehr spät, Mr. Carey.«

»Ich habe gestern abend gebummelt.«

»Das sieht man Ihnen an.«

»Danke vielmals.«

Er ging lachend zu seinem ersten Fall, einem Knaben mit tuberkulösen Geschwüren, und nahm ihm die Verbände ab. Der Junge freute sich, als er ihn kommen sah, und Philip neckte ihn, während er seine

Wunden neu verband. Er nahm seinen Lunch mit Freunden im Klubzimmer ein; es war eine einfache Mahlzeit: eine Tasse Kakao, ein Butterbrot. Sie sprachen über den Krieg. Etliche hatten vor, daran teilzunehmen; aber die Behörden nahmen es sehr genau und wiesen alle ab, die noch keine Krankenhausanstellung gehabt hatten. Man äußerte die Meinung, daß man, wenn der Krieg noch lange dauerte, gern jeden nehmen würde, der sein Studium beendet hatte; aber die allgemeine Ansicht war, daß der Krieg in einem Monat aus sein würde. Jetzt, wo man Roberts hingeschickt hatte, würde alles im Handumdrehen erledigt sein. Das war auch Macalisters Meinung. Er hatte Philip gesagt, daß sie jetzt die Gelegenheit wahrnehmen und die Aktien kurz vor Friedensschluß kaufen müßten. Dann würde sicherlich eine ziemliche Konjunktur einsetzen, und – man kann nie wissen – vielleicht würde für sie alle ein bißchen Geld abfallen. Philip hatte Macalister Weisung gegeben, Aktien zu kaufen, sowie sich eine gute Gelegenheit böte. Er hatte durch die dreißig Pfund, die er im Sommer gewonnen hatte, Blut gerochen und wollte jetzt gern ein paar Hunderter verdienen.

Er erledigte seine Arbeit und fuhr mit der Elektrischen nach Kennington zurück. Wie Mildred sich wohl heute abend benehmen würde? Wie lästig, daß sie wahrscheinlich beleidigt sein und jede Antwort auf seine Fragen verweigern würde. Es war für die Jahreszeit ein warmer Abend, und selbst in den grauen Straßen Süd-Londons war etwas von der sehnsüchtigen Februarstimmung zu spüren. Die Natur ist dann nach den langen Wintermonaten voller Unruhe; keimende Dinge erwachen aus ihrem Schlaf; die Erde beginnt sich zu regen – Vorahnung des Frühlings – und nimmt ihr ewiges Tun wieder auf. Philip wäre gern noch weiter gefahren; es war ihm unangenehm, in seine Zimmer zurückzukehren; er sehnte sich nach Luft. Aber der Wunsch, das Kind zu sehen, überfiel ihn plötzlich, und er mußte innerlich lächeln, wenn er sich vorstellte, wie es mit krähendem Entzücken auf ihn zuwatschelte. Er war überrascht, daß kein Fenster erhellt war, als er vor dem Haus ankam und mechanisch hinaufsah. Er ging nach oben und klopfte; aber niemand antwortete. Wenn Mildred ausging, ließ sie gewöhnlich die Schlüssel unter der Fußmatte; dort fand er sie auch jetzt. Er schloß auf und zündete ein Streichholz an, als er ins Wohnzimmer trat. Etwas war geschehen; er konnte nicht sofort sagen, was es war. Er drehte den Gashahn auf und zündete die Lampe an. Das grelle Licht erfüllte das Zimmer, und er sah sich um. Er schnappte nach Luft. Der ganze Raum lag im Chaos. Alles, was darin war, war planvoll zerstört. Wut ergriff ihn, und er rannte in Mildreds Zimmer. Es war dunkel und leer. Als er Licht gemacht hatte, sah er, daß sie ihre eigenen und die Sachen des Kindes fortgebracht hatte (schon als er ins Haus trat, war ihm aufgefallen, daß der Kinderwagen nicht dastand; er hatte aber gemeint, Mildred wäre mit der Kleinen ein bißchen ausgegangen). Alle Gegenstände auf dem Waschtisch waren zerbrochen; mit einem Messer hatte sie die Stuhlsitze kreuzweise durchschnitten; das Kissen war aufgeschlitzt, der Spiegel augenscheinlich mit einem Hammer zertrümmert worden. Philip war ganz verwirrt. Er ging in sein eigenes Zimmer, und auch hier herrschte Chaos. Waschbecken und Eimer waren zerschlagen, der Spiegel in Scherben und die Bettdecken in Fetzen. Mildred hatte das Kissen weit genug aufgeschlitzt, um mit der Hand hineinreichen zu können, und hatte die Federn im Zimmer umhergestreut. In die Wolldecken hatte sie ein Messer gebohrt. Auf dem Ankleidetisch stand die Fotografie von Philips Mutter; der Rahmen war zerbrochen und das Glas in Splittern. Philip ging in die kleine Küche hinaus. Alles, was zu zerbrechen war, war zerbrochen: Gläser, Puddingformen, Schüssel und Teller.

Es benahm Philip den Atem. Mildred hatte keinen Brief hinterlassen – nichts als dieses Chaos als Zeichen ihrer Wut. Er konnte sich bildhaft vorstellen, wie sie mit hartem, entschlossenem Gesicht gearbeitet hatte. Er ging in das Wohnzimmer zurück und schaute sich um. Er war so erstaunt, daß er nicht einmal mehr böse sein konnte. Neugierig besah er sich das Küchenmesser und den Hammer, mit dem die Kohlen sonst zerkleinert wurden; sie lagen noch gerade so auf dem Tisch, wie sie sie hingeworfen hatte. Dann fiel sein Blick auf ein großes Vorlegemesser, das zerbrochen im Kamin lag. Sie mußte lange gebraucht haben, um so viel Unheil anzurichten. Sein Porträt, von Lawson gemalt, war kreuzweise durchschnitten und klaffte häßlich auseinander. Seine eigenen Zeichnungen waren zerrissen; und die Fotografien: Manets *Olympia* und die *Odalisque* von Ingres sowie das Porträt Philips IV. waren mit schweren Hammerschlägen zerstört. Das Tischtuch, die Gardinen und die beiden Lehnsessel wiesen klaffende Wunden auf. Sie waren vollständig verdorben. An der Wand über dem Tisch, den Philip als Schreibtisch benutzt hatte, hing das Stückchen persischen Teppichs, das Cronshaw ihm geschenkt hatte. Mildred hatte von Anfang an eine besondere Abneigung dagegen gehabt.

»Wenn es ein Teppich ist, sollte er auf dem Fußboden liegen«, pflegte sie zu sagen; »aber es ist nichts weiter als ein dreckiger, stinkiger Stoffetzen.«

Sie war voll rasender Wut, weil Philip ihr sagte, er enthielte die Antwort auf ein großes Rätsel. Sie meinte, er machte sich über sie lustig. Sie hatte ihn dreimal – von einer Seite bis zur andern – mit einem Messer durchschnitten, und nun hing er in Lumpen. Philip besaß zwei oder drei blauweiße Teller. Sie waren nicht weiter wertvoll, aber er hatte sie selbst aus kleinen Ersparnissen gekauft und hing an ihnen, weil sich Erinnerungen mit ihnen verbanden. Nun bedeckten die Scherben den Boden. Die Rücken der Bücher zeigten klaffende Stellen, ja Mildred hatte sogar die Mühe nicht gescheut, Seiten aus den ungebundenen französischen Schriften zu reißen. Die Nippes, die auf dem Kaminsims gestanden hatten, lagen in Stücken herum. Alles, was durch Messer und Hammer zerstörbar war, war zerstört.

Philips Besitztümer hätten alles in allem nicht mehr als dreißig Pfund gebracht, aber die meisten waren alte Freunde. Er hing an ihnen, weil sie ein Stück seines Lebens bedeuteten. Er war stolz gewesen auf sein kleines Heim und hatte es mit wenig Geld hübsch gemacht und ihm eine eigene Note gegeben. Er sank, ganz verzweifelt, zusammen. Wie konnte sie nur so grausam sein! Plötzlich überfiel ihn neue Angst, er sprang auf und lief auf den Korridor, wo sein Kleiderschrank stand. Er öffnete ihn und stöhnte erleichtert auf. Sie hatte ihn anscheinend vergessen und seine Sachen nicht angerührt.

Er ging wieder in das Wohnzimmer hinüber, überblickte noch einmal das Schlachtfeld und fragte sich, was er nun tun sollte. Er besaß nicht den Mut, einen Versuch zu unternehmen, die Ordnung wiederherzustellen. Außerdem war nichts zu essen im Hause, und er war hungrig. Er ging fort und aß auswärts. Als er dann nach Hause zurückkehrte, hatte sich seine Erregung abgekühlt. Der Gedanke an das Kind peinigte ihn. Ob es sich seiner wohl erinnern würde? Zuerst vielleicht; in einer Woche aber würde es ihn vergessen haben. Er war dankbar, daß er Mildred los war. Wenn er an sie dachte, so geschah es nicht im Zorn, aber mit dem Gefühl unerträglicher Öde.

»Lieber Gott, hoffentlich sehe ich sie niemals wieder!« sagte er laut.

Es blieb ihm nichts anderes übrig, als die Wohnung aufzugeben, und so entschloß er sich, gleich am nächsten Tage zu kündigen. Er hätte es sich doch nicht leisten können, den angerichteten Schaden wieder in Ordnung bringen zu lassen; außerdem mußte er danach trachten, eine billigere Wohnung zu finden. Eigentlich war er ganz froh, von hier wegzukommen. Die Ausgaben hatten ihn doch bedrückt. Die Erinnerung an Mildred würde nun immer an diesen Räumen haften. Philip war ungeduldig; er konnte nie die Zeit abwarten, einen Entschluß in die Tat umzusetzen, wenn er ihn einmal gefaßt hatte. Deshalb ließ er bereits am nächsten Nachmittag einen Trödler kommen. Der bot ihm für alles – beschädigt oder unbeschädigt – drei Pfund an. Zwei Tage später übersiedelte er schon in das Haus gegenüber dem Hospital, in dem er bereits als junger Medizinstudent gewohnt hatte. Die Wirtin war eine sehr ordentliche Frau. Er nahm ein Schlafzimmer im obersten Stock, das sie ihm für sechs Shilling die Woche überließ. Es war recht klein und ziemlich schäbig; die Fenster führten auf den Hinterhof; aber er brauchte nicht mehr. Er hatte sowieso nichts als seine Kleider unterzubringen und eine Kiste voll Bücher. Er war froh, so billig wohnen zu können.

Und nun geschah es, daß das Schicksal von Philip Carey – ein Schicksal, das eigentlich nur für ihn selbst wichtig war – durch die Ereignisse gestaltet wurde, die sein Vaterland erlebte. Es war eine Zeit, in der Geschichte gemacht wurde, und der Prozeß, durch den sich das vollzog, war so bedeutsam, daß es eigentlich absurd ist, sich vorzustellen, es habe gleichzeitig in das Leben eines unbedeutenden Medizinstudenten eingegriffen. Eine verlorene Schlacht nach der andern: Magersfontein, Colenso, Spion Kop, demütigte die Nation und zerschlug das Prestige, das bis dahin der Adel und die Vornehmen ohne Widerspruch genossen hatten. Hatten sie sich doch gebrüstet, einen natürlichen Instinkt für das Regieren zu besitzen. Dann erhob sich der Koloß mit letzter Kraft, tappte weiter und tappte in einen Scheinsieg. Cronje ergab sich bei Paardeberg; Ladysmith wurde abgesetzt, und so zog denn, Anfang März, Lord Roberts in Bloemfontein ein.

Ein oder zwei Tage, nachdem diese Nachrichten London erreicht hatten, kam Macalister in die Taverne in der Beak Street und verkündigte freudig, daß die Börsenverhältnisse sich aufzuheitern begännen. Der Friede stand vor der Tür; Roberts würde innerhalb weniger Wochen in Pretoria einmarschieren, und schon zögen die Aktien an; eine Hausse war unausbleiblich.

»Jetzt heißt es zugreifen«, sagte er Philip. »Es hat keinen Zweck so lange zu warten, bis die breite Masse Blut riecht. Jetzt oder nie.«

Er war gut informiert. Der Leiter eines Bergwerks in Südafrika hatte dem ältesten Teilhaber seiner Firma depeschiert, daß die Fabriken unbeschädigt seien. Sie würden so bald wie irgend möglich ihre Arbeit wiederaufnehmen. Das war keine Spekulation mehr, das war eine sichere Kapitalanlage. Um Philip zu beweisen, was für eine gute Sache es sei, erzählte Macalister ihm, daß der älteste Teilhaber für seine beiden Schwestern je fünfhundert Aktien gekauft habe. Er legte nie Geld in etwas an, was ihm nicht so sicher wie die Bank von England schien.

»Ich selber stecke mein Letztes hinein«, sagte er.

Die Aktien standen zwei und ein achtel Pfund. Er riet Philip, nicht zu gierig zu sein, sondern sich mit einem Gewinn von zehn Shilling zu begnügen. Er kaufte sich selber dreihundert Stück und riet Philip, ein Gleiches zu tun. Er würde sie zu treuen Händen behalten und im geeigneten Moment verkaufen. Philip hatte großes Zutrauen zu ihm und nahm den Vorschlag eiligst an.

In Philips Augen war das eine herrliche Sache. Man wartete ab, bis man seinen Gewinn einstecken konnte, und brauchte selbst keinen Penny auf den Tisch zu legen. Er fing an, die Börsennachrichten der Zeitungen mit neuem Interesse zu verfolgen. Am nächsten Tag zogen die Papiere leicht an, und Macalister schrieb ihm, er habe zwei und ein halb Pfund zahlen müssen. Er schrieb, die Börse sei fest. In ein oder zwei Tagen gab es jedoch einen Rückschlag. Die Nachrichten, die von Südafrika eintrafen, waren weniger zuversichtlich, und Philip sah mit Besorgnis, daß seine Aktien auf zwei Pfund gefallen waren. Aber Macalister war optimistisch. Viel länger würden die Buren nicht standhalten können; er wette um einen Zylinderhut, daß Roberts noch vor Mitte April in Johannisburg einziehen würde. Als die Abrechnung kam, hatte Philip fast vierzig Pfund zu zahlen. Es machte ihn sehr besorgt, aber er hielt es für das beste abzuwarten: der Verlust war zu groß, den konnte er nicht einfach einstecken. Während der nächsten zwei oder drei Wochen geschah nichts. Die Buren wollten nicht einsehen, daß sie geschlagen seien und sich nur zu ergeben hätten. Sie hatten sogar ein paar kleine Erfolge, und Philips Aktien sanken um eine weitere halbe Krone. Es zeigte sich klar: der Krieg war noch nicht beendigt. Die Aktien wurden in Massen wieder auf den Markt geworfen. Als Macalister Philip wiedersah, war er pessimistisch.

»Ich weiß nicht recht, ob es nicht das beste wäre, den Verlust zu schlucken.«

Philip war ganz elend vor Sorge. Er konnte des Nachts nicht mehr schlafen. Er schlang sein Frühstück hinunter, das nur noch aus Tee, Brot und Butter bestand, und lief in den Lesesaal des Klubs, um die Zeitung einzusehen. Manchmal waren die Nachrichten schlecht, und manchmal blieben sie völlig aus. Bewegten sich die Kurse überhaupt, so nur nach unten. Er wußte nicht, was tun. Verkaufte er jetzt, so verlor er ziemlich genau dreihundertfünfzig Pfund; dann blieben ihm nur noch achtzig Pfund übrig. Er wünschte von ganzem Herzen, er wäre nie ein solcher Narr gewesen und hätte an der Börse spekuliert. Jetzt blieb ihm nichts anderes übrig, als weiter durchzuhalten. Vielleicht geschah eines Tages ein wichtiges Ereignis; dann würden die Aktien anziehen. Er hoffte nicht mehr auf Gewinn; er wollte nur den Verlust ausgleichen. Nur so würde er sein Studium zu Ende bringen können. Das Sommersemester fing im Mai an; am Schluß des Semesters wollte er sein Geburtshilfe-Examen machen. Dann bliebe ihm nur noch ein Jahr. Er rechnete sich alles sehr genau aus und meinte schließlich, daß er es, Gebühren und alles eingerechnet, mit einhundertundfünfzig Pfund schaffen könnte. Das war jedoch das Äußerste; mit weniger konnte er nicht auskommen.

Anfang April ging er zur Taverne in der Beak Street, weil er Macalister gern treffen wollte. Es beruhigte ihn ein wenig, die Lage mit ihm durchsprechen zu können. Daß zahllose andere Leute außer ihm ebenfalls Geld verloren, machte seine eigenen Sorgen ein bißchen erträglicher. Als Philip hinkam, war jedoch niemand da außer Hayward. Philip hatte sich kaum gesetzt, als er schon sagte:

»Ich fahre am Sonntag zum Kap.«

»Was?!« rief Philip aus.

Von Hayward hatte er so etwas am allerwenigsten erwartet. Viele der Leute aus dem Krankenhaus fuhren jetzt hin; die Regierung war froh und nahm alle an, die ihr Examen hinter sich hatten. Andere, die als Soldaten hinausgegangen waren, schrieben nach Hause, daß sie, als man herausfand, sie seien Medizinstudenten, sofort der Krankenhausarbeit überwiesen worden wären. Eine Welle von Vaterlandsgefühl ging über das Land hin, und aus allen Gesellschaftsschichten meldeten sich Freiwillige.

»Als was gehst du denn?« fragte Philip.

»Mit der Freiwilligentruppe aus Dorset, als Gemeiner.«

Philip kannte Hayward nun seit sechs Jahren. Die Vertrautheit der Beziehung, die aus Philips jugendlicher Begeisterung und Bewunderung für ihn entsprungen war, der von Kunst und Literatur erzählen konnte, war längst vergangen; an ihre Stelle war die Gewohnheit getreten, und wenn Hayward in London war, sahen sie sich ein- oder zweimal die Woche. Er sprach noch immer mit feiner Einfühlungsgabe über Bücher. Philip war nicht sehr duldsam, und gelegentlich irritierte ihn Haywards Unterhaltung. Er glaubte nicht mehr daran, daß nichts in der Welt von Belang wäre außer der Kunst. Haywards verächtliche Einstellung jeglichem Handeln oder Erfolg gegenüber erfüllte ihn mit Unwillen. Philip saß da, rührte seinen Punsch um und dachte an die erste Zeit ihrer Freundschaft, als er noch voll kühner Erwartung war, daß Hayward große Dinge vollbringen werde. Diese Illusion hatte er inzwischen längst aufgegeben; er wußte jetzt recht gut, daß Hayward nie etwas anderes tun würde als große Reden schwingen. Mit seinen fünfunddreißig Jahren fand er es jetzt viel schwieriger, mit dreihundert Pfund im Jahr auszukommen, als früher, wo er noch jung war. Seine Anzüge, die er zwar noch immer bei guten Schneidern machen ließ, wurden jetzt so lange getragen, wie er es früher nicht für möglich gehalten hätte. Er war zu dick. Mochte er sein Haar noch so kunstvoll anordnen, es ließ sich kaum verhehlen, daß es sich lichtete. Seine blauen Augen waren blaß und ausdruckslos. Man konnte leicht sehen, daß er zuviel trank.

»Wie bist du bloß auf die Idee gekommen, ans Kap zu gehen?«

»Ach, ich weiß nicht; ich dachte, man sollte das wohl.«

Philip war schweigsam. Er kam sich albern vor. Er verstand, daß Hayward von einer Unruhe getrieben wurde, für die er nichts konnte. Irgendeine Kraft in ihm ließ es ihm notwendig erscheinen, hinauszugehen und für sein Vaterland zu kämpfen. Es war merkwürdig, da er Patriotismus als Vorurteil betrachtet und England als Ort des Exils angesehen hatte, weil er sich in seiner kosmopolitischen Haltung gefiel. Warum taten die Menschen immer das, was in Widerspruch zu ihren Theorien stand? Für Hayward wäre es das richtige gewesen, abseits zu stehen und gelassen lächelnd mit anzusehen, wie die Barbaren sich gegenseitig abschlachteten. Es sah wirklich aus, als wären die Menschen nichts als Marionetten, die nach dem Willen einer unbekannten Macht dies taten oder das. Gelegentlich brauchten sie ihren Verstand, um ihre Handlungen zu rechtfertigen; stellte sich das aber als unmöglich heraus, so handelten sie getrost gegen ihren Verstand.

»Komisch ist das mit den Menschen«, sagte Philip. »Von dir hätte ich zum Beispiel nie erwartet, daß du als Gemeiner hinausgehst.«

Hayward lächelte mit einem Anflug von Verlegenheit und sagte nichts.

»Ich bin gestern untersucht worden«, bemerkte er schließlich. »Das etwas Genante der Situation hat sich gelohnt, wenn man dann erfährt, daß man völlig tauglich sei.«

Philip fiel auf, daß er in seiner geschraubten Manier noch immer ein französisches Wort gebrauchte, wo ein gut englisches genau die gleichen Dienste verrichtet hätte.

Aber gerade kam Macalister herein.

»Ich wollte Sie gern sprechen, Carey«, sagte er. »Meine Leute möchten die Aktien nicht länger behalten. Die Börse ist in einem schrecklichen Zustand; sie möchten, daß Sie Ihre Papiere jetzt übernehmen.«

Philip sank das Herz. Er wußte, das war unmöglich. Es bedeutete, daß er den Verlust hinnehmen mußte. Sein Stolz zwang ihn, ruhig und gelassen zu antworten.

»Ich glaube, das lohnt sich nicht. Es ist wohl besser, wenn Sie sie verkaufen.«

»Leicht gesagt, ich weiß nur nicht, ob ich das kann. Der Markt stagniert; es melden sich keine Käufer.«

»Aber sie sind doch noch immer mit ein ein achtel Pfund notiert.«

»Das besagt leider nichts. Das bekommt man nirgends dafür.«

»Soll das heißen, daß sie völlig wertlos sind?«

»Das will ich nicht gerade sagen. Natürlich, etwas sind sie schon wert, aber es kauft sie niemand.«

»Dann müssen Sie sie um jeden Preis verkaufen.«

Macalister sah Philip aufmerksam an. Er hätte gern gewußt, ob es ihn schwer traf.

»Es tut mir schrecklich leid, mein Bester. Wir teilen alle das gleiche Schicksal. Kein Mensch hat gedacht, daß der Krieg sich noch so lange hinschleppen wird. Ich habe Sie zu dem Aktienkauf angeregt, aber ich habe mich auch selber beteiligt.«

»Es macht nichts«, sagte Philip. »Man weiß ja, was man riskiert.«

Er kehrte wieder an den Tisch zurück, von dem er aufgestanden war, um sich mit Macalister zu unterhalten. Er war wie vom Donner gerührt; sein Kopf schmerzte ihn plötzlich zum Zerplatzen; aber er wollte nicht, daß sie ihn für unmännlich hielten. Er blieb noch eine Stunde lang sitzen. Er lachte laut, wenn etwas gesagt wurde. Schließlich stand er auf, um fortzugehen.

»Sie nehmen es ziemlich kühl auf«, sagte Macalister, als sie sich die Hand gaben. »Ich glaube, es freut niemanden, so an die drei- bis vierhundert Pfund zu verlieren.«

Als Philip in sein kleines, schäbiges Zimmer heimkam, warf er sich aufs Bett und gab sich ganz seiner Verzweiflung hin. Er bereute seine unvernünftige Handlung bitter. Er mochte sich noch so oft sagen, daß es Unsinn war zu bereuen, denn was geschehen, war unvermeidlich, eben gerade, weil es geschehen war – es half ihm nichts. Er fühlte sich elend und zerschlagen; er konnte nicht schlafen. Seine Verschwendungen während der letzten Jahre fielen ihm ein. Sein Kopf schmerzte unerträglich.

Am nächsten Abend mit der letzten Post kam die Bankabrechnung. Er studierte sein Kontobuch. Wenn er alles bezahlt haben würde, blieben ihm noch sieben Pfund. Sieben Pfund! Er war nur froh, daß er wenigstens in der Lage war, seine Verpflichtungen zu erfüllen. Es wäre fürchterlich gewesen, hätte er Macalister beichten müssen, daß er nicht genug Geld besaß. Er arbeitete während des Sommersemesters in der Augenklinik. Er hatte einem Studenten einen Augenspiegel abgekauft. Er war noch nicht bezahlt; es fehlte ihm der Mut, dem Studenten mitzuteilen, daß er den Kauf rückgängig machen müßte. Außerdem mußte er verschiedene Bücher kaufen. Blieben ihm noch fünf Pfund. Es reichte noch sechs Wochen, dann schrieb er seinem Onkel einen Brief, der ihm geschäftsmäßig schien. Er teilte ihm mit, daß er durch den Krieg leider große Verluste erlitten hätte und sein Studium nicht fortsetzen könnte, wenn sein Onkel ihm nicht hülfe. Er schlug dem Geistlichen vor, ihm einhundertfünfzig Pfund in achtzehn Monatsraten zu leihen. Er würde dafür Zinsen zahlen und die Summe abtragen, sobald er Geld verdiene. Er würde in einem, höchstens anderthalb Jahren approbiert sein und könnte dann bestimmt eine Stellung bekommen, die ihm wöchentlich drei Pfund einbrachte. Sein Onkel antwortete, er könne leider nichts tun. Es wäre nicht recht, ihn darum anzugehen, seine Effekten zu verkaufen, jetzt, wo alles so schlecht stünde. Das wenige, was ihm geblieben sei, müsse er für einen eventuellen Krankheitsfall aufheben; das wäre er sich schuldig. Der Brief schloß mit einer kleinen Kanzelrede. Er hätte Philip immer wieder gewarnt; Philip aber habe nie auf ihn gehört. Wollte er ehrlich sein, so könnte er eigentlich nicht sagen, daß seine Nachricht ihn überrascht habe. Eigentlich habe er immer erwartet, daß Philips Extravaganzen und seine Unausgeglichenheit einmal dahin führen würden. Philip lief es heiß und kalt über den Rücken, als er das las. Es war ihm nie in den Sinn gekommen, daß sein Onkel sein Anliegen ablehnen könnte; ein heftiger Zorn ergriff ihn. Danach überfiel ihn gähnende Leere: Wenn sein Onkel ihm nicht helfen wollte, konnte er nicht länger im Hospital bleiben. Er wurde von panischem Schrecken erfüllt. Er überwand seinen Stolz und schrieb dem Vikar von Blackstable nochmals, malte ihm die Lage noch eindringlicher aus. Ob er es nun trotzdem nicht richtig anfing oder ob sein Onkel einfach nicht verstand, in welcher verzweifelten Situation er sich befand, jedenfalls antwortete er, er könnte seinen Sinn nicht ändern; Philip sei fünfundzwanzig Jahre alt und müßte sich eigentlich seinen Lebensunterhalt selbst verdienen. Stürbe er, so würde Philip ein wenig Geld erben, aber vorher könne er ihm leider keinen Penny geben. Philip spürte in dem Brief die Genugtuung, die ein Mensch empfindet, wenn er seit Jahren einer Sache ablehnend gegenübersteht und dann erfährt, daß seine Haltung berechtigt war.

Philip fing an, seine Anzüge aufs Leihhaus zu tragen. Er beschnitt seine Ausgaben, indem er nur noch eine Mahlzeit außer dem Frühstück zu sich nahm. Diese eine Mahlzeit, die aus Brot, Butter und Kakao bestand, aß er um vier Uhr nachmittags, damit er bis zum nächsten Morgen durchhalten konnte. Gegen neun Uhr war er dann so hungrig, daß er zu Bett gehen mußte. Er dachte daran, sich von Lawson Geld zu borgen; aber die Angst, daß dieser ihn abweisen könnte, hielt ihn zurück. Endlich bat er ihn doch um fünf Pfund. Lawson lieh sie ihm gern, sagte jedoch, als er sie ihm überreichte:

»Du gibst sie mir in ungefähr einer Woche wieder, nicht? Ich muß nämlich dem Tischler die Rahmen bezahlen und bin gerade etwas knapp.«

Philip wußte, er würde das Geld nicht zurückgeben können. Was Lawson dann von ihm denken würde, erfüllte ihn so sehr mit Scham, daß er nach wenigen Tagen das Geld unberührt zurückbrachte. Lawson war gerade dabei, zum Lunch zu gehen, und lud Philip ein. Philip konnte kaum essen; er war so froh, wieder einmal etwas Ordentliches in den Magen zu bekommen. Sonntags durfte er immer auf ein Mittagessen bei den Athelnys rechnen. Er zögerte, ihnen von seinem Mißgeschick zu erzählen. Sie hatten ihn immer als verhältnismäßig wohlhabend angesehen, und er hatte Angst, sie könnten weniger gut von ihm denken, wenn sie erführen, daß er völlig mittellos wäre.

Obwohl er immer arm gewesen war, war es ihm doch nie in den Sinn gekommen, daß er eines Tages nicht genug zum Essen haben könnte. So etwas geschah in seinen Kreisen nicht. Er schämte sich so, als hätte er eine scheußliche Krankheit. Die Lage, in der er sich befand, war eigentlich ganz außerhalb seines natürlichen Erlebnisbereiches. Er war so bestürzt, daß er nicht wußte, was er tun sollte, und einfach weiter zum Hospital ging. Er hatte eine unbestimmte Hoffnung, daß irgend etwas geschehen würde. Er konnte nicht recht glauben, daß das, was sich hier zutrug, wirklich war. Es fiel ihm ein, daß er während seiner ersten Schulzeit sein Leben oft für einen Traum gehalten hatte, aus dem er eines Tages erwachen und sich wieder zu Hause finden würde. Aber bald mußte er feststellen, daß er in etwa einer Woche völlig ohne Geld dasitzen würde. Er mußte sich also daranmachen, irgendeinen Verdienst aufzuspüren. Hätte er seine Examen schon hinter sich, so könnte er trotz des Klumpfußes zum Kap hinausfahren: Mediziner waren sehr gefragt. Ohne seine Verkrüppelung hätte er sich bei einem der Freiwilligenregimenter melden können, die in einem fort hinuntergeschickt wurden. Er ging zum Sekretär der Medizinischen Fakultät und fragte an, ob man ihm vielleicht einen zurückgebliebenen Studenten zum Nachhilfeunterricht geben könnte. Der Sekretär machte ihm jedoch keine Hoffnungen. Philip las die Annoncen der medizinischen Zeitschriften und bewarb sich um die Stelle eines ungeprüften Assistenten bei einem Mann, der in Fulham Road eine Apotheke besaß. Als er sich vorstellte, sah er, daß der Arzt seinen Klumpfuß bemerkte. Und als er dann hörte, daß Philip erst im vierten Jahr am Hospital war, meinte er, er besäße noch nicht genug Erfahrung. Philip wußte, daß das eine Ausflucht war: der Mann wollte keinen Assistenten haben, der vielleicht nicht so rührig sein konnte, wie er es von ihm verlangte. Philip richtete sein Augenmerk auf andere Verdienstmöglichkeiten. Er konnte Französisch und Deutsch und hoffte, vielleicht als Korrespondent Arbeit zu finden. Es fiel ihm zwar schwer, aber er biß die Zähne zusammen, denn es blieb ihm kein anderer Ausweg. Er war zu schüchtern, sich um Stellen zu bemühen, bei denen er sich persönlich vorstellen mußte, bewarb sich jedoch dort, wo eine schriftliche Bewerbung verlangt wurde. Er konnte sich indes keiner Erfahrung rühmen und besaß keine Empfehlungen. Er war sich bewußt, daß weder sein Deutsch noch sein Französisch sich für Geschäftszwecke eignete; er kannte die dafür notwendigen Ausdrücke nicht. Er konnte weder Stenographieren noch Maschineschreiben. Er sah selbst ein, sein Fall war hoffnungslos. Er spielte mit dem Gedanken, sich an den Testamentsvollstrecker seines Vaters zu wenden, aber das konnte er nicht über sich bringen, denn er hatte gegen den Willen des Anwalts gehandelt, als er seine Hypotheken verkaufte. Durch seinen Onkel wußte er, daß Mr. Nixon sehr unzufrieden mit ihm war. Er hielt ihn für faul und untüchtig.

»Lieber will ich verhungern«, murmelte Philip vor sich hin.

Ein paarmal kam ihm der Gedanke an Selbstmord. Er konnte sich leicht etwas aus der Krankenhausapotheke besorgen; es würde ein Trost sein, etwas in Händen zu haben, mit dem er sich, schlimmstenfalls, ein schmerzloses Ende bereiten konnte. Es war jedoch kein Ausweg, an den er ernsthaft dachte. Damals, als Mildred ihn Griffiths wegen verließ, war sein Kummer so groß gewesen, daß er zu sterben wünschte, um all den Schmerz loszuwerden. Das Gefühl, das ihn jetzt bewegte, war mit dem von damals nicht vergleichbar. Es fiel ihm ein, daß die Schwester auf der Unfallstation gesagt hatte, daß man sich leichter des Geldes als der Liebe wegen umbrächte. Er kicherte, als er daran dachte, daß er eine Ausnahme bildete. Er hatte nur den einen Wunsch, mit jemandem seine Sorgen durchzusprechen, aber er konnte sie niemandem eingestehen. Er schämte sich. Er sah sich weiter nach Arbeit um. Er blieb drei Wochen lang mit seiner Miete im Rückstand und erklärte seiner Wirtin, daß er am Ende des Monats Geld bekommen würde. Sie sagte nichts dazu, zog jedoch die Stirn kraus und sah ihn finster an. Als das Monatsende da war, fragte sie ihn, ob er wohl jetzt seine Rechnung begleichen oder eine Anzahlung leisten könne, und es machte ihn ganz krank, daß er ihr sagen mußte, er habe kein Geld. Er beruhigte sie, er würde seinem Onkel schreiben, der sicherlich bis zum nächsten Samstag seine Verpflichtungen einlösen würde.

»Na, hoffentlich tun Sie das, Mr. Carey. Ich muß auch meine Miete bezahlen, und ich kann es mir nicht leisten, Rechnungen anlaufen zu lassen.« Es war kein Ärger in ihrer Stimme, als sie das sagte, aber eine Bestimmtheit, die Philip erschreckte. Nach einer kleinen Pause sagte sie dann: »Wenn Sie am nächsten Samstag nicht bezahlen, muß ich mich leider beim Sekretär des Hospitals beschweren.«

»Ja, ja, es wird schon in Ordnung gehen.«

Sie sah ihn an und schaute sich dann in dem kahlen Zimmer um. Ohne Nachdruck, als wäre es das Natürlichste von der Welt, fuhr sie fort:

»Ich habe ein schönes, heißes Lendenstück unten; wenn Sie Lust haben, in die Küche hinunterzukommen, so sind Sie herzlich eingeladen mitzuessen.«

Philip fühlte, wie er über und über rot wurde; die Kehle war ihm wie zugeschnürt.

»Danke vielmals, Mrs. Higgins, aber ich habe keinen Hunger.«

»Wie Sie meinen.«

Als sie gegangen war, warf Philip sich auf das Bett. Er mußte die Fäuste ballen, um nicht laut loszuschluchzen.

Samstag. Der Tag, an dem er, seinem Versprechen gemäß, der Wirtin die Miete bezahlen sollte. Er hatte darauf gewartet, daß irgend etwas im Laufe der Woche geschehen würde. Er hatte keine Arbeit gefunden. Er war noch niemals zuvor so in die Enge getrieben worden. Wie benommen, wußte er nicht, was er tun sollte. Manchmal schien ihm alles nur ein schlechter Scherz. Er hatte noch ein paar Kupfermünzen übrig. Alle Kleider, die er nur halbwegs entbehren konnte, waren auf dem Leihhaus. Er besaß ein paar Bücher und sonstige Kleinigkeiten, die ihm vielleicht noch einen oder zwei Shilling gebracht haben würden. Die Wirtin paßte jedoch genau auf, wenn er ging oder kam; er hatte Angst, sie würde ihn anhalten, wenn er noch etwas aus dem Zimmer forttrug. Das einzige, was ihm zu tun blieb, war, der Wirtin klaren Wein einzuschenken, daß er seine Rechnung nicht bezahlen könne. Er besaß den Mut nicht dazu. Es war Mitte Juni. Die Nacht war klar und milde. Er entschloß sich, draußen zu bleiben. Er ging am Chelsea Quai entlang; der Fluß wirkte beruhigend in seiner Stille. Als Philip müde war, setzte er sich auf eine Bank und nickte ein. Er wußte nicht, wie lange er geschlafen hatte, und fuhr mit einem Ruck hoch. Ihm hatte geträumt, daß ein Polizist ihn schüttelte und weitergehen hieß. Als er die Augen öffnete, sah er, daß er allein war. Er nahm sein Wandern von neuem auf, warum, wußte er selbst nicht. Schließlich kam er nach Chiswick, wo er sich wieder hinsetzte und schlief. Er wurde wach, weil die Bank so hart war. Die Nacht kam ihm sehr lang vor. Es fröstelte ihn. Das Gefühl seines Elends stieg in ihm auf. Was in aller Welt sollte er anfangen? Er schämte sich, auf dem Quai geschlafen zu haben; es verlieh dem Ganzen etwas besonders Demütigendes, und er fühlte im Dunkeln, wie ihm die Röte in die Wangen stieg. Er erinnerte sich an Geschichten von Leuten, die das gleiche getan hatten: Offiziere, Priester, Akademiker waren darunter. Er fragte sich, ob das nun wohl auch sein Los werden würde, einer der ihren zu sein, in langer Reihe vor Volksküchen zu stehen, um einen Teller Wohlfahrtssuppe zu erhalten. Zehnmal besser, Selbstmord zu verüben. So konnte es nicht weitergehen. Lawson würde ihm helfen, wenn er erführe, in welcher Not er sich befand. Lächerlich, daß er sich durch seinen Stolz abhalten ließ, ihn um Hilfe zu bitten. Warum war sein Leben so verfehlt? Stets hatte er getan, was ihm das Beste zu sein schien, und alles hatte zum Schlimmsten geführt. Er hatte geholfen, wo er nur konnte; er glaubte nicht, daß er selbstsüchtiger gewesen war als die andern; es dünkte ihn furchtbar ungerecht, daß es ihm nun so elend erging.

Aber es hatte keinen Zweck, darüber nachzudenken. Er ging weiter. Es war inzwischen hell geworden: wunderbar schön lag der Fluß da in der Morgenstille, etwas Geheimnisvolles war um den jungen Tag. Es würde ein schöner Vormittag werden, und der Himmel, blaß in der Dämmerung, dehnte sich wolkenlos. Er war sehr müde, der Hunger nagte an seinen Eingeweiden, er konnte nicht stillsitzen, er war in ständiger Furcht, daß ein Polizist ihn ansprechen würde. Grauen packte ihn, wenn er sich diese Demütigung vorstellte. Er kam sich schmutzig vor und wünschte, er könnte sich waschen. Schließlich kam er nach Hampton Court. Wenn er nicht bald etwas zu essen bekam, würde er losheulen. Er suchte sich ein billiges Speisehaus und ging hinein. Es roch nach Essen, der Geruch drehte ihm den Magen um. Er wollte etwas bestellen, das nahrhaft genug war und den Tag über vorhielte; aber der bloße Anblick von Essen widerte ihn an. Er bestellte sich eine Tasse Tee und etwas Butter und Brot. Dann fiel ihm ein, daß es Sonntag war und er zu den Athelnys gehen könnte. Er dachte an das Roastbeef und den Yorkshire-Pudding, den sie essen würden; aber er war so sterbensmüde, er konnte die glücklich lärmende Familie jetzt nicht ertragen. Ihm war grämlich und elend zumute. Er wollte allein gelassen werden. Er entschloß sich, in den Schloßgarten zu gehen und sich hinzulegen. Alle Knochen taten ihm weh. Vielleicht würde er an einer Pumpe vorbeikommen, sich waschen und einen Schluck Wasser trinken können – er war so durstig. Jetzt, wo er nicht mehr hungrig war, dachte er mit Vergnügen an die Blumen, die Rasenflächen, die schattigen Bäume mit ihrem Laubwerk. Er meinte, dort würde er besser über alles nachdenken können, was er zu tun hatte. Er lag im Gras, an einer schattigen Stelle, und zündete sich seine Pfeife an. Aus Sparsamkeitsgründen hatte er sich seit langem auf zwei Pfeifen pro Tag beschränkt. Gut, daß er nun einen gefüllten Tabaksbeutel bei sich trug. Er wußte nicht, was man tat, wenn man kein Geld hatte. Bald darauf schlief er ein. Als er erwachte, war es fast Mittagszeit; er würde sich nun bald auf den Weg machen müssen, um früh morgens in London zu sein, damit er sich auf Annoncen hin bewerben könne. Er dachte an seinen Onkel, der ihm geschrieben hatte, nach seinem Ableben würde er ein wenig Geld erben. Philip hatte keine Ahnung, wieviel das wohl sein würde: wahrscheinlich nicht mehr als ein paar hundert Pfund. Ob man ihm auf diesen zu erwartenden Erbfall vielleicht etwas leihen würde? Jedenfalls nicht, ohne daß der alte Herr seine Einwilligung gäbe, und das würde er niemals tun.

›Es bleibt mir nichts weiter übrig, als mich so oder so durchzuschlagen, bis er stirbt.‹

Philip überschlug sein Alter. Der Vikar von Blackstable war hoch in den Siebzigern. Er litt an chronischer Bronchitis, aber das hatten viele alte Herren und lebten ewig weiter. In der Zwischenzeit mußte sich ein Ausweg finden lassen. Philip konnte den Gedanken nicht loswerden, daß sein Zustand völlig unnatürlich wäre: Leute seiner Klasse verhungerten nicht. Weil er nicht an die Realität seines Erlebnisses glauben konnte, gab er sich nicht ganz der Verzweiflung hin. Er entschloß sich, erst einmal eine kleine Summe von Lawson zu borgen. Er blieb den ganzen Tag über im Park und rauchte, wenn der Hunger ihn überkam, seine Pfeife. Er wollte nicht eher essen, als bis es Zeit war, sich auf den Weg nach London zu machen. Ein langer Weg lag vor ihm, und er mußte alle Kraft dafür sammeln. Er ging los, als es kühler wurde, und schlief auf Bänken, wenn er müde war. Niemand störte ihn. Auf dem Victoria-Bahnhof wusch er sich, bürstete seine Kleider ab und ließ sich rasieren. Er aß etwas Brot und Butter zum Tee und las dabei den Annoncenteil der Zeitung. Beim Durchfliegen fiel sein Blick auf ein Stellenangebot. Eine bekannte Firma suchte einen Verkäufer in der Möbelstoffabteilung. Das Herz wurde ihm seltsam schwer, denn es schien ihm bei seinen bürgerlichen Vorurteilen grauenhaft, sich in einem Laden anzubieten. Aber er zuckte nur die Schultern. Was machte das aus? Er entschloß sich, sein Glück zu versuchen. Er hatte ein komisches Gefühl, als zwänge er die Hand des Schicksals, wenn er jede Demütigung hinnähme, ja sie suchte. Als er sich, ganz schüchtern, um neun Uhr im Warenhaus einstellte, waren schon viele andere Bewerber da, die sich vor ihm eingefunden hatten. Manche sprachen leise miteinander, die meisten jedoch schwiegen. Als er seinen Platz einnahm, sah man ihn mit feindseligen Blicken an. Er hörte, wie ein Mann sagte:

»Ich hoffe nur, daß ich meine Ablehnung schnell genug bekomme, damit ich mich noch woanders bewerben kann.«

Der Mann, der neben Philip stand, betrachtete ihn prüfend und fragte dann:

»Fachkenntnisse?«

»Nein«, sagte Philip.

Er schwieg einen Augenblick und bemerkte: »Selbst bei kleinen Firmen werden Sie nicht vor dem Essen vorgelassen, wenn Sie nicht bestellt sind.«

Philip betrachtete die Verkäufer. Einige drapierten Chintz und Kretonne, und andere, so erzählte ihm sein Nachbar, machten Bestellungen, die per Post vom Land eingetroffen waren, versandfertig. Gegen Viertel zehn erschien der Einkäufer. Er hörte einen der Männer zu einem Wartenden sagen, das sei Mr. Gibbons. Mr. Gibbons war von mittlerem Alter, untersetzt und füllig, mit schwarzem Bart und dunklen, fettigen Haaren. Er hatte lebhafte Bewegungen und ein kluges Gesicht. Er trug einen Zylinder und Gehrock. Eine Geranienblüte, von Blättern umgeben, steckte im Knopfloch. Er ging in sein Büro und ließ die Tür offenstehen. Es war ein kleiner Raum, der nichts weiter enthielt als ein amerikanisches Rollpult, das in der Ecke stand, ein Bücherbrett und einen Schrank. Die Männer, die draußen standen, beobachteten, wie er mechanisch die Geranie aus dem Knopfloch nahm und in ein Tintenfaß steckte, das mit Wasser gefüllt war. Es widersprach der Hausordnung, im Geschäft Blumen zu tragen.

(Im Laufe des Tages kamen die Leute, die mit dem Gewaltigen gut stehen wollten, und bewunderten die Blume.

»Das ist die schönste, die ich je gesehen habe«, sagten sie. »Sie haben Sie doch nicht etwa selbst gezogen?«

»Doch, das habe ich«, lächelte er, und in seine klugen Augen trat ein Schimmer der Freude und des Stolzes.)

Er nahm den Hut ab und zog eine andere Jacke an, warf einen schnellen Blick auf die Post und dann auf die Männer, die zu ihm wollten. Er gab mit einem Finger ein kleines Zeichen, und der erste aus der Reihe trat in das Büro. Sie zogen einer nach dem andern an ihm vorbei und beantworteten seine Fragen. Er stellte knappe Fragen und ließ den Blick fest auf dem Gesicht des Bewerbers ruhen.

»Alter? Fachkenntnisse? Warum haben Sie Ihre alte Stellung aufgegeben?«

Er hörte sich die Antworten an, ohne daß sein Gesicht den geringsten Ausdruck zeigte. Als Philip an die Reihe kam, bildete er sich ein, daß Mr. Gibbons ihn verwundert und neugierig anstarrte. Philips Anzug sah sauber aus und war von recht gutem Schnitt. Er sah ein wenig anders aus als die andern.

»Fachkenntnisse?«

»Leider keine«, sagte Philip.

»Können wir nicht brauchen.«

Philip verließ das Büro. Die Sache war um so vieles weniger peinlich gewesen, als er erwartet hatte. Er fühlte sich kaum enttäuscht. Er konnte wirklich nicht hoffen, gleich beim ersten Versuch eine Stellung zu bekommen. Er hatte die Zeitung aufbewahrt und sah sich nochmals die Annoncen durch: ein Laden in Holborn brauchte ebenfalls einen Verkäufer; er ging hin; als er jedoch ankam, war die Stelle bereits besetzt. Wenn er heute etwas zu essen bekommen wollte, mußte er sich zu Lawson ins Atelier begeben, ehe der zum Lunch ausging; so lenkte er also seine Schritte Brompton Road entlang auf Yeoman's Row zu.

»Ich bin ziemlich knapp bei Kasse, bis gegen Ende des Monats«, sagte er bei der ersten sich bietenden Gelegenheit. »Könntest du mir nicht zehn Shilling borgen?«

Es war unglaublich, wie schwer es ihm wurde, jemanden um Geld zu bitten. Wie oft hatten Leute im Hospital ihn um kleine Summen angegangen, so ganz nebenbei, als täten sie ihm noch einen Gefallen. Sie hatten niemals daran gedacht, das Geld zurückzugeben.

»Wüßte nicht, was ich lieber täte«, sagte Lawson.

Als er dann aber in die Tasche griff, fanden sich nur noch acht Shilling. Philip wurde kleinlaut.

»Na schön, borg mir fünf Shilling, geht das?« sagte er leichthin.

»Da sind sie.«

Philip suchte die Badeanstalt in Westminster auf und gab einen halben Shilling für ein Bad aus. Dann ging er etwas essen. Er wußte nicht, was er den ganzen Nachmittag lang mit sich anfangen sollte. Er wollte nicht zum Hospital zurückkehren, da er fürchtete, man könnte ihm dort Fragen stellen; außerdem, was sollte er da noch? In den zwei oder drei Abteilungen, in denen er zu arbeiten hatte, würde man sich wundern, warum er nicht erschien. Mochten sie denken, was sie wollten, es war gleichgültig. Er war gewiß nicht der erste Student, der plötzlich verschwand. Er ging in die Volksbibliothek und schaute sich Zeitungen an, bis er dessen müde war; dann entlieh er sich Stevensons *Neue Arabische Nächte*. Er war nicht imstande zu lesen; die Worte bedeuteten ihm nichts. Er brütete weiter über seine hilflose Lage. Seine Gedanken kreisten immer um die gleichen Dinge, und dieses zähe Daraufverweilen verursachte ihm Kopfweh. Schließlich ging er in den Green Park und legte sich dort ins Gras, denn er war hungrig nach frischer Luft. Er dachte voll Trauer an sein Gebrechen, das ihn hinderte, in den Krieg zu ziehen. Er schlief ein und träumte, daß sein Fuß gesund wäre und er draußen im Freiwilligenregiment am Kap stünde. Die Bilder aus den illustrierten Blättern, die er sich angeschaut hatte, gaben seiner Phantasie reichlich Nahrung. Er sah sich in Khakiuniform auf dem Weideland sitzen, mit andern Männern um ein Feuer gelagert. Als er aufwachte, war es noch ziemlich hell; gleich darauf schlug die Uhr vom Big Ben sieben. Zwölf Stunden lagen vor ihm, in denen er nichts tun konnte. Es graute ihm vor der endlosen Nacht. Der Himmel war trübe, und er fürchtete, es würde regnen. Er mußte sich eine Herberge suchen, an Laternenpfählen in Lambeth hatte er welche angepriesen gesehen: Gute Betten, einen halben Shilling. Er hatte noch nie ein solches Quartier von innen kennengelernt. Ihm graute vor dem widerlichen Gestank und dem Ungeziefer. Er entschloß sich, wenn irgend möglich im Freien zu bleiben. Er blieb im Park, bis er geschlossen wurde, und wanderte dann umher. Er war sehr müde. Der Gedanke fuhr ihm durch den Kopf, wie angenehm jetzt ein Unfall wäre. Dann würde man ihn ins Hospital bringen, und dort könnte er wochenlang in einem sauberen Bett liegen. Gegen Mitternacht war es so hungrig, daß er es nicht mehr aushalten konnte. Er ging zu einem Kaffeeausschank am Hyde Park Corner, aß ein paar Kartoffeln und trank dazu eine Tasse Kaffee. Dann wanderte er weiter. Er war zu unruhig, um schlafen zu können; außerdem fürchtete er sich vor den Polizisten. Er betrachtete nun die Polizisten mit ganz andern Augen als früher. Das war die dritte Nacht, die er draußen zubrachte. Hin und wieder setzte er sich auf eine Bank in Piccadilly, und gegen Morgen ging er zum Quai hinunter. Er lauschte auf den Schlag der Uhr vom Big Ben, der alle Viertelstunden die Zeit verkündete, und rechnete aus, wie lange es noch dauern würde, bis die Stadt wieder erwachte. Am Morgen gab er ein paar Kupfermünzen aus, um sich sauber zu machen und in Ordnung zu bringen, kaufte eine Zeitung, um die Annoncen zu lesen und machte sich wieder auf die Suche nach Arbeit.

So trieb er es mehrere Tage. Er aß sehr wenig und fing an, sich schwach und elend zu fühlen, so daß er kaum mehr genug Energie aufbrachte, sich nach Arbeit umzusehen, die so verzweifelt schwer zu haben war. Er hatte sich nun bereits daran gewöhnt, in langer Reihe vor den Hintereingängen der Läden zu stehen, um eventuell angestellt zu werden, und ebensosehr an die knappen Ablehnungen. Er lief in alle Bezirke Londons, um sich auf eine Annonce hin zu bewerben. Er kannte die Menschen, die so ergebnislos wie er sich um Arbeit bemühten, bereits alle vom Sehen. Einige versuchten, mit ihm Freundschaft zu schließen; aber er war zu müde und zu elend, um auf ihre Freundlichkeit einzugehen. Er besuchte Lawson nicht mehr, weil er ihm fünf Shilling schuldete. Er war so benommen, daß er keinen klaren Gedanken fassen konnte, und er hatte aufgehört, sich Sorgen darüber zu machen, was aus ihm werden würde. Er weinte ziemlich viel. Zuerst war er sehr wütend auf sich und beschämt, aber es erleichterte ihn, und er fühlte sich dann, komischerweise, weniger hungrig. In den frühen Morgenstunden litt er sehr unter der Kälte. Eines Nachts ging er in sein Zimmer zurück, um Wäsche zu wechseln; er schlüpfte heimlich gegen drei Uhr nachts hinein, wenn er wußte, daß alle schliefen, und ging um fünf Uhr wieder fort. Er lag auf dem Bett und genoß das weiche Lager. Alle Knochen taten ihm weh, und er empfand die Ruhe wie einen Traum. Es war so köstlich, daß er nicht einschlafen mochte. Er gewöhnte sich langsam an den Mangel an Nahrung und spürte den Hunger kaum mehr. Er fühlte sich nur sehr schwach. Beständig kehrte der Gedanke wieder, es wäre das beste, Schluß zu machen; aber er ließ es nicht zu, daß dieser Gedanke die Oberhand gewann; er hatte Angst, die Versuchung könnte so stark werden, daß sie ihn überwältigte. Er wiederholte sich immer von neuem, daß es lächerlich sei, Selbstmord zu verüben; denn irgend etwas mußte ja in absehbarer Zeit ›geschehen‹. Er wurde den Eindruck nicht los, daß seine Lage zu scheußlich wäre, als daß sie ganz ernst genommen werden könnte. Es war eher wie eine Krankheit, die man ertragen muß, hinter der aber unabwendlich Genesung winkt. Jede Nacht schwor er sich zu, daß er nicht noch einmal eine gleiche durchmachen werde, und entschloß sich, am nächsten Morgen seinem Onkel, seinem Anwalt oder Lawson zu schreiben. Kam dann jedoch der Morgen, wo er den Entschluß hätte in die Tat umsetzen müssen, dann konnte er sich nicht überwinden, diesen Menschen sein völliges Versagen einzugestehen. Er wußte nicht, wie Lawson so etwas aufnehmen würde. Unter seinen Freunden hatte Lawson immer als Windbeutel gegolten, während Philip sich stets seines gesunden Menschenverstandes gerühmt hatte. Er würde dem Maler die ganze Geschichte seiner Narrheit beichten müssen. Er hatte ein unbehagliches Gefühl, daß Lawson ihm, nachdem er ihm geholfen hatte, die kalte Schulter zeigen könnte. Sein Onkel und der Anwalt würden natürlich etwas für ihn tun; aber ihm graute vor ihren Vorwürfen. Er wollte von niemandem Vorwürfe hören. Er biß die Zähne zusammen und wiederholte sich, daß, was geschehen war, unvermeidlich gewesen, da es eben geschehen war. Reue war sinnlos.

Die Tage wollten kein Ende nehmen, die fünf Shilling, die er sich von Lawson geliehen hatte, konnten nicht mehr viel länger reichen. Philip erwartete ungeduldig den Sonntag, wo er zu den Athelnys gehen konnte. Er wußte selbst nicht, was ihn zurückhielt, eher hinzugehen, höchstens der Wunsch, die ganze Sache allein durchzustehen. Athelny war der einzige, der ihm eventuell helfen konnte; denn er hatte solche Dinge schon am eigenen Leibe erfahren und kannte sich sicher aus. Vielleicht würde er, Philip, es über sich bringen, ihm nach dem Essen einzugestehen, daß er Schwierigkeiten habe. Er wiederholte sich immer von neuem, was er Athelny sagen wollte. Er hatte große Angst, Athelny würde ihn mit großartigen Redensarten abspeisen. Das wäre furchtbar! Philip schob, allen Erwägungen zum Trotz, das Hingehen bis zum Sonntag hinaus. Er hatte alles Vertrauen zu seinen Mitmenschen verloren.

Die Nacht vom Samstag zum Sonntag war kalt und scharf. Philip litt unsagbar. Von Samstag mittag bis zum Sonntag, als er sich schließlich müde und zerschlagen zu den Athelnys schleppte, hatte er nichts in den Magen bekommen. Er gab seine letzten Kupfermünzen aus, um sich am Sonntag morgen im Waschraum des Charing-Cross-Bahnhofes zu waschen und zurechtzubürsten.

Als Philip läutete, wurde ein Kopf aus dem Fenster gestreckt, und innerhalb einer Minute hörte er auf der Treppe das lärmende Geklapper der Kinder, die ihm aufmachen kamen. Das Gesicht, das sich da zu den Kindern hinabbeugte, um sich küssen zu lassen, war schmal und bleich und von Sorgen gezeichnet. Ihre überschwengliche Zärtlichkeit rührte ihn so sehr, daß er Vorwände suchte, um auf der Treppe etwas verweilen zu können; denn er mußte erst wieder zu sich kommen. Er war in einem Zustand der Hysterie; der kleinste Anlaß konnte ihn zum Weinen bringen. Sie fragten ihn, warum er vorigen Sonntag nicht gekommen wäre, und er erzählte ihnen, er sei krank gewesen. Sie wollten wissen, was ihm denn gefehlt habe. Philip erfand, ihnen zum Spaß, eine geheimnisvolle Krankheit. Die unverständliche und barbarische Bezeichnung, ein Gemisch von Griechisch und Latein (die medizinischen Namen hatten das so an sich), löste eine stürmische Lachsalve aus. Sie schleppten Philip in den Salon, wo er zur Erbauung ihres Vaters das Wort nochmals wiederholen mußte. Athelny stand auf und gab ihm die Hand. Er starrte Philip an; aber man hatte immer das Gefühl, daß er einen anstarrte, wenn er die runden, etwas hervorstehenden Augen auf jemanden richtete. Philip wußte nicht, warum es ihn diesmal verlegen machte.

»Wir haben Sie am letzten Sonntag vermißt«, sagte er.

Philip konnte nie ohne Befangenheit lügen; er war scharlachrot, als er seine Entschuldigung hervorbrachte. Dann kam Mrs. Athelny herein und gab ihm die Hand.

»Hoffentlich geht es Ihnen wieder besser, Mr. Carey«, sagte sie.

Er wußte nicht, wie sie auf den Gedanken kam, daß er sich nicht wohl gefühlt hätte. Die Küchentür war geschlossen gewesen, als er die Treppe hinaufstieg, und die Kinder waren nicht von seiner Seite gewichen.

»Das Essen wird erst in zehn Minuten fertig sein«, sagte Mrs. Athelny in ihrer langsamen Art. »Soll ich Ihnen nicht vorher ein Ei in ein Glas Milch schlagen?«

Auf ihrem Gesicht lag ein Ausdruck von Besorgtheit, der Philip ein unbehagliches Gefühl verursachte. Er zwang sich zum Lachen und antwortete, er hätte gar keinen Hunger. Sally kam herein, um den Tisch zu decken, und Philip neckte sie. Es war der stehende Familienscherz, daß sie eines Tages so fett sein würde wie eine Tante von Mrs. Athelny, Tante Elisabeth, die die Kinder noch niemals zu Gesicht bekommen hatten, die aber von ihnen als der Typ geradezu unanständiger Korpulenz betrachtet wurde.

»Na, hör mal, was ist denn geschehen, seit ich dich zum letztenmal gesehen habe, Sally?« fing er an.

»Nichts, das ich wüßte.«

»Ich glaube, du hast zugenommen.«

»Sie jedenfalls nicht, das ist sicher«, entgegnete sie. »Sie sind das reine Skelett.«

Philip errötete.

»Das ist eine Retourkutsche, Sally«, rief ihr Vater. »Du mußt zur Strafe ein goldenes Haar von deinem Haupt hergeben. Jane, hole die Schere.«

»Aber er ist wirklich dünn, Vater«, bestand Sally. »Nichts als Haut und Knochen.«

»Das ist nicht die Frage, mein Kind. Er hat durchaus die Freiheit, dünn zu sein, aber deine Fettleibigkeit widerspricht dem Anstand.«

Als er dies sagte, legte er seinen Arm stolz um ihre Taille und sah sie bewundernd an.

»Laß mich mit dem Tischdecken weitermachen, Vater. Ich bin fröhlich, und es gibt manche, die dies nicht zu sein scheinen.«

»Dieses vorlaute Mädchen!« schrie Athelny mit einer dramatischen Handbewegung. »Sie hänselt mich wegen der allgemein bekannten Tatsache, daß Joseph, der Sohn von Levi, der Juwelen in Holborn verkauft, ihr einen Heiratsantrag gemacht hat.«

»Hast du ihn angenommen, Sally?« fragte Philip.

»Kennen Sie Vater noch immer nicht? Kein Wort von dem, was er gesagt hat, ist wahr.«

»Wenn er dir keinen Heiratsantrag gemacht hat«, rief Athelny, »dann werde ich ihn an der Nase nehmen und ihn sofort fragen, welche Absichten er hat.«

»Setz dich hin, Vater. Das Essen ist fertig. Nun, Kinder, geht und wascht euch die Hände, aber drückt euch nicht davor, denn ich werde sie anschauen, bevor ihr auch nur einen Happen vom Essen bekommt.«

Philip fürchtete, er würde wie ein Wolf gefräßig über das Essen herfallen, als dann aber aufgetragen war, entdeckte er, daß sein Magen die Nahrungsaufnahme verweigerte. Er konnte kaum etwas essen. Der Kopf war ihm schwer, er bemerkte gar nicht, daß Athelny, seiner Gewohnheit zuwider, sehr wenig sprach. Philip war froh, in einem behaglichen Haus zu sitzen, aber er konnte es nicht verhindern, daß er alle Augenblicke aus dem Fenster schaute. Der Tag war stürmisch. Das schöne Wetter war zu Ende, es war kalt, ein bitterer Wind fegte durch die Straßen, zuweilen schlug der Regen gegen das Fenster. Wie würde er die Nacht zubringen? Die Athelnys gingen zeitig zu Bett. Nach zehn Uhr würde er nicht hierbleiben können. Das Herz wurde ihm schwer, wenn er daran dachte, wie er in die rauhe Dunkelheit der Nacht zurückgehen mußte. Es schien ihm jetzt, wo er mit Freunden zusammen war, noch schrecklicher als vorher, wo er allein und einsam draußen gewesen war. Er redete sich immer wieder gut zu, wie viele außer ihm die Nacht im Freien zubringen mußten. Er versuchte sich durch Reden abzulenken, aber mitten im Wort schlug ein Regenguß gegen das Fenster und ließ ihn aufzucken.

»Ich habe das Märzwetter gern«, sagte Athelny. »Kein Tag heute, an dem man über den Kanal fahren möchte.«

Bald darauf waren sie mit dem Essen fertig, und Sally kam herein, um abzuräumen.

»Wollen Sie eine der billigen Zigarren rauchen?« sagte Athelny und reichte ihm eine.

Philip nahm sie und inhalierte den Rauch mit Genuß. Es beruhigte ihn unsagbar. Als Sally abgedeckt hatte, sagte ihr Athelny, sie möchte die Tür hinter sich schließen.

»So, jetzt werden wir nicht gestört«, sagte er, sich an Philip wendend. »Ich habe mit Betty abgemacht, daß Sie die Kinder nicht eher hereinkommen läßt, als bis ich sie rufe.«

Philip sah ihn mit verwundertem Blick an, ehe er jedoch die Bedeutung dieser Worte noch erfassen konnte, fuhr Athelny fort, nachdem er sich erst mit der ihm eigenen Geste die Brille aufgesetzt hatte:

»Ich schrieb Ihnen am letzten Sonntag und fragte an, ob Ihnen etwas fehlte, und da Sie nicht antworteten, bin ich dann am Mittwoch in Ihre Wohnung gegangen.«

Philip wandte den Kopf ab und antwortete nicht. Sein Herz schlug heftig. Athelny sprach nicht, und das Schweigen schien Philip unerträglich. Er fand kein Wort, das er hätte sagen können.

»Ihre Wirtin sagte mir, daß Sie seit Samstag abend nicht mehr dort gewesen wären, ferner sagte sie, daß Sie ihr den letzten Monat schuldig geblieben wären. Wo haben Sie die ganze Woche über geschlafen?«

Philip fiel die Antwort schwer. Er starrte aus dem Fenster.

»Nirgends.«

»Ich habe Sie gesucht.«

»Warum?« fragte Philip.

»Betty und ich sind seinerzeit auch so pleite gewesen, nur hatten wir Kinder zu versorgen. Warum sind Sie nicht zu uns gekommen?«

»Ich konnte nicht.«

Philip fürchtete, in Tränen auszubrechen. Er fühlte sich sehr schwach. Er schloß die Augen und zog die Stirne kraus. Er versuchte seine Selbstbeherrschung zu bewahren. Er war plötzlich böse auf Athelny; warum ließ man ihn nicht in Ruhe? Er war ganz zerbrochen. Bald darauf erzählte er ihm, mit noch immer geschlossenen Augen, langsam die Geschichte seiner Abenteuer während der letzten Wochen. Er versuchte seine Stimme ruhig klingen zu lassen. Während er sprach, erschien sein Verhalten ihm doppelt töricht. Das machte es noch schwerer, weiterzureden. Mußte Athelny ihn nicht für einen ausgemachten Narren halten?

»Sie werden jetzt also zu uns ziehen, bis Sie Arbeit haben, und hier wohnen«, sagte Athelny, als er fertig war.

Wieder errötete Philip, ohne recht zu wissen, warum eigentlich.

»Ach, das ist schrecklich nett von Ihnen, aber ich glaube, das geht nicht.«

»Wieso nicht?«

Philip antwortete nicht. Er hatte aus dem instinktiven Gefühl abgelehnt, ihnen nicht zur Last fallen zu wollen. Es fiel ihm von Natur aus schwer, Wohltaten anzunehmen. Außerdem wußte er, daß die

Athelnys von der Hand in den Mund lebten, mit ihrer großen Familie hatten sie weder Raum noch Geld, einen Fremden aufzunehmen.

»Selbstverständlich müssen Sie zu uns kommen«, sagte Athelny. »Thorpe schläft bei einem seiner Brüder, und Sie können in seinem Bett schlafen. Sie glauben doch nicht etwa, daß das bißchen, was Sie essen, etwas ausmacht?«

Philip scheute sich, etwas zu sagen, und Athelny ging zur Tür und rief seine Frau.

»Betty«, sagte er, als sie hereinkam, »Mr. Carey wird bei uns wohnen.«

»Ach, das ist aber nett«, sagte sie. »Da will ich gleich sein Bett zurechtmachen gehen.«

Ihre Stimme klang so herzlich und freundlich, so ganz selbstverständlich, daß Philip tief gerührt war. Er erwartete nie von jemandem Freundlichkeiten, war jemand nett zu ihm, so überraschte und rührte es ihn. Er konnte es nicht verhindern, daß ihm zwei große Tränen die Backen hinunterliefen. Die Athelnys besprachen, was zu tun war, und taten so, als merkten sie gar nicht, in welchen Zustand seine Schwäche ihn gebracht hatte. Als Mrs. Athelny wieder ging, lehnte Philip sich in seinem Stuhl zurück, sah aus dem Fenster und lachte leise.

»Es ist keine schöne Nacht, um im Freien zu bleiben, nicht wahr?«


Athelny sagte Philip, daß er ihm leicht bei der großen Firma, bei der er angestellt war, Arbeit beschaffen könnte. Etliche Verkäufer waren in den Krieg gegangen. Lynn and Sedley hatten aus eifriger Vaterlandsliebe versprochen, ihnen die Stellen offenzuhalten. Sie packten denen, die daheim geblieben waren, die Arbeit der Helden auf. Da sie deren Gehalt jedoch nicht erhöhten, waren sie imstande, sowohl Gemeinsinn zu zeigen als auch gleichzeitig Geld einzusparen. Aber der Krieg zog sich hin, und das Geschäft ging weniger schlecht, die Ferien standen vor der Tür, wo eine ganze Anzahl aus dem gewöhnlichen Verkäuferstab jeweils auf vierzehn Tage verreisen würde, und Lynn mußte neue Helfer einstellen. Philips Erfahrung hatte ihn pessimistisch gemacht, und er zweifelte, daß sie ihn, selbst in diesem Fall, annehmen würden. Athelny fühlte sich jedoch als einflußreicher Mann innerhalb der Firma und bestand darauf, daß der Leiter ihm nichts abschlagen könnte. Philip würde mit seiner Pariser Ausbildung sehr von Nutzen sein, man mußte nur ein bißchen zuwarten, dann würde er bestimmt eine gutbezahlte Stellung bekommen, Kleider entwerfen und Plakate malen können. Philip entwarf ein Plakat für den Sommersaison-Ausverkauf, und Athelny nahm es mit. Zwei Tage später brachte er es wieder zurück und sagte, der Leiter hätte es sehr bewundert, müßte aber von ganzem Herzen bedauern, daß in der entsprechenden Abteilung keine Stelle frei wäre. Philip fragte, ob es denn sonst keine Möglichkeit gäbe.

»Ich fürchte, nein.«

»Sind Sie ganz sicher?«

»Nun ja, sie inserieren für einen Aufseher«, sagte Athelny und sah ihn zweifelnd durch seine Brillengläser an.

»Glauben Sie, daß ich da Aussichten hätte, angestellt zu werden?«

Athelny war ein wenig verlegen. Er hatte Philip weit großartigere Hoffnungen gemacht, andererseits aber war er selbst zu arm, um ihn lange mit Wohnung und Essen versorgen zu können.

»Sie könnten ja die Stelle annehmen, bis sich etwas Besseres bietet. Es ist natürlich immer leichter, wenn man erst einmal bei der Firma angestellt ist.«

»Sie wissen ja, stolz bin ich nicht«, sagte Philip lächelnd.

»Wenn Sie sich bewerben wollen, müssen Sie morgen um dreiviertel neun dort sein.«

Trotz des Krieges schien es offensichtlich schwer, Arbeit zu finden, denn als Philip in das Büro kam, warteten bereits viele Männer. Er erkannte einige, die er schon auf seiner Arbeitssuche getroffen hatte, und den einen hatte er nachmittags auf den Bänken im Park herumliegen sehen. Philip nahm an, daß er so heimatlos war wie er selbst und die Nächte im Freien zubringen mußte. Männer verschiedenster Art waren da, alte und junge, große und kleine; jeder einzelne hatte sich für die Vorstellung bei dem Leiter aufs feinste herausgeputzt; sie hatten sorgfältig gebürstetes Haar und peinlich saubere Hände. Sie warteten auf einem Flur, der, wie Philip später herausfand, zum Speisesaal und den Arbeitsräumen führte. In kleinen Abständen waren überall fünf oder sechs Stufen. Obwohl im Laden selbst elektrisches Licht war, gab es hier nur Gaslicht, das zum Schutz mit Drahtkäfigen umgeben war und zischend flackerte. Philip hatte sich pünktlich eingefunden; aber es war fast zehn Uhr, ehe er in das Büro eingelassen wurde. Es war ein dreieckiges Zimmer: an den Wänden hingen Bilder von Frauen in Korsetts und zwei Probeabzüge von Plakaten; eines stellte einen Mann in Pyjamas dar, schön grün und weiß gestreift, auf dem andern pflügte ein Schiff mit vollen Segeln ein azurnes Meer. Auf dem Segel stand mit großen Buchstaben gedruckt: »Mit vollen Segeln in die Weiße Woche.« Die Breitseite des Büros wurde von der Rückwand eines großen Schaufensters gebildet, das man gerade dekorierte; einer der Dekorateure kam und ging während der Vorstellung ständig durch das Büro. Der Geschäftsführer las einen Brief. Er war ein blühender Mann, mit aschblondem Haar und großem aschblondem Schnurrbart; von seiner Uhrkette hing ein ganzes Bündel Fußballmedaillen. Er saß in Hemdsärmeln vor einem großen Schreibtisch und hatte ein Telefon neben sich stehen. Vor ihm lagen die Reklameanzeigen des heutigen Tages: Athelnys Werk und Ausschnitte aus Zeitungen, die auf Karton geklebt waren. Er sah Philip mit einem Blick an, sagte aber nichts; er diktierte einem Schreibmaschinenfräulein, das vor einem kleinen Tischchen in einer Ecke saß, einen Brief. Dann fragte er Philip nach Namen, Alter und Erfahrung. Er sprach Londoner Straßenenglisch; seine Stimme hatte einen hohen metallischen Klang. Er schien sie nicht immer in der Gewalt zu haben. Philip bemerkte, daß er im Oberkiefer große, vorstehende Zähne hatte. Man gewann den Eindruck, als säßen sie alle locker und würden beim geringsten Stoß herausfallen.

»Ich glaube, Herr Athelny hat bereits mit Ihnen über mich gesprochen«, sagte Philip.

»Ach, Sie sind der junge Bursche, der das Plakat gemacht hat.«

»Ja, Sir.«

»Nicht zu gebrauchen, verstehen Sie, für uns überhaupt nicht zu gebrauchen.«

Er sah Philip von oben bis unten an. Es schien ihm aufzufallen, daß Philip sich in irgendeiner Weise von den Männern, die sich bereits vorgestellt hatten, unterschied.

»Sie müssen einen Gehrock tragen, verstehen Sie. Wahrscheinlich haben Sie keinen. Sie scheinen ein ordentlicher junger Bursche zu sein. Vermutlich fanden Sie, daß die Kunst sich nicht bezahlt macht.«

Philip wußte nicht recht, ob er ihn wohl anstellen würde oder nicht. Er warf ihm seine Bemerkungen fast feindselig zu.

»Wo sind Sie zu Hause?«

»Meine Eltern starben, als ich noch ein Kind war.«

»Ich gebe jungen Burschen gern eine Chance. Viele laufen herum, denen ich eine Chance gegeben habe, und sie sind heute Abteilungsleiter. Wenn Sie einschlagen, können Sie eines Tages eine Stellung einnehmen, wie ich sie habe; denken Sie daran, junger Freund.«

»Ich werde mein Bestes tun und mir Mühe geben, Sir«, sagte Philip.

Er wußte, er mußte, sooft es nur anging, die höfliche Anrede ›Sir‹ einfließen lassen. Ihm selber klang es komisch in den Ohren, und er fürchtete fast, er täte des Guten zuviel. Der Leiter redete gern. Es gab ihm ein wundervolles Bewußtsein seiner eigenen Wichtigkeit. Er eröffnete Philip erst nach vieler Rederei seine Entscheidung:

»Tja, ich glaube, man kann's mit Ihnen mal versuchen«, sagte er schließlich geschwollen. »Jedenfalls habe ich nichts dagegen, es auf eine Probe ankommen zu lassen.«

»Vielen Dank, Sir.«

»Sie können sofort anfangen. Ich gebe Ihnen sechs Shilling wöchentlich und freie Station. Alles eingeschlossen, verstehen Sie. Die sechs Shilling sind nur Taschengeld, da können Sie mit machen, was Sie Lust haben. Sie fangen am Montag an. Ich vermute, das ist ein Vorschlag, gegen den Sie nichts einzuwenden haben werden.«

»Nein, Sir.«

»Harrington Street, Sie wissen, wo das ist, Shaftesbury Avenue. Da schlafen Sie. Nummer zehn. Sie können schon in der Nacht zum Montag dort schlafen, wenn Sie mögen. Das heißt, wie Sie wollen; meinetwegen können Sie Ihre Sachen auch am Montag hinschicken.«

Der Leiter nickte abschließend mit dem Kopf: »Guten Morgen.«


Mrs. Athelny lieh Philip Geld, damit er der Wirtin so viel von seiner Rechnung bezahlen konnte, daß sie seine Sachen freigab. Für fünf Shilling und den Leihschein für einen von ihm verpfändeten Anzug erhielt er einen Gehrock, der ihm einigermaßen paßte. Was er sonst noch auf dem Leihhaus hatte, löste er aus. Er schickte seinen Koffer mit Carter Paterson zur Harrington Street und ging am Montagmorgen mit Athelny ins Geschäft. Athelny stellte ihn dem Einkäufer vor und ging dann fort. Der Einkäufer war ein angenehmer, etwas lauter, kleiner Mann von dreißig Jahren, der Sampson hieß. Er schüttelte Philip die Hand und fragte ihn, um seine eigenen Kenntnisse, auf die er sehr stolz war, ins rechte Licht zu rücken, ob er Französisch könne. Er war höchst überrascht, als Philip das bejahte.

»Sonst noch eine Sprache?«

»Ja, ich spreche Deutsch.«

»Oh ... Ich fahre selbst gelegentlich nach Paris. *Parlez-vous français?* Schon im *Maxim* gewesen?«

Philip kam in die Kostümabteilung im oberen Stockwerk. Er hatte den Kunden Auskunft zu geben, wo sich die verschiedenen Abteilungen befänden. Es schien eine Menge solcher Abteilungen zu geben – Mr. Sampson schnurrte sie nur so her. Plötzlich bemerkte er, daß Philip hinkte.

»Was ist denn mit Ihrem Bein los?« fragte er.

»Ich habe einen Klumpfuß«, sagte Philip. »Aber das hindert mich beim Laufen oder so in keiner Weise.«

Der Einkäufer schien das, nach seinem Blick zu schließen, zu bezweifeln. Er wunderte sich wahrscheinlich, daß der Leiter diesen jungen Mann angestellt hatte. Philip wußte, daß dieser sein Gebrechen gar nicht bemerkt hatte.

»Sie werden nicht gleich alle Abteilungen am ersten Tag behalten. Tauchen irgendwelche Zweifel auf, so fragen Sie am besten eine der jungen Damen.«

Mr. Sampson wandte sich ab. Philip versuchte sich einzuprägen, wo die eine und andere Abteilung war, und wartete währenddessen ängstlich auf Kunden, die Auskunft wünschten. Um ein Uhr ging er zum Essen hinauf. Der Speisesaal lag im obersten Stock des riesigen Gebäudes; er war groß, lang und gut beleuchtet; alle Fenster waren jedoch verschlossen, um den Staub nicht hereinzulassen, und es herrschte ein schrecklicher Küchengeruch. Lange, gedeckte Tische standen da; in bestimmten Abständen waren Wasserkrüge hingestellt, und die Mitte entlang befanden sich Salznäpfchen und Essigkaraffen. Die Verkäufer drängten sich lärmend herein und setzten sich auf ihre Plätze, die noch von denen warm waren, die um halb eins gegessen hatten.

»Keine Pickles«, bemerkte der Mann, der neben Philip saß.

Es war ein schlanker junger Mensch, mit gebogener Nase und teigigem Gesicht. Er hatte einen langgestreckten Kopf, der ungleichmäßig gebaut war, als wäre hier ein Stück des Schädels ein- und dort herausgedrückt; auf seiner Stirn und auf dem Nacken waren große Stellen mit rotem, entzündetem Hautausschlag. Er hieß Harris. Philip erfuhr, daß an manchen Tagen große Suppenteller voll Mixed Pickles auf den Tisch kamen. Sie waren sehr beliebt. Es lagen keine Messer und Gabeln da, aber eine Minute später erschien ein großer, fetter Junge in weißer Jacke, die Hände voll Bestecken, die er laut mitten auf den Tisch warf. Jeder nahm, was er brauchte; sie waren noch fettig und warm, man merkte, daß sie soeben erst in schmutzigem Wasser abgewaschen worden waren. Teller mit Fleisch, das in einer Sauce schwamm, wurden von Jungen in weißen Jacken herumgereicht. Sie schleuderten jeden Teller mit schneller Geste hin, wie Akrobaten, aber leider schwappte dabei die Sauce auf das Tischtuch. Dann wurden große Schüsseln mit Kohl und Kartoffeln gebracht. Beim bloßen Anblick drehte sich Philip der Magen um. Er bemerkte, wie alle große Mengen Essig darübergossen. Der Lärm war fürchterlich. Man schwatzte, lachte und schrie, dazwischen klapperten Messer und Gabeln, Eß- und Schmatzlaute vervollständigten das Konzert. Philip war froh, als er in seine Abteilung zurückkehren durfte. Er konnte sich jetzt schon besser merken, wo die einzelnen Abteilungen lagen, und brauchte die andern weniger oft zu fragen, wenn jemand kam und den Weg wissen wollte.

»Erst nach rechts. Zweiter Stock, links, gnädige Frau!«

Hin und wieder sprach eines der Mädchen mit ihm, nur ein gelegentliches Wort, wenn gerade nichts zu tun war. Er spürte, sie taxierten ihn. Um fünf Uhr wurde er wieder in den Speisesaal zum Tee geschickt. Er war froh, ein bißchen sitzen zu können. Es gab große Schnitten Brot, die dick mit Butter bestrichen waren, viele hatten ihre eigene Marmelade vor sich stehen, auf den Töpfen stand der Name des Besitzers.

Philip war völlig erschöpft, als um halb sechs die Arbeit zu Ende war. Harris, sein Tischnachbar, erbot sich, ihn nach Harrington Street hinüberzubringen, um ihm seinen Schlafplatz zu zeigen. Er sagte Philip, daß in seinem Zimmer ein Bett frei wäre, und da alle andern Zimmer besetzt seien, würde er wahrscheinlich dort untergebracht werden. Das Haus in Harrington Street hatte früher einem Schuhmacher gehört. Der ehemalige Laden wurde als Schlafraum benutzt. Es herrschte ziemliche Dunkelheit, weil das Schaufenster bis in dreiviertel Höhe mit Brettern verschlagen war. Da man das Fenster nicht öffnen konnte, kam der einzige Luftzug von einem kleinen Oberlichtfenster am äußersten Ende. Es roch muffig, und Philip war dankbar, daß er nicht hier zu schlafen brauchte. Harris nahm ihn mit ins Wohnzimmer hinauf, das im ersten Stock lag. Dort stand ein altes Klavier, dessen Tasten wie eine Reihe stockiger Zähne aussahen, auf dem Tisch lag eine Zigarrenkiste. Der Deckel war abgerissen, und darin befand sich ein Spiel Dominosteine, außerdem lagen noch alte Nummern von Zeitschriften umher. Die andern Zimmer wurden als Schlafzimmer benutzt. Dasjenige, in dem Philip schlafen sollte, lag im obersten Stock. Es enthielt sechs Betten, und neben jedem Bett stand ein Koffer oder eine Kiste. Das einzige sonst noch vorhandene Möbelstück war eine Kommode mit vier großen und zwei kleinen Schubfächern. Philip erhielt als Neuankömmling eines der letzteren. Zu jedem war ein Schlüssel vorhanden, da sie aber alle gleich waren, hatten sie nicht viel Zweck. Harris riet ihm, die Sachen, auf die er Wert legte, im Koffer zu lassen. Über dem Kaminsims hing ein Spiegel. Harris zeigte Philip den Waschraum. Er war ziemlich geräumig, mit acht in einer Reihe angebrachten Becken. Hier hatten sich alle Insassen zu waschen. Von da aus kam man in einen zweiten Raum, in dem sich zwei Badewannen befanden. Sie waren fleckig, und die Holztäfelung war voll Seifenspritzer. In den Badewannen waren dunkle Schmutzringe, die die jeweilige Wasserhöhe verschiedener Bäder kennzeichneten.

Als Harris und Philip in ihr Schlafzimmer zurückkamen, fanden sie einen großen Mann vor, der gerade die Kleider wechselte, und ein sechzehnjähriger Junge bürstete sich das Haar, wozu er, so laut er nur konnte, pfiff. Ein paar Minuten später ging der große Mann, ohne mit jemand ein Wort zu wechseln, fort. Harris zwinkerte dem Jungen zu, der zwinkerte zurück, ohne mit dem Gepfeife aufzuhören. Harris erzählte Philip, daß der Mann Prior hieße. Er war beim Militär gewesen und arbeitete nun in der Seidenabteilung. Er hielt sich ziemlich für sich und ging jede Nacht, einfach so, ohne auch nur so viel wie guten Tag zu sagen, zu seinem Mädchen. Auch Harris ging aus, und nur der Junge blieb da und sah neugierig zu, wie Philip seine Sachen auspackte. Sein Name war Bell, und er machte seine

Lehrlingszeit in der Kurzwarenabteilung durch. Philips Abendanzüge interessierten ihn sehr. Er erzählte ihm von den andern, die mit ihnen das Zimmer teilten, und fragte ihn nach allen möglichen persönlichen Dingen. Es war ein fröhlicher Bursche, in den Gesprächspausen sang er Schlagerfetzen. Philip ging, als er fertig war, hinaus, um ein bißchen auf den Straßen herumzubummeln und Menschen zu beobachten. Gelegentlich blieb er vor Restaurants stehen und sah den Leuten zu, die hineingingen. Er war hungrig und kaufte sich schließlich eine Semmel, die er im Weitergehen aß. Der Heimleiter hatte ihm einen Korridorschlüssel gegeben. Um Viertel zwölf wurde das Gas abgedreht und die Haustür verschlossen, deshalb kehrte Philip rechtzeitig zurück, um nicht vor verschlossene Türen zu kommen. Er hatte das Strafgeldsystem bereits kennengelernt. Wer nach elf Uhr abends kam, mußte einen Shilling zahlen, nach ein Viertel zwölf kostete es eine halbe Krone, außerdem wurde man angezeigt. Geschah das dreimal, so war man entlassen.

Bis auf den Soldaten waren bereits alle da, als Philip ankam, zwei lagen schon im Bett. Philip wurde mit Zurufen empfangen.

»O Clarence, unartiger Junge.«

Er entdeckte, daß Bell seinen Frack mit dem Kopfpolster ausgestopft hatte. Der Junge war von seinem Scherz begeistert.

»Du mußt ihn an unserem Festabend anziehen, Clarence.«

»Er wird die Ballkönigin vom Lynn gewinnen, wenn er sich nicht vorsieht.«

Philip hatte von den Festabenden bereits gehört, denn die Summe, die dafür von dem Lohn einbehalten wurde, war eine Quelle ständigen Ärgers für die Leute im Geschäft. Sie betrug zwar nur zwei Shilling im Monat und deckte gleichzeitig den Betrag für die ärztliche Betreuung und für die Benutzung einer Bibliothek, die aus abgegriffenen Romanen bestand, da jedoch außerdem noch monatlich vier Shilling für die Wäsche abgezogen wurden, stellte Philip fest, daß ein Viertel seines Wochengehaltes von sechs Shilling nicht ausbezahlt werden würde.

Die meisten waren gerade dabei, dicke Scheiben fetten Specks zu essen, den sie zwischen aufgeschnittene Brötchen geschoben hatten. Die belegten Brötchen bildeten gewöhnlich das Abendessen der Gehilfen, man kaufte sie in einem kleinen Laden ein paar Häuser weiter für zwei Pennies das Stück. Der Soldat kam zurück, zog sich, ohne zu reden, eilig aus und warf sich ins Bett. Zehn Minuten nach elf zuckte das Gas auf, und fünf Minuten später erlosch es. Der Soldat schlief ein, die andern drängten sich jedoch in Pyjamas und Nachthemden an dem großen Fenster zusammen und warfen mit ihren Butterbrotresten nach Frauen, die vorüberkamen, und riefen ihnen ulkige Bemerkungen zu. Das gegenüberliegende, sechsstöckige Haus beherbergte eine jüdische Schneiderwerkstatt, die um elf Uhr Schluß machte. Die Zimmer waren hell erleuchtet und von keinen Jalousien geschützt. Die Tochter des Werkstattbesitzers – die Familie bestand aus Vater, Mutter, zwei kleinen Jungen und einem zwanzigjährigen Mädchen – ging nach Arbeitsschluß durch das ganze Haus und machte das Licht aus. Gelegentlich ließ sie sich mit einem der Schneider in Liebeshändel ein. Die Ladengehilfen hatten viel Spaß daran, den einen oder andern zu beobachten, der herummanövrierte, um als letzter bleiben zu können; sie wetteten, wer wohl der Sieger sein würde. Um Mitternacht wurden die Leute aus der Harrington-Waffenfabrik herausgelassen, und dann legten die Gehilfen sich alle hin. Bell, der gleich neben der Tür schlief, sprang von Bett zu Bett, um zu seinem Schlafplatz zu gelangen. Er hörte selbst dann nicht zu reden auf, als er bereits in seinem Bette lag. Schließlich wurde alles still, man hörte nur das gleichmäßige Schnarchen des Soldaten. Philip schlief ein.

Es wurde um sieben durch das schrille Gebimmel einer Glocke geweckt. Gegen dreiviertel acht waren sie alle angezogen und stürzten in Strümpfen nach unten, um sich ihre Schuhe zu holen. Sie schnürten sie im Laufen zu, während sie nach dem Geschäft in der Oxford Street zum Frühstück rannten. Kamen sie auch nur eine Minute nach acht, so erhielten sie kein Frühstück mehr, sie durften das Haus auch nicht mehr verlassen, um draußen etwas zu essen. Manchmal, wenn sie wußten, daß sie das Haus nicht rechtzeitig zum Frühstück erreichen würden, kauften sie sich unterwegs in einem kleinen Laden ein paar Semmeln. Da das jedoch Geld kostete, liefen die meisten in einem solchen Falle bis Mittag mit leerem Magen umher. Philip aß ein paar Butterbrote und trank eine Tasse Tee. Um halb neun fing das neue Tagewerk an.

»Erst nach rechts. Zweites Stockwerk, links, gnädige Frau.«

Er beantwortete die Fragen bald ganz mechanisch. Die Arbeit war monoton und äußerst ermüdend. Nach ein paar Tagen schmerzten die Füße ihn so, daß er kaum stehen konnte; sie brannten ihm auf den dicken, weichen Teppichen; es war ein schmerzhaftes Unternehmen, abends die Strümpfe auszuziehen. Die Klage war allgemein, seine Kollegen sagten ihm, daß Strümpfe und Schuhe einem unter den Füßen weg verfaulten, weil man ständig schwitzte. Alle im Raume, wo er war, hatten das gleiche Leiden, sie versuchten, sich Erleichterung zu verschaffen, indem sie nachts beim Schlafen die Beine unter der Decke herausstreckten. Zuerst konnte Philip überhaupt nicht mehr laufen; er mußte den größten Teil seiner Abende damit zubringen, daß er im Wohnzimmer in der Harrington Street saß und die Beine in einen Eimer kalten Wassers hielt.

Die Festabende fanden jeden zweiten Montag statt. Der erste war für Philip am Anfang seiner zweiten Woche bei Lynn. Er verabredete sich mit einer Angestellten aus seiner Abteilung.

»Man muß ihnen auf halbem Wege entgegenkommen«, sagte sie, »so wie ich es mache.«

Es war Mrs. Hodges, eine kleine Frau von fünfundvierzig Jahren mit schlecht gefärbtem Haar. Sie hatte ein gelbliches Gesicht, über das ein ganzes Netz kleiner, roter Äderchen lief. Blaßblaue Pupillen lagen in gelblichen Augäpfeln. Sie fand Gefallen an Philip und nannte ihn noch vor Ablauf einer Woche beim Vornamen.

»Wir haben beide erfahren, was es heißt, herunterzukommen«, sagte sie.

Sie erzählte Philip, daß ihr eigentlicher Name nicht Hodges wäre, sprach aber stets von ihrem ›Gatten Misterodges‹, der Rechtsanwalt wäre und sie einfach schändlich behandelt hätte; sie war dann von ihm fortgegangen, da sie es vorzog, unabhängig zu sein, aber sie wußte, was es hieß, im eigenen Wagen zu fahren, mein Lieber – sie nannte jedermann Lieber –, und sie hatten abends immer zu Hause gegessen. Sie hatte die Angewohnheit, mit der Nadel einer ungeheuren Silberbrosche in ihren Zähnen herumzustochern. Diese Brosche bestand aus zwei Jagdpeitschen, überkreuzt, und in der Mitte befanden sich zwei Sporen. Philip fühlte sich in seiner neuen Umgebung unbehaglich, und die Mädchen nannten ihn ›Prinzchen‹. Eine sprach ihn als Phil an, und er antwortete nicht, weil er nicht die geringste Lust hatte, sich mit ihr zu unterhalten; sie warf daraufhin den Kopf zurück und sagte, daß er hochmütig wäre, und das nächstemal sprach sie ihn mit ironischem Nachdruck als Mister Carey an. Sie war eine gewisse Miss Jewell und wollte demnächst einen Arzt heiraten. Die anderen Mädchen hatten ihn nie gesehen, aber sie sagten, er müßte ein Gentleman sein, weil er ihr so nette Geschenke machte.

»Machen Sie sich nichts draus, mein Lieber«, sagte Mrs. Hodges. »Ich habe das alles ebenfalls durchmachen müssen. Sie verstehen es eben nicht besser. Glauben Sie mir, man wird Sie zu schätzen wissen, wenn Sie sich behaupten wie ich.«

Der Gemeinschaftsabend wurde im Restaurant im Kellergeschoß abgehalten. Die Tische waren zur Seite geschoben, um Platz zum Tanzen zu schaffen; kleine Tischchen waren zum Kartenspielen bereitgestellt.

»Die Leiter müssen zeitig da sein«, sagte Mrs. Hodges.

Sie stellte ihn Miss Bennet vor, die Lynns Schönheitskönigin war. Sie war Einkäuferin der Unterrockabteilung. Als Philip eintrat, sprach sie gerade mit dem Einkäufer für Herrenstrumpfwaren. Miss Bennet war eine Frau von massiver Gestalt, ihr Gesicht war groß und rot und stark gepudert, außerdem besaß sie einen Busen von imponierendem Umfang. Ihr flachsblondes Haar war mit großer Kunstfertigkeit arrangiert. Sie war auffallend angezogen, wenn auch nicht mit üblem Geschmack, ganz in Schwarz, mit hohem Kragen und schwarzen Glacéhandschuhen, die sie auch anbehielt, wenn sie Karten spielte. Um den Hals hatte sie mehrere schwere goldene Ketten geschlungen, und um ihr Handgelenk schlossen sich Armspangen. Sie trug eine schwarze Seidentasche bei sich.

»Es freut mich, Sie kennenzulernen, Mr. Carey«, sagte sie. »Es ist wohl Ihr erster Besuch bei unseren Festabenden? Vermutlich fühlen Sie sich noch etwas fremd. Das brauchen Sie aber nicht.«

Sie tat alles, was sie konnte, damit jeder sich wohl fühlte, schlug hier jemanden auf die Schulter, lachte mit einem andern herzhaft.

»Bin ich nicht ein Taugenichts?« rief sie neckisch, zu Philip gewandt. »Was müssen Sie nur von mir denken? Aber ich kann mir nun einmal nicht helfen.«

Dann kamen die Teilnehmer des Festes, meistens jüngere Mitglieder des Personals, Jungen, die keine eigenen Mädchen hatte, und Mädchen, die noch niemanden gefunden hatten, mit dem sie ›gehen‹ konnten. Verschiedene der jungen Herren trugen Straßenanzüge mit weißer Frackbinde und rotseidenen Taschentüchern; sie sollten etwas aufführen und traten mit beschäftigter und geistesabwesender Miene ein. Manche waren voll Selbstvertrauen, andere nervös und betrachteten ihre Zuhörer mit ängstlichen Augen. Bald darauf setzte sich ein Mädchen mit großem Schopf ans Klavier und ließ ihre Finger lärmend über die Tasten gleiten. Als die Zuhörer Platz genommen hatten, sah sie sich um und gab den Namen des Stückes bekannt, das sie spielen würde:

»*Schlittenfahrt in Rußland.*«

Es wurde geklatscht. In der Zwischenzeit befestigte sie Glöckchen an ihren Handgelenken. Sie lächelte ein wenig und brach unmittelbar darauf mit einer kraftvollen Melodie los. Als sie ihr Spiel beendet hatte, wurde noch weit mehr geklatscht als vorher, und nachdem der Applaus vorbei war, gab sie als Draufgabe ein Stück zum besten, das das Meer nachahmte. Kleine Triller stellten die an das Ufer schlagenden Wellen dar, und donnernde Akkorde, bei denen das laute Pedal getreten wurde, deuteten den Sturm an. Dann sang ein Herr ein Lied, das *Sag mir lebwohl!* hieß, und als Zugabe noch *Sing mir ein Lied zur guten Nacht!* Die Zuhörer maßen ihre Begeisterung mit feinem Unterscheidungsvermögen für die gebotenen Werte ab. Jeder bekam sein Maß Applaus, bis er eine Zugabe gab, und um niemanden neidisch zu machen, bekam keiner mehr als der andere.

Miss Bennet gesellte sich zu Philip.

»Ich bin sicher, Sie spielen oder singen, Mr. Carey«, sagte sie schelmisch. »Ich sehe es Ihrem Gesicht an.«

»Leider nicht.«

»Rezitieren Sie nicht einmal?«

»Ich habe kein Redetalent.«

Der Einkäufer für Herrenstrumpfwaren war ein bekannter Rezitator und wurde von allen seinen Gehilfen in der Abteilung laut genötigt, etwas zum besten zu geben. Er brauchte nicht lange gedrängt zu werden und trug ein Gedicht mit tragischem Charakter vor. Er rollte dabei seine Augen, legte die Hand auf seine Brust und benahm sich, als befände er sich im Todeskampf. Die Pointe, daß er zu Mittag Gurken gegessen hatte, wurde in der letzten Zeile enthüllt und mit Gelächter begrüßt, lang und laut, ein wenig gezwungen allerdings, da jeder das Gedicht gut kannte. Miss Bennet sang weder, noch spielte oder rezitierte sie.

»Ach nein, sie hat ein eigenes kleines Spiel«, sagte Mrs. Hodges.

»Nun fangen Sie nicht an, mich zu necken. Tatsächlich weiß ich eine Menge über Handlesen und Hellsehen.«

»Weissagen Sie mir doch aus der Hand, Miss Bennet«, riefen die Mädchen aus ihrer Abteilung, um ihr gefällig zu sein.

»Ich lese nicht gern aus der Hand, wirklich nicht. Ich habe manchen Leuten schreckliche Dinge prophezeit, und sie sind alle eingetroffen. So etwas macht einen abergläubisch.«

»Ach, bitte, Miss Bennet, nur ein einziges Mal.«

Ein kleiner Kreis sammelte sich um sie, und zwischen unterdrücktem Kichern, Rotwerden, Entsetzensschreien und Bewunderungsrufen sprach sie mysteriös von blonden und dunklen Männern, von Geld in einem Brief und von Reisen, bis ihr der Schweiß in großen Perlen auf ihrem Gesicht stand.

»Schaut mich an«, sagte sie. »Ich bin ganz verschwitzt.«

Das Essen begann um neun Uhr. Es gab Kuchen, Brötchen, belegte Brote, Tee und Kaffee; alles frei. Wenn man allerdings Mineralwasser trinken wollte, mußte man es selbst bezahlen. Das Gesetz der Ritterlichkeit verpflichtete die jungen Herren, den Damen gelegentlich Malzbier anzubieten; anstandshalber aber mußten die jungen Damen dankend ablehnen. Miss Bennet hatte Ingwerbier sehr gern, und es war etliche Male vorgekommen, daß sie an diesen Abenden drei Flaschen trank, aber sie bestand darauf, es selbst zu bezahlen. Die Herren mochten sie deshalb gern.

»Sie ist ein wunderlicher alter Vogel«, sagten sie, »aber das muß man schon sagen, ein übler Kerl ist sie nicht!«

Nach dem Abendessen wurde Wechselwhist gespielt. Es war sehr laut, es gab viel Gelächter und Geschrei, während die Parteien die Plätze wechselten und zum nächsten Tisch vorrückten. Miss Bennet verging fast vor Hitze.

»Sehen Sie sich das an«, sagte sie, »was ich zusammenschwitze.«

Nach einer Weile meinte einer der flotteren jungen Herren, wenn man tanzen wollte, wäre es wohl an der Zeit, den Anfang zu machen. Das Mädchen, das die Vorträge begleitet hatte, saß am Klavier und stellte voll Entschiedenheit den Fuß auf das laute Pedal. Sie spielte einen verträumten Walzer, wobei sie den Takt mit dem Baß angab, während ihre rechte Hand in verschiedenen Lagen herumklimperte. Zur Abwechslung kreuzte sie dann die Hände und spielte die Melodie mit dem Baß.

»Sie spielt gut, das muß man ihr lassen«, sagte Mrs. Hodges zu Philip, »und was noch mehr ist, sie hat in ihrem ganzen Leben niemals Stunden genommen, alles nur Gehör!«

Miss Bennet liebte Tanzen und Gedichte über alles in der Welt. Sie tanzte gut, aber sehr langsam. In ihre Augen trat dabei ein Ausdruck, als wäre sie mit ihren Gedanken weit, weit fort. Fast alle tanzten gut und hatten viel Spaß dabei. Der Schweiß rann ihnen über das Gesicht, und die sehr hohen Kragen der jungen Leute wurden weich.

Philip schaute zu, er war so niedergedrückt wie seit langem nicht. Er fühlte sich unsagbar einsam. Er ging nicht fort, weil er Angst hatte, man könnte ihn für hochmütig halten. So sprach er mit den Mädchen und lachte mit ihnen, aber sein Herz war voll Traurigkeit. Miss Bennet fragte ihn, ob er auch ein Mädchen hätte.

»Nein«, sagte er lächelnd.

»Na«, sagte sie, »hier gibt's ja genug Auswahl. Und es sind sehr nette, anständige Mädchen dabei. Sie werden sicher eines finden; das dauert nicht lange.«

Sie sah ihn ganz schelmisch an.

»Man muß ihnen auf halbem Wege entgegenkommen«, meinte Mrs. Hodges; »das sage ich ihm.«

Es war fast elf Uhr, als die Gesellschaft sich trennte. Philip konnte nicht einschlafen. Er streckte seine Füße wie die andern unter den Bettüchern hervor; sie schmerzten ihn sehr. Er versuchte mit aller Gewalt, nicht über das Leben, das er nun führte, nachzugrübeln. Der Soldat schnarchte ruhig.


Das Gehalt wurde einmal im Monat vom Sekretär ausbezahlt. Am Zahltag ging jede Gruppe Gehilfen, wenn sie vom Tee herunterkam, in den Durchgang und stellte sich an das Ende der Reihe, die ordentlich und geduldig wartete. Einer nach dem andern betrat das Büro. Der Sekretär saß an seinem Pult; er hatte Holzschalen mit Geld vor sich und fragte den Angestellten nach seinem Namen. Dann sah er schnell in einem Buch nach, warf einen verdächtigen Blick auf den

Gehilfen, sagte laut die Summe, die fällig war und zahlte sie aus der Holzschale in die ausgestreckte Hand.

»Danke schön«, sagte er. »Der nächste.«

»Danke schön«, war die Entgegnung.

Dann ging der Gehilfe mit dem empfangenen Geld zum zweiten Sekretär, zahlte ihm vier Shilling für Waschgeld, zwei Shilling für den Klub und die Geldstrafen, die aufgelaufen waren. Mit dem, was übrigblieb, ging er dann in seine Abteilung zurück und wartete dort, bis es Zeit zum Fortgehen war.

Die meisten Männer in Philips Haus hatten Schulden bei der Frau, bei der sie die Brötchen kauften. Sie war ein komisches altes Ding, sehr dick, mit breitem rundem Gesicht und schwarzem Haar, zu beiden Seiten der Stirne glatt gekämmt, in der Art, wie es die frühen Bilder von Königin Victoria zeigen. Sie trug immer einen kleinen, schwarzen Hut und eine weiße Schürze; ihre Ärmel waren bis zu den Ellbogen aufgekrempelt; sie schnitt die Brötchen mit großen, schmutzigen fetten Händen; Fett war auf ihrem Mieder, Fett war auf ihrer Schürze, Fett war auf ihrer Bluse. Sie hieß Mrs. Fletcher, aber jedermann nannte sie ›Ma‹; sie hatte die Ladengehilfen wirklich gern und nannte sie ihre Jungen; es machte ihr nichts aus, ihnen gegen Ende des Monats Kredit zu gewähren, und man wußte, daß sie dem einen oder anderen auch Geld lieh, wenn er sich in einer Klemme befand. Sie war eine gute Frau. Wenn sie auf Urlaub gingen oder zurückkamen, küßten die Jungen ihre fette rote Wange; wurde mal einer entlassen und konnte keinen anderen Posten finden, versorgte sie ihn mit Nahrung, um Leib und Seele zusammenzuhalten. Die Jungen fühlten ihr weiches Herz und dankten ihr mit echter Zuneigung. Da gab es eine Geschichte, die sie gerne erzählten, von einem Mann, der in Bradford wohlhabend geworden war und dort fünf Geschäfte besaß und nach fünfzehn Jahren zurückgekommen war, um Mrs. Fletcher zu besuchen und ihr eine goldene Armbanduhr zu schenken.

Philip behielt von seinem Monatsgehalt nach allen Abzügen achtzehn Shilling übrig. Es war das erste Geld in seinem ganzen Leben, das er selbst verdient hatte. Es gab ihm keinerlei Gefühl des Stolzes, wie man es vielleicht hätte erwarten können, sondern bestürzte ihn eher. Die Geringfügigkeit der Summe unterstrich nur das Hoffnungslose seiner Lage. Er trug fünfzehn Shilling zu Mrs. Athelny als Abzahlung auf die Schuld bei ihr; aber sie wollte nicht mehr als zehn Shilling nehmen.

»Wissen Sie, daß ich dann acht Monate brauche, um meine Schuld bei Ihnen zu begleichen?«

»Solange Athelny Arbeit hat, kann ich gut und gerne warten, und wer weiß, vielleicht bekommen Sie eine Gehaltserhöhung.«

Athelny redete immerzu davon, daß er Philips wegen mit dem Leiter sprechen wolle; es war doch barer Unsinn, daß Philips Talente brachliegen sollten. Aber er unternahm nichts, und Philip sagte sich schließlich, daß der Presseagent wahrscheinlich in den Augen des Leiters nicht die gleiche Wichtigkeit besaß wie in seinen eigenen. Gelegentlich begegnete er Athelny im Geschäft. Sein Glanz war erloschen, er eilte in sauberer, ganz alltäglicher Kleidung durch die Abteilungen: ein unterwürfiges, bescheidenes Männchen, das ängstlich bedacht schien, nirgends aufzufallen.

»Wenn ich mir so überlege, wie unnütz ich da meine Kraft vergeude«, sagte er zu Hause, »dann möchte ich am liebsten meine Kündigung einreichen. Kein Spielraum für Menschen wie mich. Ich verkümmere, ich verhungere.«

Mrs. Athelny, die ruhig nähte, schien diese Klagen gar nicht zu beachten. Ihre Lippen preßten sich etwas fester aufeinander.

»Es ist heutzutage sehr schwer, Stellungen zu finden. Es ist regelmäßig und sicher. Ich erwarte von dir, daß du, solange man mit dir zufrieden ist, aushältst.«

Das würde Athelny denn auch augenscheinlich tun. Es war interessant zu sehen, wie diese ungebildete Frau über den geistsprühenden, unausgeglichenen Mann, der durch nichts rechtlich mit ihr verbunden war, das Übergewicht erworben hatte. Mrs. Athelny behandelte Philip mit der gleichen mütterlichen Güte, jetzt, wo er in ganz anderer Lage war als zuvor. Ihre Besorgnis, daß er auch ja gut essen solle, rührte ihn. Es war der einzige Trost in diesem Leben, daß er jeden Sonntag in dieses freundliche Haus gehen konnte. Es war eine Freude für ihn, in den prunkvollen spanischen Stühlen zu sitzen und alle möglichen Dinge mit Athelny zu bereden. Obwohl seine Lage so verzweifelt war, ging er nie von ihm fort, ohne sich wie berauscht zu fühlen. Zuerst hatte Philip versucht, weiter in seinen medizinischen Büchern zu lesen, damit er nicht alles verlernte; aber er fand es ein sinnloses Unterfangen, er konnte seine Aufmerksamkeit nach dem erschöpfenden Tagwerk nicht konzentrieren; es schien auch so hoffnungslos zu arbeiten, wo er ja doch nicht wußte, wann er wieder zum Studium zurückkehren könnte. Er träumte ständig, wieder in den Krankensälen zu sein. Das Erwachen war schmerzlich. Das Gefühl, daß noch andere mit ihm in einem Zimmer schliefen, war ihm unaussprechlich unangenehm. Er war daran gewöhnt gewesen, allein zu sein, und es war schrecklich, immer mit andern zusammen sein zu müssen, keinen Augenblick für sich zu haben. In den Momenten, wo er das besonders stark empfand, konnte er kaum gegen seine Verzweiflung ankämpfen. Er sah sich auf unabsehbare Zeit dieses Leben mit seinem ›erst nach rechts. Zweites Stockwerk, links, gnädige Frau‹ fortsetzen, und dabei mußte er noch dankbar sein, daß man ihn behielt: die Männer, die in den Krieg gezogen waren, würden bald heimkommen, und die Firma hatte garantiert, sie wieder zu beschäftigen; das bedeutete, daß andere entlassen werden würden. Er mußte sich anstrengen, um diesen jämmerlichen Posten, den er jetzt hatte, überhaupt zu behalten.

Nur ein einziges Ereignis konnte ihn erlösen: der Tod seines Onkels. Dann würde er ein paar hundert Pfund in die Hand bekommen und so sein Studium zu Ende bringen. Philip begann mit aller Macht, den Tod des alten Mannes herbeizuwünschen. Er rechnete sich aus, wie lange er möglicherweise noch leben könnte; er war über siebzig, litt an chronischer Bronchitis und hatte jeden Winter einen bösen Hustenanfall. Obwohl er es schon auswendig wußte, las Philip immer wieder alle Einzelheiten nach, die in seinem Schulbuch über Wirkungen und Aussichten von Bronchitis bei älteren Menschen standen. Ein strenger Winter könnte zuviel für ihn werden. Philip wünschte aus tiefstem Herzen Regen und Kälte herbei. Er dachte ununterbrochen daran, so daß es schon eine fixe Idee von ihm wurde. Auch große Hitze tat Onkel William nicht gut, und im August war es drei Wochen lang glühend heiß gewesen. Philip bildete sich ein, eines Tages werde vielleicht ein Telegramm kommen, daß der Vikar plötzlich gestorben wäre, und er stellte sich seine unaussprechliche Erleichterung vor. Während er auf der obersten Stiege stand und die Leute in die einzelnen Abteilungen, in die sie wollten, dirigierte, dachte er unaufhörlich daran, was er mit dem Geld machen würde. Er hatte keine Ahnung, wieviel es sein würde, vielleicht nicht mehr als fünfhundert Pfund, aber selbst diese Summe würde genügen. Er würde das Geschäft sofort verlassen, ohne zu kündigen, er würde seine Sachen packen und sofort weggehen, ohne irgend jemand ein Wort zu sagen; und dann würde er in sein Krankenhaus zurückkehren. Ob er wohl viel vergessen hatte? In sechs Monaten könnte er alles nachholen, und dann würde er so bald wie möglich seine drei Prüfungen machen, zuerst Geburtshilfe, dann innere Medizin und schließlich Chirurgie.

Manchmal überfiel ihn eine furchtbare Angst, daß sein Onkel vielleicht doch, entgegen seinen Versprechungen, alles der Gemeinde oder der Kirche vermachen könnte. Philip wurde ganz elend bei diesem Gedanken. Er würde nicht so grausam sein können. Sollte dieser Fall jedoch eintreten, so war Philip fest entschlossen, Schluß zu machen; er konnte nicht ewig so weiterleben. Der jetzige Zustand war nur erträglich, weil man bessere Zeiten erhoffen konnte. Gab es keine Hoffnungen mehr, würde er auch keine Furcht mehr kennen. Das einzig Tapfere war in einem solchen Fall, Selbstmord zu verüben. Philip überlegte sogleich, welch schmerzloses Mittel er wählen und wie er es sich verschaffen konnte. Der Gedanke ermutigte ihn, daß er einen Ausweg hätte, was auch immer käme.

»Zweiter Stock rechts, Madam, und die Treppen hinunter. Erst links und dann geradeaus. Mr. Philips, vorwärts bitte.«

Einmal monatlich, eine Woche lang, hatte Philip ›Dienst‹. Dann mußte er bereits um sieben Uhr früh in seine Abteilung gehen und auf die Auskehrer aufpassen. Wenn sie fertig waren, mußte er die Leinwandtücher von den Regalen und den Modellpuppen abnehmen. Am Abend, wenn die Ladengehilfen fortgegangen waren, hatte er die Tücher wieder auf Regale und Modelle aufzulegen und die Auskehrer zu überwachen. Es war staubige, schmutzige Arbeit. Er durfte weder lesen noch schreiben oder rauchen; er mußte in einem fort umhergehen, und die Zeit wurde ihm lang. Wenn er dann fertig war, bekam er sein Abendessen, und das war der einzige Trost, denn seit dem Tee um fünf Uhr hatte sich ein gesunder Appetit eingestellt, und Brot und Käse mit großen Mengen Kakao, den die Firma für diesen Zweck bereitstellte, boten eine willkommene Mahlzeit.

Nachdem Philip drei Monate lang bei Lynn gearbeitet hatte, kam eines Tages Mr. Sampson, der Einkäufer, in die Abteilung. Er schäumte vor Wut. Der Leiter, der zufällig im Vorübergehen das Kostümschaufenster gesehen hatte, hatte den Einkäufer zu sich berufen und satirische Bemerkungen über die Farbenzusammenstellungen gemacht. Da er den Sarkasmus seines Vorgesetzten schweigend hatte hinnehmen müssen, rächte er sich nun an seinem Gehilfen. Er schalt den armen Kerl, der das Fenster zu dekorieren hatte, heftig aus.

»Wenn man etwas ordentlich gemacht haben will, muß man es selbst tun«, tobte Mr. Sampson. »Das habe ich immer gesagt, und das stimmt. Nichts kann man euch Lümmeln überlassen. Sie wollen intelligent sein, nicht wahr? Ja, intelligent!«

Er warf dem Gehilfen das Wort hin, als wäre es der schlimmste Vorwurf.

»Wissen Sie denn nicht, daß ein Stahlblau im Fenster alle andern Blau einfach totschlägt?«

Er schaute sich wild in der Abteilung um, und sein Blick fiel auf Philip.

»Am nächsten Freitag werden Sie das Schaufenster dekorieren, Carey. Wollen doch mal sehen, was Sie fertigbekommen.«

Er ging in sein Büro zurück und brummte unterwegs wütend vor sich hin. Philip sank das Herz. Als er am Freitag morgen in das Schaufenster steigen mußte, würgte ihn die Scham. Seine Wangen glühten. Es war ihm fürchterlich, sich den Vorübergehenden zur Schau stellen zu müssen. Obwohl er sich sagte, es sei lächerlich, solchen Empfindlichkeiten nachzugeben, drehte er der Straße den Rücken zu. Die Wahrscheinlichkeit, daß um diese Zeit einer seiner Kollegen aus dem Krankenhaus die Oxford Street entlangkäme, war sehr gering, und sonst kannte er kaum jemand in London. Aber während Philip mit einem schrecklichen Würgen in der Kehle weiterarbeitete, bildete er sich die ganze Zeit ein, er brauchte sich nur umzudrehen, um in ein ihm bekanntes Gesicht zu starren. Er beeilte sich, sosehr es nur ging. Durch die einfache Beobachtung, daß Rot in allen Farbtönen gut zusammenstimmt, und mit Hilfe einer neuen, etwas weitläufigeren Art, die Kostüme auszulegen, erzielte er eine sehr gute Wirkung. Als der Einkäufer dann auf die Straße hinausging, um sich das Ergebnis anzuschauen, war er augenscheinlich sehr befriedigt.

»Ich hatte mir schon gedacht, daß es richtig wäre, Sie das Fenster machen zu lassen. Es kommt eben daher, daß wir beide, Sie sowohl wie ich, Gentlemen sind. Ich würde das natürlich nicht vor den andern sagen, aber es stimmt schon. Sie und ich, wir sind eben Gentlemen, und das merkt man sofort. Es hat keinen Zweck, daß ich Ihnen sage, man merke das nicht; man merkt es sehr wohl.«

Philip wurde jetzt beauftragt, diese Arbeit regelmäßig zu übernehmen, aber er konnte sich an diese Art Öffentlichkeit nicht gewöhnen. Es graute ihm jedesmal vor dem Freitagmorgen, an dem die Fenster zu dekorieren waren. Er wachte vor Schreck schon früh um fünf auf und lag schlaflos mit einem Gefühl des Elends in seinem Bett. Die Mädchen in seiner Abteilung merkten, daß er sich schämte, und fanden seinen Trick, mit dem Rücken gegen die Straße hin zu arbeiten, sehr bald heraus. Sie lachten ihn aus und nannten ihn ›Prinzchen‹.

»Sie haben wohl Angst, daß Ihre Tante vorbeikommen und Sie enterben könnte.«

Im allgemeinen kam er mit den Mädchen ganz gut aus. Sie fanden ihn ein wenig sonderlich; aber der Klumpfuß entschuldigte in ihren Augen, daß er ein bißchen anders war als die übrigen. Sie fanden auch bald, daß er sehr gutmütig war. Er half, wo er nur konnte, er war höflich und immer gleichmäßig gutgelaunt.

»Man merkt ihm an, daß er ein besserer Herr ist«, sagten sie.

»Sehr zurückhaltend, nicht?« sagte eine junge Frau, deren leidenschaftlich begeisterten Theaterberichten er ungerührt zugehört hatte.

Die meisten hatten ›Freunde‹, und die, die keine hatten, taten trotzdem so. Es brauchte niemand zu denken, daß sich keiner für sie interessierte. Die eine oder andere ließ merken, daß sie nichts gegen einen Flirt mit Philip einzuwenden hätte. Er sah ihren Manövern mit ernsthafter Belustigung zu. Er hatte genug von Liebeleien; seine Erfahrungen reichten ihm. Er war fast immer müde und oft hungrig.

Philip machte um alle Orte, die er aus glücklicheren Zeiten kannte, einen Bogen. Die kleinen Zusammenkünfte in der Taverne in der Beak Street waren abgebrochen worden. Macalister ging, nachdem er seine

Freunde hineingelegt hatte, nicht mehr hin; Hayward war am Kap. Nur Lawson blieb übrig, und Philip wollte ihn nicht treffen, weil er fand, daß er mit dem Maler jetzt nichts mehr gemein hätte. Eines Samstagnachmittags ging er jedoch nach dem Essen die Regent Street hinunter, um zur Volksbibliothek in St. Martin's Lane zu gelangen, wo er den Nachmittag zuzubringen gedachte, und fand sich plötzlich Lawson gegenüber. Sein erster Gedanke war, ohne ein Wort vorüberzugehen. Lawson vereitelte jedoch diese Absicht.

»Wo in aller Welt hast du die ganze Zeit über gesteckt?« rief er.

»Ich?« sagte Philip.

»Ich habe dir geschrieben, du solltest zu einem lustigen Abend ins Atelier kommen, und du hast mir nicht einmal geantwortet.«

»Ich habe deinen Brief nicht erhalten.«

»Nein; das weiß ich. Ich war nämlich im Hospital und habe mich nach dir erkundigt; da sah ich meinen Brief noch am Anschlagkasten stecken. Hast du die Medizin denn an den Nagel gehängt?«

Philip zögerte einen Augenblick. Er schämte sich, die Wahrheit zu sagen, aber er war wütend darüber, daß er sich schämte, und zwang sich zu sprechen. Er konnte sich nicht helfen, er wurde rot.

»Ja, ich habe mein bißchen Geld verloren. Ich konnte es mir nicht leisten dabeizubleiben.«

»Oh, das tut mir aber leid. Was machst du denn nun?«

»Ich bin Aufseher in einem Weißwarengeschäft.«

Diese Worte erstickten Philip fast, aber er war fest entschlossen, die ganze Wahrheit zu sagen. Er hielt seinen Blick auf Lawson geheftet und merkte, daß dieser verlegen war. Philip lächelte voll wilden Spottes.

»Wenn du zu Lynn and Sedley kämst und durch die Damenkonfektion gingest, würdest du mich dort im Gehrock stehen und herumgehen sehen, wie ich mit ungezwungener Miene Damen den Weg weise, die Unterröcke oder Strümpfe erstehen wollen. Erst nach rechts, gnädige Frau, dann zweiter Stock, links.«

Lawson lachte verlegen, als er merkte, daß Philip darüber spottete. Er wußte nicht recht, was er sagen sollte. Das Bild, das Philip ihm ausmalte, entsetzte ihn, aber er hatte Angst, Mitleid zu zeigen.

»Eine kleine Abwechslung, sollte ich meinen«, sagte er.

Ihm selbst kamen seine Worte albern vor, und er hätte sie am liebsten ungesagt gemacht. Philip wurde dunkelrot.

»Schon«, sagte er. »Übrigens, ich bin dir doch noch fünf Shilling schuldig.«

Er griff mit der Hand in die Tasche und zog einige Silbermünzen heraus.

»Ach, laß doch, das hatte ich schon ganz vergessen.«

»Komm, hier nimm.«

Lawson nahm das Geld schweigend in Empfang. Sie standen mitten auf dem Bürgersteig; die Leute, die vorübergingen, drängten sich vorbei und stießen sie an. Ein sardonisches Lächeln lag in Philips Augen; der Maler fühlte sich sehr unbehaglich dabei. Er ahnte nicht, daß Philips Herz vor Verzweiflung schwer war. Lawson hätte so gern etwas für ihn getan, aber er wußte nicht, was er tun könnte.

»Willst du nicht wieder einmal ins Atelier kommen, damit wir uns unterhalten?«

»Nein«, sagte Philip.

»Warum nicht?«

»Es gibt nichts, worüber wir uns unterhalten könnten.«

Er sah, daß Lawsons Augen einen ganz bekümmerten Ausdruck annahmen; er konnte es auch nicht ändern, es tat ihm leid, aber er mußte an sich selbst denken, er konnte die Vorstellung, seine Lage mit ihm durchzusprechen, nicht ertragen. Er konnte nur durchhalten, wenn er mit fester Entschiedenheit jeden Gedanken daran verbannte. Er fürchtete sich vor seiner eigenen Weichheit, wenn er erst einmal jemandem sein Herz öffnete. Außerdem war ihm jeder Ort, an dem er sich einmal elend gefühlt hatte, zuwider: er erinnerte sich an die Demütigung, die er hatte durchmachen müssen, als er, gierig vor Hunger, in Lawsons Atelier gesessen und auf eine Einladung zum Essen gewartet hatte – dann, das letztemal, als er ihn um fünf Shilling anging. Er haßte den bloßen Anblick von Lawson, weil er jene Tage letzter Erniedrigung in sein Gedächtnis zurückrief.

»Dann geh wenigstens einmal des Abends mit mir essen. Du kannst bestimmen, welcher Abend dir am besten paßt.«

Philip war von der Freundlichkeit des Malers gerührt. Alle möglichen Leute waren unerwarteterweise freundlich zu ihm, dachte er.

»Es ist wirklich schrecklich nett von dir, mein Lieber; aber es ist besser, wenn ich es nicht tue.« Er reichte ihm die Hand hin: »Lebwohl.«

Lawson war durch Philips unerklärlich scheinendes Betragen beunruhigt und nahm seine Hand. Philip humpelte eilig fort. Ihm war das Herz schwer, und er machte sich, wie gewöhnlich, Vorwürfe; er wußte nicht, welch verrückter Stolz ihn bewogen hatte, die angebotene Freundschaft auszuschlagen. Dann hörte er jemand hinter sich herrennen und bald darauf rufen; er erkannte Lawsons Stimme. Er blieb stehen, und das Gefühl der Feindseligkeit überkam ihn wieder. Er empfing Lawson mit kaltem, hartem Gesicht.

»Was ist los?«

»Über Hayward, das hast du wahrscheinlich gehört?«

»Ich weiß, er ging zum Kap.«

»Er ist kurz nach der Landung gestorben.«

Philip antwortete nicht gleich. Er traute kaum seinen Ohren.

»Wie?« fragte er.

»Darmtyphus. Pech, nicht wahr? Ich hatte gedacht, du wüßtest es vielleicht noch nicht. Es hat mir doch einen ziemlichen Schlag versetzt, als ich das hörte.«

Lawson nickte schnell und ging fort. Philip fühlte, wie es ihm eiskalt über das Herz kroch. Er hatte noch nie vorher einen Freund aus seiner eigenen Altersstufe verloren, denn Cronshaws Tod, der Tod eines alten Menschen, hatte mehr oder weniger im natürlichen Ablauf der Dinge gelegen. Die Nachricht erschütterte ihn sehr. Sie gemahnte ihn an seine eigene Sterblichkeit, denn bis dahin hatte Philip, wie wohl jeder, zwar vollkommen klar gewußt, daß alle Menschen sterben müssen, aber er hatte doch nie so ganz von nah erfaßt, daß das auch ihn betraf. Haywards Tod beeindruckte ihn deshalb sehr, obwohl kein warmes Gefühl mehr für ihn in Philip gelebt hatte. Plötzlich überfiel ihn die Erinnerung an all die schönen Gespräche, die sie miteinander geführt hatten, und der Gedanke schmerzte ihn, daß sie niemals mehr miteinander würden sprechen können. Er erinnerte sich ihrer ersten Bekanntschaft, an die angenehmen Monate, die sie gemeinsam in Heidelberg verlebt hatten. Philip sank das Herz, wenn er an all die verlorenen Jahre dachte. Er ging mechanisch weiter, merkte gar nicht, wohin seine Füße ihn trugen und erkannte plötzlich, verärgert, daß er nicht, wie er vorgehabt hatte, in den Haymarket eingebogen war, sondern die Shaftesbury Avenue weiter hinunterlief. Es war langweilig, den gleichen Weg zurückzugehen; außerdem spürte er nach dieser Nachricht kein Verlangen mehr, irgendwelche Bücher zu lesen. Er wollte allein für sich sitzen und nachdenken. Er entschloß sich also, ins Britische Museum zu gehen. Alleinsein war jetzt der einzige Luxus, den er sich leisten konnte. Seit er bei Lynn arbeitete, war er öfters dorthin gegangen und hatte vor den Gruppen des Parthenonfrieses gesessen und, ohne eigentlich nachzudenken, die göttlichen Maße beruhigend auf seine verstörte Seele einwirken lassen. Aber an diesem Nachmittag sagten sie ihm nichts. Ungeduldig verließ er bereits nach wenigen Minuten den Raum. Es waren zu viele Leute da, Provinzler, alberne Gesichter, Ausländer mit der Nase in Museumsführern: ein scheußlicher Anblick, der die ewigen Meisterwerke schändete. Das unruhige Hin und Her störte des Gottes unsterbliche Ruhe. Er ging in einen andern Raum, und dort war kaum jemand. Philip setzte sich müde und abgespannt nieder. Seine Nerven waren zum Zerreißen gespannt. Die Leute gingen ihm nicht aus dem Sinn. Bei Lynn wirkten sie manchmal genauso auf ihn; er ließ sie dann voll Grauen an sich vorüberpassieren; sie waren so häßlich und ihre Gesichter von Gemeinheit gezeichnet: es war grauenerregend. Ihre Züge waren von gemeinen Trieben verzerrt; man spürte, daß jeglicher Gedanke an Schönheit ihnen fremd war. Sie hatten hinterhältige Augen und schwächliche Kinne. Es war nichts Böses an ihnen, aber Kleinheit und Gemeinheit. Ihr Humor war nichts als niedrige Witzigkeit. Manchmal überraschte er sich dabei, wie er sie auf ihre Ähnlichkeit mit Tieren hin beobachtete (er wehrte solche Gedanken ab, sie wurden zu leicht zu fixen Ideen); aus allen sah ein Schaf, ein Pferd, ein Fuchs oder eine Ziege heraus. Diese menschlichen Wesen erfüllten ihn mit Widerwillen.

Es dauerte nicht lange, dann hüllte ihn die Stimmung ein, die an diesem Orte herrschte. Er fühlte sich ruhig werden. Gedankenverloren betrachtete er die Grabsteine, die rings um den Raum standen. Es waren Werke, die Steinmetze in Athen während des vierten und fünften Jahrhunderts vor Christus geschaffen hatten. Sie waren sehr schlicht, keine Werke großer Genies, und dennoch lag über allen der wunderbare Geist Griechenlands. Die Zeit hatte dem Marmor die weiche Farbe von Honig verliehen, so daß man unbewußt an die Bienen des Hymettus denken mußte, und den Konturen hatte die Zeit jede Schärfe genommen. Manche stellten eine nackte Gestalt dar, die ruhend auf einer Bank saß, andere den Abschied des Toten von den Geliebten, die er zurückließ, und wieder andere hatten den Toten abgebildet, der dem Zurückbleibenden die Hand reicht. Alle waren Ausdruck des einen tragisch schweren Wortes: Lebewohl – das allein, sonst nichts. Ihre Schlichtheit war unendlich rührend. Freund trennte sich von Freund, der Sohn von der Mutter, der Schmerz der Überlebenden trat durch die Haltung, die sie zu wahren suchten, nur noch schärfer hervor. Das war vor langer, langer Zeit gewesen; die Jahrhunderte waren über ihr Unglück hinweggeschritten; zweitausend Jahre lang waren sie nun schon Staub, die Klagenden wie die, die hier beklagt wurden. Aber immer noch lebte die Klage fort, der im Stein festgehaltene Schmerz; er erfüllte Philips Herz, so daß er fühlte, wie Mitleid in ihm aufquoll und er sagte:

»Ihr Armen, ihr Armen!«

Ja, auch die Gaffer, die fetten Fremden mit ihren Reiseführern, alle diese gewöhnlichen Leute, die sich im Laden bei ihm drängten, mit ihren kleinlichen Begierden und gemeinen Sorgen, sie waren alle sterblich, und der Tod stand vor jedem. Auch sie liebten und mußten Abschied nehmen von denen, die sie liebten, der Sohn von der Mutter, die Gattin vom Gatten. Erhöhte es nicht vielleicht noch die Tragik, daß ihr Leben häßlich und schmutzig war, daß sie nichts von der Schönheit dieser Welt ahnten? Ein Stein war da, der besonders schön wirkte, ein Relief von zwei jungen Männern, die einander an der Hand hielten. Die Verhaltenheit in der Linienführung, die Schlichtheit ließen darauf schließen, daß der Künstler aus eigenem Erleben das Bildwerk gestaltet hatte. Es war ein erhabenes Denkmal des kostbarsten Gefühls, das die Welt darbietet: der Freundschaft. Als Philip anschauend davorstand, traten ihm die Tränen in die Augen. Er dachte an Hayward und wie sehr er ihn bewundert hatte, als sie einander kennenlernten, wie langsam die Illusionen zerstört wurden und anteilnahmslose Gleichgültigkeit den Platz der Freundschaft einnahm, bis schließlich nichts mehr sie verband als Gewohnheit und Erinnerungen an alte Zeiten. Wie seltsam das im Leben ist: da sieht man einen Menschen tagein, tagaus, monatelang; man wird so vertraut miteinander, daß man den andern nicht aus seinem Leben fortzudenken vermag; dann kommt die Trennung, und alles geht weiter, als wäre nichts geschehen; der Gefährte, der so wesentlich Teil unseres Lebens schien, erweist sich als entbehrlich. Das Leben geht weiter, und man hat ihn kaum vermißt. Philip gedachte der alten Tage in Heidelberg, wo Hayward, zu großen Dingen befähigt, voller Begeisterung in die Zukunft blickte, und wie er dann, als er nichts erreichte, langsam sein eigenes Versagen hinzunehmen begann. Und nun war er tot. Sein Tod war so sinnlos wie sein Leben. Ein unrühmlicher Tod an einer blöden Krankheit; selbst das Ende verfehlt – selbst dadurch nichts erreicht. Es war, als hätte er nie gelebt.

Philip fragte sich verzweifelt, was es eigentlich für einen Sinn habe zu leben. Es war hier genauso wie bei Cronshaw; es war ganz unwichtig, daß er gelebt hatte, er war tot und vergessen, die übriggebliebene Auflage seines Gedichtbandes wurde von Altbuchhändlern verkauft, sein Leben schien keinem anderen Zweck gedient zu haben als dem, einem ehrgeizigen Journalisten die Möglichkeit zu bieten, in einer Zeitschrift einen Artikel zu schreiben. In Philips Seele schrie es: »Was ist der Sinn des Ganzen?«

Die Anstrengung stand in keinem Verhältnis zu dem erreichten Resultat. Die leuchtenden Hoffnungen der Jugend mußten mit bitterer Ernüchterung bezahlt werden, die den Wahn zerriß. Schmerz, Krankheit und Unglück hockten schwer auf der Waagschale des Lebens. Was bedeutete es alles? Er dachte an sein eigenes Leben, die hochgespannten Hoffnungen, mit denen er anfing, die Hemmungen, die sein Körper ihm aufzwang, das Fehlen jeglicher Freundschaft und der Mangel an Zärtlichkeit, als er Kind war. Er konnte sich keiner Sache erinnern, die er nicht nach bestem Wissen und Gewissen getan hatte – und doch hatte alles nur zu Mißerfolg geführt. Da gab es Menschen, die in nichts vor ihm begünstigt waren – sie setzten sich erfolgreich durch, und andere wieder, voller Fähigkeiten und Möglichkeiten, versagten ... Alles war reiner Zufall. Die Sonne schien über Gerechte und Ungerechte; es gab kein Warum, und es gab kein Deshalb.

Während er noch an Cronshaw dachte, fiel ihm der persische Teppich ein und daß er gesagt hatte, darin sei die Antwort auf die Frage nach dem Sinn des Lebens enthalten. Plötzlich kam ihm die Antwort; er mußte lachen; jetzt, da er sie wußte, war ihm zumute wie jemand, der sich mit einem Puzzlespiel vergeblich abgemüht hat und dem man dann schließlich die Lösung weist; er kann sich danach gar nicht vorstellen, wie er sie nicht selbst hatte finden können. Die Antwort lag auf der Hand. Das Leben hatte keinen Sinn. Auf der Erde, die als Trabant eines Sternes durch den Raum schoß, hatten sich unter dem Einfluß der Verhältnisse, die ein Teil der Geschichte dieses Planeten waren, Lebewesen entwickelt, und so wie hier der Anfang des Lebens sich vollzog, so würde einmal unter veränderter Bedingung das Ende eintreten. Der Mensch, der nicht bedeutsamer ist als andere Formen des Lebens, trat nicht als Höhepunkt der Schöpfung auf, sondern als physische Reaktion auf seine Umgebung. Philip erinnerte sich an die Erzählung eines Königs aus dem Morgenland, der die Geschichte des Menschen erfahren wollte. Einer der Weisen brachte ihm fünfhundert Bände; der König jedoch, den die Staatsgeschäfte in Anspruch nahmen, schickte ihn fort, er möge, was darin stehe, für ihn zusammenfassen. Nach zwanzig Jahren erschien der Weise wiederum vor ihm, und die Geschichte war jetzt in fünfzig Bänden enthalten. Der König, der inzwischen gealtert war und nicht mehr so viele dickleibige Bände zu lesen vermochte, schickte ihn nochmals fort, auf daß er noch stärker kürze. Wieder vergingen zwanzig Jahre, und der Weise brachte, alt und grau, ein einziges Bändchen, das alles Wissenswerte für den König enthielt. Der König aber lag auf seinem Sterbebette, und ihm blieb keine Zeit mehr, selbst dieses kleine Werk zu lesen. Daraufhin gab der Weise ihm die Geschichte des Menschen in einem einzigen Satz, und der lautete: Er wurde geboren, er litt und er starb. Das Leben enthielt keinen Sinn, und der Mensch diente keinem höheren Zweck durch sein Leben. Es war belanglos, ob er geboren worden war oder nicht, ob er lebte oder aufhörte zu leben. Das Leben war ohne Bedeutung und der Tod ohne Folgen. Philip frohlockte, so wie er als Knabe frohlockt hatte, als die Last des Glaubens an Gott von seiner Schulter fiel; es schien ihm, als sei nunmehr die Bürde der Verantwortung von ihm genommen – von nun an würde er frei sein. Seine Bedeutungslosigkeit verwandelte sich damit in Macht; jetzt war er quitt mit dem grausamen Schicksal, das ihn verfolgt zu haben schien. War das Leben sinnlos, so hatte auch die Welt alle Grausamkeit eingebüßt. Was er tat oder zu tun unterließ, war gleichgültig. Versagen war unwichtig, und Erfolg bedeutete nichts. Er war das unbeträchtlichste Geschöpf in dieser schwärmenden Masse Menschheit, die für einen kurzen Zeitraum die Oberfläche der Erde mit Beschlag belegt hatte; allmächtig war er, weil er dem Chaos das Geheimnis seiner Nichtigkeit abgerungen hatte. Die Gedanken überstürzen sich in Philips kühner Phantasie; er zog lang und tief den Atem ein, so fröhlich war er und zufrieden. Er hätte Lust gehabt, umherzuspringen und zu singen. Seit Monaten war er nicht mehr so glücklich gewesen.

›Ah!‹ rief es in seinem Herzen. ›Leben, wo ist dein Stachel?‹

Die aufquellende Phantasie, die ihm mit der Klarheit einer mathematischen Beweisführung gezeigt hatte, daß das Leben keine Bedeutung besaß, brachte noch einen andern Gedanken hervor. Deshalb hatte Cronshaw ihm wahrscheinlich den persischen Teppich geschenkt! So wie der Weber sein Muster aus reiner Freude am künstlerisch gestalteten Werk, ohne einen Zweck vor Augen zu haben, ausführte, so kann der Mensch sein Leben leben, oder nahm man an, daß seine Handlungen außerhalb seiner eigenen Entscheidungssphäre lagen – so kann der Mensch sein Leben schauen: ein schön durchgeführtes Muster. Es bestand so wenig Notwendigkeit wie Sinn dafür, dies oder das zu tun. Er tat es einfach, weil es ihm Freude machte. Aus den mannigfachen Geschehnissen seines Lebens, seiner Taten, seiner Gefühle, seiner Gedanken kann er einen Plan, ein Muster entwickeln, das je nachdem regelmäßig, kompliziert, herrlich ausgearbeitet oder schlichtweg schön war. Und mochte es wirklich nur ein Wahn sein, daß ihm die Macht der Auswahl zustand, mochte es nichts als eine phantastische Selbstbegaukelung sein, was machte es schon aus: das Muster zeigte sich ihm, folglich war es für ihn wirklich. In der riesigen Werft des Lebens – ein Fluß, dieses Leben, aus keiner Quelle, das immer und ewig dahinfließt, ohne je in das Meer einzumünden – mag ein Mensch wohl die persönliche Befriedigung genießen, die verschiedenen Fäden, die ein Muster ausmachen, sich selbst zu wählen, wenn er nur dessen eingedenk bleibt, daß es nirgends einen Sinn gibt und nichts von Wichtigkeit ist. Ein Muster bot sich von selbst, es lag offen da, in vollkommener Schönheit: ein Mensch wurde geboren, wuchs und wurde ein Mann, heiratete, zeugte Kinder, schaffte das tägliche Brot und starb. Und andere Muster waren vorhanden, vielfältig verflochten und wunderbar, in die das Glück nicht hineingewebt war und in denen Erfolg kein Ziel war, und in ihnen ließ sich eine stärker beunruhigende Grazie entdecken. Manche Leben – und dazu gehörte Haywards – schnitt die blinde Gleichmut des Schicksals ab, noch ehe das Muster sich vollenden konnte; dann tröstete die Einsicht, daß es nichts ausmachte. Andere Leben, so wie das Cronshaws, boten ein Muster, das sich schwer entwirren ließ; man mußte erst den Blickpunkt verschieben, mußte alte Werte ändern, ehe man begreifen konnte, daß das Leben seine Rechtfertigung in sich selbst trug. Philip vermeinte, daß er nun, da er das Verlangen nach Glück aufgab, die letzte Illusion beiseite schob. Sein Leben war ihm schauerlich erschienen, solange er es mit dem Maße des Glückes maß; jetzt, da er erkannte, daß es mit anderen Maßstäben gemessen werden konnte, strömte ihm Kraft zu. Glück war so unwichtig wie Schmerz. Sie gehörten dazu, alle beide, wie andere Teile seines Lebens, Fäden, die im Webstuhl des Lebens zum Muster zusammenschossen. Es kam ihm vor, als stünde er über allen Fährnissen des Daseins, und er fühlte, daß sie ihn nicht wie früher beeinflussen konnten. Was immer auch geschehen mochte, es konnte nur ein Motiv mehr sein, das in das verworrene und verschlungene Muster einging. Kam dann das Ende, so würde er über die Vollendung jauchzen. Es würde ein Kunstwerk sein, und um nichts weniger schön, weil er allein von seiner Existenz wußte. Mit seinem Tode würde es aufhören, dazusein.

Philip war glücklich.


Mr. Sampson, der Einkäufer, fand Gefallen an Philip. Mr. Sampson war sehr flott; die Mädchen in der Abteilung meinten, sie würden sich gar nicht wundern, wenn er eines Tages eine reiche Kundin heiratete.

Er erklärte Philip, daß er der einzige Gentleman wäre. Er und Philip, sie wären die beiden einzigen jungen Leute, die das Leben kannten. Nachdem er dies gesagt hatte, änderte er plötzlich seine Haltung, nannte Philip Mr. Carey statt alter Junge, und, erfüllt von der Wichtigkeit seiner Position als Einkäufer, schickte er Philip auf seinen Platz als Aufseher.

Lynn and Sedley erhielten einmal in der Woche Modezeitschriften aus Paris und arbeiteten die darin abgebildeten Kostüme den Bedürfnissen ihrer Kundschaft entsprechend um. Sie hatten ihre eigene Art Kundschaft. Der größte Teil setzte sich aus Frauen aus kleineren Industriestädten zusammen, die zu elegant waren, um sich mit den am Ort angefertigten Kleidern zu begnügen, London aber nicht gut genug kannten, um eigene Schneiderinnen ausfindig zu machen, die ihrer Vermögenslage entsprachen. Außerdem kamen Varietékünstlerinnen in großer Zahl. Diese Beziehung hatte Mr. Sampson persönlich eingeleitet und gepflegt, und er war sehr stolz darauf. Die Damen hatten damit angefangen, daß sie sich ihre Theaterkostüme von Lynn machen ließen; daraufhin hatte Mr. Sampson dann viele dazugebracht, auch ihre anderen Kleider dort zu kaufen.

»So gut wie von Paquin und halb so teuer«, sagte er.

Er hatte ein überzeugendes, vertrauenerweckendes Auftreten, das Kunden dieser Art ansprach, und diese sagten zueinander:

»Wozu das Geld hinauswerfen, wenn man einen Mantel und einen Rock bei Lynn bekommen kann, ohne daß jemand weiß, daß diese Dinge nicht aus Paris kommen.«

Mr. Sampson war sehr stolz auf seine Freundschaft mit den Publikumslieblingen, deren Kleider er anfertigte, und wenn er sonntags um zwei Uhr mit Miss Victoria Virgo zum Mittagessen ausging, erhielt die Abteilung am nächsten Tag ausführliche Beschreibungen davon. Philip hatte Frauenkleidern niemals viel Beachtung geschenkt; im Laufe der Zeit begann er jedoch, selbst belustigt, ein technisches Interesse an ihnen zu nehmen. Sein Blick für Farben war weit besser entwickelt und geschult als bei allen anderen in der Abteilung, auch hatte er aus seiner Pariser Studentenzeit ein Gefühl für Linien zurückbehalten. Mr. Sampson war unwissend und ungebildet und kannte auch seine Grenzen; er fragte jedoch in seiner schlauen Art, die anderer Leute Ideen gut als eigene verarbeiten konnte, die Gehilfen in der Abteilung nach ihrer Meinung, wenn er ein neues Kostüm entwerfen mußte, und erkannte sehr bald, daß Philips Vorschläge und kritische Äußerungen wertvoll für ihn waren. Er hatte einen großen Ehrgeiz und hätte niemals zugegeben, daß er Rat annahm. Wenn er eine Zeichnung nach Philips Rat geändert hatte, sagte er zum Schluß stets:

»Richtig, das ist so, wie ich es gewollt hatte.«

Nachdem Philip fünf Monate lang im Geschäft gewesen war, erschien eines Tages Miss Alice Antonia, die bekannte Tragikomödin, und fragte nach Mr. Sampson. Sie war eine stattliche Frau mit flachsblondem Haar, einem kühn geschminkten Gesicht, metallischer Stimme und dem burschikosen Ton der Komödiantin, die mit den Jungen oben auf der Galerie in Provinzkabaretten auf gutem Fuße steht. Sie hatte ein neues Chanson und wollte von Mr. Sampson ein Kostüm dafür entworfen haben.

»Ich will etwas Auffälliges«, sagte sie. »Nichts von dem alten Kram, verstehen Sie. Ich möchte etwas haben, was anders ist als das, was die andern alle tragen.«

Mr. Sampson sagte, glatt und vertraulich, er wäre gewiß, daß sie ihr genau das verschaffen konnten. Er legte ihr Entwürfe vor.

»Ich weiß schon, es ist nichts hier, was dem entspräche, aber ich möchte Ihnen nur die Art zeigen, in der ich mir die Sache etwa denke.«

»O nein, das ist keineswegs das, was ich mir vorstelle«, sagte sie, nachdem sie ungeduldig hingesehen hatte. »Was ich will, ist etwas, was sie einfach umschmeißt; die Zähne müssen ihnen klappern dabei.«

»Ich verstehe, ich verstehe, Miss Antonia«, sagte der Einkäufer mit öligem Lächeln; aber seine Augen wurden leer und dumm.

»Ich werde wohl doch noch nach Paris hinüberfahren müssen.«

»Ach, ich denke, wir können Sie zufriedenstellen, Miss Antonia. Was Sie in Paris bekommen, bekommen Sie auch hier.«

Als sie wieder draußen war, besprach Mr. Sampson, leicht besorgt, die Sache mit Mrs. Hodges.

»Sie ist eine dolle Nummer, das muß man wohl sagen«, bemerkte Mrs. Hodges.

Mr. Sampsons Ideen für Varietékostüme hatten niemals über kurze Röcke, einen Strudel von Spitzen und glitzernde Flitter hinausgereicht. Miss Antonia hatte sich jedoch völlig eindeutig über dieses Thema geäußert.

»Ach, du meine liebe Tante!« hatte sie gesagt.

Dieser Stoßseufzer war in einem solchen Ton herausgebracht worden, als habe sie die allertiefste Abneigung gegen so gewöhnliche Vorschläge wie die von Mr. Sampson. Sie hätte gar nicht mehr hinzuzufügen brauchen, daß ihr übel wurde, wenn sie bloß von Flitter reden hörte. Mr. Sampson quälte sich zwei oder drei Ideen ab; aber Mrs. Hodges sagte ihm freimütig, daß sie nichts taugten. Sie war es dann auch, die Philip vorschlug:

»Können Sie zeichnen, Phil? Warum versuchen Sie es nicht einmal und sehen zu, was Sie machen können?«

Philip kaufte sich einen billigen Tuschkasten und machte am Abend ein paar Skizzen. Er erinnerte sich an Kostüme, die er in Paris gesehen hatte; eines davon übernahm er und erzielte seine eigene Wirkung durch eine Kombination schreiender, ungewöhnlicher Farben. Das Ergebnis amüsierte ihn, und er zeigte die Skizze am nächsten Morgen Mrs. Hodges. Sie war etwas überrascht, brachte das Blatt aber sofort dem Einkäufer hin.

»Ungewöhnlich«, sagte er, »das muß man ihm lassen.«

Das Kostüm verblüffte ihn. Sein geschultes Auge erkannte sofort, daß es Aufsehen erregen würde und sich also großartig eignete. Um den Schein zu wahren, machte er sofort Änderungsvorschläge. Mrs. Hodges aber war vernünftiger und riet ihm, es Miss Antonia so zu zeigen, wie es war.

»Sie ist immer entweder ganz zugeknöpft oder ganz weg. Vielleicht findet sie Gefallen daran.«

»Zugeknöpft dürfte ihr schwer fallen, wo so viel weg ist«, sagte Mr. Sampson mit einem Blick auf das Dekolleté. »Aber zeichnen kann er, was? Und da stellt er sein Licht die ganze Zeit unter den Scheffel.«

Als Miss Antonia gemeldet wurde, legte der Einkäufer den Entwurf so auf den Tisch, daß er ihr beim Eintreten gleich ins Auge fallen mußte. Sie schoß sofort darauf los.

»Was ist das?« rief sie. »Warum kann ich das nicht bekommen?«

»Es ist so eine Idee, die uns für Sie einfiel«, sagte Mr. Sampson gleichmütig. »Gefällt es Ihnen?«

»Gefallen?« sagte sie. »Ah, ich muß einen Gin haben!«

»Wie Sie sehen, brauchen Sie nicht nach Paris zu fahren. Sie brauchen Ihre Wünsche nur auszusprechen, und schon ist die Sache erledigt.«

Die Arbeit wurde sofort in die Hand genommen; Philip durch-
rieselte ein Gefühl der Befriedigung, als er das Kostüm fertig sah.
Der Einkäufer und Mrs. Hodges allein hatten den Ruhm, aber das
war ihm gleichgültig. Als er mit ihnen ins *Tivoli* ging, wo Miss Antonia zum erstenmal das Kostüm trug, fühlte er sich ganz übermütig.
Mrs. Hodges drang mit Fragen in ihn, und so erzählte er ihr schließlich, wie er zeichnen gelernt hatte. Bis dahin hatte er seine früheren
Tätigkeiten immer mit größter Sorgfalt verheimlicht, weil er fürchtete, man könnte sonst glauben, daß er sich aufspielen wollte.
Mrs. Hodges ging mit der Neuigkeit sofort zu Mr. Sampson. Der
Einkäufer berührte das Thema Philip gegenüber nicht weiter, behandelte ihn jedoch von nun an mit größerer Zuvorkommenheit
und gab ihm bald darauf Modelle für zwei Landkundinnen zu entwerfen. Der Auftrag wurde zur Zufriedenheit erledigt. Von da ab
sprach er zu seinen Kunden von ›dem klugen jungen Burschen, Pariser Kunststudent, wissen Sie‹, der für ihn arbeite. Bald saß Philip
von früh bis spät in Hemdsärmeln hinter seinem Wandschirm und
zeichnete. Manchmal hatte er so viel zu tun, daß er erst um drei
Uhr mit den Nachzüglern essen gehen konnte. Das gefiel ihm, denn
zu der Zeit waren nur wenig Menschen im Eßsaal, und die meisten
waren zu müde und redeten nicht. Außerdem war das Essen besser,
da es aus den Resten der Mahlzeit, die die Einkäufer übriggelassen
hatten, bestand. Philips Aufstieg vom Aufseher zum Modellzeichner
verfehlte seine Wirkung auf die andern im Geschäft nicht. Er spürte,
daß er ein Gegenstand des Neides geworden war. Harris, der Gehilfe,
den Philip hier als ersten von den Angestellten kennengelernt und
der sich ihm angeschlossen hatte, konnte seine Bitterkeit nicht verbergen.

»Manche haben, weiß Gott, immer Glück«, sagte er. »Eines Tages
werden Sie auch Einkäufer werden, und dann dürfen wir Sie ›Sir‹
nennen.«

Er riet Philip, er solle höheren Lohn verlangen; denn trotz der
schweren Arbeit, die er jetzt zu verrichten hatte, erhielt Philip noch
immer nicht mehr als seine sechs Shilling die Woche, mit denen er
angefangen hatte. Aber um Gehaltserhöhung bitten war immer eine
kitzlige Angelegenheit. Der Leiter hatte eine sardonische Art, mit
solchen Bittstellern umzugehen.

»Sie meinen, Sie sind mehr wert, was? Wieviel sind Sie denn
wert – nach Ihrer Meinung?«

Der Gehilfe, dem das Herz bereits auf der Zunge lag, würde vor-
schlagen, daß er doch wohl zwei Shilling die Woche mehr bekommen sollte.

»Na gut, wenn Sie glauben, Sie sind soviel wert. Bitte schön.«
Dann kam eine Kunstpause, nach der er mit harten Augen hinzu-

fügte: »Das können Sie haben, und Sie können dann auch gleichzeitig Ihre Kündigung haben.«

Es hatte danach keinen Sinn mehr, die Forderung zurückzunehmen; man hatte einfach abzutreten. Philip zögerte also. Er war ein wenig mißtrauisch gegen die Leute in seiner Abteilung, die ihm zuflüsterten, der Einkäufer könnte ohne ihn nicht mehr auskommen. Sie waren alle ordentliche Burschen, aber sie hatten eine etwas primitive Art von Humor. Es mochte ihnen wie ein Ulk vorkommen, wenn Philip sich durch sie überreden ließ, um höheren Lohn anzusuchen und dafür seinen Abschied erhielt. Die beschämenden Qualen, die er ausgestanden hatte, als er auf der Arbeitssuche war, standen ihm noch lebhaft vor Augen. Er wollte sich dem nicht noch einmal aussetzen. Er wußte sehr wohl, daß er keine großen Chancen hatte, woanders als Modellzeichner unterzukommen: es gab Hunderte von Leuten, die nicht schlechter zeichneten als er und Stellung suchten. Aber er brauchte bitter nötig Geld; seine Anzüge waren abgetragen, und die schweren Teppiche verdarben ihm Schuhe und Strümpfe. Er hatte sich fast entschlossen, den gefährlichen Schritt zu wagen, da sah er eines Morgens, als er vom Frühstück im Erdgeschoß durch den Durchgang kam, in dem das Büro des Leiters lag, eine ganze Reihe Männer vor dem Büro Schlange stehen, die alle Arbeit suchten. Es waren an die hundert, die sich da bewarben, und derjenige, der eingestellt wurde, würde wie er sechs Shilling die Woche erhalten. Er sah, wie man ihm neidische Blicke zuwarf, weil er eine Stellung hatte. Ihm schauderte. Er wollte sie nicht aufs Spiel setzen.


Der Winter ging vorüber. Hin und wieder sah Philip – zu später Stunde, wenn er nicht zu fürchten brauchte, einen Bekannten zu treffen – im Hospital nach, ob Briefe für ihn angekommen wären. Zu Ostern erhielt er einen Brief von seinem Onkel. Er war überrascht, Nachricht von ihm zu erhalten, denn der Vikar von Blackstable hatte ihm alles in allem nicht mehr als ein halbes Dutzend Briefe geschrieben, und das waren immer Geschäftsbriefe gewesen.

*Lieber Philip!*
*Solltest Du etwa in nächster Zeit einmal Ferien machen und hierher kommen wollen, so würde ich mich darüber freuen. Ich bin im Winter recht krank gewesen: die alte Bronchitis. Dr. Wigram hat nicht geglaubt, daß ich mich noch einmal aufrappele. Ich habe eine prachtvolle Konstitution und danke Gott für die wunderbare Genesung.*
*Herzlichst*
*William Carey*

Der Brief erboste Philip. Wovon glaubte sein Onkel eigentlich, daß er lebte? Er nahm sich nicht einmal die Mühe, danach zu fragen. Verhungern hätte er können, ohne daß er sich darum gekümmert hätte. Auf dem Heimweg überfiel ihn jedoch plötzlich ein Gedanke. Er blieb an einem Laternenpfahl stehen und las den Brief noch einmal durch; die Schrift besaß nicht mehr die geschäftsmäßige Festigkeit, die sie früher ausgezeichnet hatte: sie war größer und zittriger geworden; vielleicht hatte die Krankheit den Vikar doch tiefer gepackt, als er sich eingestehen wollte, vielleicht verbarg er hinter diesen förmlichen Zeilen die Sehnsucht, seinen letzten Verwandten noch einmal zu sehen. Philip schrieb zurück, er könnte im Juli auf zwei Wochen nach Blackstable kommen. Die Einladung kam ihm gelegen; er hatte sowieso nicht gewußt, was er während der kurzen Ferien unternehmen sollte. Die Athelnys gingen im September in die Hopfenernte, aber man konnte ihn im Geschäft zu der Zeit nicht entbehren, da gerade während dieses Monats die Herbstmodelle vorbereitet werden mußten.

Die Regel bei Lynn war, daß jeder zwei Wochen Urlaub nehmen mußte, ob er wollte oder nicht; wenn er nicht wußte, wo er hingehen sollte, konnte der Gehilfe weiterhin in seinem Zimmer schlafen, aber zu essen bekam er nichts. Eine Anzahl von Leuten hatte keine Bekannten in einer vernünftigen Entfernung von London, und für diese war der Urlaub eine schreckliche Unterbrechung, weil sie sich von dem schmalen Lohn ernähren mußten, den ganzen Tag herumlungerten, aber nichts ausgeben durften.

Philip war seit dem Besuch bei Mildred in Brighton vor zwei Jahren nicht mehr aus London herausgekommen und sehnte sich nach frischer Luft und der Stille des Meeres. Er dachte den ganzen Mai und Juni mit so viel leidenschaftlichem Verlangen daran, daß er schließlich, als er endlich fortgehen konnte, verwartet und verdrossen war.

Am letzten Abend fragte Mr. Sampson plötzlich mitten in einem Gespräch über ein paar nicht fertiggestellte Arbeiten:

»Wieviel Lohn bekommen Sie eigentlich?«

»Sechs Shilling.«

»Das ist aber nicht genug. Ich will mich darum kümmern, daß Sie nach Ihrer Rückkehr zwölf erhalten.«

»Vielen Dank«, sagte Philip lächelnd. »Ich habe es auch sehr nötig, mir ein paar neue Sachen anzuschaffen.«

»Wenn Sie tüchtig arbeiten und nicht mit den Mädchen anbandeln wie viele, dann können Sie sich auf mich verlassen, Carey. Sie haben selbstverständlich noch manches hinzuzulernen, aber Sie sind begabt, ja, das muß man Ihnen lassen, begabt sind Sie. Ich werde schon dafür sorgen, daß Sie, sobald Sie es verdienen, ein Pfund die Woche erhalten.«

Philip fragte sich, wie lange er wohl darauf zu warten haben werde. Zwei Jahre?

Er war bestürzt über die Veränderung, die mit seinem Onkel vorgegangen war. Als er ihn zum letztenmal gesehen hatte, war er kräftig, aufrecht und immer glatt rasiert gewesen – das Gesicht rund, fast sinnlich; jetzt war er seltsam zusammengefallen, die Haut war gelb, unter den Augen hingen ihm schwere Säcke, er war gebeugt und alt. Während der letzten Krankheit hatte er sich den Bart stehen lassen. Er ging nur noch ganz langsam.

»Ich habe heute gerade keinen besonders guten Tag«, sagte er, als Philip kurz nach seiner Ankunft bei ihm im Eßzimmer saß. »Die Hitze bekommt mir nicht.«

Philip erkundigte sich nach der Gemeinde, schaute den Alten während der Unterhaltung an und fragte sich, wie lange er es wohl noch machen könnte. Ein heißer Sommer würde ihn erledigen. Philip fiel auf, wie dünn seine Hände geworden waren: sie zitterten. Es würde so viel für Philip bedeuten. Starb der Onkel noch in diesem Sommer, so konnte er, Philip, zu Beginn des Wintersemesters sein Studium wiederaufnehmen. Das Herz hüpfte ihm bei dem Gedanken, daß er vielleicht nicht mehr zu Lynn zurückzukehren brauchte. Beim Essen saß der Vikar zusammengekauert in seinem Stuhl.

Die Haushälterin, die ihn seit dem Tode seiner Frau betreut hatte, fragte:

»Soll Herr Philip das Fleisch schneiden?«

Der alte Mann, der es eben hatte tun wollen – er gestand seine Schwäche nicht gern ein – gab sein Vorhaben gern auf.

»Du hast aber einen guten Appetit«, sagte Philip.

»O ja, ich esse recht gut. Aber dünner bin ich geworden seit dem letztenmal, wo du hier warst. Ich bin froh, daß ich dünner bin, ich fand es nicht schön, so dick zu sein. Dr. Wigram meint, das wäre nur gut für mich, daß ich dünner bin als früher.«

Nach dem Essen brachte die Haushälterin ihm ein Fläschchen Medizin.

»Zeigen Sie dem jungen Herrn die Rezepte«, sagte er. »Er ist auch Arzt. Ich möchte gern wissen, ob er sie für richtig hält. Ich sprach neulich mit Dr. Wigram, er müsse jetzt eigentlich seine Honorare herabsetzen, wo du doch auch Medizin studierst. Die Rechnungen sind schrecklich, die ich zu zahlen habe. Er ist zwei Monate lang täglich hier gewesen und verlangt fünf Shilling pro Besuch. Das ist eine ganze Menge Geld, nicht wahr? Er kommt noch immer zweimal wöchentlich. Ich will ihm aber jetzt sagen, er könne seine Besuche einstellen. Wenn ich ihn brauche, werde ich ihn rufen lassen.«

Während Philip die Rezepte las, beobachtete sein Onkel ihn mit scharfem Interesse. Es waren beides Narkotika, eines davon sollte er, erklärte der Vikar, nur im äußersten Notfall nehmen, wenn seine Nervenschmerzen unerträglich würden.

»Ich bin sehr vorsichtig«, sagte er. »Ich will mich nicht an Opium gewöhnen.«

Philips Angelegenheiten erwähnte er mit keinem Wort. Philip war der Ansicht, daß sein Onkel deshalb so häufig seine finanzielle Rechnung unterstrich, damit der Neffe nicht auf die Idee käme, ihn um Geld anzugehen. Der Arzt habe so viel Geld gekostet und der Apotheker noch weit mehr; man habe das Schlafzimmer täglich heizen müssen, und nun müsse er des Sonntags am Morgen und am Abend einen Wagen für die Kirchfahrt nehmen. Philip war erbost, am liebsten hätte er gesagt, der Vikar brauche keine Bange haben, er wolle kein Geld von ihm borgen, aber er hielt den Mund. Es kam Philip vor, als wäre von dem alten Manne nichts weiter übriggeblieben als Freude am Essen und Gier nach Geld. Das Alter zeigte sich hier von einer abstoßenden Seite.

Am Nachmittag erschien Dr. Wigram, Philip begleitete ihn nach dem Besuch zur Gartenpforte.

»Was halten Sie von seinem Zustand?« sagte Philip.

Dr. Wigram war stets mehr darauf bedacht, nichts Falsches als das Richtige zu tun. Er riskierte nie, eine feste Meinung zu äußern, wenn es sich irgend umgehen ließ. Seit fünfunddreißig Jahren praktizierte er nun schon in Blackstable. Er genoß den Ruf eines zuverlässigen Mannes, und viele seiner Patienten waren der gleichen Meinung, daß ein Arzt lieber verläßlich als zu gescheit sein sollte.

Es gab da einen neuen Mann in Blackstable – er hatte sich zwar schon vor zehn Jahren niedergelassen, aber jeder betrachtete ihn als Eindringling –, und es hieß von ihm, er wäre sehr klug; aber er hatte keine Verbindungen zu den besseren Leuten, da niemand irgend etwas von ihm wußte.

»Ach, es geht ihm so gut, wie man es den Umständen entsprechend erwarten kann«, antwortete Dr. Wigram auf Philips Nachfrage.

»Ist etwas ernsthaft mit ihm nicht in Ordnung?«

»Nun, Philip, Ihr Onkel ist schließlich kein Jüngling mehr«, sagte der Arzt mit einem bedächtigen Lächeln, als wollte er andeuten, daß der Vikar von Blackstable andererseits auch nicht eigentlich ein alter Mann zu nennen wäre.

»Er scheint zu glauben, daß mit dem Herzen etwas nicht in Ordnung ist.«

»Nun ja, mit seinem Herzen bin ich keineswegs zufrieden«, wagte nun der Arzt zu sagen. »Er muß vorsichtig sein, sehr vorsichtig.«

Philip lag die Frage auf der Zunge: wie lange konnte er noch leben? Er fürchtete, diese Frage würde schockieren. In solch einem Fall war eine Umschreibung eine Sache der Schicklichkeit, aber dann fiel ihm ein, daß der Arzt gewohnt sein müßte, daß die Verwandten eines kranken Menschen ungeduldig waren. Er mußte durch ihre mitfühlenden Ausdrücke hindurchsehen. Philip schlug mit einem Lächeln über seine eigene Heuchelei die Augen nieder.

»Aber er ist doch wohl nicht unmittelbar gefährdet?«

Diese Art Fragen haßte der Arzt. Wenn man sagte, ein Patient könnte nur noch ein Monat leben, bereitete sich die Familie auf den Verlust vor, und wenn dann der Patient weiterlebte, besuchten sie den medizinischen Berater und beschwerten sich, sie wären unnötigerweise geängstigt worden. Sagte man, der Patient würde noch ein Jahr leben, und er starb die folgende Woche, würde die Familie sagen, daß man von seinem Beruf nichts verstünde. Sie dachten dann an alle die Liebesdienste, die sie dem Verstorbenen erwiesen hätten, hätten sie gewußt, daß sein Ende so nahe wäre. Er machte eine Bewegung, als wüsche er sich die Hände.

»Ich glaube nicht, daß eine ernsthafte Gefahr besteht – wenigstens nicht, wenn es so bleibt, wie es ist«, wagte er schließlich zu äußern. »Andererseits darf man jedoch nicht vergessen, daß er kein Jüngling mehr ist, und, nun ja, schließlich nützt jede Maschine sich einmal ab. Wenn er dieser Hitze standhält, sehe ich nicht ein, warum er nicht bis zum Winter durchhalten sollte, und wenn der Winter ihn nicht gar zu sehr mitnimmt, besteht eigentlich kein Grund, daß ihm etwas zustößt.«

Philip ging in das Eßzimmer, in dem sein Onkel sich aufhielt, zurück. Er sah grotesk aus, wie er dasaß, mit dem Hauskäppchen auf dem Schädel und dem gehäkelten Schal um die Schultern. Er hatte die ganze Zeit den Blick auf die Tür geheftet; er forschte in Philips Gesicht, als er eintrat.

»Nun, was hat er über mich gesagt?«

Philip sah plötzlich, daß der alte Mann sich vor dem Sterben fürchtete. Philip überkam ein Gefühl der Scham, er sah unwillkürlich weg. Die Schwächen der menschlichen Natur machten ihn immer verlegen.

»Er findet, es geht dir viel besser«, sagte er.

Die Augen seines Onkels hellten sich vor Freude auf.

»Ich habe eine großartige Konstitution«, sagte er. »Was hat er denn sonst noch gesagt?« fügte er plötzlich mißtrauisch hinzu.

Philip lächelte.

»Er hat gesagt, es gäbe keinen Grund, warum du nicht hundert Jahre alt werden solltest, wenn du dich in acht nimmst.«

»Ich glaube nicht, daß ich das erwarten darf. Aber warum sollte ich nicht noch bis achtzig leben? Meine Mutter starb erst mit vierundachtzig Jahren.«

Neben Mr. Careys Stuhl stand ein Tischchen, auf dem die Bibel und ein großes Gebetbuch lagen, aus denen er all die Jahre seinen

Hausgenossen vorzulesen pflegte. Er streckte die zitternde Hand aus und griff nach der Bibel.

»Die alten Patriarchen da, die erreichten alle ein schönes Alter, nicht wahr?« sagte er mit einem seltsamen Auflachen, aus dem Philip einen schüchternen Stoßseufzer herauszuhören vermochte.

Der alte Mann klammerte sich an das Leben. Trotzdem glaubte er alles, was die Religion ihn gelehrt hatte. Er zweifelte nicht an der Unsterblichkeit der Seele, und er hatte das Gefühl, daß er sich, im Rahmen seiner Möglichkeiten, gut genug aufgeführt hatte, um in den Himmel zu kommen. Wie vielen Sterbenden mußte er schon in seiner langen Dienstzeit die Tröstungen der Religion gespendet haben? Vielleicht erging es ihm, wie es gemeinhin den Ärzten geht, die auch kein Rezept gegen eigene Leiden haben.

Die zwei Ferienwochen vergingen schnell, und Philip kehrte nach London zurück. Er verbrachte den August, vor Hitze fast vergehend, hinter seinem Wandschirm in der Kostümabteilung und zeichnete in Hemdsärmeln. Die Gehilfen gingen schubweise in die Ferien. Abends erholte sich Philip meist im Hyde Park und hörte der Militärmusik zu. Die Arbeit ermüdete ihn jetzt, wo er sich an sie gewöhnt hatte, weniger. Sein Geist erholte sich aus langer Dumpfheit und suchte nach neuer Tätigkeit. All sein Wünschen galt dem Tod seines Onkels. Immer wieder träumte er den gleichen Traum: eines Morgens würde ihm in der Frühe ein Telegramm ausgehändigt, das ihm mitteilte, der Vikar wäre plötzlich verschieden. Freiheit läge ihm wieder in Reichweite. Wenn er dann erwachte und erkennen mußte, daß es nichts als ein Traum gewesen war, bemächtigte sich seiner eine finstere Wut. Jetzt, wo das Ereignis immerhin jeden Augenblick eintreten konnte, beschäftigte er sich mit eingehenden Zukunftsplänen. Er überflog das Jahr, das ihn noch von seiner Approbation trennte, und verweilte auf seiner Spanienreise, der seine ganze Sehnsucht galt. Er las Bücher über Land und Leute, die er sich aus den Volksbüchereien entlieh. Durch die Bilder wußte er bereits ganz genau, wie jede einzelne Stadt aussah. Er erblickte sich bereits in Cordova, wo er über die Brücke hinschlenderte, die den Guadalquivir überspannte. Er wanderte in Toledo durch gewundene Straßen und saß in Kirchen, wo er El Greco das Geheimnis entrang, das dieser seltsame Maler, wie er sicher fühlte, für ihn bereithielt. Athelny machte mit, Sonntag nachmittag arbeiteten sie ganz genaue Reisepläne aus, damit Philip ja nichts von all dem Sehenswerten entginge. Um seine Ungeduld zu überlisten, fing Philip an, Spanisch zu lernen. Jeden Abend saß er eine Stunde lang in dem verlassenen Wohnzimmer in der Harrington Street, übte Spanisch und tüftelte, unter Zuhilfenahme einer englischen Übersetzung, an den prächtigen Sätzen des Don Quixote herum. Athelny erteilte ihm wöchentlich eine Stunde, und Philip lernte von ihm ein paar Sätze, die ihm auf der Reise behilflich sein sollten. Mrs. Athelny lachte sie aus.

»Ihr beiden mit eurem Spanisch«, sagte sie. »Könnt ihr denn nichts Nützliches unternehmen?«

Sally aber, die erwachsen wurde und zu Weihnachten erstmals das Haar aufstecken sollte, stand manchmal daneben und hörte in ihrer ernsten Art zu, wie ihr Vater und Philip Bemerkungen in einer Sprache miteinander tauschten, die sie nicht verstand. Sie hielt ihren Vater für den wundervollsten Menschen, den es überhaupt gab, ihre Meinung über Philip drückte sie nur durch Zitate der Meinung ihres Vaters aus.

»Vater hält sehr viel von eurem Onkel Philip«, bemerkte sie ihren Geschwistern gegenüber.

Thorpe, der Älteste, war alt genug, um auf die *Arethusa* zu gehen. Sein Vater malte der Familie aus, was für eine großartige Figur der junge Bursche machen würde, wenn er, in Uniform, zu den Ferien heimkäme. Sally sollte, sobald sie ihr siebzehntes Jahr erreicht hatte, zu einer Schneiderin in die Lehre kommen. Athelny sprach in seiner rhetorischen Art von den Vögeln, die nun flügge würden und das elterliche Nest verlassen könnten. Er sagte ihnen mit Tränen in den Augen, daß dieses immer für sie bereitstünde, wenn es sie dahin zurücktriebe. Eine Schütte Stroh und ein Essen würden immer für sie da sein, und das Herz eines Vaters würde ihren Nöten nie verschlossen sein.

»Reden kannst du«, sagte seine Frau. »Ich wüßte nicht, was für Nöte ihnen drohen könnten, solange sie ordentlich sind. Solange man ehrlich ist und sich vor keiner Arbeit scheut, hat man immer Arbeit, das ist meine Meinung; und das kann ich wohl sagen, es wird mir nicht leicht sein, wenn erst einmal der letzte auf eigenen Füßen stehen kann und sich sein tägliches Brot selber verdient.«

Die vielen Geburten, schwere Arbeit und beständige Sorgen waren nicht ohne Wirkung an Mrs. Athelny vorübergegangen. Des Abends schmerzte sie oft ihr Rücken, so daß sie sich hinsetzen und ausruhen mußte. Ihr höchstes Ideal war, ein Mädchen zu haben, das ihr die grobe Arbeit abnahm, damit sie nicht vor sieben Uhr aufzustehen brauchte. Athelny machte eine schwungvolle Bewegung mit seiner schönen weißen Hand.

»Ach, meine Betty, der Staat ist uns wirklich zu Dank verpflichtet, dir und mir. Wir haben neun gesunde Kinder aufgezogen, und die Jungen werden ihrem König dienen; die Mädchen sollen kochen und nähen und auf ihre Art gesunde Kinder großziehen.« Er wandte sich Sally zu, und um sie über den Gegensatz hinwegzutrösten, fügte er großsprecherisch hinzu: »Sie dienen auch jenen, die nur stehen und warten.«

Athelny hatte jüngst den Sozialismus seinen anderen gegensätzlichen Theorien, an die er eifrig glaubte, hinzugefügt, und stellte nun fest:

»In einem sozialistischen Staat werden wir ausreichend versorgt, du und ich, Betty.«

»Ach, sprich nicht von deinen Sozialisten, ich mag sie nicht«, rief Betty. »Das bedeutet nur, daß eine andere Gruppe von Müßiggängern es sich auf Kosten der werktätigen Klasse gutgehen lassen will. Mein Motto ist: laßt mich in Ruhe. Ich will nicht, daß sich irgend jemand in meine Angelegenheiten mischt, und ich will das Beste aus einer schlimmen Sache machen.«

»Nennst du das Leben eine schlimme Sache?« fragte Athelny. »Niemals! Wir haben gute und schlechte Zeiten gehabt, wir hatten manchen Kampf zu bestehen, wir sind stets arm gewesen, aber es hat sich gelohnt, ach ja, hundertfach gelohnt, sage ich, wenn ich mich so im Kreise meiner Kinder umschaue.«

»Du hast gut reden, Athelny«, sagte sie und sah ihn an; ihr Gesicht zeigte keinen Ärger, aber eine zornige Ruhe. »Du hast nur die angenehme Seite vom Kinderhaben kennengelernt. Ich habe sie ausgetragen, gebären und ertragen müssen. Das soll nicht heißen, daß ich sie nicht liebhabe, wo sie nun einmal da sind, aber wenn ich heute noch einmal jung sein und von vorn anfangen könnte, ich bliebe allein. Wenn ich allein geblieben wäre, hätte ich jetzt vielleicht einen kleinen Laden, vier-, fünfhundert Pfund in der Bank und ein Mädchen, das die grobe Arbeit für mich täte. Ich würde mich schön hüten, wenn ich noch einmal anfangen könnte, da machte ich alles anders, kannst dich drauf verlassen.«

Philip dachte an die unzähligen Millionen Menschen, für die das Leben nur eine endlose Arbeit ist, nicht schön, nicht häßlich, so einfach hinzunehmen wie die Jahreszeiten. Es war ein ohnmächtiger Zorn in ihm, weil alles so sinn- und zwecklos schien. Er konnte sich nicht damit aussöhnen, daß das Leben keinen Sinn hatte, und doch überzeugten ihn seine Erfahrungen, seine Gedanken immer stärker, daß es so wäre. Aber der Zorn, der ihn ergriff, war fast ein freudiger Zorn. Das Leben verlor seinen Schrecken, wenn es sinnlos war. Er stellte sich ihm mit einem seltsamen Gefühl der Macht.


Aus Herbst wurde Winter. Philip hatte der Haushälterin seines Onkels seine Adresse dagelassen, damit sie ihn auf alle Fälle erreichen könnte. Er ging jedoch noch immer wöchentlich einmal ins Hospital, falls ein Brief dort sein sollte. Eines Abends sah er auf einem Brief die Handschrift wieder, der er nie mehr zu begegnen gehofft hatte. Ein merkwürdiges Gefühl überkam ihn. Er konnte es zuerst nicht über sich bringen, den Brief mitzunehmen. Ein Schwarm verhaßter Erinnerungen stieg daraus auf. Schließlich aber riß er, unwillig über sich, den Umschlag auf.

*7, William Street*
*Fitzroy Square*

*Lieber Phil!*
*Kann ich Dich wohl sobald als möglich auf ein, zwei Minuten spre-*
*chen? Ich bin in schrecklicher Verlegenheit und weiß nicht, was ich*
*machen soll. Es ist nicht wegen Geldes.*

*Mit besten Grüßen*
*Mildred*

Er zerriß den Brief in kleine Schnipsel und streute sie, als er auf der Straße stand, in die Dunkelheit.

»Verflucht, von wegen hingehen«, murrte er.

Der bloße Gedanke, sie wiederzusehen, war ihm ekelhaft. Es war ihm gleichgültig, ob sie in Verlegenheit war oder nicht, es geschah ihr nur recht, er erinnerte sich ihrer nur mit Haß. Es ekelte ihn, wenn er an seine frühere Liebe zu ihr dachte. Er ging zu Bett, konnte aber keinen Schlaf finden. Er grübelte darüber nach, was ihr wohl fehlen könnte; er wurde den Gedanken nicht los, daß sie vielleicht krank wäre und Hunger litt. Sie hätte ihm sicher nicht geschrieben, wenn nicht aus letzter Verzweiflung. Er war wütend auf sich, weil er so schwach war, aber er wußte, er würde keine Ruhe mehr finden, wenn er sie nicht sah. Am nächsten Morgen schrieb er ihr eine Briefkarte und steckte sie auf dem Weg zum Geschäft in den Kasten. Er schrieb sie, so förmlich und steif es nur ging, sagte nur, daß es ihm leid täte, daß sie in Schwierigkeiten sei. Er würde um sieben heute abend zu der von ihr angegebenen Wohnung kommen.

Es war ein schäbiges Logierhaus in einer schmutzigen Straße. Als er fragte, ob sie zu Hause sei, war ihm der Gedanke, sie nun sehen zu müssen, scheußlich, und eine irre Hoffnung bemächtigte sich seiner: vielleicht war sie nicht mehr da. Das Haus sah aus, als zögen die Leute hier häufig ein und aus. Er hatte sich den Poststempel auf dem Brief nicht angesehen und wußte also nicht, wie lange der Brief an ihn schon im Kasten gelegen hatte. Die Frau, die ihm auf sein Läuten aufmachte, antwortete nicht, sondern ging ihm einfach einen dunklen Flur entlang voran und klopfte an eine Tür, die nach einem Hinterzimmer führte.

»Mrs. Miller, ein Herr möchte Sie sprechen«, rief sie.

Die Tür öffnete sich einen Spalt breit, und Mildred sah mißtrauisch heraus.

»Ach so, du bist es«, sagte sie. »Tritt näher.«

Er trat ein, und sie schloß die Tür. Es war ein sehr kleines Schlafzimmer, so liederlich wie jeder Raum, in dem sie lebte; auf dem Fußboden lag – einer hier, einer dort – ein Paar Schuhe; auf der Kommode befand sich ein Hut, falsche Haarlocken daneben; auf dem Tisch war eine Bluse. Philip schaute sich um, wo er seinen Hut ablegen könne. Auf dem Haken hinter der Tür hingen Röcke; er bemerkte sofort, daß ihr Saum von Schmutz starrte.

»Nimm bitte Platz«, sagte sie. Dann lachte sie ungeschickt auf. »Du hast dich wahrscheinlich gewundert, daß ich wieder von mir hören ließ.«

»Du bist schrecklich heiser«, antwortete er. »Hast du eine Halsentzündung?«

»Ja, schon ziemlich lange.«

Er sagte nichts. Er wartete auf die Erklärung, warum sie ihn habe sehen wollen. Das Aussehen des Zimmers sagte ihm klar und eindeutig genug, daß sie das Leben, aus dem er sie damals herausgeholt hatte, wieder aufgenommen hatte. Was mochte mit der Kleinen geschehen sein? Auf dem Kaminsims stand eine Fotografie von ihr, aber sonst war nirgends ein Anzeichen dafür zu entdecken, daß hier je ein Kind sich aufgehalten hatte. Mildred hielt ein Taschentuch in den Händen, knüllte es zusammen und ließ es von einer Hand in die andere gleiten. Er sah es ihr an, daß sie sehr nervös war. Sie starrte ins Feuer, so daß er sie betrachten konnte, ohne ihrem Blick zu begegnen. Sie war viel magerer geworden, seit sie von ihm weggegangen war; die Haut spannte sich, trocken und gelb, noch fester über ihre Backenknochen. Sie hatte sich das Haar gefärbt, das jetzt flachsblond war; es veränderte sie sehr und ließ sie noch vulgärer aussehen.

»Ich war froh, als ich deinen Brief bekam, das muß ich schon sagen«, bemerkte sie schließlich. »Ich hatte schon gedacht, du wärst vielleicht nicht mehr im Hospital.«

Philip sprach nicht.

»Wahrscheinlich bist du jetzt schon zugelassener Arzt, wie?«

»Nein.«

»Wie kommt denn das?«

»Ich bin nicht mehr im Hospital. Ich mußte es schon vor achtzehn Monaten aufgeben.«

»Du bist aber wankelmütig. Du scheinst auch bei nichts bleiben zu können.«

Philip schwieg eine Weile; sein Ton klang eisig, als er dann entgegnete:

»Ich habe das bißchen Geld, das ich hatte, in einer unglücklichen Spekulation verloren; ich konnte es mir dann nicht mehr leisten weiterzustudieren. Ich mußte mir meinen Unterhalt, so gut es eben ging, selbst verdienen.«

»Was machst du denn nun jetzt?«

»Ich arbeite in einem Geschäft.«

»Ach . . .«

Sie warf ihm einen schnellen Blick zu und wandte dann sofort ihre Augen wieder ab. Er glaubte zu sehen, daß sie rot wurde. Sie betupfte die Handballen nervös mit dem Taschentuch.

»Du hast aber dein Wissen nicht völlig vergessen, oder doch?« Sie stieß die Worte seltsam heraus.

»Nicht ganz.«

»Deshalb habe ich dich nämlich sprechen wollen.« Ihre Stimme war nur noch ein heiseres Geflüster. »Ich weiß nicht, was eigentlich mit mir los ist.«

»Warum gehst du denn nicht ins Krankenhaus?«

»Ich habe keine Lust, mich von all den Studenten da angaffen zu lassen, und außerdem habe ich Angst, sie behalten mich dort.«

»Worüber klagst du also?« fragte Philip kalt. Er gebrauchte die stereotype Wendung, die man in den Krankensälen immer brauchte.

»Ich habe plötzlich einen Hautausschlag gekriegt, den ich nicht mehr loswerden kann.«

Philip fuhr das Gefühl des Grauens wie ein Stich durchs Herz. Der Schweiß brach ihm aus.

»Kann ich mir einmal deinen Hals ansehen?«

Er nahm sie zum Fenster hinüber und untersuchte sie, so gut es ging. Plötzlich fiel sein Blick auf ihre Augen, Todesangst stand darin. Es war schrecklich anzusehen. Sie wollte von ihm die Zusicherung erhalten, daß es nicht so schlimm sei; sie sah ihn flehentlich an; sie wagte nicht, um Trost zu bitten, war aber mit jedem Nerv angespannt bereit, ihn aufzunehmen. Er hatte keinen Trost für sie.

»Es tut mir leid, aber ich glaube, du bist ernstlich krank.«

»Was kann es denn wohl sein?«

Als er es ihr sagte, wurde sie leichenfahl, und ihre Lippen nahmen eine gelbliche Färbung an. Sie fing an zu weinen, hoffnungslos, still zuerst und dann mit ersticktem Schluchzen.

»Es tut mir schrecklich leid«, sagte er schließlich. »Ich mußte es dir jedoch sagen.«

»Da kann ich mich am besten umbringen, dann ist es wenigstens aus.«

Er beachtete ihre Drohung nicht.

»Hast du Geld?« fragte er.

»Sechs oder sieben Pfund.«

»Du mußt mit diesem Leben sofort aufhören. Glaubst du denn nicht, daß du Arbeit finden könntest? Ich kann dir leider nicht viel helfen, ich verdiene selbst nur zwölf Shilling die Woche.«

»Es gibt ja nichts, was ich tun kann«, schrie sie ungeduldig.

»Verdammt noch mal, du *mußt* versuchen, Arbeit zu bekommen.«

Er sprach sehr ernst mit ihr von der Gefahr, in der sie selbst sich befand und der sie andere aussetzte, und sie hörte mürrisch zu. Er versuchte, sie zu trösten. Schließlich brachte er sie dazu, mißmutig zu erklären, daß sie alles tun werde, was er ihr riet. Er schrieb ein Rezept aus und sagte ihr, er würde es beim nächsten Apotheker hinterlegen. Er unterstrich immer wieder, wie nötig es sei, daß die Medizin mit äußerster Regelmäßigkeit genommen werde. Beim Abschied gab er ihr die Hand.

»Sei nicht so niedergeschlagen; die Sache mit dem Hals wird schon in Ordnung kommen.«

Als er sich dann zum Gehen wandte, verzerrte sich plötzlich ihr Gesicht; sie hielt ihn beim Mantel fest.

»Geh nicht weg«, schrie sie heiser. »Ich fürchte mich so; laß mich nicht allein, noch nicht. Phil, ich bitte dich. Es ist niemand da, zu dem ich hingehen kann; du bist der einzige wirkliche Freund, den ich in meinem ganzen Leben gehabt habe.«

Er spürte das Grauen, das ihr in der Seele saß, eine seltsame Ähnlichkeit mit dem Grauen, das er in den Augen seines Onkels gesehen hatte: Todesangst. Philip sah zu Boden. Zweimal hatte diese Frau in sein Leben eingegriffen und ihn elend gemacht. Sie besaß keinen Anspruch auf ihn. Tief in seinem Herzen jedoch – wieso, war ihm nicht klar – saß ein seltsamer Schmerz, das gleiche Gefühl, das ihn nicht eher hatte Ruhe finden lassen, als bis er ihren Brief beantwortet hatte und zu ihr gegangen war.

›Ich werde wohl nie ganz darüber hinwegkommen‹, sagte er sich.

Er war erstaunt darüber, daß er einen ausgesprochenen körperlichen Widerwillen gegen sie empfand; es war ihm unbehaglich, auch nur in ihrer Nähe zu sein.

»Was soll ich für dich tun?« fragte er.

»Geh mit mir aus, essen. Ich zahle.«

Er zögerte. Er spürte, wie sie wieder in sein Leben zurückkroch, aus dem er sie für immer vertrieben glaubte. Sie beobachtete ihn mit Angst.

»Ich weiß ja, daß ich dich scheußlich behandelt habe; aber laß mich jetzt nicht allein. Du hast deine Rache. Wenn du mich jetzt allein läßt, weiß ich nicht, was ich tue.«

»Gut, ich habe nichts dagegen«, sagte er, »aber wir müssen wo hingehen, wo es billig ist; ich kann jetzt kein Geld aus dem Fenster werfen.«

Sie setzte sich hin und zog sich die Schuhe an, wechselte den Rock und setzte den Hut auf; dann gingen sie nebeneinander her, bis sie zu einem Restaurant kamen. Philip hatte es sich abgewöhnt, um diese Tageszeit zu essen, und Mildreds Hals war so entzündet, daß sie kaum schlucken konnte. Sie bestellten sich etwas kalten Schinken, und

Philip ließ sich ein Glas Bier geben. Sie saßen einander gegenüber, wie sie es oft vorher getan hatten, und er hätte gern gewußt, ob sie sich daran erinnerte. Sie hatten einander nichts zu sagen und würden wohl schweigend dagesessen haben, wenn Philip sich nicht zum Reden gezwungen hätte. In dem grellen Licht des Restaurants, mit seinen vielen gewöhnlichen Spiegeln, die alles vielfach wiedergaben, sah Mildred alt und mager aus. Philip wollte gern hören, was mit dem Kind geschehen wäre, aber er hatte nicht den Mut, sie danach zu fragen. Endlich sagte sie:

»Weißt du eigentlich, daß die Kleine vorigen Sommer gestorben ist?«

»Ach!« sagte er.

»Du könntest wenigstens sagen, es täte dir leid.«

»Es tut mir nicht leid«, antwortete er. »Es freut mich.«

Sie warf ihm einen Blick zu, verstand, wie er es meinte, und sah weg.

»Du hast sehr an ihm gehangen, nicht wahr? Ich habe es komisch gefunden, daß du so viel in dem Kind eines anderen Mannes hast sehen können.«

Nach dem Essen holten sie beim Apotheker die Medizin ab, die Philip ihr verschrieben hatte. Dann kehrten sie in das schäbige Zimmer zurück, und Philip verabfolgte ihr die erste Dosis Arznei. Sie saßen beieinander, bis Philip nach Harrington Street zurückgehen mußte. Er fühlte sich scheußlich angeödet.

Philip ging täglich zu ihr. Sie nahm die Medizin, die er ihr verschrieben hatte, und befolgte seine Anweisungen. Das Ergebnis war so auffällig, daß sie in Philips Fähigkeiten das größte Vertrauen setzte. Mit zunehmender Besserung verlor sich auch ihre Mutlosigkeit. Sie sprach freimütiger.

»Sobald ich eine Stellung finden kann, bin ich wieder in Ordnung«, sagte sie. »Ich habe meine Lektion bekommen, und sie soll mir eine Lehre sein. Kein Herumliedern mehr für die ergebenst Unterzeichnete.«

Philip fragte sie jedesmal, wenn er sie sah, ob sie schon Arbeit hätte. Sie sagte ihm, er sollte sich keine Sorgen machen; sie würde schon etwas finden, sobald sie nur wollte. Sie hätte verschiedene Eisen im Feuer. Übereilen hätte keinen Sinn; es wäre falsch, etwas anzunehmen, was sich nachher als nicht richtig herausstellen könnte.

»Es ist töricht, so etwas zu sagen«, erklärte er ungeduldig. »Du mußt annehmen, was sich bietet. Ich kann dir nicht helfen, und dein Geld geht auch einmal zu Ende.«

»Vorläufig ist noch etwas da, und ich riskiere es eben.«

Er sah sie scharf an. Drei Wochen waren seit seinem ersten Besuch verstrichen, und sie hatte damals nicht ganz sieben Pfund besessen. Er wurde argwöhnisch. Er erinnerte sich an einige ihrer Aussprüche.

Ob sie überhaupt schon einen Versuch gemacht hatte, Arbeit zu finden? Vielleicht hatte sie ihn die ganze Zeit über belogen. Höchst seltsam, daß ihr Geld so lange reichen sollte.

»Wieviel Miete bezahlst du hier?«

»Ach, die Wirtin ist ganz nett, ganz anders als die meisten; sie wartet, bis ich wieder zahlen kann.«

Er schwieg. Dieser Verdacht war so gräßlich, daß er zögerte. Es hatte keinen Zweck, sie geradewegs zu fragen; sie würde alles ableugnen. Wenn er Klarheit haben wollte, mußte er selbst der Sache auf den Grund gehen. Er verließ sie gewöhnlich um acht. Er stand auch diesmal mit dem Glockenschlag auf, aber anstatt zur Harrington Street zurückzugehen, stellte er sich an der Ecke vom Fitzroy Square auf; von dort aus konnte er jeden sehen, der die William Street entlangkam. Es kam ihm vor, als wartete er endlos. Er glaubte schon, er hätte sie falsch verdächtigt, und war gerade im Begriff, seinen Platz aufzugeben, als sich die Tür von Nr. 7 öffnete und Mildred herauskam. Er glitt in die Dunkelheit zurück und beobachtete sie, wie sie auf ihn zukam. Sie hatte einen Hut auf, der ganz mit Federn bedeckt war, denselben, den er in ihrem Zimmer hatte liegen sehen; auch das Kleid erkannte er wieder; es war viel zu auffällig für die Straße und für die Jahreszeit ganz ungeeignet. Er folgte ihr langsam bis zur Tottenham Court Road, wo sie ihre Schritte verlangsamte. An der Ecke der Oxford Street blieb sie stehen, schaute sich um und ging in der Richtung auf ein Varieté zu. Er holte sie ein und faßte sie am Arm. Er bemerkte, daß sie geschminkt war und Rouge aufgetragen hatte.

»Wohin gehst du, Mildred?«

Sie zuckte beim Klang seiner Stimme zusammen und errötete, was sie immer tat, wenn sie bei einer Lüge ertappt wurde. Dann blitzte die Wut in ihren Augen auf, die er so gut kannte; es war ihr Mittel, sich instinktiv durch Schmähungen zu verteidigen. Sie sprach jedoch die Worte, die ihr auf der Zunge schwebten, nicht aus.

»Ach, ich wollte mal ins Varieté gehen. Ich werde ganz verrückt, wenn ich jeden Abend allein zu Hause sitze.«

Er gab sich nicht erst den Anschein, als glaubte er ihr.

»Du darfst das nicht tun. Lieber Himmel, hundertmal habe ich dir schon gesagt, wie gefährlich das ist. Du mußt aufhören.«

»Ach, halt die Klappe«, schrie sie grob. »Vielleicht kannst du mir sagen, wovon ich leben soll.«

Er packte ihren Arm, und ohne eigentlich zu wissen, was er tat, versuchte er, sie mit sich fortzuziehen.

»Himmel, Herrgott, komm schon mit. Ich bringe dich nach Hause. Du weißt ja nicht, was du tust. Es ist verbrecherisch.«

»Das soll nicht meine Sorge sein. Mögen sie das Risiko tragen. Die

Männer haben sich mir gegenüber nicht so herrlich benommen, daß ich mir deswegen den Kopf schwer machen müßte.«

Sie stieß ihn von sich, ging zur Kasse und legte ihr Geld hin. Philip hatte nur ein paar Pennies in der Tasche, er konnte ihr nicht nachgehen. Er drehte sich um und schritt langsam die Oxford Street hinunter.

›Ich kann nichts mehr tun‹, sagte er sich.

Das war das Ende. Er sah sie nie wieder.


Da Weihnachten in diesem Jahr auf einen Donnerstag fiel, blieb das Geschäft auf vier Tage geschlossen. Philip schrieb seinem Onkel und fragte an, ob es ihm wohl recht wäre, wenn er seine Weihnachtsferien in Blackstable verlebte. Er erhielt die Antwort von Mrs. Foster. Sie teilte ihm mit, daß Mr. Carey sich nicht wohl genug fühle, um selbst zu schreiben, aber gern seinen Neffen wiedersehen möchte. Er würde sich freuen, wenn er käme. Sie empfing Philip an der Tür und sagte bei der Begrüßung:

»Sie werden ihn sehr verändert finden, Sir. Aber Sie tun so, als merkten Sie nichts, nicht wahr, Sir? Sein Zustand beunruhigt ihn sehr.«

Philip nickte. Sie führte ihn ins Eßzimmer.

»Mr. Philip ist da, Sir.«

Der Vikar von Blackstable war ein Todeskandidat. Darüber bestand kein Zweifel mehr, man brauchte nur seine hohlen Wangen und den zusammengeschrumpften Körper zu sehen. Er saß zusammengekrümmt in seinem Stuhl, der Kopf war seltsam zurückgeworfen, um seine Schultern lag ein Schal gebreitet. Er konnte nicht mehr gehen, ohne sich dabei auf Stöcke zu stützen, seine Hände zitterten so sehr, daß er nur mehr mit Mühe essen konnte.

›Er kann es nicht mehr lange machen‹, dachte Philip bei sich, als er ihn ansah.

»Na, wie sehe ich aus?« fragte der Vikar. »Findest du, daß ich mich seit deinem letzten Besuch sehr verändert habe?«

»Ja, kräftiger siehst du aus als im letzten Sommer.«

»Das war die Hitze damals. Die wirft mich immer um.«

Mr. Careys Geschichte war nichts als eine Aufzählung der Wochen, die er hatte im Bett zubringen müssen, im Gegensatz zu denen, die er unten verlebt hatte. Neben sich hatte er eine Glocke stehen, und während er sprach, klingelte er nach Mrs. Foster, die im angrenzenden Zimmer bereit saß, falls er etwas wünschte. Er wollte nur wissen, an welchem Tage er zum erstenmal wieder das Schlafzimmer hatte verlassen dürfen.

»Am siebenten November, Sir.«

Mr. Carey beobachtete Philip, um genau zu sehen, wie er diese Mitteilung aufnahm.

»Aber ich esse immer gut, nicht, Mrs. Foster?«

»Ja, Sir, Sie haben einen wunderbaren Appetit.«

»Trotzdem setze ich kein Fett dabei an.«

Ihn interessierte jetzt nichts anderes als seine Gesundheit. Er wollte leben, nichts als leben, und er dachte nicht an die Eintönigkeit dieses Lebens und an die ständigen Schmerzen, die es ihm unmöglich machten, ohne Morphium zu schlafen.

»Ich muß schrecklich viel Geld für die Arztrechnungen ausgeben.« Er zog wieder an seiner Glocke. »Mrs. Foster, zeigen Sie Master Philip die Apothekerrechnung.«

Geduldig nahm sie diese vom Kaminsims und händigte sie Philip aus.

»Das ist nur für einen Monat. Ich möchte wissen, ob du als Arzt mir die Arzneien nicht billiger verschaffen könntest. Ich habe daran gedacht, sie direkt von einer Firma zu beziehen, aber dann kommt wieder die Postgebühr dazu.«

Obwohl er allem Anschein nach wenig Anteil an Philips Leben zu nehmen schien und sich nicht einmal die Mühe machte, sich danach zu erkundigen, schien er erfreut, ihn bei sich zu haben. Er fragte, wie lange er bleiben könne, und als Philip ihm erzählte, er müsse Dienstag morgen wieder abfahren, äußerte er den Wunsch, daß der Besuch länger währen möchte. Er schilderte ihm alle Krankheitssymptome und wiederholte, was der Doktor gesagt hatte. Er unterbrach sich, um wieder zu läuten. Als Mrs. Foster hereinkam, sagte er:

»Ich wollte nur sehen, ob Sie nebenan sind.«

Nachdem sie gegangen war, erklärte er Philip, daß er sich beunruhigt fühlte, wenn er nicht genau wußte, daß Mrs. Foster in Reichweite sei. Sie wisse ganz genau, was zu tun wäre, wenn ihm etwas zustieße. Philip hatte gesehen, daß sie übermüdet war und daß ihr die Augen vor Mangel an Schlaf fast zufielen. Er bedeutete deshalb seinem Onkel, daß er sie vielleicht zu sehr in Anspruch nähme.

»Ach, Unsinn«, sagte der Vikar, »sie ist stark wie ein Pferd.«

Als sie das nächstemal ins Zimmer kam, um ihm seine Arznei zu verabreichen, sagte er:

»Der junge Herr meint, Sie haben zuviel Arbeit, Mrs. Foster. Sie betreuen mich doch gern, nicht?«

»Oh, das macht nichts. Ich möchte ja gern tun, was ich nur kann.«

Bald darauf tat die Arznei ihre Wirkung, und Mr. Carey schlief ein. Philip ging in die Küche und fragte Mrs. Foster, ob sie denn die viele Arbeit aushalten könne. Er sah ihr an, daß sie seit Monaten nicht zur Ruhe gekommen war.

»Nun, Sir, was soll ich machen?« antwortete sie. »Der arme alte Herr braucht mich so nötig. Wenn er auch manchmal recht schwierig ist, so muß man ihn doch gern haben, nicht wahr? Ich bin jetzt schon so viele Jahre hier, ich weiß gar nicht, was aus mir werden soll, wenn er einmal fort ist.«

Philip merkte, daß sie den alten Mann wirklich gern mochte. Sie wusch ihn, zog ihn an, reichte ihm das Essen und stand wohl ein halbes dutzendmal jede Nacht auf. Sowie er nachts erwachte, bimmelte er mit seiner kleinen Glocke und ruhte nicht eher, als bis sie zu ihm kam. Er konnte jeden Augenblick sterben, aber es konnte auch sein, daß er noch monatelang weiterlebte. Es war wirklich wunderbar, daß sie einen Fremden mit solch zärtlicher Geduld betreute, und es war zugleich tragisch und mitleiderregend, daß sie, eine Fremde, allein es war, die sich so sehr um ihn sorgte.

Es schien Philip, daß die Religion, die sein Onkel sein Leben lang gepredigt hatte, für diesen nun nicht mehr als formelle Bedeutung hatte: jeden Sonntag kam der Kurat und spendete ihm die heilige Kommunion, und er las oft in seiner Bibel, aber es stand fest, daß er sich vor dem Tod fürchtete. Er glaubte, daß dieser das Tor zum ewigen Leben wäre, aber er wollte nicht in dieses Leben hinüberwechseln. Mit ständigen Schmerzen, an seinen Stuhl gefesselt, aller Hoffnung, je wieder ins Freie zu kommen, beraubt, wie ein Kind in den Händen einer Frau, die er bezahlte, hing er an dieser Welt, die er kannte.

In Philips Kopf war eine Frage, die er nicht stellen konnte, weil er wußte, daß sein Onkel nur eine konventionelle Antwort geben würde: er wollte wissen, ob an dieser Endstation, da die Maschine nur mehr mühsam funktionierte, der Geistliche noch an die Unsterblichkeit glaubte: vielleicht war im Grunde seiner Seele – ohne daß er sich erlaubte, es auszusprechen – die Überzeugung gereift, daß es keinen Gott und kein Leben nach dem Tod gab.

Am Neujahrsabend saß Philip mit seinem Onkel zusammen im Eßzimmer. Er mußte am nächsten Morgen zeitig aufbrechen, um vor neun im Geschäft zu sein. Er wollte Mr. Carey gerade gute Nacht sagen. Der Vikar von Blackstable döste, und Philip, der beim Fenster auf dem Sofa lag, ließ das Buch sinken und schaute sich im Zimmer um. Er fragte sich, wieviel die Möbel wohl einbringen konnten. Er war im Haus umhergewandert und hatte die Sachen, die er seit seiner Kindheit kannte, betrachtet. Ein paar Porzellansachen waren da, die vielleicht eine höhere Summe einbringen würden; Philip überlegte, ob es sich wohl lohnte, sie mit nach London zu nehmen. Die Möbel waren viktorianischer Stil, schwere, häßliche Mahagonigebilde; sie würden bei einer Versteigerung für so gut wie nichts weggehen. Drei- bis viertausend Bücher waren außerdem noch vorhanden. Aber es war eine bekannte Tatsache, daß Bibliotheken sich schlecht verkaufen ließen; aller Wahrscheinlichkeit nach würde man nicht mehr als hundert Pfund dabei herausbekommen. Philip wußte nicht, wieviel sein Onkel hinterlassen würde, und er rechnete sich hundertmal aus, was die geringste Summe wäre, die er brauchen würde, um den Turnusdienst im Krankenhaus zu beenden, sein Diplom zu bekommen und während der Krankenhauspraxis leben zu können. Philip betrachtete den Greis, der unruhig schlief. In diesem zerknitterten Gesicht war nichts Menschliches mehr: es war das Gesicht eines seltsamen Tieres. Er dachte, wie leicht es sein müßte, diesem nutzlosen Leben ein Ende zu bereiten. Jeden Abend hatte er daran denken müssen, wenn Mrs. Foster die Arznei für seinen Onkel zurechtmachte, damit er eine ruhige Nacht haben sollte. Es gab da zwei Flaschen: die eine enthielt eine Medizin, die er ständig nahm, die andere ein Opiat, für den Fall, daß die Schmerzen unerträglich wurden. Die nötige Menge stand neben seinem Bett bereit. Er nahm sie im allgemeinen um drei oder vier Uhr morgens. Es wäre einfach, die Dosis zu verdoppeln, er würde in der Nacht sterben, und niemand würde einen Verdacht schöpfen, denn Dr. Wigram erwartete, daß er auf diese Weise sterben würde. Das Ende wäre schmerzlos. Philip preßte die Hände ineinander, wenn er an das Geld dachte, das er so notwendig brauchte. Ein paar Monate elenden Lebens weniger würde für den alten Mann nichts bedeuten, aber sie bedeuteten alles für ihn. Er war mit seiner Geduld am Ende, und wenn er daran dachte, daß er morgen wieder an die Arbeit gehen mußte, schauderte ihn. Sein Herz schlug schnell bei dem Gedanken, von dem er besessen war, und obwohl er ihn aus seinem Sinn verdrängen wollte, gelang ihm dies nicht. Es wäre so leicht, so schrecklich leicht. Er brachte dem alten Mann keine Gefühle entgegen, er hatte ihn nie gemocht; er war sein Leben lang egoistisch gewesen, egoistisch gegenüber seiner Frau, die ihn bewunderte, gleichgültig gegenüber dem Jungen, der seiner Obhut anvertraut worden war; er war kein grausamer Mann, aber ein dummer, harter Mann mit geringem Einfühlungsvermögen. Es wäre einfach, schrecklich einfach. Philip wagte es nicht. Er fürchtete sich vor seinem Gewissen; es würde nicht gut sein, das Geld zu haben, wenn er dafür sein ganzes Leben lang bereuen müßte, was er getan hatte. Obwohl er sich oft sagte, daß Reue nichtig wäre, gab es doch Dinge, die ihm gelegentlich einfielen und beunruhigten. Er wünschte, sie würden nicht an seinem Gewissen nagen.

Der Onkel schlug die Augen auf. Philip war froh, denn wach sah er etwas menschlicher aus. Er war selbst ganz entsetzt über den Gedanken, mit dem er sich soeben herumgeschlagen hatte. Das war Mord. Ob wohl auch anderen Leuten solche Ideen kamen, oder war er allein so unnatürlicher Gefühle fähig, so verkommen? Er tröstete sich damit, daß er es ja doch nie in die Wirklichkeit umgesetzt haben würde; aber der Gedanke war da und kam immer wieder: wenn er es nicht ausführte, so nur, weil er Angst hatte. Sein Onkel sprach:

»Du wünschst doch nicht, daß ich bald sterbe, Philip?«

Philip fühlte, wie ihm das Herz gegen die Rippen klopfte:

»Lieber Gott – nein!«

»Das ist brav. Es hätte mich gekränkt, wenn du es tätest. Du wirst etwas Geld bekommen, wenn ich sterbe; aber du mußt nicht ungeduldig darauf warten. Es würde dir nicht zum Segen gereichen.«

Er sprach mit leiser Stimme; ein Ton der Angst lag darin. Es fuhr Philip wie ein Stich durchs Herz. Er fragte sich, durch welche innere Einsicht der alte Mann wohl die seltsamen Begierden im Herzen seines Neffen erahnt hatte.

»Ich hoffe, du wirst noch zwanzig Jahre lang leben«, sagte er.

»Das kann ich wohl kaum erwarten; aber wenn ich mich vorsehe, sehe ich nicht ein, warum ich nicht noch drei, vier Jahre am Leben bleiben soll.«

Eine Weile schwieg er. Philip wußte nicht, was er hätte sagen können. Dann sagte der alte Mann, als hätte er alles noch einmal überdacht:

»Jeder hat ein Anrecht, so lange zu leben, wie er nur irgend kann.«

Philip wollte ihn ablenken.

»Übrigens, von Miss Wilkinson hast du wohl nichts mehr gehört?«

»Doch, ich bekam dieses Jahr einmal einen Brief von ihr. Sie ist nämlich verheiratet.«

»Ach, wirklich?«

»Ja, sie hat einen Witwer geheiratet. Soviel ich weiß, geht es ihnen recht gut.«


Am nächsten Tag nahm Philip seine Arbeit wieder auf; aber das Ende traf nicht, wie er es eigentlich erwartet hatte, innerhalb weniger Wochen ein. Aus Wochen wurden Monate. Der Winter ging vorüber, und die Bäume in den Parks setzten Knospen an, aus denen Blätter wurden. Eine große Mattigkeit bemächtigte sich Philips. Die Zeit verging, und obwohl sie wie mit bleiernen Füßen schlich, fühlte er doch, daß mit ihr seine Jugend dahinging. Bald würde sie ihm entglitten sein, und noch war nichts erreicht. Die Arbeit kam ihm jetzt, da er wußte, daß er sie eines Tages würde aufgeben können, noch sinnloser vor. Er erwarb sich eine gewisse Geschicklichkeit im Entwerfen von Kostümen; obwohl er keine originellen Einfälle hatte, verstand er es doch, die französischen Modelle dem englischen Markte anzupassen.

Manchmal gefielen ihm seine Zeichnungen nicht übel; aber dann wurden sie stets in der Ausführung verpfuscht. Es belustigte ihn, daß es ihn dann doch ärgerte, wenn seine Ideen nicht ordentlich ausgeführt wurden. Er mußte schlau zu Werke gehen. Jedesmal, wenn er wirklich einen eigenen Einfall vorschlug, lehnte Mr. Sampson ihn ab. Die Kunden wollten nichts Übertriebenes; es seien respektable Geschäftsleute, und wenn man eine solcher Verbindung habe, solle man die Kunden nicht vor den Kopf stoßen. Ein paarmal sprach er in scharfem Ton mit Philip; er fand, der junge Mann werde ein bißchen großspurig, weil seine Ideen und die Philips manchmal nicht übereinstimmten.

»Sehen Sie sich gefälligst vor, mein verehrter junger Herr; sonst sitzen Sie eines schönen Tages auf der Straße.«

Philip hätte ihm gern eins ausgewischt; aber er beherrschte sich. Schließlich konnte es nicht mehr so lange dauern, und dann war er all diese Leute für immer los. Manchmal klagte er in komischer Verzweiflung, sein Onkel müsse aus Eisen sein. Was für eine Konstitution! Die Krankheiten, an denen er litt, hätten jeden anständigen Menschen schon längst umbringen müssen. Als dann aber schließlich die Nachricht kam, daß der Vikar im Sterben liege, war Philip, der inzwischen an anderes zu denken gehabt hatte, doch überrascht. Es war im Juli, und vierzehn Tage später sollten seine Ferien beginnen. Er erhielt einen Brief von Mrs. Foster, daß der Arzt nicht glaube, Mr. Carey würde noch mehr als ein paar Tage zu leben haben. Wenn Philip ihn noch zu sehen wünsche, müsse er sofort kommen. Philip ging zum Einkäufer und teilte ihm mit, daß er wegfahren müßte. Mr. Sampson war ein anständiger Kerl und machte, als er die näheren Umstände hörte, keine Schwierigkeiten. Philip sagte den Leuten in der Abteilung Lebewohl; die Nachricht hatte sich wie ein Lauffeuer verbreitet, und sie meinten alle, er träte eine große Erbschaft an. Mrs. Hodges standen die Augen voll Tränen, als sie ihm zum Abschied die Hände reichte:

»Wir werden Sie wohl nicht mehr oft hier sehen«, sagte sie.

»Ich bin froh, daß ich von Lynn wegkomme«, antwortete er.

Es war schon seltsam, aber es tat ihm wirklich leid, von den Leuten hier fortzugehen, obwohl er gemeint hatte, sie wären ihm von Herzen zuwider. Als er das Haus in der Harrington Street verließ, tat er es ohne jede Begeisterung. Er hatte die Gefühle, die er bei dieser Gelegenheit empfinden würde, so sehr vorweggenommen, daß er nun gar nichts empfand. Es war ihm zumute, als ginge er nur für ein paar Ferientage fort.

›Ich habe eine scheußliche Veranlagung‹, sagte er sich. ›Ich sehe voll Sehnsucht einer Sache entgegen, und wenn es dann so weit ist, bin ich immer enttäuscht.‹

Er erreichte Blackstable am frühen Nachmittag. Mrs. Foster empfing ihn an der Tür; er konnte aus ihrem Gesicht ersehen, daß sein Onkel noch nicht tot war.

»Es geht ihm heute ein wenig besser«, sagte sie. »Er hat eine wunderbare Konstitution.«

Sie führte ihn in das Schlafzimmer, wo Mr. Carey auf dem Rükken lag. Er lächelte Philip leise zu, und in dem Lächeln war eine Spur von Befriedigung, weil er den Feind noch einmal überlistet hatte.

»Ich dachte gestern, es würde schon mit mir zu Ende gehen«, sagte er mit vor Erschöpfung schwacher Stimme. »Sie hatten mich schon alle aufgegeben – nicht wahr, Mrs. Foster?«

»Sie haben eine wunderbare Konstitution, das läßt sich nicht leugnen.«

»Ja, da ist noch immer Leben in dem alten Teufelskerl.«

Mrs. Foster meinte, der Vikar sollte nicht sprechen, es würde ihn zu sehr ermüden; sie behandelte ihn wie ein Kind, mit freundlicher Herrschsucht; und den alten Mann erfüllte eine kindische Genugtuung, weil er alle Erwartungen über den Haufen geworfen hatte. Es belustigte den Vikar von Blackstable, daß man Philip hatte kommen lassen. Man hatte ihn in den April geschickt. Wenn es ihm nur gelänge, einen neuen Herzanfall zu vermeiden, dann würde er in ein, zwei Wochen schon wieder auf den Beinen sein. Er hatte diese Anfälle schon mehrere Male gehabt; er glaubte immer, sterben zu müssen, aber er starb nicht. Sie sprachen alle von seiner Konstitution, aber keiner von ihnen wußte, wie stark er war.

»Kannst du ein paar Tage hierbleiben?« fragte er Philip, so, als glaube er, daß der Neffe auf ein paar Ferientage zu Besuch gekommen wäre.

»Das hatte ich vor«, antwortete Philip heiter.

»Ein bißchen Seeluft sollte dir guttun.«

Gleich darauf erschien Dr. Wigram. Nachdem er beim Vikar gewesen war, sprach er mit Philip. Die Art, wie er sich benahm, war der traurigen Gelegenheit angepaßt.

»Diesmal wird es wohl leider das Ende sein«, sagte er. »Ein großer Verlust für uns alle. Ich kenne ihn nun bereits seit fünfunddreißig Jahren.«

»Im Augenblick scheint es ihm ganz gut zu gehen«, meinte Philip.

»Ich halte ihn nur noch künstlich am Leben; aber das geht auf die Dauer nicht. Diese letzten beiden Tage waren schrecklich; mehr als ein halbes dutzendmal habe ich schon geglaubt, er sei tot.«

Der Doktor schwieg ein paar Minuten; aber am Gartentor wandte er sich plötzlich nochmals an Philip und sagte:

»Hat Mrs. Foster mit Ihnen gesprochen?«

»Wieso?«

»Diese Leute sind sehr abergläubisch; sie hat so eine Idee, daß er noch etwas mit sich herumträgt und daß er nicht eher sterben kann, als bis er es los ist. Er könnte es nicht über sich bringen, es einzugestehen.«

Philip antwortete nicht, und der Arzt fuhr fort:

»Natürlich ist das barer Unsinn. Er hat ein sehr gutes Leben geführt: er hat seine Pflicht getan, er ist seiner Gemeinde ein guter Priester gewesen – ich wüßte nicht, was er sich vorzuwerfen haben könnte.«

Während der nächsten Tage trat keinerlei wesentliche Veränderung im Befinden von Mr. Carey ein. Sein bis dahin ausgezeichneter Appetit war fort, und er konnte nur noch wenig zu sich nehmen. Dr. Wigram zögerte nicht mehr, die Nervenschmerzen, die den Greis so quälten, zu stillen. Die Mittel und das beständige Zittern der gelähmten Glieder schwächten den Vikar allmählich bis zur Erschöpfung. Sein Geist blieb klar. Philip und Mrs. Foster pflegten ihn abwechselnd. Mrs. Foster war durch die monatelange Pflege, in der sie ihm jeden Wunsch erfüllt hatte, so ermüdet, daß Philip darauf bestand, selbst die Nachtwache bei dem Patienten zu übernehmen, damit sie ihre Ruhe bekam. Er brachte die langen Nachtstunden im Armstuhl zu, um nicht fest einzuschlafen, und las beim Licht der verhängten Kerze *Tausendundeine Nacht*. Er hatte die Märchen, seit er ein kleiner Junge war, nie wieder gelesen, und sie versetzten ihn in die Tage seiner Kindheit zurück. Manchmal saß er still da und lauschte auf die Geräusche der Nacht. Sowie die Wirkung des Opiats nachließ, wurde Mr. Carey unruhig und hielt Philip ständig auf den Beinen.

Endlich, an einem frühen Morgen, als die Vögel lärmend in den Bäumen zu schwatzen begannen, hörte er seinen Namen rufen. Er ging zum Bett hinüber. Mr. Carey lag auf dem Rücken, seine Augen waren zur Stubendecke gerichtet, er schaute Philip nicht an. Philip sah, wie seine Stirne mit Schweiß bedeckt war, nahm ein Handtuch und wischte sie trocken.

»Bist du es, Philip?« fragte der alte Mann.

Philip war bestürzt, denn die Stimme des Kranken klang plötzlich völlig verändert. Sie war heiser und leise. Das war die Stimme eines Menschen, den die Furcht durchschauerte.

»Ja – möchtest du etwas?«

Eine Pause trat ein; die blicklosen Augen blieben starr auf die Decke geheftet. Dann zuckte es in dem Gesicht.

»Ich glaube, ich sterbe jetzt«, sagte er.

»Ach, Unsinn!« rief Philip. »Du hast noch jahrelang Zeit, ehe du stirbst.«

Zwei Tränen entpreßten sich den Augen des Greises. Sie rührten

Philip fürchterlich. Sein Onkel hatte nie in Dingen des Lebens ein besonderes Gefühl verraten. Es war schrecklich, nun diese Tränen zu erblicken; denn sie verrieten ein unaussprechliches Entsetzen.

»Laß Mr. Simmonds kommen«, sagte er. »Ich möchte das Abendmahl empfangen.«

Mr. Simmonds war Hilfsgeistlicher.

»Jetzt gleich?« fragte Philip.

»Bald, oder aber es wird zu spät sein.«

Philip ging fort, um Mrs. Foster zu wecken. Er wies sie an, den Gärtner zum Geistlichen zu schicken, und kehrte in das Zimmer seines Onkels zurück.

»Hast du nach Mr. Simmonds gesandt?«

»Ja.«

Schweigen. Philip saß neben dem Bett und wischte immer wieder die mit Schweißperlen bedeckte Stirn des Kranken ab.

»Laß mich deine Hand halten, Philip«, sagte der alte Mann schließlich.

Philip reichte ihm die Hand, und er klammerte sich daran fest, als hielte er sich dadurch am Leben. Er suchte Trost in seinem Todeskampf. Vielleicht hatte er in seinem ganzen Leben niemanden geliebt; jetzt aber wandte er sich instinktiv an ein menschliches Wesen. Seine Hand war feucht und kalt. Sie hielt die Philips mit schwacher, aber verzweifelter Kraftanstrengung gepackt. Der alte Mann kämpfte mit der Todesfurcht. Wie gräßlich das war! Und doch gab es Menschen, die an einen Gott glaubten, der es zuließ, daß seine Geschöpfe so grausame Qualen litten. Philip hatte seinen Onkel nie gemocht, zwei Jahre lang hatte er jeden Tag seinen Tod herbeigewünscht, und doch konnte er des Mitgefühls nicht Herr werden, das ihm jetzt das Herz überschwemmte. Welch einen schauerlichen Preis mußte man dafür zahlen, daß man anders war als die Tiere!

Das Schweigen wurde nur einmal durch eine leise Frage Mr. Careys unterbrochen:

»Ist er noch nicht da?«

Endlich kam die Haushälterin und teilte mit, daß Mr. Simmonds gekommen wäre. Er trug eine Tasche bei sich, in der sich Chorhemd und Kappe befanden. Mrs. Foster brachte die Abendmahlsplatte. Mr. Simmonds reichte Philip schweigend die Hand und ging dann mit berufsmäßig ernster Miene zum Krankenbett hinüber. Philip und das Mädchen verließen das Zimmer.

Philip wandelte im Garten umher, der taufrisch im Morgen lag. Die Vögel sangen fröhlich. Der Himmel war blau; aber die Luft war salzig, frisch und kühl. Die Rosen standen in voller Blüte. Das Grün der Bäume, das Grün der Rasenflächen – überall funkelte und glitzerte es. Philip wanderte umher und dachte im Wandern an das

Geheimnis, das sich dort in dem Schlafzimmer seines Onkels vollzog. Es bewegte ihn seltsam. Es dauerte nicht lange, da kam Mrs. Foster und sagte ihm, daß sein Onkel ihn zu sehen wünsche. Der Geistliche war gerade dabei, seine Sachen wieder in die schwarze Tasche zu packen. Der Kranke drehte Philip langsam das Gesicht zu und begrüßte ihn mit einem Lächeln. Philip war erstaunt, denn eine seltsame Veränderung war mit dem Vikar vorgegangen, eine außerordentliche Veränderung: seine Augen hatten nicht mehr den entsetzten Ausdruck, und in seinem Gesicht zuckte es nicht mehr – er sah glücklich und heiter aus.

»Nun bin ich ganz bereit«, sagte er, und seine Stimme hatte einen neuen Ton. »Wenn es dem Allmächtigen jetzt gefällt, mich abzuberufen, so bin ich bereit, meine Seele in seine Hände zu geben.«

Philip sprach nicht. Er konnte wohl sehen, daß sein Onkel es aufrichtig meinte. Es war fast wie ein Wunder. Er hatte den Leib und das Blut des Heilandes genossen, und sie hatten ihm Kraft verliehen, so daß er den Gang in die ewige Nacht nicht länger fürchtete. Er wußte, er würde sterben. Er sagte nur noch:

»Ich werde wieder mit meiner lieben Frau vereinigt sein.«

Philip war überrascht. Er wußte, mit welch selbstsüchtiger Gleichgültigkeit der Vikar sie behandelt hatte, wie stumpf er ihre demütige, hingebungsvolle Liebe aufgenommen hatte. Der Priester ging tiefbewegt fort, und Mrs. Foster begleitete ihn weinend zur Tür. Mr. Carey fiel erschöpft durch seine Anstrengung in einen leichten Dämmerschlaf. Philip setzte sich neben das Bett und erwartete das Ende. Der Morgen verging, und das Atmen des alten Mannes wurde zum Röcheln. Der Arzt kam und sagte, er läge im Sterben. Er war bewußtlos und zupfte nur schwach mit den Händen auf der Decke; er war unruhig und schrie. Dr. Wigram gab ihm eine Spritze.

»Es hilft nichts mehr, er kann jeden Augenblick sterben.«

Der Arzt schaute auf die Uhr und dann auf den Patienten. Philip sah, daß die Uhr eins zeigte. Dr. Wigram dachte an sein Mittagessen.

»Es hat gar keinen Sinn, daß Sie warten«, meinte Philip.

»Ich kann auch wirklich nichts tun«, sagte der Arzt.

Nachdem er gegangen war, fragte Mrs. Foster Philip, ob er zum Zimmermann, der zugleich Leichenbestatter war, gehen und ihm sagen wollte, er solle eine Frau für die Leichenwäsche schicken.

»Sie brauchen etwas frische Luft«, sagte sie. »Es wird Ihnen guttun.«

Der Leichenbestatter wohnte eine halbe Meile entfernt. Als Philip ihm die Nachricht brachte, fragte er:

»Wann starb der arme Mann?«

Philip zögerte. Es ging ihm durch den Kopf, daß es brutal aussehen würde, eine Frau für die Leichenwäsche zu holen, während sein Onkel noch lebte, und er fragte sich, warum Mrs. Foster ihn ersucht hatte zu gehen. Sie würden denken, er hätte es recht eilig, den alten Mann loszukriegen.

Er wiederholte seine Frage.

Sie irritierte Philip. Es war nicht seine Angelegenheit.

»Wann ist der Vikar verschieden?«

Philip wollte zunächst sagen, es wäre eben geschehen; aber dann fiel ihm ein, daß dies unschicklich wäre, falls der kranke Mann noch mehrere Stunden dahinsiechen würde.

»Ach, er ist eigentlich noch nicht tot.«

Der Leichenbestatter sah ihn verwirrt an, und er beeilte sich, eine Erklärung zu geben.

»Mrs. Foster ist allein, und sie braucht eine Frau. Sie verstehen, nicht wahr? Vielleicht ist er schon tot.«

Der Leichenbestatter nickte.

»Ja, ich verstehe. Ich will gleich jemanden schicken.«

Als Philip zum Pfarrhaus zurückkehrte, ging er ins Schlafzimmer. Mrs. Foster stand von ihrem Sessel neben dem Bett auf.

»Er ist unverändert.«

Sie ging hinunter, um sich etwas zu essen zu holen, und Philip beobachtete neugierig den Sterbeprozeß. Es war nichts Menschliches mehr in dem bewußtlosen Wesen, das dort noch schwach kämpfte. Manchmal murmelte der lose hängende Mund noch einen Stoßseufzer. Die Sonne stach vom wolkenlosen Himmel herab, aber die Bäume im Garten verbreiteten eine angenehme Kühle. Es war ein lieblicher Tag. Eine Schmeißfliege surrte an der Fensterscheibe. Plötzlich ertönte ein lautes Geröchel; Philip fuhr auf, es hörte sich grauenhaft an. Eine Bewegung ging durch die Glieder des Greises – er war tot. Die Maschine war abgelaufen. Die Schmeißfliege surrte lärmend an der Fensterscheibe.

Josiah Graves traf auf seine meisterliche Art die Vorbereitungen zur Beerdigung: sparsam, aber würdig. Nach der Beisetzung kam er mit Philip in das Pfarrhaus zurück. Ihm war das Testament anvertraut worden, und er las es Philip nun mit dem ihm eigenen Sinn für das, was sich in dem jeweiligen Moment schickt, bei einer Tasse Tee vor. Es war auf einem halben Blatt Papier geschrieben und vermachte alles, was verblieb, Mr. Careys Neffen. Da waren die Möbel, etwa achtzig Pfund auf der Bank, zwanzig Aktien der ABC-Gesellschaft, ein paar der Allsops-Brauerei, einige der Oxforder Musikhalle und noch ein paar andere eines Londoner Restaurants. Sie waren unter Anleitung von Mr. Graves erworben worden, und dieser sagte nun befriedigt:

»Sehen Sie, die Menschen müssen immer etwas zu essen, zu trinken und zum Vergnügen haben. Es ist stets das Sicherste, wenn man sein Geld in Unternehmungen anlegt, die die Allgemeinheit für Notwendigkeiten hält.«

Jedenfalls waren etwa fünfhundert Pfund in Aktien angelegt; hinzu kamen der Rest auf der Bank und der Ertrag für die Möbel. Für Philip waren es Reichtümer. Er fühlte sich nicht glücklich, aber unendlich erleichtert.

Mr. Graves ging fort, nachdem sie die Auktion besprochen hatten, die so bald wie möglich abgehalten werden sollte. Philip setzte sich hin, um die Papiere des Verstorbenen durchzusehen. Der Rev. William Carey hatte sich immer gebrüstet, daß er nichts vernichte, und so fanden sich ganze Stapel von Briefen, die über fünfzig Jahre zurückreichten, und säuberlich zusammengebündelte Rechnungen. Er hatte nicht nur die Briefe, die er empfing, aufbewahrt, sondern auch die, die er selbst geschrieben hatte. Da war ein gelbes Paket von Briefen, die er seinem Vater in den vierziger Jahren geschrieben hatte, als er als Student während der Sommerferien nach Deutschland gefahren war. Philip las sie gelangweilt. Es war ein anderer William Carey als der, den er gekannt hatte. Die Briefe waren förmlich und ein wenig stilisiert. Er war emsig bemüht, sich alles anzusehen, was sehenswert war, und er beschrieb mit heller Begeisterung die Rheinschlösser. Der Rheinfall bei Schaffhausen gab ihm Gelegenheit, ›dem allmächtigen Schöpfer der Welt, dessen Werke wunderbar und schön sind, zu danken‹, und er mußte daran denken, daß die Menschen angesichts ›dieses Werkes ihres gelobten Schöpfers angeregt werden müßten, ein reines und heiliges Leben zu führen‹.

Unter den Rechnungen entdeckte Philip eine Miniatur, die den jungen William Carey gleich nach seiner Priesterweihe darstellte. Da stand ein junger, schmaler Hilfsgeistlicher; das lange Haar fiel ihm in natürlichen Locken über das Haupt; große, dunkle Augen sahen verträumt aus dem asketisch bleichen Gesicht. Philip fiel ein, wie sein Onkel zu lachen pflegte, wenn er von den Dutzenden von Hausschuhen erzählte, die ihm seine Verehrerinnen gearbeitet hatten.

Philip wühlte sich den noch verbleibenden Teil des Nachmittags und den ganzen Abend durch die zahllose Korrespondenz. Er warf gewöhnlich nur einen Blick auf Adresse und Absender, riß den Brief dann entzwei und warf ihn in den Wäschekorb, der neben ihm stand. Plötzlich fiel ihm ein Brief in die Hände, der mit Helen unterschrieben war. Er kannte die Schrift nicht. Es war eine dünne, eckige, altmodische Handschrift. Es begann mit »Mein lieber William« und endigte mit »Deine Dich zärtlich liebende Schwägerin«. Dann wurde ihm plötzlich bewußt, daß es ein Brief seiner Mutter war. Er hatte bisher noch nie einen Brief von ihr gesehen, und ihre Handschrift war ihm fremd. Der Inhalt des Briefes betraf ihn:

*Mein lieber William!*
*Stephen hat Dir schon geschrieben, um Dir für Deine Glückwünsche zur Geburt unseres Sohnes und für mein Wohlbefinden zu danken. Ich danke Gott, daß es uns beiden gut geht, und bin von Herzen dankbar für die große Gnade, die mir widerfahren ist. Jetzt, wo ich wieder imstande bin, eine Feder zu halten, möchte ich Dir und der lieben Louisa sagen, wie dankbar ich Euch für alle Eure Freundlichkeiten bin, die Ihr mir jetzt und seit meiner Heirat habt angedeihen lassen. Darf ich Euch nun um eine große Gunst bitten: Stephen und ich möchten, daß Du die Patenschaft über den Jungen übernimmst. Hoffentlich willigst Du ein. Ich weiß, ich bitte um nichts Geringes, da Du die Verantwortung, die das mit sich bringt, sehr ernst nehmen wirst; aber es liegt mir besonders viel daran, daß Du dieses Amt übernimmst, weil Du ein Geistlicher bist und zugleich der Onkel. Das Wohlergehen des Knaben liegt mir sehr am Herzen, und ich bitte Gott Tag und Nacht, daß er ihn zu einem guten, ehrlichen und christlichen Manne heranwachsen lasse. Ich hoffe, daß er unter Deiner gnädigen Führung ein Soldat des christlichen Glaubens werden möge und daß er an jedem Tage seines Lebens gottesfürchtig, demütig und fromm sei.*
                    *Deine Dich zärtlich liebende Schwägerin Helen.*

Philip schob den Brief von sich, beugte sich vor und stützte das Gesicht in die Hände. Der Brief rührte ihn tief und überraschte ihn gleichzeitig. Er wußte von seiner Mutter, die nun schon seit zwanzig Jahren tot war, nur, daß sie schön gewesen war. Es war ein seltsames Gefühl zu erfahren, daß sie einfachen Herzens und fromm gewesen war. Er hatte daran nie gedacht. Er las noch einmal, was sie über ihn schrieb, von ihm erwartete und über ihn dachte. Es war sehr anders gekommen: er nahm sich selbst einen Augenblick unter die Lupe. Vielleicht war es besser, daß sie tot war. Dann riß er, einem plötzlichen Impuls folgend, den Brief entzwei. Die Zärtlichkeit und Schlichtheit, die daraus sprach, machte ihn zu einer ganz privaten Sache; es war fast unanständig, daß er ihn gelesen hatte, so wie die zarte Seele seiner Mutter darin bloßlag. Er fuhr mit der Sichtung der langweiligen Korrespondenz des Vikars fort.

Ein paar Tage darauf kehrte er nach London zurück. Seit zwei Jahren betrat er nun wieder die Eingangshalle des St. Luke's Hospital zum erstenmal bei vollem Tageslicht. Er sprach bei dem Sekretär der Medizinischen Abteilung vor, der erstaunt war, ihn zu sehen, und neugierig fragte, was er denn in der Zwischenzeit getrieben hätte. Philips Erfahrungen hatten ihm ein gewisses Selbstvertrauen und eine neue Einstellung zu den Dingen gegeben. Eine solche Frage hätte ihn früher in Verlegenheit gesetzt; nun aber antwortete er nur kühl und gewollt unbestimmt, um jede weitere Erkundigung abzukappen, daß er das Studium aus privaten Gründen habe unterbrechen müssen. Er würde jetzt gern so schnell wie möglich zum Abschluß kommen. Zuerst wollte er einmal sein Examen als Geburtshelfer und Frauenarzt machen. Er schrieb sich also als Praktikant in der Abteilung für Frauenleiden ein. Da es mitten in den Ferien war, war es nicht schwer, einen Platz als Praktikant für Geburtshilfe zu erhalten, und er traf die Abmachung, daß er diese Aufgabe während der letzten August- und der beiden ersten Septemberwochen übernehmen werde. Nach dieser Besprechung wandelte Philip durch die Medical School, die mehr oder weniger verlassen dalag, denn die Examen, die jeweils am Ende des Sommers stattfanden, waren bereits vorüber. Dann ging er den Fluß entlang. Ihm war das Herz voll. Nun würde ein neues Leben beginnen; alle Fehler, Narrheiten und Jämmerlichkeiten der Vergangenheit würde er hinter sich lassen. Der dahinströmende Fluß schien ihm zu bedeuten, daß alles vorübergeht, weiterfließt, daß alles eins und gleichgültig ist. Vor ihm lag die Zukunft voll reicher Möglichkeiten.

Er fuhr nach Blackstable zurück und beschäftigte sich damit, die Hinterlassenschaft seines Onkels abzuwickeln. Die Auktion wurde auf Mitte August anberaumt, da die Anwesenheit von Feriengästen die Erzielung höherer Preise erhoffen ließ. Kataloge wurden aufgestellt und Altbuchhändlern in Tercanbury, Maidstone und Ashford übersandt.

Eines Nachmittags bekam Philip Lust, nach Tercanbury hinüberzufahren und seine alte Schule noch einmal zu besuchen. Er war nicht mehr dort gewesen, seit er sie mit erleichtertem Herzen und dem Gefühl verlassen hatte, daß er von nun an sein eigener Herr sein würde. Es war seltsam, so durch die engen Straßen von Tercanbury zu wandern, die er lange Jahre hindurch so gut gekannt hatte. Er besah sich die alten Läden, die noch immer die gleichen waren, noch immer die gleichen Dinge verkauften: die Buchhandlungen, die in einem Fenster Schulbücher, fromme Werke und die neuesten Romane ausstellten, im andern Fotografien der Kathedrale und der Stadt; das Sportgeschäft mit seinen Kricketschlägern, Angelruten, Tennisrakets und Fußbällen; der Schneider, von dem er seine ganze Jugendzeit hindurch die Anzüge geliefert erhalten hatte; und das Fischgeschäft, aus dem sein Onkel, wenn er nach Tercanbury kam, stets Fische mitnahm. Er wanderte durch die schmierigen Straßen, in denen hinter einer Mauer versteckt die Vorbereitungsschule, ein rotes Klinkerhaus, lag. Ein Stückchen weiter war die Pforte, die in die Schule führte; er blieb auf dem Platz stehen, um den herum die verschiedenen Gebäude lagen. Es war gerade vier Uhr, und die Knaben strömten aus der Schule. Er sah die Lehrer in ihren Gewändern und den flachen, viereckigen Kopfbedeckungen; sie kamen ihm ganz fremd vor. Zehn Jahre war es nun schon her, seit er von hier fortgegangen war, und vieles hatte sich inzwischen verändert. Er sah den Schulvorsteher, er ging langsam vom Schulhaus zu seinem Wohnhaus hinüber. Er sprach mit einem Knaben, der wie ein Sextaner aussah. Der Schulleiter selbst hatte sich wenig verändert: er war schlank, leichenblaß und romantisch, genau so, wie Philip ihn in Erinnerung behalten hatte; noch immer dieselben wilden Augen, der schwarze Bart zeigte jedoch nun graue Streifen, und das dunkle, bleiche Gesicht war von tiefen Linien durchzogen. Philip wäre gern zu ihm gegangen und hätte ihn gesprochen; aber er hatte Angst, daß der Leiter ihn vergessen haben könnte, und haßte den Gedanken, erst erklären zu müssen, wer er wäre.

Die Jungen standen schwatzend umher. Bald darauf kamen andere, die sich schnell umgezogen hatten, und spielten Ball. Wieder andere gingen zum Tor hinaus, und Philip wußte: sie gingen nun zu den Kricketplätzen. Philip stand unter ihnen als ein Fremder. Der eine oder andere warf ihm einen gleichgültigen Blick zu; Besucher waren jedoch der alten, sehenswerten Treppe wegen keine Seltenheit und erregten nur geringe Aufmerksamkeit. Philip sah den Jungen neugierig zu. Voller Wehmut gedachte er der Jahre, die sie voneinander trennten. Bittere Gedanken kamen ihm, wenn er daran dachte, wieviel er hatte schaffen wollen und wie wenig er in Wirklichkeit erreicht hatte. Es kam ihm vor, als wären alle diese Jahre, die unwiderruflich verloren waren, nutzlos vergeudet. Die Jungen hier taten frisch und fröhlich das gleiche, was er getan hatte, so als wäre kein Tag vergangen, seit er die Schule verlassen hatte, und nun war ihm hier, wo er wenigstens dem Namen nach jeden gekannt hatte, keine Menschenseele mehr vertraut. In ein paar Jahren würden auch sie hier stehen – Fremde wie er jetzt, und andere würden ihren Platz einnehmen. Aber in dieser Überlegung lag kein Trost: sie unterstrich nur die Sinn- und Zwecklosigkeit des menschlichen Daseins. Jede Generation wiederholte diesen bedeutungslosen Kreislauf. Er dachte darüber nach, was wohl aus den Jungen geworden sein mochte, die einstmals seine Kameraden gewesen waren. Sie waren jetzt fast dreißig Jahre alt, einige wahrscheinlich tot, andere verheiratet; sie hatten Kinder, sie waren Soldaten, Geistliche, Ärzte, Rechtsanwälte; sie waren gesetzte Männer, die anfingen, die Jugend hinter sich zu lassen. Hatte wohl sonst noch jemand ein solches Durcheinander aus seinem Leben gemacht wie er? Er dachte an den Knaben, dem er so sehr zugetan gewesen war; er konnte sich des Namens nicht entsinnen. Er erinnerte sich ganz genau, wie er aussah. Es war sein bester Freund gewesen; aber der Name fiel ihm nicht ein. Er fühlte sich unerträglich einsam. Er bedauerte fast, daß die Armut der letzten zwei Jahre nun vorüber war; denn dieser verzweifelte Kampf, Körper und Seele zusammenzuhalten, hatte den Schmerz des Lebens betäubt. *Im Schweiße deines Angesichts sollst du dein Brot verdienen:* es war kein Fluch, der der Menschheit auferlegt war, sondern der Balsam, der sie mit dem Dasein aussöhnte.

Aber Philip wurde ungeduldig mit sich. Dachte er denn nicht mehr daran, daß das Leben ein Muster ist und auch die unglücklichen Stunden bloß einen Teil dieses kunstvoll ausgearbeiteten Musters bilden und somit schön sind? Er sagte sich, daß er mit heiterer Gelassenheit alles hinnehmen müsse, den Kummer wie die erhebenden Ereignisse, Freude und Schmerz; denn alles diente dazu, das Muster reich und vielfältig zu machen. Er suchte bewußt nach dem Schönen und erinnerte sich, wie er schon als Knabe an der gotischen Kathedrale, die man vom Schulhof aus sah, Freude empfunden hatte. Er ging hin und schaute sich die schwere Masse an, die grau unter dem bewölkten Himmel lag, mit dem Mittelturm, der sich wie die Lobpreisung Gottes selbst erhob. Aber die Jungen um ihn her schlugen ihre Bälle; sie waren geschmeidig, stark und voller Tatendrang. Er konnte ihre Schreie, ihr Gelächter nicht überhören. Nur noch seine Augen nahmen nun die Schönheit des Bauwerkes vor ihm auf. – Der Ruf der Jugend war eindringlich und beharrlich.

Zu Beginn der letzten Augustwoche trat Philip seine Arbeit im ›Bezirk‹ an. Sie war anstrengend, denn er hatte durchschnittlich drei Entbindungen täglich. Die Patientin bekam einige Zeit vorher vom Krankenhaus eine Karte, und wenn ihre Zeit kam, ließ sie diese dem Portier durch einen Boten bringen, meist einem kleinen Mädchen, das dann über die Straße zu dem Haus, in dem Philip wohnte, geschickt wurde. In der Nacht kam der Portier, der einen Haustorschlüssel hatte, selbst hinüber und weckte Philip auf. Es war geheimnisvoll, dann in der Dunkelheit aufzustehen und durch die verlassenen Straßen des Südteils zu gehen. In diesen Stunden brachte im allgemeinen der Gatte die Karte. Wenn er schon einige Kinder hatte, nahm er es meist mürrisch und gleichgültig auf, aber wenn er jung verheiratet war, wurde er nervös und ging dann manchmal noch aus, um seine Angst in Alkohol zu ertränken. Manchmal mußte er eine Meile und noch mehr gehen; in dieser Zeit diskutierte Philip mit dem Boten über die Arbeitsbedingungen oder Lebenshaltungskosten. Philip lernte dabei die verschiedenen Berufe kennen, die auf dieser

Seite des Flusses ausgeübt wurden. Er flößte den Menschen, unter die es ihn verschlagen hatte, Vertrauen ein, und während der vielen Stunden, die er in einem dumpfen Zimmer wartete und die Frau in ihrem riesigen Bett lag, das das halbe Zimmer ausfüllte, sprachen ihre Mutter und die Hebamme mit ihm, als unterhielten sie sich untereinander. Die Umstände, unter denen er in den letzten zwei Jahren gelebt hatte, hatten ihn Verschiedenes über das Leben der Armen gelehrt, und diese freute es, daß er für sie Verständnis hatte, und sie waren beeindruckt, daß er sich von ihnen nicht hinters Licht führen ließ. Er war freundlich, er hatte weiche Hände, und er verlor niemals seine gute Laune. Es gefiel ihnen, daß er sich nicht zu gut war, um mit ihnen eine Tasse Tee zu trinken, und wenn es dunkel wurde und sie noch immer warteten, boten sie ihm ein Brot mit Bratenfett an; er war nicht wählerisch und aß die meisten Sachen mit großem Appetit. Einige der Häuser, in die er kam, drängten sich aneinander, ohne Licht und Luft, und waren nur schmutzig; aber andere hatten erstaunlicherweise doch eine gewisse Würde, obwohl sie verfallen waren und wurmstichige Böden und undichte Dächer hatten. Man fand darin aus Eichenholz geschnitzte Balustraden, und die Wände waren tapeziert. Diese Häuser waren dicht bewohnt. In jedem Zimmer wohnte eine Familie, und tagsüber hörte man den unaufhörlichen Lärm der Kinder, die im Hof spielten. Die alten Wände waren Brutstätten für Ungeziefer, die Luft war so stickig, daß Philip oft seine Pfeife anzündete, weil ihm übel wurde. Die Leute, die hier wohnten, lebten von der Hand in den Mund. Babies waren nicht willkommen, die Männer reagierten mit Zorn, die Frauen mit Verzweiflung; man mußte einen Mund mehr füttern, und es war wenig genug, was man für die hatte, die schon da waren. Philip wünschte oft, daß das Kind tot geboren oder bald sterben würde. Er entband eine Frau von Zwillingen (eine Ironie des Schicksals), und als die Frau dies hörte, brach sie in ein langes und schrilles Wehgeschrei aus. Ihre Mutter sagte offen:

»Ich weiß nicht, wie sie die füttern werden.«

»Möge der Herr einsichtig sein und sie zu sich rufen«, meinte die Hebamme.

Philip beobachtete das Gesicht des Mannes, als dieser auf das winzige Paar blickte, das Seite an Seite lag; er erschrak über dessen finstere und grimmige Miene. Er fühlte in der versammelten Familie die versteckten Ressentiments gegen diese armen Würmer, die ungewollt auf die Welt gekommen waren; und er hatte den Verdacht, daß ein ›Unfall‹ geschehen könnte, wenn er ihnen nicht eindringlich zuredete. Unfälle passierten oft; Mütter wickelten ihre Kinder zu fest, und möglicherweise waren auch Ernährungsfehler nicht immer das Ergebnis von Nachlässigkeit.

»Ich werde jeden Tag kommen«, sagte er. »Ich warne Sie, wenn ihnen irgend etwas passiert, wird es zu einer gerichtlichen Untersuchung kommen.«

Der Vater antwortete nicht, aber er sah Philip finster an. In seiner Seele stand Mord zu lesen.

»Ihre kleinen Herzen seien gesegnet«, sagte die Großmutter. »Was soll ihnen geschehen?«

Die größte Schwierigkeit bestand darin, die Mutter zehn Tage lang im Bett zu halten, was das Minimum war, worauf der Arzt bestehen mußte. Es war unangenehm, sich um die Familie zu kümmern, niemand wollte ohne Bezahlung auf die Kinder schauen, und der Mann ärgerte sich, weil sein Tee nicht zubereitet war, wenn er müde und hungrig von der Arbeit nach Hause kam. Philip hatte gehört, daß die Armen einander helfen, aber eine Frau nach der anderen erklärte ihm, ohne Bezahlung könnte sie nicht aufräumen oder sich um das Essen für die Kinder umsehen, und ihre Mittel erlaubten es nicht zu zahlen. Wenn er den Frauen zuhörte, konnte er aufgrund zufälliger Bemerkungen, aus denen er viele Schlüsse ziehen konnte, feststellen, daß es wenig Gemeinsames zwischen den Armen und der Oberschicht gab. Sie beneideten die Höhergestellten nicht, weil sie zu verschieden waren; und ihr Freiheitsideal ließ ihnen die Existenz der Mittelklasse steif und förmlich erscheinen: darüber hinaus hatten sie für diese eine gewisse Verachtung, weil sie weich waren und nicht mit ihren Händen arbeiteten. Die Stolzen unter ihnen wollten nur in Ruhe gelassen werden, aber die Mehrzahl glaubte, von den Begüterten ausgebeutet zu werden. Sie wußten, was sie sagen mußten, um der Mildtätigkeit teilhaftig zu werden, und sie betrachteten Wohltaten als Recht, das sie von der Torheit der Höhergestellten und von ihrer eigenen Schlauheit ableiteten. Sie behandelten den Geistlichen mit verächtlicher Gleichgültigkeit, aber die Fürsorgerin haßten sie. Sie kam herein und öffnete die Fenster, ohne zu sagen ›Mit Ihrer Erlaubnis‹ oder ›Wenn Sie es gestatten‹, »aber für mich mit meiner Bronchitis konnte das den Tod bedeuten«. Sie steckte ihre Nase in alle Ecken, und wenn sie auch nichts sagte, wußte man genau, was sie dachte. »Es ist alles recht schön, wenn man Dienstboten hat, aber ich möchte sehen, was sie aus ihrem Zimmer machen würde, wenn sie vier Kinder hätte und kochen müßte und sich um ihre Kinder kümmern und sie waschen.«

Philip entdeckte, daß die größte Tragödie für diese Leute nicht Tod oder Trennung bedeutete, das war natürlich, und der Schmerz konnte mit Tränen gemildert werden, sondern der Verlust des Arbeitsplatzes. Er hatte einen Mann kennengelernt, der kam eines Nachmittags nach Hause, drei Tage nach der Entbindung seiner Frau, und sagte ihr, er sei entlassen worden. Er war Bauarbeiter, und in dieser

Zeit war der Arbeitsmarkt gerade flau. Er stellte die Tatsache fest und setzte sich dann zu seinem Tee.

»O Jim«, sagte sie.

Der Mann aß stumpf irgendein Gericht, das für ihn in der Bratpfanne geschmort worden war; er starrte auf seinen Teller; die Frau sah ihn zwei- oder dreimal an, mit furchtsamen Blicken, dann begann sie ganz leise zu weinen. Der Bauarbeiter war ein grobschlächtiger Kerl mit einem rauhen, verwitterten Gesicht und einer langen, weißen Narbe auf seiner Stirn; er hatte große, derbe Hände. Plötzlich schob er den Teller beiseite, als wollte er es aufgeben, sich zum Essen zu zwingen, und warf einen starren Blick aus dem Fenster. Das Zimmer befand sich im letzten Stockwerk und ging in den Hinterhof hinaus. Man sah nur dunkle Wolken. Die Stille war angefüllt mit Verzweiflung. Philip fühlte, daß er nichts sagen konnte, er konnte nur gehen; und als er müde hinausging, denn er war die ganze Nacht über aufgewesen, war sein Herz voll Zorn über die Grausamkeit dieser Welt. Er wußte um die Hoffnungslosigkeit, wieder Arbeit zu finden, und um die Trostlosigkeit, die schwerer zu ertragen ist als Hunger. Er war froh, daß er nicht an Gott glaubte, denn dann wären solche Lebensbedingungen untragbar; man konnte sich mit seiner Existenz nur abfinden, weil sie bedeutungslos war.

Es schien Philip, daß die Leute, die ihre Zeit dazu verwendeten, den armen Klassen zu helfen, sich irrten, weil sie Abhilfe schaffen wollten für Dinge, die sie quälen würden, falls sie diese zu ertragen hätten, ohne zu bedenken, daß sie die, die daran gewöhnt sind, gar nicht stören. Die armen Leute wollten keine großen, luftigen Zimmer, sie litten unter der Kälte, weil ihre Nahrung nicht kräftig genug war und weil ihr Kreislauf nicht in Ordnung war; ein großer Raum war ihnen zu kalt, sie wollten so wenig wie möglich Kohle verbrauchen; es war keine Härte für sie, wenn mehrere Leute in einem Zimmer schliefen, sie zogen das sogar vor; sie waren nie einen Augenblick lang allein – von der Geburt bis zum Tod; Einsamkeit bedrückte sie; sie genossen das Durcheinander, in dem sie lebten, und den ständigen Lärm ihrer Umgebung, der an ihre Ohren drang, nahmen sie gar nicht mehr wahr. Ein tägliches Bad war ihnen kein Bedürfnis, und Philip hörte sie oft, wenn sie ins Spital kamen, empört darüber sprechen, daß sie baden mußten: es war für sie sowohl eine Beleidigung als eine Unbequemlichkeit. Sie wollten vor allem in Ruhe gelassen werden; wenn der Mann seine regelmäßige Arbeit hatte, war das Leben leicht und nicht ohne Annehmlichkeiten: man hatte genug Zeit für einen Klatsch; nach der Arbeit schmeckte ein Glas Bier; die Straßen waren eine ständige Quelle der Unterhaltung; wenn man lesen wollte, gab es den *Reynolds* oder die *News of the World*.

Es war üblich, nach einer Entbindung drei Krankenbesuche zu machen, und als Philip eines Sonntags zur Mittagsstunde zu einer Patientin kam, war sie dabei, zum erstenmal aufzustehen.

»Ich konnte nicht länger im Bett bleiben, wirklich nicht. Ich bin nicht fürs Faulenzen, und es macht mich nervös, den ganzen Tag herumzuliegen; daher sagte ich zu Herb, ich stehe nur ein wenig auf und koche dir dein Essen.«

Herb saß schon bei Tisch, Messer und Gabel hatte er bereits in der Hand. Er war ein junger Mann mit einem offenen Gesicht und blauen Augen. Er verdiente ganz schön, und das Ehepaar lebte ohne Sorgen. Sie waren erst seit wenigen Monaten verheiratet und waren entzückt von dem rosigen Jungen, der am Fuße des Bettes in seiner Wiege lag. Im Zimmer roch es angenehm nach Beefsteak, und Philip blickte zum Herd.

»Ich wollte gerade auftischen«, sagte die Frau.

»Ich will mir nur den Sohn und Erben ansehen«, sagte Philip. »Dann mache ich mich wieder aus dem Staub.«

Mann und Frau lachten über Philips Ausdruck, und Herb kam mit der Wiege zu Philip hinüber. Stolz sah er auf sein Baby.

»Es geht ihm offenbar nicht schlecht, nicht wahr?« sagte Philip.

Er nahm seinen Hut, und gleichzeitig servierte Herbs Frau das Beefsteak und dazu einen Teller grüner Erbsen.

»Sie bekommen ein gutes Essen«, sagte Philip.

»Er ist nur am Sonntag hier, und da möchte ich ihm immer irgend etwas Besonderes machen, damit er sein Heim vermißt, wenn er auswärts ist.«

»Ich nehme an, Sie setzen sich und essen mit uns«, sagte Herb.

»O Herb«, sagte die Frau in erschrockenem Ton.

»Nicht, wenn Sie mich darum bitten«, antwortete Philip mit gewinnendem Lächeln.

»Das nenne ich nett; ich wußte, er würde nicht beleidigt sein, Polly. Bring noch einen Teller, mein Mädchen.«

Polly war verwirrt, und sie dachte, man müßte bei Herb vorsichtig sein, denn man wüßte nie, auf welche Ideen er im nächsten Augenblick käme; aber sie nahm einen Teller und wischte ihn schnell mit der Schürze ab, dann nahm sie Messer und Gabel aus dem Schubladenkasten, wo ihr schönes Besteck zwischen ihren schönen Kleidern lag. Ein Krug Bier stand auf dem Tisch, und Herb goß Philip ein Glas ein. Er wollte ihm das größte Stück Beefsteak geben, doch Philip bestand darauf, daß alle gleich viel bekamen. Es war ein sonniges Zimmer mit zwei Fenstern, die bis zum Boden gingen. Es war das Wohnzimmer eines Hauses, das zwar nicht modern, aber respektabel war: vor fünfzig Jahren mochte es ein reicher Händler oder ein Offizier auf Halbsold bewohnt haben. Herb war Fußballspieler gewesen, bevor er geheiratet hatte, und an den Wänden hingen Fotos der verschiedenen Teams, in selbstbewußter Haltung, mit adrett gekämmtem Haar, der Kapitän saß stolz in der Mitte und hielt den Pokal. Es gab auch noch andere Zeichen von Wohlstand: Fotos von Herbs Verwandten und seiner Frau im Sonntagsstaat; auf dem Kaminsims ein sorgfältiges Arrangement von Muscheln auf einem Miniaturfelsen und auf jeder Seite Krüge. Herb hatte etwas wie Charakter; er war gegen die Gewerkschaft und äußerte sich empört über die Versuche der Gewerkschaft, ihn zum Eintritt zu zwingen. Die Gewerkschaft war für ihn nicht gut, er hatte niemals Schwierigkeiten, Arbeit zu finden, und es gab guten Lohn für jeden, der einen Kopf auf seinen Schultern hatte und mit seinen Händen alles angriff, was ihm in den Weg kam. Polly war furchtsam. Wenn sie er wäre, würde sie der Gewerkschaft beitreten; in letzter Zeit gab es einen Streik, und sooft er das Haus verließ, erwartete sie, daß sie ihn in einem Rettungswagen nach Hause bringen würden. Sie wandte sich an Philip.

»Er ist so eigensinnig, da kann man nichts mit ihm anfangen.«

»Ich sage, wir leben in einem freien Land, und ich möchte mir nichts vorschreiben lassen.«

»Es nützt dir nichts, wenn du sagst, dies ist ein freies Land«, sagte Polly. »Das würde sie nicht davon abhalten, dir den Schädel einzuschlagen, wenn sie die Gelegenheit dazu hätten.«

Als sie fertig waren, reichte Philip Herb seinen Tabaksbeutel hinüber, und sie zündeten ihre Pfeifen an. Dann stand er auf, weil vielleicht bei seiner Wohnung jemand auf ihn wartete, und sie schüttelten einander die Hände. Er sah, wie glücklich sie waren, weil er mit ihnen gegessen hatte, und sie sahen, wie sehr er sich gefreut hatte.

»Auf Wiedersehen, Sir«, sagte Herb, »und ich hoffe, wir werden nächstesmal einen ebenso netten Arzt haben. Wir werden Ihre Zeit sicher nicht mißbräuchlich in Anspruch nehmen.«

»Hör auf, Herb«, erwiderte sie vorwurfsvoll. »Wieso willst du wissen, daß es überhaupt ein nächstesmal geben wird?«


Die drei Wochen, die die Ausbildung dauerte, gingen ihrem Ende zu. Philip hatte zweiundsechzig Fälle behandelt und war übermüdet. Als er in der letzten Nacht etwa um zehn Uhr nach Hause kam, hoffte er von ganzem Herzen, nicht wieder hinausgerufen zu werden. Der Fall, von dem er gerade gekommen war, war fürchterlich gewesen. Er war von einem großen, starken Mann geholt worden, voll von Alkohol, und wurde durch einen stinkenden Hof in ein Zimmer geführt, das so schmutzig war, wie er noch keines zuvor gesehen hatte: es war eine kleine Dachstube; der größte Teil war von einem hölzernen Bett mit einem Baldachin aus schmutzigen roten Vorhängen ausgefüllt, und die Decke war so niedrig, daß Philip sie mit den Fingerspitzen erreichen konnte. Mit der einzigen Kerze, die vorhanden war, verbrannte er die herumkriechenden Wanzen. Die Frau war eine nachlässige Person in mittleren Jahren, die schon viele Totgeburten gehabt hatte. Es war eine Geschichte, an die Philip schon gewöhnt war: der Mann war Soldat in Indien gewesen; die Gesetzgebung, die dem Land durch die Prüderie der englischen Öffentlichkeit auferlegt worden war, hatte dem Elend und den Krankheiten freien Lauf gelassen, und die Unschuldigen mußten leiden. Gähnend zog sich Philip aus und nahm ein Bad, dann schüttelte er die Kleider über dem Wasser aus und sah zu, wie sich das Ungeziefer bewegte. Er wollte gerade zu Bett gehen, als es an die Tür klopfte und der Portier ihm eine Karte gab.

»Verflucht«, sagte Philip. »Sie waren der letzte, den ich heute noch sehen wollte. Wer hat die Karte gebracht?«

»Ich glaube, es war der Gatte, Sir. Soll ich ihn warten lassen?«

Philip schaute auf die Adresse, sah, daß er die Straße kannte und sagte dem Portier, er würde allein hinfinden. Er zog sich an, und nach fünf Minuten ging er mit seiner schwarzen Tasche auf die Straße. Ein Mann, den er in der Dunkelheit nicht sehen konnte, kam zu ihm und sagte ihm, er wäre der Gatte.

»Ich dachte, es wäre besser, auf Sie zu warten, Sir«, sagte er. »Wir haben eine ziemlich wilde Nachbarschaft, und sie wissen nicht, wer Sie sind.«

Philip lachte.

»Seien Sie beruhigt, sie alle kennen den Arzt. Ich war schon an ärgeren Plätzen als Waver Street.«

Es war wahr. Die schwarze Tasche war gleichsam ein Paß für die ärmlichen Gäßchen und übelriechenden Höfe, in die sich nicht einmal ein Polizist hineinwagte. Ein- oder zweimal schaute eine kleine Gruppe von Männern neugierig auf Philip, als er vorbeiging, dann hörte er ein Gemurmel, und einer sagte:

»Das ist der Arzt aus dem Krankenhaus.«

Als er bei einigen Leuten vorbeikam, sagten sie: »Gute Nacht, Sir.«

»Wir müssen die Stiegen hinaufgehen, wenn es Ihnen nichts ausmacht, Sir«, sagte der Mann, der ihn hierher begleitet hatte. »Sie haben mir gesagt, es sei keine Zeit zu verlieren.«

»Warum sind Sie so spät weggegangen?« fragte Philip und ging rascher.

Er schaute den Mann näher an, als sie an einer Laterne vorbeikamen.

»Sie sind schrecklich jung«, sagte er.

»Ich war gerade achtzehn, Sir.«

Er war blond und hatte kein Haar in seinem Gesicht, er sah aus wie ein Junge; er war klein, aber untersetzt.

»Sie haben früh geheiratet«, sagte Philip.

»Wir mußten.«

»Wieviel verdienen Sie?«

»Sechzehn, Sir.«

Sechzehn Shilling pro Woche waren nicht viel, um eine Frau und ein Kind zu erhalten. Das Zimmer, in dem das Paar wohnte, zeigte, daß dessen Armut außerordentlich groß war. Das Zimmer war von mittlerem Ausmaß, sah aber ziemlich groß aus, da es kaum möbliert war. Auf dem Boden lag kein Teppich, an den Wänden hingen keine Bilder; die meisten Zimmer hatten irgend etwas, Fotografien oder Beilagen aus den Weihnachtsnummern der Illustrierten in billigen Rahmen.

»Mein Gott, sie kann nicht älter als sechzehn sein«, sagte er zu der Frau, die zur Untersuchung hereingekommen war.

Sie hatte auf der Karte ihr Alter mit achtzehn Jahren angegeben, aber wenn sie sehr jung waren, pflegten sie oft ein oder zwei Jahre dazuzugeben. Sie war auch hübsch, und das war ziemlich selten in jenen Klassen, in denen die Gesundheit durch schlechte Ernährung, schlechte Luft und ungesunde Berufe untergraben wurde; sie hatte zarte Gesichtszüge, große blaue Augen und dichtes dunkles Haar, streng frisiert, in der Art von Lehrmädchen. Sie und ihr Mann waren sehr nervös.

»Sie sollten besser draußen warten, damit Sie da sind, falls ich Sie brauche«, sagte Philip zu ihm.

Nun, da ihn Philip besser sah, war er noch mehr überrascht über seine Jungenhaftigkeit; man sollte glauben, er machte mit Gleichaltrigen dumme Streiche in den Straßen, statt ängstlich auf die Geburt eines Kindes zu warten. Die Zeit verstrich, und erst gegen zwei Uhr wurde das Baby geboren. Alles schien gutzugehen; der Mann wurde hereingeholt, und Philip war gerührt, auf welch behutsame, scheue Art er die Frau küßte. Philip packte seine Sachen zusammen. Bevor er ging, fühlte er der Patientin nochmals den Puls.

»Holla!« sagte er.

Er sah sie schnell an: irgend etwas war geschehen. Im Notfall mußte der Arzt für Geburtshilfe, der S.O.C.*, der für den Rayon verantwortlich war, gerufen werden. Philip kritzelte eine Notiz, gab sie dem Mann und beauftragte ihn, so schnell wie möglich zum Krankenhaus zu laufen, denn seine Frau sei in äußerster Gefahr. Der Mann rannte davon. Philip wartete. Er wußte, die Frau würde verbluten, er fürchtete, sie würde sterben, bevor sein Vorgesetzter käme. Er

* senior obstetric clerk

unternahm alles, was er nur konnte. Er hoffte nur, der S.O.C. müßte nicht erst gesucht werden. Das Warten schien endlos. Als er schließlich kam und die Patientin untersuchte, stellte er Philip leise Fragen. Philip konnte aus seinem Gesicht lesen, daß es sehr ernst war. Sein Name war Chandler. Er war ein großer, kurz angebundener Mann mit einem schmalen, faltigen Gesicht. Er schüttelte den Kopf.

»Es war von Anfang an hoffnungslos. Wo ist der Mann?«

»Ich habe ihm gesagt, er soll auf der Stiege warten«, sagte Philip.

»Bringen Sie ihn lieber herein.«

Philip öffnete die Tür und rief ihn. Er saß im Dunkel auf der ersten Stufe der Stiege, die zum nächsten Stockwerk führte. Er kam zum Bett.

»Was ist los?« fragte er.

»Es sind innere Blutungen; es ist unmöglich, sie zu stoppen.« Der S.O.C. zögerte einen Augenblick, und da es eine peinliche Sache war, sagte er schroff: »Sie stirbt.«

Der Mann sagte kein Wort, er blieb ganz still, sah auf seine Frau, die bleich und bewußtlos auf dem Bett lag. Nur die Hebamme wagte zu sprechen.

»Die Herren haben alles getan, was sie nur konnten, Harry«, sagte sie. »Ich wußte von Anfang an, daß es so kommen würde.«

»Schweigen Sie«, sagte Chandler.

Die Fenster hatten keine Vorhänge, und es wurde langsam licht. Chandler versuchte, die Frau mit allen ihm möglichen Mitteln am Leben zu erhalten, aber das Leben verlöschte, und plötzlich war sie tot. Der Junge, der ihr Gatte war, stand am Ende des eisernen Bettes, und seine Hände lagen auf der Kante; er blieb stumm; er sah sehr bleich aus, und ein- oder zweimal sah ihn Chandler prüfend an, weil er fürchtete, er würde ohnmächtig werden; seine Lippen waren grau. Die Hebamme schluchzte laut, aber er beachtete sie nicht. Mit den Augen fixierte er seine Frau, man sah ihm den ungeheuren Schrecken an. Er erinnerte an einen Hund, der für etwas ausgepeitscht wurde, von dem er nicht wußte, daß es schlecht war. Als Chandler und Philip ihre Sachen zusammenpackten, drehte sich Chandler zu dem Mann um:

»Legen Sie sich lieber ein wenig hin. Ich glaube, Sie sind erschöpft.«

»Wohin soll ich mich legen, Sir?« antwortete er, und in seiner Stimme lag Demut, daß es zum Verzweifeln war.

»Kennen Sie niemand im Haus, der Ihnen ein Notlager gibt?«

»Nein, Sir.«

»Sie sind erst letzte Woche hier eingezogen«, sagte die Hebamme. »Sie kennen noch niemanden.«

Chandler zögerte einen Augenblick lang unbeholfen, dann ging er zu dem Mann hin und sagte: »Es tut mir leid, daß es so gekommen ist.«

Er streckte seine Hand hin, und der Mann schlug ein, nachdem er einen instinktiven Blick auf seine Hand geworfen hatte, ob diese auch rein wäre.

»Danke, Sir.«

Philip schüttelte ihm auch die Hand. Chandler sagte der Hebamme, sie solle am Morgen kommen und den Totenschein abholen. Sie verließen das Haus und gingen schweigend nebeneinander her.

»Es bringt einen am Anfang ein wenig aus der Fassung, nicht wahr?« sagte Chandler schließlich.

»Ein wenig«, antwortete Philip.

»Wenn Sie wollen, werde ich dem Portier sagen, Ihnen heute keine Fälle mehr zu überbringen.«

»Ich bin ab acht Uhr ohnehin außer Dienst.«

»Wie viele Fälle haben sie gehabt?«

»Dreiundsechzig.«

»Gut. Dann bekommen Sie Ihr Diplom.«

Sie erreichten das Krankenhaus, und der S.O.C. ging hinein, um zu sehen, ob ihn jemand wünschte. Den ganzen Tag über war es sehr heiß gewesen, und selbst jetzt, am frühen Morgen, war es schwül. Die Straße war ganz still. Philip wollte noch nicht ins Bett gehen. Es war das Ende seiner Arbeit, und er brauchte sich nicht zu beeilen. Er streifte umher, glücklich über die frische Luft und über die Stille. Er wollte zur Brücke hinübergehen, um den Tagesanbruch am Fluß zu erwarten. Ein Polizist an der Ecke wünschte ihm einen guten Morgen. Aufgrund der Tasche wußte er, wer Philip war.

»Diese Nacht noch spät draußen, Sir«, sagte er.

Philip nickte und ging weiter. Er lehnte sich ans Geländer und wartete auf den Morgen. Um diese Stunde war die große Stadt wie ausgestorben. Der Himmel war wolkenlos, aber die Sterne leuchteten bei Tagesanbruch nur matt. Leichter Nebel lag über dem Fluß, und die großen Gebäude an der Nordseite sahen wie Paläste auf einer verzauberten Insel aus. Eine Gruppe von Barken lag in der Mitte des Stromes verankert. Alles war unwirklich violett, irgendwie beunruhigend und Ehrfurcht einflößend; aber schnell wurde alles fahl, kalt und grau. Dann ging die Sonne auf; ein goldgelber Strahl schlich sich über den Himmel, und der Himmel begann zu schillern. Philip sah vor seinen Augen noch immer das tote Mädchen auf dem Bett liegen, schwach und weiß, und der Junge stand am Ende des Bettes wie ein geprügeltes Tier. Und die Leerheit des schmutzigen Zimmers machte die Qual noch schlimmer. Es war grausam, daß ein unglücklicher Zufall ihr Leben abgeschnitten hatte, als sie es gerade zu leben begann; aber in dem Augenblick, wo er sich dies sagte, dachte er, was das Leben für sie bereit gehabt hätte: Kinderkriegen, täglichen Kampf gegen das Elend, eine durch Plackerei und Entbehrungen zerstörte

Jugend, ein trostloses Alter – er sah das hübsche Gesicht dünn und weiß werden, die Haare ausfallen, die schönen Hände, durch die Arbeit verdorben, wie die Klauen eines alten Tieres werden –, dann, wenn der Mann über seine Jugend hinaus war, die Schwierigkeit, einen Posten zu finden, den schmalen Lohn, mit dem er sich begnügen mußte, und die unvermeidliche Armut am Ende; sie konnte energisch, sparsam, arbeitsam sein, es hätte ihr nichts geholfen; am Ende stand das Armenhaus, wenn sich nicht die Kinder ihrer erbarmten. Wer konnte sie bemitleiden, weil sie gestorben war, wenn ihr das Leben so wenig zu bieten hatte?

Mitleid war sinnlos. Philip fühlte, daß diese Leute es nicht brauchten. Sie bemitleideten sich selbst nicht. Sie akzeptierten ihr Schicksal. Es war für sie eine natürliche Ordnung der Dinge. Sonst, guter Gott!, sonst würden sie in ihrer Überzahl über den Fluß drängen, auf die Seite, wo die großen Gebäude waren, sicher und prächtig, und sie würden rauben, niederbrennen und plündern. Aber der Tag, zart und blaß, war nun angebrochen, der Nebel wurde schwächer; er badete alles in weichem Glanz; und die Themse war grau, rosig und grün; grau wie Perlmutter und grün wie das Herz einer gelben Rose. Die Quais und Warenhäuser an der Surrey-Seite häuften sich in unordentlicher Lieblichkeit. Die Szene war so schön, daß Philips Herz leidenschaftlich schlug. Er war überwältigt von der Schönheit der Welt. Daneben schien nichts mehr zu zählen.


Philip verbrachte die wenigen Wochen, die ihm noch bis zum Anfang des Wintersemesters blieben, in der poliklinischen Abteilung und machte sich dann im Oktober an die reguläre Arbeit. Er war so lange vom Hospital fort gewesen, daß er sich inmitten lauter fremder Leute wiederfand. Die verschiedenen Semester hatten wenig Berührung miteinander; von seinem eigenen Jahrgang waren fast alle approbiert, einige hatten Assistentenstellen in Landkrankenhäusern und Spitälern angenommen und andere Anstellung im St. Luke's Hospital gefunden. Es kam ihm vor, als hätten die zwei Jahre, während denen sein Geist brachgelegen hatte, ihn erfrischt; jedenfalls war er imstande, mit Kraft und Energie zu arbeiten.

Die Athelnys waren selig, daß Philips Geschick diese glückliche Wendung genommen hatte. Er behielt ein paar Sachen seines Onkels vor dem Verkauf zurück und machte ihnen allen Geschenke. Er schenkte Sally eine goldene Kette, die seiner Tante gehört hatte. Sally war jetzt erwachsen. Sie arbeitete als Lehrmädchen bei einer Schneiderin und ging jeden Morgen um acht Uhr fort, um in einem Laden in der Regent Street den ganzen Tag über zu nähen. Sally hatte offene blaue Augen, eine breite Stirn und dichtes, leuchtendes Haar. Sie war ein dralles Mädchen mit breiten Hüften und kräftigen Brüsten; ihr Vater, der gern über ihr Äußeres redete, warnte sie ständig, nicht zu fett zu werden. Sie hatte eine starke Anziehungskraft, weil sie gesund war wie ein junges Tier und sehr weiblich. Sie hatte viele Verehrer; aber das bewegte sie nicht: man hatte den Eindruck, daß sie Liebelei für Unsinn hielt, und konnte sich wohl vorstellen, daß die jungen Männer sie unnahbar fanden. Sally war über ihre Jahre hinaus reif; sie war daran gewöhnt, ihrer Mutter im Haushalt und in der Betreuung der Kinder zu helfen, und das hatte zur Folge, daß sie aussah wie jemand, der die Leitung in der Hand hat. Ihre Mutter meinte manchmal, Sally neige ein bißchen zu sehr dazu, alles nach ihrem Kopf einrichten zu wollen. Sie redete nicht viel; aber mit zunehmendem Alter schien sie einen Sinn für Humor zu entwickeln. Eine gelegentliche Bemerkung ließ ahnen, daß sie unter ihrem unbeweglichen Äußern voll von überquellendem Spaß über ihre lieben Mitmenschen war. Philip fand, daß sich zwischen ihr und ihm niemals die zärtliche Vertraulichkeit einstellte, die zwischen ihm und den übrigen Mitgliedern der riesigen Athelny-Familie bestand. Hin und wieder erboste ihn Sallys Gleichgültigkeit ein wenig. Es war etwas Rätselhaftes um sie.

Als Philip ihr das Halskettchen brachte, wollte der Vater unbedingt, daß sie ihn küßte; Sally errötete jedoch und wich zurück.

»Nein, das tue ich nicht«, sagte sie.

»Undankbares Ding!« schrie Athelny. »Warum nicht?«

»Ich laß mich nicht gern von Männern küssen«, war die Antwort.

Philip sah, wie verlegen sie war, und lenkte belustigt Athelnys Aufmerksamkeit auf etwas anderes. Das stieß nie auf Schwierigkeiten. Aber offenbar machte auch die Mutter ihrer Tochter Vorhaltungen; denn als Philip das nächstemal kam, nahm Sally, als sie ein paar Minuten mit ihm allein war, die Gelegenheit wahr und sagte:

»Sie haben es hoffentlich nicht für ungezogen gehalten, daß ich Sie vorige Woche nicht küssen wollte?«

»Nicht im geringsten«, wehrte er lachend ab.

»Sie dürfen nicht glauben, ich sei undankbar.« Sie errötete leicht und brachte dann den etwas förmlichen Satz heraus, den sie sich zurechtgelegt hatte: »Ich werde die Halskette stets wert halten, und es war sehr nett von Ihnen, daß Sie sie mir geschenkt haben.«

Philip fand es immer ein bißchen schwierig, mit ihr zu sprechen. Sie tat alles, was sie zu tun hatte, sehr verständig und zuverlässig, schien aber keinen Hang zu Unterhaltungen zu haben; und doch war nichts Ungeselliges an ihr. Eines Sonntagnachmittags, als Athelny und seine Frau ausgegangen waren und Philip allein im Salon saß und las, kam Sally herein, setzte sich ans Fenster und nähte. Die Kleider der Mädchen wurden zu Hause angefertigt, und Sally konnte es sich nicht leisten, am Sonntag untätig zu sein. Philip dachte, daß sie vielleicht Lust hätte, sich mit ihm zu unterhalten, und legte das Buch weg.

»Lesen Sie nur weiter«, sagte sie. »Ich wollte Sie nur nicht so allein sitzen lassen.«

»Sie sind der schweigsamste Mensch, der mir je begegnet ist«, sagte Philip.

»Wir können hier im Hause nicht noch jemand brauchen, der gern schwatzt«, sagte sie.

Im Ton ihrer Stimme lag keinerlei Ironie; sie stellte nur eine Tatsache fest. Aber Philip spürte, daß sie ihren Vater nicht mehr so sehr als Held einschätzte wie in ihrer Kindheit und daß sie seine unterhaltsamen Gespräche mit der Unruhe, die so oft Schwierigkeiten in ihr Leben gebracht hatte, in Verbindung brachte. Sie verglich seine rhetorische Art mit dem praktischen gesunden Menschenverstand ihrer Mutter. Philip betrachtete sie, wie sie da über ihre Arbeit geneigt saß: sie war gesund, stark, und alles an ihr war Natur; es mußte komisch aussehen, wenn sie zwischen den andern Mädchen im Geschäft stand, von denen sicherlich viele flachbrüstig und bleichsüchtig waren wie Mildred.

Nach einiger Zeit stellte sich heraus, daß Sally einen Bewerber hatte. Sie ging gelegentlich einmal mit Freundinnen aus, die sie von der Arbeit her kannte, und hatte bei einer solchen Gelegenheit einen jungen Mann kennengelernt, einen Elektrotechniker, dem es geschäftlich gutging: also eine absolut in Frage kommende Person. Eines Tages erzählte sie ihrer Mutter, daß er ihr einen Heiratsantrag gemacht hätte.

»Was hast du da gesagt?« fragte die Mutter.

»Ach, ich habe ihm gesagt, ich sei fürs erste gar nicht so versessen aufs Heiraten.« Sie unterbrach sich, wie das ihre Art war. »Er tat sehr betrübt; da habe ich ihm denn gesagt, er könne am Sonntag zum Tee kommen.«

Das war eine Gelegenheit, die Athelny sehr zusagte. Er probte den ganzen Nachmittag, wie er zur Erbauung des jungen Mannes den schwierigen Vater spielen würde, bis seine Kinder sich krank lachen wollten. Kurz ehe der Bewerber erscheinen sollte, stöberte er einen ägyptischen Tarbusch auf und stülpte ihn über.

»Laß doch das, Athelny«, sagte seine Frau, die ihr Bestes anhatte: das Schwarzsamtene, das ihr mit zunehmenden Jahren und zunehmendem Umfang sehr eng geworden war. »Du verdirbst dem Mädchen die Chancen.«

Sie versuchte, es ihm fortzureißen; aber der kleine Mann schlüpfte ihr geschickt unter den Fingern fort.

»Laß mich los, Frau. Nichts kann mich dazu bringen, daß ich es absetze. Man muß dem jungen Mann gleich zu Anfang zeigen, daß es keine gewöhnliche Familie ist, in die er Einlaß begehrt.«

»Laß ihn es aufbehalten, Mutter«, sagte Sally in ihrer gleichmütigen, fast gleichgültigen Art. »Wenn Mr. Donaldson es nicht so nimmt, wie es gemeint ist, kann er machen, daß er rauskommt, und Schluß!«

Philip fand, daß der junge Mann einer ziemlich strengen Feuerprobe unterzogen wurde; denn Athelny bot in seiner braunen Velvetjacke, der wehenden schwarzen Künstlerschleife und dem roten Tarbusch einen erschreckenden Anblick für einen nichtsahnenden Elektrotechniker. Als er erschien, wurde er von seinem Gastgeber mit der stolzen Courtoisie eines spanischen Granden begrüßt, von Mrs. Athelny jedoch ganz schlicht und natürlich. Sie setzten sich an dem alten Eichentisch auf den hochlehnigen Mönchsstühlen nieder, und Mrs. Athelny schenkte aus einer irdenen Teekanne, die der Festlichkeit etwas von Alt-England und ländlicher Stimmung verlieh, Tee ein. Sie hatte mit eigener Hand kleine Kuchen zubereitet, und auf dem Tische stand selbstgemachte Marmelade. Es war ein richtiger Bauerntee und hatte für Philip etwas Wunderliches und Reizvolles in diesem jakobischen Haus. Athelny war aus irgendeinem phantastischen Grund darauf versessen, sich über byzantinische Geschichte zu unterhalten. Er wandte sich dabei mit einem ganzen Schwall von prahlerischen Tiraden direkt an seinen Gast, und der junge Mann, der nur hilflos schweigen konnte und sowieso schüchtern war, nickte in angemessenen Abständen mit dem Kopf, um sein Verständnis und sein Interesse zu bekunden. Mrs. Athelny schenkte Thorpes Unterhaltung keinerlei Beachtung und unterbrach ihn hin und wieder, um dem jungen Mann noch eine Tasse Tee anzubieten oder ihm Kuchen und Marmelade aufzunötigen. Philip beobachtete Sally. Sie saß mit niedergeschlagenen Augen dabei, ruhig, schweigsam und beobachtend. Ihre langen Wimpern warfen einen reizenden Schatten auf ihre Wangen. Man konnte wirklich nicht sagen, ob die Szene sie belustigte oder ob sie für den jungen Mann etwas übrighatte. Sie war unergründlich. Eines war jedenfalls klar: der Elektrotechniker war ein nett anzusehender blonder, glattrasierter Mensch, er hatte regelmäßige Züge und ein ehrliches Gesicht, er war schlank und gut gebaut. Philip konnte sich nicht helfen: er fand, er würde ein ausgezeichneter Mann für Sally sein. Neid fuhr ihm wie ein Stich durchs Herz auf das Glück, das den beiden bevorzustehen schien.

Bald darauf sagte der Bewerber, es wäre wohl Zeit, daß er sich wieder auf den Weg machte. Sally stand ohne ein Wort auf und begleitete ihn zur Tür. Als sie zurückkam, platzte ihr Vater los:

»Nun, Sally, wir finden den Jungen sehr nett. Wir sind bereit, ihn in unserer Familie willkommen zu heißen. Laßt das Aufgebot verkünden; dann werde ich das Hochzeitslied komponieren.«

Sally machte sich daran, die Teesachen abzuräumen. Sie antwortete nicht. Plötzlich warf sie Philip einen schnellen Blick zu:

»Was halten Sie von ihm, Mr. Philip?«

Sie hatte sich stets geweigert, ihn wie die andern Kinder Onkel Phil zu nennen, und Philip mochte sie auch nicht zu ihm sagen.

»Ich glaube, ihr würdet ein sehr gut zueinander passendes Paar sein.«

Sie sah ihn noch einmal schnell an und fuhr dann leicht errötend mit ihrer Arbeit fort.

»Ich finde, er ist ein sehr netter, wohlerzogener junger Mensch«, sagte Mrs. Athelny. »Ich glaube, er ist von dem Schlag, der jedes Mädchen glücklich machen kann.«

Sally antwortete nicht gleich. Vielleicht dachte sie über das, was ihre Mutter soeben gesagt hatte, nach; aber ebensogut konnte sie auch an den Mann im Mond denken.

»Warum antwortest du nicht, wenn man mit dir spricht, Sally?« bemerkte ihre Mutter leicht verärgert.

»Ich fand ihn ziemlich blöd.«

»Du willst ihn also nicht?«

»Nein –«

»Ich weiß nicht, was du eigentlich sonst noch willst«, sagte Mrs. Athelny, und man sah deutlich, daß sie aufgebracht war. »Er ist ein sehr anständiger junger Bursche, und er kann dir ein sehr gutes Heim bieten. Wir haben hier auch ohne dich genug Mäuler zu füttern. Wenn sich einem eine solche Gelegenheit bietet, ist es ein strafbarer Leichtsinn, sie nicht wahrzunehmen.«

Philip hatte Mrs. Athelny noch nie zuvor so direkt die Schwierigkeiten ihres Lebens erwähnen hören. Er erkannte, wie wichtig es war, daß jedes Kind seine Versorgung fand.

»Es hat keinen Zweck, Mutter, daß du dich so anstellst«, sagte Sally in ihrer ruhigen Art. »Ich werde ihn nicht heiraten.«

»Ich finde, du bist ein sehr hartherziges, grausames, selbstsüchtiges Mädchen.«

»Wenn du willst, daß ich meinen Lebensunterhalt selbst verdiene, Mutter, kann ich jederzeit in Dienst gehen.«

»Sei nicht so dumm; du weißt, daß dein Vater das nie zulassen würde.«

Philip fing Sallys Blick auf, und er glaubte ein schelmisches Zwinkern darin zu entdecken. Er wußte nicht recht, was ihr in diesem Gespräch komisch vorgekommen sein konnte. Ein seltsames Mädchen.

Philip hatte während seines letzten Jahres im St. Luke's Hospital schwer zu arbeiten. Aber mit dem Leben im allgemeinen war er zufrieden. Er fand es sehr bequem, keine Herzensbindung zu haben und genug Geld für das Nötigste zu besitzen. Er hatte Leute mit Verachtung von Geld reden hören. Ob sie es wohl schon einmal versucht hatten, ohne Geld auszukommen? Er wußte, daß Mangel an den nötigsten Mitteln den Menschen kleinlich, gemein, gierig macht; es verzerrt seinen Charakter und läßt ihn die Welt von einem gemeinen Blickpunkt aus sehen; wenn man jeden Penny umdrehen muß, nimmt das Geld eine groteske Wichtigkeit an. Man muß sein hinlängliches Auskommen haben, um es in seinem wirklichen Wert einzuschätzen. Philip lebte ein Leben der Einsamkeit, sah nur die Athelnys, aber er fühlte sich nicht einsam, er beschäftigte sich mit Zukunftsplänen, und manchmal dachte er auch an die Vergangenheit zurück. Gelegentlich weilte er mit seinen Erinnerungen bei alten Freunden, aber er machte keinerlei Anstrengungen, sie wiederzusehen. Er hätte gern gewußt, was aus Norah Nesbit geworden; sie war Norah Sonstwer jetzt, aber der Name des Mannes fiel ihm nicht ein, den sie hatte heiraten wollen. Er war froh, daß er ihr begegnet war: sie war eine gute, tapfere Seele. Eines Abends gegen halb zwölf sah er Lawson Piccadilly hinuntergehen. Er war im Abendanzug und kam wahrscheinlich aus dem Theater. Philip bog, einem plötzlichen Impuls folgend, in eine Nebenstraße ein. Er hatte ihn seit zwei Jahren nicht mehr gesehen und spürte, daß er die unterbrochene Freundschaft jetzt nicht mehr aufnehmen konnte. Er und Lawson hatten einander nichts mehr zu sagen. Philip interessierte sich nicht mehr für die Kunst. Es kam ihm vor, als wäre er imstande, die Schönheit jetzt mit größerer Kraft zu genießen als früher, da er noch ein Junge war. Aber die Kunst erschien ihm unwichtig. Seine Aufgabe war, aus dem chaotischen Vielerlei des Lebens ein Muster zu gestalten; das Material, mit dem er arbeitete, ließ Farben wie Worte trivial erscheinen. Lawson hatte seinen Zweck erfüllt. Philips Freundschaft mit ihm war ein Motiv gewesen, das in das Muster hineingearbeitet worden war; es wäre reine Sentimentalität, wollte man die Tatsache übersehen, daß der Maler jedes Interesse für ihn verloren hatte.

Manchmal dachte Philip an Mildred. Er mied die Straßen, in denen er ihr eventuell begegnen konnte; aber gelegentlich überkam ihn ein Gefühl, vielleicht Neugier, vielleicht etwas Tieferes, was er sich nicht eingestehen wollte; dann wanderte er durch die Piccadilly und die Regent Street, gerade in den Stunden, wo er sie dort vielleicht antreffen konnte. Er wußte in solchen Augenblicken selbst nicht, ob er es wünschte, ihr zu begegnen, oder ob er es fürchtete. Einmal glaubte er sie von hinten zu erkennen, und einen Augenblick lang dachte er wirklich, sie wäre es. Es war eine seltsame Empfindung. Ein scharfer Schmerz durchdrang sein Herz, Furcht zugleich und scheußlicher Widerwille. Als er dieser Frau dann nachlief und erkannte, daß er sich geirrt hatte, wußte er nicht recht, ob ihn das erleichterte oder enttäuschte.

Anfang August bestand Philip sein Chirurgie-Examen; es war die letzte Prüfung, und er erhielt sein Diplom. Sieben Jahre waren es her, daß er seine Arbeit im St. Luke's Hospital begonnen hatte. Er war fast dreißig Jahre alt. Er schritt die Treppen der Königlich Chirurgischen Akademie hinab, mit der Rolle in Händen, die die Zulassung als praktizierender Arzt enthielt, und das Herz schlug ihm vor Befriedigung.

›Jetzt fängt das Leben eigentlich erst an‹, dachte er.

Am nächsten Tag ging er zum Sekretariat, um sich um eine Stellung im Hospital zu bewerben. Der Sekretär war ein zuvorkommender, kleiner Mann mit einem schwarzen Bart, den er immer für leutselig gehalten hatte. Er gratulierte ihm zu seinem Erfolg und sagte dann:

»Sie hätten wohl keine Lust, eine Stellvertretung an der Südküste für einen Monat zu übernehmen? Drei Guineen die Woche und freie Station.«

»Ich hätte nichts dagegen«, sagte Philip.

»Es ist in Farnley, in Dorsetshire. Doktor South. Sie müßten allerdings sofort gehen. Sein Assistent hat Mumps bekommen. Ich glaube, es ist dort sehr nett.«

Irgend etwas in der Art und Weise, wie der Sekretär das vorbrachte, gab Philip zu denken. Es klang etwas unsicher.

»Was für ein Haken ist dabei?« fragte er.

Der Sekretär zögerte erst und lachte dann verbindlich.

»Hm – wie ich gehört habe, soll der Alte ein bißchen rauhbeinig und komisch sein. Die Vermittlungsstellen wollen ihm niemanden mehr zuweisen. Er spricht immer frei weg, und die meisten mögen das nicht.«

»Glauben Sie denn, daß er mit einem jungen Arzt, der eben erst approbiert ist, zufrieden sein wird? Ich besitze schließlich keine Erfahrung.«

»Er sollte froh sein, wenn er Sie überhaupt bekommt«, sagte der Sekretär höchst diplomatisch.

Philip überlegte sich die Sache einen Augenblick. Er hatte während der nächsten Wochen nichts zu tun und nahm die Gelegenheit, ein wenig Geld zu verdienen, gern wahr. Er konnte es für seine Reise nach Spanien beiseite legen, die er sich nach beendigter Assistenzzeit im St. Luke's Hospital oder in irgendeinem andern Krankenhaus, falls dort nichts für ihn frei sein sollte, als Belohnung versprochen hatte.

»Abgemacht. Ich gehe hin.«

»Die einzige Schwierigkeit ist bloß, daß Sie noch heute nachmittag abfahren müßten. Würde Ihnen das recht sein? Wenn ja, werde ich sofort depeschieren.«

Philip hätte gern ein paar Tage für sich gehabt, aber bei den Athelnys war er gerade am Abend vorher gewesen – er war sofort hingegangen, um ihnen die erfreuliche Neuigkeit mitzuteilen –, und es lag eigentlich kein Grund vor, warum er nicht gleich reisen sollte. Er hatte wenig Gepäck zurechtzumachen. Bald nach sieben verließ er in Farnley den Zug und nahm sich eine Droschke zu Dr. South. Es war ein breites, niederes Stuckhaus, das ganz mit wildem Wein bewachsen war. Er wurde in das Sprechzimmer gewiesen. Ein alter Mann saß vor einem Pult und schrieb. Er sah auf, als das Mädchen Philip hereinführte. Er erhob sich nicht und sprach nicht. Er starrte Philip nur an. Dieser war ganz bestürzt.

»Ich glaube, Sie haben mich erwartet«, sagte er. »Der Sekretär vom Luke's Hospital hat Ihnen heute morgen depeschiert.«

»Ich habe deswegen das Essen um eine halbe Stunde verschoben. Wollen Sie sich waschen?«

»Ja«, sagte Philip.

Dr. South amüsierte ihn mit seinen komischen Manieren. Er stand jetzt auf. Philip sah, daß er mittelgroß war, mager, mit weißem, kurz geschnittenem Haar und einem breiten Mund, den er so eng geschlossen hielt, daß er überhaupt keine Lippen zu haben schien. Er war glattrasiert, nur zwei kleine Backenbärtchen waren ausgespart, und das Gesicht erhielt dadurch einen noch stärker viereckigen Ausdruck, als es schon durch das feste, entschiedene Kinn hatte. Er trug einen braunen Drillichanzug. Die Kleider hingen ihm um den Leib, als wären sie für einen viel stärkeren und größeren Mann gemacht worden. Er sah wie ein biederer Farmer aus der Mitte des neunzehnten Jahrhunderts aus. Er öffnete die Tür.

»Das ist das Eßzimmer«, sagte er, auf die gegenüberliegende Tür weisend. »Ihr Schlafzimmer ist gleich die erste Tür, wenn Sie auf den Flur hinaustreten. Kommen Sie herunter, wenn Sie fertig sind.«

Philip merkte, wie Dr. South ihn während des Essens beobachtete; er redete wenig, und Philip spürte, daß er auch nicht wollte, daß sein Assistent redete.

»Wann wurden Sie approbiert?« fragte er plötzlich.

»Gestern.«

»Haben Sie auf der Universität studiert?«

»Nein.«

»Voriges Jahr haben sie mir, als mein Assistent auf Ferien ging, einen Mann von der Universität geschickt. Ich habe ihnen gesagt, das sollen sie künftig bleiben lassen. Zu feine Herren für meinen Geschmack.«

Wiederum entstand eine Pause. Das Essen war sehr einfach und sehr gut. Philip behielt seine gesetzte Miene, aber innerlich sprudelte er vor Aufregung. Er fühlte sich unendlich stolz, weil er eine Stellung als Vertreter hatte; er kam sich so erwachsen vor; er hatte ein irres Verlangen zu lachen, nur so, über nichts Besonderes. Je mehr er an seine berufliche Würde dachte, um so mehr hätte er am liebsten losgekichert.

Aber Dr. South unterbrach plötzlich seine Gedanken.

»Wie alt sind Sie?«

»Bald dreißig.«

»Woher kommt es, daß Sie erst jetzt Ihr Examen gemacht haben?«

»Ich habe mit der Medizin erst angefangen, als ich schon fast dreiundzwanzig Jahre alt war, und dann habe ich das Studium auf zwei Jahre unterbrechen müssen.«

»Warum?«

»Armut.«

Dr. South warf ihm einen forschenden Blick zu und versank wieder in Schweigen. Nach dem Essen erhob er sich.

»Wissen Sie, was für eine Praxis ich habe?«

»Nein«, antwortete Philip.

»Meistens Fischer und ihre Angehörigen. Ich habe das Armenhaus und das Fischer-Hospital. Früher war ich allein im Ort, aber seit sie dabei sind, dieses Nest in einen Mode-Kurort umzuwandeln, hat sich einer oben auf der Klippe niedergelassen, und die Reichen gehen zu ihm. Ich habe nur die, die es sich überhaupt nicht leisten können, einen Arzt zu rufen.«

Philip merkte, daß die Konkurrenz eine empfindliche Stelle des alten Mannes traf.

»Sie wissen, ich habe keine Erfahrung«, sagte Philip.

»Keiner von euch weiß irgend etwas.«

Er verließ den Raum, ohne Philip etwas zu sagen. Als das Mädchen den Tisch abdecken kam, erklärte es Philip, daß Dr. South von sechs bis sieben Sprechstunde abhielte. Für heute war also die Arbeit getan. Philip holte sich ein Buch aus seinem Zimmer, zündete sich die Pfeife an und machte es sich zum Lesen bequem. Es war eine rechte Wohltat, denn er hatte in den letzten Monaten nichts als medizinische Bücher gelesen. Um zehn erschien Dr. South und sah ihn an. Philip saß nie gern, ohne die Füße hochzulegen; er hatte sich einen Stuhl dafür herangezogen.

»Sie scheinen fähig zu sein, es sich sehr behaglich zu machen«, sagte Dr. South so ingrimmig, daß Philip sicherlich, wäre er nicht so guter Laune gewesen, unruhig geworden wäre.

In Philips Augen war ein Zwinkern, als er antwortete: »Haben Sie etwas dagegen?«

Dr. South warf ihm einen Blick zu, aber er antwortete nicht darauf.

»Was lesen Sie da?«

»*Peregrine Pickle*. Smollet.«

»Das weiß ich schon, daß *Peregrine Pickle* von Smollet ist.«

»Entschuldigen Sie, bitte. Aber gewöhnlich haben Ärzte nicht viel für Literatur übrig; stimmt das nicht?«

Philip hatte das Buch auf den Tisch gelegt, und Dr. South nahm es auf. Es war ein Band der Ausgabe, die dem Vikar von Blackstable gehört hatte, ein dünnes Büchlein mit einem verblaßten Saffianledereinband und einem Titelkupfer. Die Seiten hatten durch das Alter Stockflecke bekommen und waren moderig geworden. Philip beugte sich, als Dr. South das Buch in die Hand nahm, ohne Absicht vor, und ein leichtes Lächeln erschien in seinen Augen. Dem alten Arzt entging so gut wie nichts.

»Amüsier ich Sie?« fragte er eisig.

»Sie mögen Bücher auch so gern. Das sieht man sofort an der Art, wie ein Mensch mit Büchern umgeht.«

Doktor South legte den Roman sofort nieder.

»Gefrühstückt wird um acht Uhr dreißig«, sagte er und verließ das Zimmer.

›Ein komischer alter Knabe!‹ dachte Philip.

Er fand den Grund bald heraus, warum Dr. Souths Assistenten es so schwer hatten, mit ihm auszukommen. Erstens lehnte er mit aller Entschiedenheit jede Neuerung ab, die sich in den letzten dreißig Jahren auf dem Gebiet der Medizin durchgesetzt hatte. Er erklärte, kein Vertrauen zu den neumodischen Arzneien zu haben, die Wunder- und Allheilmittel sein sollten und dann ein paar Jahre später wieder aufgegeben wurden. Er verschrieb erprobte Mixturen, die er sich von St. Luke's, wo er als Student gearbeitet, mitgebracht und sein ganzes Leben benutzt hatte; sie wären genauso wirksam wie dieses neumodische Zeug. Philip war über Dr. Souths Mißtrauen der Asepsis gegenüber verblüfft. Er hatte sich zwar der allgemeinen Meinung gebeugt und wandte die Vorsichtsmaßnahmen, auf deren gewissenhaftester Ausführung man im Hospital, wie Philip wußte, bestand, wohl oder übel an, aber mit einer Art von verächtlicher Toleranz, so wie ein Erwachsener, der mit Kindern Soldat spielt.

»Ich habe miterlebt, wie die antiseptischen Mittel aufgekommen sind und einfach alles vor sich herfegten, und dann habe ich mit ansehen müssen, wie die Asepsis kam und sie verdrängte. Humbug!«

Die jungen Leute, die ihm zugeschickt wurden, hatten nur Krankenhauserfahrung und brachten die unverhohlene Geringschätzung für den praktischen Arzt mit, die im Hospital in der Luft lag. Sie kannten jedoch nur die verwickelten Fälle, die ihnen in den Krankensälen begegnet waren; sie wußten, wie man eine komplizierte Erkrankung der Nebennieren behandelte, aber sie standen hilflos vor einem einfachen Schnupfen. Ihr Wissen war theoretisch und ihr Selbstgefühl grenzenlos. Dr. South sah ihnen mit zusammengepreßten Lippen zu, und es bereitete ihm ein wildes Vergnügen, wenn er ihnen nachweisen konnte, wie groß ihre Unwissenheit und wie wenig gerechtfertigt ihre Aufgeblasenheit war. Was er hatte, war eine Armenpraxis, Fischer meistens. Der Arzt machte sich seine eigenen Arzneien zurecht. Er pflegte seine Assistenten zu fragen, wie er wohl geldlich zurechtkommen sollte, wenn er, der Assistent, einem Fischer, der sich den Magen verdorben hatte, eine Arznei verschrieb, die sich aus einem halben Dutzend teurer Medikamente zusammensetzte. Er beklagte auch, daß die jungen Leute ungebildet waren und nichts lasen als den Sportteil der *Times* und das *British Medical Journal*; sie konnten weder leserlich noch orthographisch richtig schreiben, behauptete er. Während zweier Tage behielt Dr. South Philip streng im Auge, bereit, ihn mit bissigem Sarkasmus zu überschütten, wenn die geringste Gelegenheit sich bot. Philip, der das wohl merkte, ging mit stiller Belustigung seiner Arbeit nach. Die neue Beschäftigung machte ihm Freude. Er mochte das Gefühl der Unabhängigkeit und Verantwortlichkeit gern. Alle möglichen Leute kamen zur Sprechstunde. Es freute ihn, daß er seinen Patienten Vertrauen einzuflößen schien, und es war interessant, den Heilungsprozeß aus der Nähe zu beobachten, den er im Hospital notwendigerweise nur in gewissen Abständen hatte verfolgen können. Seine Arztbesuche brachten ihn in Hütten, über die das Dach tief herabhing. Fischereiwerkzeug hing da, Segel und hie und da auch Erinnerungszeichen von Hochseefahrten, eine Lackschachtel aus Japan, Speere und Ruder aus Melanesien oder Dolche aus den Bazaren von Stambul. Es lag ein Schimmer von Romantik über den muffigen kleinen Zimmern, und der Geruch des Meerwassers gab allem eine bittere Frische. Philip unterhielt sich gern mit den Seeleuten, und sie erzählten ihm willig, als sie herausgefunden hatten, daß er nicht hochnäsig war, lange Geschichten von weiten Fahrten in ihrer Jugendzeit.

Ein- oder zweimal unterlief ihm ein Fehler in der Diagnose: er hatte bis dahin noch niemals Masern gesehen, und als er den Ausschlag zum erstenmal erblickte, meinte er, es handle sich um eine dunkle Hautkrankheit; ein- oder zweimal hatte er andere Ideen über die Behandlungsart als Dr. South. Als das zum erstenmal geschah, griff Dr. South ihn mit bissiger Ironie an, aber Philip nahm es mit gutem Humor hin. Er hatte eine besondere Begabung, schlagfertige Antworten zu geben, so daß Dr. South sich unterbrach und ihn verwundert anschaute. Philips Gesicht war ernst, aber es war ein Zwinkern in den Augen. Der alte Herr konnte den Eindruck nicht loswerden, daß Philip ihn neckte. Er war daran gewöhnt, daß seine

Assistenten ihn nicht leiden mochten, ja sich vor ihm fürchteten, so daß dies ein neues Erlebnis für ihn war. Am liebsten hätte er einem Wutanfall nachgegeben und Philip in den nächsten Zug gepackt und nach Hause geschickt. Er hatte das schon früher mit seinen Assistenten so gemacht. Aber er hatte ein unbehagliches Gefühl, als ob Philip ihm dann nur offen ins Gesicht lachen würde, und plötzlich belustigte ihn die Szene. Gegen seinen Willen verschob sein Mund sich zu einem Lächeln, und er wandte sich ab. Nach einiger Zeit schien es ihm bewußt zu werden, daß Philip sich systematisch auf seine Kosten amüsierte. Er war zuerst bestürzt, dann mußte er selbst lachen.

›Verdammte Frechheit‹, grinste er vor sich hin, ›verdammte Frechheit!‹


Philip hatte Athelny geschrieben, daß er auf Vertretung in Dorsetshire weile, und erhielt nach einiger Zeit eine Antwort von ihm. Sie war in der etwas künstlichen Art geschrieben, die Athelny eigen war, gespickt mit pompösen Beiwörtern wie persische Diademe mit Edelsteinen. Athelny war stolz auf seine schöne Handschrift, die wie Fraktur aussah und ebenso schwer leserlich war. Er schlug vor, Philip solle zu ihnen zur Hopfenernte nach Kent kommen, wo sie jedes Jahr hingingen. Um ihn zu überreden, sagte er dabei viele schöne und verworrene Sachen über Philips Seele und die geringelten Ranken des Hopfens. Philip schrieb sofort zurück, daß er am ersten Tag nach Beendigung seiner Stellvertretung kommen würde. Obwohl er nicht in Kent geboren war, hatte er eine besondere Zuneigung für die Isle of Thanet, und er war voller Begeisterung, wenn er daran dachte, daß er vierzehn Tage so erdnah zubringen sollte, unter Verhältnissen, wo man nur einen blauen Himmel brauchte, um sich so idyllisch vorzukommen, als weile man in den Olivenhainen Arkadiens.

Die vier Wochen in Farnley vergingen schnell. Auf der Klippe wuchs eine neue Stadt heran, mit roten Klinkervillen rund um Golfplätze, sogar ein großes Hotel war kürzlich eröffnet worden, um Sommergäste herzuziehen. Philip ging jedoch selten dorthin. Drunten beim Hafen drängten sich kleine Steinhäuschen aus vergangenen Jahrhunderten in reizender Unordnung durcheinander; die engen Straßen, die steil aufstiegen, hatten etwas Altertümliches, das zur Phantasie sprach. Am Rande des Wassers lagen saubere Hütten mit winzigen, gepflegten Gärtchen davor; sie wurden von pensionierten Kapitänen der Handelsmarine oder Müttern und Witwen der Männer, die vom Meere gelebt hatten, bewohnt. Es lag eine wunderliche, friedliche Stimmung darüber. Frachtschiffe aus Spanien und von der Levante legten hier im kleinen Hafen an, Schiffe von geringer Tonnage, und gelegentlich wurde einmal ein Segelschiff von Märchenwinden hereingetragen. Der Hafen erinnerte Philip an den kleinen schmutzigen Hafen von Blackstable mit seinen Kohlenschiffen. Hatte er nicht dort seine erste Sehnsucht erlebt, die sich jetzt zur fixen Idee ausgewachsen hatte, die Länder des Ostens kennenzulernen und die sonnigen Inseln im tropischen Meer? Aber hier fühlte man sich dem weiten, hohen Meere näher als am Gestade der Nordsee, wo alles festumrissen schien. Hier konnte man tief die Luft einatmen und über die unermeßliche Weite der See hinschauen. Der Westwind, der liebe, sanfte Salzwind Englands, riß das Herz empor und schmolz es zu gleicher Zeit zu Zärtlichkeit.

Als Philip schon in der letzten Woche bei Dr. South arbeitete, kam eines Abends ein Kind zur Tür des Arzthauses. Dr. South und Philip waren gerade damit beschäftigt, Arzneien zurechtzumachen. Es war ein kleines, zerlumptes Mädchen mit schmutzigem Gesicht und barfüßig. Philip öffnete.

»Könnten Sie wohl bitte sofort zu Mrs. Fletcher in Ivy Lane kommen, Sir?«

»Was fehlt denn Mrs. Fletcher?« rief Dr. South von innen mit krächzender Stimme.

Das Kind beachtete ihn gar nicht, sondern wandte sich wieder an Philip.

»Bitte, Sir, können Sie wohl sofort kommen, ihr kleiner Junge ist verunglückt.«

»Also bestell Mrs. Fletcher, ich komme sofort«, rief Dr. South.

Das kleine Mädchen zögerte einen Augenblick, steckte ein schmutziges Fingerchen in den verschmierten Mund und sah zu Philip auf.

»Was ist denn los, Kind?« fragte Philip lächelnd.

»Bitte, Sir, Mrs. Fletcher hat gesagt, ob der neue Doktor wohl kommen kann?«

Man hörte ein Geräusch in dem Apothekerzimmer, und Dr. South trat in den Flur.

»Ist Mrs. Fletcher mit mir nicht zufrieden?« bellte er los. »Ich habe Mrs. Fletcher behandelt, seit sie geboren wurde. Warum bin ich mit einem Male nicht gut genug, ihren dreckigen Bengel zu behandeln?«

Das kleine Mädchen sah einen Augenblick aus, als wollte es losheulen; dann besann es sich eines Besseren. Es streckte Dr. South die Zunge entgegen, und ehe der Arzt sich noch von seinem Erstaunen erholen konnte, schoß es, so schnell es nur laufen konnte, davon. Philip merkte, daß der alte Herr verärgert war.

»Sie sehen ziemlich abgespannt aus, und es ist ein anständiges Stück Weg bis Ivy Lane«, sagte er, um ihm eine Ausrede zu geben, daß er nicht selbst ging.

Doktor South knurrte etwas.

»Jedenfalls verdammt viel näher für jemand, der seine beiden Beine gebrauchen kann und nicht nur anderthalb.«

Philip wurde rot und stand eine Weile schweigend da.

»Wollen Sie, daß ich den Besuch mache, oder übernehmen Sie ihn?« fragte er kalt.

»Was hat das für einen Zweck, daß ich hingehe? Man will Sie.«

Philip nahm den Hut und begab sich zu dem Patienten. Es war kurz vor acht Uhr, als er zurückkehrte. Doktor South stand mit dem Rücken zum Kamin im Eßzimmer.

»Sie sind lange fortgeblieben«, sagte er.

»Ich bitte um Entschuldigung. Warum haben Sie denn nicht mit dem Abendbrot angefangen?«

»Weil ich vorzog zu warten. Sind Sie die ganze Zeit über bei Mrs. Fletcher gewesen?«

»Nein, bedaure. Auf dem Heimweg bin ich stehengeblieben und habe mir den Sonnenuntergang angesehen; ich habe gar nicht daran gedacht, daß es schon spät ist.«

Dr. South antwortete nicht, und das Mädchen trug gebratene Sprotten auf. Philip langte mit herzhaftem Appetit zu. Plötzlich schoß Dr. South mit einer Frage heraus:

»Warum haben Sie den Sonnenuntergang betrachtet?«

Philip antwortete mit vollem Mund.

»Weil ich glücklich war.«

Dr. South warf ihm einen seltsamen Blick zu, über sein müdes altes Gesicht huschte der Schatten eines Lächelns. Sie aßen schweigend zu Ende. Als das Mädchen ihnen jedoch den Portwein gebracht hatte und fortgegangen war, lehnte der alte Herr sich zurück und heftete seinen Blick fest auf Philip.

»Es hat Sie ein bißchen getroffen, als ich von Ihrem lahmen Bein redete, mein Bester?« sagte er.

»Das ist so üblich; das tut jeder, mehr oder weniger direkt, wenn er ärgerlich auf mich ist.«

»Vermutlich weiß man, daß das Ihr schwacher Punkt ist.«

Philip drehte sich zu ihm hin und sah ihm gerade ins Gesicht:

»Sind Sie sehr froh, daß Sie das entdeckt haben?«

Der Arzt antwortete nicht, sondern lachte nur in bitterem Spaß auf. Sie saßen eine Weile da und starrten sich an. Dann überraschte Dr. South Philip außerordentlich.

»Warum wollen Sie nicht hierbleiben, ich schaffe mir den verdammten Narren mit seinem Mumps vom Hals.«

»Das ist sehr freundlich von Ihnen, aber ich hoffe, ich werde im Herbst eine Stellung im Hospital bekommen. Es fällt mir dann später leichter, Arbeit zu finden.«

»Ich biete Ihnen an, Teilhaber meiner Praxis zu werden«, sagte
Dr. South mürrisch.

»Warum?« fragte Philip überrascht.

»Man scheint Sie hier unten gern zu haben.«

»Ich habe eigentlich nicht geglaubt, daß diese Tatsache Ihre Zustimmung findet«, erwiderte Philip trocken.

»Meinen Sie vielleicht, daß ich mir nach vierzigjähriger Praxis auch
nur das geringste daraus mache, ob man meinen Assistenten lieber
hat als mich? Nein, mein Verehrter. Zwischen meinen Patienten und
mir gibt es kein Gefühl. Ich erwarte von ihnen keine Dankbarkeit, ich
erwarte nur, daß sie meine Gebühren bezahlen. Was meinen Sie also?
Nun?«

Philip antwortete nicht, nicht etwa, weil er über den Vorschlag
nachdachte, sondern weil er zu erstaunt war. Es war jedenfalls sehr
ungewöhnlich, daß jemand einem neu zugelassenen Manne die Teilhaberschaft antrug, und es wurde ihm klar, daß Dr. South, obwohl er
es um keinen Preis der Welt zugestehen würde, eine Neigung zu ihm
gefaßt hatte.

»Die Praxis bringt etwa siebenhundert pro Jahr. Wir können uns
ausrechnen, wieviel Ihre Teilhaberschaft wert wäre, und Sie können
mir das dann allmählich abzahlen. Wenn ich sterbe, können Sie mein
Nachfolger werden. Ich glaube, das ist besser, als sich in Kranken-
häusern herumstoßen zu lassen, dann Assistentenstellen anzunehmen,
um schließlich und endlich einmal eine eigene Praxis aufmachen zu
können.«

Philip wußte wohl, dies Angebot war eine Chance, bei dem die
meisten aus seinem Beruf mit beiden Händen zugegriffen hätten. Der
Beruf war überfüllt, und die Hälfte aller Kollegen würde dankbar
die Sicherheit wenigstens eines kleinen Einkommens begrüßen.

»Es tut mir schrecklich leid, aber ich kann leider nicht«, sagte er.
»Ich müßte alles aufgeben, wonach ich seit Jahren strebe. Ich habe
eine ziemlich rauhe Zeit hinter mir, aber immer hat mich die Hoffnung aufrechterhalten, reisen zu können, wenn ich erst einmal mein
letztes Examen hinter mir habe. Wenn ich jetzt morgens aufwache,
zieht es mir direkt in den Beinen, loszuwandern; es kommt mir nicht
genau darauf an, wohin, nur fort, irgendwohin, wo ich noch nicht
gewesen bin.«

Das Ziel schien jetzt schon sehr nahe. Mitte nächsten Jahres würde
er mit der Arbeit im St. Luke's Hospital fertig sein, dann wollte er
nach Spanien. Er konnte es sich leisten, dort ein paar Monate zu bleiben, kreuz und quer durch das Land zu ziehen, das für ihn der
Urbegriff alles Romantischen war. Danach würde er Anstellung auf
einem Schiff finden und nach Osten fahren. Das Leben lag vor ihm,
und die Zeit zählte nicht. Er konnte, wenn er Lust hatte, herumstreu-

nen, Orte besuchen, wo niemand sonst hinkam, zwischen fremden Menschen weilen, die ihr Leben auf fremde Art lebten. Er wußte nicht, was er suchte oder was seine Reisen ihm bringen würden, aber er hatte ein Gefühl, als müßte sich ihm das Leben von einer neuen Seite offenbaren, als würde er Einblick erhalten in das Geheimnisvolle, das er gelöst zu haben vermeinte, nur, um es noch geheimnisvoller zu finden. Dr. South erwies ihm eine große Freundlichkeit; es schien undankbar, das Angebot ohne bestimmten Grund abzulehnen, und so versuchte Philip, so nüchtern es nur ging, ihm auseinanderzusetzen, warum es für ihn so wichtig sei, daß er die so leidenschaftlich gehegten Pläne ausführe.

Dr. South hörte schweigend zu. In seine alten, listigen Augen kam ein sanfter Ausdruck. Philip nahm es als besondere Freundlichkeit auf, daß Dr. South ihn nicht drängte, sein Angebot anzunehmen. Er schien Philips Gründe gut und richtig zu finden. Er ließ das Gesprächsthema fallen und sprach von seiner eigenen Jugend. Er war in der Marine gewesen, und die stete Verbundenheit mit dem Meer hatte ihn, als er sich vom Seedienst zurückzog, veranlaßt, seine Praxis in Farnley aufzumachen. Er erzählte Philip von vergangenen Tagen auf dem Stillen Ozean, von wilden Abenteuern in China. Er hatte an einer Expedition gegen die Kopfjäger in Borneo teilgenommen und hatte Samoa gekannt, als es noch ein unabhängiger Staat war. Sie hatten auf ihren Reisen die Koralleninseln berührt. Verzaubert hörte Philip zu. Nach und nach erzählte Dr. South Philip auch über sich selbst. Er war Witwer; seine Frau war schon vor dreißig Jahren gestorben, und seine Tochter hatte einen Farmer in Rhodesien geheiratet. Er hatte sich mit dem Schwiegersohn zerstritten, und seine Tochter war seit zehn Jahren nicht mehr daheimgewesen. Es war genauso, als hätte er niemals Frau und Kind besessen. Er war sehr einsam. Seine Rauhbeinigkeit war nicht mehr als ein Schutz, um seine völlige Illusionslosigkeit dahinter zu verbergen.

Philip fand es traurig zu sehen, wie er auf seinen Tod wartete, nicht ungeduldig, eher widerwillig, indem er das Alter haßte und dennoch fühlte, daß der Tod die einzige Erlösung von der Bitterkeit des Lebens wäre. Philip kreuzte seinen Weg, und er wandte seine Zuneigung, die die lange Trennung von seiner Tochter bereits fast zunichte gemacht hatte – sie hatte in einem Streit die Partei ihres Mannes ergriffen, und er hatte ihre Kinder nie gesehen –, nun Philip zu. Er ärgerte sich zuerst darüber, er sagte sich, das sei ein Zeichen von Kindischwerden; aber etwas an diesem jungen Menschen zog ihn an, und so lächelte er ihm zu, er wußte selbst nicht warum. Philip langweilte ihn nie. Gelegentlich legte Dr. South ihm einmal die Hand auf die Schulter, wohl die erste, scheue Zärtlichkeit, seit seine Tochter von ihm fortgegangen war. Als die Zeit kam, wo Philip von ihm

Abschied nehmen mußte, begleitete Dr. South ihn an die Bahn. Er fühlte sich in unerklärlicher Weise bedrückt.

»Es hat mir hier ganz famos gefallen«, sagte Philip. »Sie sind furchtbar nett zu mir gewesen.«

»Und Sie sind wahrscheinlich froh, daß Sie wegkommen?«

»Die Zeit hier hat mir sehr viel Freude gemacht.«

»Aber Sie möchten gern in die Welt hinaus. Ach, Sie sind jung.« Er zögerte einen Moment. »Denken Sie daran, daß ich bei meinem Angebot bleibe, falls Sie Ihre Absichten ändern sollten.«

»Das ist sehr freundlich von Ihnen.«

Philip schüttelte ihm noch einmal aus dem Abteil heraus die Hände, und dann dampfte der Zug aus der Bahnhofshalle. Philip dachte an die vierzehn Tage in den Hopfenfeldern, die vor ihm lagen; er war glücklich, seine Freunde wiederzusehen, und voller Fröhlichkeit, denn der Tag war schön. Dr. South jedoch ging langsamen Schrittes zu seinem leeren Hause zurück. Er fühlte sich alt und sehr einsam.

Es war spät am Abend, als Philip ankam. Ferne war Mrs. Athelnys Heimatdorf, und sie war seit Kindertagen daran gewöhnt, in den Hopfenfeldern die Ernte zu pflücken. Sie hielt daran fest; jedes Jahr ging sie mit Mann und Kindern wieder hin. Gleich vielen Leuten in Kent, war ihre Familie stets hinausgegangen, froh, ein bißchen Geld verdienen zu können. Man hatte diese alljährlich stattfindende Landpartie immer Wochen vorher schon herbeigesehnt und hielt sie für die allerschönsten Ferien. Die Arbeit war nicht schwer, sie wurde gemeinsam verrichtet, draußen im Freien; für die Kinder war die ganze Zeit wie ein herrlicher langer Picknick-Ausflug. Hier kamen die jungen Burschen mit den Mädchen zusammen; an den langen Abenden wanderten sie nach vollendetem Tagewerk verliebt durch die kleinen Gassen zwischen Hecken und Zäunen. Auf die Hopfenzeit folgten meist auch Hochzeiten. Man fuhr ins Freie mit Wägelchen, die mit Bettzeug, Töpfen und Tiegeln, Tisch und Stühlen beladen waren. Solange die Hopfenernte dauerte, lag Ferne verlassen da. Alle bildeten eine nach außen abgeschlossene Gemeinschaft; ein Eindringen von Fremden – so nannte man Leute aus London – war verpönt. Man verachtete und fürchtete diese zu gleicher Zeit, man hielt sie für Rowdies, und die ehrenwerte Landbevölkerung wollte nichts mit ihnen zu tun haben. In früheren Zeiten hatten die Hopfenpflücker in Scheunen geschlafen; aber vor etwa zehn Jahren hatte man ihnen eine Reihe von Hütten neben der Wiese errichtet. Wie viele andere, bewohnten die Athelnys jedes Jahr die gleiche Hütte.

Athelny holte Philip mit dem kleinen Wägelchen, das er sich bei der Kneipe borgte, wo er für Philip ein Zimmer gemietet hatte, vom Bahnhof ab. Sie stellten sein Gepäck ab und gingen zur Wiese hinüber, wo sich die Hütten befanden. Das waren nichts weiter als lange, niedrige Schuppen, die in zwei kleine Räume unterteilt waren. Vor jeder Hütte war aus Holzscheiten ein Feuer gerichtet, um das herum sich die Familie lagerte und die Zubereitung des Abendessens mit eifrigen Augen verfolgte. Die Seeluft und die Sonne hatten den Kindern Athelnys bereits die Backen gebräunt. Mrs. Athelny schien in ihrem großen Sonnenhut ein völlig anderer Mensch zu sein: die langen Jahre in der Stadt hatten sie im tiefsten Grunde gar nicht verändert: sie gehörte zum Land, war hier geboren, hier aufgewachsen; hier fühlte sie sich heimisch, das konnte man leicht erkennen. Sie briet Speck, achtete gleichzeitig auf die kleineren Kinder und hatte doch noch Zeit, Philip herzlich die Hand zu schütteln und ihm fröhlich zuzulächeln. Athelny schwärmte von den Wonnen des ländlichen Lebens.

»In den großen Städten, in denen wir leben, verschmachten wir aus Mangel an Sonne und Licht. Das ist kein Leben – es ist eine ewige Gefangenschaft. Verkaufen wir alles, was wir haben, Betty, und schaffen wir uns eine Farm auf dem Lande an!«

»Ich sehe dich schon auf dem Lande«, antwortete sie mit einem Ton gutmütiger Verachtung. »Am ersten Regentag im Winter würdest du heulend nach London verlangen.« Sie wandte sich an Philip. »Athelny ist immer so, wenn wir hierherkommen. Landleben – das höre ich gern! Dabei kann er eine schwedische Steckrübe nicht von einer Runkelrübe unterscheiden.«

»Papa ist heute faul gewesen«, bemerkte Jane mit dem Freimut, der sie besonders auszeichnete; »nicht eine Benne hat er vollgepflückt.«

»Ich komme in Schuß, mein Kind, und morgen werde ich mehr Bennen vollpflücken als ihr alle zusammen.«

»Kinder, kommt essen«, sagte Mrs. Athelny. »Wo ist Sally?«

»Hier, Mutter.«

Sie trat aus der kleinen Hütte; die Flammen des Holzfeuers flackkerten auf und warfen glühende Farben über ihr Gesicht. Philip hatte sie in letzter Zeit nur immer in den schmucken Kleidern gesehen, die sie, seit sie Lehrmädchen bei einer Schneiderin war, anzulegen pflegte. Sie sah reizend aus in dem Kleid aus bedrucktem Kattun, das sie nun trug; es hing ihr lose um den Körper, ein Kleid, in dem man sich leicht bei der Arbeit bewegen konnte. Die Ärmel waren hochgekrempelt und ließen ihre starken, rundlichen Arme frei. Sie trug ebenfalls einen großen Sonnenhut.

»Wie ein Milchmädchen aus dem Märchen sehen Sie aus«, sagte Philip, als sie sich begrüßten.

»Sie ist die Königin hier im Hopfenfeld«, sagte Athelny. »Auf mein Wort: wenn dich der Gutsbesitzerssohn sieht, macht er dir einen Heiratsantrag, ehe du noch ›bah‹ sagen kannst.«

»Der Gutsbesitzer hat keinen Sohn, Vater«, sagte Sally.

Sie sah sich nach einem Platz um, um sich hinzusetzen, und Philip rückte zur Seite, damit sie sich neben ihn setzen könne. Das Abendessen war einfach: Brot und Butter, knusprig gebratener Speck, für die Kinder Tee und Bier für Mr. und Mrs. Athelny sowie für Philip. Athelny pries, während er hungrig drauflos aß, jeden Bissen, den er zu sich nahm. Verächtlich sprach er von Lukullus und hatte nur Schimpfworte für einen Brillat-Savarin.

»Das muß man dir schon lassen, Athelny«, sagte seine Frau, »essen macht dir Spaß, da ist kein Irrtum möglich.«

»Von deiner Hand gekocht, meine Betty«, sagte er, indem er seinen Zeigefinger beredt in die Höhe streckte.

Philip fühlte sich sehr behaglich. Er sah selig die lange Reihe der offenen Feuer hinunter, die Leute, die sich darum scharten, die Flammen gegen den Himmel; hinter der Wiese war eine Allee mit großen Ulmen, darüber breitete sich sternenübersät der Himmel. Die Kinder schwatzten und lachten, und Athelny – ein Kind unter Kindern – brachte sie durch seine Einfälle zu immer stärkerem Gelächter.

Sally saß schweigend dabei. Sie achtete so aufmerksam auf alle Wünsche Philips, daß er ganz selig war. Es war schön, sie neben sich zu haben, hin und wieder warf er einen Blick auf ihr sonnengebräuntes, gesundes Gesicht. Einmal trafen sich ihre Blicke, da lächelte sie ihm in ihrer ruhigen Art zu. Nachdem das Abendessen beendet war, wurden Jane und einer ihrer kleineren Brüder zum Bach geschickt, der hinter der Wiese floß, um einen Eimer voll Wasser zum Abwaschen zu holen.

»Hört mal, Kinder, zeigt eurem Onkel Philip, wo wir schlafen, und dann müßt ihr ins Bett.«

Die kleinen Hände griffen nach Philip, und er wurde von ihnen in die Hütte gezogen. Er ging hinein und zündete ein Streichholz an. Da waren keinerlei Möbel, und außer der großen Blechkiste für die Kleider gab es nur Betten, drei Stück, eins an jeder Wand. Athelny war Philip nachgegangen und zeigte sie voller Stolz.

»Das ist das Richtige zum Schlafen«, rief er, »nicht diese Sprungfedermatratzen und Daunen. Es gibt keinen Platz in der Welt, wo ich so fest schlafe wie hier. *Sie* werden in einem Bett schlafen, das säuberlich bezogen ist. Mein Verehrtester, ich bedaure Sie vom Grunde meiner Seele.«

Die Betten bestanden aus einer dicken Schicht Hopfenspreu, über die Stroh gebreitet war; eine Schlafdecke lag darüber. Wenn sie den Tag in der frischen Luft zugebracht hatten, schliefen die Hopfenpflücker ganz eingehüllt vom aromatischen Duft des Hopfens hier wie die Murmeltiere. Ehe es noch neun Uhr schlug, war es auf der Wiese still geworden, alle lagen im Bett mit Ausnahme von wenigen Männern, die sich in der Kneipe aufhielten, von wo sie erst um zehn, zur Sperrstunde, zurückkehrten. Dorthin begab sich jetzt Athelny mit Philip. Ehe sie fortgingen, sagte Mrs. Athelny:

»Wir frühstücken um dreiviertel sechs, aber Sie werden sicher nicht so früh aufstehen wollen. Wir müssen jedoch um sechs an der Arbeit sein.«

»Natürlich muß er früh aufstehen«, rief Athelny, »er muß wie wir alle mitarbeiten. Er muß sich sein Essen selbst verdienen. Wer nicht arbeitet, soll auch nicht essen, mein Bürschchen.«

»Die Kinder gehen vor dem Frühstück baden. Sie können Sie auf dem Rückweg rufen. Sie kommen am *Fröhlichen Seemann* vorbei.«

»Wenn sie mich wecken, gehe ich mit baden.«

Jane, Harold und Edward schrien vor Vergnügen über diese Aussicht. Philip wurde am nächsten Morgen aus tiefem Schlaf geweckt, als die kleine Horde in sein Zimmer stürmte. Die Jungen sprangen auf das Bett, und er mußte sie mit den Pantoffeln verjagen. Er zog Hosen an und den Mantel darüber und ging nach unten. Der Tag war eben erst angebrochen, und noch lag eine gewisse Kühle in der Luft; der Himmel jedoch war wolkenlos, und die Sonne schien mit gelbem Schein. Sally stand mit Conny an der Hand mitten auf der Straße. Sie hatte ein Handtuch und den Badeanzug über dem Arm hängen. Er bemerkte jetzt, daß die Farbe ihres Sonnenhutes lavendelblau war. Ihr Gesicht sah rotbraun wie ein Apfel darunter hervor. Sie begrüßte ihn mit ihrem stillen, langsam aufsteigenden Lächeln, und plötzlich kam ihm zum erstenmal zum Bewußtsein, daß sie kleine weiße Zähne hatte. Er wunderte sich, daß ihm das bisher entgangen war.

»Ich war eigentlich dafür, Sie schlafen zu lassen«, sagte sie, »aber die Kinder mußten hinaufgehen und Sie wecken. Ich hatte gesagt, Sie hätten sicherlich keine Lust mitzukommen.«

»O doch!«

Sie wanderten den Weg hinunter und gingen dann quer durch das Marschland. Hierdurch kürzte sich der Weg zum Meer auf weniger als eine Meile ab. Das Wasser sah kalt und grau aus, und Philip fröstelte beim bloßen Anblick, aber die andern rissen sich die Kleider herunter und liefen schreiend hinein. Sally machte alles etwas langsam, sie kam nicht eher ins Wasser, als bis die andern schon um Philip herumplanschten. Schwimmen war die einzige Sportart, die er beherrschte. Im Wasser fühlte er sich wie zu Hause, und er brachte die Kinder bald dazu, daß sie ihn nachahmten, sich wie Tümmler benahmen oder einen Ertrinkenden spielten, dann wieder eine fette Dame, die ängstlich darauf besorgt ist, daß ihr Haar nicht feucht wird. Es war sehr laut, und Sally mußte streng sein, um sie alle wieder aus dem Wasser zu bringen.

»Sie sind so schlimm wie die Kinder«, sagte sie zu Philip in ihrer ernsten, mütterlichen Art, die zugleich komisch und rührend wirkte. »Sie sind nicht halb so ungezogen, wenn Sie nicht dabei sind.«

Sie gingen zurück. Sally hielt den Sonnenhut in der Hand, das leuchtende Haar strömte ihr über die Schulter. Als sie die Hütte erreichten, war Mrs. Athelny bereits fortgegangen. Athelny briet Heringe über dem Holzfeuer. Er hatte die ältesten Hosen an, die ein Mensch überhaupt tragen konnte; die Jacke hatte er bis oben hin zugeknöpft, damit nicht jeder gleich sah, daß er kein Hemd darunter trug; auf dem Kopf hatte er einen breitkrempigen Hut. Er war ganz in seinem Element. Von Kopf bis Fuß wirkte er wie ein echter Räuberhauptmann. Als er die kleine Gesellschaft näherkommen sah, begann er den Hexenchor aus Macbeth über die stinkenden Heringe hin zu singen.

»Ihr dürft euch nicht lange mit dem Frühstück aufhalten, sonst ist Mutter böse«, sagte er, als sie ankamen.

Nach wenigen Minuten schlenderten sie gemächlich durch die Wiese zum Hopfenfeld hinüber. Sie waren die letzten. Ein Hopfengarten gehörte zu den Dingen, die am engsten mit Philips Kindheitserinnerungen verknüpft waren, und die Trockenhäuser bildeten für ihn eine der typischen Züge der Kenter Landschaft. Er hatte nicht einmal ein Gefühl der Fremdheit, wie er so hinter Sally her durch die langen Hopfenreihen ging; er fühlte sich hier ganz zu Hause. Die Sonne strahlte jetzt herab und zeichnete scharfe Schatten. Philips Augen schwelgten in der Fülle der grünen Blätter. Die Hopfen waren leicht gelb getönt, und für ihn besaßen sie eine Schönheit und Leidenschaftlichkeit, wie Dichter sie in den purpurnen Trauben Siziliens fanden. Im Weiterschreiten fühlte Philip sich von dem üppigen Reichtum wie überwältigt. Ein süßer Geruch stieg aus dem fruchtbaren kentischen Boden auf, und die angenehme Septemberbrise war schwer von dem guten Geruch des Hopfens. Athelstan spürte instinktiv die Heiterkeit, er erhob seine Stimme und sang; es war die gebrochene Stimme eines fünfzehnjährigen Jungen, und Sally drehte sich um.

»Sei still, Athelstan, sonst kommt ein Gewitter.«

Einen Augenblick später hörten sie Stimmengesumm, und gleich darauf stießen sie auch bereits auf die Pflücker. Sie waren alle fleißig an der Arbeit und schwatzten und lachten, während sie pflückten. Sie saßen auf Stühlen, Rutschen, Kisten und Kästen und hatten Körbe neben sich stehen. Manche standen bei der Benne und warfen den Hopfen, wenn sie ihn pflückten, gleich dort hinein. Eine Menge Kinder trieben sich dazwischen umher, sogar Säuglinge waren da, manche lagen in improvisierten Wiegen, andere waren in ein Tuch gewickelt

und auf die weiche, braune, trockene Erde gelegt. Die Kinder pflückten wenig und spielten viel. Die Frauen arbeiteten geschäftig, sie
waren seit der Kindheit an das Pflücken gewöhnt und konnten doppelt so schnell pflücken wie die Fremden aus London. Sie brüsteten
sich mit der Anzahl der Körbe, die sie am Tage gepflückt hatten,
klagten jedoch, daß kein Geld mehr dabei zu verdienen sei wie
früher. Damals bekam man einen Shilling für fünf Scheffel, jetzt
aber mußte man acht, ja neun Scheffel voll pflücken, um einen Shilling zu erhalten. In früherer Zeit konnte eine gute Pflückerin in der
Erntezeit so viel verdienen, daß sie während des übrigen Jahres davon
zu leben vermochte; jetzt aber brachte es nichts mehr ein, man hatte
sozusagen freie Ferien, das war alles.

Die Pflücker waren in Gruppen zu je zehn eingeteilt, ungerechnet
die Kinder. Athelny prahlte laut, daß er eines Tages eine Kolonne
haben würde, die nur aus Mitgliedern seiner Familie bestünde. Jede
Gruppe hatte einen Bennenmann, dessen Pflicht darin bestand, Hop-
fenstricke für die Bennen zu beschaffen. (Die Benne war ein großer
Sack, der in einem hölzernen Rahmengestell hing; er war etwa sieben
Fuß hoch; lange Reihen solcher Bennen wurden zwischen die Hopfenreihen gestellt.) Eine solche Stellung erstrebte Athelny, wenn seine
Kinder erst alt genug sein würden, eine eigene Gruppe zu bilden.
Inzwischen bestand seine Arbeit eher darin, daß er andere anfeuerte,
als daß er sich selbst zuviel zumutete. Er schlenderte mit der Zigarette
zwischen den Lippen zu Mrs. Athelny hin, die bereits eine halbe
Stunde lang ununterbrochen tätig gewesen war und schon einen Korb
voll in die Benne hatte leeren können, und erklärte, daß er heute
mehr pflücken würde als irgend jemand sonst, Mutter ausgenommen
natürlich. Dabei fielen ihm die Prüfungen ein, die Aphrodite der
neugierigen Psyche auferlegt hatte, und so begann er, seinen Kindern
die Geschichte ihrer Liebe zu dem unbekannten Bräutigam zu erzählen. Er erzählte sie sehr gut. Philip schien die alte Erzählung ausgezeichnet zu dieser Szene zu passen. Er hörte mit einem Lächeln auf
den Lippen zu. Der Himmel war jetzt sehr blau, und Philip konnte
sich nicht vorstellen, daß es in Griechenland etwa lieblicher war. Die
Kinder, mit ihren blonden Haaren und rosigen Wangen, stark, gesund
und lebhaft; die zarte Form des Hopfens, das herausfordernde Sma-
ragden der Blätter wie das Schmettern einer Trompete; der magische
Zauber der grünen Alleen, die sich, wenn man die Reihe hinuntersah,
bis zu einem Punkt verengten, mit den Pflückern, die Sonnenhüte
aufhatten; vielleicht war darin mehr griechischer Geist, als man in
den Büchern der Professoren und in den Museen finden konnte. Er
war dankbar für Englands Schönheit. Er dachte an die sich winden-
den weißen Straßen und die Heckenreihen, an die grünen Wiesen
mit ihren Ulmen, an die zarte Linie der Hügel und an das Unterholz,

das sie umrahmte, an die Flachheit des Marschlandes und an die Melancholie der Nordsee. Er war sehr froh, daß er diese Lieblichkeit fühlte.

Aber es dauerte nicht lange, da wurde Athelny bereits unruhig und verkündete, er müsse jetzt einmal nachsehen gehen, was Robert Kemps Mutter mache. Er kannte jeden im Garten und nannte sie alle beim Vornamen. Er wußte ihre Familiengeschichten und was sie erlebt hatten vom Tage ihrer Geburt an. Er spielte mit der harmlosen Eitelkeit den feinen Herrn unter ihnen. In seiner Vertraulichkeit lag ein Schatten von Herablassung. Philip hatte keine Lust, ihn zu begleiten.

»Ich will mir mein Essen selbst verdienen«, sagte er.

»Recht so, mein Junge«, antwortete Athelny und grüßte im Fortschlendern mit einer Bewegung der Hand. »Wer nicht arbeitet, soll auch nicht essen.«


Philip hatte keinen eigenen Korb, sondern arbeitete zusammen mit Sally. Jane fand es unerhört, daß er ihrer älteren Schwester statt ihr half, und er mußte versprechen, daß er für sie pflücken würde, sobald Sallys Korb voll wäre. Sally war fast so schnell wie ihre Mutter.

»Verdirbt es Ihnen nicht die Hände fürs Nähen?« fragte Philip.

»O nein, hierzu braucht man ja auch weiche Hände, deswegen pflücken Frauen so viel besser als Männer. Wenn die Finger hart und steif sind, kann man nicht annähernd so gut pflücken.«

Er sah ihren geschickten, schnellen Bewegungen gerne zu, und sie beobachtete ihn auch gelegentlich in ihrer mütterlichen Art, die so spaßig und doch so reizend war. Er stellte sich zuerst ungeschickt an. Als sie sich hinüberbeugte, um ihm zu zeigen, wie man am besten mit einem ganzen Zweig auf einmal fertig wird, trafen sich ihre Hände. Es überraschte ihn, daß sie dabei errötete. Er konnte sich nicht mit dem Gedanken vertraut machen, daß sie zur Frau herangereift war; er hatte sie als Backfisch kennengelernt und nahm sie noch immer als Kind. Immerhin bewiesen die vielen Verehrer, daß sie kein Kind mehr war, und obwohl sie nun erst seit ein paar Tagen hier unten weilten, erwies ihr einer der Vettern eine solche Aufmerksamkeit, daß man sie bereits deswegen neckte. Er hieß Peter Gann und war der Sohn von Mrs. Athelnys Schwester, die einen Farmer in der Nähe von Ferne geheiratet hatte. Jeder wußte, warum er es auf einmal für notwendig hielt, täglich durch das Hopfenfeld zu wandern.

Ein Horn tutete um acht Uhr und verkündete die Frühstückspause. Sie aßen alle mit herzhaftem Appetit, obwohl Mrs. Athelny meinte, sie hätten nichts verdient. Danach machten sie sich wieder an die

Arbeit und pflückten bis um zwölf, wo das Horn zum Mittagessen blies. In gewissen Zeitabschnitten ging der Arbeitsmesser mit der Waage von Benne zu Benne. Ein Mann begleitete ihn, der erst in sein eigenes, dann in das Buch des Pflückers die Anzahl der gepflückten Scheffel eintrug. War eine Benne voll, so wurde sie mit Scheffelkörben gemessen und in einen riesigen Sack entleert, der Poke hieß. Diesen trugen die Arbeitsmesser und der Mann, der die Hopfenstangen umzulegen hatte, zum Wagen. Athelny erschien gelegentlich und teilte mit, was Mrs. Heath oder Mrs. Jones bereits gepflückt hatten; er trieb seine Familie an, sie mit ihren Leistungen zu schlagen. Er wollte immerzu Rekorde aufstellen. Es kam sogar vor, daß er dann aus lauter Begeisterung selbst einmal eine Stunde lang pflückte. Seine Hauptfreude bestand dabei jedoch darin, daß er so seine schönen Hände zeigen konnte, auf die er sehr stolz war. Am Nachmittag wurde es sehr heiß. Die Arbeit wollte nicht mehr so schnell von der Hand gehen, und die Unterhaltung erlahmte. Das unaufhörliche Geschwätz vom Vormittag schrumpfte zu gelegentlichen Bemerkungen zusammen. Auf Sallys Oberlippen standen kleine Schweißperlen, und während sie arbeitete, hielt sie den Mund leicht geöffnet. Sie war wie eine aufbrechende Rosenknospe.

Feierabend wurde verkündet, je nachdem, wann das Trockenhaus voll war. Manchmal war es schon zeitig voll. Es kam vor, daß zwischen drei und vier Uhr bereits so viel Hopfen gepflückt war, wie während einer Nacht getrocknet werden konnte. Dann hörte die Arbeit auf. Gewöhnlich begann das letzte Messen jedoch gegen fünf Uhr. Während der Inhalt der Bennen gemessen wurde, suchten die Mitglieder der Arbeitskolonne ihre Sachen zusammen, fingen nun, nach getaner Arbeit, wieder zu schwatzen an und schlenderten durch den Garten heimwärts. Die Frauen gingen in die Hütten zurück, um Ordnung zu machen und das Abendessen zu bereiten, während eine ganze Anzahl der Männer die Straße hinunter zur Kneipe schritt. Ein Glas Bier am Tagesende war sehr angenehm.

Die Benne der Athelnys wurde zuletzt ausgemessen. Als der Messer zu Mrs. Athelny kam, stand sie mit einem Seufzer der Erleichterung auf und streckte sich. Sie hatte stundenlang in der gleichen Stellung gesessen und war ganz steif.

»So, nun wollen wir zum *Fröhlichen Seemann* gehen«, sagte Athelny. »Das Tageszeremoniell muß richtig durchgeführt werden, und es gibt keinen Ritus, der heiliger wäre als dieser.«

»Nimm einen Krug mit, Athelny«, sagte seine Frau, »und bring einen Liter zum Abendessen mit.«

Sie gab ihm das Geld, zählte Kupfermünze auf Kupfermünze hin. Die Kneipe war bereits voller Leute. Der Boden war mit weißem Sand bestreut, rundherum standen Bänke, und die Wände waren mit gelben Bildern von viktorianischen Preiskämpfern geschmückt. Der Inhaber kannte alle Kunden beim Namen. Er lag über den Schanktisch gelehnt und lächelte huldvoll auf zwei junge Männer herab, die Ringe über Stäbe warfen, die aus dem Fußboden herausragten. Man rückte zusammen, um den Neuankömmlingen Platz zu machen. Athelny wollte unter allen Umständen sein Glück beim Ringwerfen versuchen. Er wettete um eine halbe Pinte Bier und gewann sie. Er trank es auf die Gesundheit dessen, der sie verloren hatte, und sagte dabei: »Das habe ich lieber gewonnen als das Derby, mein Junge.«

Er war eine fremdländisch wirkende Gestalt mit seinem weitkrempigen Hut und dem Spitzbart zwischen diesen Landleuten, und es war deutlich zu merken, daß sie ihn für absonderlich hielten; aber er war so guter Laune, und seine Begeisterung wirkte so ansteckend, daß ihn unmöglich jemand nicht gern haben konnte. Die Unterhaltung floß leicht dahin. Freundlichkeiten wurden im breiten Akzent der Isle of Thanet ausgetauscht und die Witze des dörflichen Spaßvogels aus vollem Halse belacht. Ein angenehmes Zusammensein! Schließlich erhob sich einer nach dem andern und schlenderte zur Wiese zurück, wo das Abendessen auf dem Feuer stand.

»Sie werden wohl auch bettreif sein«, sagte Mrs. Athelny zu Philip. »Sie sind es nicht gewohnt, um fünf Uhr aufzustehen und den ganzen Tag im Freien zu verbringen.«

»Du kommst doch morgen wieder mit baden, Onkel Phil, nicht wahr?« riefen die Jungen.

»Sicher.«

Er war müde und hungrig. Nach dem Essen balancierte er auf einem Stuhl, der keine Rückenlehne hatte und deshalb gegen die Hüttenwand geschoben war, rauchte seine Pfeife und schaute in die Nacht hinaus. Sally hatte zu tun. Sie kam und ging. Er sah ihrem stets methodischen Tun zu. Ihr Gang fiel ihm auf. Er war nicht besonders graziös, aber leicht und sicher, sie bewegte die Beine aus den Hüften und setzte die Füße voll Entschiedenheit nieder. Athelny war fortgegangen, um mit einem der Nachbarn zu schwatzen, und bald darauf hörte Philip, wie Mrs. Athelny die Welt im allgemeinen mit folgender Anrede bedachte:

»Na, so etwas, jetzt habe ich keinen Tee, und ich hatte Athelny zu Mrs. Black schicken wollen, um welchen zu holen.« Eine Pause trat ein, und dann wurde ihre Stimme lauter: »Sally, lauf doch mal rasch zu Mrs. Black hinunter und laß dir ein halbes Pfund Tee geben, ja?«

»Gern, Mutter.«

Mrs. Black besaß, eine halbe Meile entfernt, unten an der Straße eine Hütte. Sie war zugleich Postmeister und Allerweltskrämer. Sally trat aus der Hütte und zog die Ärmel herunter.

»Soll ich mitkommen, Sally?« fragte Philip.

»Machen Sie sich keine Mühe. Ich fürchte mich nicht, allein zu gehen.«

»So habe ich das nicht gemeint. Aber es ist fast Schlafenszeit für mich, und ich glaube, es täte mir nur gut, wenn ich mir noch ein bißchen die Beine verträte.«

Sally antwortete nicht; sie machten sich auf den Weg. Die Straße lag vor ihnen, weiß und schweigend. Kein Laut durchdrang die Sommernacht. Sie sprachen nicht viel.

»Es ist noch immer ziemlich heiß«, sagte Philip.

»Ich finde, es ist herrlich für die Jahreszeit.«

Es war kein ungelenkes Schweigen. Es war einfach schön, so nebeneinander her zu gehen, sie brauchten nicht viel Worte. Plötzlich hörten sie bei einem Durchgang in der Hecke leises Stimmengemurmel. In der Dunkelheit erkannten sie die Umrisse von zwei Menschen. Sie saßen da, eng aneinandergeschmiegt, und rührten sich nicht, als Sally und Philip vorüberkamen.

»Wer das wohl gewesen sein mag?« fragte Sally.

»Sie machten den Eindruck, als wenn sie recht glücklich wären.«

»Vielleicht haben sie gemeint, daß wir auch ein Liebespaar sind.«

Dann tauchte das Licht in der Hütte vor ihnen auf, und gleich darauf traten sie in den kleinen Laden. Das grelle Licht blendete sie einen Augenblick.

»Sie kommen recht spät«, sagte Mrs. Black. »Ich wollte gerade zumachen.« Sie schaute auf die Uhr: »Fast neun.«

Sally verlangte ihr halbes Pfund Tee (Mrs. Athelny brachte es einfach nicht fertig, mehr als ein halbes Pfund auf einmal zu kaufen), und dann traten sie auf die Straße zurück. Gelegentlich unterbrach der kurze, scharfe Laut eines Nachttieres die Stille – aber eigentlich nur, um die Stille danach noch eindrucksvoller zu machen.

»Ich glaube, wenn man ganz still stünde, könnte man sogar das Meer hören«, sagte Sally.

Sie spitzten die Ohren; ihre Einbildungskraft spiegelte ihnen sogar vor, sie hörten das leise Geräusch der fernen Wellen, die gegen Kies am Meeresufer plätscherten. Als sie wieder am Zauntritt vorüberkamen, war das Liebespaar noch immer dort, aber sie sprachen jetzt nicht, sie lagen einander in den Armen, und der Mann hatte seine Lippen fest auf die des Mädchens gepreßt.

»Sehr beschäftigt«, sagte Sally.

Sie bogen um eine Ecke; ein warmer Wind schlug ihnen auf einen Augenblick ins Gesicht. Aus der Erde stieg eine eigene Frische auf. Es war etwas Seltsames in dieser zitternden Nacht, so, als stünde irgendwo etwas – man wußte nicht was – voller Erwartung; es war, als trüge das große Schweigen ringsum einen tiefen Sinn. Philip hatte eine sonderbare Empfindung im Herzen; es schien ihm plötzlich so voll, er schien zu schmelzen (die abgedroschenen Redensarten drückten seine seltsame Erregung recht treffend aus); er war glücklich, sehnsüchtig und voller Erwartung. Die Zeilen tauchten vor ihm auf, wo Jessica und Lorenzo einander klingende Worte zuflüstern, sich gegenseitig in ihrer Zwiesprache übertrumpfen und doch die Leidenschaft hell und klar durch alles Gezierte hindurchleuchtet. Er wußte nicht, was eigentlich in der Luft lag, das seine Sinne so wach und empfindlich machte; er meinte, es wäre eine rein seelische Freude, mit der er die Düfte, die Laute, ja den Geschmack der Erde spürte. Noch nie hatte er sich aller Schönheit so aufgeschlossen gefühlt. Er fürchtete, Sally könnte den Zauber brechen, indem sie redete, aber sie sprach kein Wort. Er wollte den Klang ihrer Stimme hören. Ihre leise Stimme, dunkel und reich, war wie die Stimme der ländlichen Nacht.

Sie kamen zu dem Feld, das sie überqueren mußten, um zur Hütte zurückzugelangen. Philip hielt das Gatter für sie auf.

»Also, ich sage Ihnen wohl am besten hier gute Nacht.«

»Vielen Dank, daß Sie mich so weit begleitet haben«, sagte sie.

Sie reichte ihm die Hand; während er sie hielt, sagte er: »Wenn Sie lieb wären, würden Sie mir jetzt einen Gutenachtkuß geben wie Ihre Geschwister.«

»Ich habe nichts dagegen«, sagte sie.

Philip hatte nur Spaß gemacht. Er wollte sie nur küssen, weil er so glücklich war; er mochte sie gern, es war eine so liebliche Nacht.

»Gute Nacht, also«, sagte er, lachte leise und zog sie an sich.

Sie bot ihm ihre Lippen, sie waren warm und weich und voll; er ließ seinen Mund auf ihrem ruhen, er war wie eine Blüte; dann, ohne daß er eigentlich selbst wußte, wie es kam, ohne daß er es gewollt hätte, warf er seine Arme um sie. Ganz still gab sie nach. Ihr Körper war fest und stark. Er fühlte ihr Herz gegen das seine klopfen. Dann verlor er den Kopf. Wie eine Flut überwältigten seine Sinne ihn. Er zog sie in den dunklen Schatten der Hecke.


Philip schlief wie ein Klotz und erwachte mit einem Ruck, weil Harold ihn mit einer Feder im Gesicht kitzelte. Ein Wonnegeheul setzte ein, als er die Augen aufschlug. Er war noch schlaftrunken.

»Komm, du Faulpelz«, rief Jane. »Sally hat gesagt, sie warte nicht auf dich, wenn du dich nicht beeilst.«

Plötzlich schoß es ihm durch den Kopf, was geschehen war. Ihm sank der Mut, er zögerte: wie sollte er ihr gegenübertreten? Eine ganze Flut von Selbstvorwürfen brach in ihm los; er bedauerte, ach, so bitterlich, was er getan hatte. Was würde sie heute morgen zu ihm sagen? Es graute ihm davor, ihr nun zu begegnen; er fragte sich, wie er nur ein solcher Narr hatte sein können. Die Kinder ließen ihm jedoch keine Zeit: Edward nahm seine Badehose und sein Handtuch; Athelstan zog ihm die Bettdecke fort; drei Minuten später klapperten sie schon die Treppe hinunter. Sally begrüßte ihn mit einem Lächeln. Es war so lieb und unschuldig wie immer.

»Sie brauchen aber viel Zeit, um sich anzuziehen«, sagte sie. »Ich dachte schon, Sie kämen überhaupt nicht mehr.«

Ihr Benehmen zeigte auch nicht die kleinste Veränderung. Er hatte eine Veränderung erwartet, eine ganz subtile oder auch eine heftige. Er hatte sich eingebildet, daß sie ihm gegenüber vielleicht Scham zeigen würde oder Zorn, vielleicht aber auch eine stärkere Vertraulichkeit – nichts davon. Sie war ganz genau wie zuvor. Sie gingen alle zusammen schwatzend und lachend zum Meer hinunter; Sally war still, aber so war sie stets, immer zurückhaltend, er kannte sie gar nicht anders, und immer freundlich. Sie suchte weder ein Gespräch mit ihm, noch ging sie ihm aus dem Weg. Philip war betroffen. Er hatte erwartet, daß der Zwischenfall gestern nacht eine tiefgehende Umwälzung in ihr hervorgerufen hätte, aber sie war, als wäre nichts geschehen. Genausogut hätte es ein Traum sein können. Während er so dahinschritt, an der einen Hand eines der kleinen Mädchen, an der andern einen Buben, und so unbekümmert wie nur möglich drauflos schwatzte, dachte er darüber nach, um eine Erklärung für ihr Verhalten zu finden. Ob Sally wohl wünschte, daß er die ganze Sache vergessen sollte? Vielleicht waren ihre Sinne mit ihr durchgegangen; vielleicht hatte sie sich entschlossen, es als einen durch ungewöhnliche Umstände bedingten Zufall hinzunehmen und nicht mehr daran zu denken. Er traute ihr eine Geisteskraft und eine reife Weisheit zu, wie sie sie eigentlich in ihrem Alter und bei ihrem Charakter gar nicht haben konnte. Immerhin, schließlich wußte er nichts von ihr. Es war stets etwas Rätselhaftes an ihr gewesen.

Sie spielten Bockspringen im Wasser, und das Bad nahm einen so ausgelassenen Verlauf wie am Tage vorher. Sally bemutterte sie alle, ließ keinen aus den Augen und rief sie zurück, wenn sie zu weit hinausschwammen. Sie schwamm gesetzt rückwärts und vorwärts, während die andern ihre tollen Streiche trieben; gelegentlich lag sie auch einmal regungslos auf dem Rücken. Es dauerte nicht lange, dann stieg sie aus dem Wasser und trocknete sich ab. Sie rief die andern ziemlich entschieden; schließlich befand sich nur noch Philip im Wasser. Er nahm die Gelegenheit wahr und schwamm fest drauflos. Er hatte sich nun schon an das kalte Wasser gewöhnt und genoß die salzige Frische; es machte ihm Freude, seine Glieder frei gebrauchen zu können, er schwamm mit langen, kräftigen Schlägen voran. Sally kam jedoch, mit einem umgeknüpften Handtuch, zum Rand des Wassers herunter.

»Du sollst sofort herauskommen, Philip«, rief sie, als wenn er ein kleiner Junge wäre, den sie zu betreuen hatte.

Als er, belustigt über ihre autoritäre Art, lächelnd ankam, schalt sie ihn aus.

»Es ist ungezogen von dir, so lange drin zu bleiben. Deine Lippen sind schon ganz blau, und sieh mal, wie dir die Zähne klappern.«

»Schön, ich komme heraus.«

So hatte sie noch nie mit ihm geredet. Es war, als hätte das, was geschehen war, ihr ein Recht über ihn gegeben, als betrachte sie ihn wie ein Kind, für das man Sorge tragen muß. Ein paar Minuten später waren sie angezogen, und sie machten sich auf den Heimweg. Sally sah auf seine Hände.

»Nun, sieh nur: sie sind ganz blau.«

»Ach, das macht nichts. Nichts als Kreislaufstörungen. Noch eine Minute, dann ist das Blut wieder drin.«

»Gib sie mir her.«

Sie nahm seine Hände in die ihren und rieb sie, erst die eine, dann die andere, bis die Farbe wiederkehrte. Philip sah ihr gerührt und verwundert zu. Er konnte ihr, der Kinder wegen, nichts sagen und konnte auch ihren Blick nicht erhaschen. Er wußte jedoch genau, daß sie ihm nicht etwa mit Absicht auswich, es war reiner Zufall. Den ganzen Tag über verriet auch nicht die geringste Änderung in ihrem Benehmen, daß etwas zwischen ihnen vorgefallen war; sie schien sich dessen nicht bewußt. Vielleicht war sie nur eben ein wenig redseliger als gewöhnlich.

Als sie wieder alle im Hopfenfeld saßen, erzählte sie ihrer Mutter, wie achtlos Philip gewesen war, weil er nicht aus dem Wasser ging, obwohl er schon ganz blau vor Kälte war. Es war unglaublich, und doch schien es, daß die einzige Wirkung des Vorfalles der vergangenen Nacht die war, daß in ihr ein Schutzgefühl ihm gegenüber aufstieg: sie hatte ein instinktives Verlangen, ihn zu bemuttern, wie sie es ihren Brüdern und Schwestern gegenüber hatte.

Erst gegen Abend hatte er Gelegenheit, mit ihr allein zu sein. Sie kochte das Abendessen, und Philip saß neben dem Feuer im Gras. Mrs. Athelny war zum Dorf hinuntergegangen, um ein paar Besorgungen zu machen, und die Kinder trieben sich sonstwo herum. Philip zögerte. Er war sehr nervös. Sally ging ruhig überlegen ihrer Arbeit nach. Sie nahm das Schweigen, das ihn so unsicher machte, voll Gleichmut hin. Er wußte nicht, wie er es anfangen sollte. Sally sprach selten, wenn sie nicht unmittelbar angesprochen wurde oder etwas Bestimmtes zu sagen hatte. Schließlich konnte er es nicht länger ertragen.

»Du bist mir nicht böse, Sally?« platzte er plötzlich los.

Sie hob ruhig die Augen und sah ihn still an, ohne daß ihr Blick Bewegung zeigte.

»Ich? Nein. Wieso denn?«

Er war ganz verblüfft und antwortete nicht. Sie nahm den Deckel vom Topf, rührte das Essen um, deckte es wieder zu. Ein würziger Duft stieg daraus auf. Sie sah ihn nochmals an, ein leises Lächeln, ihre Lippen öffneten sich kaum. Es war eigentlich nur ein Lächeln, das in den Augen saß.

»Ich habe dich immer gern gehabt«, sagte sie.

Das Herz sprang ihm gegen die Rippen, und er merkte, wie ihm das Blut in die Wangen schoß. Er zwang sich zu einem Lächeln.

»Das wußte ich nicht.«

»Weil du ein Dummer bist.«

»Ich weiß nicht, warum du mich gern hast.«

»Das weiß ich auch nicht.« Sie legte etwas Holz nach. »Ich wußte es von dem Tag an, als du damals zu uns kamst; du hattest im Freien geschlafen, und du hattest nichts zu essen gehabt, erinnerst du dich noch? Mutter und ich, wir machten dann Thorpes Bett für dich zurecht.«

Er errötete von neuem; er hatte nicht gewußt, daß ihr der Zusammenhang damals klargeworden war. Er selbst dachte nur voll Scham und Entsetzen daran.

»Deshalb wollte ich auch nichts mit den andern zu tun haben. Erinnerst du dich an den jungen Burschen, wo Mutter gern wollte, ich sollte ihn nehmen? Ich habe ihn dann zum Tee kommen lassen, weil er mir so in den Ohren lag, aber ich wußte von vornherein, daß ich nein sagen würde.«

Philip war so überrascht, daß er nichts herausbringen konnte. Es war ihm seltsam ums Herz; er wußte nicht recht, wie – vielleicht war es Glück.

Sally rührte wieder in dem Topf.

»Wenn doch die Kinder endlich kommen wollten. Ich weiß nicht, wo sie wieder stecken. Das Abendessen ist fertig.«

»Soll ich sie suchen gehen?« fragte Philip.

Er fühlte sich erleichtert, von praktischen Dingen sprechen zu können.

»Das wäre keine üble Idee . . . Da kommt Mutter.«

Als er dann aufstand, sah sie ihn ohne jede Verlegenheit an.

»Soll ich, wenn ich die Kinder zu Bett gebracht habe, ein bißchen mit dir spazierengehen?«

»Ja.«

»Gut, warte dann unten beim Zaun auf mich. Ich komme, sowie ich hier fertig bin.«

Er wartete unter dem Sternenhimmel. Er saß auf dem Zaun; an beiden Seiten standen die hohen Hecken mit ihren reifenden Brombeeren. Von der Erde stiegen die reichen Düfte der Nacht auf; die Luft war milde und still. Das Herz schlug ihm wie irre. Er konnte von allem, was ihm jetzt geschah, nichts begreifen. Mit Leidenschaft verband sich für ihn Weinen, Schreien und Heftigkeit; aber Sally hatte nichts davon. Was aber sonst hätte sie dazu bringen können, sich ihm zu geben? Leidenschaft zu ihm? Wenn sie sich in ihren Vetter Peter Gann verliebt hätte, so würde ihn das nicht weiter verwundert haben. Peter Gann war groß und schlank und gut gewachsen; sein Gesicht war sonnverbrannt und sein Gang weitausholend und leicht. Philip fragte sich, was sie denn wohl an ihm finden könne. Er wußte nicht, ob sie ihn so liebte, wie er sich Liebe vorstellte. Und dennoch. Er war von ihrer Reinheit überzeugt. Er hatte eine unbestimmte Vermutung, daß vieles zusammengekommen war, um es dazu zu bringen: Empfindungen, die sich in ihr regten, ohne daß sie sich dessen bewußt war, die Trunkenheit, die von der Luft, dem Hopfen und der Nacht ausging, die gesunden Instinkte einer natürlich empfindenden Frau, eine Zärtlichkeit, die überfloß, eine Zuneigung, die zugleich etwas Mütterliches und Schwesterliches in sich schloß. So gab sie alles, was sie geben konnte, weil ihr Herz voller Güte und Mitleid war.

Er hörte vom Weg her einen Schritt nahen; dann trat eine Gestalt aus der Dunkelheit.

»Sally«, murmelte er.

Sie blieb stehen und kam dann zum Zaun, und mit ihr kam der süße, saubere Geruch des Landes. Es war, als trüge sie den Duft mit sich, der aus frisch gemähtem Heu aufsteigt, den Geschmack des reifen Hopfens, die Frische des jungen Grases. Ihre Lippen waren weich und voll auf den seinen, und ihr lieblicher, starker Körper lag fest in seinen Armen.

»Milch und Honig«, sagte er. »Wie Milch und Honig bist du.«

Er hieß sie die Augen schließen und küßte ihre Lider, erst das eine, dann das andere. Ihr starker, muskulöser Arm war bis zum Ellbogen hinauf nackt. Er glitt mit der Hand darüber hin; wie unfaßlich schön er war, er leuchtete in der Dunkelheit wie Haut, die Rubens gemalt hatte: erstaunlich hell und durchsichtig, auf der einen Seite waren kleine goldene Härchen. Es war der Arm einer germanischen Göttin, aber Unsterbliche besaßen nicht solch erlesene, warme Natürlichkeit. Philip dachte an einen ländlichen Garten, in dem all die lieben Blumen stehen, die im Herzen eines jeden Menschen blühen: Stockrosen und die roten und weißen, die York und Lancaster heißen, Passionsblumen und Bartnelken, Akelei, Rittersporn und Steinbrech.

»Wie kannst du mich liebhaben?« sagte er. »Ich bin unbedeutend, ein Krüppel, durchschnittlich, ja häßlich.«

Sie nahm sein Gesicht in beide Hände und küßte ihn auf die Lippen.

»Du bist ein Dummer, das bist du«, sagte sie.



Als die Hopfenernte vorüber war, fuhr Philip mit den Athelnys nach London zurück. Er hatte die Nachricht in der Tasche, daß er zum assistierenden Anstaltsarzt im St. Luke's Hospital ernannt worden war. Er mietete sich bescheidene Zimmer in Westminster und trat seine Stelle Anfang Oktober an. Die Arbeit war interessant und abwechslungsreich. Er lernte täglich etwas Neues dazu; er fühlte, daß er eine Funktion hatte, und er sah Sally häufig. Das Leben war eine äußerst angenehme Sache. Er war gegen sechs Uhr frei, wenn er nicht gerade Sprechstunde in der Poliklinik hatte; dann ging er zu dem Geschäft, wo Sally arbeitete, und erwartete sie draußen. Es waren immer etliche junge Männer da, die beim Boteneingang oder ein bißchen weiter fort an der Ecke herumstanden; die Mädchen, die zu zwei und zwei in kleinen Grüppchen herauskamen, stießen einander mit den Ellbogen an und kicherten, wenn sie die Wartenden erkannten. Sally schaute jetzt in ihrem schwarzen, schlichten Kleid ganz anders aus als das kleine Landmädchen, das mit ihm zusammen Hopfen gepflückt hatte. Sie ging mit schnellen Schritten, verlangsamte sie jedoch, wenn sie sich trafen, und grüßte ihn mit ihrem ruhigen Lächeln. Sie wanderten gemeinsam durch die belebten Straßen. Er erzählte ihr von seiner Arbeit im Hospital, und sie berichtete von ihrer Tätigkeit im Geschäft. Er kannte schließlich alle Mädchen, mit denen sie zusammen arbeitete, bei Namen. Er entdeckte, daß Sally einen recht scharfen Sinn für alles Lächerliche besaß, wenn sie sich auch dabei zurückhielt. Sie machte über die Mädchen oder die Männer, die ihre Vorgesetzten waren, Bemerkungen, über die er lachen mußte, weil sie so unerwartet ulkig klangen. Sie hatte eine durchaus persönliche Art, etwas zu erzählen, sehr ernst, als wäre nichts Spaßiges dabei, und doch verriet sie dabei so viel Scharfblick, daß er in vergnügtes Gelächter ausbrach. Dann sandte sie ihm einen kleinen Blick zu, bei dem die lächelnden Augen deutlich verrieten, daß sie sich des Humors ihrer Bemerkung selbst bewußt war. Wenn sie sich trafen, reichten sie sich die Hand, und der Abschied ging genauso förmlich vor sich. Philip lud sie einmal ein, zum Tee in seine Wohnung zu kommen, aber sie lehnte ab.

»Nein, das tu ich nicht. Das sieht komisch aus.«

Zwischen ihnen wurde kein Liebeswort ausgetauscht. Sie schien über die Gemeinschaft ihrer Spaziergänge hinaus nichts zu wünschen. Andererseits wußte Philip bestimmt, daß sie gern mit ihm zusammen war. Er zerbrach sich den Kopf über sie; sie war genauso rätselhaft wie am Anfang ihrer Freundschaft. Er verstand ihr Verhalten nicht. Je mehr er sie jedoch kennenlernte, um so lieber mochte er sie. Sie war fähig und zuverlässig, voller Selbstbeherrschung und besaß eine reizende Art von Freimut. Man spürte, daß man sich auf sie in jeder Lage verlassen konnte.

»Du bist ein furchtbar guter Kerl«, sagte er einmal zu ihr, einfach aus dem Blauen.

»Ich bin vermutlich nicht anders als andere auch«, antwortete sie.

Er wußte, daß er sie nicht eigentlich liebte. Es war eine große Zuneigung zu ihr in ihm, und er mochte sie gern um sich haben, es war seltsam beruhigend. Das Gefühl, das er für sie hatte, war fast lächerlich einem neunzehnjährigen Ladenmädchen gegenüber: er achtete sie sehr. Er bewunderte ihre wunderbare Gesundheit. Sie war ein herrliches Tier, ohne jeden Mangel – körperliche Vollkommenheit erfüllte ihn stets mit Ehrfurcht und Bewunderung. Er kam sich so unwürdig vor.

Eines Tages, etwa drei Wochen nachdem sie nach London zurückgekommen waren, fiel ihm auf, daß sie ungewöhnlich schweigsam war. Der stets abgeklärte Ausdruck ihres Gesichtes war durch eine Falte zwischen den Augenbrauen verändert. Ein leichtes Stirnrunzeln.

»Was ist los, Sally?« fragte er.

Sie schaute ihn nicht an, sondern vor sich hin, und die Farbe ihres Gesichtes verdunkelte sich.

»Ich weiß nicht . . .«

Er wußte sofort, was sie meinte. Das Herz stockte ihm einen Augenblick, das Blut wich aus seinem Gesicht.

»Was heißt das? Hast du Angst, daß . . .?«

Er blieb stehen. Er konnte nicht weitergehen. Es war ihm nie in den Sinn gekommen, daß so etwas im Bereich der Möglichkeit lag. Dann sah er, daß ihre Lippen bebten. Sie gab sich Mühe, nicht zu weinen.

»Ich weiß es noch nicht genau. Vielleicht ist alles in Ordnung.«

Sie wanderten schweigend weiter, bis sie zur Ecke der Chancery Lane kamen, wo er sich gewöhnlich von ihr verabschiedete. Sie hielt ihm die Hand hin und lächelte.

»Mach dir noch keine Sorgen deswegen. Hoffen wir, daß es gut geht.«

Er ging fort; in seinem Kopf tobten die Gedanken durcheinander. Was war er doch für ein Narr gewesen! Das war das erste, was er dachte. Ein elender, erbärmlicher Narr! Er wiederholte sich das ein dutzendmal in einem Ansturm zorniger Gefühle. Er verachtete sich. Wie hatte er das anrichten können? Er fragte sich jedoch zu gleicher

Zeit, was er nun zu tun habe. Die Gedanken jagten sich; es war ein hoffnungsloses Durcheinander, als hätte er in einem Alptraum ein schwieriges Zusammensetzspiel zu lösen. Es hatte alles so klar und eindeutig vor ihm gelegen, in Reichweite, wonach er so lange gestrebt, und nun mußte er sich alles durch diese unfaßbare Dummheit verbauen. Philip war niemals imstande gewesen, mit einem Charakterfehler fertigzuwerden, von dem er wußte, daß er seinem festen Wunsch, ein geregeltes Leben zu führen, im Wege stand: seiner Leidenschaft, statt in der Gegenwart in der Zukunft zu leben. Sobald er sich mit seiner Arbeit im Hospital zurechtgefunden hatte, hatte er bereits angefangen, seine Reisepläne weiterzuspinnen. Er hatte die letzten Jahre hindurch alle Gedanken an Zukünftiges beiseite zu schieben versucht, weil sie ihn nur entmutigt hätten; jetzt aber, wo das Ziel so nahe vor Augen lag, hatte er sich seiner Sehnsucht, der sich nur schwer widerstehen ließ, bedenkenlos hingegeben. Er wollte zuerst einmal nach Spanien fahren. Es war das Land seines Herzens; er war ganz durchdrungen von seinem Geiste, der Romantik, der Farbigkeit, der Geschichte und Größe des Landes. Er spürte, daß es ihm eine Botschaft zu vermitteln hatte, die kein Land sonst ihm zu geben in der Lage war. Er kannte die schönen alten Städte bereits, als wäre er seit Kindheitstagen die Straßen dort entlanggewandert: Cordova, Sevilla, Toledo, León, Tarragona, Burgos. Die großen Maler Spaniens waren die Maler seiner Seele. Der Puls schlug ihm schneller, wenn er sich vorstellte, daß er vor diesen Werken stehen würde, die ihm bedeutsamer schienen als irgendwelche Kunstwerke sonst, weil sie zu seinem gequälten, unruhigen Herzen sprachen. Er hatte die großen Dichter gelesen, in denen sich die Rassen stärker widerspiegelten als in den Dichtern anderer Völker, denn sie hatten nicht, wie die Dichtungen anderer Länder, vom Geist der Strömungen in der Weltliteratur gelebt, sondern alle Anregung unmittelbar von den ausgedörrten, duftenden Ebenen und den bleichen Bergen ihres Landes erhalten. Nur noch wenige kurze Monate, und er würde überall um sich herum die Sprache hören, die in Seelengröße und Leidenschaft schwang. Mit sicherem Gefühl hatte er gespürt, daß Andalusien für ihn zu sanft, zu sinnlich, ja wohl auch ein wenig zu gewöhnlich sein würde, um seine Inbrunst zu befriedigen. Viel lieber verweilte er in seinen Phantasien auf den winddurchwehten Weiten Kastiliens und der schroffen Großartigkeit von Aragona und León.

Aber das wäre nur der Anfang gewesen. Er hatte schon Verbindung mit den verschiedenen Schiffahrtsgesellschaften angeknüpft, die Ärzte auf ihren Schiffen mitführten. Er kannte ihre Routen aufs genaueste. Er hatte sich erzählen lassen, was die Vorteile und Nachteile jedes einzelnen in Frage kommenden Schiffes waren. Er hatte die Orient-Linie und P. & O. bereits ausgeschieden. Es war schwer, auf diesen Schiffen eine Anstellung zu finden; außerdem hatten die medizinischen Angestellten dort wenig freie Zeit für sich, da der Passagierverkehr sie ganz in Anspruch nahm. Aber es gab sonst noch genug Linien, die Frachtschiffe auf gemächliche Expeditionen nach dem Fernen Osten schickten, Schiffe, die in allen möglichen Häfen auf verschieden lange Zeit anlegten, manchmal einen Tag oder zwei und manchmal vierzehn Tage lang, so daß man genügend Zeit für sich hatte, ja gelegentlich Reisen ins Innere des Landes unternehmen konnte. Es gab nur karges Gehalt, und das Essen war nicht besonders gut; deshalb war keine große Nachfrage nach diesen Stellen. Hatte man sein Examen in London gemacht, so konnte man mit ziemlicher Sicherheit darauf rechnen, eine Stelle zu finden. Da diese Schiffe keine Passagiere mit sich führten – höchstens einmal gelegentlich jemanden, der von einem abseits der gewöhnlichen Schiffahrtswege gelegenen Hafen geschäftlich zu einem andern fahren mußte –, war das Leben an Bord freundlich und angenehm. Philip kannte alle Orte, die sie berührten, auswendig. Bei jedem Namen hatte er eine Vision von tropischem Sonnenschein, zauberhaften Farben und schäumendem, geheimnisvollem, intensivem Leben. Leben! Das war es, was er ersehnte. Endlich einmal würde er das Leben selbst zu packen bekommen! Und vielleicht bestand die Möglichkeit, daß er von Tokio oder Schanghai aus auf eine andere Linie überwechselte und so zu den Inseln der Südsee gelangte. Einen Arzt konnte man überall brauchen. Vielleicht würde sich eine Gelegenheit bieten, daß er in Burma ins Innere des Landes kam, und was für reiche Dschungel konnte er nicht in Sumatra und Borneo aufsuchen? Er war noch jung; noch spielte die Zeit keine Rolle für ihn. Nichts band ihn an England, keine Freunde; jahrelang konnte er so durch die Welt streunen, die Schönheit, die Mannigfaltigkeit, das Wunder des Lebens kennenlernen.

Nun war diese Sache geschehen. Er schob die Möglichkeit, daß Sally sich irrte, von sich; er hatte ein seltsames Gefühl der Gewißheit. Es war nur zu wahrscheinlich; man konnte sofort merken, daß sie von der Natur dazu auserlesen war, Mutter vieler Kinder zu werden. Er wußte wohl, was er eigentlich tun müßte: sich durch nichts auch nur um Haaresbreite von seinen Plänen abbringen lassen. Er dachte an Griffith; er konnte sich vorstellen, mit welcher Gleichgültigkeit dieser junge Mann die Nachricht aufgenommen hätte; er hätte das als schreckliches Ärgernis empfunden und hätte sich aus dem Staub gemacht wie ein kluger Bursche; er hätte das Mädchen verlassen, mochte sie mit ihren Schwierigkeiten allein fertig werden. Philip sagte sich, daß es geschehen war, weil es unvermeidlich war. Ihn traf keine größere Schuld als Sally. Sie war schließlich ein Mädchen, das die Welt und das Leben kannte. Sie hatte sich der Gefahr mit offenen Augen ausgesetzt. Es wäre ein Wahnsinn, wollte er einem Unglücksfall zuliebe sein ganzes Lebensmuster durcheinanderbringen und seine Pläne umwerfen. Er würde für Sally tun, was er nur konnte; er war in der Lage, ihr eine größere Summe zu geben, die allen Zwecken genügte. Ein starker Mensch ließe sich durch nichts von seinem Vorhaben abbringen.

Das alles sagte sich Philip; er wußte aber bereits, daß er nicht danach würde handeln können. Er kannte sich.

»Ich bin so verdammt schwach«, stöhnte er verzweifelt.

Sie hatte auf ihn vertraut und war lieb und freundlich zu ihm gewesen. Er konnte das nicht tun, was er allen Vernunftsgründen zuwider für abscheulich hielt. Er wußte, er würde auf seinen Reisen keinen Frieden finden, wenn er ständig daran denken mußte, daß sie sich in einer elenden Lage befand. Außerdem waren da ihr Vater und ihre Mutter: sie hatten stets gut gegen ihn gehandelt; er konnte es ihnen nicht mit Undankbarkeit lohnen. Es blieb nur eins: er mußte Sally so schnell wie möglich heiraten. Er würde Dr. South schreiben, ihm mitteilen, daß er sich in allernächster Zeit verheiraten wollte. Sollte er sein Angebot noch aufrechterhalten, so würde er bereit sein, es anzunehmen. Es war schon seltsam, sich Sally als seine Frau vorzustellen; es wurde ihm weich dabei ums Herz, und dann das Kind, das sein Kind war. Er zweifelte kaum, daß Dr. South ihn nehmen würde, und schon stellte er sich das Leben mit Sally in dem Fischerdorf vor. Sie würden ein kleines Haus besitzen, von dem aus man das Meer sehen konnte; er würde die mächtigen Schiffe beobachten, die zu den Ländern fuhren, die er nun niemals kennenlernen konnte. Vielleicht war es so die weiseste Lösung. Cronshaw hatte ihm gesagt, daß die Tatsachen des Lebens dem wenig ausmachen, der durch die Kraft seiner Phantasie die Zwillingsreiche, Raum und Zeit, beherrschte. Es war wahr.

Das Hochzeitsgeschenk an seine Frau würden alle seine hohen Hoffnungen sein. Selbstaufopferung! Philip fühlte sich ganz erhoben durch die Schönheit dieses Opfers und dachte den ganzen Abend über daran. Er war so aufgewühlt, daß er nicht zu lesen vermochte. Es war, als triebe ihn etwas aus den Zimmern hinaus, er wanderte den Birdcage Walk auf und nieder, das Herz klopfte ihm laut vor Freude. Er konnte seine Ungeduld kaum meistern. Er wollte Sallys Glück sehen, wenn er ihr seinen Antrag machte. Wäre es nicht bereits so spät gewesen, so wäre er jetzt sofort zu ihr hingegangen. Er stellte sich vor, wie er mit Sally in ihrem behaglichen Wohnzimmer die langen Abende verbringen würde; man würde die Vorhänge fortziehen, damit man auf das Meer hinausschauen konnte. Er würde über seinen Büchern sitzen und sie über ihrer Arbeit. In dem gedämpften Licht der Lampe würde ihr liebes, süßes Gesicht noch heller erscheinen. Sie würden über das Kind sprechen, das in ihr wuchs; in ihren Augen würde, wenn sie sie ihm zuwandte, das Licht der Liebe sein. Die Fischer und ihre Frauen, seine Patienten, würden sie liebgewinnen, und sie wiederum, Sally und er, würden die Freuden und Leiden ihres schlichten Lebens teilen. Aber immer kehrten seine Gedanken wieder zu dem Sohn zurück, seinem und ihrem. Er fühlte bereits jetzt eine leidenschaftliche Hingabe an das Kind. Er würde seine Hände über die kleinen, vollkommen gestalteten Glieder hingleiten lassen; er wußte, es würde ein schönes Kind werden. Und ihm würde er alle seine Träume von einem reichen, bewegten Leben vermachen. Indem er noch einmal die lange Pilgerschaft der vergangenen Jahre überdachte, nahm er die Zukunft mit freudigem Herzen hin. Er nahm die Verkrüppelung hin, die ihm das Leben zuerst so schwer gemacht hatte; er wußte, sie hatte sein Wesen verbogen, aber sie hatte ihm auch gleichzeitig die Kraft der inneren Einkehr verliehen, aus der ihm so viel Entzücken floß. Ohne diesen Mangel hätte er wohl nie die Schönheit so eindringlich zu erfassen vermocht, hätte die leidenschaftliche Liebe zu Kunst und Literatur nicht kennengelernt und die mannigfaltige Schau des Lebens nicht mit so tiefer Anteilnahme erlebt. Dann erkannte er, daß das Normale eigentlich am allerseltensten zu finden ist. Jeder hatte eine Schwäche, körperlich oder geistig. Er dachte an alle Menschen, die er kennengelernt hatte. Die Welt war wie ein Krankensaal, es war weder Sinn noch Verstand darin. Vor seinem inneren Blick zog ein Zug vorüber: Menschen mit Gebrechen des Körpers oder des Geistes, manche mit Krankheiten des Fleisches, schwachen Herzen, schwachen Lungen, andere mit Krankheiten der Seele, Willensschwäche, der Gier nach Alkohol. In diesem Augenblick empfand er für sie alle ein heiliges Mitgefühl. Sie waren hilfloses Werkzeug in der Hand des blinden Schicksals. Er konnte Griffith seinen Verrat verzeihen und Mildred die Schmerzen, die sie ihm zugefügt hatte. Sie hatten nicht anders gekonnt. Das einzig Vernünftige war, das Gute in den Menschen hinzunehmen und Geduld zu haben mit ihren Fehlern. Die Worte des sterbenden Gottes kamen ihm in den Sinn:

*Vergib ihnen, denn sie wissen nicht, was sie tun.*


Er hatte sich mit Sally für Samstag in der National Gallery verabredet. Sie sollte kommen, sobald sie im Geschäft fertig wäre. Sie hatte eingewilligt, mit ihm essen zu gehen. Zwei Tage waren vergangen, seit er sie zuletzt gesehen hatte. Seine jauchzende Freude hatte ihn keinen Augenblick verlassen. Es war ein so seliges Gefühl; deshalb hatte er auch nicht versucht, sie eher wiederzusehen. Er hatte sich immer wiederholt, was er ihr sagen würde und wie er es vorbringen wollte. Seine Ungeduld war kaum mehr erträglich. Er hatte Dr. South geschrieben und hatte jetzt ein Telegramm in der Tasche, das heute früh eingetroffen war: »Mumpsnarr wird entlassen. Wann kommen Sie?« Philip schritt die Parliament Street entlang. Der Tag war schön; eine leuchtende, frostklare Sonne machte das Licht in den Straßen tanzen. Die Straßen waren belebt. Ein feiner Nebel lag über der Ferne; er verlieh den edlen Umrissen der Gebäude eine wunderbare Weichheit. Philip überquerte den Trafalgar Square. Plötzlich fuhr es ihm wie ein Stich durchs Herz; er sah eine Frau vor sich, die er für Mildred hielt. Sie hatte die gleiche Figur, und sie ging mit den etwas schleppenden Füßen, wie sie es an sich hatte. Unbewußt beschleunigte er seine Schritte; das Herz klopfte ihm. Er eilte schnell weiter, um sie zu überholen. Die Frau wandte sich um: es war eine völlig Unbekannte. Er sah das Gesicht eines weit älteren Menschen mit gelblicher, runzliger Haut. Philip verlangsamte den Schritt. Er fühlte sich unendlich erleichtert, und dennoch war es nicht nur Erleichterung, was er empfand: auch Enttäuschung schwang mit, er fühlte ein Grauen vor sich selbst in sich aufsteigen. Würde er von dieser Leidenschaft denn nie ganz frei werden? Er spürte, wie trotz allem auf dem Grund seines Herzens eine verzweifelte Gier nach diesem ekelhaften Frauenzimmer als ein Rest übrigbliebe würde. Diese Liebe hatte ihm so viel Leid gebracht, daß er sich nie, nie ganz davon befreien konnte. Der Tod allein würde dies Verlangen löschen können.

Er riß sich den Schmerz aus dem Herzen. Er dachte an Sally, an ihre lieben blauen Augen, und ihm selber, unbewußt fast, erschien ein Lächeln auf seinen Lippen. Er stieg die Stufen zur National Gallery hinauf und setzte sich im ersten Raum nieder, damit er sie gleich erblicken könne, sowie sie eintrat. Zwischen Bildern zu sein war immer ein Trost für ihn. Er schaute sich keines besonders an, aber er ließ die Herrlichkeit der Farben, die Schönheit der Linien auf seine Seele wirken. Seine Phantasie war ganz von Sally erfüllt. Es würde schön sein, sie von London fortzuführen, wo sie eine ungewöhnliche Erscheinung war, etwa wie eine Kornblume unter Orchideen und Azaleen. Er hatte in den Hopfengärten von Kent erfahren, daß sie nicht in die Stadt gehörte, er war gewiß, daß sie unter dem sanften Himmel von Dorset zu seltener Schönheit erblühen würde. Sie kam herein, und er stand auf und ging ihr entgegen. Sie war in Schwarz, weiße Manschetten umschlossen die Armgelenke und ein großer weißer Kragen den Hals. Sie gaben sich die Hand.

»Hast du lange gewartet?«

»Nein. Zehn Minuten. Bist du hungrig?«

»Nicht besonders.«

»Dann wollen wir uns noch ein bißchen hierhersetzen, ja?«

»Wenn du magst.«

Sie saßen still, ohne zu sprechen, nebeneinander. Philip war froh, sie so nahe bei sich zu haben. Ihre strahlende Gesundheit wärmte ihm das Herz.

»Nun, wie ist es dir ergangen?« sagte er schließlich mit einem Lächeln.

»Ach, es ist in Ordnung. Es war falscher Alarm.«

»So?«

»Freut dich das nicht?«

Ein seltsames Gefühl. Nicht einen Augenblick hatte er vermutet, daß Sally sich vielleicht geirrt haben könnte; er hatte ganz bestimmt angenommen, daß ihr Verdacht begründet sei. Alle seine Pläne waren plötzlich über den Haufen geworfen. Das Dasein mit ihr, das er sich schon in allen Einzelheiten vorgestellt hatte, war nichts als ein Traum, der nie verwirklicht werden würde. Er war wieder frei. Frei! Er empfand keine Freude, nur Bestürzung. Er brauchte keinen seiner Pläne aufzugeben, er konnte mit seinem Leben wieder anfangen, was er wollte. Das Herz wurde ihm schwer. Die Zukunft erstreckte sich vor ihm in trostloser Öde. Es war, als wäre er viele Jahre lang über weite Wasserwüsteneien gesegelt, immer in Gefahren und Entbehrungen, und hätte dann schließlich einen friedlichen Hafen entdeckt. Im Augenblick jedoch, wo er einlaufen wollte, wäre ein Gegenwind gekommen und hätte ihn wieder auf das offene Meer hinausgetrieben. Und da er im Geiste bereits sanfte Wiesen und einladende Wälder geschaut, erfüllte die endlose Wüste des Meeres ihn mit Schrecken. Er konnte die Einsamkeit und die Stürme nicht länger ertragen. Sally blickte ihn mit ihren klaren Augen an.

»Freut dich das nicht?« fragte sie nochmals. »Ich habe gedacht, du würdest heilfroh darüber sein.«

Er sah sie mit verstörtem Blick an.

»Ich bin mir nicht sicher«, murmelte er.

»Du bist komisch. Die meisten Männer wären froh.«

Er erkannte nun, daß er sich selbst betrogen hatte. Es war kein Opfer, keine Selbstüberwindung, die ihn eine Heirat hatte wünschen lassen, nur die Sehnsucht nach einer Frau, einem Heim, nach Liebe. Wie all das ihm jetzt wieder durch die Finger glitt, ergriff ihn Verzweiflung. Das gerade war es in Wirklichkeit, was er wünschte, und mehr als sonst etwas in der Welt. Was ging ihn Spanien an, Cordova, Toledo, León? Was bedeuteten ihm die Pagoden von Burma und die Lagunen der Südseeinseln? Hier war das Land der Erfüllung. War er nicht sein ganzes Leben hindurch den Idealen gefolgt, die ihm andere in Wort oder Schrift vorgegaukelt hatten? Hatte er jemals getan, was er aus eigenem Herzen ersehnte? Immer hatte er sich durch die Erwägung leiten lassen, was er tun sollte, niemals durch das, was er aus tiefster Seele wünschte. In der Zukunft hatte er gelebt, die

Gegenwart war ihm dabei stets durch die Finger geronnen. Seine Ideale? Da hatte er also gewünscht, ein schönes, kompliziertes Muster aus den Myriaden von bedeutungslosen Dingen des Lebens zu machen – hatte er denn nicht bedacht, daß das einfachste Muster, der Mensch wird geboren, arbeitet, hat Kinder und stirbt, auch gleichzeitig das vollkommenste ist? Vielleicht kam es einer Niederlage gleich, wenn man sich dem Glück hingab, dennoch – diese Niederlage war besser als viele Siege.

Er warf schnell einen Blick auf Sally – woran sie wohl denken mochte? – und wandte seinen Blick wieder ab.

»Ich hatte dich bitten wollen, mich zu heiraten«, sagte er.

»Ich hatte mir schon gedacht, daß du das vielleicht tun würdest, aber ich wäre dir nicht gerne im Wege gestanden.«

»Sally!«

»Und deine Reisen, Spanien und all das?«

»Woher weißt du denn, daß ich reisen möchte?«

»Das sollte ich ja nun wohl allmählich wissen. Ich habe dich und Vater so oft davon reden hören, bis euch der Kopf schwoll.«

»Nicht das geringste mache ich mir daraus.« Er hielt einen Augenblick inne und sprach dann mit leisem, heiserem Geflüster: »Ich will nicht von dir fort, ich kann nicht!«

Sie antwortete nicht. Er hätte nicht sagen können, was sie dachte.

»Ob du mich wohl heiraten willst, Sally?«

Sie regte sich nicht. In ihrem Gesicht war kein Ausdruck eines Gefühls zu erkennen. Sie blickte ihn nicht an, als sie antwortete:

»Wenn du magst.«

»Möchtest du es denn von dir aus nicht?«

»Oh, natürlich, ich möchte schon mein eigenes Zuhause haben, und es wird wohl Zeit, daß ich daran denke.«

Er lächelte ein wenig. Er kannte sie doch schon recht gut, ihre Art überraschte ihn nicht mehr.

»Aber möchtest du denn gerade *mich* heiraten?«

»Ich würde niemand sonst heiraten.«

»Dann ist ja alles gut.«

»Vater und Mutter werden sich wundern, nicht wahr?«

»Ich bin so glücklich.«

»Ich möchte jetzt gerne essen.«

»Liebe!«

Er lächelte, nahm ihre Hand und drückte sie fest. Sie standen auf und verließen die Galerie. Sie blieben einen Augenblick an der Balustrade stehen und schauten auf den Trafalgar Square. Droschken und Omnibusse sausten vorüber, die Menge schob sich vorbei, hierin und dorthin. Und die Sonne schien.